Hermann Spieckermann

Juda unter Assur in der Sargonidenzeit

Meinen Eltern

HERMANN SPIECKERMANN

Juda unter Assur in der Sargonidenzeit

GÖTTINGEN · VANDENHOECK & RUPRECHT · 1982

Forschungen zur Religion und Literatur des Alten und Neuen Testaments

Herausgegeben von

Wolfgang Schrage und Rudolf Smend

129. Heft der ganzen Reihe

CIP-Kurztitelaufnahme der Deutschen Bibliothek

Spieckermann, Hermann:

Juda unter Assur in der Sargonidenzeit / Hermann Spieckermann. — Göttingen : Vandenhoeck und Ruprecht, 1982.
(Forschungen zur Religion und Literatur des Alten und Neuen Testaments ; H. 129)
ISBN 3-525-53800-6

NE: GT

Gedruckt mit Unterstützung der Deutschen Forschungsgemeinschaft auf Empfehlung der Theologischen Fakultät der Georg-August-Universität Göttingen.

 Gesamtherstellung: Hubert & Co., Göttingen

D 7

VORWORT

Die vorliegende, für den Druck leicht überarbeitete Untersuchung ist vom Fachbereich Evangelische Theologie der Göttinger Georg-August-Universität im Wintersemester 1980/81 als Dissertation angenommen worden. Die Publikation wurde durch großzügige finanzielle Unterstützung der Deutschen Forschungsgemeinschaft ermöglicht, der ich dafür ebensosehr danke wie den Herausgebern der „Forschungen zur Religion und Literatur des Alten und Neuen Testaments" für die Aufnahme der Arbeit in diese Reihe.

Viele haben zur Entstehung der Dissertation beigetragen, wenige seien genannt: der Freund Dr. Timo Veijola, der einen Teil der Arbeit in einem frühen Stadium kritisch gelesen hat, und Prof. Dr. Rudolf Smend, der zur Übernahme des Korreferats bereit war. Beiden sage ich für ihre jeweilige Hilfe und fachliche Förderung herzlichen Dank.

Eine Trias muß besonders herausgehoben werden: Prof. Dr. Rykle Borger, der freundlicherweise ein Fachgutachten zur Dissertation geschrieben hat, war mir viele Jahre hindurch angelus interpres in dem für den Außenseiter schwer zugänglichen Gebiet der Assyriologie. Er hat in mehreren Semestern mit Prof. Dr. Lothar Perlitt und mir akkadische Quellen gelesen, die für mein Thema von Belang waren. Ohne seine ungezählten Hinweise und bereitwillige Überlassung unpublizierter Textrekonstruktionen hätte ich oft vor den Keilschrifttexten kapitulieren müssen.

Prof. Dr. Lothar Perlitt, mein Doktorvater, hat die Beschäftigung mit dem Thema der Arbeit angeregt und von seinem Assistenten über Jahre hinweg wenig mehr verlangt, als daß die Dissertation geschrieben wurde. Unvergessen sind lange Spaziergänge durch die Göttinger Wälder, auf denen wichtige Denkanstöße gegeben und in intensiver Diskussion einige exegetische Eskapaden des Anfängers verhindert wurden. Wer um die Wohltat spürbaren Engagements des Lehrers für den Schüler und um den Wert beiderseitigen Vertrauens weiß, kann ermessen, welche Hilfe mir zuteil geworden ist. Für das vom alttestamentlichen und assyriologischen Lehrer Empfangene, das weit über das Fachliche hinausgeht, sei beiden von Herzen gedankt.

Schließlich nenne ich hier meine Frau. Sie hat nicht nur das übliche Hoch und Tief im Doktorandendasein verständnisvoll begleitet, sondern praktisch jede Zeile der Dissertation als erste gelesen und hilfreich kommentiert. Dem Lob von Jesus Sirach 26,1 kann ich mich nur dankbar anschließen.

Göttingen, im März 1982 Hermann Spieckermann

INHALT

ABKÜRZUNGSVERZEICHNIS

In das folgende Verzeichnis sind vor allem wenig geläufige und speziell geprägte Abkürzungen aufgenommen worden. Die biblischen Bücher werden nach RGG³ abgekürzt.

A. Allgemeines

Adn III.	Adad-narari III. (810/09–783/2)
ägypt.	ägyptisch
akkad.	akkadisch
Anp II.	Assurnasirpal II. (883–859)
arab.	arabisch
aram.	aramäisch
Asb	Assurbanipal (668–627)
Ash	Asarhaddon (680–669)
ass.	assyrisch
Assur	Stadt Assur und Land Assyrien
Aššur	ass. Reichsgott
B	Bundesbuch bzw. „Baruchschrift" (Verwendung ergibt sich jeweils aus dem Kontext)
bab.	babylonisch
chr	chronistisch
Chr	Chronikbücher und der Chronist
dt	deuteronomisch
Dt	deuteronomische Gesetzgebung, Grundbestand von Dtn 12–26 mit bestimmten Rahmenstücken
dtr	deuteronomistisch
Dtr	Deuteronomist(en)
DtrH	der erste dtr „Historiker", s. Smend, Entstehung S. 111ff.
DtrN	die zentral nomistisch ausgerichteten Redaktionen des dtr Geschichtswerkes, s. ebd.
DtrP	die prophetisch interessierte Redaktion des dtr Geschichtswerkes, s. ebd.
E	Elohist
H	Heiligkeitsgesetz
hebr.	hebräisch
J	Jahwist
JerD	dtr Redaktion des Jeremiabuches
Jh.	Jahrhundert
Jt.	Jahrtausend

MT	masoretischer Text
Nbk I.	Nebukadnezar I. (1124–1103)
Nbk II.	Nebukadnezar II. (604–562)
Obv.	Obvers, Vorderseite
P	Priesterschrift
PD	postdeuteronomistische Ergänzung
Pf. cop.	Perfectum copulativum
Pf. frequ.	Perfectum frequentativum
Pl.	Plate
RB	Reformbericht (2Kön 23,4ff.)
red.	redaktionell
Rev.	Revers, Rückseite
SD	spätdeuteronomistische Ergänzung, späte(r) Deuteronomist(en)
Slm II.	Salmanassar II. (1031/30– 1020/19)
Slm III.	Salmanassar III. (858–824)
Slm V.	Salmanassar V. (726–722)
Snh	Sanherib (704–681)
Srg II.	Sargon II. (721–705)
st. cstr.	status constructus
sum.	sumerisch
Tgl III.	Tiglatpileser III. (744–727)
Tf.	Tafel
U.R.	Unterer Rand
< >	im Text zu ergänzen
≪ ≫	im Text zu streichen

B. In Literaturzitaten

(Für die vollständigen bibliographischen Angaben vgl. das Literaturverzeichnis)

ABL	Harper, R. F., Assyrian and Babylonian Letters.
ADD	Johns, C. H. W., Assyrian Deeds and Documents.
AHw	Soden, W. von, Akkad. Handwörterbuch.
ANEP	Pritchard, J. B. (Ed.), The Ancient Near East in Pictures.
ANET	ders. (Ed.), Ancient Near Eastern Texts.
AOB	Gressmann, H. (Ed.), Altorientalische Bilder.
AOT	ders. (Ed.), Altorientalische Texte.
BHK	Biblia Hebraica. Ed. R. Kittel.
BHS	Biblia Hebraica Stuttgartensia.
BM	Tafelsignatur des British Museum.
CAD	The Assyrian Dictionary.
DISO	Jean, C. F. / Hoftijzer, J., Dictionnaire des Inscriptions Sémitiques de l'Ouest.
FW 4	Cassin, E. / Bottéro, J. / Vercoutter, J. (Ed.), Fischer Weltgeschichte. Bd. 4.
GB	Gesenius, W. / Buhl, F., Hebräisches und aramäisches Handwörterbuch über das AT.
GK	Gesenius, W. / Kautzsch, E., Hebräische Grammatik.

HSAT(K) I/II	Kautzsch, E. / Bertholet, A. (Ed.), Die Heilige Schrift des Alten Testaments.
IJH	Hayes, J. H. / Miller, J. M. (Ed.), Israelite and Judaean History.
K	Kuyunjik-Sammlung, Tafelsignatur des BM.
KAI	Donner, H. / Röllig, W., Kanaanäische und aramäische Inschriften.
KAR	Ebeling, E., Keilschrifttexte aus Assur religiösen Inhalts.
KAV	Schroeder, O., Keilschrifttexte aus Assur verschiedenen Inhalts.
KBL	Koehler, L. / Baumgartner, W., Lexicon in Veteris Testamenti Libros.
LAS (II/A)	Parpola, S., Letters from Assyrian Scholars. Part I bzw. II/A.
LKA	Ebeling, E. / Köcher, F., Literarische Keilschrifttexte aus Assur.
LS	Liddell, H. G. / Scott, R. u.a., A Greek-English Lexicon.
LXX	Septuaginta.
ND	Nimrud Documents, Tafelsignatur der Kalaḫ-Texte.
TGI²	Galling, K. (Ed.), Textbuch zur Geschichte Israels.

Einleitung

Das Thema „Juda unter Assur in der Sargonidenzeit" (von der Thronbesteigung Srg.s II. 721 bis zum Ende des ass. Reiches 612) markiert eine in politischer und religiöser Hinsicht entscheidende Epoche: Beide Länder treten in dieser Zeit in das Endstadium ihrer staatlichen Existenz ein, die assyrische Großmacht in letzter Wahrnehmung ihrer militärischen Potenz und gleichzeitiger Bewußtwerdung ihrer religiösen Krise, der judäische Kleinstaat im Arrangierungsversuch mit seiner stark beschnittenen Souveränität und gleichzeitiger Besinnung auf den kompromißlos monotheistischen Charakter der Jahwereligion mit allen politischen Konsequenzen, die sich zwangsläufig daraus ergeben mußten. Beide Entwicklungsgänge trotz ihrer Unterschiedlichkeit thematisch zusammenzubinden, ist durch die Einflußnahme gerechtfertigt, die von der Weltmacht Assyrien auf Juda während seiner gut hundertjährigen Vasallität gegenüber Assur ausgeübt worden ist. Art und Umfang dieser Beeinflussung sowie die jeweils spezifischen Konturen der Entwicklung in den beiden Reichen herauszuarbeiten, ist Sinn und Ziel des folgenden Versuches.

Für die dazu notwendige Analyse atl. und ass. Quellen stellt sich dasselbe Problem in verschiedener Weise: direkt in der äußersten Quellenarmut des AT gerade für das 7. Jh., indirekt in der trotz überreichen Quellenmaterials im ass. Bereich beklagenswerten Spärlichkeit expliziter Bezugnahmen auf Juda.

Da aus dem umfänglichen ass. Material unmittelbare Einblicke in die judäischen Verhältnisse der Sargonidenzeit nur in geringem Maße erwartet werden dürfen, empfiehlt es sich, den Ausgang der Untersuchung bei den atl. Zeugnissen selbst zu wählen, und zwar dort, wo am ehesten die Hoffnung berechtigt erscheint, durch das beziehungsreiche und vielschichtige redaktionelle Geflecht, das diese Texte überlagert, auf historische Substanz zu stoßen. Die größte Aussicht darauf besteht erst gegen Ende der judäischen Königszeit in der Darstellung der Regentschaft Josias (639/8–609) in den Kön-Büchern (2Kön 22f.), in der von einer umfassenden Kultreform aufgrund eines (wieder)entdeckten Gesetzbuches berichtet wird. Sie erweckt in ihrer Radikalität und Ausdehnung auf das längst assyrianisierte Gebiet des ehemaligen Nordreiches (2Kön 23,15ff.) den Anschein, alle bisherigen Reformversuche judäischer Könige weit hinter sich gelassen zu haben. Der Bericht in 2Kön 22f., der als Grundtext zur Josiazeit in vielfältiger Weise Gegenstand der Forschung gewesen ist, ja im Verbund mit anderen Dokumenten entscheidende Bedeutung für die Rekonstruktion der israelitisch-jüdischen Religionsgeschichte gehabt hat und noch hat, bedarf der gründlichen kritischen Durchleuchtung, um Authentisches von Sekundärem zu scheiden. Erst dann kann ein weiterer Blick zurück in die Zeit der judäischen Vasallität gegenüber Assur unter Amon (641/0–640/39), Manasse (696/5–642/1), Hiskia (725/4–697/6) und Ahas (742/1–725) getan werden.

Die Berichte der Kön-Bücher über diese Monarchen halten sich in der Beurteilung ihrer Frömmigkeit nicht zurück, sondern zeichnen anhand ihrer Verdienste und Verfehlungen ein Bild von der Spätzeit der vorexilischen Jahwereligion in Juda, in dem sich merkwürdig schematisch Phasen der Apostasie mit solchen der Reform des Jahweglaubens abwechseln. Auch diese Texte müssen vor ihrer historischen Auswertung kritisch auf ihre tendenziöse Gestaltung hin überprüft werden, in welcher ein großer Plan positioneller Darstellung der Geschichte der judäischen Monarchie sichtbar werden wird, der aufs Ganze gesehen tiefe Eingriffe in die Überlieferung verlangt hat.

Die ass. Quellen der Sargonidenzeit sind in der atl. Forschung bisher nur dürftig ausgewertet worden. Ansätze zu umfassender Analyse sind in neuerer Zeit zwar im Blick auf die historischen Dokumente gemacht worden, ohne jedoch den wichtigen ass. Quellenkontext hinreichend zu berücksichtigen und die Resultate zur ass. (Religions-)Geschichte mit dem kritisch geläuterten Befund der entsprechenden atl. Quellen zu konfrontieren. Hier gibt es noch ein großes unerforschtes Terrain, in das in dieser Untersuchung mit der Frage nach dem Einfluß der spätass. Religion auf Juda einzudringen versucht worden ist.

Um jedoch die versprengten Elemente ass. Religion, wie sie in den zeitgenössischen atl. Texten begegnen, sowohl in ihrem ursprünglichen religiösen Kontext als auch im Bereich der Fremdreligion richtig orten zu können, ist es notwendig, das Ganze, die charakteristische Gestalt ass. Religion in der Sargonidenzeit wahrzunehmen. Mit diesem Schritt ist naturgemäß manche Digression in die Fernen der spätass. Religion verbunden. Doch nur der Einblick in ihre von einer tiefen Krise bedrängte „Innenwelt" ermöglicht die adäquate Einschätzung auch ihrer auf Demonstration der Macht angelegten „offiziellen" Seite, mit der Juda ebenso wie andere von Assur besiegte Völker konfrontiert wurde.

Schwierige Fragen warten in diesem Zusammenhang auf eine Antwort: In welcher Gestalt und mit welchen Forderungen brachten die Assyrer ihre (Staats-)Religion besiegten Völkern entgegen? Läßt sich überhaupt die Anwendung religionspolitischer Pressionen der Assyrer gegenüber besiegten Völkern wahrscheinlich machen oder gab es lediglich die freiwillige Assimilation ass. Götter und Kulte durch die Unterlegenen? Wie reagierten besiegte Völker auf die religiöse Herausforderung durch Assur, wie das jahwegläubige Juda? Ging die Jahwereligion den Weg der religiösen Indifferenz oder der Selbstbesinnung auf ihren unversöhnlichen Gegensatz zum stets versöhnlichen Synkretismus?

Wenn es gelänge, den Quellen auf die eine oder andere der Fragen eine Antwort abzuhorchen und ihre Plausibilität in der Auseinandersetzung mit der Forschung zu überprüfen, wäre das Ziel dieser Untersuchung erreicht.

I. DER KAMPF UM EINHEIT UND REINHEIT – DIE JAHWERELIGION IM KRÄFTEFELD ASSYRISCHER OBERHERRSCHAFT

Forschungsüberblick

Die kritische Erforschung der judäischen Geschichte in der Sargonidenzeit hat ungefähr zu Beginn des 19. Jh.s erste wichtige Resultate gezeitigt, die vor allem die Klärung literarhistorischer Probleme im Umfeld der Josiazeit betrafen.[1] Besonderes Gewicht hatte die kritische Analyse von 2Kön 22f. in den epochalen Arbeiten *W. M. L. de Wettes*, weniger in der „Dissertatio critica" von 1805 als vielmehr in den „Beiträge(n) zur Einleitung in das Alte Testament I" von 1806, die seither in nahezu jeder Abhandlung zum Thema pflichtschuldig angeführt, jedoch äußerst selten ausgewertet werden.[2] De Wettes These ruht auf zwei Pfeilern, um deren Tragfähigkeit die Diskussion bis heute nicht zur Ruhe gekommen ist: Der eine besteht in der fundamentalen Kritik des Quellenwertes der Chronik und somit auch der Josiakapitel 2Chr 34f., deren tendenziöser Charakter sich in allen Punkten gegenüber den zumeist historisch glaubwürdigen Nachrichten des Kön-Buches nachweisen läßt, der andere in der Identifizierung des ספר התורה bzw. ספר הברית von 2Kön 22f.

---

1 Der gute Forschungsbericht von *W. Baumgartner*, ThR NF 1 (1929) S. 7–25 behandelt die wichtigste Literatur bis 1928. Ebenfalls sehr lesenswert ist der Forschungsüberblick von *W. Dietrich*, VT 27 (1977) S. 13–17, der auch die neueren Publikationen zum Thema berücksichtigt.

2 Zum vollständigen Titel und zum Inhalt von *de Wettes* Dissertation vgl. *Smend*, De Wettes Arbeit S. 32–36. *Smend* weist mit Nachdruck darauf hin, daß die Identifizierung des Dtn mit dem josianischen Gesetzbuch nicht *de Wettes* Entdeckung gewesen ist, sondern schon bei einigen Kirchenvätern, bei *Hobbes* und *Lessing* nachzulesen ist. *De Wettes* entscheidend neue Erkenntnis besteht in der Datierung des Dtn in die Josiazeit, die aber weder zentrales noch explizites Thema der „Dissertatio", sondern erst der „Beiträge" ist (vgl. *Smend*, aaO S. 36ff.).

mit dem (Kern des) Dtn als einem Dokument nicht aus mosaischer, sondern aus der Josiazeit.[3]

De Wettes Thesen haben innerhalb der kritischen Forschung im 19. Jh. Schule gemacht.[4] Die Datierung des Dtn ist der feste Standpunkt geworden, „von wo aus wir mit sicherm Blicke vor- und rückwärts schauen können".[5] Dies mit aller Konsequenz getan zu haben, ist erst das Verdienst von *A. Kuenen* und *J. Wellhausen* gewesen, welch letzterer in seinen „Prolegomena" (erstmals 1878 als „Geschichte Israels I") die zeitliche und sachliche Verbindung des Dtn mit Josia, den „festen Standpunkt", zu einer geschlossenen Gesamtsicht der israelitischen Religionsgeschichte nachgerade zwingend ausgebaut hat.[6] Seine Darlegungen sind in der weiterführenden Forschung beherrschend geworden und größtenteils auch geblieben, wenngleich es an Widerspruch sowohl von konservativeren als auch von radikaleren Forschungspositionen aus nie gefehlt hat.

Von kritischer Seite wurde der Angriff zunächst von französischen Gelehrten aus der Schule von *E. Reuss* in den beiden letzten Jahrzehnten des 19. Jh.s versucht, darauf zu Beginn des 20. Jh.s von einigen Forschern vor allem aus dem englischsprachigen Bereich.[7]

---

3 Zur Kritik von 2Chr 34f. vgl. *de Wette*, Beiträge I S. 56f.67–73; zur Identifizierung des ספר הברית/התורה mit dem Dtn und seiner Datierung, vgl. ebd. S. 168ff.265ff.

4 Vgl. etwa das Urteil *Grafs*, demzufolge die Abfassung des Dtn zur Zeit des Josia zu „den am allgemeinsten anerkannten Ergebnissen der historischen Kritik des A.T. gehört für Alle, die sich nicht gegen diese Ergebnisse überhaupt blos abwehrend verhalten ..." (Bücher S. 1) und den ganz ähnlichen Satz *Wellhausens*, Prolegomena S. 9.

5 *Graf*, aaO S. 4; *Grafs* Blick ließ allerdings diese Sicherheit vor allem in bezug auf die erzählenden Partien des Pentateuchs zunächst vermissen, vgl. *Kuenens* Darstellung und Kritik der *Graf'schen* Ausführungen in *Bleek*, EinlAT S. 615–619 und *Wellhausen*, Prolegomena S. 10ff.; vgl. ferner die bereits im Jahre 1833 oder 1834 von *Reuss* formulierten Thesen 8 und 9 (bei *Wellhausen*, aaO S. 5 A. 1).

6 Wer der vollen Entfaltung der These ansichtig werden will, muß die Prolegomena ganz lesen. Speziell zur josianischen Reform: *Wellhausen*, IjG S. 128–138; ders., Grundrisse S. 93–95. Es muß kaum betont werden, daß auch für *Wellhausen* die Kritik der Chronik zu den selbstverständlichen Voraussetzungen seiner Darstellung gehört. In der Doppelung von Kritik der Chronik und Datierung des Dtn in die Josiazeit läßt sich nahezu eine Tradition der kritischen atl. Forschung im 19. Jh. erkennen.

7 *Hölscher* nennt ZAW 40 S. 231 A. 3f. die französischen Forscher *G. d'Eichthal, M. Vernes, L. Horst*, weiterhin den Schweden *S. A. Fries* und die englischsprachigen Autoren *J. Cullen, R. H. Kennett* und *G. R. Berry*. Zu den ebd. genannten Werken wäre nachzutragen: *Kennett*, JThS 6 S. 161–186; ders.,

Die Kritik richtete sich dabei immer wieder auf die Datierung des Dtn, das wegen seiner erst (nach)exilischen Entstehung der josianischen Reform nicht zugrundegelegen haben könne.

Die in dieser Hinsicht profilierteste Position im deutschen Raum wurde von *G. Hölscher* vertreten, der wohl als einziger[8] gerühmt werden darf, umfassend und mit exegetisch gut abgesicherten Argumenten die de Wette – Wellhausen'sche Interpretation der josianischen Reform in Frage gestellt zu haben. Mit drei gewichtigen Abhandlungen[9] blies er zum Sturm auf die „unter den Fachgenossen allmählich zum Dogma gewordene These".[10]

Auch Hölscher startet den Angriff bei der Datierung des Dtn, versucht aber als erster umfassend den Nachweis, daß es „das Spiegelbild der Lage Israels im Exil" sei.[11] Die Stelle im RB, die immer als direkte Bezugnahme der josianischen Reform auf das Dtn verstanden worden ist, 2Kön 23,8a.9, möchte Hölscher folglich als redaktionelle Zutat des dtr Redaktors zur elohistischen Vorlage, einem wenn auch bereits exilischen, so doch zumeist verläßlichen Werk, erweisen.[12]

Weiter bemüht sich Hölscher um eine differenzierte historische Wertung von 2Kön 22f.: Während der RB, der sich allerdings nur auf eine Reinigung des Kultes in Jerusalem bezieht, „in seinem wesentlichen Bestand von vorzüglichem geschichtlichem Wert" sein soll[13], gilt der Bericht über den Gesetzesfund als „Mystifikation der Prie-

---

JThS 7 S. 620–624; *Berry*, JBL 59 S. 133–139. Während sich *Kennetts* und *Berrys* Interesse vor allem auf die Spätdatierung des Dtn richtet (*Berry*, JBL 59 S. 135ff.: entstanden um 520) – als Gesetzbuch der josianischen Reform muß bei *Kennett*, JThS 6 S. 184 eine Gesetzessammlung von J o.ä., bei *Berry*, JBL 39 S. 44f.49–51 H dienen (vgl. die Kritik von *Freed*, JBL 40 S. 76ff.) –, halten sie 2Kön 22f. für „historically accurate, unless perhaps in minor details" (*Berry*, JBL 39 S. 49; vgl. ders., JBL 59 S. 139). Dagegen zweifeln die französischen Forscher auch die Historizität von 2Kön 22 an (s.u.).

8 Die ungefähr gleichzeitige Arbeit von *F. Horst* (ZDMG 77 S. 220–238) ist den Werken *Hölschers* nicht ebenbürtig. Es sei nur angemerkt, daß *F. Horst* in der oben zitierten Studie auch die Historizität der josianischen Reform grundsätzlich in Zweifel gezogen hat (vgl. ebd. S. 236; zur Kritik vgl. *Gressmann*, ZAW 42 S. 316–321; *Nowack*, FS Marti S. 227f.).

9 *Hölscher*, ZAW 40 S. 161–255; ders., Geschichte, vor allem § 36–72; ders., FS Gunkel S. 158–213.

10 *Hölscher*, ZAW 40 S. 231.

11 *Hölscher*, aaO S. 229.

12 Vgl. *Hölscher*, FS Gunkel S. 209–213; eine detaillierte Kritik *Hölschers* mit triftigen Gegenargumenten bei *Budde*, ZAW 44 S. 194–196.

13 *Hölscher*, aaO S. 208.

ster".[14] Die Historizität der josianischen Reform wird zugestanden, nicht aber ihre Initiierung durch den Fund irgendeines Gesetzbuches. Josias Reform steht vielmehr in einer *Reformtradition*, die von Asa (1Kön 15,12f.) über Josaphat (1Kön 22,47) bis zu Hiskia (2Kön 18,4) zu verfolgen ist.[15] Josias Reform mag umfassender als die vorangegangenen gewesen sein, aber sie war nicht die einzige. Die Maßnahmen im Jahre 621 sind Ausdruck und zugleich größter Erfolg der Reformtendenzen, die im Jerusalemer Priestertum immer vorhanden gewesen sind.[16]

An diesem Punkt tritt ein entscheidender Gegensatz in der Bewertung der josianischen Reform zwischen Hölscher und Wellhausen zutage, da für den letzteren aufgrund der positiven Beurteilung des Gesetzesfundes Josias Werk nicht *eine* Reform unter Reformen ist, sondern *die* Reform schlechthin, die zwar auch in einer historischen Entwicklung zu sehen, nicht aber in Kontinuität zu vorangehenden Reformbemühungen adäquat zu erfassen ist.[17] Jeder neue Lösungsversuch, will er Anspruch auf Plausibilität erheben, wird seine Haltbarkeit an den von diesen beiden Forschern aufgezeigten Positionen messen lassen müssen.

Unter völlig anderen Voraussetzungen griff, fast gleichzeitig mit Hölscher, *T. Oestreicher* in seinem Buch „Das deuteronomische Grundgesetz" (1923) die de Wette – Wellhausen'sche These an, um damit eine angeblich hundertjährige Irreführung der Pentateuchforschung zu beenden.[18] Während Hölscher und seine Vorgänger

---

14 *Hölscher*, aaO S. 213; ein ähnliches Urteil schon bei *L. Horst*: „C'est sur un raisonnement semblable, et non pas sur un fait historique, que l'auteur a construit son récit, pour lequel le Deutéronome, dont il dépend, lui a fourni les couleurs" (RHR 17 S. 21); so auch jüngst wieder *H.-D. Hoffmann*, Reform S. 197ff., allerdings ohne auf *Horst* Bezug zu nehmen.

15 Vgl. *Hölscher*, FS Gunkel S. 212; ders., Geschichte S. 90–100.

16 Vgl. *Hölscher*, Geschichte S. 98. Hier meldet sich Widerspruch gegen *Wellhausen* zu Wort, der Gesetzbuch (Dtn) und Reform vor allem als ein Werk prophetischer Kreise, einer „prophetischen Reformpartei", verstanden wissen wollte, ohne jedoch den priesterlichen Einfluß völlig zu leugnen (vgl. *Wellhausen*, Prolegomena S. 26). Erörterung des Problems bei *Budde*, ZAW 44 v.a. S. 218–221.

17 *Wellhausen* hat seine Sicht des Verhältnisses der josianischen zu den anderen Reformen in der judäischen Königsgeschichte nie thematisiert. Da er jedoch die Nachricht über die neben der josianischen wichtigste Reform, die von Hiskia, in ihrer Authentizität bezweifelt, kann er nicht eine derartige Reformkontinuität zur Zeit der Monarchie annehmen, wie *Hölscher* es tut (vgl. *Wellhausen*, Prolegomena S. 25f.46–49).

18 Vgl. *Oestreicher*, Grundgesetz S. 120. – Auch *Oestreicher* war mit seiner exegetisch konservativen Kritik nicht ohne Vorgänger und Mitstreiter. Es seien hier

die Datierung des Dtn in die Josiazeit in Zweifel gezogen hatten, meinte Oestreicher, der Kritik der Chronik nicht Folge leisten zu können. Aufgrund der positiven historischen Wertung von 2Chr 34f., wo die Reform in verschiedene Stadien eingeteilt ist, unterscheidet er auch im Kön-Bericht literarkritisch eine Gesetzes- von einer Reformquelle, wobei letztere über rein politische Maßnahmen gegen den assyrischen Oberherrn berichtet, erstere hingegen über eine später aufgrund des Gesetzesfundes unternommene Reform.[19] Die in der Reformquelle genannte Kultzentralisation ist als zeitweilige, taktische Maßnahme zur wirksamen Beseitigung der assyrischen Kulte zu verstehen, wie auch Dtn 12 nur durch einen Interpretationsfehler für eine prinzipielle Zentralisationsforderung in Anspruch genommen werden kann.[20]

Somit erreicht auch Oestreicher zumindest eine Reformetappe, die unabhängig von dem in 2Kön 22 genannten Gesetzbuch ist, wenngleich seine methodischen Voraussetzungen nicht an denen Hölschers gemessen werden können. Sein historischer Gebrauch der Chronik basiert nicht auf einer Widerlegung der Kritik, die sie von de Wette bis Wellhausen erfahren hat. Und seine Interpretation der Zentralisationsforderung, die sich auf die Möglichkeit einer generellen Bedeutung des Artikels bei dem Wort המקום in Dtn 12,14 und 23,17 stützt, war bereits 1924, kaum daß sie das Licht der Welt erblickt hatte, als unhaltbar erwiesen.[21]

Es ist erstaunlich, wieviele Nachfolger Oestreicher in bezug auf die historische Wertschätzung von 2Chr 34f. gefunden hat, die regelmäßig zwei Stadien der Reform unterscheiden: ein erstes, politisch motiviertes im Jahre 628/27, das der Entfernung der ass. Fremdkulte gilt, und ein zweites im Jahre 622/21, das unter dem Einfluß des mittlerweile gefundenen Gesetzbuches gegen kanaanäische Religionseinflüsse gerichtet ist.[22] Gleichwohl darf nicht der Eindruck

---

nur die Namen *M. Kegel*, *M. Löhr*, *W. Staerk*, *A. C. Welch* (Aufführung der entsprechenden Werke bei *Baumgartner*, ThR NF 1 S. 7f.) genannt.

19 Vgl. *Oestreicher*, aaO S. 12ff. Der Gesetzesfund bestand nicht nur im Dtn, sondern darüberhinaus auch in B und H (vgl. ebd. S. 22f.).

20 Vgl. *Oestreicher*, aaO S. 9–11.30–36.103ff.

21 Vgl. *König*, ZAW 42 S. 340ff. und die Replik auf *Oestreichers* Entgegnung (ZAW 43 S. 246–249) ZAW 44 S. 172–174; vgl. ferner die umfassende Kritik *Oestreichers* durch *Budde*, ZAW 44 S. 184–189 und *Baumgartner*, ThR NF 1 S. 9–12.14.

22 Nur einige seien genannt: *Löhr*, Dtn S. 164–168; *H. Schmidt*, ThBl 6 Sp. 40–48; *Coppens*, EThL 5 S. 581–590 (ohne Charakterisierung der Ziele der Reformetappen); *Procksch*, FS Zahn S. 23ff.; *Sellin*, Geschichte S. 286–288; *Robinson*, Reform S. 6ff.; *Jepsen*, Reform S. 133ff.; *Nicholson*, Dtn S. 8ff.

entstehen, konservative und radikale Kritiker der de Wette – Wellhausen'schen Bewertung der josianischen Reform hätten in der weiteren Forschung das Feld beherrscht. Hier muß an die vielen Forscher erinnert werden, die an den grundlegenden Einsichten, wie sie in den „Prolegomena" dargeboten werden, festhielten und sich in einer ganzen Reihe von Studien zu deren Verteidigung und Weiterentwicklung anschickten.[23] Unter ihnen verdienen die Arbeiten Gressmanns und Bentzens besondere Beachtung.

H. Gressmann nahm bereits 1924[24] die Anregungen Oestreichers auf, die dem religionsgeschichtlichen Hintergrund des RB galten und neue Forschungsperspektiven zu eröffnen versprachen. Verbunden mit einer beachtenswerten literarkritischen Analyse, die an der redaktionsgeschichtlichen Lösung Hölschers orientiert war, ohne jedoch dessen Voraussetzung einer elohistischen Quellengrundlage zu akzeptieren, ist Gressmanns Aufsatz eines der besten Beispiele dafür, wie aus der Kritik völlig divergenter Positionen (Hölscher und Oestreicher) ein ausgewogener, wohl durchdachter eigener Lösungsweg gefunden werden kann.

Mit Oestreichers nicht völlig neuer, aber entschlossener Betonung des politischen antiass. Charakters der ersten Etappe der Reform war das Problem des Verhältnisses von Politik und Religion thematisiert, im besonderen aber den Forschern ein Impuls gegeben, die auch für Oestreichers erstes Reformstadium den Fund des Dtn zur Voraussetzung machten. Die Frage, wieso der RB wenige und das Dtn, wenn es denn als Dokument antiass. Religionspolitik aufgefaßt wird, so gut wie keine Hinweise auf ass. Götter enthalten, wurde von Gressmann im Blick auf den RB dahingehend beantwortet, daß dort unter Baal und Aschera nichts anderes als Aššur und Ištar zu verstehen sei.[25] Diese thetisch vorgetragene Deutung bedarf weiterer Nachforschung. Sollte sie sich zureichend begründen lassen, wäre das Rätsel der spärlichen Bezeugung ass. Götternamen im AT zu einem guten Teil gelöst.

Zunächst wurden jedoch andere Probleme im Zusammenhang mit der josianischen Reform aktuell. Dafür ist die 1926 erschienene Arbeit *A. Bentzens* „Die josianische Reform und ihre Voraussetzungen" typisch. Eine merkliche Abkehr von der literarkritischen Pro-

---

[23] Hier wären *W. Baumgartner, A. Bentzen, K. Budde, H. Gressmann, R. Kittel, E. König, W. Nowack, H. Schmidt* u.a. zu nennen. Ihre Arbeiten sind allesamt in dem Aufsatz des Erstgenannten, ThR NF 1 S. 7f. aufgeführt.

[24] *Gressmann*, ZAW 42 S. 313–327.

[25] Vgl. ebd. S. 321f.

blematik der Kön-Kapitel ist für Bentzen ebenso kennzeichnend wie eine Hinwendung zu den Fragen, die durch den zweiten Teil des Titels seines Buches angezeigt werden. Da ihm das dt Gesetz als die wichtigste, wenn auch nicht mehr rekonstruierbare Quelle für Josias Reform gilt, die an der zentralen Stelle 2Kön 23,8a.9 zweifellos auf das Gesetzeswerk Bezug nimmt[26], möchte Bentzen in Erfahrung bringen, von welchen Kreisen die dt Gesetzesforderungen konzipiert, tradiert und schließlich – vor allem in bezug auf die Kultzentralisation – in der josianischen Reform realisiert worden sind. Bentzen findet die Urheber der dt Gesetzespredigt unter den levitischen Priestern, deren dt Reformbewegung in ihren Anfängen aus dem Nordreich stammt und 722 auf das Südreich übergegangen ist. Hier bildeten die Leviten in der judäischen Provinz eine Art Priesterproletariat, ein sozialer Status, der sie unvermeidlich in ein Spannungsverhältnis zu den wohlsituierten Zadokiden am Jerusalemer Tempel brachte. Nach Bentzen haben die schlechten sozialen Bedingungen die Leviten nicht daran gehindert, das Ziel der Kultzentralisation zu verfolgen, obwohl sich ihre Lage dadurch noch verschlimmern mußte, da keine Aussicht auf Beschäftigung am Jerusalemer Tempel, wo die zadokidische Priesterschaft bereits seit Jahrhunderten in Amt und Würden war, bestand. So mußte schließlich die Kultzentralisation für die Leviten schlecht ausgehen. Die ihnen in Dtn 18,6–8 zugesagte Gleichstellung mit den Zadokiden in Jerusalem haben diese zu verhindern gewußt, wie die Stelle 2Kön 23,9 lehrt, die als eine Klage der Leviten wegen des ihnen verweigerten Rechts des Altardienstes verstanden werden muß.[27]

Bei aller Anerkennung von Bentzens Bemühen um den sozialgeschichtlichen Hintergrund der josianischen Reform sind doch die Schwächen und Ungereimtheiten seiner Position nicht zu übersehen.[28] So ist die historische Evidenz für den von ihm postulierten Kampf zwischen levitischem Priesterproletariat und zadokidischem Priesteradel in vorexilischer Zeit gering. 2Kön 23,9 ist als entscheidende Stütze für diese These sicher überfordert. Die Annahme, daß das Dtn aus levitischen Kreisen stamme, die später vor allem von Rad aufgegriffen hat[29], führt zu beträchtlichen Schwierigkeiten.

---

[26] Vgl. *Bentzen*, Reform S. 18f.34f.

[27] Vgl. zum Vorangehenden ebd. S. 58ff.

[28] *Bentzens* Ausführungen stehen in deutlicher Nähe zu Überlegungen *Webers* (Judentum S. 181ff.), der ebenfalls wirtschafts- und sozialgeschichtliche Argumente zur Erklärung der Kultzentralisation heranzog, allerdings ihre Protagonisten in der Jerusalemer Priesterschaft zu finden glaubte.

[29] Vgl. *von Rad*, ThLZ 72 Sp. 154f.; ders., TB 48 S. 143–150; ders., Dtn S. 16ff.; die damit zusammenhängende Herleitung des Dtn aus dem Nordreich,

Wieso propagieren einerseits gerade die Leviten die ihnen aller Voraussicht nach abträgliche Zentralisationsidee?[30] Ist der levitische „Idealismus" ein zureichendes Argument? Hätte nicht die von Bentzen namhaft gemachte Stelle Dtn 18,6–8 ebensogut für handfeste materielle Interessen der Leviten und gegen die leicht romantische These vom idealistischen Priesterproletariat sprechen können? Und wieso entdeckt ausgerechnet der Zadokide Hilkia das levitische Gesetzbuch im Tempel? Ob Bentzen nicht doch voreilig 2Kön 23,9 mit den dort gar nicht genannten Leviten verbunden und damit seine These auf schlecht abgesicherter Grundlage gebaut hat?[31]

Nur Weniges, auch die heutige Debatte noch Bestimmendes aus der Forschung der zwanziger Jahre ist hier referiert worden. Doch vielleicht hat es schon den Eindruck vermitteln können, daß diese Zeit eine Dekade der Dtn-Josia-Forschung war, in der ein kurzer, aber heftiger „Kampf um das Deuteronomium"[32] tobte, für den in den vorangegangenen vierzig Jahren genug Munition angesammelt worden war und an dessen Ende die unterschiedlichen Positionen in ihren Stärken und Schwächen klarer als vorher sichtbar waren. Entschieden war wenig, der „Josia-Überdruß" hingegen allgemein.

Besonders *A. Alt* und *G. von Rad* haben die eingefahrenen Gleise verlassen, ersterer schon relativ früh, indem er sich bereits 1925 in seinem Aufsatz „Judas Gaue unter Josia"[33] völlig anderen Texten

---

die einem Hinweis von *Clements* (VT 15 S. 300) zufolge erstmals von *C. F. Burney* in seinem Ri-Kommentar vorgeschlagen und dann von *Welch* (Code v.a. S. 206ff.) ausführlich dargelegt wurde, ist von *Alt* in dem Aufsatz über die Heimat des Dtn wieder aufgegriffen worden (KS II S. 250–275); weitere Arbeiten im Umkreis dieses Problems: *Wright*, VT 4 S. 325–330 (fundamentale Kritik: *Emerton*, VT 12 S. 129ff.); *Gunneweg*, Leviten; *Lindblom*, Tempelurkunde; *Abba*, VT 27 S. 257–267; ders., VT 28 S. 1–9.

30 *Bentzens* aaO S. 55.69f. zusammengetragene religionsgeschichtliche Parallelen zur Zentralisationsforderung sind nicht überzeugend, da der alte Orient zwar zentrale Tempel, nicht aber *das* Zentralheiligtum eines Gottes mit der Folge der Illegitimität aller anderen Heiligtümer eben dieses Gottes kennt.

31 *Hölschers* im Jahre 1923 geäußerter Protest gegen die Identifizierung der כהני הבמות von 2Kön 23,9 mit den Leviten und die Beziehung dieses Verses auf Dtn 18,6–8 war wohl nicht nachhaltig genug gewesen (vgl. FS Gunkel S. 211 A. 3). Es vergingen seit der Publikation von *Bentzens* Buch noch einmal 45 Jahre, ehe jene Identifizierung eine erneute, ausführliche Bestreitung erfuhr (vgl. *Lindblom*, Tempelurkunde S. 22ff.; Kritik an *Bentzen*: S. 45ff.).

32 So der Titel von *Baumgartners* Forschungsbericht ThR NF 1 S. 7–25.

33 KS II S. 276–288; vgl. auch ders., KS II S. 289–294. Eine Auseinandersetzung mit *Alts* Datierung der Liste hat *Kallai-Kleinmann*, VT 8 S. 134–160

als den bisher in der Josiaforschung traktierten zuwandte. Auf der Textbasis von Jos 15,21–62; 18,21–28; 19,1–8.41–48 unternahm Alt den Rekonstruktionsversuch einer judäischen Gauliste, die die territorialen Verhältnisse der Josiazeit widerspiegeln soll. Territorialgeschichtliche Fragestellungen zu dieser Epoche haben daraufhin, ohne je Modeprobleme zu werden, mit einer gewissen Konstanz noch manche Bearbeitung durch Alt selbst, *M. Noth* und einige andere erfahren. Während Alt bemüht war, in Jos 19 die Existenz einer galiläischen Ortsliste aufzuzeigen, die in der Josiazeit in die Hände des judäischen Redaktors des Josuabuches geraten sei[34], und in der Liste mit Levitenorten in Jos 21,8–42 ein Dokument sehen wollte, das die kultpolitischen Zentralisationsmaßnahmen Josias (2Kön 23,8.19f.) voraussetzt[35], meinte Noth, einer Anregung seines Lehrers Alt folgend, aufgrund der ostjordanischen Ortsliste von Jos 13 den machtpolitischen Übergriff Josias auch auf das Ostjordanland wahrscheinlich machen zu können.[36]

Neben dem territorialgeschichtlich orientierten Forschungszweig bestand ein traditionsgeschichtlich ausgerichteter, für den die Studie von Rads über „Das Gottesvolk im Deuteronomium“ (1929)[37] von

---

vorgenommen; vgl. auch die sich daran anschließende Diskussion zwischen *Aharoni*, VT 9 S. 225–246 und *Kallai-Kleinmann*, VT 11 S. 223–227. *Welten* (Königs-Stempel S. 93–102) hat die Diskussion unter Berücksichtigung weiterer Literatur vorzüglich dargestellt und ausgewertet.

34 *Alt*, ZAW 45 S. 59–81, v.a. 79–81. *Noth* (ABLAK 1 S. 229–280) bezweifelt, daß *Alt* der Nachweis einer galiläischen Ortsliste gelungen ist (vgl. ebd. S. 251–262).

35 *Alt*, KS II S. 289–305, v.a. 294–301. *Noth* hat diese These in zurückhaltender Weise übernommen (vgl. Jos S. 131f.). Ob *Wellhausens* Argumente für die nachexilische Entstehung von Jos 21 (vgl. Prolegomena S. 153–158, so auch noch *Noth*, ÜS S. 189f.) damit hinreichend entkräftet sind? Die neuere wissenschaftliche Diskussion über Jos 21 zusammen mit wichtigen eigenen Einsichten ist nachzulesen bei *Auld*, ZAW 91 S. 194ff.

36 Die initiierende Idee *Alts* wird von *Procksch*, FS Zahn S. 47f. mitgeteilt, ausgeführt findet sie sich in *Noths* oben genanntem Aufsatz von 1935 (ABLAK 1 S. 262–280, v.a. 279f.) und in einer Studie von 1944 (ABLAK 1 S. 391–433, v.a. 423–433), hier allerdings ohne Erörterung des Ansatzes in der Josiazeit.

In das Umfeld dieser Arbeiten gehört auch der von *Junge* (Heerwesen) im Jahre 1937 versuchte Nachweis, daß die Heeresstatistiken der Chronik in die Josiazeit zu datieren seien und die in dieser Zeit unternommene Neuorganisation des Militärs widerspiegeln (vgl. ebd. S. 28ff.). Zwar hat sich *Alt* in bezug auf 2Chr 11,6–10 der Datierung *Junges* angeschlossen (vgl. KS II S. 306–315), doch hat sich aufs Ganze gesehen *Junges* These in der weiteren Forschung nicht als tragfähig erwiesen (zur Kritik vgl. *Welten*, Königs-Stempel S. 167–171).

37 *Von Rad*, TB 48 S. 9–108.

initiatorischer Bedeutung war. Es ist charakteristisch für die Forschungslage gegen Ende der zwanziger Jahre, welchen Ausgangspunkt von Rad für seine Studie über Inhalt und Tendenz des Dtn als ungeeignet ablehnt, welchen dagegen als erfolgversprechend wählt: „Es kann wohl jetzt als ein, wenn auch negatives Ergebnis gelten, daß ein Ausgehen von dem Bericht 2. Kön. 22.23 nicht zum Ziel führt. Abgesehen davon, daß die Wechselbeziehung zwischen dem Dt. und jenem Bericht nicht dermaßen außer Frage steht, daß wir sie als selbstverständliche Voraussetzung zur Grundlage einer Untersuchung machen könnten, – bedenklich ist vor allem der Rückschluß von den kultisch-politischen Aktionen eines Königs, die doch zweifellos neben dem Dt. (so sei einmal angenommen) noch von mannigfachen anderen Ursachen getragen sein können ... So sind wir heute besonders eindringlich darauf gewiesen, diese umstrittene Urkunde zunächst aus sich heraus zu erklären ...“ [38] Ohne den literarischen Schichtungen große Bedeutung beizumessen, geschieht das bei von Rad in bewußter Konzentration auf die theologischen Inhalte, in diesem Fall auf den dt Volksgedanken, den er in seiner wesenhaften Einheitlichkeit innerhalb des Dtn auf seine Weise meisterhaft darlegt. Neben die innerdeuteronomische theologische Erhellung tritt bei von Rad das Interesse am Werden des Pentateuch bzw. Hexateuch, das er, von der dt Credoformulierung in Dtn 26,5b–9 ausgehend, in der epochemachenden Studie über „Das formgeschichtliche Problem des Hexateuchs“ (1938) nachzuzeichnen versucht hat. Auch Noth kommt im Jahre 1940 nur im großen Kontext einer Studie über „Die Gesetze im Pentateuch“ auf das Verhältnis des Dt(n) zur josianischen Reform zu sprechen, um die Stellung des dt Gesetzes zwischen Programm und offiziellem Staatsgesetz genau zu erfassen.[39]

Die bereits gegen Ende der zwanziger Jahre beobachtete Auffächerung der Josiaforschung läßt sich in der Zeit nach dem Zweiten

---

38 Ebd. S. 9f.

39 Gegen die ältere Auffassung (*de Wette, Hölscher*), die das Dtn als offizielles Staatsgesetz der Josiazeit interpretierte, hatte *Budde* im Jahre 1926 zu Recht protestiert: „Das Deuteronomium ist kein Gesetzbuch, ob es schon ספר התורה genannt wird, sondern *ein Programm*“ (ZAW 44 S. 180). *Noth* bemüht sich um einen Kompromiß zwischen beiden Auffassungen, indem er darauf aufmerksam macht, daß das Dtn zwar weder als Staatsgesetz konzipiert noch als solches von Josia eingeführt worden ist, daß es aber aufgrund seiner Rolle bei der josianischen Reform dennoch entgegen seiner eigentlichen Absicht „als Staatsgesetz betrachtet wurde, dessen Forderungen durchzusetzen die Aufgabe gewissenhafter Könige gewesen wäre“ (TB 6 S. 67; vgl. zum Ganzen ebd. S. 58–67).

Weltkrieg noch in verstärktem Maße feststellen, so daß die Apostrophierung weniger leitender Fragestellungen nicht mehr möglich ist. Die territorialgeschichtlich-archäologische Forschung zum 8./7. Jh. hat im Vollzug des allgemeinen Aufschwungs der Palästinaarchäologie zu neuen Ergebnissen geführt. Vor allem die Königsstempel haben sich als wichtige archäologische Funde erwiesen und sind von *P. Welten*[40] in einer großen Untersuchung sorgfältig ausgewertet worden. Auf der Basis von etwa 800 Königsstempeln aus über 20 Fundorten versucht er, die Militärpolitik Judas unter Hiskia und Josia zu erhellen. Ob seine Datierung der Stempel und seine Schlüsse aus ihrer Fundfrequenz in mancher Hinsicht modifiziert werden müssen, wird sich in einer Auseinandersetzung mit seinen Thesen zu erweisen haben.[41]

Neben den Ausgrabungen in Arad (Tempel) und Beerscheba (Altar)[42] waren die in Bethel durchgeführten von besonderem Interesse für die Kultgeschichte des 8./7. Jh.s[43], da Josia nach 2Kön 23, 15ff. im Gefolge seiner Kultreform auch für die Zerstörung des Bethel-Altars verantwortlich sein soll. Allerdings hat dieses Problem nicht nur einen archäologischen Aspekt, sondern auch einen literarhistorischen, den des Zusammenhangs von 2Kön 23,15ff. mit der Prophetenlegende 1Kön 13.[44] *H. W. Wolff* hat an die Historizität der Nachricht in 2Kön 23,15 die These einer Bethelredaktion des Amosbuches in der Josiazeit geknüpft.[45] Es wird zu überprüfen

---

40 *Welten*, Die Königs-Stempel. 1969.

41 S. u. S. 145f. A. 257; eine Zusammenstellung von Publikationen, die weitere Stempelfunde mitteilen, bieten *Na'aman*, VT 29 S. 75 A. 37 und *Ussishkin*, Tel Aviv 5 S. 76ff.

42 Zu den Ausgrabungen in Arad vgl. *Aharoni / Amiran*, EAEHL I S. 74–89; *Wüst*, BRL² S. 11f. (beide Artikel mit weiterführender Literatur, zu der zu ergänzen ist: *Fritz*, WO 7 S. 137–140; ders., Tempel S. 43ff.); zu den Ausgrabungen in Beerscheba vgl. *Aharoni*, EAEHL I S. 160–168 (mit weiterführender Literatur, zu der in diesem Zusammenhang zu ergänzen wäre: *Yadin*, BASOR 222 S. 5–17; *Herzog / Rainey / Moshkovitz*, BASOR 225 S. 49–58).

43 Zu den Ausgrabungen in Bethel vgl. *Albright / Kelso*, AASOR 39; *Kelso*, EAEHL I S. 190–193; *Wüst*, BRL² S. 44f. (beide Artikel mit weiterer Literatur).

44 Vgl. *Jepsen*, Gottesmann; *W. Dietrich*, PG S. 114–120; *Würthwein*, FS Elliger S. 181–189; ders., Kön S. 170–172.

45 Vgl. *Wolff*, Bethel; die Datierung von atl. Literaturwerken, bestimmten Redaktionen und theologischen Entwicklungen in die Josiazeit ist ziemlich beliebt: vgl. *H. Weippert*, Bibl 53 S. 323ff. (Redaktion II der „dtr" Königsbeurteilungen; vgl. ebd. S. 336 die Aufzählung von Forschern, die eine vorexilische Redaktion der Kön-Bücher allein in der Josiazeit annehmen; Kritik an *H. Weippert*: *Cortese*, Bibl 56 S. 37ff.), *Cross*, Canaanite Myth S. 274ff. (erste Aus-

sein, ob die archäologische Evidenz und die kritische Analyse des RB der Wolff'schen Datierung der Bethelredaktion günstig sind.

Eine Reihe weiterer unterschiedlicher Problemstellungen zur politischen Geschichte und religionsgeschichtlichen Entwicklung Judas im 8./7. Jh. hat die Forschung nach dem Zweiten Weltkrieg beschäftigt. Zu ihnen gehören die Fragen nach dem politischen Einfluß des עם הארץ in dieser Zeit[46], nach den charakteristischen Konturen der Regentschaften von Hiskia[47] und Manasse[48], nach der Ausübung des Kinderopfers[49] und nach der Anwendung religionspolitischer Pressionen der Assyrer gegenüber Juda.[50] Sie sind jedoch alle nicht von so zentraler Bedeutung gewesen wie die Erforschung der Josiazeit selbst, die in den vergangenen dreißig Jahren kontinuierlich Gegenstand des exegetischen und historischen Interesses gewesen ist. Neben Untersuchungen zu Teilproblemen wie dem Verhältnis Jeremias zur josianischen Reform[51], Josias Bundesschluß[52], Passafeier[53]

---

gabe des dtr Geschichtswerkes, Dtr[1]), *Barth*, Jesaja-Worte („Assur-Redaktion" des Protojesaja; akzeptiert von *Clements*, Isaiah S. 41ff. vgl. ferner S. 72ff.; erste kritische Anfragen: *W. Herrmann*, ThLZ 105 Sp. 828–830), *Vermeylen*, Isaïe S. 688ff. (zweite vorexilische „relecture" des Protojesaja), *Rose*, Jahwe S. 34ff. (Förderung des Namens JHWH gegenüber dem älteren, zu sehr mit den Traditionen von Nordisrael/Samarien verbundenen JHW; Kritik: *W. H. Schmidt*, Jahwename S. 126, v.a. A. 11); vgl. auch *Tadmor / Cogan*, Bibl 60 S. 497f.

46 Besonders wichtig für die Erforschung der Rolle des עם הארץ ist die Arbeit von *Würthwein*, 'Amm ha'arez, die den Ausgangspunkt für alle weiteren Studien zu diesem Thema gebildet hat. Hier wären zu nennen: *de Vaux*, Institutions I S. 111–113; *Soggin*, VT 13 S. 187–195; *Talmon*, 'Am Ha'areṣ; *Ihromi*, VT 24 S. 421–429; *Weinberg*, Klio 56 S. 325–335; *Ishida*, AJBI 1 S. 23–38.

47 Die hier gegebene Literaturauswahl ist bewußt auf die sog. Reform Hiskias beschränkt: *Todd*, SJTh 9 S. 288–293; *Rowley*, Reform S. 98ff.; *L. Rost*, VT 19 S. 113–120; *McKay*, Religion S. 13–19; *Zorn*, Reforms S. 162–242; *Conrad*, FS Würthwein S. 28–32.

48 Aufgrund der äußerst dürftigen Quellenlage ist die Regierungszeit Manasses kaum je zum expliziten Forschungsgegenstand gemacht worden. Nur wenige Studien können hier angegeben werden: *Fuller*, Manasseh; *Nielsen*, Conditions; *McKay*, Religion S. 20–27; *Evans*, Foreign Policy S. 166–169.

49 Wie bei der Erforschung der Stellung des עם הארץ ist auch hier die Arbeit mit der größten Wirkungsgeschichte vor dem Zweiten Weltkrieg geschrieben worden: *Eißfeldt*, Molk; folgende weitere Titel seien angeführt: *de Vaux*, Institutions II S. 326–333 (S. 453f.: Literatur); ders., Sacrifices S. 49–81 (Literatur); *Weinfeld*, UF 4 S. 133–154; *Green*, Sacrifice; *Kaiser*, FS Ratschow S. 24–48 (Literatur); *Plataroti*, VT 28 S. 286–300; *Ebach / Rüterswörden*, UF 11 S. 219–226.

50 S.u. S. 307ff.

51 Guter Forschungsüberblick über die einschlägige Literatur bei *Rowley*, Prophecies S. 158–167; vgl. ferner *Rowton*, JNES 10 S. 128–130; *Granild*, StTh 16 S. 135–154.

und Tod in der Schlacht bei Megiddo[54] stehen die Darstellungen der Josiazeit in den ‚Geschichten Israels' von *M. Noth* und *J. Bright* zusammen mit einer Gruppe historischer Studien, die sich um eine Gesamtbewertung der josianischen Regentschaft bemühen.[55] Unter den schwerpunktmäßig exegetischen Arbeiten zu 2Kön 22f., die selbstverständlich alle auch zu bestimmten historischen Schlußfolgerungen führen[56], verdienen vor allem die Beiträge Beachtung, die sich um eine möglichst exakte literarhistorische Analyse der Texte bemühen, weil ohne sie die historische Rekonstruktion kein verläßliches Fundament gewinnen kann.

In der folgenden Untersuchung soll deshalb die literarhistorische Analyse von 2Kön 22f. am Anfang stehen. Dies scheint angesichts der in den zwanziger Jahren offen gebliebenen Probleme und der heutigen Forschungssituation das dringendste Desiderat zu sein, da in den exegetischen Studien zu diesem Text die Angewohnheit zu weit verbreitet ist, nach einer partiellen Analyse zu (oftmals weittra-

---

52 Nur eine Auswahl an Titeln sei hier genannt: *Lohfink*, Bibl 44 S. 261–288.461–498; *Frankena*, OTS 14 S. 122–154; *Weinfeld*, Bibl 46 S. 417–427; *Perlitt*, Bundestheologie S. 8–12.

53 Einige wichtige Veröffentlichungen aus neuerer Zeit: *L. Rost*, Passa; *Laaf*, Pascha-Feier S. 92–94; *Halbe*, ZAW 87 S. 147–168; *R. Schmitt*, Exodus S. 63–76; *Schreiner*, FS Kornfeld S. 69–90.

54 *Hjelt*, FS Marti S. 142–147; *Welch*, ZAW 43 S. 255–260; *Cannon*, ZAW 44 S. 63f.; *Alfrink*, Bibl 15 S. 173–184; *Couroyer*, RB 55 S. 388–396; *Rowton*, JNES 10 S. 128–130; *Frost*, JBL 87 S. 369–382; *Pfeifer*, MIO 15 S. 297–307; *Malamat*, JANES 5 S. 267–279; ders., AAASH 22 S. 445–449.

55 *Noths* ‚Geschichte Israels' erschien erstmals 1950, *Brights* ‚A History of Israel' genau zehn Jahre später (vgl. *Noth*, GI S. 244–253; *Bright*, GI S. 319–328).
Weitere historische Studien in chronologischer Reihenfolge: *Ginsberg*, FS Marx S. 347–368; *Malamat*, JNES 9 S. 218–227; *Cross / Freedman*, JNES 12 S. 56–58; *Todd*, SJTh 9 S. 288–293; *Malamat*, IEJ 18 S. 137–156; *Sekine*, VT 22 S. 361–368; *Claburn*, JBL 92 S. 11–22; *Malamat*, VTS 28 S. 123–145; *Elat*, Status.

56 Vorab seien die beiden ausführlicheren Kommentare zu den Kön-Büchern genannt, in denen bereits die Auslegung von 2Kön 22f. vorliegt: *Montgomery*, Kings; *Gray*, Kings.
Weitere Monographien und Aufsätze: *Robinson*, Reform; *Hölscher*, Geschichtsschreibung S. 405–408; *Jepsen*, QK v.a. S. 26–29.62–65.88ff.; *Maag*, Erwägungen; *Jepsen*, Reform; *Meyer*, FS Baumgärtel S. 114–123; *Nicholson*, VT 13 S. 380–389; *Weinfeld*, JNES 23 S. 202–212; *Nicholson*, TGUOS 20 S. 77–84; ders., Dtn S. 1–17; *McKay*, Religion S. 28–44; *Lundbom*, CBQ 38 S. 293–302; *Würthwein*, ZThK 73 S. 395–423; *W. Dietrich*, VT 27 S. 13–35; *Hollenstein*, VT 27 S. 321–336; *Rose*, ZAW 89 S. 50–63; *Lohfink*, ZAW 90 S. 319–347; *Ogden*, ABR 26 S. 26–34; *H.-D. Hoffmann*, Reform S. 169–270.

genden) historischen Schlußfolgerungen fortzuschreiten, unbesorgt darum, ob das Gesamtgefüge des Textes die Teilanalyse überhaupt zuläßt und damit die ermittelte Quellenbasis die historische Rekonstruktion zu tragen vermag. Welche atl. Texte darüberhinaus genau analysiert und welche historischen Probleme ausführlich erörtert werden müssen, soll allein von der Untersuchung der Primärquelle 2Kön 22f. abhängig sein.

Bei der Textanalyse hat sich die von *R. Smend* angeregte und von *W. Dietrich* und *T. Veijola* an verschiedenen Textkomplexen des dtr Geschichtswerkes durchgeführte Differenzierung der Redaktionen als hilfreich erwiesen, weshalb in der folgenden Untersuchung auch von ihr Gebrauch gemacht wird.[57] Während hinter den klar umrissenen Intentionen des ersten dtr „Historikers" (DtrH) der gestaltende Wille eines Verfassers sichtbar wird, weist sich die mit dem Siglum DtrN bezeichnete spätdtr Redaktion immer mehr als Werk mehrerer Hände aus.[58] Es sei ausdrücklich darauf hingewiesen, daß das Siglum in der folgenden Analyse zur Bezeichnung einer spätdtr *Schicht* mit nomistischer Prägung gebraucht wird. Daneben ist häufig die allgemeinere Klassifizierung „spätdtr" (SD) benutzt worden, um nicht die literarhistorische Stratigraphie an Stellen festzulegen, wo die Evidenz für eine Schichtenzuweisung (noch) nicht ausreicht. Der weitere Forschungsgang mag hier zu besseren literarhistorischen Distinktionen führen.

A. Der Reformator Josia (2Kön 22–23)

(vgl. Textrekonstruktion S. 423ff.)

1. Vorbemerkung: der Bericht 2Chr 34f.

Da in der folgenden Untersuchung nur Quellen zur Sprache kommen sollen, die mit einiger Wahrscheinlichkeit authentische Nachrichten über die Josiazeit enthalten, hätte die Beschäftigung mit 2Chr 34f. eigentlich unterbleiben können, wenn nicht in der atl.

---

[57] Vgl. *Smend*, FS von Rad S. 494–509; *W. Dietrich*, PG; ders., VT 27 S. 13–35; *Veijola*, Dynastie; ders., Königtum; vorläufiges Resümee bei *Smend*, Entstehung S. 111–125.

[58] Vgl. *Smend*, Entstehung S. 115.

Forschung nach dem Ersten Weltkrieg, vor allem im Gefolge Oestreichers[1], zahlreiche Stimmen laut geworden wären, die der chr Anordnung der Ereignisse unter Josia gegenüber der der Kön-Bücher historisch den Vorzug geben. Weil aber damit eine nicht unwesentliche Modifikation der Sicht des josianischen Werkes verbunden ist, muß diese Auffassung kritisch zur Sprache kommen, wobei oftmals die Erinnerung an die Widerlegung der Historizität der Chronik in ihrem wesentlichen Bestande vor allem durch *de Wette, Graf* und *Wellhausen* ausreicht, um ihre historische Hochschätzung ad absurdum zu führen.[2] Der Wert des chr Berichts für Historie und Theologie des 4./3. Jh.s muß hier weitgehend unberücksichtigt bleiben.

Die Kapitel 2Kön 22f. in ihrem gegenwärtigen Bestande berichten über vier zentrale Begebenheiten: Buchfund (einschließlich Huldaorakel, 2Kön 22,3–20), Bund (23,1–3), Reform (23,4–20.[24]) und Passa (23,21–23), deren Aufeinanderfolge keineswegs zufällig, sondern ursächlich gedacht ist. Der Buchfund führt zur Promulgation des Buches im Bundesschluß, der wiederum die Reform auf der Grundlage des neu zur Geltung gekommenen Buches einleitet, welche mit einem nach altem (durch das Buch wieder bekannt gewordenen) Ritus gefeierten Passa beendet wird. Dieser stringente Aufbau von 2Kön 22f. ist in zwei wesentlichen Punkten im Chr-Bericht verändert worden: die *eine* Reform ist, verbunden mit einer neuen Datierung, in zwei Reform*etappen* zerlegt worden (2Chr 34,3–7.33), in die Buchfund (einschließlich Huldaorakel) und Bundesschluß „zwischeneingekommen" sind (34,8–32). Trotz der Aufgliederung der Reform ist ihr Umfang gegenüber dem Kön-Bericht beträchtlich geringer, während der Passabericht um ein Mehrfaches ausführlicher geraten ist (35,1–19). Aus der Reihenfolge Buchfund – Bund – Reform – Passa der Kön-Bücher ist die chr Sequenz *Reform* – Buchfund – Bund – Reform – Passa geworden. Wer hinter dem Chr-Bericht authentischere Quellen als hinter dem Kön-Bericht vermutet, muß erklären, welche Bedeutung in der Chr dem aufgefundenen Buch, das entschieden umfangreicher als in 2Kön 22f. vorgestellt wird[3], überhaupt noch zukommt, da Josia sowohl ohne (2Chr

---

[1] Vgl. *Oestreicher*, Grundgesetz S. 60ff.; eine unvollständige, aber eindrucksvolle Aufzählung seiner Nachfolger bei *Rudolph*, Chr S. 321.

[2] *De Wette*, Beiträge I passim; *Graf*, ThStKr 32 S. 467–494; ders., Bücher S. 173–181; *Wellhausen*, Prolegomena S. 165–223; aus jüngster Zeit vgl. *Seeligmanns* kritisches Urteil über die Chronik (VTS 29 S. 270f.).

[3] Während Schaphan nach 2Kön 22,10 dem König das Buch ganz vorliest, kann er nach 2Chr 34,18 wegen des großen Umfangs nur noch daraus (בו) vortragen (vgl. auch die Auslassung des ויקראהו von 2Kön 22,8 in 2Chr 34,

34,3–7) als auch mit Kenntnis des Buches (34,33) als Reformator tätig ist, ohne daß auch nur der geringste Unterschied in Durchführung, Inhalt und Ziel der Reformen sichtbar wird. Nach Sonderüberlieferungen für die Reform(en) hält man vergebens Ausschau; die Objekte sind dem Leser aus 2Kön 23 bis auf verschwindende Kleinigkeiten bekannt.[4] Selbst die mit dem Anschein der Historizität vorgetragene Datierung (2Chr 34,3) der ersten Reformetappe klingt

---

15); in 34,30 scheint der Chr diese Bedenken allerdings schon wieder vergessen zu haben, da er beim Bundesschluß Josia getreu seiner Vorlage (2Kön 23, 2) „alle Worte des Bundesbuches" verlesen läßt. *Graf* (Bücher S. 178) und *Wellhausen* (Prolegomena S. 196f.) nehmen an, daß der Chr bei dem coram publico (!) aufgefundenen ספר תורת־יהוה ביד־משה (2Chr 34,8–15; vgl. *de Wette*, Beiträge I S. 67–73.173f.) an den ganzen Pentateuch denkt (so auch *Benzinger*, Chr S. 131 u.a.).

[4] Es kann bei dem RB 2Chr 34,3–7 mit *Oestreicher* gar keine Rede davon sein, er enthalte „so viel Sondergut, daß er als selbständige beste Überlieferung gewertet werden muß" (Grundgesetz S. 63; fundamentale Kritik bereits bei *Gressmann*, ZAW 42 S. 313–316). Er ist nachweislich aus 2Kön 23 „epitomirt" (*de Wette*, Beiträge I S. 34 im Blick auf 2Chr 34,33; trifft aber auch auf V. 3–7 zu, vgl. *Graf*, Bücher S. 175f.), wobei die Kultobjekte pauschalisiert worden sind (ständiger Gebrauch des Plurals). Alle spezielleren Fremdkulte aus 2Kön 23 sind im Chr-Bericht weggelassen und nur die dort dominierenden und dem Chr noch irgendwie bekannten als Sammelbezeichnungen übernommen worden: במות (2Chr 34,3, vgl. 2Kön 23,5.8.9.13.15.19.20), אשרים (2Chr 34,3.4.7, vgl. 2Kön 23,4.6.7.[13.]14), (הבעלים) מזבחות (2Chr 34,4.7, vgl. 2Kön 23,4.5.12.15–17.20). Die vom Chr hinzugefügten Kultobjekte sind zum Teil auch in älterer Zeit belegt, aber allesamt im pluralischen Gebrauch für die Spätzeit typisch: פסלים (vorexilisch: Ri 3,19.26; Hos 11,2; Mi 1,7; exilisch/nachexilisch: Dtn 7,5.25; 12,3; 2Kön 17,41; Jes 10,10; 21,9; 30,22; 42,8; Jer 8,19b; 50,38; 51,47.52; Mi 5,12(?); Ps 78,58; 2Chr 33,19.22; 34, 3.4.7), מסכות (Num 33,52; 1Kön 14,9 [dtr]; 2Chr 28,2; 34,3f.), חמנים (Lev 26,30; Jes 17,8 [Glosse]; Ez 6,4.6; 2Chr 14,4; 34,4.7, vgl. *Galling*, FS Elliger S. 65–70).

Der Chr hat sein Exzerpt so angelegt, daß er in 2Chr 34,3–5 über die Reform in Juda und Jerusalem, in 34,6f. über die auf dem Territorium des ehemaligen Nordreiches berichtet. Dabei ist 34,3 eigenständig formuliert, während 34,4 weitgehend von der Vorlage 2Kön 23,6.14, 2Chr 34,5a von 2Kön 23,16 abhängig ist. 2Chr 34,5b beschließt den Reformakt im Süden mit Worten aus 34, 3. Abgesehen von Ortsnamen für Gebiete des ehemaligen Nordreiches in 34,6f. sind in dieser Reformetappe nahezu nur Formulierungen aus 34,4 variiert. 34, 7b als Abschluß der Reform in ארץ ישראל stammt aus 2Kön 23,20b.

Daß in Anerkenntnis dieser Analyse Josia dennoch vor der Auffindung des Gesetzbuches aus antiass. Motiven reformierend tätig gewesen ist und der Chr ungewollt „damit das historisch offenbar Richtige getroffen" hat (*Noth*, ÜS S. 158 A. 2), wird man allerdings bezweifeln müssen, da 2Kön 23 mit der völligen Vermischung ass. und kanaanäischer Kultobjekte diese Schlußfolgerung überhaupt nicht nahelegt. Auch historisch ist sie wenig wahrscheinlich.

tendenziös, denn die ausdrückliche Betonung von Josias Alter (20 Jahre) bei den ersten Reformakten läßt ihn vom Zeitpunkt seiner Volljährigkeit an die Verantwortung für die religiösen Zustände in seinem Land wahrnehmen.[5]

Daß die Chr den Gesetzeseifer des großen Josia in einer Frühdatierung erster Reformakte dokumentieren will, ist von seiner hohen Wertschätzung her begreiflich. Ein solcher König kann nach Meinung Späterer mit dem Reformwerk nicht bis zu seinem 18. Regierungsjahr gewartet haben. Dagegen nimmt die in der Chronik auch bei Manasse vorgenommene Aufwertung zunächst wunder, denn sie zeichnet von ihm ein 2Kön 21 völlig widersprechendes Bild. Laut 2Chr 33 erlebt der erst dem Götzendienst ganz ergebene Manasse (33,3–10 par. 2Kön 21,3–10) bei seiner Exilierung nach Babylon(!), die der König von Assur(!), dessen Name sowenig bekannt ist wie der des Pharao in der Exodusüberlieferung, angeordnet hat, eine Bekehrung, wird daraufhin nach Jerusalem zurückgeschickt und voll rehabilitiert (2Chr 33,11–13). Wie auch immer es um die Authentizität der Nachricht von seinem Mauerbau in Jerusalem bestellt sein mag (33,14)[6], so ist die Nachricht über eine Reform des bekehrten Manasse schon fast zu erwarten (33,15–17) und gerade deshalb historisch fragwürdig. Außer durch die pauschale Formulierung wird dieses Urteil durch die Tatsache bestärkt, daß die Reinigung des Kultus (33,15) beim Chr nicht mehr als ein Vorspruch für die Etablierung des wahren Jahwedienstes ist (33,16f.).[7]

Nun sind die Vorstellungen von Bekehrung und Reform Manasses einerseits sicherlich durch seine lange Regierungszeit von 55 Jahren bedingt, die nach Meinung des Chr nicht ohne ein besonderes Verdienst des Königs von Jahwe gewährt worden sein können. Der aus-

---

5 Zumindest in späten Texten v.a. priesterschriftlicher und chr Provenienz impliziert das Alter von 20 Jahren die Erlangung der Volljährigkeit namentlich in bezug auf kultische und militärische Dienste: Ex 30,14; 38,26; Lev 27,3; Num 1 (passim); 14,29; 26,2.4; 32,11; Esr 3,8; 1Chr 23,24.27; 27,23; 2Chr 25,5; 31,17 (vgl. auch Jub 49,17; *Nötscher*, Altertumskunde S. 75.356; *Galling*, Chr S. 173). Der älteren Zeit waren die 20 Jahre als untere Grenze für derlei Aufgaben wohl unbekannt (vgl. Ex 24,5; wohl auch 1Sam 3,1), während sie in noch späterer Zeit weiter erhöht wurde (vgl. etwa Num 4,3; 8,24).

6 2Chr 33,14 zerreißt den Zusammenhang von V. 11–13 und V. 15–17, darf aber vielleicht dennoch historisch ausgewertet werden (vgl. *Fuller* Manasseh S. 70; *Galling*, Chr S. 168; *Rudolph*, Chr S. 317).

7 *Gressmanns* These (ZAW 42 S. 315), der Chr habe Manasse den ass. Gestirndienst und Josia den kanaanäischen Baalsdienst entfernen lassen, ist an den Texten kaum zu verifizieren. Hier werden dem Chr bereits zu spezifische Vorstellungen im Hinblick auf die ihm völlig gleichgültigen Fremdkulte zugetraut.

gewogene Zusammenhang von menschlicher Tat und göttlicher Entsprechung ist eine chr petitio principii, die auch bei Manasse nicht ihre Geltung verlieren darf.[8]

Doch die Rehabilitierung des Königs gerade durch ein Reformwerk hat im Kontext der chr Theologie auch noch einen anderen Aspekt, den *de Wette* unter dem trefflichen Titel „Ehrenrettungen des Judäischen Cultus" verhandelte. „Der Zustand der öffentlichen Religion, wie ihn die BB. der Könige schildern, wollte dem Verf. der Chronik gar nicht gefallen: die meisten Judäischen Könige sind nach ihrer Relation Götzendiener, und dienen den abscheulichsten Mißbräuchen; ja selbst fromme Könige, wie z.B. David, Salomo, Joas u.a. machen solche Mißbräuche mit, und übrigens wird so wenig oder gar nicht der Mosaischen Ceremonien gedacht: das alles mußte anders gewesen seyn und anders dargestellt werden."[9]

---

[8] Von *Mosis* (Untersuchungen S. 194) kaum zu Recht bestritten. Demgegenüber einleuchtend *Graf*, ThStKr 32 S. 482: „Auch sonst sehen wir ... in den Erzählungen der Chronik überall die Einwirkung und Thätigkeit der idealisierenden, ausschmückenden, umgestaltenden, erklärenden *Sage*, ... welche bemüht ist, dem Bösen immer die gerechte Strafe, dem Guten den verdienten Lohn zu Theil werden zu lassen und so die Ereignisse mit der göttlichen Gerechtigkeit besser in Einklang zu bringen, als dieß in der Geschichte zu geschehen scheint ..."; vgl. auch *Fuller*, Manasseh S. 19ff.65ff.
Graf (aaO S. 483–488) und *Wellhausen* (Prolegomena S. 198–205) haben die in der Chronik dadurch bedingten Abweichungen gut zusammengestellt; hier eine Auswahl: Tilgung aller negativen Nachrichten bei David, Salomo und Hiskia (Auslassung der Bathseba-Affäre, von Absaloms Aufstand, Salomos Götzendienst und Hiskias Tribut an Snh), dagegen jeglichen militärischen Erfolgs bei dem Götzendiener Ahas (vgl. 2Chr 28 gegenüber 2Kön 16). Der im Krieg mit dem Nordreich erfolgreiche Abia kann nach chr Logik kein Götzendiener gewesen sein (vgl. 2Chr 13 gegenüber 1Kön 15,1–8, während Asa einerseits als Reformer, andererseits als mit Kriegshändeln Belasteter und im Alter kranker Mann schwer zu beurteilen ist (vgl. *Wellhausen*, aaO S. 188). Hier weiß sich der Chr nicht anders als mit der Unterscheidung eines zunächst frommen und später abtrünnigen Asa (mit entsprechender Unterscheidung von Friedens- und Kriegszeit) zu helfen (vgl. 2Chr 14–16 gegenüber 1Kön 15,9–24). Selbst Joas muß als Opfer einer Palastverschwörung und wegen des Konflikts mit den Syrern eine schwerwiegende Sünde auf dem Gewissen haben, die zu konstruieren dem Chr nicht schwerfällt (vgl. 2Chr 24 gegenüber 2Kön 11f.): Joas hat eben die Ausübung des Götzendienstes zugelassen (2Chr 24,17f.), wie auch sein Sohn Amazja edomitischen Göttern gedient haben muß, da er doch dem Nordreich im Kampf unterlag und ebenfalls durch eine Verschwörung ums Leben kam (vgl. 2Chr 25 gegenüber 2Kön 14,1–22). Ussias Aussatz schließlich ist Folge seiner priesterlichen „Amtsanmaßung" (vgl. 2Chr 26 mit 2Kön 15,1–7).

[9] *De Wette*, Beiträge I S. 102; hier wiederum eine Auswahl der chr Retouchen (vgl. ebd. S. 103–126): Der Chr fühlt sich bemüßigt, David, der auf der Tenne

Die historische Auswertung von 2Chr 33,11–13 mit der Nachricht von der Deportation Manasses nach Babel ist in der Forschung so beliebt (vgl. etwa *Kittel*, GVI II S. 399; *Rudolph*, Chr S. 316f.; *E. L. Ehrlich*, ThZ 21 S. 281–286; *Elat*, Status S. 66–69), daß sie ausführlich widerlegt werden muß. Kronzeuge für die historisch positive Einschätzung von 2Chr 33,11–13 ist die in Asb.s Annalen im Verlauf des ersten Ägyptenfeldzugs berichtete Deportierung aufständischer Deltafürsten nach Ninive(!), unter denen sich auch Necho, der Vater Psammetichs I., befand, welcher später als einziger von Asb begnadigt, in seine alten Herrscherrechte in Sais wieder eingesetzt und durch die Belehnung auch seines Sohnes Nabûšēzibanni (des späteren Psammetich I.) mit Athribis so fest an den ass. Großkönig gebunden wurde, daß dieser einen verläßlichen Bündnispartner gewonnen zu haben hoffen durfte (vgl. *Streck*, VAB 7 S. 12/4 I, 118–II,19; ein Necho vergleichbares Schicksal hatte der Elamiterkönig Tammaritu, vgl. ebd. S. 32/6 III,136–IV,41; S. 40/2,110–115; S. 44/6,21–62). Die Analogie zur Deportation Manasses nach Babel erscheint vielen als derart schla-

---

des Jebusiters Arawna/Ornan und nicht beim mosaischen Zelt der Begegnung geopfert hat, mit einem völlig undurchsichtigen Grund zu entschuldigen, denn die Einheit der Kultstätte ist ein David längst bekanntes Gebot (vgl. 1Chr 21, 18ff. mit 2Sam 24,18ff.). Das Zelt der Begegnung aber stand bereits seit geraumer Zeit in Gibeon (1Chr 16,39ff.; 21,29), mußte dort stehen, da das Opfer Salomos und die folgende Gotteserscheinung auf der dortigen Bamah der theologischen Legitimation bedurften (vgl. 2Chr 1 mit 1Kön 3). Und nach der Errichtung des Jerusalemer Tempels weiß der Chr Salomos Beobachtung der Opfervorschriften um vieles detaillierter zu berichten als die ältere Quelle (vgl. 2Chr 8,12–16 mit 1Kön 9,25).

Unter Josaphat ziehen Beamte des Königs, Leviten und Priester zur Unterweisung des Volkes durch das Land, ועמהם ספר תורת יהוה (2Chr 17,7ff., vgl. *Wellhausen*, Prolegomena S. 185f.)! Und daß etwa zu Joas' Zeiten durch den König ein derart rigider Eingriff in die mosaisch verbrieften Einkünfte der Priesterschaft vorgenommen worden wäre, wie ihn 2Kön 12 berichtet, konnte unmöglich den Tatsachen entsprochen haben. Die Reparaturbedürftigkeit des Tempels geht nicht auf das Konto der pflichtvergessenen Priester (2Kön 12,7f.), sondern auf das der Athalja, die mit ihren Söhnen das Gotteshaus verwüstet hat (2Chr 24,7). Der schwere Vorwurf des Königs an die Priester in 2Kön 12 wird zu einer Saumseligkeit der Leviten bei der Einsammlung der Sonderabgabe (2Chr 24,5f. vgl. Ex 25,1–9) heruntergespielt. Der König unternimmt übrigens in dieser Tempelangelegenheit so gut wie keinen Schritt, ohne das ihm der Hohepriester Jojada zur Seite ist (vgl. 2Chr 24,1–14 mit 2Kön 12,5–17 und dazu *Wellhausen*, Prolegomena S. 193–195). In dieser Hinsicht ist auch die Umgestaltung der Inthronisation von Joas in 2Chr 23 sehr aufschlußreich (vgl. ebd. S. 190–193).

So nimmt es auch nicht wunder, daß bereits Hiskia ein großes Passa, ohne Pendant seit Salomos Tempelweihe und deshalb in unübersehbarer Parallelität zu dieser gestaltet (vgl. *Williamson*, Israel S. 119–126), initiiert (2Chr 30), nachdem er zuvor den von Ahas geschlossenen Tempel hat wiedereröffnen und reinigen lassen (2Chr 29), eine Maßnahme, die viel ausführlicher als die eigentliche hiskianische Kultreform (2Chr 30,14; 31,1) und eigentümlicherweise unabhängig von dieser berichtet wird.

gend, daß der chr Notiz ohne weiteres der Rang einer authentischen Quelle zugesprochen wird.

Wer diesen Weg meint gehen zu können, muß es allerdings gegen folgende Bedenken tun:

1. Die ass. Quellen wissen nichts von einem aufständischen (wie man wohl voraussetzen muß, obwohl die Chronik davon nichts sagt) und deshalb nach Babel deportierten Manasse, sondern kennen ihn nur als loyalen Vasallen Assurs (*Borger*, Ash S. 60,54–73 und *Streck*, VAB 7 S. 138/40,23–50 = *M. Weippert*, Edom S. 141/2,25′–52′ = *Freedman*, Tablets S. 68/70,37–64).

2. In dieser Beziehung deckt sich der Manassebericht in 2Kön 21 völlig mit dem Eindruck, den die ass. Quellen vermitteln: kein Wort von Rebellion und Deportation. Allen gegenteiligen Beteuerungen zum Trotz wiegt das Schweigen der Kön-Bücher sehr schwer, weil beides – falls geschehen – in den judäischen Annalen mit Sicherheit verzeichnet gewesen und von DtrH auf keinen Fall übergangen worden wäre. Denn Rebellion gegen die Okkupationsmacht bedeutet auch immer Rebellion gegen die fremden Götter und damit Reinigung und Stärkung des Jahwismus. Und hier sollte DtrH geschwiegen haben (vgl. *Nielsen*, Conditions S. 104)?

3. Die unter Asb vollzogene Deportation Nechos und seine Begnadigung beweisen lediglich, daß in dieser Zeit (die natürlich auch die Manasses ist) ein derartiges politisches Vorgehen seitens der Assyrer *möglich* war. Ob es im Sinne der Analogie als Argument für die Historizität (der Grundlage) von 2Chr 33,11–13 gebraucht werden darf, ist erst nach Prüfung der politischen Situation in Juda und Assyrien zur fraglichen Zeit zu entscheiden.

So verständlich etwa in den Jahren 667/66 (vgl. *Streck*, VAB 7 S. CCLXXVIff.) die Aktion Nechos und anderer Gaufürsten einerseits und andererseits Asb.s Reaktion darauf war, sowenig läßt sich ein historisch wahrscheinlicher Kontext für eine Rebellion Manasses finden. Damals versuchte im Gefolge des Thronwechsels von Ash auf Asb der Äthiope Tarqû/Tirhaka seine politische Selbständigkeit wiederzuerlangen, eine Gelegenheit für die Deltafürsten, dem in Richtung Oberägypten marschierenden ass. Heer in den Rücken zu fallen. Trotz der Zerschlagung dieses unterägyptischen Aufstandes und der Deportation der abtrünnigen Gaufürsten nach Ninive war den Assyrern klar, daß ohne ägypt. Hilfe der westliche Außenposten des ass. Reiches nicht zu halten war. Deshalb war die Begnadigung eines Gaufürsten und seine Wiedereinsetzung ein Gebot politischer Klugheit. Daß die ass. Herrschaft über Ägypten trotzdem nur noch kurze Zeit währte (Entsetzung des Landes wohl bald nach 658 beendet, vgl. *Streck*, VAB 7 S. CCLXXIX), hängt mit der militärischen und politischen Potenz des Landes (Aufstieg der saitischen Dynastie) und seiner im Blick auf Assur peripheren geographischen Lage zusammen – Faktoren, die für Juda in keiner Weise zutrafen.

Das Südreich war vielmehr ein seit Hiskia allem Anschein nach rebellionsmüdes Land, welcher Eindruck nicht einmal durch die Chronik revidiert wird, die einen Aufstand Manasses mit keinem Wort andeutet. Die beliebte, auch von *Elat* (Status S. 68) wieder vorgenommene Verbindung seiner angeblichen Revolte mit dem Bruderkrieg Asb.s mit Šamaššumukīn (mindestens von 652–648, vgl. *Streck*, VAB 7 S. CCXCVI) ist kaum legitim, da es als höchst unwahrscheinlich gelten muß, daß in seinem Gefolge auch im Westen die Rebellion gegen Assur in großem Umfang um sich gegriffen hat (vgl. *Streck*, VAB 7 S. CCXCIV. CCCLXI). In dem Passus ebd. S. 30,96–106 werden zwar auch die Könige von Amurru unter den Aufständischen genannt, aber hier in einem Kontext mit unverkennbar literarischer Intention: Nahezu der ganze Erdkreis von Elam bis Meluḫḫa und von Gutî bis zum Meerlande wird als abtrünnig bezeichnet. Tatsache jedoch ist, daß neben Babylonien und Elam vor allem die Araber im Westen an der Verschwörung Šamaššumukīns beteiligt waren (vgl. ebd. S. 64,94–101 = *M. Weippert*, Edom S. 176,94–101), daß hingegen der König von Moab Asb gegen die Araber Beistand leistete (vgl. *Streck*, VAB 7 S. 134,33–39) und daß nach der Befriedung der Araber Asb nur zwei Städte im Westen disziplinierte: Ušû und Akko (vgl. ebd. S; 80/2,115–128 = *M. Weippert*, Edom S. 182, 115–128). Nicht, daß der Westen ihm bis auf diese beiden Städte untertan gewesen wäre! In den anschließenden südlichen Provinzen Du'ru, Magidu und Asdudu konnte sich Asb zu dieser Zeit (*Streck*, VAB 7, S. CCCLXI: um 639–637) schon nicht mehr sehen lassen, da er dort auf ägypt. Präsenz gestoßen wäre, der er militärisch kaum mehr gewachsen war.

Juda hielt sich jedoch allem Anschein nach aus den politischen Händeln beider Großmächte auf palästinischem Boden heraus. Geht man von der wahrscheinlichen Annahme aus, daß der assurtreue Manassesohn Amon der Verschwörung einer ägyptenfreundlichen Fraktion am Hofe zum Opfer fiel (s.u. S. 140), setzt dies voraus, daß die Ägypten-Partei mit dem Thronwechsel von Manasse auf Amon die Zeit gekommen sah, sich der Vasallität zu entledigen und nicht die weitere Regentschaft eines assurtreuen Monarchen in Kauf zu nehmen. Die 55 Jahre Manasses waren genug!

Angesichts dieser Argumente hilft es wenig, die Historizität von 2Chr 33,11–13 durch den Hinweis retten zu wollen, daß Srg II. einmal den Tribut von zypriotischen Königen in Babylon entgegengenommen hat, vgl. *Elat*, Status S. 68; mehrere Belege für dasselbe Ereignis: *Lie*, Srg 457ff. (sehr fragmentarisch); *Winckler*, Srg S. 126,145–149 = Nr. 75,145–149; ebd. S. 180/2, 28–42 = Pl. 47 „rechte" Seite Z. 28–42; *Gadd*, Iraq 16 S. 191/2,25–38; ohne Erwähnung Babylons: *Weissbach*, ZDMG 72 S. 178,17f.; *Winckler*, Srg S. 148,42–44 = Pl. 38 Nr. III,42–44. Zum Tributempfang in Babylon durch Srg II. wären auch noch die Belege *Winckler*, Srg S. 126/8,149–153 = Nr. 75,149–153; ABL 196 = *Pfeiffer*, SLA 94 = *Martin*, Tribut S. 25ff. = *Postgate*, TCAE S. 261/2 Obv. 15f.; ABL 241 = *Martin*, Tribut S. 34ff. = *Postgate*, TCAE S. 266/8 Rev. 16'f. (vgl. zu den Briefstellen v.a. *Martin*, Tribut S. 28.37) zu vergleichen.

Bekanntlich ist Srg.s außergewöhnlich lange Anwesenheit in Babylonien während der Jahre 710–708/7 aus politisch-militärischen Gründen notwendig gewesen (vgl. *Grayson*, ABC S. 75 II,1–3'; *Tadmor*, JCS 12 S. 96). Von Asb ist nichts dergleichen überliefert (auch angesichts des Bruderkriegs völlig unwahrscheinlich, vgl. *Streck*, VAB 7 S. CCLXXXVIIIff.), wohl aber, daß er sich gefangene Könige in *Ninive* vorführen ließ: *Streck*, VAB 7 S. 14,5ff.; *Piepkorn*, AS 5 S. 84,46ff.

Manasses Bekehrung und Kultreform sind eine rein innerchr Angelegenheit. Zusammen mit Josias erster Reformetappe verhelfen sie derselben theologischen Tendenz zur Geltung: Die durch Mose übermittelte kultische Gesetzgebung ist nach chr Darstellung in Juda nie in dem Maße in Vergessenheit geraten, wie es die Kön-Bücher glauben machen wollen. Immer hat es Herrscher auf dem Thron Davids gegeben, die der תורת יהוה ganz Folge leisteten, weshalb ihre Forderungen auch bei den abtrünnigen Königen stets präsent waren. Angesichts der nicht nur de iure, sondern auch mehr oder weniger de facto kontinuierlichen Geltung der mosaischen Tora konnte aber das unter Josia aufgefundene Gesetzbuch nicht die für die Kultreform und Erneuerung der Jahwereligion initiatorische Funktion gehabt haben, die ihm in den Kön-Büchern zugeschrieben wird. Mehr als eine Erinnerung an die immer schon gekannten und zumeist beherzigten Gesetze des ספר תורת־יהוה ביד־משה (2Chr 34,14) konnte nach chr Auffassung das im Tempel gefundene Buch nicht bewirken.[10]

Die Umwandlung des Berichts von dem entscheidenden Buchfund und den dadurch ausgelösten Folgen in 2Kön 22f. hin zu der Version der Chronik, in der die Bedeutung des Buchfunds so weit wie möglich nivelliert ist, hat der Chr nur unvollkommen zu realisieren vermocht. Zwar ist der Buchfund erfolgreich zum die Reform unterbrechenden Intermezzo heruntergespielt worden, hat aber dadurch jede erkennbare Bedeutung für die weiteren Ereignisse eingebüßt. Denn reformiert wird auch schon vor der Entdeckung des Buches sowohl durch Manasse (33,15–17 – von weiteren Vorgängern ganz zu schweigen –) als auch durch Josia (34,3–7), und zwar so gründlich, daß die Härte des fast unverändert übernommenen Huldaorakels (34,22–28) nunmehr ganz unverständlich erscheint, zumal für Josias anschließende zweite Reformetappe anscheinend nicht mehr viel zu tun übriggeblieben ist (34,33).

Und auch Josias glanzvolle Passafeier ist nicht erst durch den Buchfund wieder möglich geworden, wie aus Hiskias Passa mit hinreichender Deutlichkeit zu ersehen ist. Der Buchfund ist dem Chr nur verständlich und innerhalb seiner Theologie tragbar als Fund *eines weiteren Exemplars* des immer schon in Geltung stehenden mosaischen Gesetzbuches![11]

---

10 Allenfalls hat der Chr „in dem Erscheinen des göttlichen Buches eine Antwort, ja eine Belohnung Jahwes auf das fromme Tun des Königs sehen wollen" (*von Rad*, Geschichtsbild S. 14), doch selbst diese gegenüber 2Kön 22 stark eingeschränkte Funktion des Buches geht aus dem Text nicht eindeutig hervor.

11 *Wellhausen*, Prolegomena S. 197f.: „Wenn die Chronik auch den Bericht von der Auffindung und Veröffentlichung des Gesetzes mitteilt, so begreift sie doch nicht, daß dasselbe erst seit diesem Augenblicke geschichtlich wirksam und plötzlich von so großer Bedeutung geworden sein sollte. Es war ja seit Moses die

Liegt somit in der chr Darstellung Josias der Schwerpunkt weder beim Buchfund (denn Neues zu finden war im Bereich des Kultus weder möglich noch nötig) noch bei der Reform (denn die Jahwereligion war immer wieder – selbst von Manasse! – reformiert worden) noch beim nur im Gefolge des Buchfunds sinnvollen Bundesschluß, bleibt als gewichtiges Datum der Herrschaft Josias nur noch die Passafeier übrig (35,1–19), der der Chr seine ganze Beachtung und Liebe zugewandt hat. Weisen sich bei den Dtr die als untadelig erfundenen Könige in der Regel als Reformatoren aus, so beim Chr als Initiatoren rite und glanzvoll begangener Kultfeiern.[12]
Selbstverständlich empfand der Chr die kurze Notiz über Josias Passa in 2Kön 23,21–23 als unzureichend, weshalb sie bei ihm lediglich die Rahmung[13] für ein ausführlich geschildertes Passa abgibt. Da treffen nun Priester und vor allem Leviten kultische Vorbereitungen

---

Grundlage der Gemeinde und bestand zu allen normalen Zeiten in Kraft und Geltung; nur zeitweilig konnte dies Lebensprincip der Theokratie von schlechten Königen niedergehalten werden, um nach dem Aufhören des Druckes sofort wieder wirksam und mächtig zu werden ... Was Josias getan hat, hat ganz ebenso vor ihm schon Asa getan, darnach Josaphat, darnach Hizkia; die Reformen sind keine Stufen einer fortschreitenden Entwickelung, sondern haben alle den gleichen ewigen Inhalt. Das ist der Einfluß des transcendenten, allem Werden und Wachsen enthobenen Mosaismus auf die historische Anschauung, spürbar schon im Buche der Könige, aber in der Chronik ungleich handgreiflicher."

[12] *Noth* (ÜS S. 163.172) wird zuzustimmen sein, daß in den großen kultischen Feiern am Zentralheiligtum die Existenz der nachexilischen Gemeinde zur Anschauung kommt.

[13] 2Kön 23,21 ist in 2Chr 35,1 übernommen worden, 2Kön 23,22f. in 2Chr 35,18f., beide Male jedoch mit charakteristischen Veränderungen.
So ist in 2Chr 35,1 korrekte priesterliche Terminologie eingetragen (nicht mehr עשה פסח, 2Kön 23,21; Dtn 16,1, oder זבח פסח, Dtn 16,2.4f., sondern gemäß Ex 12,12[P] שחט הפסח; vgl. 2Chr 30,15; 35,6.11; Esr 6,20; anders 2Chr 35,16–18) sowie die genaue Datierung des Passa auf den 14. Nisan vorgenommen worden (erst seit P üblich: Ex 12,6; Lev 23,5; Num 28,16; Ez 45,21; Esr 6,19).
Der Hinweis auf den ספר הברית (2Kön 23,21) ist weggefallen, weil das josianische Passa als ein immer schon bekannter Ritus (vgl. 2Chr 30) von Buchfund und Bund gelöst werden muß.
Daß implizit ein Hinweis auf die Singularität von Josias Passa stehengeblieben ist (ולא־נעשה פסח כמהו בישראל מימי שמואל הנביא וכל־מלכי ישראל, 35,18; vgl. dazu *Graf*, Bücher S. 180), der sich mit der chr Qualifizierung von Hiskias Passa stößt (כי מימי שלמה...לא כזאת בירושלם, 30,26), ist wohl durch Unbedachtsamkeit des Chr bedingt, die nicht zu einer literarkritischen Operation verführen darf (so etwa *Galling*, Chr S. 159), zumal die Aufwertung Hiskias bereits in der dtr Literatur ihre Wurzeln hat (s.u. S. 174f.).
Die Feier des Passa in *Jerusalem*, im dt Passagesetz auf Schritt und Tritt betont (Dtn 16,2b.5.6a.7a; vgl. auch 2Kön 23,23), wird in der Chronik nicht mehr erwähnt, weil die Wahl des Ortes ohnehin kein Problem mehr war.

für das Fest (2Chr 35,2–6)[14], spenden der König und alle ranghohen Stände Myriaden von Opfertieren (35,7–9; Josia: 30 000 Stück Kleinvieh und 3000 Rinder; die שרים: ohne Zahlenangabe; die נגידי בית האלהים: 2600 Stück Kleinvieh und 300 Rinder; die שרי הלוים: 5000 Stück Kleinvieh und 500 Rinder) und führen schließlich die Priester unter tatkräftiger Hilfe der Leviten den Opferritus durch (35,10ff.). Während den Priestern die Blutbesprengung des Altars obliegt[15], enthäuten die Leviten die Tiere (35,11), die sie anschließend „vorschrifts gemäß" (כמשפט) „auf dem Feuer kochen" (בשל pi. + באש, 35,13a). Ganz offensichtlich ringt der Chr mit dieser von ihm geprägten und nur hier belegten Wendung um den Ausgleich älterer (dt) Tradition mit der jüngeren priesterschriftlichen. Jener gilt das Kochen des Opferfleisches als die anscheinend allein mögliche Zubereitungsweise (Dtn 16,7)[16], während sie bei P strikt abgelehnt wird (אל־תאכלו ממנו נא ובשל מבשל במים, Ex 12,9a) zugunsten der Zubereitung durch Braten (כי אם־צלי־אש, 12,9b, vgl. 12,8). Der Chr ist in dieser Frage unentschieden (vgl. auch 2Chr 35,13b) und versucht deshalb, beide Opferweisen zumindest durch eine Formulierungskombination zu ihrem Recht kommen zu lassen, da seiner Theorie gemäß auf das wichtigste Ereignis der Regierungszeit Josias auch nicht der geringste Schatten der Gesetzwidrigkeit fallen durfte.

Daß dieser vorbildliche König dennoch ein unerwartet frühes und in chr Sicht anscheinend auch schmähliches Ende fand, mußte nach dem unerschütterlichen Vergeltungsglauben des Chr eine Ursache in Josias Verhalten haben.[17] So läßt er denn in 2Chr 35,21f. die Warnung Nechos, sich ihm nicht auf seinem Zug nach Karkemisch in den Weg zu stellen, unbeachtet, obwohl Necho selbst auf seinen göttlichen Auftrag verweist (V. 21) und später noch einmal ausdrücklich festgestellt wird, daß die דברי נכו מפי אלהים waren (V. 22aβ)! Diese

---

14 Zur Rolle der Leviten in 2Chr 34f. (und darüberhinaus in der Chronik) vgl. *de Wette*, Beiträge I S. 80–102; *Graf*, Bücher S. 179f.; *Wellhausen*, Prolegomena S. 185ff.; *Gunneweg*, Leviten S. 204–218.
Ob die literarkritische Eskamotierung der Leviten aus 2Chr 34f., wie sie von *Willi* (Auslegung S. 200–202) durchgeführt worden ist, genauer Überprüfung standhält, kann in diesem Zusammenhang unerörtert bleiben.

15 MT scheint in 35,11bα (ויזרקו הכהנים מִיָּדָם) nicht in Ordnung zu sein. *Rudolph* hat im Apparat der BHS aufgrund der Versionen den Fehler wahrscheinlich richtig als durch Homoioteleuton entstanden erklärt (הדם מידם). Zum Ritus des Blutbesprengens vgl. Ex 29,16.20 u.ö.

16 In alter Zeit muß das Braten des Opferfleisches sogar anstößig gewesen sein: vgl. 1Sam 2,12–17; ein Erklärungsversuch für den späteren Wechsel bei *Wellhausen*, Prolegomena S. 66f.

17 S.o. S. 34 A. 8 und vgl. *Wellhausen*, aaO S. 202.

Verfehlung soll Josias tragisches Ende rechtfertigen, das den verwundeten König nach chr Darstellung aber nicht auf dem Schlachtfeld ereilt, sondern erst nach der Rückkehr in die Königsstadt Jerusalem (V. 23f., vgl. dagegen 2Kön 23,29f.). Diese letzte Ehre meint der Chr Josia erweisen zu müssen, da ein solcher König nicht in der Fremde, sondern in seiner Königsstadt stirbt. Dem Chr liegt in seiner ganzen Darstellung die positive Würdigung Josias viel näher als die Kritik, zu der er sich durch den frühen Tod des Königs gezwungen sieht und die dementsprechend fadenscheinig geraten ist. Nechos Berufung auf den אלהים Israels gehört in denselben Bereich wie der Transport des tödlich verwundeten Königs nach Jerusalem: in den der Legende.[18]

Wie er begonnen hat, so endet der chr Bericht über Josia ohne historische Wahrscheinlichkeit (2Chr 35,25). Ein Klagelied Jeremias auf Josia ist nirgends überliefert und seine Existenz auch gründlich anzuzweifeln, da gerade Jer seine Landsleute von der Trauer um Josia weg- und auf das bedrückende Deportationsschicksal seines Sohnes Joahaz hinweist (Jer 22,10).[19] Und daß Josia in seiner Zeit aufgrund des Reformwerks tatsächlich ein von seinem Volk getragener und geliebter Regent war, wird man im Blick auf reformfeindliche Äußerungen wie Jer 44,15ff. nicht unbedingt für wahrscheinlich halten dürfen. Jedenfalls fehlt jeder weitere textliche Hinweis, der das in 2Chr 35,25 behauptete regelmäßige Gedenken an Josia von dem Verdacht chr Erfindung befreien könnte. Doch selbst wenn dieser Vers unangemessen kritisch beurteilt worden sein sollte, bliebe das Gesamtbild unverändert, das 2Chr 34f. historisch als ein tertiäres Dokument ohne jegliche Authentizität, theologisch aber als ein Lehrstück des chr Kerygmas ausweist.[20]

Wer hingegen an der Historie der Josiazeit interessiert ist, wird sich ausschließlich dem Bericht 2Kön 22f. zuwenden müssen.

2. *Josia im Urteil der Deuteronomisten (2Kön 22,2; 23,25–27)*

Die Nachrichten der Kön-Bücher über Josia beginnen im üblichen Rahmen mit einer Notiz über sein Alter beim Regierungsantritt,

---

18 Nur wer dies nicht beachtet und historisierend interpretiert, kann über die Identität des von Necho zitierten Gottes im Zweifel sein und schließlich zu der Auffassung gelangen, eine ägypt. Gottheit müsse gemeint sein (vgl. *Couroyer*, RB 55 S. 388–396).

19 Zur Analyse von Jer 22,10–12 vgl. *Thiel*, Jer I S. 240f.

20 Vgl. *Wellhausen*, Prolegomena S. 219–223; so auch mit aller Deutlichkeit *H.-D. Hoffmann*, Reform S. 254ff.

über die Dauer seiner Herrschaft und über Namen und Herkunft der Königinmutter. Auch nach diesem Annalenauszug verläßt die Komposition im folgenden Vers nicht die gewohnten Bahnen, sondern bringt wie immer das Urteil des ersten dtr Redaktors (DtrH) über den König, dessen Inhalt in diesem Fallen allerdings aufhorchen läßt: „Und er tat das in Jahwes Augen Rechte und wandelte auf allen Wegen (בכל־דרך) seines Ahnherrn David und wich (davon) nicht rechts noch links ab“ (22,2).[21]

Einer derart vorbehaltlos guten Zensur kann sich in der Geschichte der israelitischen und judäischen Monarchie kaum ein weiterer König rühmen. Zwar gilt auch den judäischen Königen Asa (1Kön 15,11), Josaphat (22,43), Joas (2Kön 12,3), Amazja (14,3), Asarja (15,3), Jotam (15,34) und Hiskia (18,3) die positive Anerkennung von DtrH, doch reichen sie außer Hiskia alle nicht an die religiöse Makellosigkeit Josias heran, da sie sich die Abschaffung der Bamoth, deren weiteres Bestehen DtrH bei den oben genannten Königen von Asa bis Jotam mit unüberbietbarer Stereotypie (vgl. 1Kön 15,14; 22,44; 2Kön 12,4; 14,4; 15,4.35) anklagt, nicht zur Aufgabe gemacht haben.

Kann sich das dtr Urteil vom „Rechttun“ also auch noch mit herber Kritik verbinden, so führt der Vergleich mit David zu den wenigen Königen, deren religiöse Handlungsweise DtrH als uneingeschränkt vorbildlich betrachtet: Außer Asa (1Kön 15,11) sind es nur Hiskia (2Kön 18,3) und Josia (22,2).[22] Hiskia ist der erste judäische Regent gewesen, der die Bamoth aus Juda, wenn auch nach

---

21 Zu der Frömmigkeitsbeurteilung vgl. auch die Belegzusammenstellung bei *H. Weippert*, Bibl 53 S. 323ff., die allerdings zu anderen literarhistorischen Schlußfolgerungen kommt.

22 Asa verdankt den anspruchsvollen Vergleich mit David weniger der eigenen religiösen Makellosigkeit als vielmehr dem Umstand, daß seine beiden nächsten Vorfahren – Abia und Rehabeam – in den Augen von DtrH höchst tadelnswerte Monarchen waren (vgl. 1Kön 14,22f.; 15,3) und auch Salomo den Ansprüchen von DtrH bei weitem nicht genügte (vgl. 11,1ff.*), so daß nur noch der Vergleich mit deren Vorgänger David übrig blieb. Die Unmöglichkeit des von DtrH öfter gewählten Vergleichs mit dem unmittelbaren Vorgänger (vgl. 22,43; 2Kön 15,3.34) hat Asa ein positives dtr Urteil eingetragen, das kaum im Verhältnis zu seinen Taten steht.
Der Unterschied in der Formulierung ist hinreichend deutlich: Bei Asa heißt es, daß er das Rechte getan habe כדוד אביו (1Kön 15,11), die positive Wendung des öfter negativ getroffenen Vergleichs (vgl. 11,6.33; 2Kön 14,3; 16,2). Bei Hiskia und Josia setzt DtrH dagegen Akzente; es heißt bei ihnen nicht mehr nur כדוד אביו, sondern sie folgten in allem ihrem Ahnherrn David nach (vgl. 2Kön 18,3; 22,2).

Darstellung des DtrH nur für kurze Zeit, entfernt hat, Josia derjenige, der mit erneutem Vorgehen gegen die Bamoth eine umfassende kultische Reinigung Judas verband. Darüberhinaus hat Josia als *einziger judäischer König* das getan, was die dt(?)/dtr Paränese oft und eindringlich fordert: er ist „weder rechts noch links abgewichen", und zwar – wie aus den übrigen Belegen der Formel eindeutig hervorgeht – von den Geboten Jahwes in Gestalt der dt Gesetzgebung (vgl. Dtn 5,[29.]32; 17,11.20; 28,14; Jos 1,7; 23,6).

Dieser Bezug wird durch den Abschnitt 2Kön 23,25–27 noch deutlicher, der nach Auffindung des Gesetzes und Reformwerk das Lob des Königs wieder aufnimmt und deshalb mit 22,2 zusammen behandelt werden muß. Daß freilich der Abschnitt 23,25–27 kaum von derselben dtr Hand stammt wie die einleitende Beurteilung Josias, läßt sich sowohl aus seiner Stellung im Text als auch aus seiner Sprache entnehmen. Das von DtrH befolgte Schema beginnt mit einer Bewertung der Regierung eines Königs und beendet die jeweilige Berichterstattung mit einem Verweis auf weitere Nachrichten in den Annalen, aus denen der Begräbnisort des Königs zumeist eigens erwähnt wird. Diese und andere Nachrichten finden sich auch am Ende der Darstellung von DtrH über Josia (2Kön 23,28–30), konkurrieren in der Abschlußstellung nun aber deutlich mit dem davorgeschobenen Abschnitt 23,25–27, der ebenfalls eine Art Resümee darstellt und eigentlich mit seiner übergreifenden Perspektive – Josia hatte weder vor- noch nachher seinesgleichen – als Mittelstück eines Berichts völlig ungeeignet ist.[23] Inhaltlich bietet 23,25–27 zunächst einmal dasselbe wie 22,2, aber mit gewichtigen neuen theologischen Akzenten versehen. Hatte DtrH die Einzigartigkeit der Stellung Josias unter den judäischen Königen durch die Formel 22,2bβ mehr implizit zum Ausdruck gebracht, bestätigt dies der hier redigierende Verfasser expressis verbis: „Wie er war kein König vor ihm, der mit ganzem Herzen, ganzer Seele und aller Kraft dem ganzen Gesetz Moses gemäß zu Jahwe umgekehrt wäre, und nach ihm erstand keiner wie er" (23,25).

In diesem Stadium der Redaktion ist das Dtn aufgrund seiner gewachsenen Autorität nicht nur bereits mit bestimmten, in ihrer Herkunft eindeutig identifizierbaren Formeln zitabel (vgl. 25aβ mit Dtn 6,5)[24], sondern es hat nunmehr auch einen Titel bekommen:

---

23 Angesichts dieser Beobachtung erscheint *H.-D. Hoffmanns* These einer „kunstvollen mehrfachen ‚Rahmungstechnik'" (Reform S. 204) beim Josiabericht mehr behauptet als bewiesen zu sein.
24 S.u. S. 73f. A. 92.

תורת משה. Diese Bezeichnung, sicherlich aufgrund von Wendungen wie התורה אשר־שם משה (Dtn 4,44) oder תורה צוה־לנו משה (Dtn 33,4) u.ä. entstanden, kennt DtrH aber noch nicht, sondern erst jene spätdtr Schicht DtrN, die ein Interesse daran hat, den Bezug auf das Dtn auch terminologisch eindeutig zu machen. DtrN ist Repräsentant einer (vielleicht im fortgeschrittenen 6. Jh., vielleicht auch später) aufkommenden Gelehrsamkeit, die die Geschichte mit ihrer Norm vergleicht, ob jene dieser genügt – und dies nicht mehr nur wie etwa DtrH in alleiniger Ausrichtung auf die Bamoth, sondern im Detail![25]

Charakteristisch für DtrN ist auch die Art und Weise, in der hier die Unvergleichlichkeit Josias gerühmt wird: nicht etwa in Form einer Gesamtsicht seiner Regierung, sondern in Konzentration auf seine Umkehr zu Jahwe, die sich in seiner Haltung gegen das Gesetzbuch manifestiert. Doch die Umkehr Josias (שב אל־יהוה, V. 25) hat nicht vermocht, Jahwe zur Abkehr von seinem Zorn (לא־שב...יהוה, V. 26) zu bewegen.[26] Das genau durchdachte Korrespondenzverhältnis von V. 25 und 26 darf nicht literarkritisch aus-

---

[25] Alle Belege für תורת משה (ספר) haben eindeutig die Diktion jener spätdtr Schicht DtrN. Bezeichnenderweise kommt der Ausdruck תורת משה selbst in den spätesten Schichten des Dtn nicht vor, sondern immer nur in der dtr Literatur und in späteren Schriften im zitierenden Rückbezug.
Zu den Stellen Jos 8,31f. (Rückbezug auf Dtn 27,1ff.) und Jos 23,6 hat bereits *Smend*, FS von Rad S. 501–504 das Nötige gesagt, zu 1Kön 2,3 *Veijola*, Dynastie S. 19ff. 2Kön 14,6 ist eindeutiger Nachtrag von DtrN zu 14,5, der ausdrücklich die mit Dtn 24,16 konforme Handlungsweise Amazjas vermerkt. Alle weiteren Belege – Mal 3,22; Dan 9,11.13; Esr 3,2; 7,6; Neh 8,1; 2Chr 23,18; 30,16; 31,3 – entstammen späterer Zeit und setzen damit den älteren Sprachgebrauch voraus, wenngleich die Stellen von Esra bis Chronik unter תורת משה unzweifelhaft Umfassenderes als das Dtn verstehen.

[26] Der Terminus שוב im Sinne der Abkehr Jahwes von seinem Zorn, der Abkehr der Menschen von Jahwe und ihrer Umkehr zu Jahwe dürfte überhaupt erst innerhalb der dtr Spätschicht DtrN – von wenigen, vielleicht älteren Vorläufern abgesehen (Dtn 13,18; 1Sam 15,11?) – Konturen gewonnen haben: Jos 7,26 (s.u. A. 28); 23,12 (vgl. *Smend*, FS von Rad S. 501–504); 1Sam 7, 3 (vgl. *Veijola*, Königtum S. 30ff.); 1Kön 9,6 (vgl. *W. Dietrich*, PG S. 72 A. 35); 2Kön 17,13 (vgl. ebd. S. 42f.; *Seeligmann*, VTS 29 S. 267). Noch spätere Belege sind in Dtn 30; Jos 22,16ff. und 1Kön 8,33ff.; 13,33 zu finden. Die Ausführungen von *Wolff* (Kerygma des DtrG S. 315ff.) zum Thema „Umkehr" im dtr Geschichtswerk können also insgesamt erst für fortgeschrittene Redaktionsstadien Geltung haben; vgl. auch *Seeligmann* (VTS 29 S. 266–270.281–284), für den die unterschiedliche Valenz des Aufrufs zur Umkehr in den spätdtr Passagen des Geschichtswerks einerseits und der dtr Redaktion des Jer-Buches andererseits eines der entscheidenden Kriterien zu deren relativer zeitlicher Ansetzung ist.

einanderdividiert werden[27], sondern will als Ausdruck für die Größe des Zornes Jahwes über Juda, den selbst ein König wie Josia nicht mehr zu besänftigen vermag, verstanden sein. Jahwes Zorn wird geradezu plerophorisch beschrieben und schließlich durch eine Gottesrede bekräftigt, in der der Rückbezug auf Formeln des Dtn wieder unverkennbar ist.[28] Daß die Endgültigkeit dieser Gerichtsdrohung ausdrücklich mit der Verruchtheit der persona non grata Ma-

---

27 So *W. Dietrich*, PG S. 29–31, der zwar die Zugehörigkeit von V. 26f. zu DtrN richtig erkannt hat, sich aber durch das אך zu Beginn von V. 26 über den Einsatz der Redaktion von DtrN hat täuschen lassen. Nicht jedes אך in der dtr Literatur indiziert einen redaktionellen Neueinsatz! Zudem ist 2Kön 22,18f. durch die Redaktionsarbeit von DtrN ganz ähnlich aufgebaut, s.u. S. 64ff.

28 Zu den Wendungen im einzelnen: Die paronomastische Konstruktion mit חרון אף und חרה אף ist nur hier belegt und dürfte der DtrN geläufigeren figura etymologica mit כעס (Verbform im Hiphil) nachgebildet worden sein (vgl. zur letzteren Wendung *W. Dietrich*, PG S. 90f., wo wahrscheinlich noch einige andere Belege – Ri 2,12; 1Kön 16,26.33; 2Kön 21,6 – der Schicht DtrN zuzuweisen wären). Die nächste Parallele, vielleicht das Vorbild für die Verbindung von שוב und חרון אף mit Jahwe als Subjekt findet sich nicht von ungefähr im Dtn (13,18)! Auch der einzige weitere Beleg für diese Wendung Jos 7,26aβ dürfte DtrN zuzurechnen sein (zutreffende literarkritische Analyse mit allerdings abweichender literarhistorischer Einordnung bei *Steuernagel*, Jos S. 236).
Der Sprachgebrauch von V. 27a ist gut bei *W. Dietrich*, PG S. 99f. analysiert. מאס mit Gott als Subjekt und Mensch/Volk als Objekt und umgekehrt kommt im dtr Geschichtswerk gehäuft bei Sauls Verwerfung vor (1Sam 15,23.26; 16, 1.7), ob aufgrund älterer Tradition oder nomistischen Einflusses soll hier unentschieden bleiben. Die übrigen Belege gehören jedenfalls alle mit großer Wahrscheinlichkeit DtrN an: 1Sam 8,7 (vgl. *Veijola*, Königtum S. 53ff.); 10, 19 (vgl. ebd. S. 39ff.); 2Kön 17,15 (vgl. *W. Dietrich*, PG S. 42ff.); 17,20 (nach *W. Dietrich*, ebd., aber kaum richtig: DtrH).
Die nächste Wendung את־העיר הזאת אשר־בחרתי... (את־ירושלם kann sehr gut interpretierende Apposition von derselben Hand sein) bezieht sich eindeutig auf die dt מקום-Formel (המקום אשר יבחר יהוה u.ä., ca. 20mal im Dtn) zurück und stammt an allen Stellen im Geschichtswerk höchstwahrscheinlich aus der Feder von DtrN: 1Kön 8,16 (vgl. *W. Dietrich*, PG S. 74 A. 39); 8,44. 48 (vgl. ebd.: späte Erweiterungen nach DtrN); 11,13 (vgl. ebd. S. 68 A. 7); 11,32.36 (vgl. ebd. S. 15–20; wohl eher noch später); 14,21 (Formel in V. 21bβ ist von DtrN); 2Kön 21,7 (vgl. *W. Dietrich*, PG S. 31).
Ebenso verhält es sich mit der Wendung יהיה שמי שם in 2Kön 23,27, die – ebenfalls dem Dtn entlehnt – mit der soeben behandelten häufig zusammen vorkommt. Alle Belege im Geschichtswerk gehen auch hier höchstwahrscheinlich auf DtrN und spätere Schichten zurück: 1Kön 8,16 (s.o.); 8,29 (vgl. *W. Dietrich*, PG S. 74 A. 39); 9,3 (vgl. ebd. S. 72 A. 35); 11,36 (s.o.); 14,21 (s.o.); 2Kön 21,4 (spätdtr Erweiterung nach DtrN, s.u. S. 163); 21,7 (s.o.); vgl. auch die umfassende Zusammenstellung der Belege bei *Weinfeld*, Dtn S. 325 Nr. 3–5.

nasse begründet wird (vgl. V. 26 und die Arbeit von DtrN in 24, 3f.)[29], bestätigt noch einmal die Beobachtung, daß DtrN vielfach das explizit sagt, was bereits implizite Intention der Redaktionsarbeit von DtrH gewesen ist.

Das dtr Urteil über Josia ist somit einhellig: Kein König war wie er oder, was dasselbe meint: Er ist David ohne Abstriche an die Seite zu stellen.[30] Zwischen dem Begründer der Dynastie und ihrem fast letzten Glied liegt die (israelitische und) judäische Unheilsgeschichte, die trotz Josia reif zum Gericht war. Seine religiöse Lauterkeit und zugleich seine Machtlosigkeit, auf Gottes Gerichtsentschluß einzuwirken, ist den Dtr Erweis für die Größe des Zornes Jahwes aufgrund der Größe der Schuld Judas.

Es muß nun genauer betrachtet werden, welchen Taten Josia die Hochschätzung durch die Dtr verdankt – und mit welchem Recht sie diesen König gleichsam zu einem David redivivus stilisierten.

3. Der König und das Buch (2Kön 22,3–13)

Die Angabe des Datums in 22,3 – das 18. Regierungsjahr Josias – weist auf den Beginn einer neuen Text- und Handlungseinheit hin[31], die zunächst auf die Schilderung eines normalen Verwaltungsvorgangs zwischen Hof und Tempel hinauszulaufen scheint. Der Kanzler (הספר) Schaphan[32] wird vom König beauftragt, zum Priester Hil-

29 Vgl. *W. Dietrich*, PG S. 29–31.

30 Zu dieser Einschätzung vgl. auch *Cross*, Canaanite Myth S. 274ff. v.a. S. 284f., unabhängig von der These einer „Josianic edition of the Deuteronomistic history" (Dtr[1]).

31 Auch an anderen Stellen zeigen solche Datumsangaben Annalenexzerpte an: 1Kön 6,1.37; 2Kön 11,4; 12,7; 17,6; 18,9.10.13; 25,1.2.8 (vgl. *W. Dietrich*, VT 27 S. 22).

32 Schaphan (שפן) begegnet als agierende Person im AT nur in 2Kön 22 (par. 2Chr 34), darüberhinaus im Jer-Buch in den Genealogien einiger hoher judäischer Beamter, wie etwa Achikam (אחיקם) ben Schaphan (2Kön 22,12.14; Jer 29,3), Mikajahu ben Gemarjahu ben Schaphan (Jer 36,11.13) und als Prominentester der Statthalter Gedaljahu ben Achikam ben Schaphan (2Kön 25,22; Jer 40,5.9.11; 41,2; 43,6 u.ö.). Man wird die Familie des Schaphan nachgerade als ein Diplomatengeschlecht bezeichnen können, dessen Glieder über Generationen politische Führungspositionen innehatten (vgl. auch *Mettinger*, Officials S. 31ff.).
Zur Stellung des ספר, die von Schaphan bekleidet wird und hier als wahrscheinlich ranghöchste politische Position mit „Kanzler" wiedergegeben ist, zur ägypt. Herkunft dieses Amtes, seiner Übernahme durch David und seinem Aufgabenbereich vgl. die instruktive Studie von *Begrich*, Sōfēr S. 67ff. Daß das Amt des

kia[33] in den Tempel zu gehen, um das dort von den Schwellenhütern[34] eingesammelte Geld abzurechnen[35] und dessen Weitergabe für notwen-

ספר nur in der Zeit Jesajas vorübergehend „inférieur au maître du palais" (אשר על הבית) war, dürfte im Gegensatz zu *de Vaux* (Institutions I S. 201) von *Begrich* (aaO S. 95f.) richtig gesehen worden sein.

33 חלקיה(ו) ist ein im AT nicht selten belegter Eigenname, aber dennoch ist keine der sonst Hilkia genannten Personen mit dem Priester aus der Zeit Josias identisch. Dieser wird in 2Kön 22f. entweder als הכהן (22,10.12.14; 23,24) oder הכהן הגדול (22,4.8; 23,4) tituliert, wobei dieser Titel für die vorexilische Zeit sonst nur noch einmal in 2Kön 12,11 belegt ist, wo er genau wie in 2Kön 22f. seine Existenz der (allerdings unsystematischen) Nacharbeit eines nachexilischen Korrektors verdankt (anders *H.-D. Hoffmann*, Reform S. 122f., für den der Titel „eindeutiges Argument" für nachexilische Textdatierung ist; demnach muß der Verfasser von 2Kön 22f. die Verwirrung von Titulaturen, der von 2Kön 12 zudem das Vexierspiel mit den Handlungsträgern geliebt haben, s.u. S. 180). Die vorexilische Zeit kennt noch keinen הכהן הגדול, sondern nur einen ranghöchsten הכהן im Jerusalemer Tempel, der allerdings auch den Titel כהן הראש (2Kön 25,18 = Jer 52,24) führen konnte, wobei die mangelnde Verfestigung der Nomenklatur darauf hinweist, daß die hierokratischen Strukturen erst im Werden begriffen waren (vgl. auch *Smends* Ausführungen zu Lev 21,10, Entstehung S. 62). Hierüber darf man sich nicht durch die sehr viel ältere Titelausbildung in den altorientalischen Hochkulturen täuschen lassen (sum.-akkad. Bereich: SANGA.MAḪ oder $SANGA_4$.MAḪ = ša(n)ga(m)māḫu, vgl. AHw S. 1163; *Borger*, ABZ Nr. 320; šangû rabû, vgl. AHw S. 1163; Ugarit: rb. khnm, vgl. *Gordon*, UT Nr. 2297). Hilkia kannte den Titel הכהן הגדול ebensowenig wie die spätere (chr) Trennung von Thron und Altar, die seinen Nachfolgern z.Z. des zweiten Tempels einen erstaunlich großen Einflußbereich verschaffte (vgl. aus der Fülle der Literatur: *Wellhausen*, Prolegomena S. 142–145; *Stade*, Anmerkungen S. 193f.; *de Vaux*, Institutions II S. 241f.).

34 Wer sich die Schwellenhüter (שמרי הסף) gleichsam mit dem Klingelbeutel in der Hand an den Tempeltoren vorstellt und sie deshalb zu den „niederen Chargen in der Priesterhierarchie" (*W. Dietrich*, VT 27 S. 20) rechnet, hat die Bedeutung des Amtes kaum angemessen erfaßt. „Ce sont donc des officiers supérieurs du Temple et non pas de simples portiers" (*de Vaux*, Institutions II S. 242; für letztere vgl. etwa Ez 44,11), von denen es am vorexilischen Tempel kaum mehr als die in 2Kön 25,18 = Jer 52,24 genannten drei gegeben hat, während sie am nachexilischen Heiligtum Legion waren (vgl. *von Baudissin*, Priesterthum S. 216f.). Der hohe Rang ergibt sich mit Sicherheit aus der Ämteraufzählung in 2Kön 25,18 par. und aus Jer 35,4, nach welcher Notiz den Schwellenhütern eine לשכה im Tempel zustand. Ursprünglich ein reines Tempelamt (2Kön 12,10; 22,4; 23,4; 25,18; Jer 35,4; 52,24; 2Chr 34,9; 1Chr 9,19 [שמרי הספים]) ist es in nachexilischer Zeit auch auf den Palast übertragen worden (Esth 2,21; 6,2).

35 Der Leseart וְיַתֵּם des MT ist gegenüber jeglicher Variante der Versionen der Vorzug zu geben. Das Verb ist im Zusammenhang mit כסף ungeläufig (vgl. jedoch Gen 47,15), die Wendung deshalb schon in 2Kön 12,10 (נתן) vereinfacht worden. Gleichwohl ist der Sinn völlig klar: Das Einsammeln des Geldes soll beendet, unterbrochen werden, um die Summe feststellen zu können, die für die Bauarbeiten zur Verfügung steht.

dige Renovierungsarbeiten am Tempel zu veranlassen (22,4f.). Es will beachtet sein, daß dem Befehl des Königs kein Unterton exzeptioneller Handlungsweise abzuhören ist, so daß man das sich hier dokumentierende Herrschaftsverhältnis des königlichen Hofes über den Tempel als das im 7. Jh. und vorher Übliche wird interpretieren müssen. Der Tempel untersteht der Aufsicht des Königs[36], der in diesem Falle die ihm zukommende Finanzhoheit durch seinen Kanzler Schaphan wahrnimmt, *durch den* (und nicht durch Hilkia) die dringlichen Bauvorhaben *im Tempel* in Gang gesetzt werden. Hilkias Stellung gegenüber Schaphan ist, was den äußerlichen Kompetenzbereich anbelangt, kaum als eine gleichberechtigte zu werten. Seine Position ist in dieser Zeit wahrscheinlich soviel oder sowenig wert wie die geistliche Autorität des jeweiligen Amtsinhabers – und die war bei Hilkia allem Anschein nach eine beachtliche.

Die Weitergabe des Geldes an die zuständigen Handwerker ist in 22,5f. etwas umständlich mitgeteilt. Zuerst soll es Hilkia sozusagen an die Bauaufsicht im Tempel übergeben[37], die es dann an die die einzelnen Arbeiten ausführenden Handwerker weiterleiten soll.[38] Bis zu diesem Punkt dürfte lediglich der übliche „Dienstweg“ beschrieben

---

[36] Vgl. *Wellhausen*, Prolegomena S. 132.284; ders., IjG S. 123; ähnlich auch *de Vaux*, Institutions II S. 239f.; anders, jedoch nicht überzeugend *Bentzen*, Reform S. 109f.
Königskorrespondenz aus neuass. Zeit, die analoge Regelungen für Tempelrenovierung und andere Bauvorhaben enthält: ABL 339 = LAS 293 Rev. 2ff.; ABL 476 = LAS 277; ABL-Texte bei *Deller / Parpola*, RA 60 S. 59ff. u.ö.

[37] Bei der Form ויתנה in 22,5 darf nicht dem Qerē gefolgt werden, das die Form an 22,9 angleicht. Vielmehr handelt es sich um eine Singular-Form, bezogen auf das Subjekt Hilkia (22,4), mit der aramaisierenden Suffix-Form der 3. ps. m. sg. Der zunehmende aram. Einfluß auf das Hebräische macht sich in 2Kön 22f. nicht nur hier bemerkbar.

[38] (ה)מלאכה (עשי) ist im Zusammenhang mit Bauarbeiten belegt (2Kön 12,12; 22,5.9; 1Chr 22,15(14); Neh 5,16; Hag 1,14 u.ö.), kann aber auch bei der Verrichtung verschiedener anderer Tätigkeiten stehen (Ps 107,23; Esth 3,9; Neh 13,10; 1Chr 27,26 u.ö.).
(ה)מפקדים ist nur in diesem Zusammenhang belegt (2Kön 12,12?; 22,5.9; 2Chr 34,10.12.17), wenngleich der Gebrauch des Hiphil in 1Kön 14,27; 2Kön 7,17; 25,23; Jer 1,10; 40,7.11; 41,2.10.18 u.ö. gut zu vergleichen ist. Eine sehr schöne Parallele zu 2Kön 22,5a mit der Folge von עשה מלאכה und פקד hi. ist in 1Kön 11,28 zu finden, wobei hier dem Substantiv die Bedeutung „besonders tüchtiger Arbeiter“ zukommt. Vielleicht ist diese Bedeutung auch noch in 2Kön 12,12; 22,5.9 vorauszusetzen. Der spätere priesterschriftliche Sprachgebrauch kennt übrigens nur das Part. pass. des Qal (passim).
Zu der Wendung חזק pi. mit בדק (2Kön 12,6–9.13; 22,5; vgl. auch Ez 27,9.27) vgl. akkadisch batqu ṣabātu/kaṣāru (so schon GB Sp. 222a; vgl. v.a. AHw S. 115 CAD B S. 167f.).

sein, der der Tatsache Rechnung trägt, daß Hilkia nicht jeden subalternen Arbeiter mit einer bestimmten Summe Geldes versieht, sondern dies zwischengeordneten Instanzen überläßt.[39] Aus der abschließenden Angabe der Zweckbestimmung des Geldes (22,5bβ) ist allerdings zu ersehen, daß hier der Abschnitt über die Geldverteilung ursprünglich beendet war und erst sekundär durch V. 6 mit seiner Aufführung der einzelnen Handwerkergruppen erweitert worden ist.[40] V. 6bβ nimmt V. 5bβ fast wörtlich wieder auf, woran die sekundäre Auffüllung gut zu erkennen ist. Allerdings muß V. 6 schon sehr bald, vielleicht noch vor Übergang des Textes in dtr Hände, nachgetragen worden sein, da der von 22,5f. abhängige Abschnitt 2Kön 12,12f. bereits die erweiterte Fassung der Vorlage voraussetzt.[41]

Josia schließt in 22,7 seine Anweisung an Schaphan mit der Bemerkung, daß mit den Handwerkern nicht abgerechnet, sondern ihre Arbeit auf Treu und Glauben hin (באמונה) ausgeführt werden soll. Diese Anordnung gibt einige Probleme auf, so daß man versucht sein könnte, sie mit Verweis auf ein einleitendes redaktionelles אך für sekundär zu erklären und dadurch zumindest einen glatten, gut verständlichen ursprünglichen Text zu erhalten. Doch der einzige Erfolg einer solchen Operation läge in einer Verschiebung der Probleme auf eine der folgenden Redaktionsstufen, die sich aber durch keinen einleuchtenden Anhalt im Text rechtfertigen läßt.[42]

Aber welchen Sinn hat das Verbot des Königs, ein normalerweise wohl selbstverständliches Abrechnungsverfahren mit den Handwerkern durchzuführen? Weitere unabhängige Belege eines solchen Verbotes gibt es

---

39 An der zweimaligen Aufeinanderfolge von עשי המלאכה in 22,5 hat mancher Literarkritiker Anstoß genommen, so etwa *Stade*, der kategorisch urteilt: „V. 5a ist vor V. 5b, welcher das gleiche aussagt, nicht nur überflüssig, sondern unerträglich" (Anmerkungen S. 196).
Der Verdacht der Literarkritiker gegen 22,5 ist zwar verständlich, doch nicht unbedingt berechtigt, da an die Beschreibung eines Verwaltungsvorgangs durch zwei Instanzen nicht die Anforderung großer literarischer Variabilität gestellt werden darf. Dennoch ist auch eine literarkritische Lösung, die in 22,5bα einen Nachtrag sieht, nicht ganz auszuschließen. *Stades* Analyse ist völlig unwahrscheinlich.

40 Zur Organisation des Handwerks im alten Israel, v.a. zur Bedeutung von חרש, vgl. *de Vaux*, Institutions I S. 119–121 und die informativen ugaritischen Belege für ḥrš (*Gordon*, UT Nr. 903; vgl. Nr. 2297: rb.ḥršm).

41 S.u. S. 181f.

42 Der Sprachgebrauch in 22,7 ist gegenüber einer literarhistorischen Auswertung indifferent: חשב ni. ist in fast allen Epochen und Bereichen der atl. Literatur bezeugt, fast ebenso das im Paralleltext 12,16 gebrauchte חשב pi. Die seltene Form des Part. ni. von נתן ist noch an zwei weiteren Stellen belegt: Ex 5,16(J) und Jes 33,16(nachexilisch).

im AT nicht, da 2Kön 12,16 wiederum 22,7 voraussetzt und 2Chr 34 12 als chr Parallele kein eigenes Gewicht zukommt. Da sich auch die meisten Exegeten in Schweigen hüllen[43], kann die folgende Erklärung nicht viel mehr als ein erster Verstehensversuch sein.

Es ist immerhin zu erwägen, ob sich hier nicht das Bewußtsein artikuliert, daß Bauarbeiten an einem Tempel nicht mit irgendwelchen profanen Arbeiten gleichgesetzt werden können, sondern der Sphäre des Tauschhandels entzogen sind. Die hinter 22,7 stehende Überlegung wäre dann die, daß menschliche Kontrolle dort verfehlt ist, wo an Jahwes Wohnung gebaut wird. Daß die Beteiligten באמונה, einer in der Weisheit hochgeschätzten Tugend (vgl. Prov 12,22; 13,17; 14,5; 20,6; 28,20 u.ö.) handeln, wird als angemessene Einstellung vorausgesetzt. Daß ähnliche Überlegungen auch anderweitig im alten Orient bekannt waren, läßt sich etwa einer Bauinschrift Ash.s zum Neubau des Aššur-Tempels Ešarra entnehmen, in der Ash von den Teilnehmern an den Bauarbeiten folgendes berichtet: „Die Bewohner der Länder, die Ziegel strichen, arbeiteten in Jubel, Freude und Frohlocken (i-na ul-ṣi ḫi-da-a-te ù ri-šá-a-te) ein Jahr lang."[44] Diese überschwenglich stilisierte Notiz in Ash.s Baubericht ist der 2Kön 22,7 nicht unähnlichen Idee entsprungen, daß der Bau an einem Heiligtum nicht als Last empfunden werden darf, sondern freudige Zustimmung verlangt – eine Variante zu der bei den Handwerkern für das Jerusalemer Bauvorhaben vorausgesetzten, nicht kontrollierten Zuverlässigkeit.

Die Ausführung des königlichen Befehls von 2Kön 22,4f.7 wird im folgenden nicht lang und breit berichtet. In beträchtlicher Zeitraffung finden wir in 22,8 Schaphan bereits im Gespräch mit Hilkia, was seinen Gang zum Tempel und die Erledigung seines Auftrags voraussetzt. Daß die Erzählung von dem Befehl des Königs sogleich zu dem Gespräch Hilkias mit Schaphan springt, ist nicht einmal primär stilistisch motiviert, um etwa durch die Ausführung des Befehls entstehende langatmige Wiederholungen zu vermeiden, sondern in erster Linie durch den sachlichen Grund, daß der Erzähler energisch auf den zentralen Gegenstand seiner Geschichte hindrängt, den Hilkia nunmehr gegenüber Schaphan zur Sprache bringt: „Das Gesetzbuch (ספר התורה) habe ich im Tempel gefunden" (22,8aβ).[45]

---

43 *Stade*, der 22,5a.6f. für sekundär hält, ist wenigstens über die „Vertrauensseligkeit befremdet" (vgl. Anmerkungen S. 197).

44 *Borger*, Ash S. 4 IV,41–V,2.

45 Beachte die betonte Voranstellung des Akk.-Objekts!
Was *W. Dietrich* über den Verfasser des Annalenberichts sagt, ist voll zu unterstreichen: Man gewinnt den Eindruck, „als könne der Verfasser gar nicht schnell

Damit ist die entscheidende Triebfeder genannt, die alle folgenden Ereignisse in Gang setzen wird: *das*, also nicht irgendein Buch, anscheinend nicht erst viel später identifizierbar, sondern wohl bereits z.Z. der Entstehung der Erzählung in irgendeiner Weise für bekannt gehalten. Es kann einfach (הזה) ספר(ה) (2Kön 22,8.10.13bis.16; 23,3.24) genannt werden, aber auch, wie hier, ספר התורה (22,8.11) und ספר הברית (23,2.21). Terminologische Vielfalt und statistischer Befund könnten die literarkritische Operationslust anregen, doch ist gegenüber jeder literarkritischen Lösung größte Vorsicht geboten. Daß, überlieferungsgeschichtlich betrachtet, im Rahmen der Erzählung der schlichte Titel ספר(ה) als der unbestimmteste und am häufigsten belegte auch der älteste sein wird, hat alle Wahrscheinlichkeit für sich. Doch ist die Rekonstruktion einer ältesten, durch titulare Reinheit ausgezeichneten Fassung der Erzählung unmöglich, da sich die Bezeichnung ספר התורה nicht mit einleuchtenden Gründen aus 22,8.11 zugunsten von einfachem הספר eliminieren läßt, wenn man nicht zu einem völlig unsystematisch arbeitenden Redaktor seine Zuflucht nehmen will. Denn sollte ein späterer Bearbeiter sonderliches Interesse an der Benennung des Buches als ספר התורה gehabt haben, hätte er dieses Interesse durch die zweimalige sporadische Einfügung, die das Bild des Berichts in keiner Weise prägt, schlecht zur Geltung gebracht. Beläßt man demgegenüber das zweimalige ספר התורה im Text und sieht man dann in der terminologischen Variabilität den Versuch dokumentiert, dem noch (oder vermeintlich wieder) neuen Buch einen angemessenen Namen zuteil werden zu lassen, ist die unterschiedliche Bezeichnung besser verstanden.[46]

Die Prägung der Bezeichnung ספר הברית ist auf derselben Linie zu interpretieren, wobei sich dieser Terminus vor allem auf seine Funktion als Bundesdokument unter Josia richtet. Die nur drei Belege für ספר הברית (Ex 24,7; 2Kön 23,2.21) im AT müssen an gegebener Stelle gewürdigt werden.[47]

---

genug zur Hauptsache kommen, nämlich zu der Nachricht von der Auffindung des Gesetzbuches" (VT 27 S. 23). Allerdings muß man deshalb nicht gleich 22,8 an 22,3 anschließen, denn dadurch wird Schaphans Gang zum Tempel zu einer ziemlich unmotivierten Handlung und ist Hilkias Hinweis auf den Buchfund das Überraschungsmoment genommen.

[46] Vgl. auch *Nielsen*, ASTI 11 S. 80: „The law-book existed (2 Kings 22,8. 11) long before the Deuteronomistic compiler began his work, and was used by him as the starting point for his compilation."

[47] S.u. S. 76ff.
Zum Verhältnis von ספר התורה und ספר הברית vgl. *Perlitt*, Bundestheologie S. 10f.

Nicht der Terminus ספר הברית hat als Name für das Buch Geschichte gemacht, sondern die Bezeichnung ספר התורה, wie aus der recht stattlichen Zahl von Belegen in anderen dtr redigierten Texten zu ersehen ist.[48] Hat sich aber bereits die aus ספר התורה entwickelte Wendung ספר תורת משה als von DtrN geprägt erwiesen[49], nimmt es nicht wunder, auch ספר התורה zunächst einmal in Texten zu finden, die eindeutig jener Spätschicht zuzurechnen sind (Jos 1,8; 8,34 neben ספר תורת משה in 8,31).[50] Da DtrN von allem an der *expliziten* Verzahnung des dtr Geschichtswerks mit dem Dtn liegt, darf der Begriff in diesem eigentlich nich fehlen – und findet sich auch in seltener Dichte in den hinteren Rahmentexten (28,61; 29,20; 30,10; 31,[24].26), so daß auch hier die Annahme nomistischer Bearbeitung die weitaus wahrscheinlichste ist.

Das Ringen um den rechten Namen des unter Josia gefundenen Buches zeigt zur Genüge, daß hier nicht Althergebrachtes und Altbekanntes durch eine priesterliche pia fraus wieder in Geltung gesetzt werden soll, sondern etwas Neues auf den Plan tritt, das nicht nur inhaltlich, sondern auch sprachlich bewältigt werden muß. ספר התורה oder ספר תורת משה als die von DtrN besonders geschätzten Namen für das Buch markieren den Anfang einer Entwicklung, die Jahrhunderte später in der jüdischen Bezeichnung des Pentateuchs als תורה ihren Abschluß findet.

Wer sich wundert, daß in 22,8 nichts Näheres über die Fundumstände des Buches und seinen Inhalt mitgeteilt wird und ebensowenig über Schaphans Reaktion auf seine Lektüre, muß weiterlesen, um das Schweigen der Erzählung in dieser Hinsicht zu verstehen.

Der nächste Vers (22,9) bringt nach der Einführung des Buches in 22,8 ein retardierendes Moment in den Gang der Ereignisse. Schaphan kehrt in den Königspalast zurück und informiert den König über die Durchführung seines Befehls.[51] Länger kann das Buch jedoch nicht unerwähnt bleiben, weshalb Schaphan dem König ohne auch nur die leiseste Andeutung einer Wertung vermeldet: „,Ein Buch hat mir der

---

[48] Die Belege für ספר התורה wie für die anderen Bezeichnungen des Buches in späteren Texten (v.a. 2Chr 34; Neh 8) bleiben hier unberücksichtigt.

[49] S.o. S. 44 A. 25.

[50] Vgl. *Smend*, FS von Rad S. 494–497.504 A. 37.

[51] MT in 22,9 bedarf weder textkritischer noch literarkritischer Korrekturen. Für eine Übernahme der Rapportformel in 22,9aβ aus 22,20 (vgl. *W. Dietrich*, VT 27 S. 24 A. 49) gibt es keine guten Gründe. Das zweimalige Vorkommen einer so häufigen Formel (vgl. Gen 37,14; 1Sam 17,30; Jes 41,28 u.ö.) in einem größeren Textzusammenhang ist völlig unverdächtig, zumal sie an beiden Stellen sinnvoll placiert ist.

Die Nachricht über die Ausführung des Befehls (22,9) ist gegenüber dem Befehl selbst (22,4f.7) gekürzt, was aber bei diesem nur mit Vorsicht ausgewertet werden darf (s.o.). Die minutiöse Darstellung der Ausführung eines langen Befehls widerspräche allen Gesetzen eines guten Erzählstils.

נתך hi. als Terminus für das Abrechnungsverfahren ist nur hier (und in 2Chr 34, 17) belegt.

Priester Hilkia gegeben.' Und Schaphan verlas es vor dem König" (22, 10aβb). Mit dem letzten Vers werden die Ereignisse nun einen entscheidenden Schritt weitergebracht. Nicht allein der Fund des Buches ist von Wichtigkeit, sondern ebenso ausschlaggebend sein Weg in die richtigen Hände, und das sind die des Königs! „Als der König aber die Worte des Gesetzbuches hörte, da zerriß er seine Kleider" (22, 11).

Wer den bisherigen Weg des Gesetzbuches von Hilkia über Schaphan verfolgt hat, ist über die Reaktion des Königs aufs äußerste überrascht. Seine Geste heftigen Entsetzens hat weder bei Hilkia noch bei Schaphan ein Vorbild. Ob der Text durch Redaktorenhände vielleicht entscheidende Informationseinbußen erfahren hat? Doch diese Frage zu bejahen, hieße, die sehr bewußte und sorgfältige Stilisierung des Textes verkennen. Schaphan *muß* in den Tempel gehen, um dort durch Hilkia mit dem Buch in Kontakt zu kommen. Hilkia und Schaphan wiederum *dürfen* nach der Lektüre des Buches keine Reaktion zeitigen, um alles Interesse auf die Reaktion des *Königs* konzentrieren zu können. Das Buch und der König – dies sind die beiden Brennpunkte, um die die ganze Geschichte elliptisch organisiert ist. Unter diesem schlechterdings entscheidenden Aspekt ist die Erzählung trotz oder gerade in ihrer Stilisierung ein getreues Spiegelbild der vorexilischen Zeit, denn schon die ausschlaggebende Rolle des Königs wäre in *jeder* späteren Epoche unwahrscheinlich, so gut wie ausgeschlossen aber die nachgerade instrumentelle Funktion des Priesters Hilkia. Er ist Zulieferer des Buches, mehr nicht!

Es ist müßig, demgegenüber festzustellen, daß die Weitergabe des Buches erst durch Hilkia an Schaphan, dann durch Schaphan an den König bei beiden eine adäquate Einschätzung der Relevanz seines Inhalts voraussetzt. Ist dies als historische Vorgabe der Erzählung ohne weiteres zuzugestehen, so ist doch die bewußte Unterschlagung der Reaktionen Hilkias und Schaphans für die richtige Einschätzung der Denkweise des Erzählers viel wichtiger. Ihm ist es noch völlig selbstverständlich, daß dieses Drama nur *eine* Hauptrolle und zwei Nebenrollen hat, teils aus allgemeiner höchster Wertschätzung des monarchischen Amtes im vorexilischen Juda, teils aus besonderer Achtung des Königs Josia als eines außergewöhnlich qualifizierten Trägers dieses Amtes.

In diesem Horizont muß auch 22,11 verstanden werden. Aus der entsetzten Reaktion des Königs den spezifischen Inhalt des Buches erschließen zu wollen, ist kaum möglich. Daß das Buch wegen Josias Entsetzen auch Drohungen enthalten haben müsse, ist bereits ein viel zu hypothetischer Schluß, der auf einer unangemessenen Interpretation der Reaktion des Königs beruht. 22,11 will nicht das Erschrecken des Königs über besonders furchtbare Drohungen widerspiegeln, sondern zeigen, daß er Relevanz und Quintessenz des Buches verstanden, die Inkongruenz seiner Forderungen mit den judäischen Zuständen realisiert hat und nun im Begriff ist, die notwendigen Konsequenzen zu ziehen.

War bisher die Erzählung auf die Reaktion des Königs *zu*gelaufen, gehen nunmehr in einer entgegengesetzten Bewegung die entscheidenden Impulse zur Würdigung des Buches und zur Durchsetzung seiner Forderungen von ihm *aus*: ויצו המלך (22,12). Er beauftragt zunächst eine Delegation von fünf hohen Beamten[52] mit der Einholung eines Jahweorakels[53] über dieses Buch, denn die angemessene Erkenntnis seines wesentlichen Inhalts ist eine – des Königs – Sache, die Enthüllung, weshalb das Buch gerade jetzt zur Kenntnis gekommen ist, eine andere – Gottes – Sache.

Die Begründung für Josias Verlangen nach einem Jahweorakel ist ein begehrter Ansatzpunkt für redaktionelle Tätigkeit gewesen, so daß im jetzigen Text (22,13) zumindest eine Doppelung des im Orakel in Frage stehenden Objekts (בעד-Glieder in 22,13aα und ... על־דברי

---

[52] Es gibt keinen zwingenden Grund, die Aufzählung der in 22,12 vom König delegierten Personen nicht als authentisch zu betrachten. Daß Hilkia (s.o. S. 47 A. 33) und Schaphan (s.o. S. 46f. A. 32) als am Buchfund beteiligte Personen Mitglieder der Delegation sind, ist ebenso einleuchtend wie die Benennung weiterer hoher judäischer Beamter historisch unverdächtig ist: zu Achikam s.o. S. 46f. A. 32; zu Akbor (עכבור) vgl. Jer 26,22; 36,12, dessen Sohn Elnatan nach letztgenannter Stelle zu den judäischen שרים zählt; Asaja (עשיה), der עבד־המלך, ist außerhalb dieses Textes (2Kön 22,12 par. 2Chr 34,20; 2Kön 22,14) wohl nicht bekannt. Eine sehr hohe Stellung dürfte sich hinter dem Titel עבד־המלך, der als (w)arad šarri auch in Mesopotamien geläufig war (vgl. CAD A/II S. 247f.), kaum verbergen (vgl. jedoch *Benzinger*, Archäologie S. 266).

[53] Die literarkritische Bewertung von 22,13 weicht hier zum Teil von *W. Dietrich*, VT 27 S. 25–29 ab.
Die Einholung des Orakels in Zeiten der Krise oder der Not ist nicht nur das alttestamentlich, sondern auch das altorientalisch Normale (Omenliteratur). דרש-Befragungen (דרש את יהוה) sind vornehmlich in der Königszeit belegt, wobei das Orakel immer bei Propheten *außerhalb des kultischen Bereichs* eingeholt wird (vgl. *Gerleman / Ruprecht*, THAT I Sp. 460–467). Vielleicht impliziert die prophetische Orakelbefragung eine „diminution du rôle oraculaire des prêtres" (*de Vaux*, Institutions II S. 205) gegenüber der vormonarchischen Zeit. Daß der Prophet oder die Prophetin nicht – wie im alten Orient üblich – ihre Tätigkeit im Tempel ausüben, sondern eine bürgerliche Existenz führen, ist Indiz für die einigermaßen konsequente Trennung zwischen Priester- und Prophetentum in vorexilischer Zeit.

in 22,13aβ) und eine zweifache Begründung der Orakelanfrage (22, 13bα und 22,13bβγ) vorliegen. Nun ist im Blick auf die bisherige Erzählung in 22,13 ziemlich leicht Primäres von Redaktionellem zu unterscheiden. Da das Buch bisher im Mittelpunkt der Erzählung stand, findet in 22,13 der Befehl לכו דרשו את־יהוה seine einzig sinnvolle Fortsetzung in על־דברי הספר הנמצא הזה (22,13aβ), denn die vorgeschaltete dreigliedrige בעד-Reihe entspricht weder in ihrer mangelnden stilistischen Prägnanz noch in ihrer inkonsequenten Differenzierung (König, Volk, Juda) der bisherigen Erzählweise.[54] Sie ist ein später Nachtrag, der unter Voraussetzung des folgenden Huldaorakels schon im Befehl des Königs sehr genau, genauer als dann das Orakel selbst, angeben will, was im folgenden zu erwarten ist.

Wie 22,13aβ im Einklang mit der bisherigen Erzählung steht, so auch der anschließende Versteil 22,13bα, der nunmehr artikuliert, was die stumme Reaktion des Königs in 22,11 bereits hat sagen sollen: כי־גדולה חמת יהוה אשר־היא נצתה בנו.[55] Daß Jahwe das Buch zu jenem Zeitpunkt hat auffinden und daß er damit die unerträgliche Inkongruenz zwischen dem in ihm niedergelegten Gotteswillen und der religiösen Realität Judas hat offenbar werden lassen, kann nur als Ausdruck seines Zorns verstanden werden. Der Erzähler memoriert hier nicht Vergangenes für historisch interessierte Judäer späterer Generationen, sondern wendet sich betroffen an seine Zeitgenossen (Jahwes

---

54 Vergleichbare בעד-Reihungen sind im AT nicht sehr zahlreich belegt (Lev 9,7; 16,6.11.17.24; 2Sam 10,12 par. 1Chr 19,13; Ez 45,22). Doch nicht diese Reihungen bilden die nächsten Parallelen zum Sprachgebrauch von בעד in 2Kön 22,13, sondern bestimmte Wendungen im Jer-Buch, zumeist im Zusammenhang mit dem Verb פלל hitp. *Thiel* weist Jer 29,7; 37,3; 42,2 der Quelle B zu, Jer 7,16; 11,14; 14,11; 21,2 (mit דרש!); 42,20 der dtr Redaktion (vgl. das Stellenregister in Jer I). Auch außerhalb des Jer-Buches ist בעד mit פלל hitp. in dtr redigierten Texten belegt: 1Sam 7,5.9; 12,19.23 (gehört Num 21, 7 zu einer der alten Pentateuchquellen?). Gerade in den Jer-Texten handelt es sich zumeist auch um Orakelanfragen bei Jahwe durch den Propheten. Die Ähnlichkeit der Situation zum Huldaorakel ist zu auffällig, als daß sie nicht genau untersucht werden müßte (s.u. S. 58ff.).
Auf wen die בעד-Reihe in 2Kön 22,13 zurückgeht, ist nicht mit Eindeutigkeit zu sagen: vielleicht auf den Redaktor, der auch sonst in Kap. 22 am meisten redigiert hat: DtrN.

55 חמה, ausgesagt von Gott, ist v.a. seit der Wende zum Exil häufig belegt (Jer und Ez passim). יצת hat in den drei nachweisbaren Stämmen qal, ni., hi. eine חמה nicht unähnliche Belegstruktur (Jer passim). Dennoch ist die Kombination von יצת ni. mit חמה, bezogen auf den Zorn Jahwes, nur in 2Kön 22,13.17 zu finden. Hier liegt also eine durchaus selbständige Wendung vor. Welche Gestalt sie (mit typischen Unterschieden!) in dtr Form annehmen kann, mag etwa Jer 36,7 entnommen werden (vgl. *Thiel*, Jer II S. 49–51).

großer Zorn – gegen *uns*) und unterscheidet sich mit dieser Perspektive deutlich von der in dem zweiten Nebensatz 22,13bβγ eingenommen. Hier steht nicht mehr die indirekte Selbstbezichtigung im Mittelpunkt, sondern andere sitzen auf der Anklagebank, die *Väter*, genauer: unsere Väter, die sich in ihren Handlungen nicht danach geric tet haben, was in dem Buch „geschrieben steht".[56] Aus diesem Urtei spricht nicht nur Reflexion über die Schuldfrage, sondern auch Distanz zur Bestrafung, also zur Liquidierung des Staates Juda. Zwar sind unsere Väter ungehorsam gewesen, doch wir, könnte man fortsetzen, beachten nun alle Weisungen des Buches. Mit den Vätern ist hier nicht lediglich die Josia-Generation gemeint, vielmehr sind die Vorfahren bis in sehr viel frühere Zeiten hinein angesprochen; und auch diese werden am Maßstab des Buches gemessen, das folglich als sehr alt vorgestellt wird, hier innerhalb derselben Redaktionsschicht, in der es dann auch als תורת משה (23,25) bezeichnet worden ist: DtrN.[57] Nicht, daß der ältere Erzähler das Buch für ein Produkt des

---

[56] Ob in 22,13 mit wenigen hebr. Handschriften, der lukianischen Rezension der LXX und der Chr-Parallele (2Chr 34,21; vgl. auch 2Kön 23,3) עליו (bezogen auf das Buch) zu lesen oder besser das עלינו des MT beizubehalten ist, läßt sich trotz der einhelligen Äußerung der Kommentatoren für עליו gar nicht leicht entscheiden. Lediglich *Šanda* (Kön II S. 334) erkennt auch die Möglichkeit der Lesung עלינו an, die die Einschätzung des Buches durch den hier schreibenden Redaktor gut wiedergibt: Es ist trotz seines Alters geschrieben עלינו: „im Blick auf uns", und es hat deshalb Anspruch auf ungeteilte Beachtung.

[57] Die Zuweisung von 22,13bβγ an DtrN ist auch bereits von *W. Dietrich* (VT 27 S. 28f.) vorgenommen worden, der allerdings mit kaum stichhaltiger Begründung auch 22,13bα dieser Schicht zurechnet.

Der in 22,13bβγ angebrachte Schriftverweis, nach dem alles zu beachten ist, was in diesem Buch (הספר הזה) geschrieben steht (כתוב), ist, soweit diese beiden oder ähnliche formelhafte Elemente gebraucht sind, mit einer Ausnahme (2Kön 23,3, s.u. S. 73ff.) nicht älter als die dtr Schicht DtrN. Vom jüngeren Schrifttum (Chr, Esr, Neh usw.) einmal abgesehen, begegnet sie in der dtr Literatur noch einmal in Jer 25,13 (vgl. *Thiel*, Jer I S. 271–273), ein Hinweis für die auch anderweitig feststellbare Affinität zwischen DtrN und JerD.

Folgende Belege sind im dtr Geschichtswerk zu finden:

כתוב + ספר התורה (הזה): Dtn 28,61; Jos 1,8 (DtrN); 8,34 (DtrN, vgl. *Smend*, FS von Rad S. 494–497)

כתוב + ספר תורת משה: Jos 8,31 (DtrN); 23,6 (DtrN); 2Kön 14,6 (DtrN, s.o. S. 44 A. 25)

כתוב + תורת משה: 1Kön 2,3 (DtrN, s.o. S. 44 A. 25)

כתוב + ספר הברית הזה: 2Kön 23,21 (DtrN, s.u. S. 131)

Spätdtr Provenienz sind auch die Wendungen את־כל־דברי התורה הזאת... הכתובים בספר הזה (Dtn 28,58), האלה הכתובה בספר הזה (29,19.26) und הכתובה בספר התורה הזה (29,20; 30,10, Beziehungswort beide Male unklar; vgl. auch *Smend*, Entstehung S. 159: Dtn 29,23–27 DtrN); zu 2 Kön 23,24 s.u. S. 137f.

7. Jh.s gehalten hätte, doch ihm liegt die Reflexion über dessen Alter, das einfach vorausgesetzt wird, noch fern. Der Unterschied zwischen ihm und DtrN ist wohl der zwischen einem (noch) unmittelbar Betroffenen, der im Bannkreis des zentralen Impulses des Buches steht, und einem Spätgeborenen, der durch die Distanz aus der unmittelbaren Betroffenheit längst entlassen ist und Zeit und Sinn für umfassende theologische Reflexion hat. Der ältere Erzähler läßt Josia על־דברי הספר (22,13aβ) im Blick auf die eigene Zeit erschrekken, der Nachfahre kommentiert, daß die Väter על־דברי הספר (22, 13bβ) zu Recht erschrocken sind. Dem einen ist das Buch Gerichtswort, dem anderen Kodex seiner eigenen Gesetzesobservanz.

Es ist hier der Versuch unternommen worden, die Erzählung über den Buchfund in 2Kön 22,3–13, von wenigen redaktionellen Eingriffen abgesehen, als einheitliche, sorgfältig komponierte Darstellung zu begreifen. Dies hat in jüngster Zeit *W. Dietrich* in einer detaillierten Analyse (VT 27 S. 13–35) bestritten, weshalb die Berechtigung der hier vorgetragenen Sicht gegen seine Thesen verteidigt werden muß.

Dietrich geht von der richtigen Beobachtung aus, daß die Baunachrichten 2Kön 22,4–7 und 2Kön 12,10ff. im Verhältnis literarischer Abhängigkeit stehen, meint dann aber den Nachweis erbringen zu können, daß 22,4–7 ein von DtrH erstelltes Exzerpt aus dem Annalenbericht 12,10ff. ist. Folglich hält Dietrich die Nachricht von der Renovierung des Tempels unter Josia für unhistorisch, wenngleich er dem Redaktor nicht das Lob vorenthalten kann, er habe „so geschickt gearbeitet, daß nicht nur der Chronist (2Chr XXXIV 14) und Josephus (Ant. X 4,2), sondern ... die gesamte moderne Forschung damit rechnen, das Gesetzbuch sei anläßlich von Bauarbeiten im Tempel gefunden worden ...“ (ebd. S. 21 A. 40; zu den betreffenden Ausführungen vgl. S. 18–22).

Nun ist bereits Dietrichs Lösung der literarischen Dependenzen sehr in Zweifel zu ziehen, ja die genau entgegengesetzte Erklärung der Abhängigkeit der betreffenden Partien in dem Joaskapitel (12,10ff). von dem josianischen Baubefehl (22,4–7) um vieles wahrscheinlicher (s.u. S. 179ff.). Aber auch der von Dietrich in Kap. 22 belassene Annalenbericht unterliegt in der von ihm rekonstruierten Form starken Bedenken: Wieso schickt Josia den Kanzler Schaphan überhaupt in den Tempel (22,3)? Zwar ist es richtig, daß die Ausführung eines Befehls nicht erzählt werden muß (vgl. ebd. S. 22), doch kann die Erteilung des Befehls auf gar keinen Fall unterbleiben, und diese steht 22,4–7 in der nahtlosen und notwendigen Fortsetzung von 22,3! Jede Raffung der Erzählung vor 22,7 würde den Text auf Kosten seiner Verständlichkeit kürzen, weshalb der von Dietrich für den alten Annalenbericht geforderte unmittelbare Anschluß von 22,8 an 22,3 eine derartige Brüchigkeit schafft, daß man – stünde kein Text dazwischen – geradezu einen Textverlust postulieren müßte.

Auch die von Dietrich in 22,8–12 wahrgenommenen Spannungen (vgl. ebd. S. 22–28) halten genauer Nachprüfung kaum stand. Es ist keineswegs einzusehen, wieso 22,9 den Zusammenhang von 22,8 mit 22,10 zerreißen soll. Der Vergleich von Redeeinleitungen ist ohnehin ein schwaches literarkritisches Argument, das bei der Gegenüberstellung von 22,9a und 22,10aα (vgl. ebd. S. 23f.)

aber überhaupt keine Überzeugungskraft besitzt, da beide Einleitungen viel zu ungleich sind, als daß redaktionelle Tätigkeit in 22,9a unter Vorgabe von 22,10aα wahrscheinlich gemacht werden könnte.

Nein, der wahre Grund für den „Redaktionsverdacht" bei 22,9 liegt im literarkritischen Systemzwang, in den Dietrich geraten ist: Da er 22,4–7 für redaktionell erklärt hat, *muß* 22,9 als das letzte Relikt über Baunachrichten in diesem Kapitel auch sekundären Ursprungs sein. Daß dieser Vers im ursprünglichen Erzähltext eine sinnvolle Stellung hat, ist oben zu zeigen versucht worden.

Endgültig aber wird dieser Text literarkritisch zerstört, wenn man mit Dietrich 22,11, den Höhepunkt der Funderzählung, herausbricht. Es wird wohl Dietrichs Geheimnis bleiben, wieso die Schilderung der Reaktion Josias in 22,11 im Gesamtzusammenhang „gleichsam retardierend" wirkt (ebd. S. 25; ebenso, aber ohne jede Begründung, *Jepsen*, QK S. 29 A. 1). Er glaubt sich zur literarkritischen Aktion berechtigt, weil das gleichbleibende Subjekt המלך in 22,11 und 22,12 wiederholt werde und aufgrund der bisherigen Schilderung die heftige Reaktion Josias völlig uneinsichtig sei: „der Leser empfindet eine gedankliche Lücke" (VT 27 S. 25). Über die Untauglichkeit des erstgenannten literarkritischen Arguments braucht nicht lange geredet zu werden; daß „zuvor weder Hilkia noch Schaphan auch nur eine Spur von Entsetzen gezeigt haben" (ebd. S. 25 A. 54), muß nicht literarkritischem Verdacht unterliegen, sondern ist wohl – wie oben dargelegt – besser als bewußte Stilisierung auf die Reaktion des Königs hin verstanden.

Dietrichs Analyse des Huldaorakels wird bei der eigenen Exegese im einzelnen zu würdigen sein. Sein Versuch, eine vordtr Funderzählung ohne die Baunachrichten in Kap. 22 rekonstruieren zu wollen, wird vorerst nicht als gelungen bezeichnet werden können.

4. *Das Orakel (2Kön 22,14–20)*

In der folgenden Ausführung des königlichen Befehls erfahren wir zum ersten Mal, bei wem jene Delegation das Orakel einholen soll. 22,14 berichtet, daß die fünf vom König bestellten Amtsträger[58] sich zur Prophetin Hulda, der Frau des Kleideraufsehers Sallum[59]

---

[58] Die Aufzählung in 22,14 notiert nur noch den Titel Hilkias. Die Raffung geschieht im erzählerischen Interesse, zeigt aber zugleich historisch, wie fest der Titel הכהן mit dem betreffenden Amtsträger verschmolzen ist, so daß er als einziger angeführt wird. Eine solche Assoziationseinheit von Name und Titel entstammt nicht der fernen Erinnerung, sondern der Zeit, in der sie geläufig ist.

[59] Sallum (שלם), der Mann Huldas, wird wie die Prophetin selbst nur hier im AT erwähnt. Obwohl um die Wende vom 7. zum 6. Jh. ein ziemlich häufig bezeugter Name (Jer 22,11; 32,7; 35,4) ist unter seinen Trägern niemand, der mit einiger Wahrscheinlichkeit mit dem Mann der Hulda identifiziert werden könnte.

Auch der Beruf des Sallum, שמר הבגדים, entzieht sich der genaueren Kenntnis. Die Kommentatoren sind in der Würdigung der beruflichen Stellung sehr weit-

mit Wohnsitz in der Neustadt[60], begeben. Die Prophetin wird nur in diesem Zusammenhang (und im Parallelbericht der Chronik) erwähnt, scheint also auf den ersten Blick ziemlich bedeutungslos gewesen zu sein, was Exegeten seit Jahrhunderten zu der verwunderten Frage provoziert hat, wieso nicht der ungleich prominentere Zeitgenosse Jeremia zur Erteilung des Jahweorakels herangezogen wurde.

Statt vieler Belege sei nur auf den babylonischen Talmud verwiesen, der bereits eine Reihe von Erklärungsmöglichkeiten enthält: „Von Ḥulda heißt es: da begab sich der Priester Ḥilqijahu mit Aḥiqam, ʻAkhbor etc. – Wieso durfte sie prophezeien, wo Jirmeja da war!? – In der Schule Rabhs erklärten sie im Namen Rabhs: Ḥulda war eine Verwandte Jirmejas und er nahm es ihr nicht übel. – Wieso aber überging Jošija den Jirmeja und sandte zu ihr!? – In der Schule R. Šilas erklärten sie: Weil die Frauen mitleidig sind. R. Joḥanan er-

---

herzig. Den einen gilt Sallum als hoher Palastbeamter (vgl. *Benzinger*, Kön S. 191), den anderen als „a minor Temple official“ (*Gray*, Kings S. 726), eine Begründung fehlt freilich hier wie dort. Der übliche Verweis auf den אשר על־המלתחה in 2Kön 10,22 (vgl. ebd. S. 561) ist auch nicht sehr hilfreich, weil weder die Titel identisch sind noch die Stellung des letzteren klarer ist als die des Sallum. Es muß auch unentschieden bleiben, ob es sich bei dem שמר הבגדים um ein Amt am Tempel oder im Bereich des Palastes (sofern diese Trennung überhaupt sinnvoll ist) handelt. Eine hohe Stellung ist aufgrund des Elements שמר immerhin recht wahrscheinlich, wobei der Genetiv הבגדים überhaupt nichts mehr über die Aufgaben des Amtes aussagen muß. In dieser Hinsicht gelten sicherlich für שמר הבגדים keine anderen Regeln wie für שר המשקים (rab šāqê), רב/שר הטבחים (rab nuḫ(a)timmi?) usw. in atl. und akkad. Texten: Die ursprüngliche Funktionsbezeichnung (Mundschenk, Leibkoch) hat den Wandel der Aufgaben, die sich zumeist auf Führungspositionen im militärischen und administrativen Bereich verlagert haben, überlebt. Lehrreiche Anschauung für diesen Funktionswandel läßt sich selbst noch aus dem viele Jh.e jüngeren und ganz anderer Tradition entstammenden Nibelungenlied (Strophe 10f.) gewinnen.
Eine interessante Parallele zu שמר הבגדים könnte im akkad. Titel des rab kāṣirī vorliegen (CAD K S. 265), einem militärischen Rang und/oder einem Titel innerhalb der Administration, der sicherlich nichts mehr mit der ursprünglichen Bedeutung von kāṣiru (CAD K S. 264: „a craftsman producing textiles by a special technique“) zu tun hat. Deshalb muß ein LÚ GAL TÚG.KA.KÉŠ „among the designations of court officials“ keineswegs „erroneous“ sein (gegen CAD K S. 265).

60 Der vorexilische Ursprung der Neustadt (משנה) ist literarisch durch 2Kön 14, 13 (ohne Erwähnung der Neustadt); 22,14 und Zeph 1,10aβγb.11a (vgl. *Marti*, XIIProph S. 364), archäologisch durch mancherlei Funde gesichert (vgl. *Avi-Yonah*, EAEHL II S. 597; *Donner*, BRL^2 S. 161). Ihre genaue Lage ist allerdings noch immer umstritten. Wenn man auch nicht gleich mit *Broshi* eine Vergrößerung von Jerusalem um 700 „to three to four times its former size“ (IEJ 24 S. 21) annehmen muß (das hängt von der Rekonstruktion des von *Avigad* gefundenen Mauersegments ab), bleibt dennoch die beachtliche Expansion der Stadt in dieser Zeit ein Faktum.

klärte: Jirmeja war nicht anwesend, denn er ging die zehn Stämme holen" (Kombination aus Ez 7,13 und 2Kön 23,17: Erlangung judäischer Herrschaft über das Nordreich unter Mithilfe Jeremias).[61]

Die Abwegigkeit der Antworten indiziert in diesem Fall die falsche Voraussetzung der Frage. Der Rückschluß von der Existenz eines uns überlieferten Prophetenbuches auf die zeitgenössische Bedeutung des jeweiligen Propheten ist ebensowenig möglich wie die gegenteilige Folgerung aus dem Fehlen tradierter Prophetenworte. Wie wenig wissen wir über die Konstituierung der Sammlungen von Prophetenworten, wie wenig über deren Tradentenkreise! Wie klein mag der Ausschnitt der Prophetenliteratur sein, den wir jetzt im AT als „*die* Schriftpropheten" zu bezeichnen pflegen! So kann über die Stellung der Prophetin Hulda nichts Näheres gesagt werden, außer daß nur eine Persönlichkeit mit anerkannt hoher prophetischer Autorität für die Aufgabe, die hier an sie herangetragen wird, in Frage kommt.[62]

Das Orakel selbst (22,15–20) liegt nur in starker Überarbeitung vor, die an manchen Stellen so sehr in den Text eingegriffen hat, daß von einer sinnvollen inhaltlichen und syntaktischen Struktur in der jetzigen Fassung nicht mehr an allen Punkten gesprochen werden kann.[63] Ist damit die Rekonstruktion der wahrscheinlich ursprünglichen Gestalt des Orakels notwendig, so dürfen doch bei dem betrüblichen Zustand des Textes an die Plausibilität eines *jeden* Versuches keine zu hohen Ansprüche gestellt werden. Da im Kontext bisher eindeutig nur redigierende Tätigkeit feststellbar gewesen ist, soll auch hier zunächst die methodische Hypothese redaktioneller Komposition dieses Textes im Sinne additiver Bearbeitung erprobt werden, ehe die Möglichkeit von Textverlust und -austausch[64] erwogen wird.

---

[61] bMeg 14b, zitiert nach *Goldschmidt*, Bab. Talmud IV S. 59.

[62] So auch *Montgomery*, Kings S. 525. Eine weitere, offenbar nicht unbedeutende Prophetengestalt aus den Tagen Jojakims ist Uria ben Semaja, von dem wir aber auch nur durch die kurze Notiz Jer 26,20–23 Kenntnis haben.

[63] Vgl. nur die Doppelung der Botenformel in 22,15aβ und 22,16aα, ferner den ein Anakoluth einleitenden Versteil 22,18bβ.
All das findet seine schöne, einheitlich dtr Ordnung in den Schemata von *H.-D. Hoffmann* (Reform S. 170ff.), durch die zumindest das erste Teilorakel zur „kunstvollen Komposition" (S. 174) wird. Das zweite ist im Schema auch recht ansehnlich; allerdings steckt im vorderen Teil der „äußeren Rahmung" (S. 174) ein Übersetzungsfehler, der das Anakoluth verbirgt.

[64] *W. Dietrich*, VT 27 S. 26ff. rechnet damit, daß das ursprüngliche Huldaorakel das „über das Gesetzbuch, seine Würde und das von ihm geforderte Tun" (ebd. S 27) geredet haben soll, bis auf geringfügige Reste (22,15aαb.16aα.18bβ) durch

Zwischen der Ankunft der Delegation bei der Prophetin Hulda und dem durch sie ergehenden Jahweorakel findet in der Erzählung wieder eine geschickte, Doppelungen vermeidende Zeitraffung statt. Die Mitteilung aller bisherigen wichtigen Ereignisse an Hulda wird nur durch ein kurzes וידברו אליה (22,14b) angedeutet, um dann sofort zu dem die Erzählung weitertreibenden Orakel überzugehen.

Die Doppelung der Botenformel gleich zu Beginn des Huldaorakels in 22,15aβ und 22,16aα kann unmöglich ursprünglich sein und wird an der Stelle als Nachtrag bezeichnet werden müssen, an der ihr keine sinnvolle Funktion zukommt: in 22,15aβ.[65] Hier wird nämlich durch sie keine Gottesrede, sondern ein Befehl Huldas an die königliche Delegation eingeleitet, der allerdings schon von einem Redaktor als Gottesrede verstanden worden sein muß, weshalb er unter Verwendung der erweiterten Botenformel, 22,18bα als Vorbild benutzend, den Nachtrag in 22,15aβ angebracht hat. Daß der Befehl in 22,15b tatsächlich noch nicht zur Gottesrede gehört, geht zudem mit hinlänglicher Deutlichkeit aus der parallelen syntaktischen Struktur von 22,18 hervor, wo der Übermittlungsbefehl auch nicht unter die Botenformel gestellt ist, sondern diese jenem erst folgt.

In 22,16 beginnt endlich, eingeleitet durch die korrekt placierte Botenformel, das eigentliche Jahweorakel mit einem Drohwort: הנני מביא רעה אל־המקום הזה.[66] Diese im AT keineswegs singuläre Drohung findet sich schwerpunktmäßig im Jer-Buch, dort allerdings meistens in der Schicht, die der dtr Redaktionsarbeit entstammt.[67] Mit einer Abhängigkeit der Drohung in 22,16aβ von be-

---

die Arbeit von DtrP (22,15aβ.16aβb.17aαb.18abα.19a.20a) ersetzt worden ist, die dann noch durch DtrN einige wenige Ergänzungen (22,17aβ.19b) erfahren hat (zur ausführlichen Begründung vgl. *W. Dietrich*, PG S. 13f.20f.55–58). Die Tätigkeit von DtrP soll auch im vorangehenden Text nachzuweisen sein, da jener hier seine Version des Orakels vorbereitet habe.

Zu dem vermeintlich von DtrP stammenden V. 11 ist oben schon das Nötige gesagt worden (s.o. S. 58); zu den בעד-Gliedern, die von *W. Dietrich* (zusammen mit V. 13aβ) für DtrP zur Vorbereitung des Orakels reklamiert werden, sei nur bemerkt, daß die Dreizahl kaum mit einsichtigen literarkritischen Argumenten zu reduzieren ist und daß, sollte DtrP wirklich am Werk gewesen sein, er einen denkbar schlechten Ordnungssinn gehabt haben muß, da er das erste בעד-Glied auf den zweiten Teil des Huldaorakels, das zweite und dritte בעד-Glied auf den ersten Teil bezogen hat. Die Unordnung ist zu groß, als daß man sie einer sorgfältig redigierenden Hand wie DtrP zutrauen darf.

65 Zur erweiterten Botenformel vgl. *W. Dietrich*, PG S. 70f.

66 ועל־ישביו ist, an der Inkongruenz der Präpositionen in 22,16a leicht erkennbar, aus 22,19a nachgetragen.

67 Was zur Formel ...הנני מביא רעה אל/על (u.ä., zuweilen auch mit finitem Verb) zu wissen nottut, ist bei *W. Dietrich*, PG S. 72f. und *Thiel*, Jer I S. 153

stimmten Jer-Stellen wird man aber kaum rechnen dürfen, da 22, 16aβ bereits als Kristallisationspunkt umfassender Redaktionsarbeit gedient hat. Sicherlich von einer anderen Hand ist nämlich dem Akkusativ רעה noch das weitere Objekt mit Relativsatz 22,16b hinzugefügt worden, wodurch die inhaltlich völlig unvergleichbaren Begriffe רעה und כל־דברי הספר[68] in syntaktisch parallele Stellung geraten sind. Ferner fällt als inhaltliche Ungenauigkeit in 22,16b auf, daß der König das Buch eben nicht selbst gelesen hat, sondern es ihm von Schaphan vorgelesen worden ist, eine unpräzise Angabe, die dem alten Erzähler kaum zugetraut werden kann. Zudem ist die Verwendung des Titels מלך יהודה an dieser Stelle einigermaßen störend, weil sie den Effekt des bewußt allgemein gehaltenen איש אשר־שלח אתכם von 22,15b zunichte macht. Die genauere Benennung des Auftraggebers hat im ursprünglichen Orakel erst später – in 22,18 – ihren Ort, woher der Redaktor den schon hier verwandten Titel entlehnt haben könnte.

Der Sinn der Auffüllung ist unschwer zu erkennen: Jahwes Drohung hat ein Maß, das Buch nämlich, dessen Entdeckung nach Meinung dieses Redaktors primär die Funktion hat, Gottes (schon vollstrecktes) Gericht an Juda einsichtig zu machen, so daß dem Drohwort von 22,16a nicht nur der Bezug auf das Buch, sondern auch die aus ihm resultierende Strafbegründung beigefügt wird: תחת אשר עזבוני ויקטרו לאלהים אחרים למען הכעיסני בכל מעשה ידיהם (22,17a).

---

nachzulesen, wobei man *W. Dietrich* zur Beurteilung der Kön-Belege, *Thiel* zu der der Jer-Stellen trauen darf. Die Formel, die in dtr Händen vielfältig gebraucht worden ist, darf jedoch nicht gänzlich für diese Literatur reklamiert werden, da sie eindeutig ältere Vorbilder reproduziert: Jer 4,6; 23,12 = 11,23; 2Sam 17, 14(?; *W. Dietrich*, PG S. 73: DtrP). Im Unterschied zu *W. Dietrich* und *Thiel* ist auch 2Kön 22,16aβ aus Gründen der literarhistorischen Stratigraphie des Textes zu den älteren Belegen zu rechnen.
Aus der Fortsetzung des Textes in 22,16aβ (אל־המקום הזה, so auch 22,19aβ: על־המקום הזה ועל־ישביו) läßt sich für diese Einschätzung Unterstützung gewinnen: אל/על המקום הזה ist zwar im AT und v.a. in der dtr Literatur reichlich belegt (vgl. *W. Dietrich*, PG S. 76), bis auf eine Stelle jedoch nie im Zusammenhang mit הנני מביא רעה. Der eine Beleg ist Jer 19,3, der dtr Redaktion zugehörig (vgl. *Thiel*, Jer I S. 219ff.) und höchstwahrscheinlich abhängig von 2Kön 22,16 *und* der redaktionellen Stelle 21,12!
Die Formel אל/על המקום הזה ועל־ישביו ist ohnehin nur in 22,16.19 belegt. Somit kann 22,16aβ (und natürlich auch die 2. Hälfte von 22,19aβ) als eine Formel auf dem Weg zur dtr Phraseologie bezeichnet werden, die aber dieser noch vorausgeht.

68 Beachte auch die Setzung der nota accusativi allein beim zweiten Objekt!

Die Diktion ist dtr, wobei DtrN als redigierende Hand aufgrund der Parallelbelege mit Sicherheit zu bestimmen ist.[69]

Die Wahrscheinlichkeit der bisherigen Analyse wird durch die Fortsetzung in 22,17b gestützt, da sich dieser Halbvers weder syntaktisch noch inhaltlich an 22,17a anschließt. Das Pf. copulativum ונצתה[70] erlaubt weder eine logische Verknüpfung mit dem unmittelbar vorangehenden finalen (22,17aβ) noch mit dem davorstehenden kausalen Nebensatz (22,17aα). Inhaltlich kommt die Aussage des unauslöschlichen Zornes Jahwes nach der Begründung in 22,17a vollends zu spät, so daß 22,17b einzig sinnvoll über den gesamten redaktionellen Einschub hinweg an 22,16aβ angeschlossen werden kann, was ohne syntaktische Probleme möglich ist und die inhaltliche Prägung des ersten Teils des Huldaorakels als eines Drohwortes ohne Begründung allererst erkennen läßt.[71] Ist dieses knappe Drohwort

---

69 תחת אשר עזבוני ויקטרו לאלהים אחרים (22,17aα): Die Wendung ist (mit belanglosen Abweichungen in der kausalen Subjunktion) dreimal im AT belegt: 2Kön 22,17 par. 2Chr 34,25; Jer 1,16; 19,4. Darüberhinaus kommt die 1. Hälfte der Wendung noch in 1Kön 11,33, die 2. Hälfte (קטר pi. inf.) in Jer 44,3.8 (2Chr 28,25 kann außer Betracht bleiben) vor. Bei allen Stellen handelt es sich um spätdtr Texte, in den Kön-Büchern um die Schicht DtrN oder SD (anders *W. Dietrich*, PG S. 76f.94f.), im Jer-Buch um die verwandte Schicht JerD (vgl. *Thiel*, Jer I S. 74f.).
מעשה *ידים (יד du. mit verschiedenen Possessivsuffixen) ist im AT häufig im Guten wie im Bösen belegt: ersteres von der gut verrichteten Arbeit, letzteres von den Götzen, die abfällig „der Hände Werk" genannt werden.
Diese Wendung in Verbindung mit כעס hi., wobei Jahwe der Erzürnte ist, hat dagegen nur einen sehr geringen Belegumfang, der genau wie bei der zuvor besprochenen Formulierung auf die spätdtr Literatur beschränkt ist: Dtn 31, 29 (DtrN oder später); 1Kön 16,7 (DtrN oder später, vgl. *Würthwein*, Kön S. 194f.); 22,17 par. 2Chr 34,25; Jer 25,6; 32,30; 44,8 (zu den Jer-Stellen vgl. *Thiel*, Jer I S. 74f.262ff.; ders., Jer II S. 33–37.72).

70 S.u. S. 127 A. 212.

71 Die Kopula vor נצתה in 22,17b, die eine sehr lose und unbeholfene Verbindung mit dem Vorangehenden herstellt, ist wohl erst redaktionellen Ursprungs (zum stativischen Gebrauch des Perfekts im ursprünglichen Text vgl. *Meyer*, HG III S. 50). Es ist zudem erwägenswert, ob nicht das erneute במקום הזה in 22, 17b erst durch den großen redaktionellen Einschub erforderlich geworden ist.
Zu חמה und יצת s.o. S. 55 A. 55.
Nur an vier Stellen wird im AT חמה mit כבה (qal und pi.) kombiniert: 2Kön 22, 17 par. 2Chr 34,25; Jer 4,4; 7,20; 21,12. Je zwei Belege gehören offensichtlich zusammen: zum einen aufgrund wörtlicher Übereinstimmung Jer 4,4 und 21,12, wobei das Jer-Wort 21,11f. (ohne V. 11bβ) von JerD in 4,4 zitiert wird (vgl. *Thiel*, Jer I S. 238f.); zum anderen 2Kön 22,17 und Jer 7,20, wobei die dtr Jer-Stelle (vgl. *Thiel*, Jer I S. 121) mit ziemlicher Wahrscheinlichkeit von 2Kön 22, 17 literarisch abhängig ist.

(22,16a.17b) alles, was Hulda der Delegation als Orakel Jahwes mitzuteilen hat?

Eine Antwort auf diese Frage zu suchen, heißt, ein literarhistorisches Urteil über den zweiten Teil des Huldaorakels (22,18–20) fällen zu müssen. Manche Exegeten haben sich durch die deutliche Zweiteilung des Orakelbescheids der Hulda zu dem literarkritischen Schluß verleiten lassen, daß der erste Teil sekundärer Natur sei oder überhaupt beide Teile bis auf wenige Fragmente auf redigierende Arbeit zurückgingen.[72] Beide Positionen sind angesichts des zweiten Teils des Orakels durchaus gut verständlich, da er dem Inhalt nach ein vaticinium ex eventu – Josias tragischer Tod scheint vorausgesetzt werden zu müssen – sein wird und ihm zudem eine Einleitung vorausgeschickt ist, die völlig eindeutig an der Einleitung des ersten Teils (22,15b) orientiert ist. Dies läßt sich am besten an einer Gegenüberstellung beider Einleitungen demonstrieren[73]:

22,15b: אמרו לאיש אשר־שלח אתכם אלי

22,18a: ואל־מלך יהודה השלח אתכם לדרש את־יהוה

כה תאמרו אליו

2Kön 22,17: ונצתה חמתי במקום הזה ולא תכבה

Jer 7,20: אפי וחמתי נתכת אל־המקום הזה ... ולא תכבה

Die Zornesterminologie ist in Jer 7,20 erweitert und יצת ni. gegen das im Jer-Buch im Zusammenhang mit dem göttlichen Erzürnen geläufigere נתך ni. ausgetauscht worden, wodurch auch der Wechsel der Präposition vor המקום bedingt ist. Der Umfang der Vernichtung wird im Unterschied zur Vorlage breit ausgeführt, um dann mit dem gemeinsamen ולא תכבה abzuschließen. Ist somit das Verhältnis von Jer 7,20 zu 2Kön 22,14 dem von Jer 4,4 zu 21,12 ähnlich, legt es sich schon aus diesem Grund (neben den literarhistorischen Argumenten) nicht nahe, 2Kön 22,17b erst einer dtr Redaktion zuzurechnen (eine abweichende Analyse der Stellen bei *W. Dietrich*, PG S. 78f.).

[72] Den ersten Teil des Huldaorakels beurteilen als redaktionell: *Benzinger*, Kön S. 189; *Gressmann*, ZAW 42 S. 318–320; *Nowack*, FS Marti S. 226–228; *Thiel*, Jer I S. 74 A. 36 u.a. Während für *Hölscher* (FS Gunkel S. 198. 209 A. 1) die Überlieferung des Huldaorakels ohnehin erst mit der dtr Formulierung beginnt, nehmen *Gray* und *W. Dietrich* eine vordtr Vorlage an, die nach *Gray* (Kings S. 727) nicht mehr rekonstruierbar, nach *W. Dietrich* hingegen (PG S. 55–58) noch fragmentarisch vorhanden ist: 22,15aαb.16aα.18bβ. Diese Eruierung eines zusammenhanglosen Grundbestandes vermag nicht zu überzeugen (s.u. S. 65 A. 75). Wieder anders rekonstruiert *Rose* (ZAW 89 S. 54ff.) den vordtr Bestand im zweiten Teil des Huldaorakels. Die hier vorgenommene Analyse ist in Auseinandersetzung mit diesen neueren Rekonstruktionsversuchen entstanden.

[73] Vgl. auch *W. Dietrich*, PG S. 56f., der allerdings zu einem anderen Resultat kommt.

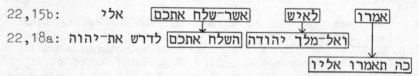

Im Vergleich mit der ersten ist die zweite Einleitung etwas ausführlicher und benennt den Adressaten genauer, ist aber insgesamt gesehen so nah bei der ersten Formulierung, daß diese sicherlich der zweiten als Vorlage gedient hat.

Doch welcher Schluß ist aus dieser Beobachtung zu ziehen? Muß wegen der Abhängigkeit der zweiten Einleitung auch an eine zweite Hand gedacht werden, die in Analogie zum ersten ursprünglichen Orakel im zweiten ein vaticinium ex eventu nachtragen wollte? Oder lassen sich beide Einleitungen als Werk *eines* Verfassers verstehen, der sie in bewußter Korrespondenz zueinander formuliert hat, in den kleinen Abweichungen aber die unterschiedliche Zielrichtung beider Orakel zum Ausdruck bringen wollte? Denn ist auch der Adressat beide Male dieselbe Person, hat doch das erste Orakel gesamtjudäische Relevanz, während das zweite – schon durch die gezielte Anrede מלך יהודה angedeutet – speziell dem Schicksal des Königs gilt.[74]

Dem aufgezeigten Lösungsweg kommt nun einige Wahrscheinlichkeit zu, da auch das zweite Orakel deutliche Spuren einer Bearbeitung aufweist, die gewisse Affinitäten zu derjenigen im ersten Orakel erkennen läßt und somit einen älteren Text voraussetzt, an dem die Redaktion vorgenommen werden konnte. Die Brüchigkeit des Textes nach der erweiterten Botenformel (22,18bβ–20a) ist völlig evident: Der in 22,18bβ (הדברים אשר שמעת) begonnene Relativsatz ist ein Anakoluth[75], da seine notwendige Fortsetzung durch irgendein Objekt fehlt und der kausale Nebensatz (יען רך־לבבך ותכנע מפני יהוה 22,19aα) anstelle dessen in gar keiner Weise syntaktisch zu rechtfertigen ist. Er enthält einen Rückbezug auf Josias Reaktion bei seiner Begegnung mit dem Buch, nun aber in einer geradezu psychologisierenden Interpretation, die die Frömmigkeit des Königs nicht nur durch eine Affekthandlung (Zerreißen der Kleider 22,11), sondern durch Attribute innerer Anteilnahme

---

74 Ob man die in der akkad. Literatur gut bekannte Stilfigur, in der eine Person zunächst mit einer allgemeineren Bezeichnung und erst darauf mit Namen genannt wird, vergleichen darf (vgl. *Thompson,* EG X,iii,1.32.36; iv,1; v,23.36 u.ö.; *Lambert / Parker,* Ee IV,3–6.63f. u.ö.)?

75 Rechnet man, wie *W. Dietrich,* PG S. 55ff., nur noch diese drei Worte zur ursprünglichen Formulierung des zweiten Teils des Huldaorakels, wäre es konsequenter, auf die Annahme einer Vorlage zu verzichten. Denn daß ein Redaktor gerade diese blasse Formulierung verschont haben sollte, ist alles andere als wahrscheinlich. *Nicholson* (Her. 97 S. 96ff.) macht durch geringfügige Textergänzung aus 22,18 einen vollständigen Satz. Doch solche Operationen werden sich im Verlauf der Analyse als unnötig erweisen.

am Geschehen (לבב + רך, כנע ni.) demonstrieren will. Hier schreib mit größter Wahrscheinlichkeit ein Redaktor der spätdtr Schicht DtrN, der das Lob, das Josia nachher in so überschwenglichem Maße gespendet wird (23,25–27), substantiiert. Josias Erschrecken augrun des Buchinhalts, das im Zerreißen der Kleider zum Ausdruck kommt (22,11), wird hier als Geste der Demut interpretiert – ganz im Sinne nicht mehr ferner chr Theologie, in der die Demütigung auch zu den zentralen Ausdrucksformen der Frömmigkeit gehört.[76] Zur Arbeit des Redaktors gehören auch noch die ersten drei Worte von 22,19aβ (בשמעך אשר דברתי), zweifellos eine leicht variierende Aufnahme des Sprachmaterials von 22,18bβ, die nach dem Einschub den Anschluß an den ursprünglichen Text wiederherstellen soll, eine bei DtrN keineswegs singuläre Technik.

Aufmerksam gemacht durch dieses redaktionelle Signal, ist zunächst einmal zu prüfen, ob der folgende Text nicht sinnvoll an den unvollständigen Relativsatz in 22,18bβ anschließt, was in der Tat einen völlig glatten Text ergibt, da in der zweiten Hälfte von 22,19aβ das fehlende Objekt, verbunden mit einer finalen Infinitivkonstruktion in 22,19aγ[77], zu finden ist.

---

[76] Durch mangelnde stilistische Sorgfalt ist DtrN ein מפני יהוה in die Gottesrede hineingeraten. Der Fauxpas hat den Wert einer zusätzlichen literarhistorischen Indikation, da diese Lässigkeit bei DtrN nicht singulär ist (vgl. 1Sam 10,19a; 2Kön 21,9; Ri 6,26 wohl spätdtr; in spätdtr Redaktion außerhalb des dtr Geschichtswerks: Gen 18,19, dazu *Smend*, Entstehung S. 64f.).

Das Verb רכך ist außer in Jes 1,6 (pu.) und Ps 55,22 (qal) immer in Verbindung mit לב(ב) belegt. Dabei hebt רכך gewöhnlich auf die Furcht des Herzens ab (Dtn 20,3; Jes 7,4; Jer 51,46; Hi 23,16 hi.), im Ausnahmefall auf die Weichheit des Herzens, als positive Gefühlsregung verstanden (2Kön 22,19 par. 2Chr 34,27). Dieser Sprachgebrauch ist durch keinen der anderen atl. Belege beeinflußt (gegen *W. Dietrich*, PG S. 79f.).

Der Gebrauch von כנע ni. in 2Kön 22,19 hat wenig mit den Belegen aus der Richterzeit zu tun, seien sie nun alt (Ri 3,30; 11,33) oder erst aus der Feder von DtrH (8,28; 1Sam 7,13), da hier immer Völker Objekt einer militärischen Demütigung sind (vgl. Ps 106,42); hingegen sind die Belege für die chr Theologie der humiliatio aufschlußreich: 2Chr 7,14; 12,6f. (vgl. 12,5–8 mit 2Kön 22,19!); 12,12; 30,11; 32,26; 33,12.19.23; 36,12. Auch 1Kön 21,29 (von *W. Dietrich*, PG S. 84 DtrP zugewiesen) dürfte dieser Theologie nicht fernstehen (eine abweichende Beurteilung des Verhältnisses von 1Kön 21,29 zu 2Kön 22,19f. bei *Rose*, ZAW 89 S. 58f.).

[77] Daß etwas לשמה geworden ist oder werden soll, ist vor allem im Jer-Buch (oft in Verbindung mit Termini wie שרקה und חרבה) keine seltene Formulierung. Die zweigliedrige Wendung לשמה ולקללה kommt im AT jedoch nur in 2Kön 22,19aγ vor. Es ist jedoch recht wahrscheinlich, daß sie als Vorbild für bestimmte erweiterte Reihungen in den dtr Partien des Jer-Buches gedient hat. In den sechs betreffenden Belegen ist die Folge von שמה und קללה immer strikt

Dieser Satz ist jedoch immer noch unvollständig, weshalb seine Fortsetzung im weiteren Text aufgespürt werden muß. Dafür kommt die unmittelbare Fortsetzung in 22,19aδєb nicht in Frage, weil sie ohne jede syntaktische Vermittlung wieder auf die Reaktion Josias auf das Buch zu sprechen kommt[78] und damit eindeutig den in 22,19aα begonnenen Einschub aufnimmt.

Die Organisation der Redaktionsarbeit von DtrN in 22,19 ist nun gut durchschaubar: Das die Weiterarbeit initiierende Stichwort ist das שמעת in 22,18bβ gewesen, das DtrN zur Strukturierung seines redaktionellen Einschubs in Form eines bedingten Heilswortes benutzt hat: Weil *du*, als du hörtest, was ich gesprochen habe, dies und das getan hast (vgl. 22,19aαβ*δє), habe auch *ich* (dich) erhört (vgl. 22,19b).[79] Die Struktur ist dieselbe wie in 23,25–27: *Josia* wandte sich ganz und gar Jahwe zu, aber *Jahwe* wandte sich nicht von seinem Zorn gegen Juda ab. Lediglich ist das Vorzeichen dieses Mal vertauscht, sofern Josias Umkehr zu Jahwe *nicht* Jahwes Abkehr von seinem Zorn bewirkt hat. Das Schema, das beiden Texten zugrundeliegt, ist jedoch unzweideutig dasselbe, ebenso die Buß- und Umkehrtheologie, die in ihrem Hintergrund steht. Hier ist ohne jeden Zweifel ein und dieselbe Hand am Werk gewesen.

Ihre Arbeit setzt sich zunächst in 22,20 fort. Die Erhörungszusage von 22,19b wird in 22,20aαβ konkretisiert: Josia soll im Falle seines

---

eingehalten (Ausnahme: Jer 29,18 ohne קללה), die Reihung selbst aber regelmäßig durch zwei weitere Termini (Ausnahme: Jer 44,22 nur ein weiterer Begriff), die für sich genommen nie als selbständige Reihung belegt sind, aufgefüllt: in der Anfangsposition entweder durch חרבה (Jer 25,18; 44,22) oder durch אלה (Jer 29,18; 42,18; 44,12), in der Mittelposition (sofern die beiden ursprünglichen Termini getrennt sind) durch שרקה (Jer 25,18; vgl. auch 29,18) und in der Endposition durch חרפה (Jer 29,18; 42,18; 44,12). Über die Zugehörigkeit der Jer-Stellen zur dtr Redaktion vgl. *Thiel*, Jer I S. 273 (Jer 25,18: PD); ders., Jer II S. 17f.66.72f.75 (*Thiel* bezeichnet diese und ähnliche Wendungen als „Katastrophen-Formel").

Kommt aber JerD an besagten Stellen tatsächlich von dem Vorbild 2Kön 22,19aγ her, muß dieser Beleg zwangsläufig älter sein, wodurch die bisherige Literarkritik von 22,18 zusätzlich bestätigt wird (eine anders akzentuierende Wertung jener Wendung in 22,19aγ bei *W. Dietrich*, PG S. 75f.).

78 Dieses Mal wird 22,11b in 22,19aδ aufgenommen. Daß neben dem Zerreißen der Kleider noch erwähnt wird, Josia habe vor Jahwe geweint (22,19aє), steht zwar nicht in der Vorlage, ist aber als Explikation von Josias tiefer Betroffenheit sehr gut verständlich.

79 Die sehr locker eingefügte und deplacierte Gottesspruchformel am Ende von 22,19b gehört in dieselbe Kategorie der stilistischen Ungereimtheiten wie das מפני יהוה in der Gottesrede (22,19aα).

Todes in der für ihn als Dynasten bestimmten Gruft beigesetzt werden.[80] Dies als Inhalt einer Erhörungszusage ist nur als vaticinium ex eventu sinnvoll, weil die Anspielung auf das gebührende Begräbnis Josias nur für den, der die tragischen Todesumstände kennt, nicht selbstverständlich ist und deshalb durchaus ein tröstlicher Gedanke sein kann. Als vaticinium „ante eventum" wäre die Zusage angesichts der Buße Josias und seines Reformwerks unverständlich.

Die Fortsetzung des Orakels in 22,20aγ (לא־תראינה עיניך) könnte als Ausführung des vorher Gesagten verstanden werden; der vorzeitige Tod Josias impliziert, daß er das schlimme Geschick Jerusalems und Judas nicht mitzuerleben braucht. Gegen diese Lösung wäre nichts einzuwenden, wenn nicht das Objekt zu ראה in 22,20aδ (בכל הרעה, par. 2Chr 34,28) in sehr eigentümlicher Weise konstruiert wäre: statt des zu erwartenden Akkusativs wird das Objekt mit der Präposition ב angeschlossen, eine zwar nicht völlig unmögliche, aber immerhin mit dem Objekt רעה(ה) singuläre Konstruktion.[81] Derlei Absonderlichkeiten sind oft ein Indiz dafür, daß der Text nicht aus einem Guß ist, sondern weitere Verfasser in Textvorlagen nach bestem (nicht selten recht geringem) Vermögen ihre eigenen Gedanken einzufügen versuchten. Daß in diesem Text nichts anderes geschehen ist, ergibt sich fast zwingend aus seiner Fortsetzung in 22,20aε (אשר־אני מביא על־המקום הזה). Diese Wendung zusammen mit dem vorangehenden Objekt ist bereits gut bekannt, denn sie stammt – abgesehen von den durch die unterschiedliche syntaktische Einbettung bedingten Änderungen – wörtlich aus 22,16aβ![82] Mit dieser Beobachtung steht auch der Redaktionsvorgang in 22,20 klar vor Augen: 22,20aγ (לא־תראינה עיניך)[83] ist der letzte Bestandteil des ursprünglichen Orakels, der anfangs an 22,19aγ angeschlossen war und den noch unvollständigen Hauptsatz komplet-

---

80 Deutung von 22,20 im Anschluß an *W. Dietrich*, PG S. 57f.; vgl. auch *H.-D. Hoffmann*, Reform S. 182ff.; anders, aber kaum überzeugend *Rose*, ZAW 89 S. 58f. Gegen ihn ist darauf hinzuweisen, daß weder Gen 15,15 noch Jer 34,5 das Eingehen in das *Grab* בשלום verheißen wird. Der Formulierungsunterschied will hier genau beachtet sein; wieder anders, aber auch nicht überzeugend *Priest* VT 30 S. 366ff.

Statt des Plurals קברתיך ist wohl mit den Versionen der Singular zu lesen. Hier mit GK § 124c einen „Extensiv-Plural" anzunehmen, dürfte nicht berechtigt sein.

81 Der übliche Anschluß im Akkusativ ist in Jer 44,17; Ps 90,15; Prov 22,3 = 27,12 zu finden.

82 Zur Zeit der Übernahme war in 22,16aβ noch nicht ועל־ישביו nachgetragen.

83 Die Kopula vor der Negation ist selbstverständlich redaktionellen Ursprungs.

tiert: „Die Worte, die du vernommen hast ..., werden deine Augen nicht sehen."

Dieser Text ist durch die Redaktionsarbeit derart zerdehnt worden, daß die Beziehung des vorangestellten Akk.-Objekts הדברים (22, 18bβ) auf den abschließenden Hauptsatz (22,20aγ) nicht mehr erkennbar war und folglich die Ergänzung durch ein nachgestelltes Objekt nahelegte. Weder hat der Redaktor bemerkt, daß durch seine Ergänzung in 22,20aδε ein Anakoluth entstanden ist, noch kann die wörtliche Aufnahme von 22,16aβ zur Abrundung des Orakels als sehr geistreich gelten. Beides verrät keine hohe Kunstfertigkeit des Redaktors, so daß man vielleicht auch hinter dem eigentümlichen Anschluß des Objekts mit ב in 22,20aδ nicht zuviel Tiefsinn vermuten darf.

Damit ergäbe sich für den zweiten Teil des Huldaorakels folgender ursprünglicher Text:

22,18bβ :	הדברים אשר שמעת
22,19aβ*:	על־המקום הזה ועל־ישביו
22,19aγ :	להיות לשמה ולקללה
22,20aγ :	לא־תראינה עיניך[84]

Es ist ein Orakel, das sich allein mit der Person des Königs und ihrem Geschick befaßt, das durch das aufgefundene Buch (vgl. 22, 18bβ) ebenso bestimmt wird wie das des Volkes. Die Aussage ist im Blick auf Jerusalem (Juda) und seine Bewohner eindeutig, einigermaßen offen jedoch in bezug auf Josia, dem lediglich in negativer Formulierung die Verschonung vor dem Miterleben der Katastrophe angesagt wird. Aufgrund seiner Unbestimmtheit ist das Orakel in verschiedene Richtungen interpretierbar: Es kann den frühzeitigen Tod Josias meinen oder einfach die Verzögerung der Katastrophe in die Zeit nach Josias (zeitlich nicht fixiertem) Tod, aber vielleicht sogar die Aufhebung der angedrohten Katastrophe. Daß Josia die letztgenannte Deutung als die einzig mögliche erachtete, ist seiner folgenden Reform zu entnehmen, die ein Versuch ist, in der radikalen Befolgung der wesentlichen theologischen Forderun-

[84] Die Verbindung von ראה/חזה mit dem Akk.-Objekt דבר ist auch in Num 23,3; Jes 2,1 und Jer 38,21 belegt. Dort handelt es sich allerdings immer um den דבר, den Gott einen Propheten sehen/schauen läßt. Da die Belege aber die Möglichkeit jener Verbindung dokumentieren, machen sie auch ihre Verwendung in einem anderen Kontext wahrscheinlich.

gen des aufgefundenen Buches jene kleine Hoffnung nicht zu verspielen.

Die älteste Erzählung schließt mit der kurzen Notiz, daß die zu Hulda gesandte Delegation dem König von ihrem Orakel Bericht erstattete (22,20b).

Daß erst im Gefolge der redaktionellen Auffüllung die nunmehr für den zweiten Teil des Orakels typische Bußtheologie Eingang gefunden hat, war bereits dargelegt worden. Dasselbe gilt für das vaticinium ex eventu, das als positive Zusage Jahwes aus der Demütigung des Königs resultiert. Nur wer sowohl Josias Tod als auch die Katastrophe von 587 vor Augen hat, wird das Begräbnis in Frieden und an vorherbestimmter würdiger Stätte als ein von Jahwe gewährtes gnädiges Geschick einschätzen. Hier spricht jemand, der durch die Situation des Exils sehr wohl weiß, daß dies alles nicht selbstverständlich ist. Da das vaticinium ex eventu in 22,20aαβ aufs engste mit dem vorangehenden redaktionellen Einschub verknüpft ist, wird man es derselben spätdtr Hand der Schicht DtrN zuweisen müssen. Dem großen gesetzestreuen König Josia (vgl. 23,25) sollte im Rahmen der geschichtlichen Gegebenheiten (die DtrN nur zu gut kannte) das bestmögliche Orakel zuteil werden. Auf DtrN wird auch der letzte redaktionelle Teil in 22,20aδε zurückgehen, da durch seine Arbeit die Zerdehnung des ursprünglichen Orakels erfolgt und damit die Ergänzung notwendig geworden ist.

Auf DtrN dürfte schließlich auch die Redaktionsarbeit im ersten Teil des Orakels (22,15aβ?.16b.17a) zurückzuführen sein. Wie einerseits Josia im Guten gemäß der תורת משה gelebt hat, so wird andererseits Jahwe im Bösen כל־דברי הספר über Jerusalem (und Juda) bringen (22,16). Das Buch ist bis ins Detail als Norm verstanden – zum Heil und zum Unheil.

Das Huldaorakel in 22,15–20 war wie keine andere Passage in diesem Kapitel geeignet, die große Frage der Dtr nach Schuld des Volkes, Zorn Gottes und versuchter, aber dann doch zu später Sühne zu reflektieren. Der erste Dtr (DtrH) ließ beim Huldaorakel einfach seine Quelle mit ihrer nackten Drohung in 22,16a.17b gegen Jerusalem (und Juda) und ihrer knappen Zusage an den König in 22,18.19aβ*γ.20aγ zu Wort kommen, denn die Gerechtigkeit von Jahwes Gericht war für ihn über jeden Zweifel erhaben. Doch je länger sich das Gericht in Form des Exils hinzog, desto größer wurde das Verlangen nach Begründung, sowohl der Strafe als auch der Verschonung. Wie weit spätere Deuteronomisten diesem Verlangen entgegengekommen sind, wie sehr ihnen die Theodizee Jahwes[85] am Herzen gelegen hat, davon gibt ihre Weiterarbeit am Huldaorakel umfassend Zeugnis.

5. Der Bundesschluß (2Kön 23,1–3)

Das bei der Prophetin Hulda in bezug auf das Buch eingeholte Orakel ist von Josia verstanden worden. Er findet sein eigenes Erschrekken über den Inhalt des Buches (22,11) durch das Huldaorakel bestätigt und versucht nun, das drohende Unheil von seinem Volk abzuwenden. Das geschieht aber nicht in der Weise, wie es für unsere Denk- und Handlungsgewohnheiten naheläge. Kein Wort von einer Beratung des Königs mit seinen Vertrauten, kein Wort von einem nun zu realisierenden Programm, sondern die Inszenierung eines Verpflichtungsaktes durch den König, der hier genauso selbstverständlich weiß, was zu tun ist, wie er im vorangegangenen Kapitel als einziger die Relevanz des Buches adäquat erfaßt hat. Darf hier außer der zweifellos bestehenden Stilisierung ein entsprechender Anhalt in der historischen Realität vermutet werden?[86]

Jedenfalls läßt der König כל־זקני יהודה וירושלם zu sich versammeln.[87] Die זקני ישראל spielen in der Geschichte des Nordreichs eine viel entscheidendere Rolle als die זקני יהודה (eine Bezeichnung, die wohl auch die זקני ירושלם zu umgreifen vermag) in der des Südreichs. Da sie (außer 2Chr 34,29) nur noch zwei weitere Male erwähnt werden (1Sam 30,26; Ez 8,1), ist bei ihnen gewiß mit einem Funktionsverlust aufgrund der politisch stabilen Verhältnisse durch die davidische Dynastie zu rechnen. Daß die Ältesten in diesem Zusammenhang genannt sind, dürfte kaum auf den Gestaltungswillen eines Späteren zurückgehen, da hierfür kein

---

85 Vgl. dazu *Perlitt*, ZThK 69 S. 290ff., v.a. S. 298ff. und *Seeligmann*, VTS 29 S. 266–270.

86 S.o. S. 48.53f.
Gegen den bloßen Gebrauch einer bereits bestehenden Bundesordnung durch Josia wendet sich zu Recht *Perlitt*, Bundestheologie S. 8: „Wenige Jahrzehnte nach dem Tode des Königs war es weder möglich, Josia ohne realen Anhalt zu glorifizieren, noch aber auch, ihn in ein kultisches oder literarisches Schema zu zwingen, dem er in den Augen der Zeitgenossen nicht entsprochen hätte."

87 Die Form ויאספו ist von den Masoreten als Qal vokalisiert worden, dürfte aber eher als Nifal aufzufassen sein (vgl. auch Peschitta und Vulgata). Schimmert hier vielleicht noch das ältere Element eines Berichts durch, in dem der König noch nicht alleiniges Subjekt *aller* entscheidenden Handlungen war?

Anlaß vorliegt. Die späteren Redaktoren fanden dieses Element vielmehr fest in der Überlieferung verankert und haben es weiter tradiert, wenngleich sie selbst, wie überzeugend demonstriert werden kann, andere Ziele verfolgt haben.

Dies zeigt sich sogleich im weiteren Verlauf des Berichts, in dem die Ältesten überhaupt nicht mehr erwähnt werden, sondern durch die umfassendere Größe כל־איש יהודה וכל־ישבי ירושלם ergänzt bzw. ersetzt worden sind. Denn beide Gruppen nebeneinander können unmöglich gleicherweise ursprünglich im Text gestanden haben, da doch wohl die Ältesten als Repräsentanten eben des Volkes zusammengerufen worden sind, das im folgenden nur noch erwähnt wird. Mit seltener Eindeutigkeit gibt die Konkordanz darüber Aufschluß, wo die Formel von den „Männern Judas und Bewohnern Jerusalems" in 23,2aα ihren „Sitz im Leben" hat, in der dtr Redaktion des Jer-Buches nämlich, in dem sie, von den jüngeren Belegen vor allem in der Chronik abgesehen, ausschließlich vorkommt.[88] Man wird sie also auch hier dtr Arbeit zuschreiben dürfen, und zwar am ehesten der Tätigkeit von DtrH, der rechtzeitig bei dem Verpflichtungsakt den Personenkreis genannt wissen wollte, der auch nachher an ihm beteiligt ist (vgl. 23,3b). Der anschließende erneute Gruppierungsversuch nach Priestern, Propheten und Volk (23,2aβγ) beruht hier wohl auf theokratischen Maßstäben, so daß man ihn zu den spätesten Ergänzungen des Textes wird rechnen müssen.[89]

---

[88] Die Wendung hat zwei ältere Vorgänger in Jes 5,3 (יושב ירושלם ואיש יהודה) und Zeph 1,4 (על־יהודה ועל כל־יושבי ירושלם), wobei die letztere Formel schon sehr nahe an die von 2Kön 23,2 (par. 2Chr 34,30) herankommt, ohne daß man hier literarische Abhängigkeit postulieren sollte. Solche Formeln (mit den beiden festen Bestandteilen Juda und Jerusalem) werden im späten 7. und 6. Jh. zur Beschreibung einer politischen Realität geläufig gewesen sein. Folgende Jer-Belege bieten einen zu 2Kön 23,2aα parallelen Sprachgebrauch: Jer 4,4; 11,2.9.12 (...ערי יהודה); 17,20.25; 18,11; 25,2 (...על־כל־עם יהודה); 32,32; 35,13.17; 36,31 (umgekehrte Stellung der beiden Glieder). Alle Stellen gehören zu der von *Thiel* JerD genannten Schicht (vgl. Jer I S. 95; die an dieser Stelle nicht aufgeführten Belege sind ebenfalls dtr, manchmal vielleicht postdtr). An jüngeren Belegen wären zu nennen: Dan 9,7; Esr 4,6 (ישבי יהודה וירושלם); 2Chr 20,15.18.20; 21,13; 32,23; 33,9; 35,18.
[89] Die Reihung הכהנים והנבאים וכל־העם ist einige Male in der Baruchbiographie belegt: Jer 26,7.8 (hier drittes Glied ergänzt); 29,1; ohne das dritte Glied: Jer 26,11.16 (vgl. zu den Stellen *Thiel*, Jer II S. 3f.11f.).
Der dtr Redaktion gehören die Ständeaufzählungen im Jer-Buch an, die wohl in Anlehnung an das echte Jer-Wort 4,9 entstanden sind und in denen Priester und Propheten immer zusammen mit Königen und שרים, zuweilen auch noch mit den „Bewohnern Jerusalems" und „Männern Judas" genannt werden: Jer 2,26b; 8,1; 13,13; 32,32 (vgl. zu den Stellen *Thiel*, Jer I S. 83.130ff.177; ders.,

In 23,2b wird deutlich der durch die Aufzählung der verschiedenen Personen unterbrochene Erzählfaden wiederaufgenommen. Nachdem der König in den Tempel hinaufgegangen ist (23,2aα, 1. Hälfte), verliest er את־כל־דברי ספר הברית (23,2bα). Wie sich bereits bei (ספר) תורת משה und ספר התורה als Bezeichnungen für das Buch erwiesen hat[90], ist der jeweiligen Namengebung besonderes Gewicht beizumessen. Gerade an diesem Punkt wird in den Texten in gar keinem Fall gedankenlos formuliert, da dafür die Bedeutung des Buches zu hoch und die Situation, in der es gefunden wurde, zu ernst war.

An keiner Stelle des AT ist nun die Bezeichnung ספר הברית, in dem alle die דברים stehen, die in jüdischer Tradition dann auch dem betreffenden Buch eben diesen Namen gaben, organischer mit dem Kontext verwachsen als in 2Kön 23,2b (vgl. auch 23,3aγδ). Hier ist die Bezeichnung fast durch die Zeremonie erzwungen, in der sie gebraucht wird.[91] Der Bundesakt in 23,1–3 ist – nach Entfernung der redaktionellen Zutaten[92] – völlig auf das Buch abge-

---

Jer II S. 31ff.). Die Ständeaufzählung in Neh 9,32 ist ohne diejenigen im Jer-Buch wohl kaum denkbar.
Die Formel למקטן ועד־גדול ist nur noch in Jer 42,8 belegt, in der Form ... מקטן etwas häufiger und in breiter Streuung: Gen 19,11; 1Sam 5,9; 30,2; 2Kön 25,26; Jer 8,10; 42,1; 44,12.

90 S.o. S. 44 A. 25; S. 51f.

91 *Benzinger*, Kön S. 192: „Zum סֵפֶר הַבְּרִית ist das Buch eigentlich erst geworden durch den hier erzählten Vorgang."

92 Dazu gehört neben 23,2aα (2. Hälfte, DtrH) und 23,2aβγ (PD) auch noch 23,3aβ, welcher Versteil mit größter Wahrscheinlichkeit DtrN zuzurechnen ist. Seine paränetische Breite paßt nicht in die knapp und konzentriert formulierte Bundesschlußszene. Das lehrt die Kompositionsstruktur von 23,3aβγ, denn von den dort begegnenden drei Infinitiven (ללכת, לשמר, להקים) sind nur die ersten beiden durch die Kopula verbunden, Indiz dafür, daß diese beiden gegenüber dem dritten Infinitiv sekundär sind und der Redaktor die durch die Ergänzung notwendig gewordene Kopula vor להקים nachzutragen vergessen hat.
הלך אחר(י) יהוה (2Kön 23,3 par. 2Chr 34,31) ist sehr selten belegt (vgl. *Weinfeld*, Dtn S. 332 Nr. 1): Hos 11,10 (nicht hoseanisch, vgl. *B. Duhm*, Anmerkungen S. 36f.; *Marti*, XIIProph S. 91; *Wolff*, Hos S. 251.263); Dtn 13,5 (dtr, vgl. *Steuernagel*, Dtn S. 103); vgl. 1Kön 18,21 (alt); 14,8 (DtrN, vgl. *W. Dietrich*, PG S. 28f.). *Šandas* Meinung, die Phrase sei hier „geprägt nach der anderen von den fremden Göttern" (Kön II S. 339), ist nicht ganz unwahrscheinlich.
Die weiteren Wendungen in 2Kön 23,3aβ (ולשמר מצותיו... und בכל־לב ובכל־נפש) entstammen so klar der Diktion des Dtn, das sich ein exakter Sprachbeweis erübrigt (vgl. zu diesen und ähnlichen Formulierungen *Steuernagel*, Dtn S. 41ff. Nr. 52.73.86; *Weinfeld*, Dtn S. 334 Nr. 9; S. 337f. Nr. 21). Allerdings gehören alle Stellen des dtr Geschichtswerks, an denen die Wendung בכל־לב... in allen drei Spielarten als ein-, zwei- und dreigliedrige Formel vorkommt, der

stimmt, da er ja auch allererst durch seinen Fund ermöglicht und allein zu seiner Promulgation in Szene gesetzt ist. Nach der ältesten Fassung des Berichts verliest der König das Buch vor den Ältesten (als Repräsentanten des ganzen Volkes) und schließt von seinem ihm im Tempel angestammten Platz aus[93] einen Bund לפני יהוה (23,3aα), um dadurch den Inhalt des Buches rechtskräftig werden zu lassen (23,3aγ).

Daß ein Bund לפני יהוה geschlossen wird, ist im AT so selten (1Sam 23,18; 2Kön 23,3 par. 2Chr 34,31; Jer 34,15.18) und durch die Texte so genau um die Wende vom 7. zum 6. Jh. fixiert, daß die Deuteronomisten aller Wahrscheinlichkeit nach hier mit einer sprachlichen und also auch inhaltlichen Vorgabe arbeiten.[94] Diese ist in unbewußter Anlehnung an Vertragszeremonien des ass. Suzeräns mit seinen Vasallen gebildet worden, die Juda seit Ahas aus

---

Schicht DtrN und späteren Ergänzungen an, worin wiederum die Intention von DtrN zum Tragen kommt, durch dtn-spezifische Wendungen die Verklammerung des Buches mit dem Geschichtswerk sinnfällig zu machen. Die Belege sind folgendermaßen verteilt: eingliedrige Formel: 1Sam 7,3 (DtrN, vgl. *Veijola*, Königtum S. 30ff.44ff.77f.); 12,20.24 (DtrN), vgl. *W. Dietrich*, PG S. 74 A. 38; *Veijola*, aaO S. 83ff.); 1Kön 8,23 (DtrN, vgl. *W. Dietrich*, PG S. 74 A. 39); 14,8 (DtrN, vgl. ebd. S. 28f.); 2Kön 10,31 (DtrN, vgl. ebd. S. 34); zweigliedrige Formel: Jos 22,5 (DtrN, V. 5 gehört gegen *Noth*, Jos S. 128 und mit *Steuernagel*, Jos S. 292 sicherlich nicht zum Grundbestand); 23,14 (DtrN, vgl. *Smend*, FS von Rad S. 501–504); 1Kön 2,4 (DtrN, vgl. *Veijola*, Dynastie S. 19ff.); 8,48 (später als DtrN); 2Kön 23,3aβ (DtrN, zum Formulierungsbestand dieses Versteils sind besonders Jos 22,5; 1Kön 8,23; 14,8 zu vergleichen); dreigliedrige Formel: 2Kön 23,25 (DtrN, s.o. S. 43–46). Die Jer-Belege (vgl. *Thiel*, Jer I S. 88f.) gehören allesamt der dtr Redaktionsschicht an: Jer 3,10; 24,7; 29,13; 32,41. Jüngere Stellen (inklusive Zeph 3,14!, vgl. *Wellhausen*, KlProph S. 157f.; *Nowack*, KlProph S. 294; *B. Duhm*, Anmerkungen S. 59; *Marti*, XIIProph S. 372.376) sind außer Betracht geblieben.

[93] Vgl. 2Kön 11,14 und *Montgomery*, Kings S. 421.425; auch in Ezida, dem Nabû-Tempel in Borsippa, gab es einen „Standort für den König" (manzalti šarri), *Parpola*, CT 53,75 = LAS 284 Obv. 8; vgl. auch CAD M/I S. 228b s.v. manzaltu A2a.

[94] Bezeichnenderweise hat DtrH kein Empfinden mehr für die „Zeitgebundenheit" der Formulierung und gebraucht sie bereits, den Anachronismus nicht ahnend, bei David und Jonathan in 1Sam 23,16–18 (vgl. *Veijola*, Dynastie S. 88–90).
Demgegenüber ist Jer 34,8ff. in seinem Grundbestand (34,8b.9a*.10.11.12a*. 18aαγb, vgl. *Thiel*, Jer II S. 38–43) ein zeitgenössischer Text, in dem besagtes כרת (ה)ברית לפני in 34,18 ursprünglich, in 34,15 in dtr Aufnahme vorkommt. Erst die dtr Redaktion war es, die in 34,18 das „Aufrichten" (הקים) der דברי הברית vermißte und es deshalb im Andenken an 2Kön 23,3 pflichtschuldig nachtrug.

eigener Anschauung kannte. Der Einfluß ist sowohl in dem לפני יהוה erkennbar, dem die Vorstellung der sichtbaren Anwesenheit der Gottheit(en) als Zeuge(n) des Vertrags auf einer Stele oder einer Urkunde zugrundeliegt[95], als auch in dem הקים der דברי הברית, das an die Aufrichtung einer altorientalischen Gesetzesstele denken läßt.[96]

Allerdings zerbrechen selbst die sporadisch rezipierten Vertragselemente unmittelbar bei ihrer Übertragung in den Raum der Jahwereligion: Der König steht allein vor dem einen Gott, ohne Vertragspartner also und nicht lediglich vor einem göttlichen Zeugen für ir-

---

95 Man vgl. nur *Wiseman,* VTE 13–24: לפני ist Nachbildung des in Z. 13 vorangestellten ina maḫar(IGI). Am eindeutigsten ist der Vertrag Zedekias mit den Jerusalemern in Jer 34 (Grundbestand) dem neuass. Vertragsmodell nachgebildet: Hier wie dort werden zunächst die menschlichen Vertragspartner zu einem „Bundesschließen *mit*" (issi[TA], vgl. *Wiseman,* VTE 1–12 – את vgl. Jer 34,8b), dann der/die göttliche(n) Vertragszeuge(n) zu einem „Bundesschließen *vor*" (ina maḫar[IGI], vgl. *Wiseman,* VTE 13–24 – לפני vgl. Jer 34,18aαγ) genannt; vgl. auch die instruktiven Belege *Borger*, Ash S. 40,15–19; *Streck,* VAB 7 S. 2/4,11–22.
Das traditionsgeschichtlich noch ältere Vorbild ist in den aram. Sefīre-Verträgen KAI 222–224 dokumentiert: Vertrag (עדי) mit (עם) ... (A 1), geschlossen (גזר) vor (קדם) ... (A 7ff.). Es ist verwunderlich, daß in einer dezidiert überlieferungsgeschichtlichen Arbeit wie der *H.-D. Hoffmanns* diese Formulierungen unerwähnt bleiben und in der atl. Literatur anscheinend für genuin dtr gehalten werden (vgl. Reform S. 202f. A. 49; zu Jer 34 vermißt man die Auseinandersetzung mit der seit 1970 vorliegenden ausgezeichneten Analyse von *Thiel,* s.o. A. 94).

96 Vgl. *Begrich,* Berīt S. 65. Im Akkadischen werden in diesem Fall normalerweise die Verben izuzzu/uzuzzu Š (vgl. AHw S. 410b) und zaqāpu (vgl. CAD Z S. 51–53) gebraucht (vgl. auch die Belege CAD A/II S. 348 s.v. asumittu; AHw S. 749a s.v. narû; AHw S. 1078b.1079a, CAD Ṣ S. 78ff. s.v. ṣalmu). Wie in Mesopotamien Gesetzes-, Königs- und Götterstelen errichtet werden können, kann dies im AT mit Masseben, Götterbildern (פסל) und (Gedenk-)Steinen geschehen oder genauer: soll bei beiden erstgenannten Objekten wegen der heidnischen Provenienz nicht geschehen (Lev 26,1; Dtn 16 22; 27,4; Jos 4,9.20; 7,26; 8,29; Ri 18,30). Da die Errichtung eines Steins oder einer Stele nur das äußere Zeichen für die Inkraftsetzung der mit ihr verbundenen Sache oder der darauf geschriebenen Worte ist, hat der atl. Sprachgebrauch eine Weiterbildung erfahren: Ein Wort oder Worte können „aufgerichtet", d.h. in Geltung gesetzt werden (Dtn 9,5; 1Sam 1,23; 15,11.13; 2Sam 7,25; 1Kön 2,4; 6,12; 8,20; 12,15; Jes 44,26; Jer 28,6; 29,10; 33,14; Neh 5,13; 9,8; 2Chr 6,10; 10,15), ebenso Bundes- oder Gesetzesworte (Dtn 27,26; 2Kön 23,3; Jer 34,18; vgl. Dtn 8,18; Jer 11,5). In spätdtr (Gen 26,3, etwas anders *Perlitt,* Bundestheologie S. 66f.), priesterlicher (Ez 16,60.62) und v.a. priesterschriftlicher Literatur (Gen 6,18; 9,9.11.17; 17,7.19.21; Ex 6,4; Lev 26,9) ist das „Aufrichten des Bundes" zur normalen Redeweise geworden.

gendeinen zwischen Menschen geschlossenen Vertrag, sondern vor dem fordernden, Gehorsam heischenden Gott Israels. Aus dem bilateralen Vertrag (mit welch ungleichen Partnern und zu welch ungleichen Bedingungen auch immer) ist die unilaterale Verpflichtung des Königs gegen Jahwe geworden. Erst nachdem der König den Verpflichtungsakt vor Jahwe vollzogen hat, wird das Volk aktiv, indem es ihn auch als für sich selbst verbindlich akzeptiert (23,3b) – dies wiederum ein Zug, für den sich nur in spätvorexilischer Zeit eine Analogie finden läßt (vgl. Jer 34,10).[97]

War soeben festgestellt worden, daß der Terminus ספר הברית in 2Kön 23,2 so fest im inhaltlichen Zusammenhang verwoben ist, daß er für den hier berichteten Bundesakt geprägt worden sein könnte, ist nun weiter zu beobachten, daß die Deuteronomisten den Terminus ספר הברית aus dem josianischen Verpflichtungsakt in andere Texte eingetragen haben, weil ihrer Meinung nach die Bundesvorstellung wie keine andere geeignet war, Israels Verpflichtung vor Gott (zum Guten und zum Bösen) zum Ausdruck zu bringen.[98]

Die also konturierte dtr Intention darf man jedoch nicht der textlich nächstliegenden Erwähnung des ספר הברית in 2Kön 23,21 entnehmen wollen, da der ganze Passus über das josianische Passa (23,21–23) noch nicht im Werk von DtrH stand, sondern erst durch DtrN den Josiakapiteln hinzugefügt worden ist. Erst in dieser spätdtr Schicht ist der Passabericht nach dem Vorbild von 23,1–3 gestaltet und damit der dort erwähnte ספר הברית wieder zitiert worden. Eigene theologische Intentionen verbindet DtrN mit diesem Begriff nicht (zu 2Kön 23,21–23 s.u. S. 130ff.).

Ganz anders verhält es sich hingegen mit der dritten und letzten Stelle, an der der ספר הברית erwähnt wird: Ex 24,7 (vgl. zum folgenden *Perlitt,* Bundestheologie S. 190–203). Dem Kern von Ex 24,3–8 liegt der Gedanke von Bundesschluß und Bundesbuch zur Zeit des Mose fern. Der älteste Textbestand wird durch Altarbau und Opferszene repräsentiert, in der Mose das Blut der geopferten Tiere zum einen Teil in Opferschalen sammelt, zum anderen

---

[97] Auch hier hat die zeitgenössische akkad. Vertragsterminologie Pate gestanden: erēbu ina/ana (libbi) adê, vgl. AHw S. 235a s.v. erēbu B4f; CAD A/I S. 131–134 s.v. adû A; vgl. auch die oben S. 75 A. 95 genannten Belege aus den ass. Königsinschriften.
Zur in 2Kön 23,1–3 geschilderten Verpflichtungszeremonie vgl. *Perlitt*, Bundestheologie S. 260–263.

[98] Das ist auch den Formulierungsvarianten zu entnehmen, die im Umkreis von ספר הברית entstanden sind: für (כל־)דברי הברית (הזאת) vgl. Ex 34,28; Dtn 28,69; 29,8; 2Kön 23,3; Jer 11,2.6.8; 34,18. Ähnliches gilt für den Begriff ספר התורה in 2Kön 22,11, der durch die Deuteronomisten mit demselben Variationsspektrum aufgegriffen worden ist: für (כל־)דברי התורה (הזאת) vgl. Dtn 17,19; 27,3.8.26; 28,58; 29,28; 31,12.24; 32,46; Jos 8,34; 2Kön 23,24.

Teil über den Altar versprengt (24,4aβ.5.6). In deutlich sekundärem Anschluß (Wiederaufnahme des ויקח aus V. 6) wird in V. 7 die abgeschlossene Opferszene durch Moses Vortrag des ספר הברית fortgeführt. Dies geschieht in Formulierungen, deren Affinität zu 2Kön 23,2f. auf der Hand liegt: Hier wie dort wird der ספר הברית von der maßgeblichen Person vor dem Volk verlesen (קרא באזני...), wird ein Bund geschlossen und stimmt das Volk dem Bund(esbuch) zu. Die szenischen Änderungen in 24,5–8 gegenüber 2Kön 23,2f. sind einzig und allein durch den vorgegebenen Kultakt bedingt. Die Opferszene (Ex 24,4aβ.5.6) gewinnt die Qualität des Bundesaktes (par. 2Kön 23,3aα), die Verlesung des ספר הברית – in 2Kön 23,2b sinnvollerweise dem Bundesakt vorausgehend – wird in Ex 24,7a aufgrund der Textvorgabe nachgeholt, und die Zustimmung des Volkes schließt den Bundesakt ab (Ex 24,7b par. 2Kön 23,3b). Für Ex 24 kann dies allerdings nur in eingeschränktem Sinne gelten, denn der Redaktor gibt der Szene noch eine Fortsetzung, in der er es sich nicht nehmen läßt, die Verbindung von Opfer und Bund expressis verbis zu vollziehen. Er läßt Mose über das Volk den דם־הברית (24,8) versprengen, eine Zeremonie, die nach der Willensbekundung des Volkes, der eingegangenen Verpflichtung getreu nachzukommen, wie eine sakramentale Unterstützung seines Vorsatzes wirkt. „So gibt also V. 8 im Zusammenhang mit V. 7 der alten Szene die neue Gestalt, die sich im Zusammenklang von ספר הברית, העם und דם־הברית als ein Schulbeispiel dtr Deutungskunst erweist. Opfer und Blutritus gehören ursprünglich zusammen, und zwar *nicht* nur hier; Opfer, Blutritus und Bundestheologie gehören nicht ursprünglich zusammen, sondern *nur* hier“ (*Perlitt*, aaO S. 202), um – so möchte man fortfahren – den von Josia wieder in Geltung gesetzten ספר הברית schon in Verbindung mit dem Mann namentlich zu erwähnen, dessen Autorität mit der des durch ihn beschlossenen Gesetzes identisch ist: Mose. Deshalb ist auch die Spekulation müßig, welchen Inhalt der in Ex 24,7 genannte ספר הברית gehabt habe, ob Dekalog oder B oder beides zusammen. Der ספר הברית hat von 2Kön 23,2 her den Kern des Dtn zu seinem Inhalt und wird in Ex 24,7 *als solcher* an den Sinai transferiert, um (auch) ihn im Schutz der Autorität der mosaischen Gesetzgebung am Sinai zu bergen. Josias Gesetz geht auf Mose am Sinai zurück – nichts weniger will die diesem Terminus widerfahrene Translokation an den Sinai besagen![99]

Stellt man nun die Frage, welche dtr Hand den ספר הברית aus 2Kön 23,2 in Ex 24,7 eingetragen hat, wird man sogleich in die Probleme einer dtr Redaktion des Tetrateuch und ihres Verhältnisses zu der des dtr Geschichtswerks verstrickt. Es wäre fahrlässig, dazu en passant einige Thesen zu äußern, die doch nur Resultat

---

[99] *Perlitt*, aaO S. 195 zu Ex 24,7: „Der im Kontext überraschende, aber kommentarlose, selbstverständliche Gebrauch des Ausdrucks verrät die Herkunft aus einer Zeit, in der es tatsächlich keiner Erläuterung bedarf für die merkwürdige Vorstellung, daß die ברית nun בספר steht ... – und das ist die Zeit und Intention von 2 K 23, wo sich denn ... die einzige Parallele für diese reflektierte Terminologie überhaupt findet, und zwar in der schönsten Harmonie mit dem Erzählganzen, dem sie zugehört und entstammt. Josia agiert hier wie Mose dort – aber er hat es nicht von jenem gelernt.“

einer umfassenden Untersuchung sein könnten, weshalb zur literarhistorischen Zuordnung der dtr Redaktion in Ex 24 hier nichts Sicheres gesagt werden kann. Immerhin sei zu bedenken gegeben, daß die Rezeption des Bundesgedankens und die hier angewandte Arbeitsweise der indirekten redaktionellen Verknüpfung am ehesten auf die Tätigkeit von DtrH hinweist. Genau wie er in seiner Beurteilung Josias in 2Kön 22,2 einen impliziten, aber unmißverständlichen Hinweis auf David in der Weise gegeben hatte, daß Josia als einziger dem Vergleich mit ihm vollauf gerecht wird, so spannt er hier den Bogen noch weiter zurück bis zu Mose. Proklamator und Restaurator des Gesetzes reichen sich über die Jahrhunderte hinweg die Hand, nur noch einen weiteren in ihrer Mitte duldend, dessen Herz auch ganz bei Jahwe war: David. Doch wie die Inauguration des Gesetzes im Bundesschluß des Mose (Ex 24,5ff.) baldige Verschuldung des Volkes (Ex 32) nicht verhindern konnte, so vermag die Restitution des Gesetzes im Bundesschluß des Josia (2Kön 23, 1–3) weder Jahrhunderte altes Unrecht zu annullieren noch zukünftiges Unheil abzuwenden. Es will beachtet sein, daß DtrH David nicht in dieses Bundesdenken integriert hat, wofür es bei seiner Hochschätzung des Dynastiebegründers nur die eine plausible Erklärung gibt, daß er in der ihm vorliegenden Überlieferung von David keine Gesetzespromulgation vorfand und somit kein Anknüpfungspunkt für den Ausbau eines Bundesaktes gegeben war. DtrH ist demnach – wenn ihm die obigen Texte mit Recht zugeschrieben werden dürfen – mit der ihm vorgegebenen Tradition behutsamer umgegangen, als ihm gemeinhin zugetraut wird.

Mose, David und Josia[100] – sie sind die drei *στῦλοι*, auf denen nach DtrH die Geschichte Israels ruht; sie allein standen in dem Jahwe-

---

100 *Diese* drei Personen gehören nach der Konzeption von DtrH zusammen, *nicht*, wie *Noth*, TB 6 S. 58–67 zu meinen scheint, Mose, Josua und Josia. Zwar steht Jos 24,25f. in Zusammenhang mit 2Kön 23,1–3, der sich jedoch nur bündig als literarisches Nacheinander, jedenfalls im Blick auf die wichtige sekundäre Weiterarbeit in Jos 24,25b.26a, erklären läßt: „Das Signalwort ברית zog später die Gesetzesverlesung an sich ... Die Lektoren kannten den Ort, an dem das Gesetz fällig war.“ Aber das „Gesetz gehört ins Buch, und beide zusammen gehören zur ברית. So hat V. 25a die Urkundennotiz von V. 25b.26a an sich gezogen“ (*Perlitt*, aaO S. 268f.). Die Zeit dieser Ergänzung ist längst nicht mehr die von DtrH. Darüber gibt der Terminus ספר תורת אלהים (Jos 24,26) Aufschluß, der einzig und allein in Neh 8,8.18 Parallelen hat!
Zur dt/dtr Verbindung von Mose und Josia vgl. auch *Bächli*, Israel S. 181ff., v.a. S. 196ff. Wenn *Bächli* aber schreibt: „Was im Dt von Mose ausgesagt wird ... gilt in Wirklichkeit von Josia“ (ebd. S. 197), scheinen doch Position und Funktion der beiden zu wenig unterschieden zu sein.

gehorsam, der als Jahwes Forderung dem ganzen Volke galt. Doch den Bau jener Geschichte zu tragen, erwiesen auch sie sich als zu schwach – für DtrH ein Hinweis auf die Untragbarkeit der Schuld des Volkes und der anderen Könige, unter der selbst jene Säulen zusammenbrachen.

Doch die Katastrophe, auf die DtrH zurückschaute, konnte Josia noch abwendbar erscheinen. Deshalb folgt als Resultat aus seiner Einschätzung des Buches die Bundesverpflichtung, die wiederum Voraussetzung der folgenden Reform ist. Der Bundbericht zwischen Buchfund und Reform ist sicherlich nicht von ungefähr das Gelenk und Herzstück des Ganzen zugleich. Wie sehr Spätere diesen Aufriß verkannt und verändert haben, wird im folgenden zu zeigen sein.

6. Die Reform (2Kön 23,4–20.24)

Fund (2Kön 22), Bund (23,1–3) und Reform (23,4ff.) – das sind die drei Akte des josianischen Dramas in der Fassung, die uns durch die Aufnahme in das Geschichtswerk von DtrH erhalten geblieben ist. Der RB stellt genau wie die bisherigen Abschnitte den König in den Mittelpunkt des Geschehens, was auf dieselbe darstellerische Perspektive hindeutet und davor warnen sollte, den mehr aufzählenden RB von dem mehr erzählenden Fund- und Bundbericht zu strikt zu trennen.[101] Der mit gewissem Recht wahrgenommene stilistische Unterschied zwischen beiden Teilen ist primär sachlich begründet, da eine Liste verabscheuungswürdiger Götzensymbole nicht den Stoff abgibt, aus dem erzählerische Funken zu schlagen sind.

Wie bei der Einholung des Orakels (22,12) hat der König bei der Reform Helfer um sich (23,4), die allesamt hohe Ämter bekleiden: den Priester Hilkia[102], seinen Stellvertreter[103] und die (vermut-

---

101 Besonders *Oestreicher*, Grundgesetz S. 13–15 hat die Trennung stark betont und 22,1–23,3 auf der einen und 23,4ff. auf der anderen Seite (mit manchen Differenzierungen) zwei verschiedenen Quellen zusprechen wollen. Damit hat er in der Forschung vielfältige Rezeption erfahren; stellvertretend für viele sei nur auf *Noth*, TB 6 S. 59f. verwiesen; vgl. auch die ausführliche Kritik von *H.-D. Hoffmann*, Reform S. 208ff., der mit nur wenigen Einschränkungen zuzustimmen ist.

102 S.o. S. 47 A. 33.

103 Einige Schwierigkeiten bereitet das rechte Verständnis der כהני המשנה, die LXX mit *τοῖς ἱερεῦσιν τῆς δευτερώσεως* = „Priester zweiten Ranges“ (vgl. LS S. 328a) wiedergibt. Zwar liest das Targum in 23,4 den Singular, doch ist diese äußere Bezeugung so schwach, daß man den Plural ohne weiteres als gesichert

lich) drei Schwellenhüter.[104] Josia läßt von ihnen alle Kultobjekte (כל־הכלים)[105], die für „Baal, Aschera und das Himmelsheer" angefertigt worden sind, aus dem Tempel (היכל יהוה)[106] entfernen.

---

akzeptieren könnte, wenn nicht parallele Ämteraufzählungen in 2Kön 25,18 und Jer 52,24 vorlägen, die übereinstimmend nur *einen* כהן (ה)משנה kennen. 2Kön 25,18 = Jer 52,24 lautet: ויקח רב־טבחים את־שריה כהן הראש ואת־צפניה(ו) כהן (ה)משנה ואת־שלשת שמרי הסף: Die Aufzählung der verschiedenen Priesterämter wird kaum von der in 23,4 getrennt werden können. Der כהן הראש dürfte dasselbe Amt bekleiden wie der כהן חלקיהו in 2Kön 22f. Da nun sowohl in 2Kön 25,18 par. als auch in 23,4 unzweifelhaft eine Stufenfolge von Ämtern beschrieben wird und da es nach 25,18 par. offenbar nur einen Stellvertreter des höchsten Priesters gab, wird der Text in 23,4 nach 25,18 par. zu korrigieren sein (so auch *Benzinger*, Kön S. 192; *A. B. Ehrlich*, Randglossen VII S. 319; *Stade*, ZAW 22 S. 325–327; *de Vaux*, Institutions II S. 242 u.a.; anders *Lidzbarski*, Ephemeris I S. 248 A. 1).
Für die Änderung spricht neben dem ass. Titel šangû šanû (vgl. AHw S. 1163 s.v. šangû und *Landsberger*, BBEA S. 60; sehr interessant ABL 577 = *Pfeiffer*, SLA 242) auch der hebr. Sprachgebrauch von משנה, das ganz überwiegend – wie auch nicht anders zu erwarten – in Verbindung mit Nomina im Singular belegt ist (zwei sehr junge Ausnahmen: 1Chr 15,18; Esr 1,10: hier jedoch Nomen *und* Attribut im Plural!; 1Sam 15,9 Textfehler, vgl. BHK), häufig gesagt vom zweitältesten Sohn (1Sam 8,2; 17,13; 2Sam 3,3 u.ö.), welcher Sprachgebrauch auch Vorbild für den Titel כהן (ה)משנה gewesen sein dürfte.
Die Lesung כהני המשנה in 23,4 könnte von einem mit der vorexilischen Priesterordnung nicht mehr Vertrauten stammen, eventuell von demselben, der die titulare Korrektur in הכהן הגדול vorgenommen hat und dem der ursprünglich angeführte Personenkreis, der mit der Kultreform beauftragt war, zu klein erschien (vgl. zum Problem auch *von Baudissin*, Priesterthum S. 216; *Wellhausen*, Prolegomena S. 142f.).

104 S.o. S. 47 A. 34.

105 כלי, überwiegend im Plural belegt, dient im Werk von DtrH wie in den alten Pentateuchquellen zur Bezeichnung, im Plural als Sammelbegriff für Gegenstände aller Art, vom Gefäß im Haushalt bis zum Kriegsgerät. Daneben wird im dtr Geschichtswerk כלים zur Bezeichnung der Kultgeräte im Jerusalemer Tempel gebraucht (1Kön 7,45.48.51; 8,4; 15,15; 2Kön 12,14; 14,14; 23,4; 24,13; 25,14.16), womit nach 1Kön 7,41–45.48–50 Töpfe, Feuerschaufeln, Sprengschalen, Leuchter u.a. gemeint sind – ein Sprachgebrauch, der sich bei P und in den priesterschriftlichen Gesetzen (passim) völlig durchgesetzt hat.
Da die כלים in 23,4 nicht weiter spezifiziert werden, kann man sich höchstens nach 1Kön 7,41ff. ein Bild davon machen, was gemeint sein könnte, wird sich aber ansonsten mit dem blassen Sammelbegriff begnügen müssen (Versuch einer Spezifizierung von *Gressmann*, ZAW 42 S. 322: Rangzeichen, Standarten, Sterne, Räucherschaufeln).

106 היכל (יהוה) bzw. היכל קדשך/ו u.ä. ist in alter Zeit abgesehen von Ps 29,9 nicht nachweisbar. Im späten 8. (Jes 6,1; Mi 1,2; 2Kön 18,16) und im 7. Jh. (Jer 7,4; 24,1) begegnet die Wendung vereinzelt, auch in einigen Psalmen, die naturgemäß schwer zu datieren sind. In 1Sam 1,9; 3,3, wo היכל יהוה den Tempel in Silo bezeichnet, dürfte es sich kaum um alte Stellen, sondern um einen

Baal und Aschera sind hier mehr als lediglich kanaanäische Gottheiten, wie schon ihre Zusammenstellung mit dem Himmelsheer anzeigt. Sie sind als die Greuel vergangener Zeiten auch im 7. Jh. noch in so vitaler Erinnerung, daß sie die Israel untersagte Fremdgötterei weit über deren kanaanäisches Element hinaus – und dies nicht einmal mehr als das wesentlichste! – zu repräsentieren vermögen.[107] Baal, Aschera und Himmelsheer stehen hier in unheiliger Allianz für jegliches religiöse Fremdwesen im einzelnen und ganzen, wodurch der für diese Einleitung verantwortliche dtr Redaktor (DtrH) den RB in ein ganz bestimmtes theologisches Licht rücken will. Er sucht auf diese Weise zu unterstreichen, daß mit Josias Reform die Zeit des religiösen Kompromisses vorbei, die Reform also eine Radikalkur ist und die folgende Aufzählung nicht in dem Sinne mißverstanden werden darf, daß Josia lediglich besonders viele heidnische Greuel vernichtet hätte. DtrH will mit seiner Einleitung keine Unklarheit über die Totalität der Reform aufkommen lassen, eine Intention, die ihn (und andere) zu einer genauen Erforschung der Vergangenheit treibt, die im weiteren Bericht ihre Spuren hinterlassen hat.

Völlig unabhängig von vorgegebener Tradition ist DtrH in 23,4 kaum, da er normalerweise nicht zwischen Göttern und ihnen dienenden bzw. sie repräsentierenden Kultobjekten (כלים) unterscheidet. Die כלים könnten darauf hindeuten, daß einst die Reformliste, bevor sie in die Hände von DtrH geriet, differenzierter begann als jetzt, ihr Anfang also nicht schon immer die Funktion hatte, totales Verdikt gegen alles Fremdgötterwesen zu sein.

Was Josia der in 23,4a genannten Göttertrias antut, wiederholt sich der Vernichtungsart nach mit einer gewissen Stereotypie im RB

---

von DtrH verursachten terminologischen Anachronismus handeln, da alle anderen Belege für היכל = „Tempel" samt den oben aufgeführten Genetivverbindungen den Tempel in Jerusalem als ganzen oder dessen Hauptraum (hauptsächlich 1Kön 6–8; Ez 41f.) bezeichnen, Belege, die zum größten Teil der nachexilischen Prophetie und dem chr Geschichtswerk angehören.

Ob in 2Kön 23,4 mit היכל יהוה der gesamte Tempel oder nur der Hauptraum gemeint ist, läßt sich kaum klären, da beide Entscheidungen begründet werden können: Der Intention, das ganze Heiligtum von Fremdkulten zu befreien, entspräche eher die umfassende Bedeutung von היכל; doch legt das singuläre Vorkommen dieses Wortes gegenüber dem im Kontext häufigen בית יהוה (22,3.4.9; 23,2.6.7.11.24) eher die eingeschränkte Bedeutung nahe.

107 Insofern ist *Gressmann*, ZAW 42 S. 321f. auf dem richtigen Weg gewesen, als er mit Baal und Aschera in 23,4 die ass. Götter Aššur und Ištar bezeichnet sah. Doch jene beiden in 23,4 genannten Gottheiten wollen noch mehr als nur ass. Religionswesen treffen; s.u. S. 209ff.

ständig: Er verbrennt die Kultgeräte außerhalb Jerusalems (מחוץ לירושלם) in der Umgebung des Kidron (בשדמות קדרון, 23,4bα). Letztere Ortsbestimmung kehrt in diesem Text noch dreimal in etwas anderer Form – נחל קדרון (23,6bis.12) – wieder, erstere (מחוץ לירושלם) noch einmal in 23,6.[108] Die Konzentration fast derselben genauen lokalen Angaben in 23,4 und 23,6 wird innerhalb derart geringer textlicher Distanz kaum unabhängig voneinander entstanden sein. Der präziseste Ortsname ist zweifellos נחל קדרון, der fest in 23,6aα verankert ist, wo die Aschera aus dem Tempel(bezirk) ins Kidrontal, das direkt an seiner Ostseite verläuft, herausgebracht wird. An dem Wadiverlauf östlich des Tempelbezirks und des Ophel scheint zunächst im engeren Sinne der Name נחל קדרון zu haften. Erst einem Späteren ging aus 23,6aα nicht mehr deutlich genug hervor, daß das Kidrontal nicht mehr zum Stadtgebiet gehörte, weshalb er ungeschickt ein מחוץ לירושלם nach מבית יהוה einfügte. Jener Ergänzer, kein anderer als DtrH, hat die Wendung

---

[108] מחוץ לירושלם ist außer in 23,4.6 nur noch Neh 13,20 belegt. Am ehesten vergleichbar ist die für das Jer-Buch typische Wendung (ב)חוצות ירושלם (Jer 5,1; 7,17; 11,6.13; 14,16; 33,10; 44,6.9.17.21), die abgesehen von 5,1 der dtr Redaktion des Jer-Buches, zumeist mit den ערי יהודה verbunden, angehört. Tritt, wie in 7,34 (JerD), ein separatives מן zu dem Ausdruck hinzu, heißt es mit entsprechender Konsequenz מחצות ירושלם. Hier redigiert also wohl eine andere (spätere) dtr Hand also in 2Kön 23,4.
Während für נחל קדרון u.a. auch zwei alte Stellen genannt werden können (2Sam 15,23; 1Kön 2,37; die übrigen Belege: 1Kön 15,13, s.u. S. 187; Jer 31,40; 2Chr 15,16; 29,16; 30,14), sind die שדמות קדרון Hapaxlegomenon und alle weiteren Belege für שדמה (nur einmal im Singular, sonst immer im Plural) bis auf Jer 31,40 wenig ergiebig (Jes 37,27 par. 2Kön 19,26 textlich unsicher; Dtn 32,32; Jes 16,8; Hab 3,17; vgl. die gute Darlegung der Bezeugung von שדמ(ו)ת an den einzelnen Stellen bei *Croatto / Soggin*, ZAW 74 S. 46–49). Die wahrscheinlichste Grundbedeutung dürfte (trotz mancher Kritik) „Pflanzung" sein, vornehmlich „Weinpflanzung" (so auch ugaritisch šdmt in *Gordon*, UT 52,10; UT 137,43 unklar, vgl. *Caquot*, TO I S. 133), und von daher vielleicht „Terrasse" (vgl. KBL s.v. שדמה ; *Gray*, Kings S. 732), was als Bezeichnung für die Abhänge (zu beiden Seiten?) des Kidrontales durchaus sinnvoll wäre. Dieser Erklärungsversuch impliziert zugleich die Zurückweisung des Verständnisses von שדמות als שד(ה) מות, „Field of Death" (*Lehmann*, VT 3 S. 361–371; mit wenigen Einschränkungen auch *Croatto / Soggin*, ZAW 74 S. 49).
Ebenso unwahrscheinlich ist *Dalmans* Ansicht, daß נחל קדרון und שדמות קדרון Namen für dieselbe Stelle „in dem Grunde unterhalb des Tempelplatzes" (Jerusalem S. 174) sind. Nach der in dem postdtr Text Jer 31,38–40 (vgl. *Thiel*, Jer II S. 28) gegebenen Beschreibung (lies in 31,40 mit Qerē und weiteren gewichtigen Textzeugen השדמות) muß hier mit שדמות ein Gelände gemeint sein, das mehr auf der Höhe des Hinnomtales zu suchen ist, also in beträchtlicher Entfernung vom Tempelbezirk (zur Lokalisierung der geographischen Angaben in Jer 31,38–40 vgl. *Simons*, Jerusalem S. 231ff.).

von der Stelle her übernommen, wo er, an keine Vorlage gebunden, die Vernichtung der heidnischen Kultgeräte möglichst weit von allem Heiligen entfernt lokalisieren konnte, aus 23,4bα nämlich, wo er auch den ihm genehmeren, weil weiträumigeren Namen שדמות קדרון gewählt hat.

In 23,4 hat schließlich ein noch späterer Redaktor es als notwendig empfunden, die Tendenz von DtrH, alles Unreine vom Tempel möglichst weit zu entfernen, mit einem letzten Zusatz (23,4bβ) zu krönen, nach dem – unter Verwendung von 23,15 – der Staub der zerstörten Geräte nach Bethel überbracht worden sei. Neben diesem inhaltlichen Kriterium ist das Pf. cop. ונשא als Hinweis auf eine später vorgenommene Redaktionsarbeit an diesem Text geltend zu machen.[109]

Es wäre nun ein Leichtes, das Pf. cop. gleich zu Beginn von 23,5 unter striktem Formzwang derselben Hand wie 23,4bβ zuzuweisen, womit schon weitgehend geklärt wäre, welchem literarischen Stratum 23,5 angehört. Eine solche Literarkritik, die, primär nach strengen formalen Prinzipien vorgehend, die jeweiligen spezifischen Inhalte erst in zweiter Linie befragt, würde aber bei diesem Vers sicherlich zu einem abwegigen Ergebnis gelangen (man beachte nur das Impf. cons. וישבת in 23,11 mit seiner, religionsgeschichtlich gesehen, engen inhaltlichen Verwandtschaft zu 23,5*!). Zwar ist das Pf. cop. zu Beginn von 23,5 im Verhältnis zu den Imperfecta cons. in 23,4abα als literarkritisches Signal zu werten, doch ist es keineswegs eindeutig genug, um, allein auf dieses Indiz gestützt, literarkritische Operationen vorzunehmen. Erst nach genauer Prüfung der kontextualen Stratigraphie kann über das literarkritische Gewicht des Pf. cop. ein Urteil gefällt werden.

Das literarkritische Gefüge wird nun nicht sogleich in 23,5aα (והשבית את־הכמרים) und auch noch nicht in 23,5aβ (אשר נתנו מלכי יהודה) evident. Zwar deutet der Inhalt in keiner Weise auf dtr Formulierung hin, da weder die כמרים noch der Relativsatz 23,5aβ[110] zum gängigen dtr Sprachgut gehören. Doch läßt diese Be-

---

109 So auch *Benzinger,* Kön S. 192; *Montgomery*, Kings S. 529 u.a.; als authentische Notiz wird 23,4bβ von *Šanda*, Kön II S. 340 und *Wolff,* Bethel S. 444f. betrachtet.

110 Die Wendung אשר נתנו מלכי יהודה kommt nur hier und in 23,11 vor. Sie ist vermutlich nicht dtr (gegen *Hollenstein,* VT 27 S. 334f.). Es versteht sich nämlich in einem Dokument der Josiazeit *nicht* von selbst, „daß man in einer offiziellen Urkunde nicht die Bemerkung unterbrachte, die Könige hätten die ‚Götzenpriester' auf den Höhen angestellt" (*Würthwein,* ZThK 73 S. 415). Zudem ist die eindeutig dtr Abwandlung jener Formel im Text selbst belegt (23,12), die aber charakteristisch anders lautet (s.u. S. 110).

obachtung immer noch die Alternative offen, ob 23,5aαβ *vor* der Arbeit von DtrH im Text gestanden hat oder erst *nach* seiner Redaktion – wie etwa der stilistisch vergleichbare V. 4bβ – ergänzt worden ist. Die Entscheidung darüber vermag erst 23,5aγδ (ויקטר<ו> בבמות בערי יהודה ומסבי ירושלם) herbeizuführen, welcher Versteil den glatten Duktus von 23,5aαβ offensichtlich nicht fortsetzt, was schon durch die textkritische Unsicherheit bei der Verbform zu Beginn von 23,5aγ deutlich wird.[111] Daß die stilistisch glatteste Lösung – die Wahl des allerdings nicht schlecht bezeugten לקטר – alles andere als die ursprüngliche Lesung sein dürfte, braucht nicht lange erläutert zu werden. Von den beiden verbleibenden Varianten muß höchstwahrscheinlich der Lesung ויקטרו die Priorität zugesprochen werden, da sich von ihr her am besten das Zustandekommen der Lesung ויקטר als auch die Einfügung des ganzen Zusatzes 23,5aγδ erklären läßt. Die Intention dieser Erweiterung besteht offensichtlich darin, einen Ausgleich zwischen den Informationen von 23,5a und 23,8a herbeizuführen, da bereits dem Deuteronomisten (DtrH) im 6. Jh. der Unterschied zwischen כמרים (23,5aα) und כהנים (23,8aα) nicht mehr bekannt war. Deshalb war es für DtrH naheliegend, beide Titel als Varianten für dasselbe Amt zu betrachten und somit 23,5a und 23,8a in der Weise zu kombinieren, daß die nach 23,5aα von Josia entlassenen כמרים dieselben seien, über deren Wegführung aus den Städten Judas, verbunden mit der Verunreinigung der Bamoth, 23,8a berichtet. Auf der Grundlage der Informationen dieser Vershälfte ist die Erweiterung 23,5aγδ formuliert, wodurch DtrH den Aufbau seiner Vorlage empfindlich gestört hat, denn diese beschäftigte sich in 23,5 *nur* mit Jerusalem und behandelte die Reformmaßnahmen außerhalb der Hauptstadt im judäischen Gebiet erst in 23,8. Die noch spätere Entstehung der Lesung ויקטר in 23,5aγ ist auf stilistischen Standardisierungseifer – der Kontext bietet fast ausschließlich finite Verbformen der 3.m.sg. – und Gedankenlosigkeit gegenüber dem Inhalt zurückzuführen, denn daß Josia auf den judäischen Bamoth Räucheropfer dargebracht habe, wird kaum je – selbst wenn es der Realität einst entsprochen haben sollte – von einem Sympathisanten der Reform, am wenigsten aber von dem hier redigierenden DtrH mitgeteilt worden sein.

---

[111] Man hat zwischen ויקטר (MT), ויקטרו (LXX ohne lukianische Rezension, Targum) und לקטר (LXX in lukianischer Rezension, Peschitta, Vulgata) eine textkritische Entscheidung zu treffen.
23,5aγδ wird auch von *Procksch* als Zusatz beurteilt (vgl. FS Zahn S. 24f.).

Die כמרים (immer Plural) werden im AT nur dreimal erwähnt: Hos 10,5; Zeph 1,4; 2Kön 23,5. Hos 10,5 gehört zu einem echten Hosea-Wort (vgl. *Nowack*, KlProph S. 62; *Wolff*, Hos S. 221), und auch in Zeph 1,4 scheint הכמרים ursprünglich zu sein (vgl. *Wellhausen*, KlProph S. 27.151; gegen *Nowack*, KlProph S. 282). Damit wäre diese Bezeichnung, wenn auch spärlich, sowohl im 8. als auch im 7. Jh. belegt, immer auf Priester gewendet, die nichts mit dem reinen Jahwekultus zu tun haben (daher die übliche Übersetzung: „Götzenpriester", „Pfaffen"). Dabei könnte vielleicht (!) die Ineinssetzung von כמרים und כהנים in Zeph 1,4 Vorbild für die Identifizierung beider Priestergruppen in 2Kön 23,5 gewesen sein.

Vor allem im aram. Sprachbereich ist כמר als Priesterbezeichnung etwas häufiger bezeugt (KAI 225,1; 226,1; 228 A 23. B 2; 239,3; 246,1; neupunisch: 159,7; vgl. auch DISO S. 122), wobei in späterer Zeit כמר das übliche Wort für „Priester" gewesen zu sein scheint. Ob das auch schon für die beiden altaram. Belege – KAI 225,1; 226,1 – zutrifft, ist immerhin fraglich, da jene Priester ganz offenkundig nicht allein aram., sondern auch ass. Gottheiten dienen. Zwar werden sie beide כמר des שהר, also der aram. Mondgottheit, genannt, doch trägt der eine Priester den Namen שנזרבן = *Sîn*-zēra-ibni (vgl. KAI II S. 275)! Die anderen, in beiden Texten erwähnten Gottheiten – Šamaš (nur in KAI 225), Nikkal und Nusku – dürften aus dem mesopotamischen Raum übernommen worden sein. Das ist besonders deutlich bei Nusku, der in die Reihung als Sohn des Sîn aufgenommen worden ist – Nikkal ist hingegen auch in Ugarit als Gattin des Yariḫ bekannt –, aber auch bei Šamaš, der genealogisch mit Sîn verbunden ist und ihm in der mesopotamischen Götterhierarchie normalerweise folgt. Ob nun in Nērab, wo ursprünglich wohl allein der Mondgott שהר verehrt wurde, nur „mit einem Angleichungsprozeß der einheimischen Gottheiten an die Götter des Zweistromlandes zu rechnen" ist (KAI II S. 275) oder ob nicht hier im Umkreis von Aleppo, das bereits auf gut hundert Jahre ass. Oberherrschaft zurückblicken konnte, Assur seinen Tribut auch auf religiösem Gebiet einforderte? Wie auch immer man hier entscheiden will, so ist doch allemal die Kombination des כמר-Titels mit Sonnen- und Mondgottheit eine wichtige zeitgenössische religionsgeschichtliche Parallele zu 2Kön 23 (zum Baal an dieser Stelle s.u. S. 86).

Auch Zeph 1,4 spricht für die Verbindung der כמרים gerade mit Gestirngottheiten, worüber der ebenfalls erwähnte שאר הבעל, der hier mehr als einen kanaanäischen Fruchtbarkeitsgott meint (s.u. S. 204), nicht hinwegtäuschen darf (mit *Gressmann*, ZAW 42 S. 326f. gegen *Jepsen*, Reform S. 135f. und *Wolff*, Hos S. 228, dessen Ausführungen nur für Hos 10,5 zutreffen).

Wirft man abschließend noch einen Blick auf die akkad. Belege, so ist hier völlig evident, daß kumru und kumirtu keine genuin akkad. Priester(innen)-bezeichnungen sind: Kumru ist so gut wie ausschließlich in altass. Zeit in Kleinasien und (seltener) in altbab. Zeit in Mari bezeugt (vgl. CAD K S. 534f.; *Hirsch*, Altass. Rel. S. 55f.), kumirtu – nicht unbedingt aram. Lehnwort (*von Soden*, OrNS 35 S. 13), vielleicht eher schlichte Femininbildung zu kumru – nur bei Asb für die Priesterin der arab. Göttin Dilbat (vgl. CAD K S. 532f.; der korrekte arab. Titel dürfte eher ʼfklt, akkad. apkallatu, gewesen sein, vgl. *Borger*, OrNS 26 S. 9f.). Die Annahme drängt sich auf, daß im akkad. Bereich kumru/kumirtu eine Bezeichnung für ausländische Priester(innen) sowohl von fremden als auch von akkad. Gottheiten ist. Sollte diese akkad. Bezeichnung für mit den Assyrern kollaborierende Priester über das Aramäische ins Hebräische übernommen worden sein, dokumentierte sich darin wahrscheinlich die Geringschätzung, die für diese Gruppe empfunden wurde. Was im aram. Bereich keineswegs ehrenrührig war – beachte כמר quasi als Selbstbezeichnung in KAI 225,1; 226,1! – und später sogar zum allgemein gebräuchlichen Priestertitel werden konnte, war in Israel dazu angetan, allen Abscheu vor der Verleugnung des Jahwismus in dieses Wort zu legen.

Die literarkritischen Verhältnisse in 23,5b bestätigen einerseits die Zuweisung von 23,5aγδ an die dtr Redaktionsarbeit und zeigen andererseits, daß DtrH auch hier nicht untätig gewesen ist. Was die erste Beobachtung anbelangt, so wird die syntaktische Struktur von 23,5 durch die Ausscheidung von 23,5aγδ sehr viel durchsichtiger: Von dem Verb והשבית sind zwei gleichgeordnete Akkusativobjekte abhängig, die beide je eine Näherbestimmung bei sich haben, הכמרים einen Relativsatz und המקטרים[112] eine fünfgliedrige Reihe von Göttern und göttlichen Mächten, denen die Opfer gelten.

Bei der Reihung läßt sich nun die Beobachtung machen, daß zwei der angeführten Glieder, nämlich בעל und צבא השמים bereits aus 23,4 bekannt und hier kaum von derselben Ursprünglichkeit wie in 23,4a sind. Ganz offensichtlich ist die in 23,5b vorgefundene Göttertrias לשמש ולירח ולמזלות[113] am Anfang und Ende erweitert worden, vorn durch לבעל, ohne daß die nun notwendige Kopula bei לשמש nachgetragen worden wäre, hinten durch ולכל צבא השמים stilistisch nahtlos mit der Kopula angefügt, doch aufgrund der Schlußstellung und der wörtlichen Entsprechung in 23,4 zweifellos redaktionellen Ursprungs. Enthielt die Vorlage lediglich die Nachricht, daß Josia dem Gestirndienst ein Ende bereitet habe, nutzt DtrH, geleitet durch seine Sorge um die Reinheit des Jerusalemer Tempelkultus, die Chance klarzustellen, daß nicht nur die Kultgeräte der in 23,4 genannten Gottheiten aus dem Tempel beseitigt, sondern natürlich auch deren Verehrer nicht länger geduldet worden sind.

Die Trias שמש, ירח, מזלות ist im AT nur hier bezeugt, was gleichermaßen für das letztgenannte Glied der Reihe gilt. Auch für שמש und ירח sind die Belege,

---

112 קטר pi. gehört zum üblichen dtr Sprachgebrauch, aber eigentlich nur in Verbindung mit den במות (1Kön 22,44; 2Kön 12,4; 14,4; 15,4.35; 16,4; 17,11; 23,5.8), im Jer-Buch mit den אלהים אחרים (2Kön 22,17; Jer 1,16; 11,12; 19,4.13 u.ö.; 44,3.5.8.15) und mit בעל (Jer 7,9; 11,13.17; 32,29).
Angesichts dieser zahlreichen Belege (vgl. auch 2Kön 18,4) ist es nicht unmöglich, daß המקטרים auch in 2Kön 23,5 auf eine dtr Hand zurückgeht, wobei dann der dtr Formulierungsanteil in diesem Satz nicht mehr genau auszugliedern wäre. Das literarkritische Gefüge legt diese Einschätzung allerdings nicht nahe.

113 Zur religionsgeschichtlichen Provenienz der Trias s.u. S. 271ff.

in denen beiden Gestirnen göttliche Verehrung gezollt wird, durchaus nicht sehr zahlreich. Über die Zeiteinteilung hinaus kommt dem Auf- und Untergang der Sonne eine wichtige lokale Orientierungsfunktion zu, so daß mit מזרח השמש und מבוא השמש die beiden Himmelsrichtungen Osten und Westen bezeichnet werden. Auch in mancherlei anderen profanen Zusammenhängen – besonders häufig bei Qohelet – ist שמש als Einzelgestirn bezeugt.

Im Blick auf die anderen beiden Glieder der astralen Trias ist bei שמש jedoch besonders auffällig, daß einige Texte ziemlich konkrete Angaben gerade über ihre kultische Verehrung mitteilen, was nur als Indiz für ihre vergleichsweise größere Relevanz im Kreise der Judäer kurz vor und in der Exilszeit gewertet werden kann. Die beträchtliche zeitliche Nähe der Belege (neben 2Kön 23,5: 23,11; Ez 8,16; Jes 54,12) untereinander in der Epoche neuass. und neubab. Fremdherrschaft läßt vermuten, daß hier nicht der Kult irgendeiner beliebigen altorientalischen Sonnengottheit zurückgewiesen wird, sondern der des mesopotamischen Šamaš.[114]

Die atl. Belege für ירח haben ein charakteristisch anderes Gepräge als die für שמש . Außer an der schwer zu verstehenden Stelle Ps 72,7 begegnet ירח so gut wie immer in Kombination mindestens mit שמש , öfters auch mit Sammelnamen für weitere Gestirne (ירח allein mit כוכבים: Ps 8,4; Hi 25,5; ירח allein mit אור: Hi 31,26). ירח ist somit im AT kein Gestirn mit eigenständiger Relevanz weder im profanen (Gen 37,9; Jos 10,12f.; Ps 72,5; 89,37f.; 121,6; Qoh 12,2) noch im religiösen Bereich. Im letzteren ist ירח als Glied der ältesten, im AT bezeugten astralen Trias שמש-ירח-מזלות (2Kön 23,5) Gegenstand der Götterpolemik, ebenso in der dtr abgewandelten Trias שמש-ירח-צבא השמים (Dtn 17,3; Jer 8,2; vgl. auch Dtn 4,19).

Parallel zur Epoche der dtr Literatur und nach ihr gibt es eine Anzahl von Texten, die die numinose Verherrlichung von Sonne und Mond voraussetzen und durch ihre Degradierung oder sogar Depotenzierung ihren göttlichen Machtanspruch zurückweisen. Das kommt noch deutlich – wenn auch von ferne – an den Stellen zum Ausdruck, wo im Zusammenhang mit der „Schilderung des Tages Jahwes in seiner jüngeren apokalyptischen Ausgestaltung" (*Zimmerli*, Ez S. 770) und in verwandten Texten die Gestirne ihre Funktion als Lichtquellen einbüßen (Jes 13,10; Ez 32,7f.; Jo 2,10; 3,4; 4,15; Hab 3,11; in etwa gehört auch Jes 60,19f. hierher, vgl. *Westermann*, Jes S. 289f.), aber auch dort, wo die Gestirne im Lob des Schöpfers als Werk Gottes bezeichnet und damit seiner Verfügungsgewalt völlig unterstellt werden (Jer 31,35; Ps 8,4;

---

[114] Zwar handelt auch Jer 43,13 zumindest indirekt von der Verehrung der Sonne, aber doch in einem ganz anderen Kontext als die gerade genannten drei Stellen. In einer nachträglichen Konkretisierung von Jeremias Ankündigung der Zerstörung der ägypt. Tempel und der Deportation der ägypt. Götter durch Nbk II. (43,12) wird hier (43,13, vgl. *Rudolph*, Jer S. 259; *Thiel*, Jer II S. 68) speziell die Verwüstung des Sonnenheiligtums in Bet-Schemesch (ägypt.: On, griech.: Heliopolis) angesagt. Im Gegensatz zu den oben zitierten Belegen weist Jer 43,13 in die ägypt. Religionssphäre, auch darin von der mesopotamischen charakteristisch unterschieden, daß hier von keinem Einfluß des ägypt. Sonnenkults auf die Judäer die Rede ist. Jer 43,8–13 ist somit die politische Prognose eines Außenstehenden zum neubab.-ägypt. Konflikt.

19,5; 74,16; 104,19; 136,8f.; 148,3). Selbst bis in diese mehrheitlich nachexilischen Texte hinein, für deren Verfasser die unmittelbare Bedrohung durch den Gestirnkult längst der Vergangenheit angehörte, hat sich die Form der astralen Trias – einstmals in direkter Konfrontation mit der Gestirnverehrung konzipiert – durchgehalten. Sie begegnet hier zumeist in der Zusammenstellung שמש, ירח, כוכבים und steht in dieser Form selbst noch bei der bewußten Umformung im Schöpfungsbericht der Priesterschrift im Hintergrund, die als Schöpfungswerke des vierten Tages neben כוכבים nur המאור הגדול und המאור הקטן zu nennen wagt (Gen 1,14–19). Selbst in priesterschriftlicher Zeit schien also die von Sonne und Mond ausgehende numinose Faszination noch so gefährlich zu sein, daß man ihre Namen besser unausgesprochen ließ (zu מזלות s.u. S. 271ff.

Man könnte gegen die vorgetragene Analyse von 2Kön 23,5b mit dem dtr Nachtrag von בעל und צבא השמים einwenden, daß bei der DtrH unterstellten Genauigkeit die in 23,4 ebenfalls genannte אשרה in der Ergänzung nicht hätte fehlen dürfen. Der berechtigte Einwand hilft sogleich bei der literarkritischen Einordnung von 23,6 weiter. Wäre nämlich DtrH der Grundbestand von 23,6f. mit seinen detaillierten Ausführungen über Aschera nicht vorgegeben gewesen, hätte er sicher die Hinzufügung der Göttin in 23,5 nicht unterlassen. Aufgrund der Textvorlage erwies sich dies aber als überflüssig, da in 23,6f.* bereits genug über Aschera und ihren Verehrerkreis gesagt war.

Sollte die literarkritische Analyse bis hierhin die Entstehung des Textes in angemessener Weise verfolgt haben, fällt hier eine Entscheidung, deren Möglichkeit anderweitig noch differenzierter untersucht werden muß[115]: Wenn 23,5 und 23,6 derselben Grundschicht des RB angehören, kann dieser Text unmöglich eine einheitliche Temporalstruktur sei es in Form des Pf. cop. sei es in Form des Impf. cons. aufgewiesen haben! Einmal vorausgesetzt, daß dies sprachgeschichtlich ohne weiteres möglich wäre, da in der Zeit des späten 7. und 6. Jh.s mit beiden genannten Tempora keine unterschiedlichen Aktionsmodi mehr verbunden waren, würde das den oben formulierten Grundsatz bekräftigen, daß der unterschiedliche Tempusgebrauch nie für sich genommen, sondern nur in Verbindung mit weiteren inhaltlichen Argumenten als literarkritisches Kriterium benutzt werden darf, ein Grundsatz, der zu wichtigen Anfragen an die Analysen von *Stade* bis *Würthwein* und *Hollenstein* führt.[116]

---

[115] S.u. S. 120ff.

[116] Eine Literarkritik strikt nach dem Vorkommen des Pf. cop. findet seit fast 100 Jahren immer wieder einmal Anhänger: vgl. *Stade*, Anmerkungen S. 194f.; *Coppens*, EThL 5 S. 587 (im Blick auf späte Glossierung des Textes); *Würthwein*, ZThK 73 S. 412ff.; *Hollenstein*, VT 27 S. 325ff. Letzterer postuliert zu

Daß 23,6f.* darüberhinaus einer alten Quelle angehören müssen, war auch schon dadurch wahrscheinlich gemacht worden, daß 23,6aα dtr Redaktionsarbeit (מחוץ לירושלם) erfahren hatte.[117] Spuren dieser Redaktion lassen sich auch noch weiter in 23,6 verfolgen. So fällt in 23,6aβ auf, daß dort abgesehen von der störenden Wiederholung der Ortsangabe נחל קדרון offenkundig zwei verschiedene Vorstellungen von der Zerstörung der Aschera miteinander konkurrieren. Nach der ersten Version wird die Aschera als ein Holzgegenstand, vermutlich Holzpfahl, vorgestellt, der im Kidrontal verbrannt wird (וישרף אתה בנחל קדרון), während nach der zweiten Version die Aschera zu Staub zermalmt oder zerstampft wird (וידק לעפר), sie also wohl als ein Gegenstand aus Stein oder Ton gedacht ist. Da kaum ein Weg denkbar ist, beide Angaben sinnvoll miteinander zu kombinieren und sie deshalb als Alternativen begriffen werden müssen, ist bei den Varianten über literarische Priorität und Redaktion zu entscheiden, wobei die erstere – wie aus 23,4bα mit ziemlicher Sicherheit zu ersehen ist – die von späterer Hand nachgetragene ist. Wo Deuteronomisten die Zerstörung von Ascheren erwähnen, werden diese, wie auch hier in 23,6aβ, verbrannt oder – wohl in Anlehnung an Dtn 16,21 – wie ein Baum ausgerissen (כרת). Diese Regel wird auch im RB beherzigt (vgl. 23,4bα.6aβ.15bβ), wo-

---

den Perfecta cop. im RB: „Findet man nun aber anhand von formalen und historischen Indizien auch nur eine Notiz, die aus dem Rahmen des einheitlich gedachten RBes herausfällt, müßten alle w^eqaṭāl-Notizen ausgeschieden werden" (S. 325). Diese Lösung ist puristisch und deshalb schon vorab historisch verdächtig. Denn so eindeutig 23,4bβ (Pf. cop.) zu den spätesten Ergänzungen des RB gehört, sowenig ist 23,5 (Pf. cop.) damit aus (formal-)literarkritischen *und* inhaltlichen Gründen auf eine Stufe zu stellen. Es geht zu Lasten der Luzidität des literarhistorischen Gefüges des Textes, wenn man den in sich nicht einheitlichen V. 5 zu den spätesten Ergänzungen zählt, der doch so deutlich dtr Zusätze erfahren hat und sich inhaltlich in seinem Grundbestand aufs engste mit 23,11 (Impf. cons.) berührt, der auch von *Stade* u.a. für ursprünglich gehalten wird. Wie die weiteren, im RB begegnenden Perfecta cop. zu beurteilen sind, wird die Analyse ergeben müssen, wobei ihre unterschiedliche Einschätzung in 23,4bβ und 23,5 glücklicherweise in keine Richtung ein Präjudiz geschaffen hat.

H.-D. Hoffmann, der *Hollenstein* zu Recht kritisiert (Reform S. 215ff.), will die „Aporien der Literarkritik" durch einen „grundlegenden Neuansatz" in der Analyse des RB überwinden (ebd. S. 217). Er besteht in der Ersetzung des literarkritischen Purismus durch einen überlieferungsgeschichtlichen Monismus, für den Dubletten zu „Motivwiederholungen" werden, die „für den variantenreichen Stil des Verfassers ... charakteristisch sind" (ebd. S. 215). Um die historische Plausibilität der Textanalyse muß man bei dem einen wie dem anderen Methoden-Bekenntnis besorgt sein.

[117] S.o. S. 82f.

bei auch noch ein sprachliches Kriterium literarkritische Hilfestellung zu gewähren vermag: שרף wird in den älteren Sprachschichten mit באש konstruiert (23,11!), ein Zusatz, der in den dtr Formulierungen des RB konsequent fehlt (vgl. außer den oben genannten Stellen noch 23,16.20).[118]

Das in der Vorlage folgende וידק לעפר wird hier von DtrH und von den Deuteronomisten überhaupt als ein Zerstampfen der Asche vorgestellt, wie dies auch in Ex 32,20 und (davon abhängig) Dtn 9,21 der Fall ist, so daß in der dtr Literatur eine feste Assoziationseinheit zwischen Verbrennung eines dem Jahweglauben widersprechenden Kultobjekts, der Zerkleinerung seiner Asche[119] und – nicht zu vergessen – ihrer abschließenden Zerstreuung an unreinem Ort besteht. In 2Kön 23,6b dürfte allerdings die Verstreuung des Staubes (nach DtrH: der Asche) über die Gräber der gemeinen Leute[120] älteren Datums als die dtr Redaktion sein, da von 23,6b redaktionelle Tätigkeit in anderen Texten ihren Ausgang genommen hat.

Das gilt zunächst für 23,12bβ, eine nachhinkende Notiz (hier auch am Pf. cop. erkennbar), die nach dem Abschluß des Satzes in 23,12a durch נתץ המלך einfach zu spät kommt (vgl. den zu 23,12a parallelen Aufbau in 23,13) und deutlich mit dem Material von 23,6 formuliert ist. Ebenso verhält es sich mit Dtn 9,21, welcher Vers höchstwahrscheinlich nicht ohne Kenntnis von 2Kön 23,6 formuliert worden ist.

Dtn 9,21, der Rekurs auf die Zerstörung des goldenen Kalbes in der Moserede, ist zunächst einmal von Ex 32,20, einem von alter Überlieferung durchwirkten dtr Vers, abhängig. Die Ungereimtheit, daß ein verbrannter Metallgegenstand noch zerstoßen werden kann, ist in Dtn 9,21 bis in die Formulierung

---

[118] Vgl. *A. B. Ehrlich*, Randglossen VII S. 319; das heißt nicht, daß es שרף + באש in dtr Partien überhaupt nicht gäbe, vgl. etwa Ex 32,20; Dtn 7,5; 12,3.

[119] דקק (qal, hi., ho.) ist abgesehen von den oben genannten dtr Belegen nie mit שרף kombiniert, wohl aber mit שחק (Ex 30,36; 2Sam 22,43) und דוש (Jes 28,28; 41,15; Mi 4,13). Auch im weiteren Kontext jener Belege sucht man eine Vernichtungsmaßnahme durch Verbrennung vergebens. Sie liegt von Hause aus dem Verb דקק genauso fern wie seinem akkad. Äquivalent duqququ (vgl. AHw S. 162b; CAD D S. 190b). Selbst im chr RB findet sich kein שרף neben דקק (2Chr 34,4.7), während sich in 2Chr 15,16 der Redaktor darauf beschränkt hat, seine Vorlage (1Kön 15,13: שרף) durch ein vorangestelltes דקק zu korrigieren – ohne über die dadurch entstandene eigenartige Reihenfolge bekümmert zu sein.

[120] Vgl. den zeitgenössischen Beleg Jer 26,23, der aber mit 2Kön 23,6 literarisch nicht zusammenhängt. Zur Verbringung eines unreinen Objekts an einen unreinen Ort vgl. noch Lev 14,40; 2Kön 23,4bβ; so auch – als Nachklang des RB 2Kön 23 – 2Chr 30,14; 33,15.

hinein aus Ex 32,20 übernommen.[121] Der darüberhinaus in Dtn 9,21 zu verzeichnende Textüberschuß entstammt nicht der Phantasie des hier tätigen dtr Redaktors, sondern seiner genauen „Schriftkenntnis". Ihm ist die Verfahrensweise der josianischen Reform mit kultisch mißliebigen Objekten normativ geworden, was er in Dtn 9,21 deutlich spüren läßt:

Ex 32,20:	ויקח את־העגל אשר עשו וישרף באש
Dtn 9,21:	ואת־חטאתכם אשר־עשיתם את־העגל לקחתי ואשרף אתו באש
2Kön 23,6:	ויצא את־האשרה מבית יהוה... אל־נחל קדרון וישרף אתה
Ex 32,20:	ויטחן עד אשר־דק
Dtn 9,21:	ואכת אתו טחון היטב עד אשר־דק לעפר
2Kön 23,6:	בנחל קדרון וידק לעפר
Ex 32,20:	ויזר על־פני המים וישק את־בני ישראל
Dtn 9,21:	ואשלך את־עפרו אל־הנחל הירד מן־ההר
2Kön 23,6:	וישלך את־עפרה על־קבר<י> בני העם

Den in Ex 32,20b mitgeteilten obskuren Ritus hat der dtr Redaktor zugunsten einer Formulierung unterschlagen, die nirgendwo anders als aus dem RB entlehnt ist (schon ansatzweise richtig beobachtet von *Weinfeld*, Dtn S. 234 A.2). Wie will man sonst die Einführung des in Dtn 9,21 völlig überflüssigen לעפר erklären, wie das Wegwerfen des Staubes, wie die Auswechslung von מים gegen נחל? Einen נחל, der vom Berge Horeb herunterkommt, gibt es in Dtn 9,21 nur, weil östlich des Jerusalemer Tempelbezirks ein נחל existiert, der als Grabstätte und deshalb auch als „Entsorgungsort" für kultische Greuelobjekte diente und dessen Entsprechung am Horeb, durch Ex 32 notwendig geworden, vom dtr Redaktor in Dtn 9 vermißt wurde (so auch *H.-D. Hoffmann*, Reform S. 306ff. v.a. 312f.).

2Kön 23,7 schließt stilistisch nahtlos an den vorangehenden Vers an und traktiert auch inhaltlich die mit dem Ascherakult zusammenhängenden kultischen Einrichtungen.[122] Daß hier בתים aus dem בית יהוה entfernt werden, muß nicht befremden, da die Jerusalemer Tempelanlage in den durch Salomo erstellten Ausmaßen Platz

---

[121] Man muß sich nicht mit *Noth* (Ex S. 205) ein „hölzernes Podium" für das Kalb hinzudenken, um beide Vernichtungsarten, Verbrennung und Zerstampfung, in Ex 32 erklären zu können. Des Rätsels Lösung liegt allein in der oben beschriebenen dtr Assoziationseinheit der Vernichtungsarten, die ein Dtr um die in Ex 32 fehlende Verbrennung dem Schema getreu ergänzt hat.

[122] Zum religionsgeschichtlichen Hintergrund von 23,7 s.u. S. 219; die Angaben von 23,7 sind für *H.-D. Hoffmann* unangenehm singulär, aber mögen sie auch „auf historisch zutreffender Erinnerung beruhen", liegt ihnen im RB doch nur „die systematische Reflexion des Dtr zugrunde" (Reform S. 231).

genug für kleinere selbständige Bauten geboten haben wird. Das Verb, mit dem hier der Zerstörungsvorgang beschrieben wird, נתץ, hat im RB keinen Seltenheitswert (23,7.8.12.15) und ist auch sonst im Bereich der dtr redigierten Literatur häufig anzutreffen. Wo es die Deuteronomisten selbst gebrauchen, geben sie ihm mit Vorliebe ein bestimmtes Objekt, nämlich מזבח oder מזבחות anderer Götter, denen das in dtr Sicht einzig mögliche Schicksal zuteil wird.[123] Sofern in 23,7 keine Altäre, sondern Kedeschenhäuser eingerissen werden (נתץ), also keine geprägte dtr Phraseologie vorliegt, darf die Nachricht auch von der Formulierung her als authentisch betrachtet werden, zumal sie ihre nächste Parallele in 2Kön 10,27b, dem Abschluß der sicherlich alten Erzählung über Jehus Blutbad unter den Baalsverehrern hat.[124]

Hatte 23,7 einen der seltenen Einblicke in den vorjosianischen Kultbetrieb am Jerusalemer Tempel gewährt, wendet sich der RB mit 23,8f. Josias Zentralisierung des Jahwekultus zu, die die Forschung wegen des (postulierten oder bestrittenen) Zusammenhangs mit dem Dtn (Dtn 12; 18,6–8) aufs äußerste beschäftigt hat. Ehe jedoch diese dt Texte mit in die Betrachtung einbezogen werden, bedarf das komplizierte literarhistorische Gefüge in 2Kön 23,8f. einer gesonderten Behandlung.

In stilistisch bruchloser Folge zum Vorhergehenden (Gebrauch des Impf. cons. wie in 23,6f.) teilt 23,8a die Wegführung aller Priester aus den Städten Judas nach – wenn auch nicht expressis verbis gesagt, so doch allen Lesern klar – Jerusalem und die Verunreinigung[125] der במות mit, auf denen sie ihren kultischen Dienst in Juda

---

[123] Ex 34,13; Dtn 7,5; 12,3; Ri 2,2; 6,28.30.31.32 (zu Ri 6,25ff. s.u. S. 204ff.); 2Kön 23,12.

[124] 2Kön 11,18 kann hier nicht als alte Parallele genannt werden, s.u. S. 177ff.

[125] טמא ist in allen belegten Stämmen primär ein Wort der priesterlichen Literaturbereiche (Lev, Num, Ez passim). Es kommt in der alten Erzählung Gen 34 (V. 5.13.27) vor, im 8. Jh. bei Hosea (5,3 echt; 6,10 vgl. *Wolff*, Hos S. 135; 9,4 echt), im 7. Jh. im Dtn (21,23; 24,4) und bei Jeremia (2,7.23). Daß טמא pi. im RB (2Kön 23,8a.10.13.16) immer abwechselnd mit נתץ (natürlich von anderen Verben unterbrochen) gebraucht wird (23,7.8b.12.15), geht wohl mehr auf Zufall als auf bewußte redaktionelle Planung zurück. Die von *Oestreicher* (Grundgesetz S. 49–51) vorgenommene semantische Differenzierung zwischen נתץ und טמא, daß nämlich נתץ eine dauernde Zerstörung, טמא eine vorübergehende Verunreinigung zum Ausdruck bringe, ist nur von *Oestreichers* These, nicht von den atl. טמא-Belegen her naheliegend. *König*, ZAW 42 S. 345: „Daß etwas, was für unrein erklärt worden war, dann wieder als rein gelten sollte, ist nach dem AT ein Unsinn."

versehen haben.[126] Damit ist keine Aspektverschiebung etwa dergestalt gegeben, daß nach den Reformmaßnahmen in Jerusalem nun die im übrigen judäischen Gebiet durchgeführten an der Reihe wären. Zwar ist es richtig, daß in 23,8a Juda und nicht Jerusalem in den Blick genommen ist, aber doch eindeutig von einem Standpunkt in Jerusalem aus, auf das ja auch die ganze Bewegung der Kultzentralisation ausgerichtet ist.[127]

Das in diese Reformmaßnahme einbezogene Gebiet wird in der Nord-Süd-Ausdehnung „von Geba bis Beerscheba“[128] angegeben, eine nur hier belegte Grenzbestimmung, die ziemlich exakt das von Josia beherrschte Territorium umreißen dürfte und die Glaubwürdigkeit der ganzen Notiz 23,8a neben ihrer kontextualen Verflechtung mit der alten Reformüberlieferung nachhaltig bekräftigt. Man wird zudem die hier vorgenommene geographische Begrenzung der Reform bei der Beurteilung der Maßnahmen Josias in Bethel und Samaria nach 23,15ff. in Erinnerung behalten müssen.

Die Behauptung, 23,5 und 23,8a.9 seien Dubletten[129], braucht hier nicht mehr widerlegt zu werden, da 23,5aγδ, die einzige in dieser Hinsicht beweiskräftige Passage, als durch 23,8a provozierte dtr Nacharbeit erkannt worden ist. Was in 23,5 übrigbleibt, ist mit 23,8a (ganz zu schweigen von 23,9) so unvergleichbar, daß zum Erweis der Differenz die bloße Lektüre genügt.

Der störungsfreie Duktus des Textes findet mit 23,8a sein vorläufiges Ende. Wird der auf inhaltliche Stringenz achtende Leser annehmen, das Thema „Bamoth“ sei mit den in 23,8a genannten Aktionen hinlänglich behandelt, sieht er sich durch die Fortsetzung in 23,8b eines anderen belehrt. Durch ein Pf. cop. angeschlossen, wird

---

126 Zu den atl. Belegen für die במות, zu ihrem religionsgeschichtlichen Hintergrund und zur archäologischen Dokumentation vgl. *Wellhausen*, Prolegomena S. 17ff.126–128; *de Vaux*, Institutions II S. 107ff.; *Vaughan*, Bāmâ; *Welten*, ZDPV 88 S. 19–37; zum Überblick: ders., BRL² S. 194f.
In 2Kön 23,8aγ ist auf jeden Fall mit den Versionen שם statt שמה zu lesen. Das ה in שמה ist durch Dittographie entstanden (vgl. Apparat der BHS z. St.).

127 *Hölscher* hält 23,8a und 23,9 für „unorganisch eingesprengte Stücke“ (FS Gunkel S. 209), weil ihm hier die Jerusalemer Perspektive verlassen zu sein scheint; dagegen mit Recht *Budde*, ZAW 44 S. 195f.

128 Beerscheba als Vorort des Südens ist hinlänglich bekannt (vgl. auch die Gebietsbestimmung „von Dan bis Beerscheba“ Ri 20,1; 1Sam 3,20 u.ö.). גבע (heute Ǧeba‘) liegt ca. 8 km nnö. von Jerusalem und ist im AT als ein Ort im benjaminitischen Gebiet bekannt (Jos 18,24; 1Sam 13,16; v.a. 1Kön 15,22 u.ö., vgl. *Zorell*, LHA S. 139b s.v. גבע).

129 Vgl. *Bentzen*, Reform S. 20f.

die Vernichtung weiterer Bamoth vorgenommen, die anscheinend – deutet man die sich um äußerste Präzision bemühenden lokalen Angaben (zwei Relativsätze!) richtig – in direkter Nähe von Jerusalem zu suchen sind, und schließlich noch einmal in 23,9 die Aufmerksamkeit auf die von den Bamoth abgezogenen Priester zurückgelenkt, um eine Sonderregelung über ihre Stellung in Jerusalem mitzuteilen, die einzig sinnvoll im direkten Anschluß an 23,8a placiert gewesen wäre.

Wer meint, diese Brüche des Textes durch das Zaubermittel „Textumstellung" schnell heilen zu können, indem er einfach 23,8b mit 23,9 vertauscht[130], verkennt den Wachstumsprozeß des Textes an dieser Stelle, der nicht ohne Grund, wenn auch mit mangelndem stilistischem Empfinden, in dieser Weise erfolgt ist, ganz abgesehen davon, daß auch der Zusammenhang von 23,8a und 23,9 sicherlich nicht una manu entstanden ist.

Eine nähere Untersuchung von 23,9 bringt in der Tat einige beachtliche Unterschiede zu 23,8a ans Licht. Während 23,8a eine für den RB typische Notiz ist – kurze Mitteilung über die Durchführung einer bestimmten Maßnahme, eingeleitet durch ein Verb in der 3.ps. m.sg., dessen Subjekt der König ist –, wechseln in 23,9 Subjekt und Numerus. Schon die Einleitung des Verses durch das redaktionelle Signalwort אך läßt aufhorchen, vollends aber die כהני הבמות in der Rolle des Subjekts! Neben der Erinnerung an 23,5a$\gamma\delta$, wo schon einmal der Wechsel zu einem pluralischen Subjekt die redaktionelle Nacharbeit verriet, fällt besonders auf, daß in 23,8a lediglich – d.h. erheblich weniger diskriminierend – von Priestern, die auf den Bamoth ihren kultischen Dienst verrichteten, die Rede war, nicht aber von Bamoth-Priestern, eine eindeutig pejorative Titulierung. Inhaltlich fügt sich 23,9 ebensowenig in den RB ein wie unter formalem Betracht: Der Vers enthält im Blick auf die Bamoth-Priester eine Einzelregelung, die in diesem Text ihrer Art nach nicht ihresgleichen hat und in sich selbst obendrein absonderlich genug ist.

Den Bamoth-Priestern, womit zweifellos die Priester aus 23,8a gemeint sind, wird untersagt, am Jerusalemer Tempeldienst aktiv teilzunehmen. Nun wird niemand, der 23,8a gelesen hat, behaupten wollen, die Bamoth-Priester seien um irgendeines kultischen Dienstes willen oder auch nur unter Verbürgung eines Rechtes zum Al-

---

130 Vgl. *H. Schmidt*, ThLZ 48 Sp. 290; ders., ThBl 6 Sp. 41f.; *Nowack*, FS Marti S. 223; *Jepsen*, Reform S. 134 u.a.

tardienst in Jerusalem zusammengezogen worden. 23,8a schweigt sich über den Sinn der Konzentrierung der Priester in Jerusalem einfach aus, nicht aus Mangel an Gründen, sondern weil die Gründe, in Dtn 12* dargelegt, nach Josias Promulgation des Gesetzes als allgemein bekannt vorausgesetzt werden konnten.[131]

Wie nun aber hinter 23,8a bestimmte Handlungsmotive stehen, die letztlich auf die Urkunde zurückgehen, die der Josiazeit ihr spezifi-

---

131 Außerhalb von Dtn 12 gibt es keine zureichende Begründung der von Josia gemäß 2Kön 23,8a vollzogenen Kultzentralisation, weshalb dieser Text in seinem Grundbestand in seiner dominierenden Stellung zu Beginn des dt Gesetzeskorpus Josia bekannt gewesen sein muß (zur Analyse von Dtn 12 vgl. *Smend*, Entstehung S. 72f.: 12,13–28 Schicht I; 12,8–12 Schicht II; 12,1–7.29–31; (13,1?) Schicht III; die von *Smend* vorsichtig als dtr bezeichneten Schichten II und III weist *Veijola*, Königtum S. 16 A. 5 – *Smends* Intention folgend – DtrH (Schicht II) und DtrN (Schicht III) zu.
Der Anlaß der Kultzentralisation ist ein dezidiert theologischer. Die intendierte Reinheit des Kultes kann nur durch die Einheit der Kultstätte gewährleistet werden, die wiederum in der Einzigkeit des einen Gottes Jahwe ihren theologischen Grund hat (vgl. *Driver*, Dtn S. 89f.), weshalb die Suche nach religionsgeschichtlichen Analogien zur Kultzentralisation auch bisher unbefriedigend verlaufen ist (anders *Weinfeld*, JNES 23 S. 205ff., s.u. S. 353 A. 101). Der Schluß von der Einzigkeit der Gottheit auf die Einheit der Kultstätte ist keineswegs selbstverständlich und schon gar nicht notwendig, aber von Dt mit aller Konsequenz gezogen und von Josia, noch über Dt hinausgehend, durch die Konzentration des Kultpersonals radikalisiert worden (vgl. *Gressmann*, ZAW 42 S. 329). Daß demgemäß die Kultzentralisation nur als dauerhafte Maßnahme gemeint gewesen sein kann, braucht nicht besonders betont zu werden (gegen *Oestreicher*, Grundgesetz S. 10f.43–56, der sie als eine zeitweilige, prophylaktische Maßnahme interpretiert, um die Assyrer an der Etablierung ihres Kultes in Juda zu hindern; dazu kritisch: *Gressmann*, ZAW 42 S. 330f.; *König*, ZAW 42 S. 344f.; *Budde*, ZAW 44 S. 184–189.196f.; *Bentzen*, Reform S. 29–32; *Baumgartner*, ThR NF 1 S. 10ff.; *Weinfeld*, JNES 23 S. 204).
Ist der Gedanke der Kultzentralisation auch theologisch begründet, geht seine Entwicklung doch mit großer Wahrscheinlichkeit auf einen entscheidenden historischen Impuls zurück: „Im Jahre 701, als Sanherib seine Strafexpedition nach Syrien und Palästina unternahm, hat keines der Ortsheiligtümer seine Stadt vor Brandschatzung und Plünderung zu bewahren vermocht – ausser dem Zionstempel. Jahwä hatte gesprochen. In Jerusalem erfuhr dieses Ereignis seine geschichtstheologische Erklärung, und Josia war der Mann, aus der Willenskundgebung Jahwäs die praktischen Konsequenzen zu ziehen" (*Maag*, Erwägungen S. 92f.; Anführung weiterer historischer Motive, die aber einer sicheren Quellengrundlage entbehren, bei *Nicholson*, VT 13 S. 383, s.u. S. 170ff.). Die Einbindung des historischen Ereignisses in streng theologische Reflexion versteht sich allerdings besser bei Priestern als bei Leuten „am Hofe und beim Stadtadel von Jerusalem" (*Maag*, aaO S. 91; s.u. S. 156ff.). *Clements* (Isaiah S. 72ff.) mißt der Verschonung Jerusalems entscheidende Bedeutung für die Ausbildung der sog. Zionstraditon in josianischer Zeit bei.

sches Gepräge verliehen hat, so steht auch hinter der Sonderregelung von 23,9 ein bestimmter Text, derselben Urkunde entnommen, aber in anderer Zeit und mit anderen Augen gelesen. Zwischen der Formulierung von 23,8a und 23,9 liegen Jahrzehnte, in die das schmerzliche Datum von 587 fällt. Es sind zugleich die Jahrzehnte, in die die Anfänge der Tätigkeit von Schriftgelehrten gehören, für die, bedingt durch die Exilssituation (in Babylon *und* im Land), an die Umsetzung großer theologischer Forderungen (wie der von Dtn 12) in die theo-politische Tat nicht mehr zu denken war, die aber nicht destoweniger jene epochale Urkunde der Josiazeit sehr sorgfältig lasen. Dafür ist 2Kön 23,9 ein gutes Beispiel. Der dt Text, der im Hintergrund von 23,9 steht, ist der Ausschnitt aus dem Priestergesetz Dtn 18,6–8, dessen Nichterfüllung hier ebenso genau verbucht ist wie anderwärts die Einhaltung dt Forderungen (vgl. 2Kön 14,6).[132] Der

[132] Es ist von *Hölscher* (FS Gunkel S. 209–211) nicht wohlgetan, wenn er – ganz abgesehen von seiner Spätdatierung des Dtn und dessen strikter Trennung vom Josiagesetz – aufgrund der Differenzen zwischen 2Kön 23,8a.9 (nach *Hölscher*: dtr) und Dtn 18,6–8 den Zusammenhang zwischen beiden Texten überhaupt bestreitet. Daß wichtige Differenzen bestehen, sei ausdrücklich bestätigt: hier Leviten, dort Priester (und Höhen-Priester); hier okkasionelle Regelung, dort umfassende Dauerregelung (gegen *H. Schmidt*, ThBl 2 Sp. 226). *Hölschers* Folgerung ist aber entgegenzuhalten, daß zum einen der fundamentale Unterschied zwischen 2Kön 23,8a und 23,9 nicht leichthin überlesen werden darf (die „Stimmung" ist in 23,8a nicht gegen die auch von *Hölscher* mit den Leviten identifizierten Priester gerichtet!) und es zum anderen schwerfallen dürfte, ein schlüssiges Motiv zu nennen, wieso in nachexilischer Zeit eine Kultzentralisation erfunden, auf derart engen Raum begrenzt (23,8aδ!) und mit der Gestalt Josias verbunden wurde (vgl. auch die Kritik von *Gressmann*, ZAW 42 S. 327ff. *Welch*, ZAW 43 S. 250ff.; *Budde*, ZAW 44 S. 200–204). Könnte *Lindblom* (Tempelurkunde S. 22–33.54–56.73–75), der auch nicht zwischen 2Kön 23,8a und 23,9 differenziert, tatsächlich wahrscheinlich machen, daß im RB mit den Höhen-Priestern nicht die Leviten der dt Gesetzgebung gemeint seien, müßte man dies als schwerwiegende Anfrage an die hier vertretene Position betrachten. Doch den eindeutigen Rückbezug von 2Kön 23,9 auf Dtn 18,6–8 vermag auch er nicht zu erschüttern. Zudem ist *Lindbloms* These, daß im Dtn die Leviten mit den Priestern nicht schlechthin identisch seien, sondern eine bestimmt Levitengruppe zu den personae miserabiles gerechnet werde, ziemlich unwahrscheinlich (zum Zusammenhang beider Gruppen vgl. *Budde*, ZAW 44 S. 200f.; *Emerton*, VT 12 S. 129ff.). Dasselbe gilt im Blick auf seine Charakterisierung der Personengruppe, von der in Dtn 18,6–8 die Rede ist: Es soll sich um Leviten handeln, die früher keine kultische Anstellung hatten, jetzt aber am Jerusalemer Tempel als Priester aufgenommen worden sind. Einmal von der Haltbarkeit dieser These angesichts des Wortlauts von Dtn 18,6–8 abgesehen, bleibt zu fragen, ob die Übernahme eines Priesteramtes am Jerusalemer Heiligtum wirklich ein derart unkomplizierter Vorgang gewesen ist, wie hier suggeriert wird.

Forderung Dtn 18,6f., ein jeder Landlevit solle, wenn er einmal (vorübergehend!) nach Jerusalem kommt, dort dasselbe Recht zum Altardienst haben wie seine Jerusalemer Priesterkollegen (die אחים, vgl. 18,7 mit 2Kön 23,9b), entspricht der erste Teil der Sonderregelung 2Kön 23,9a, daß den hier bewußt Bamoth-Priester Genannten, die aber zweifellos mit der Gruppe der Landleviten aus Dtn 18 identisch sind, das Altarrecht in Jerusalem verweigert worden ist. Und der Forderung Dtn 18,8, die die Landleviten im Falle des (vorübergehenden!) Besuches in Jerusalem ihren dortigen Priesterkollegen gleichstellt[133], entspricht der zweite Teil der Sonderregelung 2Kön 23,9b, daß sie Mazzen im Kreis ihrer Jerusalemer „Brüder" essen durften, was nichts anderes heißen kann, als daß sie von den Versorgungsansprüchen ihrer Jerusalemer Kollegen ausgeschlossen worden sind. Denn der jeweilige Anteil an den Opfertieren, der eigentliche Kern der priesterlichen Unterhaltsregelungen, bleibt ihnen versagt; sie müssen sich mit dem Wohlfeilsten begnügen. Die Mazzen sind hier genau wie in Dtn 16,3 לחם עני – nur aus einem anderen Grunde.[134]

2Kön 23,9 stammt also von einem Redaktor, der nachweislich genau das Dtn gelesen hat und es bereits in der Einzelbestimmung so ernst nahm, daß er auch Abweichungen sorgfältig registrierte. Darin manifestiert sich eine spätdtr Tendenz, der der Schicht DtrN vergleichbar, der allerdings an der Herausstellung des positiven Zusammenhangs dt Forderungen und ihrer Realisierung durch Josia gelegen ist.[135]

Bleibt die Frage zu klären, welche Motive einen spätdtr Redaktor zu dieser Ergänzung bewogen haben. Es war bereits angedeutet worden, daß dieser Ergänzung Jahrzehnte des Umgangs mit und der Reflexion über das Dtn vorausliegen, die in bezug auf die Kultzentralisation zu folgenden Resultaten geführt haben: Josia hatte die Gewin-

---

133 Der Text in Dtn 18,8b ist völlig korrupt und bleibt aus der Interpretation demgemäß ausgeschlossen.

134 Anders *Gressmann*, ZAW 42 S. 329; *Budde*, ZAW 44 S. 202 u.a., die die Unterhaltsregelung von Dtn 18,8 in 2Kön 23,9b erfüllt sehen. Dagegen wird man aber die Zadokiden in Jerusalem nicht ohne weiteres vom Verdacht des „Geldsack-Standpunkts" (*Gressmann*) freisprechen können.
Daß Mazzen die Hauptnahrung der Priester gewesen seien, trifft – wenn überhaupt jemals – im 7. Jh. längst nicht mehr zu, vgl. Dtn 18,3f. (gegen *Wellhausen*, Prolegomena S. 148). Die in 2Kön 23,9 erwähnten Mazzen sollten auch nicht dazu dienen, die Sonderregelung von 23,9 in irgendeine Verbindung mit dem Passa 23,21–23 zu bringen (so *Benzinger*, Kön S. 192f.; *Šanda*, Kön II S. 345f.; *Guthe*, FS von Baudissin S. 227–229).

135 *Hollenstein*, VT 27 S. 325 A. 5: Zuweisung von 23,9 an DtrN erwogen.

nung der Reinheit des Kultes an der einen legitimen Kultstätte, dem Jerusalemer Tempel, in der Weise zu realisieren unternommen, daß er die judäischen Bamoth verunreinigte und alle Landpriester (sicherlich nicht zeitweilig, sondern auf Dauer) nach Jerusalem übersiedeln ließ. Die erste Maßnahme war um des Zieles der Reinheit und Einheit des Jahwekultes willen unabdingbar, die zweite allenfalls theoretisch erwägenswert, aber kaum in praktischer Hinsicht. Die Regelung von Dtn 18,6–8 zielte nicht auf eine dauerhafte Massenübersiedlung levitischer Priester nach Jerusalem und ist – weil an diesem Punkt nicht mißzuverstehen – auch für Josias Vorgehen sicherlich nicht Vorbild gewesen. Die dt Forderung der Kult(ort)zentralisation auf das Kultpersonal auszudehnen, wird Josias eigenste Idee gewesen sein, die zwar im Geiste dt Theologie gedacht, aber mit unabsehbaren theologischen und politischen Konsequenzen behaftet war.[136] Sollte Josia der Meinung gewesen sein, ein schiedlich-friedliches Arrangement zwischen der alteingesessenen Jerusalemer Priestergruppe und den herbeigenötigten Leviten sei ohne weiteres möglich, weil doch die großen dt Prinzipien beiden Gruppen dringlicher als eventuelle praktische Schwierigkeiten erscheinen müßten, wird sich dies wohl sehr schnell als eine große Täuschung entpuppt haben. Die Jerusalemer Priesterschaft war nicht bereit, ihre kultischen Privilegien und ihre Einkünfte mit den Neuankömmlingen zu teilen, wie die spätdtr Notiz in 2Kön 23,9 beweist. Die Differenz zwischen Dtn 18,6–8 und der josianischen Reform zu markieren, fiel diesem Redaktor umso leichter, als zu seiner Zeit der kontinuierliche gesellschaftliche Abstieg der Leviten noch viel weiter fortgeschritten war. Deshalb benennt er sie ohne Bedenken mit dem abfälligen Titel כהני הבמות und stellt das Fazit dieser Reformmaßnahme als eine keineswegs unbillige Regelung dar. So wird man doch wohl die kritiklose Notierung der Differenz zur (vermeintlich) dt Forderung deuten müssen. Von hieraus ist der Weg nicht mehr weit zur Degradierung der Leviten, wie sie in Ez 44,6–16 zu finden ist.[137]

---

136 So auch mit triftigen Gründen *Budde*, ZAW 44 S. 202f.

137 Trotz manchen Widerspruchs ist *Wellhausens* Urteil immer noch im Recht: „Es ist eine wunderliche Gerechtigkeit, daß die Priester der abgeschafften Bamoth dafür bestraft werden, daß sie Priester der abgeschafften Bamoth gewesen sind, und umgekehrt die Priester des jerusalemischen Tempels dafür belohnt, daß sie Priester des Tempels gewesen sind: die Schuld jener und das Verdienst dieser besteht in ihrer Existenz. Mit anderen Worten hängt Ezechiel bloß der Logik der Tatsachen einen moralischen Mantel um“ (Prolegomena S. 118; vgl. *Gressmann*, ZAW 42 S. 329; *Zimmerli*, TB 51 S. 242f.).

Kehren wir nun noch zu 2Kön 23,8b zurück, so ist hier – was auch immer als religionsgeschichtlicher Hintergrund zu ermitteln sein wird – völlig evident, daß dieser Vers nicht zur alten Reformüberlieferung gehört haben kann, sondern aus der Feder eines Redaktors stammt, der sich an die Arbeit machte, als die spätdtr Ergänzung 23,9 bereits auf 23,8a folgte. Denn nur durch eine noch spätere Redaktion ist die Trennung beider Sätze bündig zu erklären. Man darf in dem Redaktor, auf den 23,8b zurückgeht, nicht nur einen unsorgfältigen Arbeiter sehen, sondern man wird auch das Motiv seiner Einfügung gerade an dieser Stelle verstehen müssen. Er hielt eben die Bindung seiner Ergänzung an 23,8a für enger als den vorgegebenen Zusammenhang von 23,8a und 23,9, was nur erklärlich ist, wenn die Einfügung jenes sehr späten Redaktors auch von den במות[138] (wie 23,8a) und nicht, wie LXX will, von einem בית (*οἶκον*) gehandelt hat. Er wollte nach 23,8a noch eine Notiz über ihm bekannte Bamoth oder besser: über bestimmte Objekte, die er als solche betrachtete, nachtragen, wobei völlig evident ist, daß seine Vorstellung von einer Bamah bereits eine erhebliche Umwandlung erfahren hat. Während nämlich hinter den Bamoth in 23,8a die Vorstellung von kultischen Höhen steht, auf denen man opfern und die man allenfalls durch Verunreinigung für den Kult unbrauchbar machen kann, sind die Bamoth in 23,8b wie Altäre (vgl. 23,12) zerstörbar (נתץ), was zwingend voraussetzt, daß sie von dem hier tätigen Redaktor in viel geringeren Ausmaßen, ja wahrscheinlich sogar in völlig anderer Weise gedacht werden. Die Kombination von נתץ mit במה/במות findet sich nur noch in 23,15, dort allerdings wohl aufgrund später redaktioneller Verwirrung[139], und in der Chronik (2Chr 31,1; 33,3), ein Befund, der an der Distanz auch nur zur dtr Bamoth-Polemik keinen Zweifel läßt.

Die Nähe zur Chronik läßt sich noch durch eine weitere Beobachtung stützen: Die Verbindung במות הַשְּׁעָרִים, die „Bamoth der Tore" in 23,8b ist sowohl singulär als auch wenig sinnvoll und deshalb von vielen zu במות הַשְּׂעִרִים, den aus Lev 17,7; Jes 13,21; 34,14; 2Chr 11,15 bekannten Dämonen, emendiert worden.[140] Die-

---

138 Die Änderung in den Singular (vgl. *G. Hoffmann*, ZAW 2 S. 175; *Stade*, BT S. 188; *Hölscher*, FS Gunkel S. 199 u.a.) ist ohne textkritische Evidenz.

139 S.u. S. 112ff.

140 Zuerst vorgeschlagen von *G. Hoffmann*, ZAW 2 S. 175, übernommen von *Benzinger*, Kön S. 193; *H. Duhm*, Geister S. 48f.; *Šanda*, Kön II S. 344; *Montgomery*, Kings S. 532 u.a. Die Lesung הַשְּׁעָרִים könnte durch das fast unmittelbar folgende שַׁעַר begünstigt worden sein. Der Emendation folgen nicht *Gray*,

se Änderung ist, da der Konsonantenbestand unangetastet bleibt, durchaus möglich und von 2Chr 11,15 her gut zu rechtfertigen, weil dort במות und שעירים zusammen mit Jerobeams עגלים eine Assoziationseinheit bilden.

Was des genaueren mit השערים in 2Kön 23,8b bezeichnet wird, muß man der vor Präzision umständlich geratenen Lokalisierung der Bamoth für jene „bösen Geister" (*H. Duhm*) zu entnehmen versuchen.[141] Sie befinden sich an dem Stadttor, das nach dem Stadtkommandanten (שר־העיר)[142] Josua benannt ist, wo sie ursprünglich sehr wahrscheinlich nicht die Funktion böser, sondern guter Geister, die Böses fernzuhalten vermögen, wahrgenommen haben. Sie scheinen dort auf Podesten – במות – gestanden zu haben, die hier als pars pro toto genannt werden.[143] Apotropäische Genien, die die Toreingänge bewachen, sind aus der gesamten altorientalischen Umwelt gut bekannt, und man wird die syrische Wiedergabe von שעיר mit š'd' ≙ akkad. šēdu als eine angemessene Interpretation bezeichnen müssen, da vor allem in neuass. Zeit šēdu/aladlammû und lamassu nahezu die klassischen Torwächter-Genien genannt werden

---

Kings S. 730, der eine sonst nicht belegte Lesung šōᶜarīm („gate-keepers") vorzieht; vgl. ferner *Snaith,* VT 25 S. 116 und *H.-D. Hoffmann,* Reform S. 234ff., der in Schwierigkeiten gerät, weil es im einheitlich dtr RB nichts Postdeuteronomistisches geben darf (seine Erklärung: „Höhen in den Stadttoren").
Zu den Belegen für die שעירים vgl. die unterschiedliche Interpretation von *H. Duhm,* Geister S. 46–50 und *Snaith,* VT 25 S. 115–118.

141 Die Ortsbestimmung wird in zwei Relativsätzen durchgeführt. Ob der zweite Relativsatz, wo man den hebr. Text gemäß der lukianischen Rezension der LXX (*εἰσπορευομένου τὴν πύλην*) wird ergänzen müssen (vgl. *Benzinger,* Kön S. 193; *Šanda*, Kön II S. 344; *Montgomery*, Kings S. 539; *Gray*, Kings S. 730 u.a.), schon mit der gesamten Ergänzung 23,8b oder noch später in den Text gekommen ist, wird kaum noch zu entscheiden sein. Jedenfalls ist es abwegig, die Genauigkeit der Ortsangabe als Hinweis auf das hohe Alter von 23,8b zu werten (vgl. *Benzinger,* Kön S. 193; *Puukko,* Dtn S. 7 u.a.), als ob späte Redaktoren nur noch pauschal zu schreiben vermocht hätten. Daß *Hölscher* (FS Gunkel S. 199.212) 23,8b für alt halten muß, ist in der Tücke seiner Theorie begründet, dergemäß 23,8a, die allgemeine Abschaffung des Höhenkultes durch Josia, nicht alt sein darf, was dann 23,8b, die begrenzte Maßnahme allein gegen die Höhen der שערים, zu ihrem Teil beweisen muß. Gegen diese Verdrehung sprechen alle Wachstumsspuren des Textes.

142 Das Amt des שר העיר ist im AT in den verschiedensten Epochen belegt: Ri 9,30; 1Kön 22,26 par. 2Chr 18,25; 2Kön 23,8; 2Chr 29,20 (pl., dazu vgl. *Avigad*, IEJ 26 S. 181); 34,8. Der Titel findet sich auch auf einem Siegel aus dem späten 7. Jh., dessen Gestaltung starken ass. Einfluß verrät (vgl. *Avigad*, aaO S. 178–182).

143 Bei dieser Deutung ergäbe auch der Gebrauch des Verbums נתץ einen Sinn.

können.[144] Mit 2Kön 23,8b ist also ein religionsgeschichtliches Phänomen angesprochen, auf das sich der josianische Reformeifer sicherlich nicht als erstes richtete, sondern das – wie auch die Literarkritik bestätigt – erst einem späten Leser als derart widerjahwistisch erschien, daß es ein Josia bei seinem Reformwerk nicht vergessen haben durfte.

Wenn im RB die Liquidierung eines bestimmten Kultes nicht fehlen darf, dann ist es der des *Kinderopfers,* das wegen seiner Grausamkeit und (zumindest literarischen) Häufung gegen Ende der (israelitischen und) judäischen Monarchie (2Kön 16,3; 17,17.31; 21,6) unbedingt in den josianischen Reformkatalog gehört und auch erwartungsgemäß in 2Kön 23,10 erscheint.[145] Formulierung und Inhalt der Notiz fügen sich gut in den Rahmen des Grundbestandes des RB ein: Auf das Verb (טמא pi.), dessen Subjekt der König ist, folgt das Objekt (תפת), das der Reform zum Opfer fällt, woran sich kurze Bemerkungen über seine Lokalisierung und kultische Funktion anschließen.[146] Außerdem knüpft 23,10 sinnvoll an die Kultzentralisationsmaßnahme 23,8a an, sofern die Verunreinigung des Tophet zu den Aktionen gehört, die zwar im Umfeld von Jerusalem, aber mit klarem Bezug zur Hauptstadt durchgeführt werden.

Nun ist schon seit langem die Beobachtung gemacht worden, daß sich viele der atl. Kinderopfer-Belege in der Formulierung so sehr ähneln, daß sich der Gedanke literarischer Abhängigkeit geradezu aufdrängt. Die zentralen Belege[147] lassen sich ihrer Formulierung nach grob in zwei Gruppen gliedern, deren eine

---

144 Vgl. CAD A/I S. 286f.; CAD L S. 63–65; *von Soden,* BagM 3 S. 148ff.

145 Zum Problem des Kinderopfers vgl. v.a. den umsichtigen Aufsatz von *Kaiser,* FS Ratschow S. 24–48, der die einschlägigen atl. Belege zu diesem Thema analysiert und die umfangreiche Sekundärliteratur sichtet. Mit seinen Thesen, die zum Teil unter Mitwirkung von *C. Levin* entstanden sind, ist eine genauere Auseinandersetzung unumgänglich.
Vgl. ferner *de Vaux*, Institutions II S. 326–333 und v.a. ders., Sacrifices S. 49–81, wo *de Vaux* das religionsgeschichtliche Material vorzüglich zusammenfaßt und (im Unterschied zu *Green*, Sacrifice) kritisch bewertet und auch im AT eine der Intention nach überzeugende Darstellung des Kinderopfers bietet; nicht weiterführend: *Plataroti,* VT 28 S. 286ff.

146 Das 23,10b einleitende לבלתי muß von einem Späteren ergänzt worden sein, der – ungeachtet der grammatischen Unmöglichkeit – die Intention des Königs deutlich unterstreichen wollte (vgl. *Gray*, Kings S. 731).

147 Aus der Behandlung ausgeschlossen bleiben die sehr späten Belege Jes 57,5 und Ps 106,37f., ebenso als bloße Parallelstellen 2Chr 28,3 (par. 2Kön 16,3) und 33,6 (par. 2Kön 21,6). Die Stellen bei Ezechiel (16,20f.; 20,25f.31; 23,37.39) scheinen für die Geschichte des Kinderopfers im spätvorexilischen Juda nicht ohne jede Evidenz zu sein, s.u. S. 106; anders, mit verschiedenen Argumenten, *Kaiser*, FS Ratschow S. 40f.; *Gese*, FS Zimmerli S. 140ff.

sich auf (voneinander abhängige) Stellen aus H beschränkt, die mehrheitlich dieselbe Struktur aufweisen: 1. Angabe des in Frage kommenden Personenkreises mit מזרע + Suff.; 2. נתן als Übereignungsterminus; 3. מלך als Empfänger des Opfers (Lev 18,21; 20,2.3.4; Ausnahme: 20,5).

Die andere Gruppe ist in zwei Abteilungen zu untergliedern, in eine ältere Formulierungsstruktur – 1. Angabe des in Frage kommenden Personenkreises mit בן (sg. oder pl.) + Suff. (und בת [sg. oder pl.] + Suff.); 2. העביר...באש als Übereignungsterminus (Dtn 18,10; 2Kön 16,3; 17,17; 21,6; 23,10; Jer 32,35[148]) – und in eine diese voraussetzende jüngere Variante: 1. s.o.; 2. שרף...באש als Übereignungsterminus (Dtn 12,31; 2Kön 17,31; Jer 7,31; 19,5). Diese Wendung stellt eine Anpassung des ungewöhnlichen, aber präzisen Terminus העביר ...באש an den gängigen Sprachgebrauch dar und rückt durch den höheren Konkretionsgrad von שרף das Kinderopfer zugleich deutlicher in den Bereich des Verabscheuungswürdigen.

Die Unterscheidung zwischen älterer und jüngerer Formulierungsweise impliziert freilich nicht, daß alle שרף-Belege jünger als die העביר-Stellen sind. Um im einzelnen eine angemessene Entscheidung fällen zu können, müssen die jeweils zusätzlichen Formulierungselemente beachtet werden, die anscheinend nicht in demselben Maße wie der oben aufgezeigte Grundbestand konvertibel sind.

Ein solches Sonderelement ist die Ortsangabe אשר בגי(א) בן־הנם (2Kön 23,10[149]; Jer 7,31; 32,35), wo das Kinderopfer stattgefunden haben soll, noch weiter konkretisiert durch die Voranstellung der Benennung der Opferstätte in 2Kön 23,10 mit התפת, in Jer 7,31 mit במות התפת, in Jer 32,35 (und 19,5) mit במות הבעל. Auch der Adressat des Opfers kann in der Schlußposition wie bei den Lev-Stellen noch hinzutreten, so in 2Kön 23,10 und Jer 32,35 מלך, in 19,5 בעל und in 2Kön 17,31 אדרמלך und ענמלך.

Es liegt nun auf der Hand, daß die beiden Stellen, die neben dem Grundbestand auch in den Sonderelementen die größte Übereinstimmung haben, 2Kön 23,10 und Jer 7,31, literarisch nicht unabhängig voneinander entstanden sind. *Kaiser* sieht die Abhängigkeit auf Seiten von 2Kön 23,10, wo aus Jer 7,31 die Elemente Tophet und Hinnomtal, aus Lev 18,21 der Opferempfänger Molech übernommen sein sollen. Hauptargument der Einschätzung von 2Kön 23,10 als sekundär ist das einleitende Pf. cop. וטמא, das man „als regelwidrig und mithin als einen Hinweis auf die Hand eines durch das Aramäische oder nachbiblische Hebräisch beeinflußten Ergänzers werten darf" (FS Ratschow S. 34). Einmal davon abgesehen, daß das Problem des Pf. cop. sehr viel komplizierter ist und die Beweislast, die Kaiser ihm zutraut, sicher nicht tragen kann, vermag eine Gegenüberstellung von 2Kön 23,10 und Jer 7,31 (19,5; 32,35) sehr schnell wahrscheinlich zu machen, daß ein Abhängigkeitsverhältnis genau in umgekehrter Richtung größere Evidenz hat.[150]

---

148 Das obligatorische באש ist in Jer 32,35 wohl irrtümlicherweise ausgelassen; s.u. S. 103f.

149 Das בני von 2Kön 23,10 ist mit dem Qerē, vielen Handschriften und den Versionen in בן zu korrigieren.

150 Lev 18,21, mit העביר gegenüber den anderen Lev-Belegen eine Mischform, gehört wie alle Lev-Stellen einem von den Jer- und Kön-Belegen unabhängigen Traditionsstrom an; zum historischen Wert s.u. S. 106.

2Kön 23,10 :	להעביר	<< >>	אשר בגי בן<<י>>־הנם		התפת	את	וטמא
Jer 7,31a :		לשרף	אשר בגיא בן־הנם	התפת	במות		ובנו
Jer 19,5a :		לשרף		הבעל	במות	את	ובנו
Jer 32,35aα:	להעביר		אשר בגיא בן־הנם	הבעל	במות	את	ויבנו

2Kön 23,10 :		למלך		באש	את־בנו ואת־בתו	איש
Jer 7,31a :				באש	את־בניהם ואת־בנתיהם	
Jer 19,5a :	לבעל		עלות	באש	את־בניהם	
Jer 32,35aα:		למלך			את־בניהם ואת־בנותיהם	

Der Verlauf der Redaktionsarbeit ist selten so transparent wie bei diesen Beispielen. 2Kön 23,10 hat Jer 7,31 vorgelegen, ist aber von JerD charakteristisch variiert worden: Da dem Redaktor das Tophet nicht mehr bekannt war, schuf er die an sich sinnlose Kombination במות התפת, nur in der einen Hinsicht sinnvoll, daß ihm die במות als ein widerjahwistischer Greuel geläufig waren und er auf diese Weise seinen Zeitgenossen die Vorlage adäquat verständlich zu machen meinte. Ferner wird der Term. techn. העביר gegen שרף ausgewechselt (ganz in Übereinstimmung mit der Präferenz, die dtr Kreise diesem Terminus auch andernorts geben, vgl. 2Kön 23,4bα.6aβ), und der Kreis der Betroffenen in den Plural gesetzt.

Jer 19,5, im wesentlichen ein Exzerpt aus 7,31, bietet eine weitere wichtige Redaktionsstufe, insofern hier das unverständlich gewordene תפת getilgt und durch den in dtr Zeit wohlbekannten Greuel-Gott Baal ersetzt worden ist – ohne Rücksicht darauf, daß dadurch die auch in dtr Phraseologie ganz ungewöhnliche Wendung במות הבעל zustandegekommen ist.[151]

Jer 32,35 ist schließlich ein redaktionelles Ungetüm, das alle drei vorangehenden Stellen voraussetzt und sie – wohlmeinend, aber unsinnig – kompiliert hat: Opferstätte und Ortsangabe aus 19,5, Übereignungsterminus aus 2Kön 23,10, Personenkreis aus Jer 7,31 und (noch einmal) Opferempfänger מלך aus 2Kön 23,10 (neben anfänglichem במות הבעל![152]). Dieser zuletzt im Jer-Buch mit dem Kinderopfer befaßte Redaktor hat die Grammatik des klassischen Hebräisch sorgfältig studiert; er ersetzt deshalb das Jer 7,31 und 19,5 einleitende Pf. cop. durch das Impf. cons. und fügt zudem die wünschenswerte Nota acc. vor במות ein. Seine Sorgfalt hat aber dennoch nicht zu verhindern vermocht, daß er ein Opfer der Tücke der Kompilation geworden ist: Er hat

[151] Auch die übrigen Belege für Tophet in Jer 19,11–14 zeigen, daß JerD keine exakte Vorstellung mehr von der Eigenart dieses Kultobjekts gehabt hat. Nach der Beschreibung Jes 30,33 hat es sich dabei um eine tiefe Grube gehandelt, die mit Brennmaterial aufgefüllt wurde. Die masoretische Vokalisierung ist wohl bewußt pejorativ an בֹּשֶׁת orientiert (vgl. *R. Smith*, Religion S. 287; *de Vaux*, Sacrifices S. 67ff.).

[152] Offenbar hat der hier arbeitende Redaktor מלך mit בעל identifiziert, zum einen ein Indiz dafür, daß מלך personal verstanden werden muß (vgl. auch *Thiel*, Jer I S. 129 A. 72), zum anderen dafür, daß בעל in dtr Kreisen die Identität als bestimmte kanaanäische Gottheit längst verloren hat (s.u. S. 209ff.).

nämlich das unverzichtbare באש, das ironischerweise in allen drei Texten korrekt vorhanden ist, abzuschreiben vergessen – ein bei dem Umfang der Kompilation verständliches Versehen.[153]

Doch nicht nur im Jer-Buch ist durch 2Kön 23,10 dtr Redaktionsarbeit initiiert worden, sondern fast noch prononcierter auch im zweiten Kön-Buch. Ahas (2Kön 16,3) und Manasse (21,6) müssen sich die Anschuldigung gefallen lassen, Kinderopfer dargebracht zu haben. Die Verteilung dieses Vorwurfs – wenn auch wahrscheinlich nicht nur von einer Hand stammend – hat System, denn er trifft die beiden Könige, die – Amon bleibt außer Betracht – Vorgänger von Reformherrschern sind und diesen den Dienst erweisen müssen, die Notwendigkeit der Reform durch ihre Verderbtheit zu unterstreichen.

Daß hier de facto die Reform (2Kön 23,10) der bösen Tat Ahas' und Manasses vorangegangen ist, daran läßt die Formulierung in 2Kön 21,6aα (והעביר את־בנו באש, in etwas anderer Anordnung auch 16,3bα) keinen Zweifel, denn sie ist am besten als ein Exzerpt aus 23,10 (vgl. den nur an diesen drei Stellen belegten Singular בנו!) zu verstehen.[154] Hier haben also die Deuteronomisten, von Josias Reform ausgehend, alarmierende Signale in der späten Geschichte Judas gesetzt, um durch den nicht mehr zu überbietenden kultischen Notstand die Notwendigkeit der Reform nachdrücklich zu betonen.

Auf die Frage, woher denn die Judäer den Brauch des Kinderopfers übernommen haben könnten, sind die Deuteronomisten um keine Antwort verlegen. Sie wissen von den Siedlern in der auf dem Territorium Nordisraels neu gegründeten Provinz Samaria die Ausübung des Kinderopfers (2Kön 17,31) zu berichten. Ist es auch im gesamten ostsemitischen Bereich höchstwahrscheinlich unbekannt gewesen, mag dennoch die Siedlergruppe aus aram. Gebiet diesen Kult tat-

[153] Die Abhängigkeit der Jer-Belege voneinander wird in dieser Weise auch von *Kaiser* beurteilt (vgl. FS Ratschow S. 38f.). Nur liegt der Gestaltung von Jer 32,35 kein Rückgriff auf Lev 18,21, sondern eben auf 2Kön 23,10 zugrunde. Der Bezug auf das Kinderopfer in Jer 3,24 geht auf späteste (dtr??) Glossierung zurück (vgl. *Rudolph*, Jer S. 28).

[154] Noch an einer weiteren Stelle ist die singularische Wendung belegt, Dtn 18,10aβ, hier aber als an 2Kön 23,10 orientierter Nachtrag zu werten. Provoziert wurde die Ergänzung durch die partielle Rezeption von Dtn 18,10b.11 in 2Kön 17,17 und 21,6, wo sie jeweils im Anschluß an den Kinderopfer-Vorwurf erfolgte. Diese Reihenfolge an den beiden Kön-Stellen hat ihrerseits die Ergänzung des dt Gesetzes in 18,10 veranlaßt.
Vollends dtr ist die Kinderopfer-Terminologie in Dtn 12,31 (vgl. Jer 7,31; 19,5; *Merendino*, Gesetz S. 41).

sächlich praktiziert haben. Aber beide, die Siedler in Samaria und die Judäer, haben ihn sicherlich aus seinem Ursprungsland, Phönizien, übernommen.[155] Doch in solchen Fragen sind Deuteronomisten großzügig, wenn die Möglichkeit der Perhorreszierung fremder Kultpraktiken gegeben ist.[156]

Gibt es noch weitere historisch verläßliche Informationen über das Kinderopfer? Die Opferung junger Menschen in exzeptionellen Notsituationen war im alten Israel (Ri 11,30–40) genauso wie in Moab (2Kön 3,27) bekannt und gehört der Art nach in den weiteren Umkreis der kultischen Praxis des Kinderopfers. Und ist auch ein ursprünglicher Zusammenhang zwischen Kinder- und Erstgeburtsopfer unwahrscheinlich[157], können sie sich doch in der Idee der Unübertrefflichkeit der kultischen Leistung gut miteinander verbunden haben. Die Erstgeburtsbestimmungen Ex (13,2.11–13;) 22,28f.; 34,19f., deren überlieferungsgeschichtliches Verhältnis hier nicht lang erörtert werden muß[158], weil nur die Entwicklung hin auf das Auslö-

---

155 Vgl. *Blome*, Opfermaterie S. 362ff.; die wenigen Hinweise auf Kinderopfer in neuass. Urkunden haben wohl ebenjene phönizische Praxis zum Vorbild (vgl. *de Vaux*, Sacrifices S. 55f.; Belege: AHw S. 1185a s.v. šarāpu G2d und *Deller*, OrNS 34 S. 383f., in der inhaltlichen Rekonstruktion allerdings mit kaum überzeugender Kritik an *de Vaux*, ebd. S. 385f.; ebenso *Weinfeld*, UF 4 S. 144ff.; man darf das ass. Kinderopfer nicht von den grausam abstrusen Strafen isolieren, in deren Kontext es belegt ist, vgl. *von Soden*, OrNS 26 S. 135; ders., Unsicherheit S. 365f.; *Postgate*, FNAD 9,20f.).
DtrH könnte bei der Formulierung von 2Kön 17,31 in Form der Eigennamen und kultischen Praxis altes Überlieferungsgut vorgelegen haben; zur Identifizierung der Götter אדרמלך und ענמלך vgl. die wichtigen Ausführungen von *Deller*, OrNS 34 S. 382ff. (anders *Ebach / Rüterswörden*, UF 11 S. 222ff.). Wieso DtrH an dieser Stelle die Nachricht über das Kinderopfer gelegen kam und in sein System paßte, liegt auf der Hand: die Götternamen sind מלך -haltig, und die Verbindung des Kinderopfers mit מלך war DtrH in 2Kön 23,10 vorgegeben. Ein anderer Dtr hat es dann sorglos mit Baal in Zusammenhang gebracht (Jer 19,5; 32,35) – Beweis dafür, daß den späteren Dtr die spezifischen Konturen *aller* genannten Götter jedenfalls gleichgültig, höchstwahrscheinlich aber auch nicht mehr bekannt waren.

156 In 2Kön 17,17, vielleicht schon von Dtn 18,10f. in erweiterter Form abhängig, dient DtrN (vgl. *W. Dietrich*, PG S. 42–46) das Kinderopfer zur Anklage Israels *und Judas* (vgl. 17,13.19), um den Untergang beider zu rechtfertigen. Die Schreibung (Gebrauch des Vokalbuchstabens bei בנותיהם wie in Jer 32,35), der sorglos eingetragene Anachronismus (Reflexion des Untergangs Judas vor dem Bericht über dieses Ereignis) und die mangelnde Vorbereitung des Kinderopfer-Vorwurfs weisen 17,17 als sehr späte Ergänzung aus.

157 Vgl. *Gese*, FS Zimmerli S. 143ff.

158 Vgl. *Zimmerli*, TB 51 S. 236–238; zur Priorität von Ex 22,28f. vor 34,19f. vgl. *Wellhausen*, Prolegomena S. 85; zur umgekehrten Verhältnisbestimmung vgl. *Halbe*, Privilegrecht S. 444–450; *Kaiser*, FS Ratschow S. 45–47.

sungs*gebot* im Sinne eines Opfer*verbotes* historisch wahrscheinlich ist[159], mögen der Anknüpfungspunkt für die Übernahme der Praxis des Kinderopfers gewesen sein. Daß es im 7. Jh. verstärkt ausgeübt worden sein muß, beweist die Verunreinigung des Tophet durch Josia wie auch die dtr Tophet-Polemik im Jer-Buch, die in Jer 19 nicht ohne konkreten Anhalt an der Verkündigung des Propheten gewesen zu sein scheint, was auch aus der Anspielung auf das Kinderopfer in Jer 2,23 (ראי דרכך בגיא) hervorgeht.[160] Eine zutreffende Erinnerung an die Verhältnisse im 7. Jh. werden auch Lev 18,21; 20,2ff. und Ez 20,25f. widerspiegeln. Wenn diese Erwägungen mit der dtr Notiz über Manasse in 2Kön 21,6 zu konvergieren scheinen, muß noch einmal mit Nachdruck auf die Einschränkung hingewiesen werden, daß die Bindung des Kinderopfers gerade an Ahas und Manasse dtr Theorie ist. In der Verallgemeinerung des Urteils auf das späte 8. und das ganze 7. Jh. (dann aber auch auf die Hiskia-Zeit!) kann die Einschätzung ihre Berechtigung haben. Dafür mag auch Jes 30,33 sprechen, sofern der Beleg zu einem authentischen Jes-Wort gehört.[161]

Das Kinderopfer scheint sowohl einem Gott namens מלך („König"; aber im Punischen und wohl auch im Phönizischen „Molk", ein Opferterminus; Adressaten der Opfer in punischen Inschriften: Baal-Ḥammōn [und Tinnit als Paredra])[162] als auch Jahwe dargebracht worden zu sein in der Absicht, durch den nicht zu steigernden Wert der Opfergabe eine besondere Macht auf die Gottheit auszuüben. Es ist deshalb nicht von ungefähr in Dtn 18,10f.; 2Kön 17,17; 21,6 in den Kontext magischer und mantischer Praktiken gestellt worden, die allesamt den Weg des Jahwismus im 7. Jh. zu einer Kultreligion par excellence – und dies kaum ohne neuass. Einfluß! – dokumentieren. Auf diese Entwicklung wirft auch der Text Mi 6,6–8, für den *Wellhausen* im Anschluß an *Ewald* eine Datierung in die Manas-

---

159 Vgl. auch die höchst komplexe Erzählung Gen 22,1–14, die, unter diesem Aspekt betrachtet, zu besagen scheint, daß Gott zwar das Recht hat, den Erstgeborenen zu fordern, aber die Durchführung des Opfers nicht einmal bei der Glaubensprobe zuläßt.

160 Vgl. *Rudolph*, Jer S. 21.

161 Für die Echtheit von Jes 30,27–33 tritt *B. Duhm* (Jes S. 225ff.) ein; anders *Cheyne*, Einleitung S. 202ff.; *Marti*, Jes S. 227ff.
Auf etwas anderem Wege kommt auch *Zimmerli* zur Annahme der gesteigerten Durchführung des Kinderopfers im 8./7. Jh. (vgl. TB 51 S. 238–240).

162 Vgl. *de Vaux*, Sacrifices S. 67ff. (Modifizierung der These *Eißfeldts* ebd. S. 80f.); KAI II S. 76–78.90; anders *Weinfeld*, UF 4 S. 133ff.

sezeit erwog[163], ein bezeichnendes Licht, sofern das Erstgeburtsopfer auch hier Bestandteil einer überreichlichen Opferaufzählung ist, die geeignet erscheint, auf Jahwe Einfluß auszuüben, hier aber in prophetischer Rede zurückgewiesen wird.

Das Kinderopfer fand in der josianischen Reform sein (vorläufiges?) Ende. Ob mit der Verunreinigung des Tophet allerdings auch der eigentliche Beweggrund zur Ausübung des Kinderopfers, der Versuch nachhaltiger kultischer Einflußnahme auf Jahwe, getroffen war, muß bezweifelt werden, da Josias Kultzentralisation die Tendenz zur Tempelreligion und damit doch wohl auch zur Kultreligion nur noch verstärken konnte.[164] War dies vielleicht der Grund, der einen Jeremia, der mit dem blinden Verlaß des Volkes auf den היכל יהוה (Jer 7,4) konfrontiert worden war, zur josianischen Reform schweigen ließ?

2Kön 23,11, die Entfernung der dem „Sonnengott" geheiligten Pferde und Wagen, dürfte nahezu mit Sicherheit den Text der Grundschicht fortsetzen, wofür zweierlei spricht, nämlich die Abwesenheit jeglicher dtr Diktion und die beschriebenen religionsgeschichtlichen Details, die sich am ehesten mit neuass. Material illustrieren lassen.[165] Obendrein weist der Vers durch die Erwähnung von שמש und den Relativsatz 23,11a*β* inhaltliche Berührungspunkte mit dem Grundbestand von 23,5 auf, ohne daß hier eine bestimmte Technik redaktioneller Wiederaufnahme einsichtig zu machen wäre, somit also die inhaltliche Affinität in diesem Falle dieselbe literarische

---

163 Vgl. *Wellhausen*, KlProph S. 147; ders., Grundrisse S. 92f. Der Schluß gerade auf die Manassezeit mag aufgrund von 2Kön 21,6 zu präzis ausgefallen sein, der auf das 7. Jh. hat aber auf jeden Fall viele Argumente auf seiner Seite.

164 Anders *Weinfeld*, JNES 23 S. 203.

165 Zum religionsgeschichtlichen Hintergrund s.u. S. 245ff.
Im Unterschied zu 23,10 erfreut sich die Zuweisung von 23,11 zur Grundschicht selbst unter Einschluß der konsequentesten Kritiker des RB breiter Zustimmung: vgl. *Würthwein*, ZThK 73 S. 417; *Hollenstein*, VT 27 S. 334f. *H.-D. Hoffmann*, für den sich das Problem der Grundschicht des RB nicht stellt und der durch einen zweispaltigen Handwörterbuchartikel über die Kultsymbole des Sonnengottes im alten Orient und im klassischen Griechenland „hinlänglich informiert" ist, urteilt: „23,11 benutzt vielmehr nur die geläufige gemeinorientalische Vorstellung vom Sonnenkult mit Wagen und Rossen, um dem Vorgehen des Königs gegen den Astralkult Konkretion und Präzision zu verleihen" (Reform S. 234). Das Problem der richtigen Vokalisation von מבא dürfte im Sinne der Übersetzungen zu lösen sein, die das Wort als Akk. des Ortes (im st. cstr., vgl. GK § 118 d–h) gedeutet, also מְבֹא gelesen haben (so auch *Gressmann*, ZAW 42 S. 323 A. 7).

Schicht anzeigt. Wer die Grundschicht von dem Relativsatz אשר נתנו מלכי יהודה (23,11aβ) entlasten und ihn einer dtr Hand zuweisen möchte[166], muß sich darüber im Klaren sein, daß ein Torso zurückbleibt, denn die lokale Bestimmung 23,11aγ hängt an dem vorangehenden Relativsatz und läßt sich kaum sinnvoll über ihn hinweg an 23,11aα (+ לשמש) anschließen. Der Relativsatz gehört hier (wie wohl auch in 23,5) notwendig zur Vorlage hinzu, was bei der Bestimmung der Tradenten des ältesten RB berücksichtigt werden muß.

Innerhalb von 23,11 erfolgt eine Modifikation des stilistischen Grund schemas des Berichts. Bietet der Anfang von 23,11 noch die übliche Anordnung: Verb der 3.m.sg. im Impf. cons. (bzw. Pf. cop.; Subjekt der König) + Akk. (Kultobjekt bzw. -personal), so ist diese Reihenfolge am Ende von 23,11 vertauscht: Akk. mit Kopula + (als einzige mögliche) finite Verbform 3.m.sg. im Pf. (Subjekt: der König). Dieser Wechsel sollte nicht zu literarkritischen Erwägungen verleiten, da er sich aus der Konstruktion des Verses mühelos erklären läßt. Die gleichgeordneten Akk.-Objekte הסוסים und מרכבות sind durch den sich an das erste Objekt anschließenden, überaus langen Relativsatz (23,11aβ–δ) derart voneinander getrennt, daß die Erweiterung des zweiten Objekts zu einem selbständigen Satz durchaus nahelag.[167]

Wenn es im Tempel Jahwes Pferde und Wagen für den „Sonnengott" gab, muß es auch nicht wundernehmen, wenn ein סריס – normalerweise ein politisches und kein geistliches Amt![168] – mit Namen נתן־מלך einen Raum in diesem Tempel innehatte.[169] War ein מלך-

[166] Vgl. *Hollenstein*, VT 27 S. 334f.; s.o. S. 83 A. 110.

[167] Zur Verwendung von שרף באש s.o. S. 89f.

[168] Es gibt im AT keinen Beleg für סריס, der dieses Amt mit dem Kult in Verbindung brächte. Dasselbe gilt für das Vorbild des hebr. סריס, den akkad. ša rēši (vgl. AHw S. 974 s.v. rēšu A9).
Anders verhält es sich mit den שרים, die sowohl im Tempel (Jer 35,4) als auch im Palast (36,12) Zellen innehaben können, wobei es sich aber nicht um dieselben Personen handelt. Die שרים sind Inhaber hoher Ämter jeglicher Art, die der näheren Spezifizierung bedürfen.

[169] Die Angabe des Standorts der Pferde im Tempel ist recht dunkel. Man wird übersetzen müssen, daß er „am Eingang des Jahwetempels neben (אל) dem Raum des Offiziers Netanmelek" gelegen gewesen sei (vgl. Vulgata: iuxta und GB S. 38b s.v. אֶל 9).
Was sich hinter den פרורים (LXX und Vulgata transkribieren den Ausdruck) in 23,11aδ für ein Gebäudeteil des Tempels verbirgt, ist nach wie vor unklar. Was man darüber wissen kann, ist bei *Šanda*, Kön II S. 347f. nachzulesen (vgl. neben 1Chr 26,18 auch KAI 260 B 3.5 und dazu KAI II S. 307). Ob *Oestreicher* durch seine Rückführung des Wortes auf den Namen des Tempels von Šamaš

Kult im Hinnomtal möglich (23,10), ist es ein נתן־מלך im Jerusalemer Tempel allemal, wobei zu erwägen wäre, ob ein anscheinend politischer Funktionär im Tempel nicht eine Kontrollaufgabe in bezug auf den Kult wahrnimmt, in dessen Nähe er im Tempel untergebracht ist.[170]

In 23,12 scheinen die letzten Spuren der alten Reformquelle aufzufinden zu sein, hier aber wiederum schon stark von der dtr Redaktion bedrängt, die ab 23,13 völlig das Feld beherrscht und in mehreren Redaktionsschüben den Bericht zu Ende bringt. In 23,12 ist der in 23,11b vollzogene Stilwechsel beibehalten, wobei die hier begegnende thematische Konzentration auf die von Josia entfernten Altäre nicht in dieser umfassenden Form Bestandteil der Grundschicht gewesen sein dürfte. Lediglich die erste Erwähnung der Altäre in 23,12 zusammen mit dem unmittelbar anschließenden Relativsatz samt Subjekt und Prädikat am Ende von 23,12a (נתץ המלך) gehört der alten Reformquelle an, da sich hier sowohl ein für das 7. Jh. spezifischer religionsgeschichtlicher Hintergrund ermitteln läßt als auch eine Weiterarbeit des ersten Dtr (DtrH) an dieser Vorlage zweifelsfrei nachzuvollziehen ist.

Das Opfern auf den Dächern scheint im späten 7. Jh. ein beliebter kultischer Brauch gewesen zu sein, der nach Zeph 1,5 dem צבא השמים, also den Gestirnen, galt.[171] Hier ist wieder der ass. Einfluß zum Greifen nahe, da der neuass. Kult in seiner Spätform aufs stärkste mit der religiösen Deutung astronomischer Phänomene beschäftigt war. Man wird mit einem lebhaften Export dieser in Form von Omina, Hemerologien etc. das alltägliche Leben nachhaltig bestim-

---

in Sippar É.BÁBBAR bzw. É.BAR$_6$.BAR$_6$ (vgl. Grundgesetz S. 54) wirklich „mit genialem Blick" (*Gressmann*, ZAW 42 S. 323) das Richtige erkannt hat, wird man vielleicht doch bezweifeln müssen, da die hebr. Wiedergabe recht unvollständig und die Möglichkeit der Namensübertragung kaum ohne weiteres durchführbar ist.

170 Dabei ist es gar nicht von vornherein ausgemacht, daß „die Auffassung von מלך als Titel Jahwes" (*Noth*, IPN S. 119) hier wahrscheinlicher als die Annahme des Eigennamens einer fremden Gottheit מלך ist (vgl. den phönizischen Namen יתנמלך, KAI 16). Ein Blick auf 23,10 ist hier sehr lehrreich!
Vielleicht ist der Name aber noch anders und besser zu erklären. Hat *Parpola* (CRRA 26 S. 174) den hebr. Namen אדרמלך (2Kön 19,37) als Entstellung des akkad. Namens Arda-Mulišši verständlich machen können, so wäre für נתן־מלך die akkad. Vorgabe Nādin-Mulišši (vgl. etwa Nādin-Ištar, *Tallqvist*, APN S. 165b) allemal zu erwägen. Personelle ass. Präsenz im Jerusalemer Tempel ist nach den obigen Ausführungen alles andere als unwahrscheinlich.

171 Zu Zeph 1,5 und zum dtr Nachklang der Gestirnverehrung in Jer 19,13; 32,29 s.u. S. 223f.

menden kultischen Praktiken zu rechnen haben, die sicherlich den unterlegenen Judäern nicht von den Assyrern aufgezwungen wurden, die jene aber wohl bereitwillig adaptierten, da hier eine religiöse Gewißheit erreichbar schien, die der Jahweglaube nicht zu gewähren vermochte.

Für DtrH war andererseits das Stichwort מזבחות Grund genug zum redaktionellen Eingriff. Seine Arbeit ist in dem zweiten Relativsatz in 23,12aα zu erkennen (אשר־עשו מלכי יהודה), der die ältere Form dieser Wendung in 23,5aβ und 23,11aα voraussetzt, in der leichten Abwandlung durch עשה aber unverkennbar dtr Diktion verrät.[172] Die Gelegenheit, eine weitere מזבחות-Vernichtung einzufügen, war günstig und ist von DtrH genutzt worden: Die Altäre, die Manasse in den beiden Vorhöfen des Tempels[173] hatte erbauen lassen, werden nun wieder entfernt. Die Formulierungen in 2Kön 21,5 und 23,12aβγ sind bis auf die unvermeidlichen Unterschiede identisch und sicherlich una manu, d.h. durch DtrH in die Texte gelangt, wobei ihm für 21,5 allerdings authentische Überlieferung vorgele-

---

172 Dtr Wendungen dieser Art mit עשה sind öfter zu belegen (vgl. auch Ex 32,20), aber nie mit dem pauschalen מלכי יהודה als Subjekt, was auch den durchaus differenzierenden dtr Königsbeurteilungen in Juda nicht entsprochen hätte – ein weiteres Argument dafür, daß die Wendung in 23,5aβ und 23,11aα nicht auf dtr Arbeit zurückgeht. Was im Blick auf die Beurteilung der judäischen Könige nicht ins dtr Bild paßt, ist bei den Königen des Nordreiches sehr wohl möglich: zweimal sind die מלכי ישראל Subjekt der Formel (2Kön 17,8; 23,19), einmal ist es בית אחאב (2Kön 8,18). Die Dtr bevorzugen jedoch die Behaftung des gesamten Volkes bei seiner Schuld, indem sie als Subjekt von עשה gern die אבות (+ Suff.) wählen (1Kön 14,22.24; 2Kön 15,9; 17,41; 23,32.37), die nicht besser als andere Völkerschaften zu handeln wußten (1Kön 14,24; 21,26; 2Kön 21,11), oder sie belangen wie in 2Kön 23,12f. die einzelnen Könige wegen ihrer Schuld.

173 Daß der Jerusalemer Tempel auch schon in vorexilischer Zeit Vorhöfe gehabt hat, läßt sich verschiedenen Hinweisen entnehmen. Nach 1Kön 6,36 hatte der Tempel einen inneren Vorhof (החצר הפנימית), wohl auch חצר בית־יהוה genannt (Jer 19,14; 26,2) oder החצר העליון (Jer 36,10), der auch nach Ez 40,18 (vgl. *Zimmerli,* Ez S. 1005) etwas höher lag als der äußere Vorhof, dessen Entstehung in vorexilischer Zeit *Zimmerli* vermutlich richtig erfaßt hat: „Der Nordteil der 1Kö 7,12 genannten חצר גדולה dürfte im Lauf der Zeit immer stärker auf den Tempel bezogen und diesem als ‚äußerer Vorhof' zugeordnet worden sein ... Ez 40ff. wird die Ordnung des erweiterten Heiligkeitsbereichs in aller Grundsätzlichkeit fixieren" (Ez S. 211; ähnlich *Rüger*, BHH III Sp. 2119; anders *H.-D. Hoffmann,* Reform S. 249f.).
Eine interessante terminologische Parallele aus dem akkad. Bereich bietet der Brief ABL 119. Bei dem Tempel Esangila in Babylon unterscheidet der Schreiber einen oberen von einem unteren Vorhof (kisallu elēnû und kisallu šapliu, Obv. 12.15).

gen haben wird, so daß die gemeinhin angenommene Assyrianisierung des Jerusalemer Kultes durch Manasse nicht völlig grundlos zu sein scheint. DtrH hat also in seine Vorlage (23,12aα bis על־הגג[174] und in 23,12aγ נתץ המלך) die ihm auch sonst am Herzen liegende Manasse-Josia-Antithetik eingearbeitet, die durch einen noch späteren Redaktor in 23,12bβ[175] eine letzte Ergänzung erfahren hat, in der unter Verwendung von Sprachmaterial aus 23,6 die Relikte der Altäre ins Kidrontal geworfen werden. Wieso allerdings das Einreißen von Altären עפר ergibt, den man wegwerfen könnte, hätte jener Redaktor wohl nicht von der Sache her, sondern nur mit einem Verweis auf seine Vorlage zu erklären vermocht.

Mit 23,12 versiegen die Nachrichten aus der alten Reformquelle.[176] Ob sie von DtrH vollständig übernommen oder lediglich exzerpiert worden ist, entzieht sich unserer Kenntnis. Einerseits würde die Auslassung wichtiger Reformakte nicht der Tendenz von DtrH entsprechen, andererseits wirkt das Ende der Reformvorlage in 23,12* ziemlich abrupt. Jedenfalls besagt die Fortführung des RB nichts über das Reformwerk des historischen Josia im 7. Jh., viel hingegen über das dtr Josiabild im 6. Jh.

Das läßt sich sogleich an der Weiterarbeit von DtrH in 23,13 ablesen, wo derjenige eines Besseren belehrt wird, der meint, DtrH vermöge innerhalb des josianischen Redaktionskreises nur bis Manasse zurückzudenken. In 23,13 erweist sich DtrH als Kenner der Geschichte Israels und greift auf den Anfang allen religiösen Unwesens in den Zeiten der Monarchie, auf die Fremdgötterei Salomos im Gefolge seiner ausländischen Frauen zurück (1Kön 11,5–8*). Anscheinend stellt er sich die für ihre Gottheiten eingerichteten Altäre auch nach 300 Jahren noch in intaktem Zustand vor und trägt auch nicht wei-

---

174 Das folgende עלית אחז kann kaum anderes als eine „ungrammatische Glosse" sein (*Hölscher,* FS Gunkel S. 199; vgl. auch *Benzinger,* Kön S. 193; *Gray,* Kings S. 731; *Hollenstein,* VT 27 S. 335 u.a.; anders *Šanda,* Kön II S. 348; *Montgomery,* Kings S. 533). Daß עלית אחז hier in unmittelbarer Nähe zur Nachricht über die Entfernung solarer Kultsymbole ergänzt worden ist, mag auf die Verbindung dieses Ortes mit dem Sonnenkult durch die „Sonnenuhr des Ahas" (vgl. *Yadin,* EI 5 S. 91ff. zu 2Kön 20,11; Jes 38,8) zurückzuführen sein.

175 In 23,12bα liegt Textkorruption vor, für die bisher keine einsichtige Konjektur gefunden worden ist (vgl. *Benzinger,* Kön S. 193; *Meyer,* FS Baumgärtel S. 115 u.a.).

176 *Jepsens* Versuch, den ursprünglichen RB bis 23,15 weiter zu verfolgen (vgl. Reform S. 132–134.137), kann weder unter literarkritischem Betracht noch in historischer Sicht als gelungen bezeichnet werden.

ter der Tatsache Rechnung, daß die Höhen bereits nach der alten Reformvorlage von Geba bis Beerscheba (also auch die in unmittelbarer Nähe von Jerusalem!) verunreinigt worden sind (23,8a)[177], sondern scheut die Dublette nicht, um nur keinen Zweifel an der Totalität der kultischen Säuberung durch Josia aufkommen zu lassen.[178]

Auf dieselbe Tendenz und dieselbe Hand ist 23,14 zurückzuführen, wo DtrH die Vernichtung von Masseben und (nicht zum ersten Mal) Ascheren berichtet, auch hier eine partielle Doppelung in Kauf nehmend, da dies eher zu verschmerzen ist als ein fehlender Hinweis auf die Vernichtung der Götzenkulte Rehabeams. Der Rückbezug von 23,14 auf 1Kön 14,23 ist wegen der seltenen Zusammenstellung von מצבות und אשרים eindeutig.[179]

Die Rückbezüge gehen weiter: In 23,15 wagt DtrH den größten Schritt, indem er Josia das Gebiet Judas verlassen und den von Jerobeam in Bethel errichteten Altar zerstören läßt. Wer hier Josia die Heldentat des Übergriffs auf das ehemalige Nordreich und damit den Versuch der Restitution des einstigen davidischen Großreiches vollbringen sieht, verwechselt Historiographie mit schriftgelehrter Arbeit.[180] Erstere dürfte sich allenfalls auf die alte Reform-

---

[177] Diese Argumente – wenn auch in anderer Wertung – sind bereits bei *Hölscher,* FS Gunkel S. 199 zu finden.

[178] Der Formulierung nach hat sich DtrH in 23,13 eng an 23,12 angeschlossen: Voranstellung des Kultobjekts im Akk., Abschluß des Satzes durch Verb + המלך (Subjekt). DtrH weiß aus 23,8a, wie die Bamoth unschädlich zu machen sind: Sie müssen verunreinigt werden (טמא). Daß an במות drei אשר-Sätze angeschlossen sind, ist zwar stilistisch wenig gelungen, wird aber kaum literarkritisch sinnvoll ausgewertet werden können. DtrH muß in seiner Zeit gewisse kultische Objekte auf dem südlichen Teil des Ölbergs gekannt haben, die er mit Salomo in Verbindung brachte. Zur Lesung „Ölberg" (הר־המשחה) statt „Berg des Verderbens" (הר־המשחית) vgl. v.a. *G. Hoffmann,* ZAW 2 S. 175 (das Verderben ist „hineingelesen, weil die Götzenbamoth bei diesem Berge diese Deutung nahe legten"), akzeptiert von *Benzinger,* Kön S. 193f.; *Šanda,* Kön II S. 348; *Eißfeldt* HSAT(K) I S. 581; *Montgomery*, Kings S. 533f. u.a. Ob der „Berg des Verderbens" auf Textkorruption oder „deliberate misvocalization" (*Gray*, Kings S. 731) zurückzuführen ist, mag dahingestellt bleiben. DtrH wäre letzteres durchaus zuzutrauen.

[179] Zur genauen Analyse von 1Kön 14,21–24 s.u. S. 189ff. Der Rückbezug von 2Kön 23,14 auf 1Kön 14,23 ist in etwa richtig von *Jepsen*, Reform S. 135 erkannt worden; anders, aber nicht überzeugend *Hölscher,* FS Gunkel S. 199.

[180] Für dieses weit verbreitete Urteil sei nur, stellvertretend für viele, auf *Noth,* GI S. 247 und *Cross,* Canaanite Myth S. 287 verwiesen. *Noth* nimmt deshalb an (ÜS S. 77), daß die Nachrichten sowohl von 23,15 als auch 23,19.20a auf die amtlichen Annalen zurückgehen. *Wolff,* der sich dieser Beurteilung anschließt

quelle berufen, die aber eine Reform nur auf dem Territorium des Südreiches kennt (23,8a), Josias Übergriff auf Bethel (23,15) also nicht mitgeteilt hat. Alle Indizien sprechen bei 23,15 für die Verfasserschaft von DtrH[181]: Nach Entfernung der spätesten Ergänzungen[182] entspricht der Aufbau von 23,15 genau dem von 23,13 oder

---

(Bethel S. 443f.), sieht durch die vermeintliche Zerstörung des Heiligtums in Bethel durch Josia eine beachtliche „Bethel-Interpretation" des Amos in der Josiazeit provoziert (vgl. ebd. S. 449–453; ders., Am S. 135–137). Sosehr die Verbindung der betreffenden Stellen des Amos-Buches (Am 3,14bα; 4,6–13; 5,6.8f.; 9,5f.) mit der einschlägigen Passage des RB 2Kön 23,15–20 zutreffen mag, sowenig kann diese Verbindung aufgrund einer Reformtat Josias in Bethel zustandegekommen sein. 2Kön 23,15 unterliegt zu stark dem Verdacht, dtr Wunschvorstellung zu sein, als daß man hier eine authentische Notiz vermuten dürfte. Allem Anschein nach spricht auch nichts dagegen, an jenen Am-Stellen genauso wie im RB dtr Redaktoren am Werk zu sehen, zumal sie auch sonst an der Gestalt dieses Prophetenbuches nicht ganz unbeteiligt gewesen sind. Dies zu prüfen, muß jedoch einer genauen Untersuchung vorbehalten bleiben. Es sei noch angemerkt, daß auch der archäologische Befund in Bethel, soweit jedenfalls Ausgrabungen vorgenommen worden sind, nirgendwo Spuren einer Zerstörung in der fraglichen E-II-Schicht erbracht hat (vgl. *Albright / Kelso,* AASOR 39 S. 36f.51; *Kelso,* EAEHL I S. 190–193; *Wüst,* BRL^{2} S. 44f.).

181 Wieso *W. Dietrich* (PG S. 89f.) den ganzen Vers DtrN zuweist, ist nicht ganz einzusehen, da er deutliche Wachstumsspuren aufweist, also kaum una manu entstanden ist (s.u. S. 113f. A. 182). Das Argument, in 23,16ff. sei der Altar noch als unzerstört vorausgesetzt, weshalb 23,15 jünger sein müsse, ist nicht überzeugend, weil die inhaltliche Spannung so minimal ist, daß der für 23,16ff. verantwortliche Dtr sie ohne weiteres außer Acht lassen konnte (s.u. S. 114ff.).

182 Schon *Hölscher* (FS Gunkel S. 199) urteilte, daß 23,15 stark glossiert, der Versschluß sogar korrumpiert sei. Zweifellos störend und deshalb sekundären Ursprungs sind in 23,15aβγ die במה-Ergänzungen und was mit ihnen zusammenhängt, nämlich die Formel über Jerobeams Sünde (vgl. *W. Dietrich,* PG S. 93f., wobei aber diese Ergänzung noch später als DtrN sein dürfte) und die Wiederaufnahme des Stichworts מזבח, die das Ende des Einschubs signalisiert. Er ist vermutlich bedingt durch 23,19. Dieser sehr späte Redaktor muß sich gedacht haben, daß Josia auch in Bethel mehr als nur einen Altar zerstört haben wird, wenn er aus allen Städten Samarias die „Bamoth-Häuser" entfernt hat. Eine Bamah schien das Gegebene zu sein, was auch in Bethel Josias Reform noch zum Opfer gefallen sein mußte. Dabei meinte der Ergänzer, kenntnislos wie er war, hier wie in 23,8b, man könne eine Bamah wie einen Altar zerstören (נתץ). Nach dem Verb נתץ hat derselbe Ergänzer noch einschneidender in den Text eingegriffen. Da DtrH am Ende von 23,13b (die Vorlage in 23,12a imitierend) das Subjekt המלך nennt, ist anzunehmen, daß er dies auch am Ende von 23,15a getan hat. Es muß im Gefolge der Weiterarbeit jenes späten Ergänzers ausgelassen worden sein. Hätte er doch besser das Subjekt המלך kommentarlos weitertradiert, statt mit seiner Ergänzertätigkeit fortzufahren! Der Appendix in 23,15b ist nämlich unbeholfen und dunkel zugleich. Denn eine Bamah kann man ebensowenig zerstören (נתץ) wie verbrennen (שרף) noch gar zu Staub

dem der dtr Ergänzung in 23,12. Dabei ist sich DtrH durchaus der Exzeptionalität dieses Reformaktes auf fremdem Territorium bewußt und versichert deshalb ausdrücklich: *auch* (וגם) diesen Altar vernichtete der König.

Was DtrH bewogen haben könnte, Josia den Schritt nach Norden tun zu lassen, ist unschwer zu erraten: War die Vernichtung des von Salomo initiierten Götzendienstes der Erwähnung wert gewesen und ebenso die Liquidierung der Fremdkulte seines judäischen Nachfolgers, dann auch allemal die des ersten nordisraelitischen Regenten Jerobeam, dessen Sünde für Israel so folgenschwer gewesen war. Anfang und Ende der durch die ersten beiden Monarchen etablierten Kulte verdienen gleicherweise erwähnt zu werden; das ist DtrH dem Totalitätsanspruch, den er an die josianische Reform stellt, schuldig.

Doch auf welche Texte über Jerobeam bezieht sich der Grundbestand von 23,15 zurück? Dafür kommt nur der Kern von 1Kön 12,31–33; 13, d.h. die Erzählung über den Gottesmann in Bethel in der Fassung in Frage, in der sie DtrH in sein Geschichtswerk aufgenommen hat. Die Annahme eines älteren (sogar sehr umfänglichen) Erzählkerns in 1Kön 13 ist gegen *Wellhausen* notwendig, der die Geschichte für „eine Legende im Stil des Midrasch", von der Sphäre des Priesterkodex nicht weit entfernt, hielt.[183] Nun sind ohne Frage einige jüngere und jüngste Ergänzungen in diesem Text zu beobachten, erstere vor allem in den Anspielungen auf Josia in 13,2f.32[184], letztere in Einleitung und Schluß der Erzählung in 12,31–

zerkleinern (דקק hi.). Unser Ergänzer, der sich eine Bamah als Kultgegenstand vorgestellt haben muß, wäre nie auf diese Kombination von Vernichtungspraktiken gekommen, wenn sie ihm nicht in 23,6aβ (hier bereits als Produkt redaktioneller Tätigkeit!) vorgegeben gewesen wäre und er sie einigermaßen gedankenlos abgeschrieben hätte. Er versäumt deshalb auch nicht, abschließend die אשרה zu erwähnen, auf die sich 23,6aβ bezieht, in 23,15 allerdings ebensowenig wie die Bamah einen sinnvollen Platz hat. Diese redaktionsgeschichtliche Erklärung von 23,15 schließt eine historisierende Auswertung, wie sie etwa *Wolff* (Bethel S. 443f.) unternimmt, aus.

183 *Wellhausen*, Composition S. 277; vgl. ders., Prolegomena S. 283. Ein höheres Alter von 1Kön 13 wird von *Wolff*, Bethel S. 446ff.; *W. Dietrich*, PG S. 114ff.; *Jepsen*, Gottesmann S. 102ff. (Josiazeit) u.a. vorausgesetzt.

184 1Kön 13,2aβ(ohne (ו)יאמר)γb ist ein vaticinium ex eventu, das nicht nur 2Kön 23,15, sondern auch 23,20 voraussetzt. Die Eintragung in 1Kön 13 muß also von einer noch späteren Hand als der gesamte dtr Text 2Kön 23,15–20 stammen, da die in 1Kön 13,2* vollzogene Kombination des Materials voraussetzt, daß die dort breit ausgeführte Redaktion hier bereits exzerpiert werden kann (anders *Noth*, ÜS S. 81 A. 2; *W. Dietrich*, PG S. 117). Ausführliche Re-

33; 13,33f.[185] Von diesen Ergänzungen abgesehen, war 1Kön 13 jedoch Bestandteil bereits des Werkes von DtrH[186], der in 2Kön 23,15* angesichts der Größe der Sünde Jerobeams einen Vernichtungsvermerk über sein Greuelwerk nicht fehlen lassen wollte, obwohl doch der Gedanke nahelag, daß der Altar zu Bethel bereits durch den מופת des Gottesmannes zu kultischen Handlungen unbrauchbar geworden sein sollte. Diese Erwägung ist jedoch zu rationalistisch, um deuteronomistisch sein zu können: קרע ni. als Terminus für die Zerstörung eines Altars (vgl. 1Kön 13,3.5) ist ungebräuchlich und deshalb nicht eindeutig. Der Reformterminologie von 2Kön 23 gemäß wird ein Altar durch einen mit נתץ benann-

---

daktion und deren Summarium sind aber nicht ein und derselben Hand zuzutrauen. 1Kön 13,3aα ist ebenfalls auf jene Redaktorenhand zurückzuführen, die in dieser Weise den Anschluß an die vorliegende Erzählung dort wiederherzustellen versucht, wo sie sie unterbrochen hat (beachte die Wiederaufnahme des ויאמר von 13,2aβ in 13,3aα).

W. Dietrich (PG S. 118f.) weist überhaupt 13,3a.5 und damit die Ausführung der prophetischen Drohung der dtr Redaktion zu. Das ist weder von der Formulierung noch von der Sache her gerechtfertigt: Die Dtr haben kein Interesse an der sofortigen, sondern an der Zerstörung des Bethel-Altars durch Josia. 1Kön 13,32 ist eine die Erzählung abrundende und den Blick in die Zukunft lenkende redaktionelle Ergänzung aus dem Material von 2Kön 23,15–20 (v.a. 23,19) und von derselben Hand wie 1Kön 13,2aβγb.3aα. *W. Dietrichs* Spekulationen über die Überleitungsfunktion von 13,32a sind unbegründet, da es hinter 2Kön 23,15ff. keine vordtr Szene, die in irgendeiner Weise mit 1Kön 13 verbunden gewesen wäre, gibt (vgl. PG S. 117–119; 1Kön 13,1–32a + 2Kön 23,16–18 auch von *Gressmann*, SAT II/1 S. 245ff. und *Jepsen*, Gottesmann S. 103 als Einheit betrachtet).

185 Was in 1Kön 12,31–33 als ursprünglicher Bestand gelten kann, ist über die Tatsache hinaus, daß es einen Kristallisationspunkt für die vielen Hinzufügungen gegeben haben muß (vielleicht in 12,32aβ), kaum mehr mit Sicherheit zu sagen. In seinem jetzigen Zustand macht der Text allemal „den Eindruck des Flickwerks" (*Hölscher*, FS Gunkel S. 183), in den sehr späte Zusätze eingeflossen sind (vgl. *Würthwein*, Kön S. 165f.; anders *H.-D. Hoffmann*, Reform S. 62ff.).

Dasselbe gilt für 1Kön 13,33f. (vgl. auch den redaktionsgeschichtlichen Lösungsversuch *W. Dietrichs*, PG S. 114–116). Jedenfalls dürften die Bamah-Ergänzungen in 2Kön 23,15 erst aufgrund von 1Kön 12,31a, beide Male aber in den letzten Stadien der Erweiterung dieser Texte – vermutlich zuerst als Randnotizen – hinzugefügt worden sein.

186 Deshalb kann in diesem Zusammenhang die Frage nach der Einheitlichkeit des vordtr Bestandes von 1Kön 13 auf sich beruhen bleiben. Der vorläufige Stand der Diskussion ist am besten aus den gegensätzlichen Positionen von *Noth* (Kön S. 291ff.) und *Würthwein* (FS Elliger S. 181–189; ders., Kön S. 166ff.) zu ersehen. Jener tritt für die Einheitlichkeit des Kapitels ein, dieser bestreitet sie.

ten Vernichtungsakt zerstört, und dieser Tradition folgend, formuliert DtrH in 23,15 seinen Vernichtungsvermerk. Außerdem – und dies ist ausschlaggebend – setzt in der Sicht von DtrH das Wandeln der israelitischen und dann sogar der judäischen Könige in der Sünde Jerobeams einen Kult in Bethel voraus, den auszurotten nur ein Mann vom Range Josias berufen war.

Die Geschichte des Gottesmannes zu Bethel hat nicht nur DtrH zu einer Verbindung mit der josianischen Reform gereizt, sondern noch eine weitere dtr Hand zu einer umfänglichen Ergänzung des RB animiert. Daß mit 23,16 ein neuer Einsatz erfolgt, ist gut erkennbar. Die Auflistung von Reformobjekten wird durch eine im Erzählstil vorgetragene Episode abgelöst, in der erstmalig im RB der König mit Namen genannt wird (23,16, so auch 23,19). Gleichwohl ist die Episode nicht denkbar ohne den vorangehenden Text und deshalb keinesfalls älter als dieser. Das Erzählziel von 23,16–18 ist das Lob der Größe des Königs Josia, hier demonstriert an seiner pietätvollen Haltung den Gebeinen jenes Gottesmannes gegenüber, der nach dem Verständnis dieses Dtr bereits die josianische Reform geweissagt hatte.

Um Josias respektvolles Verhalten erzählen zu können, wird eine Situation in Szene gesetzt, die nicht viel mehr als eine Kolportage bestimmter Erzählzüge des RB auf dem Hintergrund von 1Kön 13 ist. Dem König Josia muß in Bethel ein Gräberfeld in den Blick kommen, das ihn auf den Gedanken bringt, mit Gebeinen aus jenen Gräbern den Bethel-Altar zu verunreinigen. Diesen Gedanken hat der hier redigierende Dtr von seinem Vorgänger DtrH aus 23,14b in Kombination mit 23,13b übernommen, wobei ihm nichts an der erneuten kultischen Disqualifikation des Altars, alles hingegen an Josias Wahrnehmung des Gräberfeldes liegt, so daß der König auf das Grabmahl jenes Gottesmannes aufmerksam werden, sich seine Bedeutung von den ortsansässigen Leuten erklären lassen und dann den Befehl zur gebührenden Behandlung jener Grabstätte erteilen kann. Dieser König weiß den zu ehren, der ihn und sein Werk angekündigt hat; und Josias Werk ist nicht der Willkürakt eines Monarchen, sondern Jahwes von langer Hand geplante und von einem Propheten vorausgesagte Tat. Das ist die Moral, die dieser dtr Ergänzer durch den nüchternen Vernichtungsvermerk von DtrH in 23,15 nicht adäquat zum Ausdruck gebracht sah und seine eigene Ergänzung veranlaßte.[187]

---

187 Auch 23,16–18 haben noch einige weitere Ergänzungen erfahren. 23,16bγ ist eine wenig inhaltsreiche Dublette zu 23,16bβ, wohl aufgrund von und zur

Bleibt die Frage zu klären, ob die Redaktionsarbeit dieses Dtr sich auf 23,16–18* beschränkt oder ob sie noch weiter zu verfolgen ist. Das וגם zu Beginn von 23,19 könnte zunächst als formales Signal beurteilt werden, daß hier die Arbeit einer anderen Hand einsetzt, doch sprechen gewichtige Gründe gegen diese Bewertung und für die Fortsetzung der Redaktion durch dieselbe Hand. Denn Josia wird weiterhin mit Namen genannt (23,19), das von der Reform betroffene Gebiet ist weiterhin das Territorium des ehemaligen Nordreiches, das zeitgenössische Samaria (vgl. 23,19), und der Verfasser bleibt in 23,20 wie in 23,16 bei der ihm genehmen Art und Weise, Altäre zu verunreinigen, nämlich durch die Verbrennung von Menschengebein.

Die Arbeit des dtr Redaktors von 23,16–18* dürfte also auch in 23,19f. zu erkennen sein, wo die Durchführung der Reform auf das ganze Gebiet der Provinz Samaria ausgedehnt wird.[188] Dieser Dtr war sich wohl der Kühnheit des Schrittes, den er damit Josia unterstellt, ebenso bewußt, wie DtrH es bei seiner Ausdehnung der Reform auf Bethel war. Hatte dieser mit seinem zweimaligen גם(ו) in 23,15 die Glaubwürdigkeit der unglaublichen Nachricht zu unterstreichen gesucht, folgt ihm jener darin nach und leitet die erneute, noch unglaublichere Ausdehnung der Reform wieder mit וגם ein. Wenn es je den Versuch der Restitution des davidischen Reiches in seinen alten Grenzen gegeben hat, dann nicht durch Josia selbst, sondern durch Josia (erst!) in den Augen eben dieses Dtr![189]

Angleichung an 23,17bγ entstanden. Die aus der Fortschreibung resultierende stilistische Härte hat LXX durch Einfügung von *ἐν τῷ ἑστάναι Ιεροβοαμ ἐν τῇ ἑορτῇ ἐπὶ τὸ θυσιαστήριον. καὶ ἐπιστρέψας ἦρεν τοὺς ὀφθαλμοὺς αὐτου ἐπὶ τὸν τάφον τοῦ ἀνθρώπου τοῦ θεοῦ* nach 23,16bβ zu glätten versucht. Gegen die Hinweise in den Apparaten von BHK und BHS, gegen *Noth* (WAT S. 312) und das nahezu einstimmige Votum der Kommentatoren ist zu betonen, daß hier kein textkritisches Versehen (Homoioteleuton), sondern späteste Redaktionsarbeit vorliegt.

Die Erwähnung von Bethel am Schluß von 23,17 ist als grammatisch unmögliche Glosse zu werten.

In 23,18bβγ wollte ein Glossator auch den anderen, an der Erzählung 1Kön 13,11ff. beteiligten Propheten im Zusammenhang von 2Kön 23,16–18 nicht unerwähnt lassen, eine an sich überflüssige und zudem unsorgfältig formulierte Ergänzung, denn daß dieser Prophet aus Samaria *gekommen* sei, berichtet die alte Erzählung keineswegs (vgl. auch die Beurteilung von 23,18bβγ durch *Montgomery*, Kings S. 535).

188 Auch *Jepsen* (QK S. 26.102) betrachtet 23,16–20 als redaktionelle Einheit.

189 *Welten*, Königs-Stempel S. 164 hat bereits ansatzweise in diese Richtung gedacht; vgl. auch *Ogden*, ABR 26 S. 26ff. v.a. S. 31ff., der aufgrund einer

Da für diesen Reformakt, weil nie durchgeführt, keine Nachrichten vorliegen konnten, ist die Reform in dem großen Gebiet Samarias schnell durchgeführt.[190] Bamoth-Häuser – bei DtrH wären es einfach Bamoth gewesen – werden in den Städten Samarias entfernt (23,19a), und darüberhinaus muß man sich mit einem Hinweis auf das aus Bethel bekannte Reformverfahren begnügen (23,19b). Um den Bericht über den Reformakt nicht zu dürftig ausfallen zu lassen, ersetzt der hier redigierende Dtr die zwangsläufig fehlenden Nachrichten durch eine grausige Legende. In neidvoller Erinnerung an das große dtr Vorbild Elia (1Kön 18,40) – vielleicht auch, aber weniger wahrscheinlich an Jehu (2Kön 10,18ff.) – läßt er Josia die Bamoth-Priester auf ihren Altären abschlachten und verbrennt obendrein und unnötigerweise noch Menschengebein auf ihnen. Josia geht bei der Reform in Samaria „nicht mehr langsam tastend und vorsichtig vor", nicht weil hier „Judaisierung Nordisraels"[191] stattfindet, sondern weil sich am Schreibtisch Reformen schneller als in der Realität verwirklichen lassen.

Mit der Rückkehr nach Jerusalem beendet dieser Dtr die Exkursion Josias in das Territorium Samarias und damit die Reformaktivitäten überhaupt, ein runder Abschluß, doch nicht besser als derjenige von DtrH in 23,15 mit der Reform des Kultes in Bethel als dem gewichtigsten kultischen Konkurrenzort zu Jerusalem und auch nicht besser als der der alten Reformvorlage mit ihrer Beschränkung der Reform auf das Territorium des Südreiches.

Ob man dem für 23,16–20 zuständigen dtr Redaktor ein bestimmtes Siglum zusprechen kann, ist nicht eindeutig zu entscheiden. *W. Dietr* nimmt an, „daß DtrP die zur Zeit Josias erweiterte Legende vom Gottesmann in Bethel in zwei Teile (scil. 1Kön 13 und 2Kön 23, 15ff.*) zerlegt und diese an den passenden Stellen ins dtr Geschichtswerk eingesetzt hat".[192] Ist diese Sicht der redaktionellen Komposition auch einigermaßen unwahrscheinlich, da 2Kön 23,15ff.* kaum ein vordtr Textbestand zugrundeliegt und zudem der Hinweis auf

abweichenden exegetischen Analyse zu einem vergleichbaren Resultat gelangt. *Odgens* Zweifel an der Schlacht bei Megiddo und seine These vom negativen Josiabild in 23,16ff. erscheinen allerdings als nicht hinreichend fundiert.

190 Von ganz anderer, nämlich archäologischer Seite angeregt, macht *Lance* in seinem ausgezeichneten Aufsatz über die Königsstempel dieselbe Beobachtung: „When one reexamines the biblical account of Josiah's activities in the north, one must admit that it is most reticent if an ‚empire' is being established" (HThR 64 S. 332).

191 *Oestreicher,* Grundgesetz S. 57.

192 *W. Dietrich,* PG S. 120.

Josia in 1Kön 13,2* ziemlich sicher von *einer* späteren Hand (und nicht von zwei Händen!) stammt, mag man dennoch das Siglum DtrP für 2Kön 23,16–20 zur Unterscheidung von weiteren Redaktionsschichten beibehalten. Demnach hat DtrP im Anschluß an DtrH eine Ausweitung der Reformtätigkeit Josias im Norden vorgenommen, verbunden mit einer knappen Erzählung über Josias Verhalten gegenüber dem Grab des Gottesmannes in Bethel ad maiorem regis gloriam. Abschließend hat noch ein weiterer Redaktor den ihm bekannten Rückbezug in 2Kön 23,15ff. auf 1Kön 13 auch in dieses Kapitel als Ausblick auf die Reform eingetragen. In der dtr Schule ist das Hin und Her zwischen Weissagung und Erfüllung offensichtlich vielfältig reflektiert worden – und die wenigsten Mitglieder der Schule taten dies in passiver Haltung gegenüber den Texten, die ihnen anvertraut waren – oder besser: für die sie sich verantwortlich fühlten.[193]

Die vorliegende Analyse des RB und darüberhinaus beider Josiakapitel unterscheidet sich in Methode und Ergebnissen erheblich von derjenigen *H.-D. Hoffmanns* (Reform S. 169ff.). Das Verdienst seiner Arbeit liegt vor allem in der übergreifenden These, nach der die mit Kultreformen befaßten Texte im dtr Geschichtswerk nicht primär historische Verhältnisse widerspiegeln, sondern einer umfassenden dtr Kultsystematik angehören, die auf der Grundlage des Dtn die Tendenz hat, „durch aufzählende Häufung kultischer Mißstände bzw. ihrer reformerischen Beseitigung ein in Negativität bzw. Idealisierung übersteigertes Bild der Kultgeschichte Israels zu zeichnen, das nur die eine Grundalternative ‚Jahwe oder die Götter' (Jos 24) kennt" (S. 315).

Diese These ist aufs Ganze gesehen recht wahrscheinlich. Gleichwohl sind an ihre Begründung viele Fragen zu stellen. So irritiert die wertneutrale Definition des Begriffs „Kultreform", der für alle kultverändernden Maßnahmen „ohne Rücksicht auf die dtr Wertung und Einteilung in positive und negative Kultveränderungen" gebraucht wird (S. 24), so daß beispielsweise Hiskia, Manasse und Josia unter dem Titel „Die Trias der drei ‚großen' Kultreformer" (S. 146) behandelt werden. Durch dieses Verfahren und eine extensive Deuteronomismusdefinition (v.a. im Bereich der sog. „speziellen" Kultterminologie, die den Berichten „historisches ‚Lokalkolorit'" geben soll [S. 315]) erhält Hoffmann ein breites Spektrum von Texten, in denen die eigentlichen Reformberichte, nach deren Zeugnis bestimmte judäische(!) Könige sich um die Jahweverehrung verdient gemacht und ein dementsprechend besseres dtr Frömmigkeitsurteil erhalten haben, völlig untergehen. Die vielfältigen und durchaus unterschiedlich akzentuierenden dtr Verflechtungen zwischen diesen und wenigen anderen Texten (dazu s.u.) werden durch Hoffmanns Einheit(lichkeit)spostulat des Deuteronomismus nicht sichtbar.

Nicht nur die differenzierten dtr Textverbindungen bleiben unprofiliert, sondern auch die Einzelanalyse leidet unter der Zulassung lediglich eines dtr Ver-

---

193 Zu den Reformaktivitäten in 2Kön 23,24 vgl. die Bemerkungen im Anschluß an die Auslegung von 23,21–23.

fassers, der zudem größtenteils seine Informationen auch noch erfunden hat. Das wird besonders deutlich bei der „fiktiven Tendenzerzählung“ 2Kön 22f., die eine „*literarische Einheit*“ sein soll, „aus der kein Mosaikstein herausgebrochen werden kann, ohne das Ganze zu zerstören“ (S. 265). Einmal davon abgesehen, daß verantwortungsvolle Literarkritiker aus Texten nichts „herausbrechen“, sondern sie in analytischen und synthetischen Arbeitsprozessen auf Wachstumsspuren hin abtasten, fällt es im Blick auf die mehrfachen Erwähnungen von Baal, Aschera, Himmelsheer, Bamoth und Altären neben vielem anderem schwer, lediglich den „variantenreichen Stil“ (S. 215, vgl. S. 318) des dtr Verfassers am Werk zu sehen, zumal im RB auch allerlei Singuläres vorkommt, was nicht in das dtr Beziehungssystem eingebunden ist. Der RB bietet eben doch mehr als die „Zusammenstellung der einzelnen Angaben lediglich nach dem Prinzip der Summierung“ mit dem Ziel, „gleichsam *alle* bisherigen Kultreformaktionen in *einer* Reform zusammenzufassen“ (S. 251). So dürfte man z.B. bei den מזלות in 2Kön 23,5 erst dann von „dtr Begriffsvariante“ (S. 361) sprechen, wenn ernsthafte religionshistorische Recherchen zu dem Zeitabschnitt, über den der Text informieren will, negativ verlaufen sind. Danach sucht man jedoch bei Hoffmann vergebens.

Daß er entgegen den deutlichen Spuren literarischer Nacharbeit, die theoretisch im Schichten-, nicht im Quellenmodell darzustellen wären (völlig irreführender Hinweis auf Quellenfäden und *Eißfeldts* Hexateuch-Synopse auf S. 18f.) die einheitlich dtr Provenienz der Texte behauptet, hat schließlich eine schwerwiegende Folge: Hat man einmal die Omnipräsenz der Fiktion in den Quellen postuliert, ist jeder historischen Rekonstruktion mit Anspruch auf begründete Plausibilität der Boden entzogen – weil es eben keine Quellen, nicht einmal solche, die man überlieferungsgeschichtlich befragen könnte, mehr gibt! Da helfen dann auch keine Hinweise auf archäologische Evidenz und zeitgenössische Prophetie (vgl. S. 266–268), die beide spärlich und vieldeutig sind. In dieser Situation scheint nur noch der Rückzug auf ein voluntaristisches „Dennoch“ übrigzubleiben. Ihn tritt Hoffmann auch erwartungsgemäß an, wenn er abschließend zu 2Kön 22f. schreibt: „Dieser (scil.: Bericht) ist in fast allen Details der Darstellung fiktiv und stark idealisierend. Dennoch kann kein Zweifel bestehen, daß er die historische Grundtendenz jener Josia-Zeit richtig wiedergibt, ja daß die politisch motivierte und durch religiöse prophetische Impulse verstärkte Restauration des Jahweglaubens tatsächlich in der kurzen Regierungszeit des Josia eine Blüte erlangt haben muß, so daß ein einziges und zugleich letztes Mal Prophetie und Königtum zur Übereinstimmung gekommen sind“ (S. 269, vgl. auch S. 319). Ein kritischer Historiker hätte nach dem ersten Satz geschwiegen.

Exkurs: Der Gebrauch des Perfectum copulativum im biblischen Hebräisch

Der RB in 2Kön 23 ist reich an Verbformen, die unter dem grammatischen Terminus *Perfectum copulativum* bekannt sind (23,4.5.8.10.12.14.15), einem Tempus, das ohne erkennbare aspektuelle Differenz zum üblichen hebräischen Narrativ, dem Impf. cons., gebraucht werden kann. Abgesehen von dem sehr späten Qohelet, der das Impf. cons. so gut wie gar nicht mehr kennt, kann kaum ein zweiter atl. Text genannt werden, in dem diese syntaktische Erscheinung noch einmal derart gehäuft auftritt. Nichts liegt deshalb näher, als die Formen des Waw-Perfekts, erscheinen sie wie etwa in 2Kön 23 in Symbiose mit dem Impf. cons., als ein Kriterium (im Verbund mit anderen) zur literarkritischen Analyse zu verwerten. Am konsequentesten hat *Stade* diesen Ansatz durchgeführt mit der Bestreitung, „daß sich dieser Sprachgebrauch in vorexilischen Stücken anders als infolge einer Beschädigung des ursprünglichen Textes findet" (Anmerkungen S. 194). Stades prononcierte These ist nicht ohne Widerspruch geblieben. Vor allem *Meyer* hat aufgrund eines Briefes aus Meṣad Ḥašavyahu, bestimmter Beobachtungen zur ugaritischen Syntax und einiger atl. Belege gemeint nachweisen zu können, „daß die w^eqatal-Bildung auch im klassischen Hebräisch eine lange und legitime Geschichte hat, die bis in vorisraelitische Zeit zurückreicht" (FS Baumgärtel S. 122; vgl. ders., HG III S. 46f.55–57).

Die durch diese Eckwerte markierte Pluralität des Meinungsspektrums[194] verlangt nach Klärung, bei der eine wichtige Vorüberlegung nicht außer Acht bleiben darf. Das biblische Hebräisch ist aufs Ganze gesehen von einer derartigen sprachlichen Homogenität, wie es bei einer Sammlung von Schriften, die über ein knappes Jahrtausend hin an verschiedenen Orten entstanden sind, nur verwundern kann. Ein Blick etwa auf das Akkadische, dessen Dialekte sich sowohl unter geographischem als auch unter zeitlichem Aspekt zum Teil erheblich unterscheiden (vgl. *von Soden,* GAG § 2.187–196), vermag die demgegenüber große Uniformität des biblischen Hebräisch hinreichend sinnfällig zu machen. Sie ist nicht anders zu erklären als durch eine sehr weitgehende Normierung der Schriftsprache, die sowohl die unterschiedlichen sprachlichen Entwicklungsstadien als auch die (zweifellos vorhandenen, vgl. Ri 12,6) Dialektverschiedenheiten eingeebnet hat (vgl. *Bergsträsser*, HG I § 2gh; *Meyer*, OLZ 59 Sp. 119).

Nur der Einfluß des Aramäischen hat im biblischen Hebräisch so deutliche Spuren hinterlassen, daß selbst das später normativ strukturierte Schrifthebräisch ihn nicht völlig hat nivellieren können. Die enorme Ausstrahlungskraft des Aramäischen nimmt nicht wunder angesichts der Tatsache, daß es etwa in dem

---

194 Weitere wichtige, in der folgenden Untersuchung berücksichtigte Arbeiten zum Pf. cop.: *König*, Syntax § 367–370; *Driver*, Tenses § 130–133; *Lambert*, REJ 26 S. 55–59; *Kropat*, Syntax S. 19–23; GK § 112; *Joüon*, GHB § 119y–z; *Bergsträsser*, HG II § 9b–k.n; *Rubinstein*, Bibl 44 S. 62–69; *Williams*, Syntax § 182; *Johnson*, Perfekt, weitere Literatur: ebd. S. 19 A. 49; gute Zusammenstellung der vielen Erklärungsversuche mit Ansätzen zu einer differenzierten Lösung: *McKay*, Religion S. 84f. A. 5; kaum hilfreich ist die Zusammenstellung von Belegen bei *Blake*, Resurvey § 37.
Guten Gewissens wird in den folgenden Ausführungen trotz der Kritik von *Hughes* (JNES 29 S. 12–24) an der Aspekttheorie des hebr. Verbalsystems in der Form festgehalten, wie sie von *Meyer* unter Anknüpfung an Ergebnisse *Landsbergers* und *von Sodens* zum akkad. Verbalsystem dargelegt worden ist (vgl. *Meyer*, OLZ 59 Sp. 117ff.; ders., HG III S. 39ff.; informative Darstellung verschiedener Aspekttheorien: *Johnson*, Perfekt S. 14ff.). Wird im folgenden der Begriff Tempus verwendet, geschieht das sozusagen mit aspektuellem Vorbehalt (vgl. *Meyer*, OLZ 59 Sp. 125f.).

Zeitraum vom 8.–6. Jh. den ganzen vorderen Orient erobert hat, bis es schließlich im westlichen Teil des Perserreiches als sog. „Reichsaramäisch" die offizielle Anerkennung erfuhr, die es in der täglichen Sprachpraxis schon lange innehatte.[195]

So finden sich auch in dem Teil der atl. Literatur, der in der späten Königszeit und vor allem im Exil entstanden ist, mancherlei sprachliche Phänomene sowohl grammatischer als auch lexikalischer Art, die sich mit unterschiedlichen Wahrscheinlichkeitsgraden als Aramaismen deuten lassen.[196] Es liegt daher nahe, auch die im josianischen RB erstmalig konzentriert auftretende Erscheinung des Pf. cop. mit dem Einbruch des Aramäischen ins Hebräische in Verbindung zu bringen. Das klassische hebräische Erzähltempus, das Impf. cons. (Pf. nur bei invertierter Wortfolge), ist dem Aramäischen zwar nicht ganz unbekannt[197], doch nimmt überwiegend das Pf. die Funktion des Narrativs wahr (vgl. *Degen*, AG § 74; *Segert*, AG S. 374–376; speziell zum Biblisch-Aramäischen: *Bauer / Leander*, GBA § 79h). Das Pf. cop. scheint demnach im Hebräischen eine Art Kompromißform gewesen zu sein, mit der die Wortfolge Verb-Subjekt-Objekt, die in Verbindung mit dem Impf. cons. einzig mögliche und deshalb im klassischen Hebräisch normale, vorerst noch beibehalten wurde, bis man auch die durch das Pf. ermöglichte und im Aramäischen praktizierte freiere Wortfolge adaptierte.[198] Historisch gesehen hat es sich bei der Ände-

---

[195] Das allmähliche Vordringen der Aramäer und des Aramäischen läßt sich in den ass.-bab. Dokumenten v.a. der Sargonidenzeit gut verfolgen und wird an anderer Stelle dargelegt werden. Bis dahin sei zur Ausbreitung des Aramäischen auf *Segert*, AG S. 39–45 verwiesen.

[196] Zusammenstellung grammatischer Aramaismen bei: *Bergsträsser*, HG I § 2h; *Kropat*, Syntax S. 72–75.
Bearbeitung aller Arten von Aramaismen: *Wagner*, Aramaismen, der allerdings das Pf. cop. in diesem Zusammenhang überhaupt nicht erwähnt.

[197] Seit langem sind drei aram. Belege für konsekutives Imperfekt aus der Zkr-Inschrift (KAI 202 A 11bis.15) bekannt. Durch die Entdeckung der aram. Bileam-Fragmente aus Tell Deir ʿAlla sind vier (oder fünf) Belege hinzugekommen (vgl. *Hoftijzer / van der Kooij*, Deir ʿAlla S. 173 I 1.4(?).5.6.6f. und dazu S. 296). Spätestens seit diesem Fund wird man im Blick auf das aram. Impf. cons. nicht mehr von einem Kanaanismus reden können (so zuletzt wieder *Segert*, AG S. 377). *Hoftijzer* (aaO S. 296 A. 23) und *Degen* (AG S. 3 A. 20; S. 114 A. 21) haben daran zu Recht Kritik geübt.
Auch dem Punischen scheint konsekutives Imperfekt nicht völlig fremd gewesen zu sein (vgl. *Février*, FS Dupont–Sommer S. 193 [2 Belege]).

[198] Das Altaramäische des 10.–8. Jh.s bietet noch die alte semitische Wortfolge mit der Voranstellung des Verbs vor dem Subjekt (vgl. *Degen*, AG § 74.81.82; *Segert*, AG S. 422). Mit größter Wahrscheinlichkeit unter dem Einfluß des Akkadischen (vgl. *Segert*, ebd.; *Kaufman*, AS 19 S. 132f.) ist dann im Reichs- und Biblisch-Aramäischen die alte Wortfolge zugunsten der Nachstellung des Verbs nach dem Subjekt aufgebrochen worden. Selbst im Biblisch-Aramäischen, in dem diese Entwicklung durch den hebr. Einfluß als weniger wirksam durchaus denkbar gewesen wäre, sind die Verbalsätze mit vorangestelltem Subjekt in der Mehrzahl (vgl. *Bauer / Leander*, GBA § 101a–i).
Es ist zu betonen, daß mit der Voranstellung des Subjekts vor dem Prädikat nicht die akkad. Wortfolge erreicht ist, die in der Regel das Verb an den Schluß

rung des Temporal- und Wortfolgesystems sicherlich um einen synchronen Prozeß gehandelt, bei dem aber grammatisch gesehen der Rezeption des Pf. als des alleinigen Erzähltempus die Priorität zukommt. Die Entwicklung mündet ein in das mittelhebräische Temporalsystem, in dem das Pf. einziges Tempus der Vergangenheit ist, das Impf. cons. als Narrativ also wie im Aramäischen nicht mehr vorkommt (vgl. *Meyer*, HG III S. 55–57).

Kein ernstzunehmender Forscher hat bisher bei diesem Prozeß den Einfluß des Aramäischen bestritten. Fraglich ist vielmehr nur dies, ob *erst* mit dem Einbruch des Aramäischen diese Entwicklung des hebräischen Temporalsystems eingesetzt hat (oder sie schon, wie *Meyer* meint, „eine lange und legitime Geschichte hat") und ob sich die Anfänge der Einflußnahme auf das Hebräische zeitlich einigermaßen genau fixieren lassen.

Bevor beide Fragehinsichten mit den atl. Belegen konfrontiert werden, müssen noch zwei Gebrauchsweisen des Waw-Perfekts im Hebräischen genannt werden, die irrtümlicherweise als Pf. cop. angesehen werden könnten, aber nichts mit diesem Tempusaspekt zu tun haben und deshalb samt den jeweiligen atl. Belegen aus der weiteren Behandlung ausgeschlossen werden.

Es handelt sich dabei *erstens* um den in atl. Schriften unterschiedlichster Epochen hinreichend belegten *frequentativen Gebrauch des Perfekts*, dessen mögliche Verbindung mit einem koordinierenden Waw cop. keinerlei Einfluß auf seinen aspektuellen Gehalt hat. Es ist im Blick auf die Zeitstufe *neutral*, welche nur aus dem Kontext erschlossen werden kann (vgl. Num 34, futurisch, mit Jos 15,3ff. etc., präterital). Obwohl die Affinität des Pf. frequ. mit dem Pf. cons. zuweilen unverkennbar ist (vgl. etwa Num 21,9), ist es doch nie Teil einer fixierbaren Consecutio temporum[199], weshalb es nicht global – wie in älteren Grammatiken üblich[200] – mit dem Pf. cons. zusammengestellt, sondern mit seinem zum Impf. parallelen iterativen und durativen Aspekt (vgl. GK § 107b–e; *Joüon*, GHB § 113c–f; *Meyer*, HG III S. 43) getrennt aufgeführt werden sollte. Eine keineswegs vollständige, aber immerhin repräsentative Auswahl an Belegen für die präteritale Zeitstufe sei hier genannt: Gen 2,6.10 (iterativ-duratives Element hier genauso ohne „vivid imagination" feststellbar wie bei dem einleitenden Part., gegen *Hughes*, JNES 29 S. 16, mit *Johnson*, Perfekt S. 38); 6,4; 29,3;

---

des Satzes stellt (vgl. *von Soden*, GAG § 130b). Vielmehr hat das Aramäische seinerseits auf die neuass. und neu/spätbab. Dialektform eingewirkt und die starre Endposition des Prädikats zugunsten einer freieren Wortfolge aufgelokkert (vgl. *von Soden*, GAG § 130c; *Riemschneider*, Lehrbuch § 22.17; 27.25).

199 Das Pf. frequ. kann verschiedensten syntaktischen Erscheinungen folgen, etwa iterativem Impf. (Gen 2,6.10; 6,4; 29,3; Ex 34,34f.), Impf. cons. (Num 21,9; Ri 12,5; 1Sam 1,3f.), narrativem Pf. (Gen 47,22; Ri 6,3), einem Inf. cstr. oder abs. (Num 9,19; 2Sam 13,19), einem Part. (1Sam 2,13) oder einem Nominalsatz (Num 9,21; 11,8).

200 Vgl. *Driver*, Tenses § 114; *König*, Syntax § 367hi; GK § 112e–l; *Joüon*, GHB § 119uv; *Bergsträsser*, HG II § 9b–g. Berechtigte Kritik an diesem wenig differenzierten Verfahren war bereits von *Kropat* (Syntax S. 20f.) geäußert worden, die aber *Bergsträsser* meinte, in Gänze zurückweisen zu können (HG II ebd.); anders demgegenüber *Meyer* (HG III S. 52–54), der auch ein selbständiges Pf. als Durativ der Vergangenheit anerkennt.

30,41f.; 47,22; Ex 17,11; 33,7–11 (wechselnder Gebrauch von Imperfecta frequ. und Perfecta frequ. in einem priesterschriftlichen Text); 34,34f.; Num 9,19.21; 11,8; 21,8f.; Jos 6,8.13; 15,3–11 (Perfecta mit stativisch-durativem Aspekt, ebenso: 16,2f.6–8; 17,7–9; 18,12–21; 19,11–14.22.26–29.34); Ri 6,3; 12,5; 1Sam 1,3f.; 2,13–16.19f.22; 7,16[201]; 16,14.23; 17,34f.; 26,9; 27,9; 2Sam 13,19; 14,26; 15,2.5; 17,17; 20,12; 1Kön 4,7 (vgl. 5,7, anders *Johnson*, Perfekt S. 37); 9,25; 14,28; 18,4; 2Kön 3,4; 3,25[202]; 6,10; 12,15; Jes 6,3; 28,25; Jer 18,4; 20,9; 23,14; Ps 26,3; 78,38; Hi 1,4; 31,29; Dan 8,4 u.ö.

Zweitens darf mit dem Pf. cop. nicht die syntaktische Konstruktion in eins gesetzt werden, bei der ein zweites Pf. mit einem vorangehenden durch Waw cop. *koordiniert* wird (vgl. auch mit vielen Belegen *Johnson*, Perfekt S. 73f. 77.79.84.87.91). Diese Bildung kann – vor allem in poetischen Texten – durch eine Art stilistischen Formzwang bedingt sein, indem der Parallelismus membrorum die Wahl parallel konstruierter Verbalformen nahelegt, selbst wenn der Handlungsaspekt eigentlich eine andere Form erforderlich macht. Nicht selten dient die Koordination zweier oder mehrerer Perfecta auch dem Ausdruck der *Gleichzeitigkeit* (vgl. *Driver*, Tenses § 131), auch hier in zeitlicher *Neutralität*. Wie beim Pf. frequ. muß die Zeitstufe dem Kontext entnommen werden. Folgende Belege können diese syntaktische Erscheinung im präteritalen Gebrauch exemplifizieren: Gen 28,6[203]; 31,7 (Quelle E, gleichzeitige Handlungen, zusätzlich mit frequentativem Aspekt); Num 23,19; Dtn 2,30; 33,2; Jos 22,3; Ri 5,26[204]; 2Sam 23,20; 1Kön 3,11[205]; 8,47 (= 2Chr 6,37); 2Kön 19,22.24 (= Jes 37,23.25); Jes 1,2 (Einordnung des Belegs nach *Driver* gegen *Meyer*, s.o. S. 124 A. 204); 9,7; 38,12; 40,12; 41,4; 43,12; 44,8; 55,11; 63,10; Jer 15,9; 22,15; 28,13; 36,23; 46,6; Am 5,26 (koordiniert mit 5,25; in 5,26 aber auch Pf. cop. nicht auszuschließen); Ps 22,6.15; 34,5; 66,14; 76,9; 131,2; Hi 9,30; 16,15; Thr 2,22; 3,42; Dan 9,5 u.ö.

---

201 Mit GK § 112f. werden hier Perfecta frequ. angenommen, die der alten zugrundeliegenden Überlieferung anzugehören scheinen. DtrH, kaum noch genügend mit den unterschiedlichen Handlungsaspekten vertraut, gebraucht stattdessen in 7,15 das Impf. cons.

202 Das Pf. frequ. enthält hier auch ein Moment, das zwischen resultativem Aspekt und Gleichzeitigkeit liegt; „Auf alles gute Ackerland warf ein jeder seinen Stein und füllte es somit (scil.: mit Steinen) an."

203 Von *Driver*, Tenses § 133 zu den „isolated irregularities" gezählt – unnötigerweise, denn es handelt sich um die Koordination zweier Perfecta der Vorzeitigkeit im Nebensatz (vgl. Dtn 2,30; Ps 66,14; Thr 2,22; ähnlich *Johnson*, Perfekt S. 41). Wem jedoch die beiden subordinierten Perfecta zu deutlich aufeinander folgende Handlungen zum Ausdruck bringen, mag getrost bei ושלח ein Pf. cop. annehmen, denn der Vers gehört der Quelle P an, stammt also aus einer Zeit, in der das Pf. cop. gang und gäbe war.

204 Ri 5,26 ist weder ein Indiz für das hohe Alter der w^{e}qatal-Formen im Sinne des Pf. cop. (*Meyer*, FS Baumgärtel S. 120) noch sind die Gründe zureichend, den Text für fehlerhaft zu erklären (*Lambert*, REJ 26 S. 56; *Bergsträsser*, HG II § 9b–k). Vielmehr werden hier lediglich Perfecta, die überwiegend gleichzeitige Handlungen ausdrücken, koordiniert (*Driver*, Tenses § 132).

205 Von *Driver*, Tenses § 133 wiederum zu den „isolated irregularities" gerechnet; jedoch angemessen beurteilt von *König*, Syntax § 370f; GK § 112tt; *Bergsträsser*, HG II § 9n.

Eine ganze Reihe der hier aufgeführten Belege, vor allem die in exilischer und späterer Zeit entstandenen, sind nicht eindeutig vom Pf. cop. zu trennen und können folglich auch diesem zugeordnet werden (vgl. etwa *Bergsträsser*, HG II § 9n), da unter seinem Einfluß das mit dem Waw-Perfekt verbundene syntaktische Differenzierungsspektrum deutlich gelitten hat.

In den Zusammenhang der Gleichzeitigkeit von Handlungen gehört auch noch die grammatische Erscheinung, die so sehr zur Verwechslung mit dem Pf. cop. angeregt hat, daß sie in den Grammatiken bisher überhaupt nicht gebührend verzeichnet, sondern allenfalls als Einfluß des Pf. cop. verbucht worden ist. Es handelt sich dabei um Belege, in denen ein Verbalsatz mit והיה eingeleitet wird, das seine Existenz keineswegs einer Fehlschreibung für ויהי verdankt[206], sondern eine bestimmte syntaktische Struktur signalisiert, nämlich die der Gleichzeitigkeit der folgenden Handlung zur vorausgehenden oder der folgenden Handlungen zueinander (anders *Johnson*, Perfekt S. 62f.). Die Belege entstammen verschiedensten Epochen der atl. Literatur, wodurch die Annahme dieser syntaktischen Regel zusätzlich abgesichert wird. Folgende Stellen seien genannt: Gen 30,41; 38,5; Ri 19,30; 1Sam 1,12; 10,9; 13,22; 17,48; 25,20; 2Sam 6,16; 2Kön 3,15; Jer 37,11; Am 7,2; (funktionale Kongruenz mit frequentativem והיה zuweilen möglich).

Über die bisher behandelten grammatischen Erscheinungen hinaus, die vom Pf. cop. unterschieden werden müssen, sind noch wenige Stellen aus der Behandlung auszuscheiden, an denen das Pf. cop. Resultat von Textkorruption ist. Wenn auch ältere Grammatiker zu leicht geneigt waren, diese Erklärungsmöglichkeit sehr extensiv anzuwenden und dadurch die Konfrontation mit der Problematik des Pf. cop. zu umgehen, so ist dennoch unzweifelhaft, daß einige Belege gar nicht anders bewertet werden können. Daß eine solche Klassifizierung nur mit guten Gründen und sozusagen als ultima ratio ins Auge gefaßt werden darf, sollte nicht besonders betont werden müssen.[207]

Nach diesen unumgänglichen Vorreden kann nun endlich das Zentrum der Thematik, die Belege für das Pf. cop. in sensu stricto (d.h. als Ersatz für das Impf. cons.), behandelt werden. Daß dabei wegen des strittigen Einflusses des Aramäischen dem Alter der Belege besondere Beachtung geschenkt werden muß, leidet keinen Zweifel. Sie seien zunächst mit einigen unerläßlichen Hinweisen (Häufigkeit, Altersbestimmung) aufgeführt: Gen 15,6 (mindestens nach-

---

206 So etwa GK § 112uu; *Joüon*, GHB § 119z; *Bergsträsser*, HG II § 9b–k. Auch die von *Driver* (Tenses § 133) vorgenommene Einordnung vieler dieser Stellen als Pf. cop. wird dem syntaktischen Phänomen nicht gerecht.

207 Folgende Stellen wären zu nennen: 1Sam 24,11 (vgl. *Nowack*, Sam S. 122); 2Sam 19,18f. (vgl. *Nowack*, Sam S. 228; anders *Johnson*, Perfekt S. 42); Jes 40,6 (vgl. *B. Duhm*, Jes S. 292; *Marti*, Jes S. 272 u.a.); Jer 10,25 (vgl. *B. Duhm*, Jer S. 106); Ez 9,7 (vgl. *Zimmerli*, Ez S. 188.197). Es wäre möglich, weitere Belege anzuführen, bei denen durch Haplographie aus einem Impf. cons. ein Pf. cop. entstanden sein könnte, so daß etwa Ri 16,18 nun statt ויעלו (so noch viele HSS) ועלו zu lesen steht (vgl. auch S. 126 A. 210; S. 129 A. 217). Da jedoch erst durch eine Analyse des Pf. cop. entschieden werden kann, ob diese textkritische Operation berechtigt ist, werden die fraglichen Belege zunächst bei der Behandlung des Pf. cop. mit berücksichtigt.

jesajanisch[208]); 21,25 (red.[209]); 34,5 (J; vgl. aber *Johnson*, Perfekt S. 43); 37,3 (J, Schreibfehler?); 49,23 (J, Schreibfehler?); Ex 36,29f. (ter, P); 36,38 (P); 38,28 (bis, P); 39,3 (P); Num 10,17f.21f.25 (septies, P^{s}); 21,20 (red., 21,20aβb aus 23,28b, vgl. *Noth*, ABLAK 1 S. 84ff.); Ri 2,18f. (quater, dtr, vgl. 2,12 mit 2,19!); 3,23 (red., vgl. *Moore*, Jud S. 99; *Budde*, Ri S. 31; *Nowack*, Ri S. 28; gegen *Meyer*, FS Baumgärtel S. 120); 7,13 (red., ונפל האהל Randglosse, vgl. *Budde*, Ri S. 59; *Nowack*, Ri S.71; *Kittel*, HSAT(K) I S. 383); 16,18 (älteste oder ältere Königszeit, Schreibf.?[210]); 1Sam 4,19 (red., *Veijola*, Dynastie S. 101f.: 4,19aγ DtrH); 5,7 (älteste oder ältere Königszeit, Schreibf.?); 17,20 (älteste oder ältere Königszeit); 17,38 (älteste oder ältere Königszeit); 2Sam 7,11 (bis, dtr, vgl. *Veijola*, Dynastie S. 72f., par. 1Chr 17,10: Impf. cons.); 12,16 (ter? älteste oder ältere Königszeit, Schreibf. oder Textkorr.?); 12,31 (älteste Königszeit, lies והעביד); 13,18 (älteste oder ältere Königszeit, Schreibf.?); 16,5 (älteste oder ältere Königszeit, Schreibf.?); 16,13 (älteste oder ältere Königszeit, 16,13bγ red.? vgl. 16,5f.!); 1Kön 6,32.35 (quater, red., vgl. *Kittel*, Kön S. 54f. u.a.); 11,10 (dtr; anders *Johnson*, Perfekt S. 42); 12,32 (dtr, s.o. S. 114f.); 13,3 (dtr, s.o. S. 114f.); 14,27 (= 2Chr 12,10, älteste Königszeit); 20,21 (20,21b red.); 20,27 (וכלכלו red., vgl. *Eißfeldt*, HSAT(K) I S. 537); 21,12 (ältere Königszeit); 2Kön 8,10 (8. Jh.?, vgl. aber *Johnson*, Perfekt S. 42); 12,10 (dtr, s.u. S. 180); 12,12 (dtr, s.u. S. 181f.); 14,7 (8. Jh., Schreibf.?); 14,10 (= 2Chr 25,19, 8. Jh.); 14,14 (8. Jh.); 18,4 (ter[211], dtr, s.u.

---

208 Weder Abart des Pf. frequ. (GK § 112ss) noch Textfehler (*Bergsträsser*, HG II § 9b–k), sondern mit Sicherheit Pf. cop. (*Driver*, Tenses § 133; *Joüon*, GHB § 119z). *Meyer* (FS Baumgärtel S. 120) zählt den Beleg allerdings zu Unrecht zu den Gewährsstellen für das hohe Alter des Pf. cop. Denn die Nähe von Gen 15,6 (im Kontext von 15,1–6) zu dt(–dtr) Gedankengut ist von *Smend* (VTS 16 S. 286f.) und *Perlitt* (Bundestheologie S. 68ff.) hinlänglich evident gemacht und auch von *Westermann* (Gen II S. 257ff.) anerkannt worden. *Johnsons* Betonung des konsekutiven Elements könnte genauso gut für Impf. cons. sprechen (vgl. Perfekt S. 43).

209 Wie im Prinzip von *Noth* (ÜP S. 38) richtig erkannt, liegen in Gen 21,22–33* (E) und 26,15ff.* (J) Doppelüberlieferungen vor, die sekundär aneinander angeglichen worden sind. Folgende Analyse von Gen 21,22ff. ist hier zugrundegelegt: 21,22–24.28–31a.33 zur Quelle E gehörig, 21,25–27.31b.32.34 redaktionelle Harmonisierung mit Gen 26,15ff.

210 Ri 16,18 mit seinem einerseits grammatisch störenden ועלו und seinem andererseits inhaltlich unverständlichen ויעלו ist ein besonders interessanter Problemfall, den allem Anschein nach *Nowack* richtig gelöst hat: „Wahrscheinlich ist ויעלו als Correctur zu dem Schreibfehler ועלו am Rande an falscher Stelle in den Text eingedrungen“ (Ri S. 135; vgl. aber die Bemerkungen von *Johnson*, Perfekt S. 41f.).

211 Man könnte die Waw-Perfecta in 2Kön 18,4 auch im koordinierenden Sinne verstehen, wie es in dem ähnlich strukturierten Satz 2Sam 23,20 allemal wahrscheinlich ist. Hingegen ist die Ähnlichkeit der hiskianischen Reform mit der josianischen so groß – *Meyer* denkt im Gefolge *Jepsens* sogar an ein und denselben Erzähler (vgl. FS Baumgärtel S. 119) –, daß man auch in der grammatischen Analyse nicht getrennte Wege gehen sollte. Die Grenze zwischen koordinierendem Waw-Perfekt und Pf. cop. in sensu stricto ist eben unscharf, kein Grund allerdings, den Unterschied überhaupt zu leugnen!

S. 170ff.); 18,36 (= Jes 36,21, dort aber – obwohl später – Impf. cons.! 7. Jh.?); 19,18 (= Jes 37,19, dort aber Inf. abs., 7. Jh.?); 19,25 (= Jes 37,26, Schreibf.: dttg.? exil.); 21,4 (= 2Chr 33,4, dtr, s.u. S. 163); 21,6 (= 2Chr 33,6, quater, dtr, s.u. S. 165f.); 22,17 (dtr[212]); 23,4 (23,4bβ PD, s.o. S. 83); 23,5 (späte Königszeit, s.o. S. 83ff.); 23,8 (23,8b PD, s.o. S. 99ff.); 23,10 (späte Königszeit, s.o. S. 101ff.); 23,12 (23,12bβ PD, s.o. S. 111); 23,14 (dtr, s.o. S. 112); 23,15 (23,15b PD, s.o. S. 113f.); 24,14 (6. Jh.); 25,29 (= Jer 52,33, bis, 6. Jh.); Jes 19,13 (sek. Lesart mancher HSS: והתעו, nachexil.); 22,14 (echt); 28,26 (nachexil., vgl. *Cheyne*, Einleitung S. 187ff.; *Marti*, Jes S. 210–212; anders *Johnson*, Perfekt S. 73f.); 37,27 (= 2Kön 19,26, dort aber Impf. cons.! Schreibf.: hpgr.? exil.); Jer 3,9 (JerD, vgl. *Thiel*, Jer I S. 83ff.); 6,17 (echt); 7,31 (JerD, s.o. S. 102f.); 19,5 (JerD, s.o. S. 102f.); 25,4 (JerD, vgl. *Thiel*, Jer I S. 262ff.); 37,15 (bis, B); 38,28 (B, vgl. *B. Duhm*, Jer S. 309); 40,3 (JerD, vgl. *Thiel*, Jer II S. 58f.); 49,30 (nachexil.); Ez 11,6 (echt); 13,8 (echt); 17,18 (echt? Ez-Schule? vgl. *Zimmerli*, Ez S. 372f.384ff.); 17,24 (Ez-Schule, vgl. *Zimmerli*, S. 373.389f.); 19,12 (red., vgl. *Zimmerli*, Ez S.417. 420); 20,22 (red., vgl. *Zimmerli*, Ez S. 433.435); 22,29 (echt? Ez-Schule? vgl. *Zimmerli*, Ez S. 522); 23,40f. (bis, echt); 25,12 (echt); 31,10 (echt); 35,13 (red.? vgl. *Zimmerli*, Ez S. 850.853.862); 37,2.7.8.10 (quater, echt); 40,24.35 (bis, echt); 41,13.15 (bis, echt?); 42,15 (ter, echt?); 44,12 (spätexil.); Hos 12,11 (red., vgl. *Marti*, XIIProph S. 96f.); Jo 1,7 (nachexil.); Am 1,11 (exil., vgl. *Wolff*, Am S. 194f.); 7,4 (echt?[213]); Ps 28,7 (Zeit? Schreibf.?); 35,15 (Zeit?); 86,13 (nachexil.); 86,17 (nachexil.); 135,10 (vgl. 136,13, dort Impf. cons.! nachexil.); 135,12a (= 136,21a, nachexil.); 136,14f. (bis, nachexil.); 148,5 (nachexil.); Hi 1,1 (nachexil.); 1,5 (ter, nachexil.); 16,12 (nachexil.); 29,8 (nachexil.); Prov 7,13 (bis, nachexil.); Qoh 1,13.16; 2,5.9(bis).11.12. 13.14.15(bis).17.18.20; 3,22; 4,1.2.4.7; 5,13.18; 8,15.17; 9,14(ter).15(bis). 16; 12,9(bis) (3. Jh.[214]); Esth 2,14 (nachexil.); 3,12 (nachexil.); 8,15 (nachexil.); 9,23.24.25.27 (quater, nachexil.); Dan 8,7 (nachexil.); 8,11f. (ter, nach-

---

212 Zur literarkritischen Analyse s.o. S. 63f.; es empfiehlt sich, ונצתה in 22,17 als Pf. cop. und nicht als futurisch gedachtes Pf. cons. zu verstehen, wenn auch die in der Sekundärliteratur vorherrschende Meinung mehr der letzteren Möglichkeit zuneigt (vgl. *Kittel*, Kön S. 299; *Šanda*, Kön II S. 327; *Eißfeldt*, HSAT(K) I S. 580; *H. Schmidt*, SAT II/2 S. 178; *Gray*, Kings S. 727). Denn in 22,13 weiß Josia darum, daß Jahwes Zorn bereits entbrannt ist, weshalb das perfektische Verständnis von 22,17b allemal näherliegt (vgl. auch *Montgomery*, Kings S. 526f. und 2Chr 34,21.25).

213 Die Deutung des Waw-Perfekts in Am 7,4 ist äußerst strittig. Viele Kommentatoren denken an einen seltenen Gebrauch des Pf. cons., das die beabsichtigte oder schon begonnene, aber noch nicht vollendete Handlung zum Ausdruck bringen soll (vgl. *Marti*, XIIProph S. 209; *Wolff*, Am S. 337; *Rudolph*, Am S. 232 u.a.). GK § 112tt und *Bergsträsser*, HG II § 9b–k halten die Form hingegen für fehlerhaft, *Driver*, Tenses § 133 plädiert für Pf. cop. Erwägenswert scheint aber auch die Möglichkeit, in (ו)אכלה die blasse und unnötige Wiederholung des Verbs vor dem zweiten Akk.-Objekt zu sehen. Von einer Entscheidung in der einen oder anderen Richtung wird man allerdings mangels plausibler Kriterien absehen müssen.

214 Impf. cons. findet sich bei Qoh nur noch 1,17; 4,1.7; vgl. auch *Driver*, Tenses § 133; GK § 112pp A. 2; *Bergsträsser*, HG II § 9n.

exil.); 8,27 (nachexil.); 10,1 (nachexil.); 10,7 (nachexil.); 10,14f. (bis, nachexil.); 12,5 (nachexil.); Esr 3,10 (nachexil.); 6,22 (nachexil.); 8,30.36 (bis, nachexil.); 9,2.13 (bis, nachexil.); Neh 9,7f. (ter, nachexil.); 12,39 (12,39b red., vgl. *Hölscher*, HSAT(K) II S. 557, nachexil.); 13,1 (nachexil.); 13,30 (nachexil.); 1Chr 7,21 (nachexil.); 8,7 (nachexil.); 16,36 (nachexil.); 17,17 (nachexil.); 28,2 (nachexil.); 2Chr 1,8 (nachexil.); 3,7 (nachexil.); 7,12.16 (bis, nachexil.); 15,6 (nachexil.); 19,3 (nachexil.); 29,6 (nachexil.); 29,19 (nachexil.); 31,21 (nachexil.); 33,14 (nachexil.); 33,19 (nachexil.); 34,4 (nachexil.); 34,25 (nachexil.).

Das Gros der oben zusammengestellten gut 200 Verbalformen, die als Pf. cop. eingestuft worden sind und zu denen möglicherweise, wie bereits angedeutet, noch einige weitere Formen zu rechnen wären, die oben in die Rubrik „koordinierendes Waw-Perfekt" eingeordnet sind, stellt für die Interpretation kein Problem dar. Fast 90% aller Belege –kritische Stellen nicht inbegriffen – entstammen eindeutig der exilisch-nachexilischen Zeit, in der die Existenz des Pf. cop. aufgrund des aram. Einflusses ohnehin von niemandem bestritten wird, weshalb auch in dieser Zeitspanne bei den oben genannten Stellen auf genauere Datierungsversuche verzichtet worden ist. Immerhin ist auch in diesem Literaturbereich auffällig, welch periphere Bedeutung dem Pf. cop. selbst vom 6. Jh. ab zukommt, wie wenig es über sporadische Anwendung je hinausgekommen ist, weil offenbar die schon erwähnte normative Sprachgestalt des biblischen Schrifthebräisch einen extensiveren Gebrauch nachhaltig verhindert hat. Bis in die jüngsten Schriften des atl. Kanons hinein ist es (abgesehen vom Buch Qohelet, dem damit neben der inhaltlichen Besonderheit noch eine grammatische eigen ist) die Ausnahme von der Regel geblieben, dergemäß das Impf. cons. bei der Wortfolge Verb-Subjekt-Objekt das einzige Erzähltempus des biblischen Hebräisch ist.

Die verbleibenden, in vorexilischem Kontext auftretenden Belege sind schwer zu beurteilen. Sie sprechen weder eindeutig für *Meyers* These von der sehr alten, legitimen Geschichte des Pf. cop. in der hebräischen Sprache noch für diejenige *Stades* von der erst exilischen Existenz dieser Tempusform. Hatte von den fünf wichtigen Belegen (Gen 15,6; 34,5; Ri 3,23; 5,26; Jes 1,2), die Meyer für seine Auffassung reklamiert hatte, nur einer (Gen 34,5) der Prüfung standgehalten, während die anderen teils einer literarkritischen (Ri 3,23), teils einer differenten literarhistorischen (Gen 15,6), teils einer abweichenden grammatischen Erklärung (Ri 5,26; Jes 1,2) bedurften, so lassen sich doch genügend weitere Stellen nennen, die zwar nicht für eine vorisraelitische, wohl aber für eine Existenz des Pf. cop. in der ältesten und älteren Königszeit sprechen. Neben Gen 34,5 wären folgende Belege zu nennen: Gen 37,3; 49,23; Ri 16,18; 1Sam 5,7; 17,20.38; 2Sam 12,16(ter?).31; 13,18; 16,5; 1Kön 14,27; 21,12. Aus dem 8., 7. und vorexilischen 6. Jh. kämen unter Ausklammerung des RB noch 2Kön 8,10; 14,7.10.14; 18,36; 19,18; 24,14; Jes 22,14; Jer 6,17 hinzu. Das sind zuviele Belege, um das Pf. cop. mit Stade aus den vorexilischen Texten ohne weiteres literarkritisch zu eliminieren, und zugleich zuwenige, um mit Grund das Pf. cop. als Narrativ seit ältester Zeit neben dem klassischen und erdrückend dominierenden Impf. cons. zu postulieren. Es ist auch unter grammatischem Aspekt unwahrscheinlich, daß dieselbe Sprache zu ein und derselben Zeit zwei funktional völlig kongruente Tempora ausbildet, zumal auch die Gebrauchsfrequenz in keiner Weise zu einem solchen Schluß nötigt.

So verlangt der komplizierte Befund nach einer differenzierten Erklärung. Man wird die Vermischung von Pf. cop. und Impf. cons. in vorexilischen Texten nicht a limine ausschließen können. Dagegen spricht bereits die Art des exilischen Befundes, wonach schon der frühexilische Prophet Ezechiel einen auffallend häufigen Gebrauch vom Pf. cop. in Symbiose mit dem Impf. cons. macht. Entscheidend ist jedoch die Existenz des Pf. cop. in der spätvorexilischen hebräischen Epigraphik. In dem Brief eines judäischen Erntearbeiters aus Meṣad Ḥašavyahu, einem Ostrakon aus dem späten 7. Jh.[215], kommt das Pf. cop. zweimal vor[216], und zwar in genau derselben Vermischung mit dem Impf. cons., wie sie aus den atl. Texten bekannt ist. Bei biblischen Texten, die – wie etwa der RB in seinem Grundbestand – in große zeitliche Nähe zu diesem Dokument zu gehören scheinen, ist deshalb nachdrücklich davor zu warnen, die Existenz des Pf. cop. vorschnell als untrügliches literarkritisches Indiz zu werten. Das Gegenteil ist der Fall! Deshalb wird man in dieser Zeit das Pf. cop. nur im Verbund mit weiteren literarkritischen Beobachtungen als Argument zum Erweis literarischer Kompilation einsetzen dürfen. Und da sich in der Anwendung des Pf. cop. zweifelsfrei aram. Einfluß manifestiert, ist es jedenfalls ratsam, diese Vorsicht bei allen atl. Texten walten zu lassen, die im Bereich aram. Einflußnahme, also ungefähr vom 8. Jh. ab, entstanden sind.

Die Belege für das Pf. cop. in Texten, die dem gerade markierten Zeitabschnitt vorausliegen, könnten zu dem Schluß verleiten, daß jahwistische und andere frühmonarchische Perfecta cop. die These von der aram. Verursachung dieser Tempusform nicht gerade wahrscheinlich machen. Doch hier dürfen die Proportionen nicht außer Acht gelassen werden: Ungefähr 15 Belege, die dem 8. Jh. und damit dem sicher konstatierbaren Einfluß des Aramäischen vorausgehen, stehen ungefähr 200 Belegen gegenüber, die aus der Zeit der aram. Einwirkung stammen. Es kommt hinzu, daß etwa zwei Drittel der alten Stellen in den Sam-Büchern zu finden sind, deren Text in einem Maße wie bei kaum einem anderen atl. Buch durch Korruption belastet ist. Der textkritisch sehr leicht mögliche Fehler der Haplographie könnte hier wie auch bei zwei Gen-Belegen aus manchem ursprünglichen Impf. cons. ein Pf. cop. gemacht haben, worauf auch das z.T. vorhandene Variantenmaterial hinweist.[217]

Die Wahrscheinlichkeit der Haplographie läßt sich noch insofern vergrößern, als sich für den Kopierfehler ein weiterer Grund nennen läßt, der zugleich die

---

215 Erstveröffentlichung durch *Naveh*, IEJ 10 S. 129–139. Pl. 17; hier nach der Bearbeitung in KAI 200 zitiert (vgl. auch Übersetzung und Kommentierung von *Lemaire*, Ostraca S. 259ff., dort weitere Literatur, zu der jetzt hinzuzufügen wäre: *Otzen*, DTT 33 S. 14ff.; *Pardee*, Maarav 1 S. 33ff.).

216 Vgl. KAI 200,5–7: ואסם (bis); in Z. 6f. (von *Naveh*, IEJ 10 S. 131 noch falsch getrennt) allenfalls auch als Ausdruck der Vorzeitigkeit (koordiniert mit כ]ל) erklärbar, ganz deutlich als Narrativ jedoch in Z. 5. Die Erklärung der Form in Z. 5 als Inf. abs. (KAI II S. 200) ist angesichts derselben Form in Z. 6f. nicht überzeugend (mit Sicherheit falsche Deutung auch bei *Naveh*, IEJ 10 S. 133).

217 Folgende Stellen könnten auf diese Weise erklärt werden: Gen 37,3 (MT ועשה, Sam ויעש ⇒ MT ויעשה?); 49,23 (MT ורבו, Sam וירבהו, vgl. auch LXX); Ri 16,18 (s.o. S. 125 A. 207; S. 126 A. 210); 1Sam 5,7 (MT ואמרו statt ויאמרו?); Entsprechendes wäre noch für 2Sam 12,16 und 16,5 zu erwägen.

übrigen alten Perfecta cop. (Gen 34,5; 1Sam 17,20.38; 2Sam 12,31; 13,18; 1Kön 14,27; 21,12) zu erklären vermag. Den späteren Abschreibern, denen das Pf. (cop.) das normale Erzähltempus war, konnte leicht der Fehler unterlaufen, das Impf. cons. in alten Texten durch den ihnen gewohnten Narrativ zu ersetzen.[218] Daß dieser Fall aufs Ganze gesehen nur so selten eingetreten ist, spricht für die hohe Qualität der masoretischen Überlieferung und zugleich für die Absichtslosigkeit der Existenz des Pf. cop. in alten Texten, da es andernfalls allemal häufiger belegt wäre. So sind auch die Perfecta cop. in Texten, die unseres Wissens vor dem Beginn des aram. Einflusses entstanden sind, durch nichts anderes als durch ebendieselbe sprachliche Einwirkung bestimmt. Die Argumentation mit dem Ugaritischen (vgl. *Meyer*, FS Baumgärtel S. 121f.) ist in diesem Fall weit weniger plausibel, da – von der zeitlichen und räumlichen Distanz einmal abgesehen – die ugaritische Consecutio temporum in der Erzählung von der hebräischen durchaus charakteristisch unterschieden zu sein scheint.[219]

Ob nun die hier vorgeschlagene Erklärung der Perfecta cop. in alten Texten als suffizient empfunden werden sollte oder nicht, Klarheit besteht im Blick auf diese Tempusform jedenfalls in dem Textbereich, dem auch der RB angehört. Hier hat der epigraphische Hinweis aus Meṣad Ḥašavyahu das bestätigt, was ohnehin wahrscheinlich war: daß nämlich unter zunehmendem Einfluß des Aramäischen seit dem 8. Jh. das Pf. cop. zum (wenn auch nicht häufigen, so doch zweifellos integralen) syntaktischen Bestandteil der hebräischen Sprache geworden ist und damit von dieser Zeit ab nicht mehr als untrügliches Signal für die literarische Schichtung von Texten angesehen werden darf. Dieser Einsicht ist bei der Analyse des RB Rechnung getragen worden, welche auch zu ihrem Teil zu zeigen vermag, daß hier eine einseitig am Pf. cop. ausgerichtete Literarkritik weder formal die Schichtungsprobleme des Textes zu lösen imstande ist noch inhaltlich zu einer historisch plausiblen Zuordnung bestimmter Kultobjekte zu bestimmten Redaktionsschichten gelangt.

7. *Das Passa (2Kön 23,21–23)*

Das Passafest des Königs Josia scheint als Abschluß und zugleich Höhepunkt seines Reformwerks einen wichtigen Platz einzunehmen. Das suggeriert bereits seine Stellung im Bericht des Kön-Buches, in dem es auf die bis in den hohen Norden reichende Durchführung der Reform folgt, und erst recht die in der Chronik (2Chr 35,1–18

---

218 Diese Erklärungsmöglichkeit, mit Nachdruck von *Rubinstein* (Bibl 44 S. 62ff.) vertreten, ist bereits von *Kittel* (Kön S. 297) und *Puukko* (Dtn S. 6f.) erwogen worden, allerdings noch im Blick auf den RB, für den sich mittlerweil[e] diese Annahme als entbehrlich erwiesen hat. Ein besonders lehrreiches Beispiel: Nah 1,12 (vgl. Apparat der BHK bzw. BHS).

219 Vgl. *Gordon*, UT § 9.4; 13.25; 13.58; waqatala-Formen scheinen im Ugaritischen äußerst selten zu sein und bisher nur unzureichend in ihrem Verhältnis zu den qatala- bzw. (w)yqtl-Formen syntaktisch bestimmt werden zu können.

in der die rite vollzogene Passafeier zum Hauptwerk des Königs stilisiert worden ist. Man muß sich durch die tendenziöse Version der Chronik an diesem Punkt warnen lassen und auch den Passabericht in 2Kön 23 mit nicht weniger kritischen Augen als den chronistischen betrachten.[220]

Als erstes fällt in 23,21 auf, daß Josia wieder mit seinem Herrschertitel bezeichnet wird, dies in Übereinstimmung mit dem größten Teil von 2Kön 22f., aber im Unterschied zur unmittelbar vorhergehenden dtr Passage (23,16–20), die den Eigennamen Josia gebrauchte. Schon diese geringe stilistische Differenz läßt den Verdacht aufkeimen, daß zwischen 23,20 und 23,21 eine Nahtstelle im Text vorliegt. Jedenfalls ist die Formulierung ויצו המלך (23, 21aα) bereits wörtlich aus dem RB 23,4aα bekannt; und die Beteiligung des Volkes an Josias Aktionen hat in 23,3b, der Akzeptation der von Josia vor Jahwe beschworenen Verpflichtung, eine, wenn auch nicht allzu nahe Parallele.

Der Befehl zur Durchführung des Passa (23,21aβb) ist in einem dtr Stil verfaßt, der noch eine genauere Definition zuläßt. עשו פסח ליהוה אלהיכם (23,21aβ) ist die Wiederholung des von Mose zu Beginn des dt Passagesetzes erteilten Befehls, nun aber nicht mehr singularisch, sondern – weniger dt und mehr dtr (auch im Dtn!) – pluralisch formuliert.[221] Hier hat ein dtr Redaktor anhand der Vorlage Dtn 16,1 Josias Passabefehl niedergeschrieben, woraus er auch gar keinen Hehl zu machen versucht, denn er gibt seine Quelle in 23,21b völlig korrekt an: den ספר הברית, eine aus dem Bundbericht (23,2bα) übernommene und auf diesen rückverweisende Bezeichnung. Der Rekurs auf den Bundesschluß hat den Sinn, daran zu erinnern, daß Josias ganzes Tun von der Kultreform über die Kultzentralisation bis hin zur Feier des Passa nichts anderes als konsequente Erfüllung des Gesetzes ist. Es ist eine bestimmte dtr Schicht, die so dringlich und eindeutig immer wieder auf jenes Gesetzbuch hinweist, es zitierend ernst nimmt in allem, was da geschrieben steht: DtrN.[222] Es wird zu prüfen sein, ob sich für eine Zuordnung des Passaabschnitts zu dieser spätdtr Schicht weitere Argumente finden lassen.

---

220 Die folgende Analyse stimmt in der Tendenz mit der von *H.-D. Hoffmann* (Reform S. 259ff.) überein.

221 Vgl. *L. Rost,* Passa S. 87.

222 Zum 23,21b angedeuteten Schriftverweis als schichtenspezifischem Indikator s.o. S. 56 A. 57.

23,22f. bringen zur Kenntnis, daß „dieses Passa" von der Richterzeit bis jetzt nicht gefeiert worden sei. Wohlgemerkt, ein *anderes* Passa als dieses ist in der Zwischenzeit sehr wohl begangen worden, nur eben nicht dieses, dem folglich ein charakteristischer Unterschied eigen sein muß. Die Differenz zu anderen Passafeiern erwähn unser dtr Redaktor auch ausdrücklich: נעשה הפסח הזה ליהוה בירושלם (23,23b). Also ein Passa in Jerusalem, d.h. ein Passa einzig und allein am Jerusalemer Tempel.[223] Daß diese Deutung die richtige ist, zeigt sich daran, daß בירושלם hier keineswegs eine zufällige Ortsangabe ist, auswechselbar etwa gegen andere judäische Städte, sondern authentische Auslegung des Passagesetzes von Dtn 16,1ff., wo „Mose" – gemäß der Zentralisationsforderung von Dtn 12 – das Passa an die Stätte bindet, „die Jahwe erwählen wird, seinen Namen dort wohnen zu lassen" (Dtn 16,2, vgl. 16,5f.). Wo sich das dt Gesetz der Fiktion halber mit einer unbestimmten Ortsangabe behelfen muß, kann der hier redigierende Dtr Jerusalem offen beim Namen nennen, und er tut es nicht nur hier, sondern auch kurz darauf in 23,27 (DtrN).

Wenn unser Dtr nun über Josias Passa sagt, es sei in solcher Art seit den Tagen der Richter nicht mehr gefeiert worden, könnte der Gedanke naheliegen, er habe ein bestimmtes Passafest aus der Frühzeit Israels im Auge, das als letztes vor dem josianischen angemessen gefeiert worden sei. Das Passa des Josua (Jos 5,10–12) – Anfang der Ernährung vom Ertrag des eroberten Landes und Ende der Versorgung mit Manna zugleich – könnte die Stellung einnehmen, zumal die Gestalt Josuas vielleicht ursprünglich einmal in gewisser Beziehung zum israelitischen Richteramt gestanden haben mag.[224]

Diese Rekonstruktion ist jedoch kaum haltbar, da der Text Jos 5,10–12 höchstwahrscheinlich noch jüngeren Datums als 2Kön 23,21–23 ist[225], dieser also nicht auf jenen Bezug nehmen kann. Der Rekurs auf ein bestimmtes Passa des jungen Israel darf aber auch gar nicht erwartet werden: Laut Dtn 16,2.5f. soll das Passafest erst an dem Ort stattfinden, den Jahwe sich zum Wohnen seines Namens erwählen wird – und das wird, soweit hat DtrN die dt

223 Vgl. *de Vaux*, Institutions II S. 386.

224 Vgl. *Alt*, KS I S. 189ff.; 1Makk 2,55 wird Josua sogar als Richter tituliert. Die Angabe 2Kön 23,22a wird von *Budde*, ZAW 44 S. 189f., *Kraus*, EvTh 18 S. 50.54ff. und wohl auch von *Laaf*, Pascha-Feier S. 94 u.a. auf Jos 5,10–12 bezogen.

225 Vgl. *Wellhausen*, Composition S. 120; *Steuernagel*, Jos S. 224f.; v.a. *Kutsch*, ZThK 55 S. 20f.; anders, aber kaum überzeugend *Noth*, Jos S. 39; *Laaf*, Pascha-Feier S. 86–91.

מקום-Formel richtig verstanden[226], Jerusalem sein, wo Jahwe allerdings erst zu Salomos Zeiten eine Stätte zuteil wurde, die als Bleibe für seinen Namen angemessen war.

Als irgendwie historisch auswertbare Bestimmung kommt also die Angabe über das Ruhen des dt Passa seit der Richterzeit nicht in Betracht, hingegen wohl als Trägerin der theologischen Intention, nur in Israels Frühzeit eine Parallele zu Josias Passa nicht auszuschließen. Die Mosezeit kam dafür nicht in Frage, da Mose erst kurz vor seinem Tod das dt Gesetz promulgiert hat; folglich wird die anschließende Epoche, die Richterzeit, als Vergleichspunkt genannt, die zwar auch schon Zeit der Schuld, aber auch immer wieder Zeit der Rettung war. In jener fernen Zeit, nahe bei „Mose" und somit in gewisser Weise auch nahe bei Gott, will DtrN die gebührende Ausführung der Passafeier nicht ausschließen, gewiß aber in der gesamten Geschichte der Monarchie bis auf Josia.

Dafür, daß DtrN mit Daten (wie auch später die Chronik) Theologie treibt, liefert der Passaabschnitt in 2Kön 23 noch ein weiteres Beispiel. Josias Passa wird in das 18. Regierungsjahr des Königs datiert (23,23), also in dasselbe Jahr wie der Buchfund (22,3) und also vermutlich auch wie die zwischen beiden Ereignissen berichtete Reform. Die doppelte Angabe desselben Datums ist der Forschung ein rechter Stein des Anstoßes gewesen, den zu beseitigen sie allerlei Kritik und Hypothesen aufgeboten hat. Da man in spätvorexilischer Zeit den Jahresbeginn im Frühjahr ansetzen muß[227], bleibt bis zum Passafest für die in 2Kön 22f. mitgeteilten Ereignisse der völlig unzureichende Zeitraum von höchstens 14 Tagen übrig. Die Notlage hat erfinderisch gemacht: Der eine Forscher plädiert für die Beibehaltung des Jahresbeginns im Herbst auch noch im 7. Jh., der andere will auf literarkritischem Wege die zeitraubende Reform von dem angegebenen zeitlichen Rahmen unabhängig machen, ein dritter schließlich meint sich mit der in der LXX zu 22,3 tradierten Monatsangabe helfen zu können.[228] Diese Lösungswege sind entweder nicht überzeugend oder

---

226 Obwohl DtrN das dt Gesetz wahrscheinlich für ein Produkt der mosaischen Zeit hielt, würde er als Judäer nie auf den Gedanken gekommen sein, die מקום-Formel auf einen anderen Ort als Jerusalem zu beziehen. Und man kann sicher sein, daß der Deuteronomiker, wäre der Bezug auf Jerusalem in seiner Zeit nicht über jeden Zweifel erhaben gewesen, die Mosefiktion zugunsten der Eindeutigkeit durchbrochen hätte (anders *Bentzen,* Reform S. 84–86 u.a.).

227 Vgl. *Begrich,* Chronologie S. 70–72.

228 Zur Beibehaltung des Jahresbeginns im Herbst vgl. *Wellhausen,* Prolegomena S. 104 (mit vielen Nachfolgern); zur literarkritischen Lösung vgl. *Oestreicher,*

schaffen nur neue Probleme, weil sie alle die gewollte Koinzidenz der Ereignisse aufzuheben versuchen. DtrN hat nämlich sehr bewußt und ohne Rücksicht auf die zeitliche Möglichkeit oder Unmöglichkeit Josias 18. Jahr aus 2Kön 22,3 beim Passafest übernommen, um alle mit dem Kult befaßten Aktivitäten Josias in dasselbe Jahr zu datieren. Warum? Weil DtrN verdeutlichen will, daß eine Reinigung des Kultes nicht Selbstzweck, sondern nur Mittel zum Zweck, nämlich zur Ausübung des reinen Jahwekultes nach dem Gesetz ist, das Triebfeder und geistige Mitte der josianischen Reform bildet.

Daß der Nomist die Ausübung des reinen Jahwekultes gerade am Passa exemplifiziert, hat auf jeden Fall eine besondere Bewandtnis. Da die dt Gesetzgebung das Passa nachdrücklich mit Israels erster und konstitutiver Befreiung aus Ägypten zusammenbringt (Dtn 16,1b.6bβ), könnte gerade dieser Zug die Verbindung einer Passafeier mit Josia veranlaßt haben, da auch das Werk dieses Königs (wie seinerzeit das des Mose) als eine von Gott geleitete Befreiungstat verstanden werden kann, sei es im Blick auf die von Josia abgeschüttelte ass. Oberherrschaft[229], sei es – in einem mehr spiritualisierten Verständnis – im Blick auf die Befreiung von jeglichem Fremdgötterdienst. Doch erfolgt in 2Kön 23,21–23 keine explizite Bezugnahme auf die Exodusüberlieferung, weshalb diese Deutung wohl kaum die zentralen Motive benennt.

Man kommt der Sache näher, wenn man die exponierte Stellung des Passa im dt Festkalender Dtn 16,1–17 in die Betrachtung einbezieht, denn die Vorrangstellung vor Massot-, Wochen- und Laubhüttenfest wird hier dem Passa erstmalig in der Geschichte der atl. Gesetzescodices zuteil. So erwähnt etwa das Bundesbuch nur die drei oben genannten Erntefeste (Ex 23,14–17)[230], das Passa hingegen überhaupt nicht. Der auffällige Tatbestand läßt sich historisch begründen: „Durch das Vorwiegen der Landwirtschaft und der darauf gegründeten Feste scheint das Pascha in manchen Gegenden außer Brauch gekommen zu sein und nur da sich behauptet zu haben, wo das Hirtenleben und die Wüste noch ihre Bedeutung behiel-

---

Grundgesetz S. 12ff.30ff.; *Jepsen*, Reform S. 139f.; ders., Untersuchungen S. 27f.; zur Auswertung des in 22,3 (LXX) genannten 8. bzw. 7. Monats vgl. *Begrich*, Chronologie S. 73–76.

229 Die politische Komponente des Passa v.a. im Blick auf die Gefahr erneuter judäischer Abhängigkeit von Ägypten nach dem Verfall der ass. Macht betonen v.a. *Nicolsky*, ZAW 45 S. 184ff. und *R. Schmitt*, Exodus S. 73ff.

230 Zur Identität des Kasir mit den Schabuot und des Asiph mit den Sukkot vgl. *Wellhausen*, Prolegomena S. 80ff.

ten, d.h. vor allem in Juda. Dadurch würde es sich auch erklären, warum die Paschafeier zuerst deutlich an das Licht kommt, als Juda nach dem Fall Samariens allein übrig geblieben ist."[231] Nicht also, daß das Passa vorher nicht gefeiert worden wäre, aber mit der judäischen dt Gesetzgebung tritt es aus dem Schatten, in den es durch die wohl mehr nordisraelitisch bestimmten Festgesetze des Bundesbuches gestellt war. Daß dies zugleich – bedingt durch die dt Zentralisationsforderung – mit der entscheidenden Umgestaltung des Passa zu einem Wallfahrtsfest verbunden ist, muß als unabdingbar angesehen werden, da wir ohne die grundstürzend neue Idee der Kultzentralisation als primum movens die dt Gesetzgebung überhaupt nicht hätten.

Die Basis dieser historischen Überlegungen, die eine hohe Bewertung des Passa besonders im Südreich wahrscheinlich machen, kann noch durch eine redaktionsgeschichtliche Beobachtung zu Dtn 16 verbreitert werden. Vielleicht fand DtrN das Passa im dt Gesetz nicht nur in exponierter Stellung, sondern als einziges in Dtn 16 gebotenes Wallfahrtsfest vor. Vielleicht enthielt „das im Tempel gefundene Buch ... nur die Vorschrift über die neue Feier des Passah, nichts über die anderen Feste, weil darüber nichts Neues zu sagen war, abgesehen von der Frage des Kultortes, die Dtn 12 bereits erledigt hatte".[232] Schon lange ist nämlich beobachtet worden, daß das Massotfest erst sekundär ins dt Passagesetz integriert (Dtn 16, 3aβb.4a. in 4b ביום הראשון; wohl noch später 16,8[233]) und darüberhinaus auch erst auf derselben Redaktionsstufe die Schabuot- und Sukkotverordnung in 16,9–15 addiert worden ist, woraufhin eine noch spätere Hand die abschließende Aufzählung der Feste in 16,16f. hinzugefügt hat, ganz ohne Rücksicht darauf, daß das Resümee mit seiner Nennung der drei klassischen Erntefeste gerade das Spezifikum der Festgesetzgebung in Dtn 16 *nicht* widerspiegelt.[234]

---

231 *Wellhausen,* Prolegomena S. 88; Bedenken gegen diese Ansicht, die aber eigentlich nur e contrario ihre Richtigkeit bestätigen, bei *Guthe*, FS von Baudissin S. 223f.

232 *Guthe,* aaO S. 220.

233 Begründung dieser Analyse bei *Steuernagel,* Dtn S. 113f.; *Bertholet,* Dtn S. 50f.; *Guthe,* FS von Baudissin S. 219–221; *R. Schmitt,* Exodus S. 65ff.; ähnlich *Marti,* HSAT(K) I S. 289 und *Seitz,* Studien S. 196–198; anders *Merendino,* Gesetz S. 125ff. und *Laaf,* Pascha-Feier S. 73ff.; wieder anders *Halbe,* ZAW 87 S. 147ff. Die Literaturliste ließe sich beliebig erweitern; hier ist jedoch nicht der Ort, die in der Forschung vertretenen, stark divergierenden Thesen zu diskutieren.

234 Vgl. *Guthe,* FS von Baudissin S. 220; anders *Steuernagel,* Dtn S. 112.

Es ist allerdings auch nicht auszuschließen, daß DtrN das dt Passagesetz bereits in seiner Liaison mit den drei Erntefesten vorgelegen hat. Wenn in dieser Frage auch keine sichere Entscheidung zu erlangen ist, läßt sich nunmehr dennoch die dtr Motivation zur Inszenierung eines josianischen Passa klar bezeichnen: DtrN hat Josia entweder das einzig in Dtn 16 genannte Festgesetz (Passa) oder das in Dtn 16 an exponierter Stelle genannte und ihm aus judäischer Tradition als bedeutsam bekannte Passagebot befolgen lassen, um ihn über die strikte Abwehr des Fremdgötterdienstes hinaus auch als leuchtendes Vorbild jahwistischer Kultausübung und damit deuteronomischer Orthodoxie herauszustellen.

Selbst wenn der Bericht über Josias Passa erst von DtrN nachgetragen worden ist, wäre dennoch die Möglichkeit zu erwägen, ob nicht vielleicht für seine Ergänzung authentische Überlieferung vorgelegen hat. Man könnte zugunsten dieser Überlegung immerhin darauf verweisen daß der Abschluß der Reform durch eines der großen kultischen Feste zur Demonstration der Wiederaufnahme des wahren Jahwedienstes durchaus einen guten Sinn hätte, der nicht unbedingt erst einem späteren Redaktor aufgegangen sein müßte. Diesem Argument würde man ohne weiteres zustimmen können, wenn der Bericht über das Passa glaubwürdiger verfaßt wäre. Die Überlieferung bietet aber nicht viel mehr als den königlichen Befehl zur Feier des Passa, umrankt von Schriftbeweis und geschichtlicher Einordnung des Festes, und – mehr beiläufig – die Notiz über seine Durchführung im Rahmen seiner genauen Datierung.

Hält man den Passa- neben den Bundbericht in 23,1–3, wird die Differenz unmittelbar evident: hier eine knapp, aber präzis berichtete Zeremonie, die einen genau fixierbaren Stellenwert innerhalb des Handlungsablaufs hat, dort eine Willensbekundung, von deren Realisierung nicht mehr verlautet, als die schlichte Umsetzung eines Imperativs in den Indikativ zum Ausdruck zu bringen vermag (vgl. 23,21aβ mit 23,23b).[235] Der Passabericht ist blaß, weil über das Passa selbst nichts berichtet wird. Darüber vermögen die in den Zusammenhang gestellten Details nicht hinwegzutäuschen, zumal sie sich dem historischen Zugriff entweder durch ihre Unbestimmtheit (23,22) oder durch ihre Unwahrscheinlichkeit (23,23a) entziehen. Sollte hinter solch einem Bericht wirklich eine authentische historische Erinnerung stehen?

---

235 *Guthes* Spekulation über einen ausführlichen Passabericht, den spätere Bearbeiter im Blick auf 2Chr 35 gestrichen haben sollen (aaO S. 217), ist zwar verständlich, aber abwegig.

Unzweifelhaft ist im Gefolge der dt Gesetzgebung, speziell Dtn 16,1ff., das Passa an den Jerusalemer Tempel verlegt, möglicherweise sogar von Josia dort im Sinne der Kultzentralisation gefeiert worden. Doch 2Kön 23,21–23 ist kein Dokument anfänglichen Bemühens um die Umgestaltung des Kultes – ein weit schwierigeres Unterfangen als eine Kultreinigung! –, sondern dtr Erfüllungsvermerk im Blick auf die kultischen Forderungen des dt Gesetzes. Der Vollstrecker konnte auch hier kein anderer sein als der gesetzestreue König Josia.

Auch in 23,24 ist ein Redaktor der spätdtr Schicht DtrN, wenn auch kaum derselbe wie in 23,21–23, tätig gewesen. Die Wiederaufnahme von Reformaktivitäten ist nicht dem Verfasser des Passaberichts zuzutrauen, weil dessen Abschlußcharakter durch diese Erweiterung nivelliert wird. Gleichwohl dürfte 23,24 derselben spätdtr Schicht wie 23,21–23 zuzurechnen sein, da hier wie dort mit einer ähnlichen Redaktionstechnik gearbeitet worden ist. Denn auch der in 23,24 tätigen dtr Hand lagen die Kapitel über Josia im wesentlichen vor, von deren Formulierungsbestand dieser Redaktor wie schon sein Vorgänger in 23,21–23 Gebrauch macht. So übernimmt er das von DtrH in 23,12*.13.15* durchgeführte Formulierungsschema, von dessen Nachfolger (23,16–20) aber den Gebrauch des Eigennamens Josia (23,24aγ) und macht seinem unmittelbaren nomistischen Vorgänger in 23,21–23 die Rezeption von Wendungen aus den Josiakapiteln (23,24bα mit geringer, aber charakteristischer Änderung aus 23,3aγδ; 23,24bβ Anspielung auf 22,8a) und dem Dtn nach. Als dt Sprachgut ist vor allem das Verb בער pi. anzusprechen, häufig belegt in der dt Formel ובערת הרע מקרבך/מישראל[236], aber auch die אבות und ידענים, die zwar in 2Kön 23,24 primär wegen 2Kön 21,6 vorkommen, dort aber aufgrund von Dtn 18,11 eingefügt worden sind.

Der Dtr von 2Kön 23,24 hält ganz eindeutig Nachlese. Auf Vollständigkeit bedacht, läßt er Josia auch noch die götzendienerischen Kulte ausrotten, die bisher vergessen worden waren, wobei er aus der Einsicht, nicht alles auflisten zu können, vermutlich nach dem Prinzip verfährt, durch fünf repräsentative Termini die Totalität der Ausrottung andeuten zu wollen. Wieso er nun gerade diese fünf Begriffe gewählt hat, vermögen weder der Blick in die Konkordanz[237]

---

236 Vgl. *Steuernagel,* Dtn § 17,19; *Weinfeld,* Dtn S. 355f.

237 אבות und ידענים mögen, wie schon gesagt, wegen 2Kön 21,6 aufgeführt worden sein. Die תרפים spielen hingegen in der gesamten Königszeit keine Rolle. Die גללים sind ein spätdtr Spezifikum (1Kön 15,12, s.u. S. 185f.; 21,26,

noch die religionsgeschichtliche Analyse[238] entscheidend zu erhellen. Sie müssen ihm jedenfalls – aus welchen Gründen auch immer – wichtig gewesen sein.

Daß 2Kön 23,24 im RB nie eine andere Position als die hinter dem Passabericht gehabt hat, geht aus 23,24b hervor, wo mit dem Rückgriff auf Wendungen des Bundberichts sichtlich ein abschließendes Resümee der Reform zu formulieren versucht wird, darin den Passabericht imitierend, der auch durch den Rekurs auf den Bundbericht (23,21b) eine Abrundung anstrebt: Das Programm, auf das sich Josia im Bundesschluß verpflichtet hat, ist durch das Passa bzw. durch abschließende Reformtätigkeit glorreich zu Ende gebracht worden. Spätere Redaktoren haben Sinn für die harmonische Abgeschlossenheit eines Lebenswerkes, die sie hier jedoch nicht in selbstzufriedener Rückschau konstatieren, sondern in der theologischen Absicht, die Größe des Zornes Gottes angesichts der judäischen Geschichte herauszustellen, der nicht einmal durch die vollkommene Restitution des reinen Jahwedienstes zu beschwichtigen war.

8. Josias Tod (2Kön 23,28–30)

In uns kaum verständlicher Weise ist der Bericht über den tragischen Tod Josias in nüchterne Annalistik eingezwängt. Das Werk dieses großen Königs war den Redaktoren der Kön-Bücher eine ausführ-

---

vgl. *W. Dietrich*, PG S. 36f.; 2Kön 17,12, vgl. ebd. S. 42ff.; 21,11, s.u. S. 168f.; 21,21, s.u. S. 161 A. 1; zum Ganzen etwas anders *W. Dietrich*, PG S. 82). Sie könnten hier wegen 2Kön 21,11(?).21 (und 17,12?) genannt sein, während die Erwähnung der שקצים, von denen schon in 23,13 die Rede war, wiederum überrascht. Vielleicht sind auch die beiden letzten Termini gemeinsam aus Dtn 29,1 übernommen oder – was nicht einmal das Unwahrscheinlichste ist – die ganze Reihung ist von dem Redaktor frei erfunden.

238 אוב und ידעני scheinen Termini für Totengeister, nicht unbedingt nur für Geräte zur Beschwörung von Totengeistern (so *H. Schmidt*, FS Marti S. 253ff.) zu sein (vgl. *Wohlstein*, ZRGG 19 S. 348–352; *Eißfeldt*, KS IV S. 273f.). *Schmidtke* (BZ NF 11 S. 244–246) vergleicht אוב wohl zu Recht mit dem akkad. eṭemmu (vgl. auch *Bayliss*, Iraq 35 S. 115ff.). Die völlig anders geartete Deutung von *Hoffner* (JBL 86 S. 385ff.) ist weder philologisch noch sachlich überzeugend.
Zu den תרפים, mit dem Ahnenkult(??) verbundene Idole, vgl. *Wohlstein*, ZRGG 19 S. 353–355; *Eißfeldt*, KS IV S. 273.
Wahrscheinlich ohne weiteren religionsgeschichtlichen Hintergrund sind גללים (Ez passim; zur literarhistorischen Bewertung der Belege in den Kön-Büchern s.o. S. 137f. A. 237) und שקצים (erstgenannter vielleicht nach diesem Begriff vokalisiert) Schmähworte für nichtjahwistische Kultobjekte.

liche Relation von fast zwei Kapiteln wert, die Nachricht über sein Ende lediglich zwei oder drei Verse. Dies als Mißverhältnis zu empfinden, setzt ein biographisches Interesse voraus, das dem Bericht fremd ist.[239] Die Tendenz der Redaktoren der Kön-Bücher ist ganz auf die Sache – Fund und Realisierung des dt Gesetzes – gerichtet und berücksichtigt das „Ansehen der Person" nur insoweit, wie es eben für diese Sache notwendig und nützlich ist. Was uns die Deuteronomisten vorführen, ist sachgemäße, auf ihren theologischen Gegenstand konzentrierte Redaktion, die in aller Deutlichkeit Personalia – und seien es die eines Königs wie Josia – ins zweite Glied verweist.

2Kön 23,28 enthält den bei DtrH üblichen Verweis auf die Annalen, in diesem Falle der Könige von Juda, schließt damit die bisherige Berichterstattung ab und signalisiert zugleich die Folge von letzten kurzen Notizen. Diese sind – eingeleitet durch das auch sonst bekannte בימיו (1Kön 16,34; 2Kön 8,20; 24,1) – in 23,29 zu finden, wo im Bericht über die Josiazeit zum ersten Mal in atemberaubender Kürze explizit die Weltpolitik ins Spiel kommt, deren Kräftekonstellation an dieser Stelle konturiert werden muß.

Die neubab. Chronikserie, die wichtigste Informationsquelle für die fragliche Zeit, weist leider für die Jahre 622–616 eine Textlücke auf und zeigt uns erst durch die Tafel BM 21901 (erstmals im Jahre 1923 von *C. J. Gadd* veröffentlicht, neu ediert von *Grayson,* ABC S. 90–96) ab 616 ein ass. Reich, das, vor allem von den Neubabyloniern, aber auch von den Medern und Ummān-manda[240] stark bedrängt, ums Überleben kämpft.

Im Jahre 616 (10. Regierungsjahr von Nabopolassar) unternahmen die Neubabylonier laut bab. Chronik zwei wichtige Vorstöße gegen die Assyrer, hinter denen die strategische Absicht zu stehen schien, das ass. Kernland in die Zange zu nehmen und von seinen Außenbezirken abzuschneiden. Zunächst zog Nabopolassar am Euphrat entlang nach Norden, bis es bei Q/Gablini, einer nicht näher identifizierten Stadt nördlich von Ḫindānu (vgl. *Parpola,* NAT S. 282 s.v. Qablinu; *Wiseman,* CCK S. 80), vielleicht im Mündungsgebiet des Ḫābūr, zur Schlacht mit den Assyrern kam, die für diese ungünstig verlief, so daß sie sich wieder an ihren Ausgangspunkt, vermutlich Ḫarrān, zurückziehen mußten.

---

[239] Auch im Blick auf Josias Tod ist noch einmal ausdrücklich festzustellen, daß 2Kön 23,29f. die älteste und verläßlichste Nachricht über diese Ereignisse ist. 2Chr 35,20–25 ist von 2Kön 23,29f. (und Jer 46,2) abhängig und hat keine weiteren Nachrichten zur Verfügung gehabt (s.o. S. 40f.). Esdr I 1,23–30 und Josephus, Ant. X,73–77 setzen wiederum den Chr-Bericht voraus.

[240] Zu den Ummān-manda vgl. *Landsberger / Bauer,* ZA 37 S. 81–83. Es handelt sich bei diesem Volk auf keinen Fall um Skythen, deren ständiges Fortleben in der Forschung an diesem Punkt nur auf eine zu hohe Einschätzung der Authentizität von Herodot (Historien v.a. I, 103–106) zurückgeht (vgl. *Wilke,* FS Kittel S. 222ff., v.a. die Herodot-Kritik S. 224–233).

Die Babylonier folgten ihnen bis an den Baliḫ und damit bereits in gefährliche Nähe zu Ḫarrān. In dieser Gegend war die ass. Machtkonzentration noch stark genug, den Babyloniern Einhalt zu gebieten und sie im Herbst desselben Jahres dann auch mit ägypt. Hilfe wieder bis zu dem Ort Q/Gablini zurückzudrängen.

Die Erwähnung der ägypt. Hilfe an dieser Stelle (*Grayson*, ABC S. 91,10) zeigt an, daß die Epoche ägypt. Vasallität gegenüber Assur zur Zeit Josias bereits lange vorbei war (vgl. zum folgenden *Alt*, Israel S. 94ff.; *Gyles*, Policies S. 13ff. FW 4 S. 256ff.; *Kitchen*, Period S. 399ff.). Psammetich I. hatte es verstanden, sich vom zuverlässigen Vasallen Asb.s, der diesem mit anderen Deltafürsten im Kampf gegen den Äthiopenkönig Tanutamun beistand (im Jahre 664), in wenigen Jahren (teils durch Liquidierung der anderen Deltafürsten, teils durch ihre Indienstnahme) zuerst zum Alleinherrscher Unter- und Mittelägyptens und dann durch geschickte Politik auch zum Herrn über Oberägypten (im Jahre 656) emporzuarbeiten, indem er die Bindung der ass. Kräfte im Süden (Babylonien) und Osten (Elam) des Reiches für seine eigenen Operationen klug ausnutzte. Das Jahr der Einung Ägyptens wieder unter einem Pharao war zugleich das Jahr des offenen Bruches mit dem ass. Suzerän, dies wohl in Abstimmung mit dem König des kleinasiatischen Lyderreiches Gyges (*Streck*, VAB 7 S. 20, 111ff.), der Psammetich bereits zusammen mit angeworbenen ionischen Griechen und Karern (vgl. Herodot, Historien II,152.154) bei der Etablierung seiner ägypt. Oberherrschaft geholfen zu haben scheint.

Es liegt im System altorientalischer Großreiche, daß ihre innenpolitische Stabilität zu einem nicht geringen Teil von außenpolitischer Expansionspolitik abhängt. Was lag für einen Pharao näher, als sein Interesse wieder auf das traditionell von Ägypten beanspruchte Syrien-Palästina zu richten? Wie auch immer es mit der von Herodot (Historien II,157) auf 29 Jahre bemessenen Dauer der Belagerung von Ἄζωτος = Asdod, Vorort einer ass. Provinz[241], bestellt gewesen sein mag, ägypt. Expansion nach Palästina würde man auch dann zwingend annehmen müssen, wenn Herodot sie nicht bezeugte (vgl. שארית אשדוד in Jer 25,20; nach *Thiel*, Jer I S. 273–275: PD).

Das bestätigt zu ihrem Teil auch die Ermordung des judäischen Königs Amon (2Kön 21,19–26), des Vorgängers von Josia, der wahrscheinlich den assurtreuen Kurs seines Vaters Manasse beibehielt und deshalb von einer ägyptenfreundlichen Fraktion am Hofe umgebracht wurde. Sie wollte einen Mann ihrer Couleur inthronisieren.[242]

---

[241] Vgl. *Forrer*, Provinzeinteilung S. 63f. und v.a. *Alt*, KS II S. 246f., der die Existenz einer ass. Provinz Asdudu noch zur Zeit Ash.s wahrscheinlich machen kann.

[242] Vgl. *Malamat*, IEJ 3 S. 26–29; ders., JNES 9 S. 218 verbindet den Beginn der ägypt. Belagerung von Asdod mit den Vorgängen in Juda um Amon. Doch wahrscheinlich wird die schon einige Zeit andauernde ägypt. Belagerung Anlaß für die Jerusalemer Konspiration gewesen sein; zu Amon vgl. ferner *Evans*, Foreign Policy S. 169f.
Proass. Vasallen lebten auch in anderen Gegenden des Reiches zuweilen gefährlich: vgl. *Winckler*, Srg S. 104,36–38 = Nr. 65/6,36–38; *Luckenbill*, OIP 2 S. 31,73ff. = *Borger*, BAL^2 S. 74.

Die Anwesenheit der Ägypter in der nominell noch immer ass. Provinz Asdudu änderte nichts an der ass. Besatzung im ca. 30 km entfernten Geser[243] und vermochte auch nicht Mitte der vierziger Jahre die Strafexpedition Asb.s gegen Ušû und Akko[244] zu verhindern, auf der der ass. König bezeichnenderweise nicht einmal mehr seine unmittelbar südlich anschließenden Provinzen Du'ru und Magidu zu betreten wagte[245], obwohl weder in ihnen noch im südlichen Philisterland alles in bester Ordnung war. Ägypt. Präsenz in Megiddo in der 2. Hälfte des 7. Jh.s legt auch der archäologische Befund von Stratum II auf dem Tell el-Mutesellim nahe, dessen großes Gebäude (68x48m im Durchschnitt!) nach der Deutung *Malamats* ägypt. Ursprungs ist und der Unterbringung und Versorgung von Truppen diente.[246]

Psammetich hat jedenfalls seine Strategie der allmählichen Zurückdrängung des ass. Einflußbereiches zugunsten des ägyptischen konsequent weiterbetrieben. Klug genug, sein Interesse zunächst auf den für ihn wichtigen Küstenstreifen zu beschränken, verschwendete er keine Kraft auf die Eroberung des palästinischen Hinterlandes (Samaria und Juda), das deshalb wohl noch ziemlich lange über das Jahr 646 hinaus, für das ein bēl pāḫāti bzw. šakin māti der Provinz Samirina als Eponym bezeugt ist[247], zum ass. Machtbereich gehörte.[248] In nicht allzu ferner Zukunft mußten diese Gebiete Psammetich mehr oder weniger von selbst zufallen.

---

243 Für die Jahre 651 und 649 sind uns noch ass. Rechtsurkunden aus Geser überliefert; vgl. *Macalister*, Gezer I S. 22–29 und *Galling*, PJ 31 S. 80–86. Geser muß dann noch in der 2. Hälfte des 7. Jh.s – wahrscheinlich in der Josiazeit – in judäischen Besitz übergegangen sein. Darauf weisen nach der Zählung von *Lance* (HThR 64 S. 330 A. 70) mindestens 31 Königsstempel hin. *Weltens* Statistik (Königs-Stempel S. 180) ist demnach zu korrigieren. Zwei weitere vereinzelte Stempelfunde außerhalb des judäischen Territoriums, einer in Jericho (vgl. *Welten*, aaO S. 181) und einer in Asdod (vgl. *Dothan*, Ashdod II–III S. 22; außerdem Fund eines hebräisch beschrifteten Gewichtes) sind als Basis zur Rekonstruktion weitergehender judäischer Expansionsversuche zu dürftig (zu Asdod s.o. S. 140).

244 Vgl. *Streck*, VAB 7 S. 80/2,115–128 = *M. Weippert*, Edom S. 182,115–128; Ušû ist der Name der Festlandsiedlung von Tyrus, vgl. *Parpola*, NAT S. 378 s.v. Ušû; *Streck*, VAB 7 S. 81 A. 7.

245 Zur Geschichte der beiden Provinzen vgl. *Forrer*, Provinzeinteilung S. 59–61 und die Belege *Parpola*, NAT S. 106 s.v. Du'ru; S. 233 s.v. Magidû.

246 Vgl. *Malamat*, JANES 5 S. 267–279; ders., AAASH 22 S. 445–449; ders., VTS 28 S. 124f.; zum großen „Stratum II Fortress" vgl. auch *Lamon / Shipton*, Megiddo I S. 83–87; *Yadin*, EAEHL III S. 856.

247 Vgl. *Bauer*, IWA S. 6 VII,46–48; *Weidner*, AfO 13 S. 208 A VII,5f.; *Thompson*, Iraq 7 S. 105 Nr. 29; ders., PEA S. 36,51–53; *Aynard*, Prisme S. 64,74f.

248 Für Samaria (und auch Juda) bleibt weiterhin gültig, was *Alt* 1909 etwas zu allgemein – er kannte aber auch die bab. Chronik noch nicht – für Syrien und Palästina festgestellt hat: „Sicher vollzog sich der Rückgang der assyrischen Macht und die Verselbständigung der Vasallenstaaten hier bedeutend langsamer als in Ägypten. Syrien war ja von Assur aus nicht nur viel leichter zu überwachen, sondern es war vor allem auch viel länger und viel gründlicher dem Organismus des assyrischen Reiches einverleibt" (Israel S. 93).

Die Assyrer, die 30–40 Jahre Zeit gehabt hatten, sich mit dem Verlust des „Westlandes“ an den ehemaligen Vasallen Psammetich abzufinden, haben irgendwann in ihrer eigenen Bedrängnis den Schritt von passiver Duldung des Gebietsverlustes zur expliziten Anerkennung der neuen Machtverhältnisse durch ein Hilfegesuch an Ägypten getan. Bleibt zu untersuchen, ob sich der Zeitpunkt dieser Wende genauer ermitteln läßt.

Für die Zeit von 626 bis 623 kommt ägypt. Beistand für Assur noch nicht in Betracht, da die Tafel BM 25127 der bab. Chronikserie, die über diesen Zeitraum Bericht erstattet, noch nichts von ägypt. Hilfeleistung weiß. Das Jahr der josianischen Reform 621/20 scheint den Umschwung gebracht zu haben. Die durch das Dt angeregte Kultreinigung, der auch ass. Kultinsignien zum Opfer fielen, konnte Josia durchführen, ohne auf eine ass. Strafexpedition gefaßt sein zu müssen. Da aber die für das Jahr 616 erstmalig erwähnte ägypt. Hilfe bereits eine uns nicht überlieferte Vorgeschichte zu haben scheint, muß der ägypt.-ass. Pakt ungefähr in der Zeit von 620 bis 617 geschlossen worden sein. Ob Psammetich erst in dieser Zeit oder schon eher seine Machtsphäre auf den phönizischen Küstenstreifen, den Libanon und die syrische Wüste bis zum Euphratknie ausgedehnt hat, ist ungewiß. Funde in Karkemisch (Bronzering mit dem Namen Psammetichs I. und vier Tonsiegel Nechos, vgl. *Woolley*, Carchemish II S. 123–129. Pl. 26c) und eine vermutlich in die Zeit Psammetichs I. gehörende Inschrift (Gebrauch von Zedernholz aus dem Libanon, vgl. *Breasted*, ARE IV § 967.970) beweisen zur Genüge das Faktum ägypt. Präsenz in dieser Region.

Die ägypt. Unterstützung für Assyrien war wohl immer auf den westlichen Teil des Reiches, etwa die Region um den Euphrat, beschränkt (vgl. *Hjelt*, FS Marti S. 144). Denn als im Februar/März des Jahres 616 die Neubabylonier einen weiteren Angriff gegen die Assyrer im Osten des Reiches in der Gegend von Arrapḫa unternahmen, ist von keiner ägypt. Hilfe die Rede, anscheinend aber deshalb von einer ass. Niederlage (vgl. *Grayson*, ABC S. 91/2,11–15). Die bab. Taktik war gut überlegt: Sie zielte auf die Isolierung der Assyrer von ihren mannäischen Verbündeten, die ihnen bei dem bab. Angriff im Westen zu Hilfe gekommen waren, und zugleich auf die Einkesselung des ass. Kernlandes – mit gutem Erfolg, denn Arrapḫa (heute Kerkūk) liegt nur ca. 80 km von Assur (heute Qal'at Šerqāt) entfernt! Kein Wunder, daß die bab. Chronik für das Jahr 615 (vgl. *Grayson*, ABC S. 92,16–23) von einem Angriff Nabopolassars auf Assur zu berichten weiß, den der damalige ass. König Sîn-šar-iškun aber noch abzuwehren vermochte, um dann im Jahre 614 nach der guten bab. Vorarbeit doch einem medischen Ansturm von Norden her zu erliegen (vgl. ebd. S. 93,24–30). Nicht besser erging es zwei Jahre später Ninive, das der Koalition von Neubabyloniern, Medern und Ummān-manda nicht mehr standhielt. Noch in demselben Jahr starb Sîn-šar-iškun (vgl. ebd. S. 94,38ff.), so daß man das Assyrerreich im Sommer des Jahres 612 personell und institutionell endgültig liquidiert wähnen konnte.

Doch der rapide Niedergang Assyriens hatte noch ein Nachspiel: Ein letzter ass. König, Aššur-uballiṭ II., versuchte, aus der Katastrophe einen ass. Reststaat um Ḫarrān zu retten (vgl. ebd. S. 94/5,49ff.). Die Ruhe, die Nabopolassar diesem Gebilde ungefähr ein Jahr lang gewährte, war trügerisch, da er die Zeit nur zur Absicherung seiner Herrschaft über Assyrien nutzte, um dann 610 Ḫarrān im Verbund mit den Ummān-manda anzugreifen. Die Einnahme der

Stadt gelang, so daß die Aššur-uballiṭ verbliebenen Truppen zusammen mit den auf diesem westlich gelegenen Kriegschauplatz wieder mitkämpfenden Ägyptern sich über den Euphrat wahrscheinlich nach der ägypt. Basis Karkemisch (Entfernung: knapp 100 km) zurückziehen mußten (vgl. ebd. S. 95/6,58–65). Mit einem von Assyrern und Ägyptern im Jahre 609 unternommenen mißlungenen Rückeroberungsversuch von Ḫarrān verlieren sich die letzten Spuren der einst überwältigenden ass. Großmacht (vgl. ebd. S. 96,66ff.). Zurück blieb eine ägypt. Garnison in Karkemisch, die erst 605 von dem damaligen Kronprinzen Nbk II. besiegt und bis in die Gegend von Ḥama verfolgt wurde (vgl. *Vogt,* VTS 4 S. 69ff.).

So hat sich die ägypt. Hilfe für Assyrien als das erwiesen, was sie im Falle der Not für Juda immer gewesen ist: eine trügerische Hoffnung, geboren aus der Überschätzung – wie etwa z.Z. Hiskias – des ägypt. Interesses oder – wie hier – des ägypt. Kräftepotentials.

Soweit das weltpolitische Geschehen, an dem Josia episodisch teilnahm und dabei sein Leben ließ. Daß auch 2Kön 23,29, wie seit langem bemerkt[249], Necho nicht *gegen* den König von Assur, sondern *zum* (על) König von Assur ziehen läßt, braucht aufgrund der oben dargelegten politischen Konstellation nicht begründet zu werden und ist auch semantisch vertretbar.[250] Necho, der Nachfolger des 610 verstorbenen Psammetich, wird im Frühjahr 609 durch Palästina gezogen sein, um den Rückeroberungsversuch von Ḫarrān, der im Juni/Juli des Jahres unternommen wurde, mit weiteren ägypt. Truppen zu unterstützen.[251]

Bevor Necho jedoch sein Ziel erreichen konnte, stellte sich ihm der judäische König Josia bei Megiddo[252] entgegen, nicht vom Pharao

---

249 Vgl. *Hjelt,* FS Marti S. 142–147; *Welch,* ZAW 43 S. 256f. und seitdem viele andere.

250 Aufgrund aram. Einflusses (*Kropat,* Syntax S. 41f.) scheint im Hebräischen des 7. und 6. Jh.s die semantische Abgrenzung der Präpositionen אל und על unscharf geworden zu sein. Der Präpositionenwechsel in 2Kön 23,29a, wo man beide Male eigentlich אל statt על erwartet, ist nicht singulär: 22,8a und 22,20aα על statt אל, in 22,8a על und אל in Parataxe, in 22,20aε Gebrauch von על an der Stelle, wo 22,8a אל setzt; vgl. ferner Jer 18,11 und die von *Kropat,* aaO zusammengestellten Chr-Belege.

251 Nach *Yadin* (IEJ 26 S. 9ff.) gehört das Ostrakon Nr. 88 aus Arad in diesen historischen Kontext. Es soll die Kopie eines Briefes von Aššur-uballiṭ II. an Josia mit der Bitte sein, Pharao Necho auf der Küstenroute nach Karkemisch ziehen zu lassen.

252 Es ist völlig unwahrscheinlich, daß Herodots (Historien II,159) Μάγδωλος etwas anderes als eine entstellte Form von Megiddo ist (anders *Malamat,* JANES 5 S. 275ff., der, wie andere vor ihm, an Migdol denkt). Die andere im Zusammenhang genannte Stadt, Κάδυτις, ist nur dann „undoubtedly Gaza" (ebd. S. 275), wenn Μάγδωλος wirklich Migdol ist. Andernfalls ist die Vermutung, daß Qadeš am Orontes gemeint sei, wahrscheinlicher (vgl. *Cannon,* ZAW 44 S. 64).

an diesen Ort zitiert[253], sondern aus eigener Initiative, um zu verhindern, daß die Ägypter das depotenzierte neuass. Reich mit dem Hoheitsanspruch auf das gesamte „Westland", also auch Juda, beerbten. Dies bedeutete nicht nur Gefahr für die sich abzeichnende Hoffnung auf die politische Autonomie Judas, sondern auch und gerade für die religiöse Reform, die nicht ohne politischen Affront gegen den Suzerän Assur möglich gewesen war und deren zentraler Inhalt, der strikte Monojahwismus, im Gefolge jeder weiteren Fremdherrschaft zwangsläufig hätte verraten werden müssen.

Nechos Route nach Norden berührte unweigerlich die ägypt. Basis Megiddo. Von der Küstenebene aus verlief der Weg durch die bilād er-rūḥa hin zur Jesreel-Ebene, dann auf der via maris nach Damaskus und von dort über Ḥomṣ (oder wichtiger zu jener Zeit: Ribla und wohl auch Qadeš am Orontes = tell nebi mend), Ḥama und Ḥaleb (Aleppo) nach Dscherāblus (Karkemisch).[254] Daß Josia diese Route bekannt war, ist vorauszusetzen, weil er sonst den Ort für die Schlacht nicht hätte bestimmen können. Und es ist auch wahrscheinlich, daß er die Gegend von Megiddo nicht, wie immer als selbstverständlich vorausgesetzt wird[255], durch samarisches Territorium, sondern ebenfalls auf dem Küstenwege, Necho vorauseilend, erreicht hat. Josias Weg nach Megiddo durch das ehemalige Nordreich ist nur denen von vornherein wahrscheinlich, die unberechtigterweise eine judäische Annexion jenes Gebietes als gesichert annehmen. Sollte aber, wofür vieles spricht, Megiddo bereits ägypt. Stütz-

---

253 So *Welch,* ZAW 43 S. 255–260; ähnlich *Boehmer,* ARW 30 S. 199–203 (Standgerichtsverfahren Nechos über Josia); *Pfeifer,* MIO 15 S. 297–307 (Josia, der mit dem Pharao verhandeln will, wird von diesem als gefährlicher Gegner angesehen und getötet); dagegen bereits *Cannon,* ZAW 44 S. 63f. und *Alfrink,* Bibl 15 S. 182f.

254 Zu den Verkehrswegen vgl. *Dussaud,* BAH IV S. 314; *Noth,* WAT S. 79–85. Daß Qadeš und Ribla bereits seit Tgl III. Garnisonsstädte waren, muß aufgrund des Briefes ND 2766 (vgl. *Saggs,* Iraq 25 S. 79 NL LXX; lies in Z. 11 „qi" statt „kin", vgl. *Parpola,* NAT S. 286; weiterer Beleg für Ribla aus der Zeit Srg.s II. oder Snh.s: *Parpola,* CT 53, 199 U.R. 12') als erwiesen gelten. Welche der Städte – ob nun Megiddo, Ribla, Qadeš oder Karkemisch – in 2Chr 35,21 von Necho mit בית מלחמתי bezeichnet wird, ist nicht mehr auszumachen. Jedenfalls ist *Alfrinks* Übersetzung des Ausdrucks mit „Festungsstadt, Garnisonsstadt" (Bibl 15 S. 174–181) völlig richtig. Man könnte als weitere Bestätigung anführen, daß Qadeš in dem Brief ND 2644 als birtu bezeichnet wird, was in etwa mit „Provinzialhauptstadt" wiederzugeben ist (vgl. *Saggs,* Iraq 17 S. 142 NL XXIII,23 und *M. Weippert,* ZDPV 89 S. 38 A. 43). Auf dem Wege zur richtigen Deutung war auch bereits *Hjelt,* FS Marti S. 146.

255 So noch jüngst wieder *Malamat,* JANES 5 S. 277f.

punkt gewesen sein, war die Route durch Samarien viel zu gefährlich, da sie die Jesreel-Ebene – es sei denn verbunden mit erheblichen Umwegen, zu denen Josia wohl keine Zeit hatte – kaum hätte vermeiden können und somit die Truppenbewegung von den Ägyptern in Megiddo schon frühzeitig bemerkt und von ihnen gewiß nicht tatenlos hingenommen worden wäre. Auch die stark in westliche Richtung orientierten Verteidigungsanstrengungen Judas sprechen eine andere Sprache. Es sei hier nur an die judäische Festung Meṣad Ḥašavyahu (ca. 1,5 km südlich von Jabne Jam = mīnet rūbīn gelegen) erinnert[256], die aus der Josiazeit stammt und das Interesse verrät, den Zugang Judas zur Küstenstraße zu sichern oder doch wenigstens die (militärischen) Bewegungen auf dieser Route zu überwachen. Die Lage von Meṣad Ḥašavyahu wird für die Machtverhältnisse in diesem Raum nicht untypisch gewesen sein: Die Festung liegt nicht direkt an der Küstenstraße, die wohl bereits fest in ägypt. Hand war, aber auch nicht sehr weit von ihr entfernt (ca. 5 km), so daß eine wirksame Kontrolle der Verkehrsader gut möglich war. Selbst die sog. Königsstempel erhellen zu ihrem Teil die große Aufmerksamkeit, die in der zweiten Hälfte des 7. Jh.s neben der nördlichen gerade der westlichen Verteidigungslinie in der Schephelah gezollt wurde.[257] Da die Ägypter außerdem zwischen Asdod und

---

256 Vgl. *Naveh,* IEJ 12 S. 89–113; ders., EAEHL III S. 862f.; die Funde ostgriechischer Keramik deuten nicht auf eine griechische Gründung dieser Siedlung hin (IEJ 12 S. 97), sondern auf Handel mit griechischen Kaufleuten, vielleicht auch auf die Anwesenheit griechischer Söldner (vgl. TGI[2] S. 70; FW 4 S. 261).

257 Vgl. *Welten,* Königs-Stempel v.a. S. 143ff.
Weltens Datierungsversuch (vgl. ebd. S. 103ff.: vierflügliges Symbol, ausgeführte Darstellung = Typus I: ausgehendes 8. Jh.; vierflügliges Symbol, umrißhafte Darstellung = Typus II: um 700; zweiflügliges Symbol = Typus III: letztes Drittel des 7. Jh.s) kann als eine Weiterentwicklung des *Albright'schen* betrachtet werden (vgl. *Albright,* TBM III S. 74f.).
Die Kritik an *Weltens* Datierung verläuft in gegensätzliche Richtungen, die darauf zielen, die Stempel (größtenteils oder) insgesamt entweder für das 8. Jh. oder für das 7. Jh. zu reklamieren, wodurch beide Male die Möglichkeit bestritten wird, die jeweiligen Stempeltypen unterschiedlichen Epochen zuordnen zu können.
Für eine Frühdatierung der Stempel sind v.a. vier Forscher eingetreten: *Aharoni* aufgrund stratigraphischer Beobachtungen in den Ausgrabungen von Rāmat Rāḥēl, Stratum V A/B (Typus III: älter als Josiazeit, frühes 7. Jh., vgl. LB S. 340–346; ERR I S. 51ff. und verklausuliert auch IEJ 20 S. 239f.), *Lemaire* aufgrund paläographischer Untersuchungen (VT 25 S. 678ff.) und *Ussishkin* (BASOR 223 S. 1ff.; Tel Aviv 4 S. 28ff.) und *Na'aman* (VT 29 S. 61ff.) sowohl aufgrund der Verbindung des an Stempel reichen Stratum III in Lachisch

Megiddo kaum einen weiteren größeren Stützpunkt in der palästinischen Küstenebene gehabt haben werden, muß es als sehr wahrscheinlich gelten, daß auch Josia sein Ziel auf der Küstenroute, die schnelles Fortkommen ermöglichte, erreicht hat.

Wer auf diese Weise das strategische Vorgehen Josias zu rekonstruieren versucht, hat mit gewichtigen Einwänden zu rechnen. Wäre es nicht geradezu leichtsinnig von Josia gewesen, sich in die Küstenebene und damit auf eine Position zwischen dem ägypt. Stützpunkt Megiddo im Norden und dem aus südlicher Richtung anrückenden

---

(über 300 Stempel!, vgl. *Welten,* Königs-Stempel S. 183f.) mit dem Palästinafeldzug Snh.s im Jahre 701 (und nicht mit dem Nbk.s II. von 588/6) als auch im Blick auf die neuass. Inschrift K 6205 + 82–3–23,131, die nunmehr mit Snh.s Aufenthalt in Juda in Verbindung gebracht wird (vgl. *Na'aman,* aaO und BASOR 214 S. 25ff.).
Die vorgetragenen Argumente sind von unterschiedlichem Gewicht. *Lemaires* einziges paläographisches Argument, die Gesamtheit der Königsstempel ins 8. Jh. zu datieren, ist das „h" mit vier horizontalen Strichen. Da aber nach *Weltens* Statistik (Königs-Stempel S. 108) das „h" überhaupt nur viermal und davon nur einmal mit jenem Charakteristikum belegt ist, kann der paläographische Befund kaum als beweiskräftig gelten (zur Paläographie vgl. auch *Lance,* HThR 64 S. 317–319). Die stratigraphischen Beobachtungen von *Aharoni, Ussishkin* und *Na'aman* v.a. in Rāmat Rāḥēl und Lachisch, die für ein höheres Alter aller Königsstempel sprechen könnten, sind ernster zu nehmen, wenngleich die ausführliche Kritik von *Lance* (HThR 64 S. 319–330, zwar vor den neuen Ausgrabungen von *Ussishkin* in Lachisch [vgl. Tel Aviv 5 S. 1ff.] formuliert, aber immer noch überzeugend) zeigt, wie wenig Sicherheit für die Datierung der Stempel bisher auf diesem Feld erlangt worden ist. Und *Na'amans* Verbindung der oben genannten ass. Inschrift, die er allem Anschein nach zutreffend auf Snh.s Palästinafeldzug bezieht (obwohl die gemutmaßte Nennung Hiskias in Z. 4' und 11' höchst unwahrscheinlich ist, vgl. *Borger,* BAL² S. 134f.), mit den Königsstempeln erbringt weder für den einen noch den anderen Gegenstand historische Evidenz. Eher ist das Gegenteil der Fall, denn daß Hiskia, auf seine eigene Unabhängigkeit bedacht, die Torheit begangen haben sollte, Geser, einen Vorposten der ass. Provinz Samaria, zu annektieren (so *Na'aman,* VT 29 S. 76) ist mehr als unwahrscheinlich (vgl. *Lance,* HThR 64 S. 330f.).
Größere Überzeugungskraft kommt wohl der Forschungsrichtung zu, die aufgrund paläographischer und stratigraphischer Argumente eine Datierung der Königsstempel vom Typus I und II ins 7. Jh. unter Beibehaltung eines (geringen) zeitlichen Abstands zum Typus III vorschlägt (vgl. *Lapp,* BASOR 158 S. 11ff.; *Cross,* EI 9 S. 20ff.; *Tushingham,* BASOR 200 S. 71ff.; 201 S. 23ff.) oder – noch wahrscheinlicher – die Gleichzeitigkeit aller drei Typen im 7. Jh. postuliert (vgl. *Lance,* HThR 64 S. 315ff.).
Welche Datierung sich bewähren wird, muß solange offen bleiben, wie die zeitliche Fixierung von Stratum III in Lachisch und Stratum V A/B in Rāmat Rāḥ[ēl] unsicher ist. In der jetzigen Forschungsphase der Erprobung verschiedener Datierungen wird man gut daran tun, die Königsstempel nicht zur Basis einer entscheidenden Argumentation zu machen.

Heere Nechos zu begeben? Ist es wirklich wahrscheinlich, daß Josia neben dieser drohenden Gefahr auch noch den Nachteil eines längeren Weges in Kauf nahm, um sein Ziel zu erreichen?

Wollen diese Bedenken auch ernst genommen sein, fehlt es doch nicht an triftigen Gegenargumenten. Der Hinweis auf die längere, allerdings auch bequemere Küstenroute ist kaum stichhaltig, da höchstens eine zusätzliche Distanz von 15 km zu überwinden war, was bei einer sich ohnehin auf ca. 115 km belaufenden Strecke (nördl. Weg über Nāblus – Dschenīn) nicht viel ausmachte. Ferner ist zu berücksichtigen, daß Josia nur in der Schephelah und Küstenregion über eine logistische Absicherung seines Zuges nach Norden verfügte, wofür Meṣad Ḥašavyahu sicherlich nur ein Beispiel von einigen anderen, uns (noch) nicht bekannten judäischen Stationierungen ist. Derlei stand Josia im Territorium von Samaria nicht zu Gebote. Okkupation von samarischen Versorgungseinrichtungen war aber sicherlich ausgeschlossen, da der König darauf bedacht sein mußte, Konfliktfälle vor dem strategischen Ziel zu vermeiden.

Auch wird man bezweifeln können, daß sich Josia bei der Wahl der Küstenroute tatsächlich in eine gefährliche Zwei-Fronten-Position begeben hat. Eine sehr wahrscheinliche Vermutung ist es hingegen, daß er den aus dem Süden anrückenden Truppen Nechos früh genug vorausgeeilt ist, um zunächst in einem Überraschungsangriff den ägypt. Stützpunkt Megiddo in seine Hand zu bringen und damit bei der Begegnung mit Nechos Einheiten den Rücken frei zu haben. Strategisch ist diese Annahme nachgerade notwendig. Die Überwältigung der ägypt. Garnison dürfte kaum ein schwieriges militärisches Ziel gewesen sein, sofern man davon ausgehen kann, daß die ständige Besatzung in Meggido kaum die Zahl von 60 Soldaten überschritten haben wird.[258]

Die günstigste strategische Position in der bilād er-rūḥa für den folgenden Kampf gegen Nechos Truppen läßt sich ziemlich genau be-

---

[258] Diese Zahl ist aufgrund des neuass. Briefes ND 2715 aus der 2. Hälfte des 8. Jh.s (*Saggs,* Iraq 17 S. 127ff. NL XII = *Postgate,* TCAE S. 390ff.) zugrundegelegt, wo in der ass. Festung in Kašpuna, einer nordphönizischen Küstenstadt (vgl. *Parpola,* NAT S. 204 und *Alt,* KS II S. 153f.), eine Besatzung von 30 Soldaten nebst weiteren 30 Mann zur Ablösung installiert wird. Stellt man die sicherlich unterschiedlichen Gegebenheiten des ass. und ägypt. Besatzungswesens in Rechnung, wobei auch die erheblich differierende politische und militärische Stärke beider Reiche zum jeweiligen Zeitpunkt zu berücksichtigen ist, wird eher eine noch kleinere ägypt. Garnison in Megiddo erwartet werden dürfen.

stimmen. *Alt* hat bereits 1909 in seiner Dissertation anmerkungsweise angedeutet, daß die fast 900 Jahre ältere Schilderung der geographisch-strategischen Verhältnisse in der bilād er-rūḥa durch Thutmose III. (1490–1436) die geeignete Anschauung für Josias Wahl des Kampfplatzes bietet.[259] Die enorme zeitliche Distanz zwischen Thutmose III. und Josia ist für den strategischen Vergleich kein ernstliches Hindernis, da sich im Laufe der Jahrhunderte zwar die Gegner, nur selten aber die Heeresrouten und Kampfplätze ändern. Alt hat bald nach seiner Dissertation dem ersten Palästinafeldzug Thutmoses III. eine ausführliche Studie gewidmet, in der er die in der Inschrift erkennbare Furcht der Ägypter vor dem wādi ʿāra anhand der lokalen Gegebenheiten eindrücklich zu illustrieren vermag.[260] Doch schon der entsprechende Passus der Annalen des Pharao im Tempel von Karnak ist vielsagend genug:

23. Jahr, 1. Sommermonat, 16. Tag (Ankunft) in der Stadt Jḥm (tell el-asāwir tell es-samrā oder jemma). [Seine Majestät] ordnete eine Beratung mit seinem siegreichen Heere an, (wobei er) sagte: „Jener [elende] Feind von Qadeš ist gekommen und in Megiddo eingezogen; er ist in diesem Augenblick [dort] und hat um sich versammelt die Fürsten [aller] Fremdländer, [die] Ägypten untertan [waren], zusammen mit (den Fürsten der Länder) bis nach Nhrn, nämlich ... Ḫrw, Qdw, ihre Pferde, ihre Heere [und ihre Leute]. Er sagt – so sagt man –: ‚Ich werde [hier] in Megiddo warten, um [gegen seine Majestät zu kämpfen].' Sagt mir (nun), [was euch im Sinn steht]." Da sagten sie vor seiner Majestät: „Wie verhält es sich mit dem Marschieren [auf] diesem Wege, der sich allmählich verengt? Man hat (doch) [gemeldet]: ‚Die Feinde stehen dort [draußen und werden] immer zahlreicher!' Wird nicht Pferd hinter [Pferd] gehen und ebenso [das Heer] und die Leute? Wenn unsre eigene Vorhut im Kampf sein wird, so wird die [Nachhu]t dort in ʿrn (chirbet ʿāra) stehen, ohne kämpfen zu können. Es gibt hier (aber noch) zwei Wege: der eine Weg, siehe er ... unser [Herr] und führt nach Thaanach, der andere, siehe, er (führt) nach der Nordseite von Ḏft (chirbet sitt lēla), so daß wir nördlich von Megiddo herauskommen. Möge unser siegreicher Herr auf demjenigen von [ihnen (= den beiden Wegen)] ziehen, der seinem Herzen angenehm ist, und lasse uns nicht auf jenem schwierigen Wege marschieren!"[261]

Das langsam ansteigende, anfangs noch ein paar 100 m breite wādi ʿāra, das ägypt. ʿrn[262], verengt sich zur Paßhöhe hin auf nur 30 bis

[259] Vgl. *Alt*, Israel S. 97 A. 2, dort allerdings wohl mit der nicht haltbaren Voraussetzung, daß im wādi ʿāra selbst ein Gefecht stattgefunden habe (vgl. ders., PJ 10 S. 84 A. 4).

[260] Vgl. *Alt*, PJ 10 (1914) S. 53–99; Bezugnahme auf Josia ebd. S. 71. *Alts* Ergebnisse sind in die bessere Sekundärliteratur eingegangen; vgl. ferner *Noth*, ABLAK 2 S. 44ff.119ff.; *Alt*, PJ 32 S. 10ff.

[261] *Sethe*, Urk IV S. 649,3–650,16; Übersetzung nach TGI^2 S. 15f.

[262] Zur unterschiedlichen Namensform ʿāra – ʿrn vgl. *Alt*, PJ 10 S. 83, zur Beschreibung des wādi ebd. S. 79–81.

40 m – die ideale Position für einen Angreifer. Doch nicht die Paßhöhe allein ist eine Stelle, die die Berater des Pharao das Fürchten lehrt, sondern in fast noch größerem Maße der Abstieg in die Ebene von Megiddo, der tatsächlich an manchen Stellen nur Mann hinter Mann bewältigt werden kann. Was diese Gegebenheiten für ein Heer bedeuten, dessen Schlagkraft nicht zum geringsten Teil von seinem Streitwagenpotential abhängt, braucht nicht näher erläutert zu werden. Josia konnte jedenfalls sicher sein, Necho auf seinem Weg nach Norden hier anzutreffen, da selbst Thutmose III. trotz der Gefahr eines Angriffs, den Necho nicht zu gewärtigen hatte, diese Route wählte mit der Begründung: „Siehe diese Feinde, der Abscheu des Re, werden sagen: ‚Ist seine Majestät auf dem anderen Wege weitergezogen, weil er in Furcht vor uns geraten ist?‘“[263]

Mag Josia für seine Operation auch eine strategisch günstige Position (wahrscheinlich die Paßhöhe des wādi) gewählt haben, die seiner kleinen Streitmacht optimalen Einsatz ermöglichte, so muß er dennoch das ägypt. Potential völlig unterschätzt haben. Man wird die lapidare Feststellung in 2Kön 23,29b „Und der König Josia ging ihm entgegen[264], und er (= Necho) tötete ihn bei Megiddo[265], sowie er ihn sah.“ wohl richtig verstehen, wenn man sie als Hinweis auf einen kurzen Kampf deutet, in dem die ägypt. Übermacht mit Josias Kriegern leichtes Spiel hatte.[266] Necho ließ sich nicht lange durch Josia aufhalten, sondern drängte weiter, denn sein Ziel Karkemisch – wie 2Chr 35,20 unter Hinzuziehung von Jer 46,2 richtig kombiniert – war noch weit entfernt und seine Hilfe für das kaum noch existente Assyrerreich dringlich.

Daß Josia alle ihm verfügbaren Streitkräfte, soweit sie nicht zur militärischen Absicherung Judas unbedingt im Lande bleiben mußten, zum Kampf gegen Necho aufgeboten hat, wird man voraussetzen dürfen. Daß sie anscheinend ohne große ägypt. Anstrengung besiegt werden konnten, zeigt, wie katastrophal es zu Josias Zeit um die militärische Macht Judas bestellt war. Nur ein Heer, das über

---

263 Aus *Sethe*, Urk IV S. 651,1–13; Übersetzung nach TGI² S. 16.

264 Zu den Bedeutungsnuancen von לקראת vgl. *Alfrink*, Bibl 15 S. 181–183.

265 Zu ב als Präposition der örtlichen Nähe vgl. GB S. 80a und *Alfrink*, Bibl 15 S. 183f.

266 Es ist kaum anzunehmen, Josia wäre in der Lage gewesen, das Vorrücken der ägypt. Truppen entscheidend zu verzögern (so *Rowton*, JNES 10 S. 129). Weder deutet darauf die Formulierung in 2Kön 23,29 hin noch hatte der unaufhaltsame Niedergang des ass. Reiches „Sterbenshilfe“ von judäischer Seite nötig.

kein nennenswertes Streitwagenpotential verfügt, hat es nötig, sich einen strategischen Vorteil im Hügelland, wo diese Waffe nutzlos ist, zu verschaffen. Damit ist zugleich deutlich, wie wenig man unter Manasses langer assurtreuer Regierung eine Wiederaufrüstung voraussetzen darf, die sich bei Josias Aktionen auf jeden Fall hätte bemerkbar machen müssen. Mochte es Juda im Blick auf die materielle Versorgung unter Manasses Herrschaft vielleicht nicht schlecht ergangen sein, so war doch das Militär sicherlich von dem allgemeinen Aufschwung ausgeschlossen.

Wenn Josia aber nicht in der Lage war, den Ägyptern ernstlich Widerstand zu leisten, gewinnt auch das bereits redaktionsgeschichtlich gewonnene Ergebnis, daß Josias Reformtätigkeit sich nicht auf das Gebiet des ehemaligen Nordreiches erstreckt hat, historisch an Wahrscheinlichkeit. Wie hätte Josia ohne Unterstützung durch ein überzeugendes militärisches Potential den Schritt nach Norden wagen können? Unwichtig, ob es um 620 in Samaria noch eine ass. oder schon eine ägypt. oder gar keine Besatzung gab – wer mag schon glauben, daß die Bewohner des Nordreiches, nach 721 durch Deportation und Besatzung bevölkerungsmäßig entscheidend neu strukturiert, Josia mit offenen Armen empfangen und sich seinem Herrschaftsanspruch gefügig untergeordnet hätten?[267] Die Spannung zwischen Nord- und Südreich ist immerhin so alt wie die Monarchie in Israel überhaupt und seitdem, bis auf wenige Unterbrechungen, stetig gewachsen, so daß das samaritanische Schisma gegen Ende der Perserzeit nicht aus heiterem Himmel kam. Josia hätte jedenfalls Reformpläne im Nordreich ohne militärische Macht nicht realisieren können. Daß er darüber in ganz unzureichendem Maße verfügte, machen die tragischen Ereignisse bei Megiddo deutlich, wodurch auch von dieser Seite bestätigt wird, daß Josia gut beraten war, seine Reformmaßnahmen auf das Gebiet „von Geba bis Beerscheba" zu beschränken. Diese Begrenzung der Reform und zugleich vermeintlicher Expansionsbestrebungen nach Norden ist das historische Faktum, das sicherer ist als anders lautende Stellen im RB, weitaus sicherer auch als die Auswertung der Gauliste in Jos 15*; 18f.*, die nach *Alts* klassisch gewordener Datierung aus der Josiazeit stammt und doch in Rekonstruktion und zeitlicher Ansetzung mehrdeutig bleibt, so daß man allein auf diesem Fundament nicht bauen kann.[268]

---

267 Gegen *Welch*, ZAW 43 S. 257.

268 Die in diesem Zusammenhang wichtige Literatur zu Jos 15–19* ist S. 24f. A. 33–36 notiert. Die notwendige ausführliche Diskussion zu Rekonstruktion und Datierung der angeblich josianischen Ortslisten kann hier aus Raumgründe

Nicht anders verhält es sich mit dem Hinweis auf bestimmte Jer-Worte, die angeblich Josias partielle Annexion von Samaria zur Voraussetzung haben sollen, ohne daß sich dies auch nur an einer Stelle bündig aus dem Inhalt ergibt (nicht in Jer 3,6–13[269] und auch nicht

---

nicht stattfinden. Einige Hinweise auf die Problematik müssen genügen.
Die Datierung von Jos 15–19* in die Josiazeit stützt sich v.a. auf die Ausdehnung der Gaue 5 (Jos 15,45, vgl. *Noth*, Jos S. 96f.) und 12 (Jos 15,61b.62a, vgl. *Noth*, Jos S. 99f.), wie man sie unter Berücksichtigung von Jos 19,41–46 bzw. 18,21b–24a meint rekonstruieren zu können. Erst durch die beiden letzteren Texte erzielt man nämlich die Ausdehnung des judäischen Territoriums nach Nordwesten (Gau 5) und Norden (Gau 12), die dann mit 2Kön 23,15(ff.) in Verbindung gebracht werden kann. Hier hat die ganze Konstruktion ihren neuralgischen Punkt: Niemand würde allein von der Ortsliste Jos 15,21–62 her auf die Idee kommen, sie mit Josia in Verbindung zu bringen, da Gau 12 sich strikt auf judäisches Territorium beschränkt (15,61b.62a: Beth-Araba, Middin, Sechacha, Nibsan, Ir-Hammelah, Engedi, vgl. Karte *Jepsen*, BHH II Sp. 891f.), Gau 5 mit der alleinigen Nennung von Ekron (15,45) eine minimale Ausdehnung in westlich angrenzendes philistäisches Territorium indiziert. Beide Gaue sind in dieser Gestalt für die josianische Zeit unspezifisch. Und ob es wirklich legitim ist, aufgrund bestimmter formaler (vgl. *Welten*, Königs-Stempel S. 97f.) und inhaltlicher Übereinstimmungen aus Jos 15–19* ein älteres Dokument herauszudestillieren, muß zweifelhaft bleiben. Ob nämlich die übereinstimmende Nennung von Ekron in Jos 15,45 (Juda) und 19,43 (Dan) und von Beth-Araba in 15,61 und 18,22 (vgl. auch 15,21b–32a mit 19,1–9) tatsächlich auf ursprüngliche Zusammengehörigkeit der entsprechenden Listenstücke hinweist oder nicht besser durch redaktionelle Unstimmigkeit, entstanden aus rivalisierenden Traditionen, die die betreffende Stadt das eine Mal zu diesem, das andere Mal zu jenem Stamm rechneten, erklärt ist, scheint durchaus der erneuten Überprüfung wert.
Wem die literarhistorischen Anfragen nicht gewichtig genug sind, sei auf zwei territorialgeschichtliche Tatbestände verwiesen, die die Herkunft der Ortsliste(n) aus der Josiazeit unwahrscheinlich machen. Setzt man einmal die Rekonstruktion von Gau 5 aufgrund von Jos 15,45 und 19,41–46 voraus, fällt auf, daß die auf ehemals philistäischem Gebiet genannten Orte fast alle in nordwestlicher Richtung im Binnenland (Schephelah) liegen (Jos 19,45). Die einzige Ausnahme ist Japho. Es fehlt jede Erwähnung der josianischen Festung Meṣad Ḥašavyahu an der Mittelmeerküste in der Nähe von Jabne-Jam. Wenn ein Stützpunkt auch nicht unbedingt Bestandteil einer Ortsliste sein muß, ist doch sein Fehlen der Datierung des Textes in die Josiazeit nicht gerade günstig.
Schwerer wiegt die völlige Aussparung von Geser, einer Stadt, deren Übergang in judäische Hände wahrscheinlich in der Josiazeit erfolgt ist (s.o. S. 141 A. 243) und deren Lage in der südwestlichen Spitze der Provinz Samaria sie geradezu für die Einverleibung in den 5. „josianischen" Gau prädestinierte. Daß es nicht geschehen ist, muß gegen die seit *Alt* übliche Datierung sprechen.

269 Daß in 3,6–13 ein echtes Jer-Wort (3,12aβ–13bα) dtr redigiert worden ist (3,6–12aα.13bβ, vgl. *S. Herrmann*, Heilserwartungen S. 223–230; *Thiel*, Jer I S. 83–93), ist von *Böhmer* mit wenig stichhaltigen Argumenten zugunsten der Echtheit des ganzen Abschnittes wieder bestritten worden (Heimkehr S. 22–

in manchen Worten in Jer 30f.[270]). Daß schließlich die Bethel-Redaktion des Amos-Buches nicht als Argument angeführt werden kann, ist bereits an anderer Stelle vermerkt worden.[271]

Nichts anderes läßt sich im übrigen auch den Königsstempeln entnehmen, von denen bisher über 800 auf judäischem Territorium – kein einziger in Bethel und Megiddo – gefunden wurden. Selbst wenn nur ungefähr die Hälfte davon in die Josiazeit (die andere Hälfte dann in die Hiskia- und/oder Manassezeit) gehören sollte, sprechen die stummen, tendenzlosen Zeugen eine eindeutige Sprache: Jeder Expansionsversuch Josias in den Norden hätte archäologische Spuren in Form von Königsstempeln hinterlassen müssen, da die Versorgung judäischer Truppen gewiß nicht von den Bewohnern des samarischen Territoriums übernommen wurde. Ihre totale Abwesenheit ist als Affirmation der literarkritischen und historische Ergebnisse zu werten.[272]

Nach der Notiz über den unglücklichen Ausgang der Schlacht bei Meggido wird der Bericht über Josia in 2Kön 23 schnell zu Ende geführt. Das Wesentliche über Leben und Werk des Königs ist gesagt und sein schrecklicher Tod mit den für die Reform katastrophalen Konsequenzen nur noch der kommentarlosen Erwähnung wert. Josias Leichnam wird von seinen Untergebenen nach Jerusalem überführt – ein Hinweis darauf, daß sich die Ägypter keine Zeit genommen haben, sich um das Schicksal ihres Widersachers und seiner versprengten Gefolgsleute zu kümmern – und in seiner Grabstätte beigesetzt (23,30a). Sein Sohn Joahaz tritt wieder unter Beteiligung des עם־הארץ (wie bei Josia) die Nachfolge seines Vaters an (23,30b)[273], die allerdings nur wenige Monate währen sollte,

---

27). In 3,12aβ–13bα handelt es sich um einen Ruf zur Umkehr an die im ehemaligen Nordreich verbliebenen Israeliten. Grundlage für dieses Jer-Wort ist keinesfalls Josias Expansion nach Norden (gegen *S. Herrmann*, aaO S. 229; *Böhmer*, aaO S. 26), sondern einzig und allein Jeremias Interesse am Schicksal des Nordreiches, das sich auch in seiner engagierten Rezeption der Botschaft Hosea dokumentiert (vgl. v.a. Jer 2).

[270] Vgl. etwa *Rudolph*, Jer S. 189. Geht man von *Böhmers* sorgfältigem Rekonstruktionsversuch der Jer-Worte in Kap. 30f. aus (Heimkehr S. 51–56: Jer 31,2–6.15–20; eine etwas umfangreichere Abgrenzung jüngst bei *Lohfink*, ZAW 90 S. 326 A. 23), ist die Voraussetzung für diese jeremianische Heilserwartung keine andere als die eben in A. 269 festgestellte.

[271] S.o. S. 112f. A. 180.

[272] Vgl. auch *Lance*, HThR 64 S. 331f.

[273] Vgl. *Malamat*, IEJ 18 S. 139–141 und ders., VTS 28 S. 126 zur Deutung der Umstände seiner Inthronisierung.

denn was sich schon in Josias letztem Lebensjahr andeutet, vollzieht sich nun wieder mit ungehinderter Vehemenz, der unbarmherzige Zugriff der Großmächte, dem Juda in den letzten Jahren seines Bestehens wehrlos ausgeliefert war.

9. Zusammenfassung

Die Analyse von 2Kön 22f. hat ergeben, daß die Josiakapitel ihre jetzige Gestalt in einem vielschichtigen Redaktionsprozeß erhalten haben. Ein ihm bereits vorliegender *Grundbestand*, der den Dreischritt von Buchfund (inklusive Rahmennotizen und Huldaorakel: 22,1.3–5.(6.)7–12.13aα*βbα.14.15aαb.16a.17b.18.19aβ*γ.20aγb), Bund (23,1.2aα*b.3aαγδb) und Reform (inklusive Abschlußnotizen: 23,5aαβb*.6a*b.7.8a.10f.12aα*γ*.29f.) umfaßte, ist von *DtrH* in sein Geschichtswerk übernommen worden, wobei seine eigene Arbeit über die obligatorischen Rahmennotizen hinaus vor allem in einer Universalisierung (Vernichtung aller möglichen, in der Kultgeschichte Israels je verehrten nichtjahwistischen Gottheiten und Kultobjekte) und geographischen Ausweitung der Reform (Einschluß von Bethel) erkennbar wird (22,2; 23,2aα*.4abα.5aγδb*.6a*.12aα*βγ*.13f.15aαγ*.28). Die von DtrH stammende Idee der Ausdehnung der Reform über die Grenzen „von Geba bis Beerscheba" hinaus ist von *DtrP* aufgegriffen und in der Weise ausgestaltet worden, daß die Zerstörung des Bethel-Altars mit einer erbaulichen Legende über die Pietät des Königs Josia verknüpft und anschließend eine erneute Ausweitung der Reform auf das Gesamtgebiet Samariens vorgenommen wurde (23,16abαβ.17.18abα.19f.). Mit dieser Redaktionsschicht ist das Interesse an Ausdehnung und Spezifizierung der Reform zu Ende gekommen. Für die nunmehr einsetzende Weiterarbeit von *DtrN* steht der Vergleich von Josias Werk mit dessen Norm, dem dt Gesetz, im Mittelpunkt, indem er die Autorität des Nomos mit stereotypen Formeln auf Schritt und Tritt betont und Josia als Vorbild strikter Gesetzesobservanz stilisiert. Deshalb darf der König auch nicht allein bei der Negation der Fremdkulte in der Reform stehenbleiben, sondern muß zur Positivität des jahwistischen Kultes fortschreiten, weshalb DtrN die Reform durch ein exakt dt konstruiertes Passa Josias abschließen läßt, das zugleich den Beginn der Ära reiner Jahweverehrung anzeigen soll. Erst auf das nomistische Redaktionsstadium geht also die für die Letztgestalt des Textes von 2Kön 22f. charakteristische Handlungsfolge von Buchfund, Bund, Reform und Passa zurück (22,13aα*bβγ.16b.17a.19aαβ*δϵb.20aαβδϵ;

23,3aβ.21–23.24 später?.25–27).[274] Für den Eintrag über die Nichterfüllung der dt Levitenregelung in 23,9 zeichnet ein spätdtr Redaktor, *SD*, verantwortlich. Die spätesten, unter dem Siglum *PD* zusammengefaßten Zusätze (23,2aβγ.4bβ.8b.12bβ.15aβγ*b) stammen mit Sicherheit von verschiedenen Händen. Es läßt sich aus ihnen keine einheitliche Tendenz der Weiterarbeit erheben, so daß man hie besser nicht mehr von Redaktion, sondern von mannigfacher Glossierung des Textes reden sollte.

Sowenig die Frage umfassender dtr Redaktion an den Josiakapiteln in der heutigen Forschung umstritten ist, sosehr ist die Klärung der Frage nach den den Deuteronomisten (mündlich oder schriftlich) vorgegebenen Überlieferungen zur Josiazeit von jeglichem Konsens weit entfernt. Da in der vorliegenden Analyse aufgrund von Diktion, literarhistorischer Stratigraphie und (religions-)historischen Beobachtungen damit gerechnet wird, daß DtrH Regesten über Josias Werk zur Verfügung standen, sollen noch einmal die Argumente zusammengestellt werden, die diese Annahme als die wahrscheinlichere gegenüber der späterer Entstehung des gesamten Textes erweisen.

Nach Ausweis der angewandten Redaktionstechnik muß DtrH für den RB eine schriftliche Vorlage gehabt haben. Redaktionelle Rahmung (23,4*.12–15*), inhaltliche Ausgleichsversuche durch harmonisierende Zusätze (vgl. 23,5aγδ mit der Vorlage 23,8a oder die Bearbeitung der Vorlage 23,5b* aufgrund der Redaktion in 23,4*) und redaktionelle Imitation der Vorlage (vgl. die Vorlage 23,11f.* mit der redaktionellen Imitation in 23,13–15*), lassen sich nur an einer schriftlich, *nie* an einer mündlich tradierten Überlieferung durchführen. Bleibt zu fragen, aus welcher Zeit die Vorlage von DtrH stammt und welche historische Situation sie widerspiegelt. Ein tragfähiges Kriterium zur Klärung dieses Problems darf in der noch näher zu begründenden Beobachtung gesehen werden, daß die in der Reformvorlage erwähnten Gottheiten, Kultobjekte und Priester überwiegend ass. Provenienz sein dürften. Die Angaben deuten teilweise auf eine derartige Vertrautheit mit der ass. Religion hin, daß ihre Aufzeichnung aus allzu großer Distanz höchst unwahrschein

---

274 Erst in diesem Stadium der Redaktion könnte man also *Lohfinks* Bezeichnung von 2Kön 22f. als „historischer Kurzgeschichte" (ZAW 90 S. 319ff., v.a. S. 319–322.333.342) verwenden. Doch dieser Terminus, aus dem Bereich der Kunstprosa entlehnt, ist kaum zur Charakterisierung eines redaktionell kompilierten Textes wie 2Kön 22f. geeignet. Die Reform hat übrigens in *Lohfinks* Kurzgeschichte keinen Platz (vgl. ebd. S. 320f.342), ohne daß dies zu Zweifeln an der Stimmigkeit der Analyse führte.

lich ist, d.h. daß ihre Datierung ins ausgehende 7. Jh. plausibler als jeder spätere Zeitpunkt ist.

Außer durch die ass. Kultobjekte ist der Inhalt der Reformvorlage wesentlich durch die Realisierung der Kultzentralisation bestimmt, bei der als einer unvergleichlich einschneidenden Maßnahme in der Kultgeschichte Judas sich noch dringlicher als bei den übrigen Reformmaßnahmen die Frage nach dem Anlaß stellt, da hier theologische Ideen wirksam geworden sein müssen, die vordem entweder unbekannt waren oder nicht in Geltung standen. Die erforderliche Begründung der Reform ist in den Josiakapiteln auch keineswegs unterblieben, sondern mit dem Bericht über Buchfund und Bundesschluß des Königs zureichend erfolgt. Die in 2Kön 22f. präsentierte Handlungsreihe von Buchfund, Bund und Reform ist nicht nur logisch stringent, sondern auch historisch wahrscheinlich, weil das unter Josia gefundene Buch keine unfaßbare Größe, sondern das dt Gesetz in einer Vorform des jetzigen Buches Dtn ist.

Wenn die Identität des Buches auch nicht aus seiner (noch nicht vorhandenen) präzisen Bezeichnung im Grundbestand von 2Kön 22f. hervorgeht, sondern primär aus Josias Realisierung der Kultzentralisation, deren Forderung das Charakteristikum des dt Gesetzes ausmacht, so haben doch die Deuteronomisten, die intensiv über die adäquate Bezeichnung des Buches nachgedacht haben, unzweifelhaft das josianische Gesetzbuch mit dem Dt(n) gleichgesetzt. Und es wäre vermessen, die Berechtigung dieser dtr Gleichung anzuzweifeln, da die Deuteronomisten für Judäer schrieben, deren Väter zum großen Teil Zeitgenossen Josias gewesen waren. Die zeitliche Distanz zu Buchfund und Reform ist somit zu gering, als daß die Deuteronomisten Josia ein völlig anderes als das von ihm autorisierte Buch als Reformurkunde hätten unterschieben können.[275]

Die Berichterstattung ist bis in die Details (König als Zentralfigur, Befragung einer ansonsten unbekannten Prophetin, Einsetzung hoher, teilweise nur vorexilisch bekannter Würdenträger bei bestimmten Aufgaben, Beteiligung der Ältesten von Juda und Jerusalem) historisch plausibel und erweckt im ganzen nicht den Verdacht literarischer Fiktion. Weil er dennoch in bezug auf den Buchfund und den Bundbericht zuweilen geäußert wird, seien hier kurz die wichtigsten Gegenargumente genannt.

Im Blick auf den Bundbericht ist die Kritik wenig tragfähig, die die dtr Diktion in 2Kön 23,1–3 für beherrschend hält und daran die

---

275 Vgl. auch *Rose*, ZAW 89 S. 60.

Schlußfolgerung knüpft, der Inhalt selbst sei nicht weniger dtr als die Sprache. Gegen dieses Urteil ist einzuwenden, daß der Bericht inhaltliche Elemente enthält, die für dtr Redaktionsarbeit atypisch und allem Anschein nach älter als diese sind: die Erwähnung der Ältesten Judas und Jerusalems (s.o.), die in Spannung zu dem in 23,2aα genannten Personenkreis steht, und – am wichtigsten – der Verpflichtungsakt durch den König und die Akzeptation durch das Volk. Darüberhinaus ist zu bedenken, daß ein Gelenk zwischen Buchfund und Reform absolut notwendig ist, da die Forderungen des Buches dem Volk bekannt gemacht werden müssen, für das sie verbindlich sein sollen. Wer den Bundesschluß Josias für rein dtr Konstruktion hält, muß einen durch die dtr Redaktion bedingten Textverlust bei der Vorlage an diesem Punkt annehmen. Doch neben den innertextlichen Spannungen in 2Kön 23,1–3 legt auch die sonstige traditionsbewußte Arbeit von DtrH diesen Schluß überhaupt nicht nahe. Man wird also den josianischen Bundesschluß nicht für eine Geburt dtr Theologie im 6. Jh. halten dürfen.

Die Skepsis gegenüber dem Buchfund gilt dem Ereignis selbst, bei dem für den Historiker der Gedanke der pia fraus sehr naheliegt. Ein Buch, das unverhofft im Tempel „gefunden" wird und auf Initiative des obersten Priesters des Jerusalemer Tempels in die Hände des Königs gelangt, ist schon dazu angetan, den Verdacht des „corriger la fortune" seitens der Jerusalemer Priesterschaft in welcher Absicht auch immer zu nähren. Doch die (rationalistisch-)historische Erklärung von der jerusalemisch-priesterlichen pia fraus bis hin zu derjenigen von der levitischen Unterschiebung des Buches im Jerusalemer Tempel sind, gerade mit historischen Maßstäben gemessen, nicht die besten Verstehenshilfen für den Fundbericht. Daß die letztgenannte Erwägung unhaltbar ist, steht ohnehin seit längerer Zeit fest. Leviten werden weder ein Buch verfaßt noch an entscheidender Stelle placiert haben, in dem die für sie existenzgefährdende Kultzentralisation propagiert wurde, durch die sie in die Gruppe der personae miserae geraten sind. Außerdem läßt sich das Haupt der Jerusalemer Priesterschaft nicht ohne weiteres ein ihm fremdes Buch unterschieben, um es dann zu „finden" und bereitwillig weiterzuleiten.

Doch auch die Jerusalemer Priestern unterstellte pia fraus trägt den Gegebenheiten der Zeit und der Erzählung nicht genügend Rechnung. Daß (ein) Jerusalemer Priester in der synkretistischen Bedrängnis der Manassezeit sich der Autorität Moses (bedient) bedienen, um aus guter theologischer Einsicht für die nur durch Einheit zu gewährleistende Reinheit der Jahweverehrung zu streiten, ist erst vom modernen Begriff der Autorenschaft her als ehrenrührig zu betrachten. Im Juda des 7. Jh.s (und noch viele Jahrhunderte danach) war es sehr wohl möglich, eine Schrift unter der Deckung der Mosaizität zu verfassen in der guten Meinung, damit der eigenen Zeit Moses von alters her bekanntes Wort bewußt und dringlich zu machen. Jerusalemer Priester dieser Zeit haben die mosaischen fontes auf ihre Weise dem Dunkel der Vergangenheit entrissen und sie in ihre eigene Gegenwart geholt, nicht aus (konservierend-antiquarischem) Traditionsinteresse, sondern aus theologischer Sorge um den Verlust der Autorität des mosaischen Wortes in ihrer eigenen Zeit.[276] Weil ihnen nicht Machtgier, sondern theologischer Ernst die Feder führte, haben sie Mose die Kultzentralisation in Jerusalem so nachhaltig fordern lassen (als theologische Konsequenz der Einzigkeit Jahwes), haben sie auch Gedanken für ihre levitischen „Brüder" gehabt, über deren durch das dt Programm bedingte Existenzgefährdung sie genau im Bilde waren. Ihnen sollte sogar bei einem Aufenthalt in Jerusalem das Altarrecht zugebilligt werden (Dtn 18,6–8), dessen Realisierung andere oder spätere Priesterkreise allerdings zu verhindern gewußt haben (2Kön 23,9).

Mag für den Historiker auch naheliegen, bei dem Buchfund an pia fraus und abgekartetes Spiel zu denken, so wird er doch berücksichtigen müssen, daß die im Zusammenhang mit der Entdeckung des Buches entscheidenden Personen – Hilkia, Schaphan und Hulda – nicht einmal hintergründig als macht- und gewinnsüchtige Konspiratoren in Erscheinung treten, daß sich um die Umstände des Buchfundes keine Legende rankt, die den König in irgendeiner Weise unter religiösen Druck setzt, daß der Inhalt des Buches dezidiert theologischer Natur ist und seine einschneidendste Forderung, die Kultzentralisation, einzig und allein theologisch und auch nur so zureichend begründet ist und daß ein durch den עם־הארץ, also den *Land*adel, auf den Thron gekommener König (2Kön 21,24) allein durch theologisch zwingende Gründe zur Maßnahme der Kultzen-

276 Vgl. zur Verfasserfrage *Köhler,* Mensch S. 163–165; es ist nicht wahrscheinlich, daß das Dt(n) Reformprogramm geworden wäre, hätte es andere als Jerusalemer Priester als Verfasser gehabt. Der Wille zur Reform verlangt geradezu die Propagierung bis dahin unvertrauter theologischer Gedanken und läßt damit auch die unverkennbare Rezeption von nordisraelitischen Traditionen verständlich werden (andere Einschätzung bei *Clements,* VT 15 S. 300ff. v.a. S. 309ff.; die von *Clements* an anderer Stelle vorgetragenen wichtigen Erwägungen zur dt Bewegung sind mit den oben dargelegten zum Teil gut vereinbar, vgl. Isaiah S. 95ff.).

tralisation gebracht werden konnte, die zwangsläufig eine weitere Stärkung nicht nur des *Tempels,* sondern auch der *Hauptstadt* zur Folge hatte und darum vermutlich gegen den Willen des עם־הארץ durchgefochten werden mußte.

Gegen eine pia fraus spricht mehr als gegen das Auffinden eines Buches, womit die Entdeckung alter mosaischer Forderungen in neuem literarischem Gewand gemeint ist. Den Historiker mag es nicht befriedigen (darf es vielleicht auch nicht), daß er die Herkunft des Buches nicht näher aufzuhellen vermag. Er wird hier jedoch die durch seine Quellen gesetzte Grenze zu respektieren haben und mit schnell paraten Analogien vorsichtig sein müssen. Kann er sich nicht von dem Gedanken eines „angelegten Handels“[277] trennen, in den dann Hilkia, Schaphan und Hulda involviert gewesen sein müssen, so wird er dennoch zur Modifizierung seiner Vorstellung in der Weise gezwungen sein, daß hier kein „Handel“ aus persönlicher Macht- und Gewinnsucht vorliegt, sondern ein „Handel“ bona fide, d.h. im Dienste der Reinigung und Stärkung des Jahweglaubens angesichts eines jahwevergessenen Volkes und einer jahwefeindlichen Welt – und das ist in sensu stricto kein „Handel“ mehr!

Die Verfasser- und Tradentenkreise der Vorlage von 2Kön 22f. können sowohl am Tempel als auch am Hofe oder – weil die Trennung zu dieser Zeit noch kaum richtig bestand – an beiden Institutionen zugleich gesucht werden, da der Bericht aller Wahrscheinlichkeit nach dort aufgezeichnet worden sein wird, wo die in ihm dargelegten Ereignisse sich zugetragen haben. Der Bericht verrät in der Schilderung der pflichttreuen Handlungsweise von Hilkia und Schaphan und der entschiedenen Reaktion des Königs die Perspektive des Tempels und des Palastes zugleich. Das sich in der Darstellung manifestierende Bewußtsein des/der Verfasser(s) des Berichts, dem/denen Josias Werk nur in deutlicher Distanz zu allem bisherigen Tun judäischer Könige angemessen begriffen erscheint (vgl. 23,5aβ. 11aβ!), widerrät dem Versuch, die Entstehung des Berichts zu weit von der Regentschaft des Königs abzurücken. Dafür spricht auch der namenlose Gebrauch des Titels המלך, der nur in (nahezu) zeitgenössischen Dokumenten möglich und sinnvoll ist. Ob man das Fehlen eines Bezugs auf Josias Tod im ursprünglichen Huldaorakel soweit ausdeuten darf, daß der Bericht über Buchfund, Bund und Reform noch zu Lebzeiten Josias verfaßt und die Notiz über seinen Tod erst später aus den Annalen nachgetragen worden ist, läßt sich

---

[277] Vgl. *de Wette,* Beiträge I S. 179.

weder bündig zurückweisen noch mit triftigen Argumenten erhärten. Der Terminus ante quem der Abfassung des Berichts dürfte durch das Ende von Tempel und Palast gegeben sein, wenngleich jedes Datum, das der anscheinend bald eingetretenen postjosianischen Depression (Jer 44,15ff.) weiter vorausliegt und näher an das Jahr 609 heranrückt, das historisch wahrscheinlichere ist.[278]

Nun kann man immer noch einwenden, daß die allem Anschein nach vorexilische Abfassung des Grundbestandes von 2Kön 22f. weder die Möglichkeit einer tendenziösen Stilisierung noch gar eines partiell fiktiven Charakters des Berichts ganz auszuschließen vermag. Sowenig diesem Einwand grundsätzlich widersprochen werden kann und sosehr die Tatsache der äußerst sorgfältigen Stilisierung des Fundberichts unterstrichen werden muß, so gründlich kann doch der Zweifel an der Authentizität der Grundschicht der Josiakapitel durch ein letztes gewichtiges Argument entkräftet werden. Josias Werk hat nämlich weit über die eigene Zeit hinaus auf die Darstellung und Wertung der gesamten Geschichte der Monarchie durch spätere Redaktoren so nachhaltig eingewirkt, wie es nur einem Werk möglich ist, das nicht dem Wunschdenken frommer Gemüter entstammt, sondern seine geschichtliche Stunde gehabt hat. Die Fiktion vermag den einen oder anderen zu beflügeln, die epochale Tat aber ganze Generationen.

Welchen ungeheuren Einfluß die von Josia durchgeführte Reform auf spätere Redaktoren ausgeübt hat, wird im folgenden Kapitel zu demonstrieren sein. Doch auch der Fundbericht hat in der weiteren Geschichte Judas seine Spuren hinterlassen. Man lese nur die Baruch-erzählung über das Geschick von Jeremias Buchrolle in Jer 36[279], um einen Eindruck davon zu bekommen, wie sehr der sicherlich authentische Bericht über Jojakims Vernichtung der Rolle unter dem Eindruck des josianischen Fundberichts zu einer Kontrasterzählung ausgestaltet worden ist: Die Buchrolle durchläuft in Jer 36,9–20 einen ähnlichen „Instanzenweg" wie die josianische Urkunde in 2Kön 22,8–10a, um in beiden Fällen schließlich vor dem König verlesen zu werden (Jer 36,21 und 2Kön 22,10b). Wird

---

278 Zur Verfasserfrage vgl. auch die sehr bedenkenswerten Ausführungen *Lohfinks* (ZAW 90 S. 333–342), der mit guten Gründen die Bedeutung der Schaphan-Familie in diesem Zusammenhang betont.

279 Zur Ausscheidung des dtr Bestandes vgl. *Thiel,* Jer II S. 49–51. Ob tatsächlich Jer 26 und 36 eine literarische Einheit bilden, die nach *Lohfink* als „historische Kurzgeschichte" zu bezeichnen ist (vgl. ZAW 90 S. 319ff. v.a. S. 322–331.337–347), braucht hier nicht entschieden zu werden.

dann Jojakims Vernichtung der Buchrolle noch mit dem Kommentar versehen: „Und der König und alle seine Diener erschraken nich und zerrissen nicht ihre Kleider ..." (Jer 36,24), so ist eindeutig, welcher Maßstab hier an den König angelegt wird: Der Josia-Sohn Jojakim hat, anders als sein Vater (2Kön 22,11!), auf das ihm (sicherlich nicht von ungefähr) zugetragene Buch nicht adäquat zu reagieren gewußt. Deshalb wird ihm das ehrenvolle Begräbnis, das seinem Vater trotz des Todes auf dem Schlachtfeld zuteil geworden ist (2Kön 23,30a), auch versagt bleiben (Jer 36,30; vgl. 2Kön 22,18f.).

Daß Jojakim es sich gefallen lassen muß, am Werk seines Vaters gemessen zu werden, ist nicht weiter verwunderlich, da er damit nur das typische Epigonenschicksal teilt. Atemberaubend ist jedoch die Tatsache, daß dtr Redaktoren mit großer Selbstverständlichkeit an Josias Werk gewonnene Maßstäbe in die vorjosianische judäische (und israelitische) Geschichte rückprojizieren und frühere Regenten als reformfreundliche und reformfeindliche Herrscher klassifizieren. In welchem Umfang Buchfund, Bund und Reform zu Josias Zeiten das Gesamtverständnis der Geschichte der Monarchie geprägt haben, wird nun zu zeigen sein.

B. Die Rückwirkung der josianischen Reform auf die Darstellung der Geschichte Israels

1. Der Gegenreformator Manasse (2Kön 21,1–18)

(vgl. Textrekonstrukion S. 421f.)

Person und Werk Josias haben keine Wirkungsgeschichte im üblichen Sinne des Wortes gehabt. Sowohl der frühe Tod des Monarchen als auch die politischen Wirren des sich anschließenden Jahrzehnts ware einer Stabilisierung des entschlossen vollzogenen Neubeginns nicht günstig. Ist also die Suche nach historisch greifbaren Spuren der josianischen Zeit in den letzten Jahren der judäischen Monarchie vergeblich, so doch nicht die nach einem literarischen Echo, aber auch hier nicht primär in der Folgezeit, sondern in der „Vorgeschichte".

Die Episode der Regentschaft von Josias Vater Amon (2Kön 21, 19–26) kann in diesem Zusammenhang übergangen werden, da sie literarisch gar keine und historisch nur die geringe Bedeutung hat, das nahe Ende unverbrüchlicher judäischer Vasallentreue, auf die ich Assur mehr als ein halbes Jahrhundert hatte verlassen können, anzukündigen.[1]

Amon hatte das Unglück, einen großen Nachfolger (Josia) und auch einen auf seine Weise großen Vorgänger (Manasse) gehabt zu haben, im Vergleich mit denen (auch in Anbetracht der Kürze seiner Regierungszeit: 641/0–640/39) die dtr Historiographie und sicherlich auch die ihr vorgegebene Annalistik ihn nur als Epigonen seines Vaters behandeln.

Während die Deuteronomisten Josia ob seiner Treue zum dt Gesetz im vielstimmigen, aber eintönigen Chor überschwenglich loben, sehen sie in Manasse eine Kontrastfigur zu Josia, einen Antitypos, die Inkarnation allen Übels, das zum Untergang Judas geführt hat (vgl. 2Kön 23,26; 24,3). Weil Manasse mit dem Maßstab Josias gemessen wird, weil das helle Licht, das auf diesen fällt, jenen zwangsläufig in den dunkelsten Schatten rückt, ist es nicht widersinnig, Manasse, den Vorgänger des Reformators Josia, einen Gegenreformator zu nennen. Was historisch barer Unsinn wäre, ist literarisch möglich, denn die dtr Charakterisierung Manasses ist von Josias Reform her und folglich auch auf sie hin gestaltet.

Diese Behauptung will exegetisch begründet sein.[2] Nach der Einführung 2Kön 21,1, die die üblichen Personalien des Regenten enthält,

---

[1] Zur Regentschaft des Amon sei noch einmal auf *Malamats* Studie IEJ 3 S. 26–29 verwiesen; s.o. S. 140.
Zur redaktionsgeschichtlichen Analyse von 2Kön 21, 19–26 vgl. *Hölscher,* FS Gunkel S. 198. *Steuernagel* (EinlAT § 79,1) hat richtig erkannt, daß 21,21f. ein Zusatz sind, der genauer als spätdtr Hinzufügung aus der Feder von DtrN zu charakterisieren ist (so schon zu 21,22 *W. Dietrich,* PG S. 92).

[2] Viele wichtige Teilergebnisse enthalten neben den Kommentaren die Analysen von *Stade*, Anmerkungen S. 224–226; *Steuernagel,* EinlAT § 79,1; *Hölscher,* FS Gunkel S. 197f.; *Jepsen,* QK S. 25 und *W. Dietrich,* PG S. 31–34. Das Recht der pauschalen literarkritischen Separierung von 2Kön 21,2–15 vom Hauptbestand der Josiakapitel (vgl. *Cross,* Canaanite Myth S. 285f.) wird durch die folgenden Ausführungen implizit zu widerlegen versucht werden.
H.-D. Hoffmann (Reform S. 155ff.), der zu Recht auf die enge Verzahnung von 2Kön 21 und 23 (neben 18,4) hinweist und daraus die einleuchtende Schlußfolgerung zieht, daß Dtr Manasses „Regierungsepoche als Negativ-Folie zur folgenden Josia-Reform benützen wollte" (S. 166), fühlt sich durch die unterschiedliche Gestalt und Ordnung der Stoffe in beiden Kapiteln nicht zu (literar)historischen Konsequenzen genötigt. 2Kön 21 soll literarisch einheitlich sein. Doch wird das „zweitaktige Aufbauschema nach geographischen Gesichtspunkten" (bei dem man sich an einer Stelle das Geographische hinzudenken muß), das hoffentlich ohne „modernes Empfinden für Sachlogik und Systematik" entdeckt worden ist, erst nach der schnell verdrängten Einsicht vorgestellt, daß „man von einer sachlichen Ordnung des Berichtes kaum sprechen" kann (Zitate auf S. 159–161).

so auch die Notiz über seine 55jährige Regierungszeit (696/5–642, die längste eines Davididen überhaupt, erfolgt wie gewohnt in 21,2 die Beurteilung des Herrschers durch DtrH. Er hat es bei Manasse sowenig wie bei Josia unterlassen, für den Kenner seiner den Kön gen ausgestellten Zeugnisse solche Akzente zu setzen, die gleich Zensuren sofort kundtun, welcher Frömmigkeitskategorie der jewe lige König zuzuordnen ist. Bei Manasse fällt nun das Urteil übermä ßig schlecht aus; neben dem stereotypen ויעש הרע בעיני יהוה (21,2a) macht DtrH bei ihm den Zusatz, er habe dies „gemäß den Greueln der Völker, die Jahwe vor den Israeliten vertrieben hat" (21,2b), getan. Diese schwere Anschuldigung findet sich außer bei Manasse nur noch bei Ahas (2Kön 16,3) und Rehabeam (1Kön 14,24), bei ihnen jedoch in anderem Zusammenhang und wahrsche lich von anderer Hand.[3]

DtrH begründet sein vernichtendes Urteil sogleich damit, daß er Manasse für den Wiederaufbau der Bamoth, die sein Vater Hiskia entfernt hatte (2Kön 18,4), verantwortlich macht (21,3a). Schlimmeres konnte sich Manasse nicht zuschulden kommen lassen, denn die Vernichtung der Bamoth durch Hiskia hatte Juda von dem grö ten, seit Salomo existierenden (1Kön 11,7) kultischen Makel befreit.

Darüberhinaus weiß DtrH von weiteren kultischen Verfehlungen M nasses zu berichten, und zwar von seiner Errichtung von Altären fi Baal, Aschera und das Himmelsheer (21,3b).[4] Diese Reihung ist be reits aus dem RB bekannt (23,4). Die gemeinsame Nennung von Baal, Aschera und Himmelsheer bei Josias Reform und bei Manass ist derart auffällig, daß der Gedanke, beide Stellen seien mit bewußter Beziehung aufeinander formuliert, sich nahezu aufdrängt:

21,3b : ויקם מזבחת <u>לבעל</u>

23,4aβ: את כל־הכלים העשוים <u>לבעל</u>

---

[3] S.u. S. 176f.191.
Weitere, der Formulierung nach vergleichbare Stellen wie Dtn 18,9.12; 20,18; 2Chr 28,3 (par. 2Kön 16,3); 2Chr 33,2 (par. 2Kön 21,2); 2Chr 36,14 können hier außer Acht bleiben.

[4] Ganz augenscheinlich fällt aus der Aufzählung 21,3b der an Aschera angeschlossene Nebensatz „wie Ahab, der König Israels, getan hatte" heraus. Der weite geschichtliche Horizont, den dieser Rückbezug auf Ahab verrät (vgl. 1K 16,33), ist an dieser Stelle nicht im Blickfeld von DtrH, der ganz auf den eng ren Kontext von Hiskia bis Josia konzentriert ist. Vornehmlich von spätdtr R daktoren werden Verbindungen zwischen Nord- und Südreich in die Texte ein getragen (vgl. *W. Dietrich,* PG S. 42ff. zu 2Kön 17,12ff.).

21,3b : ...ויעש אשרה...וישתחו לכל־צבא השמים...

23,4aß: ולאשרה ולכל צבא השמים

Zwar stimmen die Glieder der Trias in Reihenfolge und Numerus überein, doch ist die Formulierung von 21,3 globaler, man könnte auch sagen: deuteronomistischer. Es ist nicht mehr nur wie in 23,4 von den כלים die Rede, sondern von Altären, die für die Götter errichtet werden, und obendrein wird – gut dtr – die Göttin Aschera selbst angefertigt. Offenbar ist also die knappe Reihung aus 23,4 in 21,3 rezipiert und mit dtr Phraseologie aufgefüllt worden.[5] Das heißt aber, daß das eigentliche, die Redaktion auslösende Zentrum nicht primär bei dem bösen Manasse, sondern bei dem guten Josia zu suchen ist, der aller Fremdgötterei ein Ende macht und dazu notwendig einen Vorgänger braucht, der alle nichtjahwistischen Kulte so konzentriert zusammengebracht hat, daß Josia sein Arbeitsfeld nicht erst lange suchen muß.[6] Schaut man von dieser Einsicht her noch einmal auf Manasses Wiedereinführung der Bamoth zurück (21,3a) und vergleicht diese Notiz mit derjenigen über ihre Abschaffung durch Josia (23,8a), ist auch hier derselbe Redaktionsprozeß völlig evident: Die literarische Priorität liegt bei ihrer Liquidierung durch Josia im Vollzug der Kultzentralisation; Manasse führt sie des Kontrastes zu Josia halber neu ein, und Hiskia hat sie folglich zuvor entfernen müssen (18,4a). Die pointierte Stellung der Bamoth am Anfang der Berichte über Hiskia und Manasse verrät dtr Intention, ihre Placierung im RB an vierter oder fünfter Stelle deren Fehlen. DtrH hat die Darstellung Manasses und, wie noch zu zeigen sein wird, mehr zwangsläufig auch die Hiskias kräftig retouchiert – dies alles ad maiorem regis Iosiae gloriam.

2Kön 21,4 ist ein spätdtr Einschub, der sowohl 21,3 als auch 21,5 voraussetzt. Angeregt durch das Stichwort מזבחת in 21,3 und unzufrieden mit der Beschränkung des Baus von Altären in den beiden Tempelvorhöfen in 21,5, hat jener Redaktor durch 21,4 die Bemerkung eingefügt, auch im Tempel selbst habe Manasse Altäre erbaut. 21,4 ist im ganzen eine Kompilation aus dem Formulierungsbestand des Manassekapitels, 21,4a aus 21,5 und 21,4b aus 21,7b, welch letzterer Vers bereits selbst einer dtr Spätschicht angehört und damit zeigt, daß 21,4 zu den letzten Ergänzungen dieses Kapitels gehört haben muß.

---

5 Zur Abhängigkeit von 2Kön 17,16 von 21,3 s.u. S. 222.

6 Auch *Noth* scheint mit einer am RB orientierten dtr Redaktionsarbeit bei Manasse zu rechnen (vgl. ÜS S. 85f.).

Da 21,5 die Ergänzung von 21,4 veranlaßt hat, muß dieser Vers älter sein und ist keineswegs einfach „eine Variante zu V. 4a, die sich durch die Erwähnung zweier Vorhöfe als nachexilisch erweist".[7] Daß dieses Urteil im Blick auf die שתי חצרות zu undifferenziert ist, war bereits bei der Analyse von 23,12 gezeigt worden.[8] Wichtiger ist, daß das literarhistorische Gefüge des Textes keine durchsichtige Struktur gewinnt, wenn man 21,5 den jüngeren Schichten des Textes zuzählt. Denn nicht nur die Ergänzung in 21,4 hängt von 21,5 ab, sondern auch die Gestaltung von 21,3 durch DtrH! Da beide Verse, 21,3 und 21,5, vom צבא השמים handeln, die Reihenfolge aber, nach der man sich bereits vor dem Himmelsheer anbetend niederwirft (21,3), bevor ihm Altäre errichtet sind (21,5), nicht überaus sinnvoll ist, wird man hier nicht an die planvolle, gestalterisch ungebundene Arbeit *einer* Hand zu denken haben, sondern an redaktionelle Tätigkeit, die, so gut es geht, auf ihre Textvorlage Rücksicht nehmen muß.[9] Ist der Sachverhalt soweit richtig erfaßt, läßt sich das Verhältnis von Tradition und Redaktion nur in einer Weise plausibel erklären: DtrH wollte die Einführung der Verehrung der 23,4 von Josia suspendierten Göttertrias Manasse zuschreiben, hatte diesen Vorgang mit Altarerrichtungen für Baal eingeleitet, konnte jetzt aber nicht in schlichter Syndesis die beiden anderen Gottheiten folgen lassen (wie in 23,4), weil 21,5 bereits von Altarbauten für das Himmelsheer berichtete. Deshalb wählte DtrH in 21,3 den Weg der Auffüllung durch andere dtr Phraseologie und nahm dabei die leichte, oben aufgezeigte Inkonsequenz zwischen 21,3 und 21,5 in Kauf.

Somit wäre 21,5 also DtrH bereits vorgegeben gewesen[10], ein Ergebnis, das auch historisch durchaus wahrscheinlich ist, da die Nachricht von der Einführung der Verehrung gewisser astraler Gottheiten in einem bestimmten Teil der Tempelanlage sehr gut in die Manassezeit passen würde, ja sogar als völlig tendenzlose Notiz in den An-

---

7 *Steuernagel*, EinlAT S. 361; so auch *Stade*, Anmerkungen S. 226; *Hölscher*, FS Gunkel S. 198.

8 S.o. S. 110 A. 173.

9 Aus angegebenem Grund leuchtet nicht ein, wieso *Floss'* Zusammenstellung von 21,2a.3bβ.5 für eine Redaktionsschicht „inhaltlich eine klare Abfolge der Gedanken" ergeben soll (BBB 45 S. 439).

10 Deshalb ist auch *Stades* These (Anmerkungen S. 226), 21,5 sei nach 23,12 gearbeitet, unhaltbar. Ein Abhängigkeitsverhältnis besteht in genau umgekehrter Richtung, was aufgrund der Ersetzung von בנה durch das dtr עשה und des Fehlens von צבא השמים in 23,12, wegen 23,4f. nicht wiederholbar, völlig evident ist.

nalen gestanden haben könnte, die erst von dem mit dem dt Gesetzbuch gewappneten DtrH in malam partem ausgelegt worden ist. Wir werden also in 21,5 eine der wenigen alten und wohl auch authentischen Nachrichten über die kultischen Aktivitäten Manasses haben, die zu bestätigen scheint, was auch ass. Quellen über Manasse zu entnehmen ist: daß er ein treuer Vasall Assyriens war.[11]

Mit der Anschuldigung 21,6aα, Manasse habe auch das Kinderopfer praktiziert, gewinnen wir wieder Anschluß an die von DtrH aufgrund des RB vorgenommene Redaktion im Manassekapitel. Ganz unzweideutig hat die Formulierung des Kinderopfers in 23,10 für 21,6aα als Vorlage gedient, wie aus dem Gebrauch des Verbs עבר hi. und dem singularischen בנו zu ersehen ist. Man kann 21,6aα als ein Exzerpt aus 23,10 bezeichnen[12], durch das die Liste der dtr peccata mortalia bei Manasse komplettiert wird. Alle unverzeihlichen Verfehlungen, die DtrH teils die gesamte Geschichte der Monarchie hindurch, teils in manchen ihrer Epochen nachweisen konnte, sind nun bei Manasse vereinigt und in etwa nach dem dtr Grade ihrer Verwerflichkeit (a maiore ad minus) geordnet: die Bamoth (21,3a), Baal, Aschera, Himmelsheer (21,3b) und schließlich das Kinderopfer (21,6aα). Diese Liste reicht völlig aus, Manasse als negativen Gegenpol zu Josia zu konturieren, so daß es auch nicht wundernimmt, daß DtrH für die Fortsetzung des Manassekapitels nicht mehr verantwortlich ist, sondern sich mit dem gerade zusammengestellten Lasterkatalog zufriedengegeben hat.

21,6aβ ist nicht am RB, sondern an Dtn 18,10f. orientiert, woraus nicht nur hier, sondern auch in 17,17 exzerpiert worden ist, beide Male offensichtlich von derselben Hand, da die das Exzerpt abschließenden Wendungen 17,17b und 21,6b ungefähr miteinander übereinstimmen.[13] Die Ergänzung hat jeweils das Ziel ad augendas transgressiones; die redigierende Hand wird aufgrund ihrer Orientierung an Einzelbestimmungen des dt Gesetzes als DtrN zu identifi-

---

[11] Vgl. *Borger*, Ash S. 60,55; *Streck*, VAB 7 S. 138,25 = *M. Weippert*, Edom S. 141,27′ = *Freedman*, Tablets S. 68,39.

[12] S.o. S. 104.

[13] Der Infinitiv להכעיס in 21,6b ist nach 17,17b und mit einer ganzen Reihe von Textzeugen (BHK z.St.) in להכעיסו zu korrigieren (Haplographie).
Die Formulierung des Kinderopfers in 17,17aα (בן und בת im Plural) dürfte von derselben Hand wie das Folgende stammen, zeigt aber durch ihre Abweichung von 21,6aα sehr schön, daß zwischen diesem Versteil und V. 6aβb literarkritisch zu scheiden ratsam ist.
Zum Verhältnis der Erwähnung des Kinderopfers in 21,6aα zu der in Dtn 18,10aβ s.o. S. 104 A. 154.

zieren sein.[14] Für die spätdtr Einfügung dieser magischen und mantischen Praktiken bei Manasse spricht auch, daß sie erst in einer Nachlese zur josianischen Reform in 23,24 unterbunden werden.[15]

21,7a (+ בבית) enthält zusammen mit 21,5 die einzigen alten Nachrichten über kultische Vorgänge aus der Manassezeit und entstammt wie 21,5 wahrscheinlich authentischer, zeitgenössischer Überlieferung. Den wichtigsten Hinweis darauf gibt zunächst das Schichtengefüge des Textes in Verbindung mit der inhaltlichen Doppelung, die durch die erneute Erwähnung der Aschera gegenüber 21,3b entsteht. Die Dublette schließt die Möglichkeit aus, in 21,3b und 21,7a ein und dieselbe Hand am Werk zu sehen. Bei der Klärung der Frage nach der Entstehungsfolge beider Varianten hilft der kleine Relativsatz אשר עשה am Schluß von 21,7a weiter, der nichts anderes bezweckt, als die Aschera von 21,7a mit der in 21,3b zu identifizieren, eine Absicht, an deren Realisierung nur der Redaktor Interesse haben konnte, von dem das ויעש אשרה in 21,3b stammt und der deshalb zu einem Ausgleich mit der vorgefundenen Nachricht über Aschera in 21,7a genötigt war: DtrH. Die Zugehörigkeit von 21,7a (ohne den Relativsatz, aber mit dem folgenden בבית) zur Grundschicht des Manassekapitels wird auch durch die für den Deuteronomismus unspezifische, singularische Wendung פסל האשרה bestätigt.

פסל ist eine ziemlich alte Bezeichnung für „Gottesbild", wie vor allem aus seinem häufigen Gebrauch in Ri 17f. hervorgeht. Deuterojesaja hat später in seiner Götzenbildpolemik reichlichen Gebrauch von dem Terminus gemacht, aus welchem deutlich wird, daß das Wort sowohl ein aus Holz geschnitztes (Jes 40,20; 44,15.17; 45,20) als auch ein gegossenes (40,19; 44,10), schließlich aber wohl auch

---

14 Diese Zuweisung erfolgt bei 2Kön 17,17 mit, bei 21,6 gegen *W. Dietrich*, PG S. 33.44–46. Als zusätzliches Argument für die hier vorgenommene Literarkritik sei noch darauf verwiesen, daß 21,6b eine Dublette zu 21,2a ist (vgl. *Hölscher*, FS Gunkel S. 198). Beide Verse zugleich können nicht dem sorgfältig redigierenden DtrH zugetraut werden; zu כעס hi. mit Jahwe als Objekt in 21,6 s.o. S. 45 A. 28.

15 Zu 23,24 s.o. S. 137f. Daß in 23,24 nicht alle in 21,6aβ genannten Praktiken vorkommen, sollte keinen Zweifel an der Beziehung beider Verse aufeinander wecken. Nur will 23,24 mehr als lediglich die heidnischen Praktiken von 21,6aβ suspendieren, nämlich alle, noch nicht im RB genannten Fremdkulte von Josia entfernt sein lassen. Deshalb nimmt der Redaktor in 23,24 Zuflucht zu möglichst pauschalen Fremdgötterbezeichnungen (תרפים, גללים, שקצים), unter die sich sehr viele Götter samt ihren Kulten und Kultobjekten subsumieren lassen.

ein aus Stein gemeißeltes Gottesbild bezeichnen kann. Die Suche nach Belegen für פסל, die in den Umkreis des 7. Jh.s gehören, führt auf den Dekalog, in dem פסל, wohl auch wegen der Weite seines Bedeutungsgehalts, zur Formulierung des Bilderverbots verwendet wird (Ex 20,4 = Dtn 5,8).[16] Sollte der Dekalog erst im 7. Jh., ja geradezu in der Manassezeit entstanden sein[17], könnte das Bilderverbot als gezielte Reaktion auf die Aufstellung eines פסל für אשרה = Ištar im Tempel verstanden werden. Dann dürfte sich aber auch die im RB mitgeteilte Entfernung der Aschera (23,6) auf dieselbe Göttin beziehen, wobei die nicht aufeinander abgestimmten Formulierungen in beiden Texten für die Historizität beider Notizen sprechen.[18] Wie oben zur Verehrung des צבא השמים (21,5) festgestellt worden ist, wird auch der Kult der ass. Ištar im Jerusalemer Tempel der Manassezeit als historisch wahrscheinlich gelten können. Jahrzehntelange Vasallität Judas verlangte auch ihren religiösen Tribut; ob dieser freiwillig entrichtet oder gefordert wurde, wird an anderer Stelle zu klären sein.

Die den Text der Grundschicht in 21,7 abschließende Ortsbestimmung בבית ist für einen späten Dtr das Stichwort gewesen, die bekannten Formeln von der Erwählung des Tempels und Jerusalems und vom Wohnenlassen des Namens anzuhängen (21,7b), ohne es allerdings damit sein Bewenden haben zu lassen. Dtr Topoi und dtr Phraseologie nehmen fast bis zum Ende des Manassekapitels ihren Fortgang. Wie sollte es auch anders sein! Man wird von den Deuteronomisten nicht erwarten dürfen, daß sie ihre Schulderklärungs- und Schuldbewältigungsversuche gerade bei dem in ihren Augen exemplarisch schlechten König Manasse aussparen. So nimmt die Abrechnung ihren Lauf: von der Landgabe (21,8a), gebunden an die Beachtung der Tora, wie sie der „Knecht Mose" geboten hat (21,8b), hin zur Feststellung des Ungehorsams, hier speziell auf den Anstifter Manasse zugespitzt (21,9). Das Formelgut ist mittlerweile hinreichend als typisch für die dtr Spätschicht DtrN bekannt[19],

---

[16] Zur Analyse des Bilderverbots und zu seinem Verhältnis zum vorhergehenden Fremdgötterverbot vgl. *Zimmerli*, TB 19 S. 234ff.

[17] Von *Wellhausen* (Grundrisse S. 59.93; IjG S. 132f.) allerdings mit kaum stichhaltiger Begründung erwogen, von *Perlitt* (Bundestheologie S. 77–102) in detaillierter Analyse als Dokument des 7. Jh.s äußerst wahrscheinlich gemacht.

[18] S.u. S. 219.

[19] Zu 21,7bα–9 vgl. *W. Dietrich*, PG S. 31; zu 21,7bβγ s.o. S. 45 A. 28; zu 21,8bβ vgl. die fast wörtliche Entsprechung in Jos 1,7 (DtrN, vgl. *Smend*, FS von Rad S. 494–497) und die sehr ähnliche Wendung in der Gottesrede 2Kön

was noch durch den Gebrauch der Form der Gottesrede unterstütz wird, die freilich – ebenfalls bezeichnend für DtrN – stilistisch nic durchgehalten ist: In 21,9bβ fällt DtrN in die 3.ps.m.sg. des Anfangs in 21,7bα zurück[20], bedingt durch unachtsame Schreibtischarbeit, denn 21,9bβ ist nichts anderes als eine Reprise von 21,2bβ, nur durch den Austausch von הוריש gegen השמיד und durch die Steigerung (מן־הגוים) variiert.

Der folgende Abschnitt 21,10–15 knüpft stilistisch und inhaltlich an das Vorhergehende an, enthält aber andere theologische Akzent und kann deshalb nicht von derselben Hand stammen wie 21,7b–9 In der Form eines Drohwortes mit Begründung läßt der hier tätige Redaktor „Manasse, dem König von Juda" (nicht mehr einfach „Manasse" wie in 21,9 und wieder in 21,16) die von Jahwe beschl sene Strafe „durch seine Knechte, die Propheten"[21] ankündigen (vg 21,10f.). Dabei geht er zwar von „jenen Greueln" (21,11, Rückgrif auf 21,2b) Manasses aus, will aber die von DtrN durchgeführte star Personalisierung vermeiden. Deshalb erhält Manasse sogleich seinen offiziellen Titel, um die Verstrickung der davidischen Dynastie in die Schuldgeschichte zu apostrophieren, deshalb richten sich alle Drohworte in 21,12–14 gegen Juda und vor allem Jerusalem, kein speziell gegen Manasse (dem Heilswort an Josia in 22,18–20* vergleichbar), und deshalb schließt dieser Redaktor in 21,15 mit der Verurteilung des gesamten Volkes („von Ägypten bis zu diesem Tag"), ohne Manasse auch nur mit einem Wort zu erwähnen.

Hat dieser Redaktor auch theologisch sein Ziel erreicht, so stilistisc doch mehr schlecht als recht. Er hat fast ausschließlich vorgegeben Phraseologie kompiliert: 21,11aβ ist eine Variante von 21,9 (גוים durch die auch sonst in dieser Funktion nicht unbekannten אמרי ersetzt, vgl. 1Kön 21,26), 2Kön 21,11b eine Variante zur החטיא-Formel von DtrH, die dieser für Jerobeam I. geprägt hat (vgl. 1Kör 15,26.34 u.ö.)[22], die hier aber vielleicht in Anlehnung an 2Kön

17,13 (DtrN, vgl. *W. Dietrich*, PG S. 42ff.); das in 21,9bβ (par. 2Chr 33,9) mi מפני konstruierte שמד hi. ist eine sehr späte Wendung (vgl. Dtn 2,22; 1Chr 5,25).

Die in Kap. 21 redigierende Hand der Schicht DtrN ist wohl nicht mit der im Josua- und Richterbuch tätigen identisch, für die die Koexistenz Israels mit im Lande verbliebenen kanaanäischen Bevölkerungsgruppen eine wichtige Voraussetzung ist.

20 S.o. S. 66 A. 76.

21 Zu den Propheten als Jahwes Knechten innerhalb des Deuteronomismus vgl. *Jeremias*, THAT II Sp. 24.

22 Vgl. die gute Analyse von *W. Dietrich*, PG S. 93f., wobei er allerdings 2Kö 21,10–14 der innerhalb seiner Rekonstruktion auf DtrH folgenden Bearbei-

21,16bα formuliert ist; die Einleitung des Drohwortes ist am Huldaorakel orientiert (21,12aα = 22,18bα [ohne לכן], 21,12aβ an 22, 16aβ). Die in spätdtr Kreisen keineswegs singuläre Formel vom „Gellen der Ohren“ in 21,12b wird aus 1Sam 3,11 entlehnt sein[23], das Bild von Meßschnur und Senkblei vielleicht aus Jes 28,17.[24] Das Bemühen um ein originelles Bild in 21,13b wirkt gequält[25], und auch der Redaktor selbst scheint mit der metaphorischen Redeweise nicht zufrieden zu sein. Jedenfalls sagt er in 21,14 dasselbe noch einmal im Klartext.[26] 21,15 liest sich kaum „wie eine Korrektur zu V. 11“[27], wohl aber wie eine zu V. 9, dessen auf Manasse ausgerichtete Perspektive in V. 16 wiederaufgenommen wird. Der für den Abschnitt 21,10–15 verantwortliche Redaktor ist zu einem Zeitpunkt tätig gewesen, als das Manassekapitel bereits eine nomistische Bearbeitung erfahren hatte. Im Gebrauch dtr Phraseologie und in der Gedankenführung steht er den Nomisten nicht fern, ohne daß sich eindeutige Hinweise auf die Zugehörigkeit auch dieses Abschnitts zu DtrN nennen ließen. Wo eine genauere literarhistorische Fixierung nicht möglich ist, darf sie auch nicht erzwungen werden, weshalb der Abschnitt hier unter dem Siglum SD eingeordnet wird.

In 21,16 gewinnt man wieder Anschluß an das nach 21,9 unterbrochene Sündenregister Manasses in der Sicht von DtrN. Viele Spekulationen über seine grausame Herrschaft sind gerade an diesen Vers geknüpft worden, ohne der Tatsache Rechnung zu tragen, daß diese

---

tung von DtrP zuweist (vgl. ebd. S. 14.33f. u.ö.). Aus den oben dargelegten Gründen erscheinen diese Zuordnung und die literarkritische Abtrennung von 21,15 (vgl. ebd. S. 30f.) nicht einleuchtend.

23 In 21,12b ist mit dem Qerē und den Versionen שמעה zu lesen (vgl. auch Jer 19,3); תְּצַלְנָה (vgl. Jer 19,3) statt תְּצִלֶּינָה (vgl. 1Sam 3,11) ist als eine aramaisierende Form zu bezeichnen (vgl. GK § 67g).
Zum Verhältnis der drei Texte 1Sam 3,11; 2Kön 21,12 und Jer 19,3 zueinander vgl. *W. Dietrich*, PG S. 87f.; seine Feststellung, daß 2Kön 21,12b von 1Sam 3,11 abhängig sei, dürfte mit der Modifikation beizubehalten sein, daß 1Sam 3,11–14 nicht „aus der schon von DtrG aufgenommenen Jugendgeschichte Samuels“ (ebd. S. 87) stammt, sondern wahrscheinlich von DtrP (vgl. *Veijola*, Dynastie S. 38–43).

24 So jedenfalls *W. Dietrich*, PG S. 80; das Bild wäre dann allerdings durch diesen Redaktor durch die Beziehung auf das (Ende des) Nordreich(es) entscheidend neu akzentuiert worden.

25 Man wird, will man überhaupt einen syntaktisch sinnvollen Text erlangen, מחה והפך, von MT als Perfecta vokalisiert, als Formen im Inf. abs. auffassen müssen (vgl. *Benzinger*, Kön S. 189; *Kittel*, Kön S. 296; *Šanda*, Kön II S. 320 u.a.).

26 Was die Konkordanz zum Verständnis von 21,14 beizutragen hat, ist bei *W. Dietrich*, PG S. 74f.79.91f. nachzulesen.

27 Ebd. S. 30.

Stelle allein die Last des Beweises für eine Terrorherrschaft nicht zu tragen vermag, zumal sie selbst als tendenziöses Produkt gut erkennbar und deshalb der historischen Auswertung entnommen ist. Mit ziemlicher Sicherheit geschieht nämlich in 21,16 nichts anderes, als daß Manasse der Verstoß gegen das dt Gebot Dtn 19,10 unterstellt wird, kein unschuldiges Blut zu vergießen. Unter Vorgabe dieses dt Gesetzes ist 2Kön 21,16aα formuliert[28], woran anschließend in 21,16aβ Manasses Vergehen ins Unermeßliche gesteigert wird nach dem Grundsatz, daß ein König, der das dt Gesetz in allen Teilen derart gründlich mißachtet, nicht nur in seinem Dienst gegen Jahwe versagt, sondern auch furchtbares Unheil über das ihm anvertraute Staatswesen bringt.[29] Das Manassekapitel schließt in 21,17f. mit dem üblichen Verweis auf die Annalen der Könige von Juda, den Begräbnisort des Regenten und den Namen seines Nachfolgers.

Das Resümee der Analyse ergibt, daß die alten Nachrichten Manasse zwar als einen treuen Vasallen Assyriens zeigen (21,5.7a*), dies aber bei weitem nicht Anhaltspunkt genug ist für das Verdammungsurteil, das die Deuteronomisten einhellig über ihn fällen. Dazu war noch ein anderer Antrieb notwendig, nämlich der, eine wirksame Kontrastfigur zu Josia zu schaffen, was DtrH durch gezielte Rückführung bestimmter, von Josia entfernter Gottheiten und Kulte (21,3*.6aα) auf Manasse erreicht, während DtrN, die Tendenz von DtrH überzeichnend, offenbar dasselbe Ziel zu erlangen versucht.

Wenn aber DtrH die Verdammung Manasses aufgrund der Einführung bestimmter Kulte, u.a. des Bamothdienstes, vornimmt, muß ihm zwangsläufig ein einigermaßen untadeliger König vorausgegangen sein. Wie sich diese Konstruktion zur historisch ermittelbaren Wirklichkeit bei Hiskia verhält, wird nun zu prüfen sein.

2. Der Vorreformator Hiskia (2Kön 18,1–4) (vgl. Textrekonstruktion S. 420)

Daß Hiskia das Normalmaß judäischer Regenten übertrifft, dokumentiert DtrH sogleich in seiner Frömmigkeitsnotiz am traditionellen

[28] Vgl. ebd. S. 30 A. 41.

[29] Wie schwer der Vorwurf des Vergehens gegen unschuldiges Blut in spätdtr Kreisen wiegt, ist aus der mehrmaligen Wiederholung zu ersehen: 2Kön 24,4 (DtrN, vgl. *W. Dietrich,* PG S. 29–31); Jer 7,6; 22,3.17; vgl. 19,4 (allesamt JerD, vgl. *Thiel,* Jer I S. 110); als jüngere Belege sind zu nennen Jes 59,7; Jo 4,19; Prov 6,17.

Ort nach der synchronistischen Einordnung des Regierungsantritts und den Mitteilungen über Regierungsdauer und den Namen der Königinmutter (18,1f.): „Er tat das in den Augen Jahwes Rechte, ganz wie sein Ahnherr David getan hatte" (18,3). Damit erhält Hiskia die zweitbeste, für judäische Monarchen von DtrH vergebene Note, die nur noch durch die Beurteilung Josias (22,2) übertroffen wird.[30] Diese Einschätzung Hiskias und das den folgenden Vers einleitende, betont an den Anfang gestellte הוא verheißen, daß dieser König ganz Außerordentliches vollbracht haben muß, und das kann nach allem Vorangegangenen und mehr noch im Blick auf alles Folgende nur die Entfernung der Bamoth sein. Diese Tat wird auch als erste in 18,4a genannt, gefolgt von der Nachricht über die Zerstörung zweier weiterer Kultobjekte, der Masseben und der Aschera. Das alles klingt reichlich nach dtr Dogma und wenig nach historischer Substanz, da alle Glieder der Trias Elemente eines festen dtr Bezugssystems sind. Was für die Bamoth gilt, die Hiskia als erste entfernt (18,4a), die kurz darauf Manasse als erste wiedereingeführt (21,3a), bis Josia sie dann endgültig (im RB nicht an erster Stelle!) abgeschafft hat (23,8a), trifft ebenso für die Aschera zu, der dasselbe Schicksal von Hiskia über Manasse zu Josia zuteil wird. Die in 18,4a zusätzlich erwähnten Masseben scheinen zunächst in dieses auf Josia hin ausgerichtete (in der Entstehung allerdings von ihm herkommende) Verweissystem nicht zu passen, da sie bei Manasse keine Rolle spielen. Die Analyse der sonstigen Belege, in denen die Reihung Bamoth-Masseben-Aschera/Ascheren vorkommt, kann jedoch diesen Verdacht entkräften. Sie zeigt, daß sich zwei Redaktionstendenzen von DtrH bei Hiskia überschneiden. Die eine rührt von der folgenden Geschichte mit ihren Exponenten Manasse und Josia her und ist bereits aufgezeigt worden. Die andere steht im Zusammenhang mit den beiden anderen Belegen für die Trias Bamoth-Masseben-Ascheren in 1Kön 14,23 und 2Kön 17,10, die ebenfalls der dtr Grundschicht angehören[31] und ebenfalls die Formulierung von 18,4a beeinflußt haben. War der verderbliche Einfluß der Trias in 1Kön 14,23 gleich zu Beginn der judäischen Königsgeschichte apostrophiert und in 2Kön 17,10 beim Untergang des Nordreiches als warnendes Signal gesetzt worden, so scheint Hiskia berufen zu sein, solch schlimmes Unheil von Juda abzuwenden.

Daß Hiskia diese Rolle primär aufgrund bestimmter Intentionen von Späteren zugefallen ist, läßt sich anhand der Veränderungen, die

---

30 Zur Analyse der Frömmigkeitsnotizen s.o. S. 41ff.

31 S. u. S. 214.

an den Reihungen aus 1Kön 14,23 und 2Kön 17,10 in 18,4a vorgenommen worden sind, zeigen. An den beiden erstgenannten Stellen ist nämlich von אשרים die Rede, bei Hiskia hingegen von אשרה, eine Modifikation, die sich nur aus dem veränderten Bezugspunkt erklärt, nämlich 2Kön 21,3 und 23,4, wo in der dort vorkommenden Trias Aschera ebenfalls im Singular, durch die historischen Bedingungen im 7. Jh. genötigt (vgl. 21,7a; 23,6), begegnet. Genauso verhält es sich mit der an אשרים in 1Kön 14,23 und 2Kön 17,10 angehängten Fortsetzung „auf jedem hohen Hügel und unter jedem grünen Baum", die in 18,4 nicht mehr aufgenommen worden ist, weil sie sich mit der Aschera, die bei Manasse und Josia Glied der Trias Baal-Aschera-Himmelsheer ist, nicht mehr vertrug. Das Mißverständnis, daß deshalb die bei Rehabeam erwähnten אשרים verschont geblieben wären, wehrt DtrH in der Weise ab, daß er Josia ausdrücklich מצבות und אשרים unter Gebrauch derselben Verben wie in 18,4a vernichten läßt (23,14a), wobei er auch für die Masseben stillschweigend die Wiedereinführung durch Manasse voraussetzen muß, da sie unmöglich zweimal hintereinander liquidiert worden sein können. Hier ist DtrH eine der seltenen Unstimmigkeiten seiner Redaktion unterlaufen, die sich aus den beiden, einander überschneidenden Redaktionstendenzen erklären läßt: einerseits Hiskia gewisse Reformakte zuzuschreiben, um Manasse möglichst viele Greuel verüben lassen zu können, und andererseits Josia nicht nur der Entfernung von Manasses Greueln, sondern *aller* kultischen Mißbräuche der Geschichte Judas überhaupt zu rühmen.

Ist aber in 2Kön 18,4a die Trias Bamoth-Masseben-Aschera als vor allem durch die Manasse-Josia-Antithetik bedingte Redaktionsarbeit von DtrH erkannt, stellt sich die Frage, ob der verbleibende Rest an Information dazu berechtigt, von einer Kultreform Hiskias zu reden. Das wird nämlich mit Fug und Recht bezweifelt werden müssen. Zur Zerstörung der ehernen Schlange durch Hiskia kann nur *F. Horsts* über die josianische Reform ungerechtfertigt gesprochenes, hier aber berechtigtes Urteil zitiert werden: „Wer das nun als Kultusreform ... bezeichnen will, kann das tun"[32], muß sich dann aber den Vorwurf gefallen lassen, eine ziemlich unscheinbare Aktion, deren Hintergrund zudem einigermaßen dunkel ist, mit einem sehr anspruchsvollen Titel zu versehen. Wie auch immer es um die Motive für die Vernichtung des Nehuštan bestellt sein mag[33], so ist diese

[32] *F. Horst,* ZDMG 77 S. 236.

[33] Diese sind in der Tat nicht bündig zu benennen. Daß mit der bei Hiskia Nehuštan genannten (lies mit der lukianischen Rezension der LXX und ande-

Notiz, die wahrscheinlich aus den Annalen stammt, Kristallisationspunkt für die Redaktionsarbeit von DtrH gewesen, an den er im Sinne seiner kultreformerischen Ideen anzuknüpfen vermochte. Indem er entweder den vorgefundenen Stil des Pf. cop. übernahm oder – wahrscheinlicher – die in 18,4b vorgefundene Verbform seiner Formulierungsweise in 18,4a (Pf. bzw. Pf. cop.) anglich, hat er durch seine Vorschaltung der Trias Bamoth-Masseben-Aschera eine knappe Handlungseinheit geformt, die zwar mangels lokaler Verankerung der Aktionen recht allgemein wirkt, im Blick auf alles Vorhergehende aber als beachtliche Kultreform verstanden werden kann und auf jeden Fall Manasse einige Gelegenheiten mehr gibt, seinen Ruf zu ruinieren. Durch die Stilisierung der kultpolitischen Einzeltat Hiskias zu einer Kultreform schafft DtrH die notwendige Unterbrechung, die Manasses Verfehlungen nicht einfach in Kontinuität zu denen seiner Vorgänger erscheinen läßt, sondern die Konterkarierung von Manasse und Josia erlaubt. Der „Vorreformator" Hiskia

---

ren Versionen ויקראו) ehernen Schlange die von Mose einst in der Wüste angefertigte (Num 21,4b–9) gemeint ist, muß aufgrund der ausdrücklichen Feststellung אשר־עשה משה in 2Kön 18,4bα als unzweifelhaft gelten. Die Rückführung jener Schlange auf Mose ist ein Indiz *für* das Alter der Nachricht, da DtrH bei der Autorität, die er allem Mosaischen beimißt, dies kaum einem Gegenstand angedichtet hätte, dessen Liquidierung anschließend zu berichten war (beachte das Fehlen der Nehuštan-Notiz in 2Chr 31,1 und vgl. *L. Rost,* VT 19 S. 118 und vor allem *Zimmerli,* TB 51 S. 254–256 im Zusammenhang mit bedenkenswerten traditionsgeschichtlichen Überlegungen; ganz anders *Stade,* Anmerkungen S. 213f. aufgrund der abweichenden Beurteilung des Pf. cop. und wieder anders *Puukko,* Dtn S. 72: „Nur die Behauptung, Moses hätte dieses Schlangenbild angefertigt, wird der Reflexion der späteren Zeit Rechnung tragen.").

Der anschließende kausale Nebensatz 18,4bβ (כי...מקטרים לו) könnte allerdings wegen der Doppelung des לו (vgl. 18,4bγ) und des Sprachgebrauchs (קטר pi.) auf DtrH zurückgehen, zwingend ist das jedoch nicht. Jedenfalls wird man Hiskia als Motiv für seine Tat keine strikt monojahwistische Tendenz im Sinne des Dtn unterstellen dürfen, die er, wie das Fehlen jeglicher Femdgötterpolemik bei den zeitgenössischen Propheten Jesaja und Micha zeigt, noch nicht gehabt haben wird, wenngleich die Kultkritik dieser Propheten eine Station auf dem Weg zur Fremdgötterpolemik hin markiert und auch eine Aktion wie die Hiskias veranlaßt haben könnte (ähnlich *Stade,* GVI I S. 607f.).

Es sei aber auch die andere Vermutung geäußert, ob die Gründe, die zur Entfernung der ehernen Schlange führten, nicht in gewissem Zusammenhang mit der Existenz des ass. Weltreiches und seiner an Emblemen reichen Religion stehen. Vielleicht war der gegen Assur rebellierende Vasall Hiskia geradezu gezwungen, das altehrwürdige Symbol der ehernen Schlange preiszugeben, wollte er sich nicht dem Mißverständnis aussetzen, die Ablehnung ass. Oberherrschaft und Religion nur halbherzig zu betreiben (zur Bedeutung der Schlange im ass. Kult vgl. etwa ABL 1280 Obv. 5–9; *Caplice,* OrNS 36 S. 21–34).

ist somit eine notwendige Folge der von DtrH intendierten Manasse-Josia-Antithetik.

Wellhausen hat bereits vor gut 100 Jahren Zweifel an der Authentizität der hiskianischen Reform geäußert: „Indessen so überaus hoch und allgemein der Tempel (scil. in Jerusalem) verehrt wurde, so blieben die anderen Heiligtümer vorerst doch neben ihm bestehn. Zwar soll der König Hizkia schon damals einen Versuch gemacht haben, sie abzuschaffen, der aber ganz spurlos verlaufen und darum zweifelhafter Natur ist."[34] Die historische Feststellung der Wirkungslosigkeit der Reform Hiskias konvergiert mit den oben gemachten redaktionsgeschichtlichen Beobachtungen, so daß man ihr gewiß nicht unrecht tut, wenn man sie als dtr Geschichtskonstruktion beurteilt.

Die weiteren Nachrichten über Hiskia in 2Kön 18 sind im Blick auf seine Reform unergiebig. Bevor die wichtigen Annalentexte über das Ende des Nordreiches (18,9–11)[35] und den Palästinafeldzug Snh.s (18,13–16) einsetzen, ist (abgesehen von der unsicheren Notiz über Hiskias Philisterschlacht 18,8[36]) nur dtr Material zu finden,

---

[34] *Wellhausen,* Prolegomena S. 25, vgl. S. 47f.; ders., IjG S. 123f. Er hält allerdings an einer „Reinigung des Kultus" zur Zeit Hiskias unter dem Einfluß von Jesajas Kultpolemik fest: „Der König Hizkia hieb die Aschera im Tempel von Jerusalem um und zertrümmerte die eherne Schlange Moses, der man bis dahin geopfert hatte. Schwerlich aber ist er weiter gegangen, als Jesajas sich träumen ließ, und hat auch die sämtlichen Altäre außerhalb Jerusalems zerstört" (ebd. S. 130).
Eine gute Darbietung der durch *Wellhausens* These zur hiskianischen Reform ausgelösten Diskussion ist bei *Puukko,* Dtn S. 71ff. zu finden. Eine ähnlich kritische Beurteilung der Reform Hiskias vertreten *Hölscher,* Geschichte S. 99 A. 5; ders., FS Gunkel S. 210; *Gressmann,* ZAW 42 S. 330; *Eißfeldt,* HSAT(K) I S. 571; *Conrad,* FS Würthwein S. 28ff. (vergleichbares literarkritisches Resultat, allerdings aufgrund anderer Voraussetzungen); *H.-D. Hoffmann,* Reform S. 146ff. (In Hiskias Vorgehen gegen den Nehuštan „das historische Modell der Kultreform(en)" [S. 154] im dtr Geschichtswerk zu erkennen, erscheint angesichts des geringen Umfangs und ephemeren Charakters allerdings unplausibel.) u.a.; hingegen hält in neuerer Zeit die Mehrzahl der Forscher wieder an ihrer Authentizität fest: vgl. *Bentzen,* Reform S. 73f.; *Noth,* ÜS S. 85; ders., GI S. 240f.; *Jepsen,* QK S. 74–76; *Montgomery,* Kings S. 480f.; *Todd,* SJTh 9 S. 289–291; *Rowley,* Reform S. 98ff.; *Nicholson,* VT 13 S. 383ff.; *Weinfeld,* JNES 23 S. 206ff.; *Gray,* Kings S. 670f.; *McKay,* Religion S. 13ff.; *Zimmerli,* TB 51 S. 98ff.; IJH S. 442ff.; *Zorn,* Reforms S. 195ff.; *Evans,* Foreign Policy S. 159ff.

[35] 18,12 ist DtrN zuzurechnen, vgl. *W. Dietrich,* PG S. 138 A. 115.

[36] Zu 18,7b (DtrH) und 18,8 vgl. *Noth,* ÜS S. 76 A. 6; anders *Jepsen,* QK S. 30 und jüngst *Na'aman,* VT 29 S. 67, die beide (mit vielen anderen) 18,8 als authentische Notiz betrachten.

größtenteils (18,5–7a) von DtrN stammend[37], wenn auch wohl nicht von derselben Hand wie 23,25–27, da das Prädikat 18,5∿23,25 von einem Redaktor nur einmal vergeben werden kann. Die nomistische Tendenz ist beide Male klar. Wo DtrH lobt, wird DtrN enthusiastisch, wo jener tadelt, schimpft dieser – hier wie dort auf Kosten der Akzente, die DtrH in seiner Geschichtsschreibung gesetzt hat.

Geht die vorgenommene kritische Analyse von 2Kön 18,1ff. nicht fehl, muß konsequenterweise auch jede Verbindung irgendeiner Art von Kultreform mit den antiass. Aufständen Hiskias unterbleiben. Nur eine vorschnelle historische Auswertung von 18,4–8 und den Jesajalegenden 18,17–19,37 hat zu Theorien über den religiös-prophetisch inspirierten Rebellen Hiskia oder auch über zwei Palästinafeldzüge Snh.s statt einem zur Wiederherstellung der judäischen Botmäßigkeit geführt (aus der Fülle der Literatur vgl. *Bright*, GI S. 285ff.305ff.; *Nicholson*, VT 13 S. 386ff.).

Was an historisch gesicherten Kenntnissen über Hiskia zur Verfügung steht, ist lediglich dies: daß er zu einem nicht näher bestimmbaren Zeitpunkt ein Schlangensymbol aus dem Jerusalemer Tempel vielleicht unter dem Zwang der durch die Assyrer geschaffenen Verhältnisse entfernt hat (s.o. A. 33), daß er sich in den Jahren 713–711 an antiass. Unruhen beteiligt hat (belegt durch Jesajaworte und die Annalen Srg.s II., s.u. S. 227ff. A. 1; vgl. *Donner*, VTS 11 S. 106ff.) und daß er dies in vorderster Reihe noch einmal in den Jahren 705–701 gewagt hat, mit der bekannten Folge des Glücks im Unglück, sofern Snh zwar eine drastische Gebietsverkleinerung Judas vollzog und das ass. Heer vor den Toren Jerusalems stand, die Stadt aber aus nicht mehr voll aufzuklärenden Gründen verschont blieb (belegt durch 2Kön 18,13–19,37, Jesajaworte und die Annalen Snh.s, s.u. S. 227ff. A. 1; vgl. *Alt*, KS II S. 242ff.; *Donner*, VTS 11 S. 117ff.; *Clements*, Isaiah S. 9ff. 52ff.; zu den in den Jesajalegenden enthaltenen authentischen Erinnerungen s.u. S. 346ff. und vgl. *von Soden*, FS Stier S. 43ff.; *Parpola*, CRRA 26 S. 171ff.). Nach 701 regierte Hiskia nur noch über den Stadtstaat Jerusalem, in dem „zu politischer Aktivität ... weder Gelegenheit noch Neigung vorhanden" war (*Noth*, GI S. 244; vgl. auch *S. Herrmann*, GI S. 314ff.).

3. *Ein Wegbereiter der Reform: Joas (2Kön 11,17–12,17)* (vgl. Textrekonstruktion S. 414ff.)

Der engere Kreis der durch die josianische Reform in dtr Darstellung bestimmten Geschichte Judas reicht nicht weiter als bis Hiskia zu-

[37] *Jepsen* hat 18,5–7a als eine Redaktionseinheit richtig erkannt (vgl. QK S. 62.80 zusammen mit der Korrektur auf S. 116 in bezug auf 18,4bβ). 18,6.7a hat *W. Dietrich* (PG S. 138 A. 115) bereits DtrN zugewiesen, woran aufgrund der nomistischen Nomenklatur in 18,6b und des Gebrauchs von השכיל in 18,7a (vgl. die DtrN-Belege Jos 1,7f.; 1Kön 2,3; hier vermutlich aus 1Sam 18,14 entlehnt) kein Zweifel möglich ist. Doch auch 2Kön 18,5 gehört dieser Schicht an. 18,5b ist dem DtrN-Satz 23,25 entlehnt, und 18,5a könnte mit Blick auf 18,22 = Jes 36,7 formuliert worden sein.

rück. Diesen Abschnitt hat DtrH unter dem starken Eindruck der Reform konsequent auf diese hin gestaltet. Doch auch außerhalb dieses engeren Kreises haben die Deuteronomisten, wo immer sich ihnen ein geeigneter Anknüpfungspunkt in der Tradition bot, entweder Hinweise auf Josias Reform oder von ihr geprägtes Gedankengut in die Texte einfließen lassen. Letzteres kann auf zweierlei Weise erfolgen, einmal durch besonders negative Charakterisierung der kultischen Praxis mancher Monarchen (prototypisches Exempel: Manasse), die die Notwendigkeit der Reform lange vor Josia begründet, aber auch durch Setzung positiver Akzente bei anderen Monarchen (prototypisches Exempel: Hiskia), die schlimme kultische Auswüchse partiell unterbinden und mit diesem Handeln auf das Größere hinweisen, das da kommen soll.

In dieses System der sekundär eingetragenen Vorverweise gehört die dtr Beurteilung von *Ahas* in 2Kön 16,2b–4 nur in einem sehr beschränkten Sinn. DtrH hat Ahas mit einer sehr negativen Frömmigkeitsnotiz in 16,2b.3a bedacht und in 16,4 den üblichen Hinweis auf die Fortexistenz der Bamoth gegeben. Dieser Hinweis erfolgt bei DtrH in den Partien, die er ohne Textvorgabe formuliert, *immer* sogleich nach der Frömmigkeitsnotiz, eine Reihenfolge, die hier durch 16,3b unterbrochen wird.[38] Schon von der Stellung her liegt der Verdacht nahe, daß 16,3b nicht von DtrH stammt, was noch durch weitere Beobachtungen untermauert werden kann. Es wäre zunächst die Einleitung des Satzes durch וגם zu nennen, die, da noch kein konkretes Vergehen vorher aufgeführt worden ist, als unpassend erscheint, aber als redaktionelle Anschlußformel gut bekannt ist. Und dann der Inhalt von 16,3b: Das Kinderopfer ist als höchst negativer Vorwurf noch von Manasse her in Erinnerung (21,6aα), woher die Formulierung in 16,3bα auch wörtlich (abgesehen von der durch וגם notwendig gewordenen Satzumstellung) übernommen worden ist. Ebenso ist der Vergleich mit den Greueln der Völker 16,3bβ eine (bis auf die Auslassung von אתם) wörtliche Entlehnung aus der Frömmigkeitsnotiz von DtrH für Manasse in 21,2b, die der hiesige spätdtr Redaktor (SD) lediglich neu mit dem Kinderopfer kombiniert hat. Durch seine Arbeit stört er allerdings das überlegt aufgebaute Bewertungssystem von DtrH, indem er sowohl den schweren Vorwurf des Kinderopfers als auch den Vergleich mit den Greueln der Völker – beides bei DtrH für Manasse reserviert – auf Ahas

---

38 Vgl. auch die Zweifel an der literarischen Integrität von V. 3f. bei *Stade* (Anmerkungen S. 206) und deren Fehlen bei *H.-D. Hoffmann* (Reform S. 140f.; dtr Tendenz zutreffend bestimmt).

überträgt. Er hat damit ein ähnliches Kontrastverhältnis zwischen Ahas und Hiskia geschaffen, wie es DtrH bereits im großen Stil zwischen Manasse und Josia durchgeführt hatte. Die durch SD vorgeschaltete Konterkarierung relativiert zugleich ein wenig die von DtrH ausgearbeitete Manasse-Josia-Antithetik (in die er Hiskia mehr zwangsläufig hatte einbeziehen müssen), so daß jene, wiewohl durch diese beeinflußt, letztendlich von Josias Reform etwas ablenkt.[39]

Ganz anders verhält es sich mit dem Bericht über *Joas ben Ahasja* (2Kön 11f.), in dem an manchen Stellen auch josianischer Reformgeist weht, dies jedoch mehr unterschwellig im Bewußtsein der Tatsache, daß rund 200 Jahre vor Josia noch nicht die Zeit einschneidender Reformmaßnahmen, sondern allenfalls die der im Blick auf das Ziel noch verhüllten Vorbereitung ist.[40]

Joas' Weg auf den Davidsthron beginnt mit der Rettung des Kindes vor der mörderischen Despotin Athalja, die ca. 6 Jahre lang die Herrschaft ausübt, schließlich aber in einem vom Priester Jojada zusammen mit den Söldnerführern inszenierten Putsch getötet wird, so daß nunmehr mit der Nachfolge des siebenjährigen Joas die Kontinuität rechtmäßiger Herrschaft der Davididen gesichert ist (2Kön 11,1–16).

Das anschließende, rein politische Geschehen ist kräftig theologisch retouchiert worden: Dem von Jojada geleiteten Bundesschluß zwischen König und Volk (11,17aαb) ist ein Bund vorgeschaltet, in dem Jahwe als der erste Bundespartner genannt ist (11,17aβγ)[41] ohne Rücksicht darauf, daß die aus dem originären Bundesschluß übernommene Präposition בין völlig ungeeignet ist, ein Bundesverhältnis zwischen drei „Parteien" zu formulieren. In der Grundschicht des Textes erfolgte auf den Bundesschluß zwischen König und Volk die Geleitung des neuen Monarchen vom Tempel zum Palast, nach-

---

39 Zu 2Kön 16,5–18 s.u. S. 363ff.

40 Die literarische Einheitlichkeit von 2Kön 11f. wird man auch nach der Analyse von *H.-D. Hoffmann* (Reform S. 104ff.118ff.) noch anzweifeln müssen, ebenso die frühnachexilische Entstehung von 12,5–17 in priesterlichen Kreisen (Verhältnis zu Dtr?).

41 Die erste Konjunktion in 11,17b gehört selbstverständlich mit zur Redaktion. Es nimmt nicht wunder, daß hier textkritische Vereinfachungen zu finden sind. So läßt die lukianische Rezension der LXX 11,17b aus (vgl. die Parallele 2Chr 23,16), bietet also die textkritisch eindeutig sekundäre lectio facilior; kaum handelt es sich in 11,17b um Dittographie (so *Veijola*, TAik 84 S. 97).
Ein überzeugter Überlieferungsgeschichtlicher wie *H.-D. Hoffmann* wird die Doppelungen in 11,17 nicht gerne sehen. Doch sollte das nicht dazu führen, das Problem zu verschweigen (vgl. Reform S. 106ff.).

dem Jojada zur Sicherung des Heiligtums Wachen aufgestellt hatte (11,18b.19). Doch der Redaktor gibt dem Festzug zuvor eine ander Richtung, zum בית־הבעל nämlich, den der עם הארץ samt Altären, Bildern und Baalspriester vernichtet (11,18a).[42] Mag auch die durch 11,18a angestiftete lokale Verwirrung groß sein (11,18b setzt ohne jeden Übergang wieder den Tempel als Schauplatz voraus), die den Redaktor bei der Einfügung von 11,17aβγ.18a leitende Intention ist nur allzu klar: 1. Wenn der Jahwepriester Jojada einen Bund schließt, dann zuerst mit Jahwe. Nur danach kann alles Weitere mit gutem Recht folgen. 2. Wenn die Ahab-Tochter Athalja sechs Jahre lang die Herrschaft in Juda ausgeübt hat, kann das bei der Neigung der Omriden zum Baalismus nicht ohne religiöse Folgen geblieben sein. Sie *muß* also einen Baalstempel errichtet haben, der gleich mit der Erhebung Joas' zum König der Vernichtung anheimfällt.[43]

Daß der Redaktor hier durch seine Ergänzungen, die einigermaßen ungeschickt mit der Vorlage verbunden sind, das Nacheinander von Bund und Reform, wie es bei Josia zu finden ist, imitiert, muß als sehr wahrscheinlich gelten.[44] Kaum hätte DtrH, dessen ganzes Inter-

[42] Daß die redaktionelle Ergänzung 11,20b, eine Dublette zur Tötung Athaljas in 11,16, zu derselben Redaktionsschicht gehört, ist fast auszuschließen, da sie eher auf ein Versehen als auf einen sinnvollen Grund zurückzuführen ist (vgl. *Hölscher*, FS Gunkel S. 187: „Liederlichkeit der Darstellung"; er nimmt allerdings die Priorität von 11,20 gegenüber 11,16 an).

[43] 11,18a ist in dtr Sprache formuliert und enthält keinen einzigen Zug, der unerfunden wirkt. Selbst die Tötung des Baalspriesters mit dem phönizischen Allerweltsnamen Mattan kann nicht als Gegenargument genannt werden, da sie auf dem Hintergrund des Schicksals der Baalspriester in 1Kön 18 und 2Kön 10 gut verständlich ist. Deshalb nimmt man verwundert zur Kenntnis, daß *H.-D. Hoffmann* den Fixpunkt der Überlieferung gerade in der Tötung des Priesters findet, der zu diesem Zweck eine Metamorphose zum Jahwepriester liberaler Observanz durchmacht (vgl. Reform S. 112). Zwar ist die hypokoristische Form מתן für מתניה(ו) durchaus möglich, steht aber ebensogut für מתנבעל, woran natürlich in 11,18 gedacht ist. Zudem ist מתנ(בעל) im Phönizischen, Punischen und Neupunischen passim belegt (vgl. *Harris*, Grammar S. 108f.; *Tallqvist*, APN S. 135b; KAI III S. 50).
Zu einer historischen Auswertung von 11,17f. vgl. *Mulder*, TWAT I Sp. 722, *Zorn*, Reforms S. 98ff. v.a. S. 128ff. (Zusammenstellung historischer Ereignisse durch einen spätvorexilischen Dtr anhand des josianischen Vorbildes) und *Yadin* FS Kenyon S. 130ff. Zweifel an der Historizität meldet hingegen auch *Stade* (Anmerkungen S. 192) an, ohne sich allerdings zu Konsequenzen durchringen zu können; zutreffende literarische und historische Beurteilung (mit geringen Differenzen zur vorgetragenen Analyse) hingegen bei *Kutsch*, Verheißung S. 163ff.; *Mettinger*, King S. 142ff.; *Veijola*, TAik 84 S. 97f.

[44] Wieso Dtn 17,18ff. als Orientierungspunkt der Darstellung dienen soll, wird von *H.-D. Hoffmann* (Reform S. 110) nicht gesagt. Was steht dort über ברית, was über Reform?

esse auf die Herausstellung der Singularität von Josias Werk gerichtet ist, einen solchen Imitationsversuch unternommen. Die unbefangene Rücktragung josianischer Taten in die frühe Geschichte Judas spricht am ehesten für einen spätdtr Redaktor (SD), dem es einfach unvorstellbar war, daß der Priester Jojada einen Verpflichtungsakt zwischen König und Volk inszeniert, ohne die konstitutive Rolle Jahwes für jegliches Bundesverhältnis zu erwähnen. Und das Fehlen einer Vernichtungsnotiz über Athaljas Baalskult in den alten Quellen konnte sich dieser Redaktor wohl nur als unberechtigte Vergeßlichkeit erklären. Seine Gedankengänge sind an diesem Punkt zu sehr durch Josias Werk bestimmt, als daß er einem anderen positiv beurteilten Monarchen die Freiheit einer von der josianischen Norm abweichenden Handlungsweise zugestehen würde.

Joas hat aber durch seine den Tempel betreffenden Baumaßnahmen (2Kön 12,5–17) dem hier tätigen spätdtr Redaktor noch einen weiteren willkommenen Anknüpfungspunkt für seine Arbeit gegeben.[45] Es ist schon immer aufgefallen, daß es unter den Nachrichten über die Tempelausbesserung in 2Kön 12 und 22 einige Sätze gibt, die in ihren Formulierungen derart weit übereinstimmen, daß bloßer Zufall so gut wie ausgeschlossen ist. Folgende Notizen in beiden Texten weisen Berührungspunkte auf: 12,10 mit 22,4; 12,12f. mit 22,5f.; 12,16 mit 22,7. Die Frage, auf welcher Seite die Abhängigkeit gesucht werden muß, ist in der Forschung unterschiedlich beantwortet worden. *Stade* etwa trat für die Abhängigkeit der betreffenden Verse in Kap. 12 von Kap. 22 ein, während *W. Dietrich* und *H.-D. Hoffmann* neuerdings das Abhängigkeitsverhältnis wieder in umgekehrter Richtung zu begründen versucht haben.[46] Es ist mit einem Blick zu sehen, daß jeder Vers des „Bauberichts" im Josiakapitel (22,4–7) eine Parallele in dem des Joaskapitels hat, dieser aber umfangreicher als jener ist. Das legt den Gedanken nahe, daß mit den Baunotizen aus Kap. 22 der „Baubericht" in Kap. 12 sekundär aufgefüllt worden ist, wenngleich andererseits die Vermutung eines Exzerpts aus Kap. 12 in Kap. 22 auch nicht als völlig abwegig betrachtet werden kann. Welche der beiden Lösungen die richtige ist, muß ein Vergleich der Parallelen in beiden Kapiteln ergeben, zusammen mit der Untersuchung, inwieweit die parallelen Verse integraler Bestandteil im jeweiligen Kontext sind.

---

45 Zur Analyse von 12,3f. s.u. S. 193 A. 84.

46 Vgl. *Stade*, Anmerkungen S. 192–197 (die folgende Analyse weicht allerdings nicht unerheblich von der *Stades* ab); *W. Dietrich*, VT 27 S. 18–22; *H.-D. Hoffmann*, Reform S. 192ff.

Die erste Entsprechung, 12,10 mit 22,4 ist mehr weitläufiger Art, sofern sie sich nur auf die שמרי הסף und die Wendung את־(כל־)הכסף המובא בית(־) יהוה bezieht[47], macht aber auf die störende Stellun von 12,10 im Kontext des Kapitels aufmerksam. War bisher immer von Verhandlungen zwischen dem König und den Priestern (כהנים 12,5.6.7.8.9; völlig planlose Eintragung des „Priesters Jojada" in 12,8) die Rede gewesen, tritt gänzlich unerwartet in 12,10 der „Priester Jojada" als Subjekt der Handlung (ganz so wie der Priester Hilkia in Kap. 22) auf, um, nachdem er die Aufstellung eines Kastens (ארון) im Tempel zur Einsammlung des Geldes veranlaßt hat, schnell wieder im Hintergrund zu verschwinden und den bisherigen Handlungsträgern, den Priestern, das Feld zu überlassen, die aber nun in 12,10b nicht mehr einfach „Priester" genannt werden, sondern zusätzlich den Titel שמרי הסף erhalten. Diese Apposition, die nur hier in Kap. 12 vorkommt, zeigt noch deutlicher als die Einführung des Priesters Jojada den Ausgleichsversuch mit keinem anderen Bericht als dem des Josiakapitels, wo die Schwellenhüter ihren festen Platz in der Ereignisfolge haben.[48] Die Eintragung von 12,10 ins Joaskapitel verfolgt das Ziel, eine Ätiologie für die Existenz des Opferstocks im Tempel zu geben, über den der König voll und ganz ohne Beteiligung der Priester verfügen kann und an den auch bei dem Befehl Josias an seinen Kanzler Schaphan in Kap. 22, das im Tempel von den Schwellenhütern eingesammelte Geld abzurechnen, gedacht werden soll (22,4).[49]

---

47 Allerdings will der Unterschied in der Formulierung in 12,5a und 12,10b beachtet sein.

48 Da nach *H.-D. Hoffmann* „die Tätigkeit der Schwellenhüter die Hauptsache in Kap. 12 sein soll (Reform S. 193), ist es erstaunlich, daß sie nur einmal erwähnt werden, und zwar nur als Apposition zu הכהנים, der in Kap. 12 häufig belegten und übergreifenden Berufsbezeichnung (gegen Argumentation auf S. 194). Um die weitere Begründung von *Hoffmanns* Sicht des Abhängigkeitsverhältnisses ist es nicht viel besser bestellt.

49 *Benzinger,* Kön S. 160 zu 12,10: „Dass die Geldlade mitten im Vorhof beim Altar aufgestellt wurde und die Schwellenhüter das empfangene Geld jedesmal dorthin tragen mussten, erscheint sachlich sehr unwahrscheinlich." Richtig, nur darf der Fehler nicht in der masoretischen Textüberlieferung gesucht werden, sondern er ist in der mangelnden lokalen Orientierung exilischer Redaktoren im vorexilischen Tempel zu finden. Nimmt man 12,10 aus dem Kontext heraus, ergibt sich ein glatter Zusammenhang von 12,9 und 12,11. Die lokale Bestimmung בארון in 12,11 ist als Element der Vorlage in der redaktionellen Passage 12,10 rezipiert und ausgeschmückt worden. הכהן הגדול in 12,11b ist eine unsinnige Glosse (vgl. *Benzinger,* Kön S. 160; *W. Dietrich,* VT 27 S. 19 A. 28; s.o. S. 47 A. 33)

Ist somit 12,10 ohne weiteres als eine durch 22,4 initiierte Einfügung ins Joaskapitel erkannt worden, läßt sich dasselbe Abhängigkeitsverhältnis bei der folgenden Entsprechung von 12,12f. mit 22,5f. ebensogut wahrscheinlich machen. Wie bereits gezeigt worden ist, handelt es sich bei 22,6 um eine sekundäre Spezifizierung von 22,5; beide Verse zusammen werden in der Passage 12,12f. bereits vorausgesetzt und hier in stilistisch geglätteter und inhaltlich ausgearbeiteter Form dargeboten. Darf schon das 12,12 einleitende Pf. cop. ונתנו in einem Text, der dem späten 9. Jh. angehören will, durchaus als literarkritisches Signal gewertet werden, so ist aber dies ganz zweifelsfrei, daß 12,12a mit der expliziten Nennung des Objekts הכסף המתכן[50] gegenüber der unklaren, suffigierten Verbform ויתנה[51] zu Beginn von 22,5 den glatteren und damit sekundären Text bietet. Die stilistisch ansprechendere Lösung ist auch in 12,12b erreicht: Durch die Verbform ויוציאהו ist die in 22,5 unschöne Wiederholung des Verbs נתן vermieden, und die dort durch den zweimaligen Gebrauch der Bezeichnung עשי המלאכה bedingte terminologische Unschärfe wird in 12,12f. dadurch umgangen, daß die Vorlage 22,5f. ohne den die störende Doppelung implizierenden V. 5b übernommen worden ist. Die umständliche Notiz in 22,5f. „Und er (= Hilkia) soll es (= das Geld) den im Jahwetempel (scil. zur Aufsicht) eingesetzten Werkleuten übergeben, und die sollen es den Werkleuten, die im Jahwetempel (scil. tätig) sind, übergeben, um die Schäden des Tempels auszubessern, (nämlich) den Zimmerleuten usw.“ ist in 12,12f. zu einem glatten Satz umformuliert worden: „Und sie (= die Priester) übergaben das abgezählte Geld den im Jahwetempel eingesetzten[52] Werkleuten, und die händigten es den Zimmerleuten usw. aus, um die Schäden des Jahwetempels auszubessern.“

---

50 Das Part. pu. von תכן kommt nur hier vor, ist aber der Bedeutung nach durch die beiden Belege Jes 40,12; Hi 28,25 (תכן pi.) und durch den Gebrauch von תֹּכֶן in Ez 45,11 völlig gesichert: „abgewogenes, abgezähltes Geld“ (vgl. *Gressmann*, SAT II/1 S. 317; *Eißfeldt*, HSAT(K) I S. 561).

51 S.o. S. 48 A. 37.

52 In 12,12aβ ist vielleicht mit dem Qerē wie in 22,5 המפקדים zu lesen, noch wahrscheinlicher aber das um die Exilszeit geläufige הַפְּקִדִים (vgl. *Benzinger*, Kön S. 160; *Montgomery*, Kings S. 432), nicht aber das in priesterschriftlichen Texten übliche הַפְּקֻדִים (so im Apparat von BHK und BHS). Man wird die Umbildung des ungewöhnlichen Part. pu. in eine geläufigere Form als Indiz für den sekundären Charakter von 12,12f. werten dürfen. Das Fehlen der Präposition ב vor בית יהוה ist als Haplographie zu erklären. Auch Jer 29,26 ist dementsprechend zu korrigieren (vgl. *B. Duhm*, Jer S. 235 u.a.).

Die Aufzählung der an den Bauarbeiten beteiligten Handwerker in 12,12b.13 ist deutlich eine Verschlimmbesserung der kürzeren Reihung in 22,6. Ist hier in einer durchaus nicht stringenten Aufzählung von Handwerkern (חרשים), Bauleuten (בנים), Maurern (גדרים) und dem Ankauf von Hölzern und behauenen Steinen (לקנות עצים ואבני מחצב) die Rede, will der Redaktor in Kap. 12 die einzelnen Tätigkeitsbereiche genauer definieren. Unzufrieden mit dem blassen Oberbegriff חרשים spezialisiert er diese Gruppe zu Zimmerleuten (חרשי העץ) und versucht mehr schlecht als recht, durch den Partizipialsatz 12,12bβ die Bauleute von den Maurern zu differenzieren, assoziiert zu den letzteren noch die Steinmetze (בני האבן) und schafft damit eine Gruppe von Arbeitslosen, denn die Vorlage, die den Ankauf bereits behauener Steine berichtet, wird von ihm im folgenden anstandslos übernommen.[53] Der abschließende Infinitivsatz (לחזק את־בדק בית־יהוה, 12,13aγ) ist aus den beiden Infinitivsätzen 22,5bβ.6bβ kompiliert, während 12,13b mit dem verspäteten Anschluß an die einzelnen Handwerkergruppen den Eindruck junger Glossierung macht.[54]

Die letzte Übereinstimmung, 12,16 mit 22,7, bedarf keiner langen Erklärung. Die kurze Notiz 22,7 über das Verbot der Abrechnung „heiligen" Geldes[55] schließt unmittelbar an 22,5(6) an, während ihre ausführlichere Form in 12,16 in jeder Hinsicht durch die Trennung von ihrem angestammten Kontext begründet ist: Das Nifal von חשב konnte nicht stehenbleiben, weil durch den Einschub 12,14f. eine genaue Klärung notwendig geworden ist, wer mit wem keine Abrechnung vornehmen soll. Dafür wird das Sprachmaterial verständlicherweise aus 12,12.13a genommen, also aus den Versen, auf deren Inhalt sich die Sonderregelung bezieht – genau wie in 22,5–7, wo der störungsfreie Zusammenhang eine viel knappere Formulierung gestattet.

Ist somit der gegenüber Kap. 22 sekundäre Charakter der Parallelpassagen im Joaskapitel evident, muß als nächstes untersucht wer-

---

53 Vgl. die ähnliche Überlegung bei *W. Dietrich*, VT 27 S. 21, wo sie jedoch in einer gegenläufigen Argumentation verwendet wird.

54 *W. Dietrich* (VT 27 S. 20f.) versucht, das Abhängigkeitsverhältnis genau in umgekehrter Richtung zu begründen, jedoch aufgrund wenig stichhaltiger Argumente: Wie wenig 12,13b Vorlage für die Sammelbezeichnung חרשים in 22,6 gewesen sein kann, merkt *W. Dietrich*, aaO S. 20 A. 34 selbst. Aus welchem Grunde die ...עשי המלאכה (22,5) aus 12,15f. stammen sollen (ebd. S. 21), hat *W. Dietrich* nicht dargelegt.

55 Vgl. *Benzinger*, Kön S. 160f.

den, wie es um den Zusammenhang der in Kap. 12 verbliebenen Verse bestellt ist. Mühelos lassen sich 12,5aα (ohne כסף עובר). 6–9.11.14f.[56] hintereinander lesen und ergeben einen in sich abgeschlossenen Bericht, der gut aus DtrH vorliegenden Quellen, wahrscheinlich Tempelregesten, entnommen sein könnte. Demnach hat König Joas in Wahrnehmung seiner Hoheit über den Jerusalemer Tempel angeordnet, daß (gewisse) von den Priestern eingesammelte Opfergaben für Ausbesserungsarbeiten am Tempel bestimmt sein sollen (12,5aα.6). Doch im 23. Regierungsjahr des Königs haben die Priester immer noch keine Reparaturen am Tempel durchführen lassen, weshalb der König nunmehr mit ihrem Einverständnis die Sorge für die Tempelausbesserung selbst in die Hand nimmt, indem er sich die Verfügungsgewalt über das im Tempel eingesammelte Geld vorbehält (12,7–9). Wenn der für diesen Zweck bestimmte Opferstock voll ist, sendet der König seinen Kanzler zur Abrechnung in den Tempel, dem wohl auch die Aufgabe obliegt, die zweckmäßige Verwendung des Geldes zu überwachen, das eben nicht für die Anschaffung kostbarer Kultgeräte[57], sondern für die Instandsetzung des Tempels bestimmt ist (12,11.14f.). Die Affinität dieser Thematik zu den Baunotizen in Kap. 22 liegt auf der Hand, ja die in Kap. 12 mitgeteilte Kompetenzübertragung an den König und die Einrichtung eines bestimmten Opferstocks im Tempel kann und soll als Voraussetzung des „Bauberichts" in Kap. 22 verstanden werden.

Wer diese Nebenzüge der Handlung von Kap. 22 durch Eintragungen in Kap. 12 vorbereitet hat, wird derselbe spätdtr Redaktor gewesen sein, der auch die josianische Bund- und Reformidee in Kap. 11 bereits mit Joas verknüpft hat. Daß er durch die Generalisierung von Bund und Reform seinem großen Vorbild Josia keinen guten Dienst erwiesen hat, weil er damit ihre besondere Bedeutung aufgrund des Buchfunds nivelliert hat, ist ihm anscheinend nicht bewußt geworden.

---

[56] Die Differenzierung des Geldes in verschiedene Arten von Opfergaben (12,5aβb + כסף עובר) ist später von einem priesterlich geschulten Redaktor nachgetragen worden (vgl. die Diskussion der Textprobleme bei *Stade*, Anmerkungen S. 192f.). 12,17 dürfte von demselben Redaktor wie 12,5aβb stammen, da beide Zusätze derselben, auf kasuistische Akribie bedachten Intention entsprungen sind.

[57] Die ersten drei Kultgeräte sind in derselben Reihenfolge in 1Kön 7,50 zu finden, ohne daß jedoch ein literarischer Zusammenhang auch nur irgendwie wahrscheinlich wäre (vgl. Jer 52,18f.; 2Kön 25,14f.).

4. Die Rücktragung der Reformidee in die Geschichte der judäischen Monarchie: Asa (1Kön 15,9–14) und Josaphat (1Kön 22,41–51)

(vgl. Textrekonstruktion S. 412f.)

Mit Joas ist die Rückwirkung der josianischen Reform, wie sie durch dtr Arbeit initiiert worden ist, noch nicht zu ihrem Ende gekommen. Auf zweierlei Weise hat die Reform noch weiter in die Geschichte der judäischen Monarchie zurückgewirkt: zum einen dadurch, daß die Deuteronomisten die Idee der Reform in noch früheren Zeiten propagieren, zum anderen dadurch, daß in Korrespondenz zur Beendigung des Götzendienstes durch die Reform dessen Anfänge besonders apostrophiert und gebrandmarkt werden. Ersteres trifft auf Asa (1Kön 15,9–14) und Josaphat (22,41–51) zu, letzteres auf Salomo (11,1–13) und Rehabeam (14,21–24). Zunächst sei von den beiden weiteren judäischen Reformern kleinen Stils, die gewissermaßen neben Joas zu stellen sind, die Rede.

Was das erste Kön-Buch über *Asa* (908/7–868/7) zu berichten weiß ist schwerpunktmäßig durch seine militärischen Auseinandersetzungen mit dem Nordreich bestimmt (1Kön 15,16–22). Gleichwohl läßt bereits die ausgenommen positive dtr Beurteilung Asas in 15,11[58] noch bestimmte Taten erwarten, die eine solch hohe Einschätzung rechtfertigen. Sie werden auch gleich in 15,12f. angeführt Demnach hat Asa Kedeschen, Götzen und ein Standbild (?, מפלצת) für die Aschera aus dem Land entfernt und zudem die Königin(groß)mutter Maacha (vgl. 15,2) ihres Amtes enthoben.[60]

Wellhausen wird von dem chr Parallelbericht (2Chr 15) zu Recht gesagt haben, hier werde „Asa zu einem andern Josias" gemacht[61], doch erweckt auch der kurze Bericht 1Kön 15,12f. auf den ersten Blick den Eindruck einer kleinen Kultreform. Sie bedarf der genauen Analyse, da die vorfindliche Fassung kaum den Anspruch literarisch

---

58 S.o. S. 42.

59 Wie מפלצת genau zu übersetzen ist, muß aufgrund der schmalen Belegbasis (1Kön 15,13 bis; par. 2Chr 15,16 bis) unsicher bleiben (vgl. *Noth*, Kön S. 324 Nach den im Zusammenhang gebrauchten Verben (עשה, כרת, שרף) muß es sich jedenfalls um eine Art Kultgegenstand oder Kultbild handeln (vgl. auch *Zorn*, Reforms S. 23ff.).

60 Zur Problematik der zweifachen Nennung der Maacha als Königinmutter (15,2.10) und zu ihrer Stellung vgl. *Noth*, Kön S. 335f.

61 *Wellhausen*, Prolegomena S. 188.

Integrität erheben darf. Es fällt nämlich auf, daß die kultreformerischen Aktionen Asas sehr unterschiedlich dimensioniert sind. Während die Entfernung[62] der Kedeschen und wohl auch der גללים anscheinend das ganze Südreich betreffen (מן־הארץ), ist die Dispensierung der Maacha samt des von ihr favorisierten Aschera-Kultes eine ad personam durchgeführte Maßnahme, bei der zu fragen wäre, ob sie primär politisch oder kultisch motiviert ist. Ferner verwundert die eigenartige Reihenfolge der genannten kultischen Maßnahmen. Wie 2Kön 23,7 lehrt, dürften die Kedeschen am ehesten mit dem Aschera-Kult in Zusammenhang stehen; beide werden hier aber an zwei verschiedenen Stellen und ohne Beziehung aufeinander genannt. Bei der Entfernung der גללים ist noch bemerkenswert, daß sie hier überhaupt erstmalig in den Kön-Büchern genannt werden und deshalb die weiträumig angelegte Vernichtungsaktion umso mehr befremden muß.

Eine Notiz über die Tolerierung von Kedeschen in der vorherigen Geschichte der Monarchie zu finden, ist hingegen nicht schwer. Asas Großvater Rehabeam wird der Duldung dieses dem Jahweglauben fremden Kultpersonals bezichtigt (1Kön 14,24), dies aber in einer deutlich nachgetragenen spätdtr Notiz, so daß man sich fragen kann, ob die Kedeschen bei Rehabeam nicht eingefügt worden sind, um Asa Gelegenheit zu geben, sie wieder zu entfernen. Sollte diese Vermutung das Richtige treffen, sind die Kedeschen in 15,12 auf keinen Fall literarisch älter als in 14,24.[63]

Ob sich solcher Verdacht noch weiter erhärten läßt, ist an der Analyse von 15,12b zu überprüfen. Zwar werden die גללים erstmalig bei Asa als zu liquidierende Götzen genannt, doch dürfte die zusätzliche Bemerkung, sie seien von den Vorfahren gemacht worden (15, 12bβ), klarstellen, daß der Verfasser mit dieser Sammelbezeichnung die von Salomo und Rehabeam teils geduldeten, teils geförderten Fremdgötter namhaft machen will.

Nun hatte sich גללים in den bisher besprochenen Texten als ein typisch spätdtr Terminus erwiesen[64], eine Beobachtung, die auch in dem hiesigen Text Bestätigung findet, da die Nachrichten, auf die sich 15,12b bezieht, bereits dtr Arbeit entstammen (11,1–8; 14,22f.).[65] Nimmt man noch die Beobachtung hinzu, daß 15,12b

---

62 Zur Form ויעבר in 15,12a s.u. S. 188f. A. 73.
63 Zur Möglichkeit einer abweichenden Analyse s.u. S. 188f. A. 73.
64 S.o. S. 137f. A. 237.
65 S.u. S. 189ff.

und 15,13 hintereinander zwei Maßnahmen unter Verwendung des Verbs סור hi. formulieren, kann die Annahme redaktioneller Kompilation kaum noch abgewiesen werden. Dabei ist der Kristallisationspunkt der Redaktion mit ziemlicher Sicherheit in der Nachricht 15,13a über die Amtsenthebung der Maacha, die augenscheinlich eine Aschera-Verehrerin war, zu erkennen. Man darf dem vorfindlichen Text (15,12f.) in seiner Beurteilung von Ursache und Folge keinesfalls blindlings vertrauen: Nicht weil Maacha die Aschera verehrte, war sie im Amt der Königinmutter nicht länger tragbar, sondern weil sie aus unbekannten, wahrscheinlich aber politischen Gründen Asa in dieser Funktion nicht länger genehm war, wurde sie abgesetzt und mit ihr die Göttin, der ihre Verehrung galt.[66] Asas religiöser Purismus ist also dtr Provenienz und wäre im 9. Jh. kaum verstanden worden, wie umgekehrt im 6. Jh. die primär politisch bestimmte Handlungsweise Asas entweder nicht mehr erkannt oder nicht mehr konzediert wurde.[67]

Die dtr Redaktion hat sich der in den Annalen vorgefundenen Nachricht über die Absetzung der Maacha durch Asa in zwei Stufen bemächtigt. DtrH war die Notiz 15,13a Grund genug, Asa mit einer glänzenden Frömmigkeitszensur zu bedenken (15,11), da auch er bereits die in 15,13aβ implizierte Liquidierung der Aschera für wichtiger hielt als die Amtsenthebung der Maacha. DtrH wird 15,14 auf die Quellennotiz 15,13a haben folgen lassen, da bei ihm die Klage über die Fortexistenz der Bamoth nie lange auf sich warten läßt (vgl. 22,44; 2Kön 12,4; 14,4; 15,4; 15,35; 16,4). Erst eine weitere spätdtr Hand hat aus Asa in Anknüpfung an 15,13a einen Kultreformer en miniature gemacht.[68] Außer dem Rekurs auf Rehabeams Kedeschen erfolgt bei diesem spätdtr Redaktor (SD) unter Verwendung des in 15,13a vorgefundenen Verbs סור hi. die Entfernung der גללים und die Degradierung des eigentlichen Ausgangspunktes

---

[66] Vgl. auch *Würthwein*, Kön S. 187; ähnlich *H.-D. Hoffmann*, Reform S. 87ff.; *Zorn* (Reforms S. 1ff.) hat zwar die politische Motivation von Asas Vorgehen richtig erkannt, verläßt sich aber unkritisch auf die kultischen Informationen in 15,12.13b.

[67] Vgl. die in dieser Hinsicht interessanten Segenssprüche aus dem 9./8. Jh., die in Kuntillet ʿAjrud auf Tongefäßen und auf Verputz entdeckt worden sind: In ihnen sind Jahwe und Aschera als Segensspender friedlich nebeneinander genannt (zitiert bei *Conrad*, FS Würthwein S. 32).

[68] Eine Auswertung der „Reform" Asas für die Religionsgeschichte Israels, wie sie etwa *Hölscher* (Geschichte S. 90f.), *Sellin* (Geschichte S. 210f.) und *Bentzen* (Reform S. 74—76) zum Teil mit unterschiedlichen Intentionen vornehmen, ist deshalb nicht angebracht.

der Redaktion (15,13a) mehr oder weniger zur Nebensache: „*Und auch*, was seine Mutter Maacha betraf, so entfernte er[69] sie aus der Stellung als Gebieterin.“

SD setzt mit seiner Kommentierung noch einmal nach der alten Quellennotiz 15,13a ein und beseitigt damit schließlich jeden Zweifel, mit welchen Maßstäben er Asa beurteilt sehen möchte. Sein expliziter Hinweis auf die Vernichtung des Aschera-Standbildes in 15,13b ist wohl der Sorge entsprungen, 15,13a möchte die ihm zukommende Behandlung zu sehr im Unklaren lassen, gibt ihm aber vor allen Dingen Gelegenheit, den Vernichtungsort zu erwähnen: den נחל קדרון, die nachgerade klassische Vernichtungsstätte für abgöttische Kultobjekte in der josianischen Reform![70] 15,13bβ stimmt (bis auf das hier überflüssige אתה) wörtlich mit 2Kön 23,6aβ (1. Hälfte) überein und ist mit allergrößter Wahrscheinlichkeit aus dem Josiakapitel entlehnt worden, um auch Asa das ihm viel zu große Gewand des Reformers umzuwerfen.

Ist somit der Reformgedanke bereits in die Geschichte der judäischen Monarchie im 9. Jh. redaktionell zurückgetragen worden[71], bleibt das Asa von spätdtr Hand zugetraute Reformwerk doch nur ein Angeld auf ein zukünftiges größeres, da die von DtrH angeprangerte Fortexistenz der Bamoth nach einem weiteren Reformherrscher verlangt. Der läßt aber noch lange auf sich warten und gewinnt keineswegs schon in dem Sohn und Nachfolger Asas Josaphat Gestalt.

Was als Reformwerk *Josaphats* (868–847?) zu bezeichnen wäre, unterbietet noch einmal merklich die Reformaktivität Asas und ist in seinem Zustandekommen so gut wie unerklärlich. Unerklärlich

---

69 Die Verbform וַיְסִרֶהָ nach dem Akk.-Objekt entspricht der Grammatik des klassischen Hebräisch keineswegs. Man hätte eher eine unsuffigierte Pf.-Form erwartet. Gleichwohl wird man die Form nicht ändern dürfen und sie in ihrer jetzigen Gestalt und Stellung als ein Resultat der spätdtr Redaktion begreifen müssen. Ursprünglich stand vermutlich am Anfang von 15,13 die Form וַיָּסַר, von der SD bei der Formulierung von 15,12bα Gebrauch machte. Da er Asas Aktion gegen Maacha (15,13a) der Reformtätigkeit (15,12) deutlich unterordnen wollte, wählte er für 15,13 ein einleitendes וגם und war nun zur Inversion von Verb und Objekt gezwungen, der er lediglich durch Spezifizierung der Verbform, nicht aber durch deren Umwandlung ins Pf. Rechnung trug.

70 S.o. S. 82f.

71 Für *Würthwein* (Kön S. 187) klingt 15,13aβb so typisch dtr, daß er „einen gewissen Zweifel an der historischen Zuverlässigkeit nicht unterdrücken kann“. Dies aber bei 15,13aβ doch wohl zu Unrecht, denn ohne diese Notiz hätte SD überhaupt keinen Anhaltspunkt für seine Reformidee gehabt.

meint aber nicht unerfindlich[72], denn 1Kön 22,47 weist sich nach Inhalt und Stellung im Kontext als späte redaktionelle Auffüllung des Abschnitts über Josaphat (22,41–51) aus. Der Text ist im großen und ganzen so disponiert, wie es bei wenig bedeutenden Königen auch sonst nicht selten der Fall ist: Personalien des Königs und Name der Königinmutter (22,41f.), Frömmigkeitszensur und Monierung des Bamothkultes von DtrH (22,43f.), kurze Annalennotiz über Josaphats Verhältnis zum Nordreich (22,45), Verweis auf die judäischen Annalen (22,46), dann unerwartet der Hinweis auf eine Aktion gegen die Kedeschen im Lande (22,47), abschließend weitere Annalenauszüge und Hinweise auf Josaphats Tod, Bestattung und Nachfolger (22,48–51).

Nun könnte man argumentieren, daß 22,47 ebenso wie die folgenden Verse zu den Annalenexzerpten gehöre und deshalb durchaus historisch glaubwürdig sei. Doch selbst wenn man die Möglichkeit der Diskriminierung von Kedeschen im 9. Jh. konzedieren wollte, spräche bereits die Formulierung von 22,47 definitiv gegen eine historische Auswertung. Auffällig ist nicht nur die Übereinstimmung des Anfangs von 22,46 und 22,47 (ויתר), sondern noch vielmehr die überraschende Mitteilung, in den Tagen Asas seien noch Kedeschen im Lande verblieben, eine Nachricht, die nach 15,12a, wo die Liquidierung der Kedeschen uneingeschränkt konstatiert wird, kaum noch zu erwarten war. Nimmt man zu dieser inhaltlichen Unausgewogenheit noch die Beobachtung hinzu, daß 15,12a und 22,47 (abgesehen von dem hier notwendigen Verweis auf Asa) auffallend ähnlich formuliert sind, ist der Schluß fast zwingend, in 22,47 habe ein später Redaktor ein Argument für das positive Urteil von DtrH über Josaphat nachliefern wollen. Daß es von dem durch 15,12.13b bekannten spätdtr Redaktor stammt, ist aufgrund der Rezeption von 15,12a und der Sprache (בער pi.) so gut wie sicher.[73] Somit hat SD auch Josaphat zum Initiator (wenn auch

---

[72] Zumindest in der Ablehnung einer historischen Auswertung der Kultnotiz 1Kön 22,47 besteht Einigkeit mit *H.-D. Hoffmann* (Reform S. 93ff.).

[73] Daß 1Kön 22,47–50 in der griechischen Überlieferung nur unter den asterisierten Passagen bei Origenes tradiert ist, hat auf die redaktionsgeschichtliche Analyse keinen Einfluß.

Der Numeruswechsel beim Objekt (1Kön 15,12a קדש im Plural, 22,47 im Singular) fällt kaum ins Gewicht. Sowohl der Gebrauch des Singulars als Collectivum als auch die Pluralsetzung sind hinreichend belegt.

Zu בער pi. im Zusammenhang kultreformerischer Tätigkeit vgl. 2Kön 23,24 (s.o. S. 137f.). Es ist angesichts der Abhängigkeit von 1Kön 22,47 von 15,12a zu erwägen, ob nicht an letzterer Stelle ויבער statt ויעבר (pi., vgl. 22,47;

keiner Reform, so doch) eines Reformaktes und dadurch zum würdigen Nachfolger seines Vaters gemacht. Beide sind für ihn Repräsentanten reinen Jahweglaubens in der jungen judäischen Monarchie, wenn sie auch nicht in der Lage waren, den Sündenfall des Anfangs, Salomos und Rehabeams Fremdgötterdienst, zu annullieren. Dies geschah erst sehr viel später – in den Augen der Deuteronomisten allemal zu spät.

5. Die ersten Apostaten: Salomo (1Kön 11,1–8) und Rehabeam (1Kön 14,21–24)

(vgl. Textrekonstruktion S. 411f.)

Sollte die bisherige Analyse mit der These nicht fehlgegangen sein, daß das Herz der Deuteronomisten bei dem Reformkönig und bei den Regenten, die sie zu kleinen Reformern machten, schlägt, dann ist auch ihre intensiv gestellte Frage nach den Gründen der Notwendigkeit der Reform nur allzu gut verständlich. Diese aber sind ihrer Meinung nach in der Jugendzeit der Monarchie bei Salomo und Rehabeam zu finden. Was bei dem alternden Salomo immerhin noch als begrenzter Konflikt mehr privater Natur erscheinen mag, seine Neigung zu anderen Göttern nämlich, verursacht durch einen international bestückten Harem, das hat sich bei Rehabeam bereits zum offiziell geförderten und lokal völlig entschränkten Abusus entwickelt, dem Einhalt zu gebieten niemand berufen schien.

Die Einführung von *Rehabeam,* dem ersten judäischen Monarchen (14,21–24), lehrt, wie sehr die Deuteronomisten bereits in seiner Zeit den reinen Jahweglauben verraten sahen. Rehabeam ist der erste König, der im Geschichtswerk eine Einführung nach dem stereo-

---

Vertauschung der Radikale ע und ב) gelesen werden muß. Mehr als eine Vermutung kann dies im Blick auf den einhelligen Textbefund für ויעבר allerdings nicht sein.

Freilich tut sich in diesem Zusammenhang auch die Möglichkeit einer geringfügig abweichenden Analyse von 1Kön 15,12f. auf, die kurz skizziert werden soll: 15,12a ist zur Annalennotiz 15,13a (außer וגם, zum Verb s.o. A. 69) zu rechnen. Die Nachricht 15,12a hat die Redaktionsarbeit von SD in 14,24 (vgl. *Noth,* Kön S. 330) und 22,47 veranlaßt. Nur SD hätte dann das Collectivum קדש im Unterschied zum Plural der Vorlage gebraucht, wie er auch das ויעבר der Annalen (vgl. dazu *Noth,* Kön S. 336) in 22,47 in seine Nomenklatur transponiert hätte. Beide Lösungswege haben ihr Für und Wider. Dem oben vertretenen wird hier der Vorzug gegeben, weil die Reformaktion in 15,12a für die im 9. Jh. möglichen Maßstäbe zu groß angelegt zu sein scheint.

typen Datenschema erhält, das aber gleich bei ihm bewußt an verschiedenen Punkten aufgebrochen wird. Nach der Angabe von Rehabeams Alter beim Regierungsantritt und seiner Regierungsdauer fügt eine dtr Hand an die Nennung des Regierungsorts Jerusalem die erweiterte Apposition an: העיר אשר־בחר יהוה לשום את־שמו שם מכל שבטי ישראל (14,21bβ). In 14,21bγ folgt dann in gewohnter Weise die Nennung der Königinmutter. DtrH, auf den die Übernahme des Zahlenwerks zu Beginn der Herrschaft eines Monarchen zurückgeht, hat die Einhaltung des Schemas, das wahrscheinlich aus den ihm vorliegenden Annalen stammt, immer sehr streng beobachtet, so daß der Hinweis auf die Erwählung Jerusalems als Wohnung für den Jahwenamen gewiß nicht von ihm vorgenommen worden ist. Die Parallelbelege für die Formel im Geschichtswerk entstammen spätdtr Redaktionen (1Kön 8,16; 11,36; 2Kön 21,7; 23,27, vgl. die spätere Auflösung der Formel in 1Kön 8,44)[74], und so auch wahrscheinlich 14,21bβ (DtrN). Nicht von ungefähr trägt DtrN die Erwählungsformel gerade am Anfang und Ende der judäischen Monarchie nach: Das zu Beginn des Königtums gewährte Wohnenlassen des Namens, in dem sich Jahwes gnädige Zuwendung zu seinem Volk manifestiert, hätte zu besonderem Gehorsam gegen die mosaische Tora verpflichten sollen. Da das entsprechende Verhalten des Volkes ausgeblieben ist, darf der Name Jahwes gegen Ende der Monarchie nicht als Unterpfand betrachtet werden, das die Möglichkeit der Katastrophe ausschließt. Ganz im Gegenteil: die Gnadengaben des Anfangs werden am Ende zu Zeugen der Anklage!

In 14,22f. folgen nun noch tiefer eingreifende Abänderungen des Eingangsschemas: „*Juda* tat das in den Augen Jahwes Böse" (14,22a). Nicht Rehabeam allein, wie es nach der üblichen Frömmigkeitsnotiz von DtrH hätte lauten müssen, sondern das ganze Volk wird in bewußter Abänderung des Schemas zur Rechenschaft gezogen[75], denn „*auch sie* (scil. die Judäer) bauten sich Bamoth und Masseben und Ascheren (אשרים) auf jedem hohen Hügel und unter jedem grünen Baum" (14,23). 14,23 korrespondiert inhaltlich exakt

---

74 S.o. S. 45 A. 28; vgl. auch *Würthwein,* Kön S. 181 zu 1Kön 14,21.

75 Die abweichenden Lesungen der LXX, die allesamt, teils explizit, teils implizit, auf die Restitution von „Juda" durch „Rehabeam" zielen, sind selbstverständlich als lectiones faciliores zu bewerten; so auch *Gressmann,* SAT II/1 S. 249; *Jepsen*, QK S. 6 (mit Fragezeichen); *H.-D. Hoffmann*, Reform S. 74ff.; anders *Benzinger,* Kön S. 98; *Eißfeldt,* HSAT(K) I S. 527; *Noth*, Kön S. 323f.; *Würthwein,* Kön S. 181. *Jepsen* (QK S. 60f.) bemerkt sicherlich zu Recht, daß 14,22ff. eine ähnliche Funktion zur Charakterisierung der kultischen Lage in Juda haben wie 12,26ff. für die in Israel.

mit 2Kön 17,9–11, der von DrtH stammenden Schlußabrechnung mit dem Nordreich, in der er eben in der mit Bamoth, Masseben und Ascheren verbundenen Kultpraxis[76] und der daraus resultierenden Erzürnung Jahwes den entscheidenden Grund für den Untergang des Nordreiches sieht. Deutlicher kann DtrH zu Beginn der judäischen Königsgeschichte kaum werden. Für Leser, die Ohren haben zu hören, besagen 14,22f.: Was beim Nordreich ins Verderben geführt hat, wird im Südreich kaum andere Konsequenzen zeitigen.

Die in 14,24 locker mit וגם angeschlossene Anklage der Duldung von Kedeschen im Lande wirkt nachgetragen und ist demselben spätdtr Redaktor zuzuweisen wie 15,12 und 22,47: SD.[77] Er mußte seine den Königen Asa und Josaphat zugeschriebenen Reformen materialisieren, weshalb er das bei Rehabeam bestehende Sündenregister um den entsprechenden Posten erweitert hat.[78] Wieso gerade die kultische Prostitution diese Aufgabe erfüllen muß, bleibt unklar; vielleicht ist die Wahl wegen der (wenigstens in dt/dtr Zeit) vehementen Ablehnung sexueller Riten im Jahweglauben gerade auf sie gefallen.

Die abschließende Feststellung 14,24b hat SD wörtlich aus 2Kön 21,2b (DtrH, ohne כל־) übernommen und damit angezeigt, zu welchem Ziel der von der jungen judäischen Monarchie gewählte Weg führen sollte.

An *Salomo* (1Kön 11,1–8) läßt sich schließlich studieren, wie die Deuteronomisten eine durchaus zum Ruhm des Herrschers aufgezeichnete Annalennotiz in einer Weise ausgelegt haben, daß unter ihren Händen aus dem glanzvollen orientalischen Monarchen mit einem großen Harem der erste Apostat geworden ist, dessen Götzendienst bis in Josias Tage nachgewirkt hat.

---

76 Die literarhistorische Analyse der dtr Formel על כל־גבעה גבהה ותחת כל־עץ רענן dürfte *Thiel* (Jer I S. 82) noch etwas besser als *Holladay* (VT 11 S. 170–176) gelungen sein. Hos 4,13 (unter Mitwirkung von Dtn 16,21?) scheint das zweifelsfrei undtr Vorbild der dtr Formel gewesen zu sein. In den Kön-Büchern kommt sie nur bei DtrH vor: 1Kön 14,23; 2Kön 16,4; 17,10.

77 S.o. S. 184ff.
Die Unform הַתּוֹעֲבֹת (Artikel + st. cstr.) ist mit wenigen hebräischen Handschriften und dem Targum durch Auslassung des Artikels zu korrigieren. Er ist, „weil nach כָּל־ gewöhnlich, mechanisch beigefügt" worden (*Benzinger*, Kön S. 98; anders *Noth*, Kön S. 324).

78 S.o. S. 184ff.
Würthweins Verbindung von 14,24 mit 2Kön 23,7 ist ebensowenig einleuchtend wie die von 1Kön 14,23a (אשרים!) mit 2Kön 23,6a (אשרה!, vgl. ZThK 73 S. 416).

Die den Deuteronomisten vorgegebene Annalennotiz ist in 11,1a.3a zu finden[79], die mit positiver Tendenz vom Frauenreichtum Salomo berichtet, da von der Größe des Harems der Rückschluß auf Größe und Reichtum des von ihm beherrschten Staates möglich ist.[80] Doch der Blick der Deuteronomisten will sich nicht von der Prachtentfaltung gefangennehmen lassen, sondern richtet sich auf die von ihnen gewähnte primär ausländische Herkunft der Frauen. In zwei Redaktionsschüben weisen sie auf die Tatsache und die damit gegebene Gefahr hin: DtrH zählt in 11,1b lediglich die Nationalitäten auf, während ein weiterer Dtr in dem nur locker angeschlossenen V. 2 mit dem Gesetzbuch in der Hand den Vorgang kommentiert. Dabei kann er sich mit seiner Ablehnung der Heirat ausländischer Frauen nicht auf eine bestimmte Forderung des dt Gesetzes, sondern nur auf dessen allgemeine, religiös motivierte Ausländerfeindlichkeit berufen, wie sie etwa in Dtn 7,3f. im Blick auf die Verschwägerung mit Angehörigen anderer Nationen zutage tritt; doch wird das Verbot wie ein von Jahwe gegebenes und deshalb allgemein bekanntes vorgetragen. Sowohl der Stil wörtlicher Gottesrede (11,2a[81]) als auch der nächste Parallelbeleg (Jos 23,12[82]) weisen deutlich genug auf die Verfasserschaft von DtrN hin.

In 11,3a kommt wieder die alte Quellennotiz mit der Angabe der Zahl von Salomos Frauen zu Wort, nun im dtr Kontext so placiert, als seien die 1000 Haremsdamen allesamt Ausländerinnen gewesen. Die Absicht der Unterstellung bedarf keiner weiteren Erläuterung, die aber dennoch sogleich von DtrH in 11,3b gegeben wird: „Und

---

79 So bereits *Wellhausen*, Prolegomena S. 282.
11,1a hat einige Erweiterungen erfahren: So sind keinesfalls beide asyndetisch hintereinandergestellten Adjektive (נכריות רבות) ursprünglich, wobei aller Wahrscheinlichkeit nach נכריות von DtrH wegen seiner Anfügung von 11,1b nachgetragen worden ist (vgl. auch 11,8 und *Würthwein*, Kön S. 132). Zudem ist die gesonderte Erwähnung der Pharaotochter (ואת־בת־פרעה) weder inhaltlich notwendig noch stilistisch glücklich, so daß man sie als eine Glosse mit Rückblick auf 3,1 wird bezeichnen müssen (vgl. *Hölscher*, FS Gunkel S. 174; *Noth*, Kön S. 247; *Würthwein*, Kön S. 132).
Nach *H.-D. Hoffmann* (Reform S. 47ff.) ist der Abschnitt 11,1–13 rein dtr Provenienz – natürlich trotz aller Spannungen und Dubletten una manu verfaßt.

80 Vgl. *Noth*, Kön S. 247f.

81 Vgl. etwa 2Kön 17,12 (vgl. *W. Dietrich*, PG S. 42ff.); 21,7b–9 (s.o. S. 167; 23,27 (s.o. S. 43ff.).

82 Vgl. *Smend*, FS von Rad S. 501–504; auch *Noth* (Kön S. 247) verweist auf Jos 23,12, ohne allerdings die literarische Einheitlichkeit (d.h. die Gestaltung von 1Kön 11,1–13 durch einen Dtr) in Zweifel zu ziehen (vgl. ebd. S. 244f.).

seine Frauen wandten sein Herz (von Jahwe) ab.“ Zwar ist diese Bemerkung eine Dublette zu 11,4a; doch wer sie als Glosse aus dem Text eliminiert[83], verkennt an diesem Punkt den Redaktionsvorgang. DtrH hat in 11,3b in einer lapidaren Formulierung die Linie von Salomos internationalem Harem zum Fremdgötterdienst gezogen, wobei er den Zeitpunkt dieser Entwicklung innerhalb der Herrschaft Salomos offenläßt. DtrN hat die Spannung, in die die Gestalt Salomos, des Tempelerbauers und ersten Apostaten, durch dtr Arbeit geraten ist, deutlich gespürt und sie durch eine Periodisierung seines Lebens zu lindern gesucht. Dieses Unternehmen dokumentiert V. 4a, der besagt: Salomo als Tempelerbauer war ohne Fehl und Tadel, erst der alternde König wurde ein Opfer des Götzendienstes seiner Frauen.[84] Auch DtrH ist um Ausgleich bemüht und versucht, ihn durch die Bemerkung 11,4b zu erreichen, Salomos Herz sei nicht so ungeteilt bei Jahwe gewesen wie das seines Vaters David.[85]

In 11,5–8 wollen verschiedene Redaktoren den Vorwurf des Fremdgötterdienstes konkretisieren und haben dabei in ihrem Eifer ein literarisch spannungsreiches Gebilde geschaffen: 11,4 und 11,5 gebrauchen ähnliche Wendungen (נטה אחרי ... hi./הלך), 11,6 schließt mit demselben Vergleich wie 11,4 ([כ]דו[י]ד אביו), der Gott der Ammoniter wird in 11,5 und 11,7 genannt, der Vorwurf der Duldung bzw. Teilnahme am Götzendienst kommt dreimal vor (11,4a. 5.7[86]) und ein dtr Frömmigkeitsurteil enthalten sowohl 11,4b als auch 11,6.

Die Vielzahl der Indizien erleichtert die literarkritische Analyse. Der Passus 11,5f. ist sekundär an 11,4b (DtrH) angehängt worden, da der Redaktor mit seinem Einschub wieder dort aufhört, wo er sei-

---

[83] So *Würthwein*, Kön S. 131.

[84] נטה hi. ist ein Leitwort der dtr Redaktion in diesem Text. Eingeführt wird es von DtrH in 11,3b (vgl. den positiven Gebrauch von DtrH in Jos 24,23) und dann von DtrN in 11,2.4a.9 aufgegriffen, der das Ziel der Abwendung von Jahwe (Anschluß mit אחרי nur hier) explizit nennt: die אלהים אחרים.
Noch bei einem anderen König hat DtrN die Spannung zwischen positiver dtr Beurteilung und partiell negativer kultischer Praxis durch die Periodisierung seines Lebens zu mildern gesucht: bei Joas (2Kön 12,3f.). DtrH hatte unmittelbar im Anschluß an die positive Frömmigkeitsnotiz (12,3a) die Fortexistenz der Bamoth beanstandet (12,4). DtrN war dieser Übergang zu ungereimt, weshalb er Joas nur in der Zeit als fromm charakterisiert wissen will, „da der Priester Jojada ihn unterwies“ (12,3b; vgl. auch *Veijola*, TAik 84 S. 99).

[85] Die שלם-Formel wird auch sonst von DtrH in positiver und negativer Wendung gebraucht: 1Kön 15,3.14.

[86] Daß 11,7 einen derartigen Vorwurf überhaupt nicht enthalte (vgl. etwa *Noth*, Kön S. 249), trägt der dtr Diktion des Verses kaum genügend Rechnung.

nen Vorgänger DtrH unterbrochen hat. Der Anschluß an 11,4b erfolgt in 11,7aαb.8[87], wo DtrH den Vorwurf des Fremdgötterdienstes materialisiert.[88] Einigermaßen wahllos scheint DtrH in 11,7 au der Gruppe der von ihm angeführten Nationalitäten der Haremsfrauen (11,1b) zwei zugehörige Landesgötter herausgegriffen zu haben, mehr auf deren Verunglimpfung als auf Vollständigkeit und korrekte Namenswiedergabe (s. מלך statt מלכם) bedacht. Daß er i der korrespondierenden Notiz 2Kön 23,13 Josia eine Gottheit meh entfernen läßt als er im Salomo-Kapitel ausdrücklich genannt hat, muß nicht einmal auf Unachtsamkeit zurückgeführt werden, da DtrH Salomo durch 11,8 ohnehin als Erbauer zahlreicher Bamoth-Heiligtümer darstellt, er folglich die explizit angeführten Gottheiten sowohl in 1Kön 11,7 als auch in 2Kön 23,13 exemplarisch ver steht.

Die Inkongruenz zwischen 1Kön 11,7 und 2Kön 23,13 hat erst einen spätdtr Redaktor (SD), wohl denselben wie in den vorhergehenden Kapiteln, so sehr gestört, daß er ohne Zögern die in seinen Augen notwendige Korrektur vorgenommen hat. In der Fassu seiner gegenüber 1Kön 11,7 schlecht verkappten Dublette 11,5 erscheint mit buchhalterischer Genauigkeit an erster Stelle die sidonische Astarte wie in 2Kön 23,13, gefolgt vom Milkom der Ammc niter, dessen erneute Nennung (vgl. 1Kön 11,7!) unser Redaktor nicht scheut, weil DtrH in 2Kön 23,13 von Milkom und nicht, wi

87 Der die Götteraufzählung störende Lokalisierungsversuch in 11,7aβ stamm von derselben Hand wie 11,5f. und wird unten in diesem Zusammenhang behandelt werden.

88 Die literarhistorische Einschätzung erfolgt gegen die nahezu ausnahmslos g äußerte Ansicht, in 11,7 komme wieder die Vorlage von DtrH zu Wort (vgl. *Wellhausen*, Prolegomena S. 282; *Hölscher*, FS Gunkel S. 174f. und danach v andere). Zwar ist 11,7 so angelegt, wie auch sonst alte Quellennotizen eingeführt werden (...אז, vgl. 1Kön 9,24; 2Kön 8,22; 12,18; 15,16 u.ö.), doch d te hier diese Form eher imitiert sein, da der Inhalt eindeutig dtr geprägt ist. gibt es keine Handhabe, die pejorative Gottesbezeichnung שקץ gegen ein neut les Appellativum auszutauschen, wie es in den Kommentaren gang und gäbe ist (vgl. *Benzinger*, Kön S. 78; *Gressmann*, SAT II/1 S. 217; *Eißfeldt*, HSAT(S. 520; *Montgomery*, Kings S. 232; *Noth*, Kön S. 239.249; *Gray*, Kings S. 2 *Würthwein*, Kön S. 131ff.).
Es ist zwar sehr gut möglich, ja sogar wahrscheinlich, daß DtrH Nachrichten die Kultausübung von Salomos ausländischen Haremsdamen vorlagen; aber 11 ist frei von DtrH formuliert.
Auch die in 11,7 übliche Änderung von מלך in מלכם (so auch lukianische Re zension der LXX) sollte unterbleiben, sowohl aus textkritischen (sekundäre A gleichung an 11,5.33; 2Kön 23,13) als auch aus redaktionsgeschichtlichen Erwägungen, die sogleich darzulegen sind.

in 1Kön 11,7, von Molech redet.[89] SD, der bei seiner Nachrechnung auf noch mehr Verfehlungen Salomos als seine dtr Vorgänger gestoßen zu sein glaubt, gibt dem König in 11,6 eine dementsprechend schlechte Frömmigkeitszensur. Machte DtrH Salomo den Vorwurf halbherziger Jahweverehrung (11,4b), DtrN den der Alterssünden (11,4a), so heißt es bei SD rundweg: „Salomo tat das in den Augen Jahwes Böse ..." (11,6a). Hier ist Salomo auf seinem Popularitätstief angelangt, aus dem erst die Chronik den Aufstieg wieder besorgt hat.[90]

Der Zusammenhang von Salomodarstellung und josianischer Reform hat sich also auf zwei verschiedenen Ebenen nachweisen lassen: DtrH hat von vornherein ein Korrespondenzverhältnis zwischen Einführung und Liquidierung der Fremdgötter geschaffen, das durch SD von der Reform her komplettiert worden ist. Das in der Reform gesetzte Ende des Götzendienstes läßt nach dessen Anfang fragen, wodurch (fast) die ganze Geschichte Judas in eine riesige Klammer gestellt ist, deren Vorzeichen das Thema „Die Reform und ihre negativen (und positiven) Voraussetzungen" bildet. Nur wer die Enttäuschung der Deuteronomisten darüber erkennt, daß mit dem Ende der Klammer die „negativen Voraussetzungen" nicht abgetan waren, wird die Radikalität ihres Schuldspruches verstehen können.

6. Zusammenfassung

Die Analyse einer Reihe von Texten in den Kön-Büchern hat gezeigt, daß die josianische Reform durch die Arbeit dtr Redaktoren Licht

---

89 Daß SD bei seiner Redaktionsarbeit am Salomokapitel von 2Kön 23,13 herkommt, wird auch an seiner Einfügung 11,7aβ deutlich, die eine Lokalisierung der Götzenheiligtümer aufgrund von 2Kön 23,13aαβ vornimmt und dabei die schwierige und vielleicht schon früh (von DtrH bewußt?) entstellte Ortsbestimmung (משחית statt משחה s.o. S. 112 A. 178) vereinfacht. Ihre Herkunft ist bereits in den Apparaten von BHK und BHS richtig gemutmaßt worden, nur handelt es sich keinesfalls um eine isolierte Glosse.

90 Vgl. *Wellhausen*, Prolegomena S. 177–182.
Eine umfassende dtr Gestaltung von 1Kön 11,1–13 von 2Kön 23,13 her nimmt *Noth* (ÜS S. 71) an, der damit aber kaum dem sehr viel komplizierteren literarhistorischen Zusammenhang genügend Rechnung trägt. Von 1Kön 11,1–13 (11,9–13 DtrN, vgl. *W. Dietrich*, PG S. 68f. A. 7) dürfte die Formulierung in 11,32ff. (vielleicht außer 11,34abα) abhängen. Die hier sonderlich interessierende Götterreihung in 11,33 (nach *Veijola*, Königtum S. 46 A. 53 DtrN, aber doch wohl eher noch später, ebenso 11,5, allerdings kaum 11,7) ist eindeutig eine aufgrund von 11,5 und 11,7 vorgenommene Kombination (anders *W. Dietrich*, aaO).

und Schatten weit in die Geschichte Judas zurückgeworfen hat. Dabei sind die Intentionen von DtrH zum Teil deutlich von denen späterer Deuteronomisten zu unterscheiden.

DtrH richtet sein Interesse in zwei Redaktionskreisen vor allem auf die sorgfältige Vorbereitung des josianischen Reformwerks. Der engere Kreis umfaßt die Ausgestaltung einer Manasse-Josia-Antithetik, von der mehr zwangsläufig auch die Darstellung Hiskias tangiert wird. Manasse wird unter den Händen von DtrH zur Symbolfigur für die Überfremdung der Jahwereligion durch Einführung und Förderung fremder Kulte aller Art, so daß die Jahweverehrung im Juda seiner Zeit den absoluten Tiefpunkt erreicht zu haben scheint. Die von DtrH um des Ruhmes Josias willen initiierte Schwarzmalerei be Manasse (2Kön 21,2.3*.6aα) hat zur Voraussetzung, daß Manasse z Recht gravierender religiöser Verfehlungen geziehen werden kann, a so vor allem des an sich gesamtjudäischen kultischen Grundübels: d Bamoth-Kultes. Eigens um Manasse damit zu belasten, spricht DtrH Hiskia die Heldentat zu, als erster in der Geschichte Judas dem Bamoth-Kult ein Ende gesetzt zu haben. Er stilisiert ihn durch einige weitere Aktionen (2Kön 18,4a) gleichsam zu einem Vorreformator — ad maiorem infamiam Manasse und schließlich ad summam gloria Iosiae.

Im zweiten größeren Redaktionskreis ist das Interesse von DtrH da auf gerichtet, die negativen Voraussetzungen der josianischen Refor möglichst eindeutig zu formulieren, und zwar nicht vom literarische Bestand in 2Kön 23 her, sondern auf die Tatsache der Folge der R form hin. Er hat bei Salomo und Rehabeam ein Korrespondenzverhältnis von früher Apostasie (1Kön 11,7*.8 bzw. 14,22f.) und (zu) später Reue (2Kön 23,13 bzw. 23,14) in die Texte eingetragen. Vo allem an den Monarchen Salomo, Rehabeam und Manasse hat DtrH die Ätiologie des Scheiterns der josianischen Reform festzumachen versucht. Die Verdunkelung des Jahwismus zu Anfang und Ende de judäischen Monarchie hat die ganze Spanne der dazwischenliegende Geschichte mehr oder minder bestimmt (vgl. die stetige Einklagung der Fortexistenz der Bamoth!), so daß nicht einmal das Licht der josianischen Reform dieser Finsternis gewachsen war.

Die Redaktionsarbeit von DtrH hat sich fast nie ohne Anhalt an der Tradition vollzogen, so daß von einem völligen Neuansatz der Interpretation nicht gesprochen werden kann. Das gilt sowohl für den engeren als auch für den weiteren Redaktionskreis: Die Manass Josia-Antithetik ist im Ansatz in den Quellen vorgegeben (vgl. 2Kö 21,5.7a* mit 23,5f.*), und Hiskias Vorreform knüpft an die Entfer nung der ehernen Schlange (18,4b*) an. Bei Salomo waren schließlich die Größe seines Harems (1Kön 11,1a*.3a) und die nur noch vermutbare Notiz über die Duldung der Götter seiner ausländischen Frauen Vorgabe genug, eine triftige Anklage zu formulieren. Nur bei Rehabeam ist DtrH gestalterisch nicht gebunden, weshalb er vermutlich hier die Chance nutzt, nicht allein über den Monarchen, sondern über ganz Juda ein Urteil zu fällen. Will man gegenüber dieser Bindung an die Tradition das Proprium der Leistung von DtrH bestimmen, so ist es vor allem in der strikten Ausrichtung der Tradition auf das Werk Josias zu finden, das in der Geschichte der Monarchie in den Augen von DtrH neben dem Davids seinesgleichen nicht hat.

Im Blick auf diese sehr überlegte redaktionelle Gestaltung von DtrH macht die Arbeit von *DtrN* nicht annähernd den Eindruck einer gut durchdachten Konzeption. In der Regel begnügt er sich mit der Nachzeichnung der Redaktionstendenz von DtrH. So ist ihm die Manasse-Josia-Antithetik seines dtr Vorgängers nicht kraß genug ausgefallen, weshalb er sie mit kräftigen Farben weiter ausmalt, Josia enthusiastisch lobend (2Kön 23,25), Manasse aber in Grund und Boden verdammend (21,6aβb.7b–9; 23,26f.).

Daß grelle Farben Pastelltöne überdecken, lehrt die von DtrN bei Hiskia vorgenommene Redaktion. Ohne Rücksicht auf die Funktion der hiskianischen „Reform" bei DtrH, lediglich unvermeidlicher Prolog zur Manasse-Josia-Antithetik zu sein, lobt DtrN Hiskia mit ähnlichen Worten wie Josia (18,5–7a, vgl. 23,25). Die Spannung zwischen 18,5–7a und 23,25 ist wegen der Exklusivität der Beurteilung so groß und die Sprache beide Male so eindeutig nomistisch, daß man für die Stellen zwei verschiedene Hände der Schicht DtrN annehmen muß. Der Umfang der übrigen Ergänzungen von DtrN (1Kön 11,2.4a; 14,21bβ; 2Kön 12,3b) ist zu gering, um aus ihnen spezifische Redaktionstendenzen entnehmen zu können.

Das verhält sich anders mit einer weiteren Schicht spätdtr Ergänzungen (*SD*). Sie stammen wahrscheinlich von einer Hand, die sich an den Josiakapiteln 2Kön 22f. in bereits von DtrH und DtrN redigierter Form orientiert. Die Arbeit dieses Redaktors ist innerhalb der von DtrH gebildeten Manasse-Josia-Antithetik nachweisbar, wo er mit den Zusätzen 2Kön 21,3bβ*.4.10–15 die Verdammung Manasses noch mehr betont als sein Vorgänger DtrN. Die „prophetische" Drohrede in 21,10–15 ist deutlich in Anlehnung an das Huldaorakel in 22,15–20 und den übrigen Formulierungsbestand des Manassekapitels konzipiert. Noch ein weiterer König hat durch SD eine härtere Verurteilung als durch frühere dtr Redaktoren erfahren: Ahas. SD lastet ihm in 16,3b das berüchtigte Kinderopfer an, ein Vorwur den DtrH bewußt auf Manasse beschränkt hat. Denn nachdem bereits eine Hand der Schicht DtrN Hiskia in ähnlicher Weise wie Josi gelobt hatte (18,5–7a), ist nun auch Ahas durch die Anlastung des Kinderopfers ähnlich wie Manasse zu einem negativen Pendant sein Nachfolgers geworden. Damit gewinnt aber das Vorspiel zur Manass Josia-Antithetik ein Eigengewicht, wie DtrH es ihm auf keinen Fall zubilligen wollte. Denn bei SD kann man ohne Übertreibung von einer Ahas-Hiskia-Antithetik kleinen Stils sprechen, die der ihr folgenden die Wucht der Singularität nimmt.

SD zeichnet sich innerhalb des zweiten Redaktionskreises noch durch eine weitere Tendenz aus, die ihn charakteristisch von DtrH unterscheidet: Er reflektiert angesichts des Verlaufs der judäischen Geschichte nicht allein – wie DtrH – die Genese der Apostasie, sondern auch die Genese des Reformgedankens, den er schon weit vor Hiskia in der judäischen Monarchie wirksam sieht.

Vielleicht durch die Gestaltung Hiskias zu einem Vorreformator durch DtrH angeregt, hat SD die Reformidee bereits mit Joas in 2Kön 11 verbunden. Er hat der von der Tradition ausgehenden Versuchung nicht widerstehen können, den Bundesschluß zwischen König und Volk (11,17aαb) zu einem Gottesbund umzuarbeiten (11,17aβγ), dem dann getreu dem Schema der Josiazeit auch wenigstens eine kultische Reformmaßnahme folgen muß (11,18a). Die Reihenfolge von Bund und Reform hat sich SD von Josia her als derart kanonisch eingeprägt, daß er sie bei Joas ohne weiteres imitiert. Ferner hat er die in 2Kön 12 vorgefundene Nachricht über di Regelung von Tempelreparaturen (12,5a*.6abα.7.8*.9.11*.14f.) dazu benutzt, auf Joas die Einrichtung eines Opferkastens zur Sammlung des für die Renovierungsarbeiten bestimmten Geldes zurückzuführen (12,10.12.13*.16), wodurch SD einen Nebenumstand der Funderzählung in 2Kön 22 angemessen vorbereitet sieht.

Hat SD auch bei keinem weiteren früheren Regenten so umfassend wie bei Joas josianische Ideen und Motive eingetragen, so läßt er doch noch zwei weitere Herrscher des 9. Jh.s reformierend tätig werden, Asa und Josaphat (1Kön 15,12.13b; 22,47), weshalb Rehabeam (Juda) einer zusätzlichen kultischen Verfehlung angeklagt werden muß (14,24).[91] Hier wie in dem Gegensatz Ahas-Hiskia

---

[91] In diese auffällige Neugestaltung ist das Salomokapitel nicht einbezogen. Di Komplettierung der salomonischen Laster in 1Kön 11,5f.7aβ anhand des RB

kommt bei SD eine von DtrH verschiedene Sicht der Geschichte Judas zum Vorschein, die ein stärkeres Auf und Ab von Apostasie und Reform kennt und damit neben der Kontinuität des Fremdgötterdienstes auch die Existenz einer in Juda bereits früh vorhandenen *Reformtradition* postuliert. Läuft für DtrH die judäische Geschichte auf die *eine Reform* im späten 7. Jh. zu, so ist für SD Josias Werk die überragende Reform in einer *Reihe von Reformen.*[92]

SD kennt neben dem synkretistischen ein schwaches, aber dem Jahweglauben ergebenes Juda, das schon immer den Reformgeist in sich getragen hat. Unter den Händen von SD wirft die josianische Reform nicht nur Schatten, sondern viel Licht auf die Geschichte Judas zurück. SD ist auf dem Weg zu dem, was *de Wette* einst im Blick auf die Chronik die Ehrenrettung des judäischen Kultus genannt hat.[93]

Abschließend sei noch ein Problem angesprochen, das sich bei der hier vorgetragenen Sicht der Redaktion wohl stellen mag. Wie kann, wäre zu fragen möglich, ein Redaktionsvorgang in relativ frühen Teilen einer Darstellung von späteren abhängig sein, indem jene auf diese hin orientiert sind? Ist eine rückwärtig ausgerichtete literarische Abhängigkeit redaktionstechnisch überhaupt denkbar? Das Problem bereitet nur solange ernstliche Schwierigkeiten, wie man sich den dtr Schulbetrieb, der für die Redaktionsarbeit verantwortlich zeichnet, nicht vor Augen führt. Das von DtrH zusammengestellte große Geschichtswerk wurde in diesen Kreisen nicht nur gekannt und gelesen, sondern auch immer wieder abgeschrieben. Daß der Umfang des Werkes von DtrH dabei keine feststehende Größe war, beweisen die vielfältigen dtr Erweiterungen späterer Hände, denen die schriftlich vorliegende Urkunde es ermöglichte, inhaltliche Querverbindungen, die man in ihr zwar angelegt, aber nicht gebührend ausgeführt sah, explizit zu artikulieren. Man konnte ja, sollte etwa bei Salomo ein Hinweis auf Josia angebracht werden, „nachschlagen", wie Eindeutigkeit oder zumindest Transparenz eines solchen Verweises am besten zu erreichen war. Dtr Arbeit ist Umgang mit autoritativen, aber noch nicht sakrosankten Urkunden und insofern eine Station auf dem Wege zur schriftgelehrten Auslegung.

(2Kön 23,13) bietet nichts weiter als die bei SD von Manasse und Ahas her bekannte Tendenz.

92 Vgl. die interessante formale Parallele in den zeitlich und räumlich fernen sum. Königsinschriften aus dem 3. Jt. und der ersten Hälfte des 2. Jt.s, in denen bestimmte soziale Reformmaßnahmen wie etwa Schuldentilgungserlasse u.a. dem Verdacht der literarischen Fiktion unterliegen (*Edzard,* Reformen S. 145ff.).

93 Vgl. *de Wette,* Beiträge I S. 102.

Exkurs: Jahwes Gegenspieler Baal, Aschera und Himmelsheer

Mehr als die Darstellung der judäischen Kultgeschichte durch die Deuteronomisten lehrt die josianische Reform über die Verehrung fremder Götter im Juda des 7. Jh.s, weil aus der dem RB zugrundeliegenden Quelle genügend historische Substanz übernommen worden ist, die ein differenzierteres Bild von der religiösen Situation im spätvorexilischen Juda vermittelt als es die einförmige, auf bestimmte Klischees festgelegte dtr Redaktion in anderen Epochen zu tun pflegt. Immerhin gibt es einige Gottheiten, denen sowohl im RB als auch in der Darstellung der vorausliegenden judäischen und israelitischen Geschichte besondere Bedeutung zukommt: Baal und Aschera (mit verschiedenen Namensformen). In der späten Königszeit wird dieses Götterpaar zuweilen durch das Himmelsheer (צבא השמים) zu einer Trias ergänzt, die bei Manasse und Josia gleichsam als Inbegriff für jeglichen Götzendienst gebraucht wird. Es soll nun geprüft werden, wieviel aus den atl. Texten über die religionsgeschichtliche Provenienz dieser Gottheiten in Erfahrung gebracht werden kann und wie es um die Berechtigung ihrer Perhorreszierung im Deuteronomismus bestellt ist.

1. Baal

Die religionsgeschichtlich ältesten Zeugnisse für Baal im AT dürften in den baalgestaltigen Lokalnumina vorliegen, die als בעל פעור[94], בעל ברית[95] und בעל זבוב (2Kön 1,2.3.6.16) bekannt sind. Daran ist festzuhalten, wenngleich die überwiegende Zahl der atl. Belege einfach von הבעל spricht (vgl. die Zusammenstellung der Belege bei *Mulder*, TWAT I Sp. 719; zur Stellung Baals v.a. in Ugarit vgl. *de Moor*, TWAT I Sp. 706ff.; *Caquot*, TO I S. 73ff.). Aus keiner dieser Stellen ergibt sich zwingend, „daß הבעל hier nicht als Appellativ verschiedener kanaanäischer Götter betrachtet werden kann, sondern nur als Name eines bestimmten Gottes, mit dem Israel seit dem Seßhaftwerden in

[94] Ob בעל פעור in der sicherlich alte Überlieferungselemente enthaltenden Erzählung vom Abfall der Israeliten zum Gott (bzw. zu den Göttern) der Moabiterinnen (Num 25,1–5) wirklich ursprünglich ist, ist zweifelhaft, da erst in 25,3 der bis dahin namenlose Gott בעל פעור genannt wird. Auch seine zweite Erwähnung in 25,5 erfolgt im Zusammenhang mit einer zweiten Anweisung zur Bestrafung der schuldig gewordenen Israeliten, die sich nicht gut mit der in 25,4 gegebenen vereinbaren läßt. Mit anderen Worten: 25,3a und 25,5 sind in der Erzählung als Dubletten (wenngleich der Ausdruck in bezug auf 25,5 nicht ganz zutrifft) entbehrlich, womit auch בעל פעור aus dem ursprünglichen Bestand der nur noch fragmentarisch erhaltenen Geschichte ausgeschieden wäre (vgl. auch *Noth*, Num S. 170–172).
Daß es eine alte Tradition über den בעל פעור aus Israels Wüstenzeit gab, bezeugt im 8. Jh. Hosea (9,10) in einem der Formulierung nach von Num 25,1– unabhängigen Wort, ebenso in späterer Zeit Dtn 4,3. Nur der sehr späte Psalm 106 ist in V. 28 von dem durch בעל פעור erweiterten Text Num 25,1–5 abhängig (so auch *Noth*, Num S. 171).

[95] Ri 8,33; 9,4. Erstere Stelle wird auf jeden Fall DtrH (vgl. *Noth*, ÜS S. 52), wenn nicht sogar mit *Veijola* (Königtum S. 108–110) DtrN zuzuweisen sein.

Kanaan bis nach dem Exil in Berührung gekommen ist" (*Mulder*, aaO Sp. 719). Wie zu zeigen sein wird, dürfte eher das Gegenteil richtig sein. Dazu muß die ursprüngliche temporale und lokale Verhaftung Baals im AT ausfindig gemacht werden.

Befragt man die baalhaltigen Eigennamen (vgl. *Noth*, IPN S. 119–122) nach Herkunft und Zeit, so ergibt sich, daß sie in der Mehrzahl aus der Richterperiode und der Zeit des ungeteilten Königreiches stammen. Die Träger dieser Namen stehen vielfach neben solchen mit jahwehaltigen Namen; die nach verschiedenen Glaubenstraditionen Benannten scheinen sich also nicht schon ihrer Namen und d.h. ihrer Götter wegen befehdet zu haben. Nach der Reichsteilung sind keine weiteren baalhaltigen Namen aus dem Süden mitgeteilt, was sich am besten aus der schwindenden Bedeutung des Baalismus in dieser Region erklärt, während sie für das Nordreich durch biblische und außerbiblische Zeugnisse weiterhin belegt sind, wo Baal sogar als theophores Element im Königsnamen (vgl. בעשא) vorkommt.

Wie diese Personennamen und die zuvor erwähnten baalgestaltigen Lokalgottheiten weisen auch die im AT belegten Ortsnamen (vgl. die Auflistung bei *Mulder*, aaO Sp. 720f.) ganz überwiegend in das Gebiet des Nordreiches[96], wo der Baalismus nach der Phase friedlicher Assimilierung durch die zuwandernden Israeliten schließlich im 9. und 8. Jh. zum Gegenstand scharfer religiöser Auseinandersetzung geworden ist. Das erhellt aus den beiden zentralen Baalserzählungen im AT 1Kön 18,(19)21–40 und 2Kön 10,18–27.

Sowohl beim Gottesurteil auf dem Karmel als auch beim von Jehu angezettelten Blutbad im Baalstempel zu Samaria steht der Kampf gegen Baal und seine Verehrer so sehr im Mittelpunkt, daß an der im 9. Jh. mit tödlichem Ernst geführten Auseinandersetzung zwischen Jahwismus und Baalismus nicht gezweifelt werden kann. Möglicherweise gilt in beiden Erzählungen der Kampf ein und derselben Baalsgottheit, wenngleich die Verehrung einer eigenen Baalsgestalt auf dem Karmel wahrscheinlicher ist.[97] Doch derlei Differenzierungen sind den beiden Texten fremd, ja völlig gleichgültig, denn für ihre Verfasser ist

---

[96] Auch die moabitische Lokalgottheit Baal Peor weist stärkere Beziehungen zum Nord- als zum Südreich auf. Das ist durch Hos 9,10 belegt und wegen der einigermaßen langen moabitischen Vasallität gegenüber Israel (vgl. *Noth*, GI S. 208.223) auch nicht weiter verwunderlich.
Von den baalhaltigen Ortsnamen gehören lediglich Baal Perazim (vgl. *Noth*, GI S. 173f.) und Kirjath Baal zum judäischen Gebiet.

[97] Die Existenz eines בעל כרמל ist zwar nicht hebräisch bezeugt, ergibt sich jedoch nahezu zwingend aus der Rückübersetzung einer griechischen Inschrift aus römischer Zeit (vgl. *Avi-Yonah*, IEJ 2 S. 118–124; *Galling*, FS Alt S. 105–125). Auch ohne Kenntnis der Inschrift hatte *Alt* (KS II S. 135–149) bereits 1935 der Forschung im großen und ganzen den richtigen Weg gewiesen, wenngleich sich manche Modifikation seiner These als notwendig erwiesen hat (vgl. etwa *Smend*, VTS 28 S. 173–175; ders., VT 25 S. 537f.; zur zeitlichen Ansetzung der Erzählung vgl. ebd. S. 538–543). Als weiteres stützendes Argument wird auch die Analogie der vielen anderen baalgestaltigen Berggötter Palästinas und Syriens (vgl. *Alt*, KS II S. 138; *Eißfeldt*, Baal Zaphon S. 1–30) genannt werden können.

Baal zum Generalnenner allen kanaanäischen Götterwesens geworden.[98] Sie drängen auf die strikte Scheidung zwischen weitherzigen Gläubigen, bei denen neben Jahwe auch noch manch anderer Gott Platz fand, und denen, deren Kniee sich nicht vor „Baal" gebeugt haben (vgl. 1Kön 19,18).[99]

Die Fortsetzung des Kampfes gegen den Baalismus im Nordreich ist bei Hosea faßbar, der ebenfalls die Summe religiöser Verirrung mit dem Begriff Baal belegt, daneben aber auch erstmalig mit derselben Intention den Plural בעלים gebraucht und damit zusätzlich sowohl die weite Verbreitung als auch die Vielgestaltigkeit Baals im 8. Jh. dokumentiert.[100]

Dem Kampf Hoseas gegen den Baalskult ist im 7. Jh. kein vergleichbares prophetisches Zeugnis an die Seite zu stellen. Dieses Urteil hat seine Berechtigung, obgleich Zephanja und Jeremia von Baal reden und auch in den historischen Büchern kein Mangel an Nachrichten über den Baalskult in dieser Zeit herrscht. Diese Informationen können jedoch zum einen nicht vor ihrer literarkritischen Bewertung Eingang in die historische Argumentation finden, zum anderen dürfen folgende historische und literarische Beobachtungen nicht in ihrer Bedeutung unterschätzt werden: 1. Mit dem Ende des Nordreiches verliert die Prophetie endgültig ihr eigentliches Ursprungsgebiet, wenngleich hier prophetischer Geist wohl bereits seit Hosea mehr oder weniger erloschen war. Somit besitzen wir *nach* Hosea kaum ein prophetisches und d.h. einigermaßen zeitgenössisches

---

Wer aufgrund der vergleichsweise späten römischen Inschrift an dem hohen Alter der Baalsverehrung auf dem Karmel Zweifel haben sollte, sei auf den aus dem 9. Jh. in Inschriften Slm.s III. bezeugten akkad. Namen Ba'lira'si verwiesen, der mit größter Wahrscheinlichkeit zur Bezeichnung des Karmel diente (Zusammenstellung der Belege bei *Parpola*, NAT S. 57 s.v. Ba'lira'si; zur Interpretation: *Aharoni*, FS Galling S. 6f.; weitere Literatur bei *Elat*, IEJ 25 S. 35 A. 39).

[98] *Alt* (KS II S. 137) zu 1Kön 18,19ff.: „Die ursprüngliche Erzählung redete offenbar nur von dem Baal schlechthin und ermöglichte es gerade dadurch, daß sie im Sinne jener grundsätzlichen Alternative verstanden wurde."
Das singuläre Vorkommen von הבעלים in 1Kön 18,18b ist eindeutig sekundär, sofern 18,18b der knappen Replik Elias eine typisch nomistische Begründung hinzufügt, die vermutlich von DtrN stammt (vgl. auch *Alt*, KS II S. 136 A. 2). Die in 18,19 erwähnten נביאי האשרה neben den נביאי הבעל sind bereits lange als Glosse eines Späteren erkannt, dem das Nebeneinander von בעל und אשרה hier fehlte (vgl. *A. B. Ehrlich*, Randglossen VII S. 262).

[99] 1Kön 19,18 gehört mit seinem entsprechenden Kontext einer späteren Überlieferungsstufe an als 18,19ff. Das ist von *Steck* (Elia S. 20–28.90–109) richtig gesehen worden, wenngleich die von ihm vorgeschlagene Verbindung mit der Aramäernot unter Hasael wohl noch immer ein zu hohes Alter für die Horebszene reklamiert.

[100] Nicht alle בעל/בעלים-Stellen bei Hosea haben Anspruch auf Authentizität. So ist der Relativsatz עשו לבעל in Hos 2,10 kaum ursprünglich (vgl. *Wellhausen*, KlProph S. 101; *Wolff*, Hos S. 35.45; anders *Rudolph*, Hos S. 63.69f.), ebensowenig Hos 2,19, wobei die Frage nach der Authentizität des Kontextes hier nicht geklärt werden soll (vgl. *S. Herrmann*, Heilserwartungen S. 111f.; anders *Wolff*, Hos S. 56ff.). Verbleiben als hoseanische Belege: 2,15; 11,2 (Plural); 13,1 (Singular).

Zeugnis über die Entwicklung des Baalskultes im Nordreich (zu Jer 23,13 s.u. S. 203). 2. Prophetie nach Hosea stammt allein aus Juda und gilt vorwiegend judäischen Verhältnissen. Doch gerade die frühesten, noch in größte Nähe zu Hosea gehörenden judäischen Schriftpropheten, Jesaja und Micha, kennen im letzten Drittel des 8. Jh.s im Südreich keinen Kampf gegen Baal. 3. Nimmt man noch den Grundbestand des Dtn als literarisches Dokument des 7. Jh.s hinzu, verstärkt sich der schon aus der Prophetie resultierende Eindruck, daß die Baalsverehrung im Südreich aufs Ganze gesehen von erheblich geringerer Bedeutung als im Nordreich gewesen ist, denn בעל kommt außer in Dtn 4,3, also als Bestandteil eines frühestens exilischen Textes, im gesamten Dtn nicht vor. Das Argument, dies könne aufgrund der Fiktion der Moserede auch gar nicht erwartet werden, ist deshalb von geringer Überzeugungskraft, weil in bezug auf Aschera die Fiktion in Dtn 16,21, einer zum dt Grundbestand gehörenden Stelle, durchbrochen wird (s.u. S. 216ff.).

Bei Jeremia, der zentralen prophetischen Gestalt des 7. Jh.s, liegt die Belegzahl für בעל (nur zweimal – Jer 2,23; 9,13 – im Plural) ziemlich hoch (13 Belege), doch werden die meisten mit guten Gründen dem Propheten abgesprochen und der dtr Redaktion des Jer-Buches zugeordnet. Macht Jeremia selbst in seiner Anklage vom Baalsnamen Gebrauch, geschieht das wie in den alten Erzählungen der Kön-Bücher und bei Hosea in der Weise, daß er sowohl im Singular als auch im Plural[101] allen möglichen heidnischen Phänomenen in Juda gilt. Das geht eindeutig aus den parallelen Götterbezeichnungen in Jer 2,8 hervor, wo Jeremia den Propheten vorwirft, daß sie בבעל weissagen und hinter Nichtsnutzen (לא־יועלו) herlaufen. Im Gefolge von לא־יועלו muß hier zwangsläufig auch בעל als summarischer Schimpfname verstanden werden, der nicht nur den Baalsgottheiten gilt.[102] Neben dem durch Jer 23,13 dokumentierten Interesse des Propheten an der weiteren Entwicklung der Baalsverehrung in der Provinz Samaria gebraucht er im Blick auf das Südreich den Baalsnamen äußerst selten (drei oder vier Belege), immerhin häufig genug, um der dtr Redaktion einen Ansatzpunkt zu geben, diesen Zug der jer Prophetie kräftig nachzuzeichnen. In unverkennbar dtr Terminologie wird das Räuchern für Baal (Jer 7,9; 11,13.17; 32,29) auf den Höhen (19,5; 32,35), das Hinterherlaufen (9,13) sowie das Schwören bei Baal (12,16) gerügt.[103] Wie wenig diese Typologie einen spezifischen Baalismus ins Visier nimmt und wie sehr sie in

---

101 So ist in Jer 2,8 der Singular, in 2,23 der Plural gebraucht. Zwar gehören beide Stellen verschiedenen Redeeinheiten an, stammen jedoch sicherlich aus derselben Phase der Verkündigung Jeremias (vgl. *Rudolph*, Jer S. 13f.). Die Authentizität von 2,23 ist nicht, die von 2,8 nur von *B. Duhm* (Jer S. 17) mit wenig stichhaltigen Argumenten angezweifelt worden.

102 Ob auch Jer 23,27 dem Propheten selbst (vgl. *Rudolph*, Jer S. XV.153–155) oder einer späteren Hand (vgl. *B. Duhm*, Jer S. 185) zuzuschreiben ist, braucht hier nicht entschieden zu werden, weil das Urteil über diese Stelle das Gesamtbild nicht verändert.

103 Am gründlichsten und überzeugendsten ist bisher die dtr Provenienz dieser Belege von *Thiel* nachgewiesen worden: zu Jer 7,9 vgl. Jer I S. 111, zu 11,13.17 vgl. ebd. S. 153–156, zu 32,29 vgl. Jer II S. 31ff., zu 19,5 vgl. Jer I S. 222, zu 32,35 vgl. Jer II S. 31ff., zu 9,13 vgl. Jer I S. 137, zu 12,16 vgl. ebd. S. 165f.

die dtr Kreise des 6. Jh.s gehört, wird sich bei der Analyse der Geschichtsbücher erweisen.

Doch zuvor mag noch Zephanja als Zeitgenosse Jeremias bestätigen, daß im Juda des 7. Jh.s nicht der Kampf gegen kanaanäische Baalsgottheiten zentrale Bedeutung hatte. Zephanja spricht einmal von שאר הבעל (1,4), eine idiomatische Wendung, mit der er ankündigt, daß Jahwe den „Baal restlos"[104] vertilgen will. Baal wird hier von Zephanja nicht anders als von Jeremia gebraucht, nämlich als Chiffre für alle möglichen Arten des Fremdgötterdienstes, weshalb *Wellhausen* hier בעל frei, aber der Intention nach richtig mit „Götzendienst" übersetzt und שאר הבעל als den „ganze(n) Götzendienst, mit allem was drum und dran hängt", bezeichnet.[105] Noch besser als bei Jeremia ist bei Zephanja die Subordination verschiedener fremder religiöser Phänomene unter den Oberbegriff בעל nachweisbar, denn auf die totale Vernichtungsansage in 1,4abα folgt in 1,4bβ.5f. eine Spezifizierung der von ihm wahrgenommenen religiösen Greuel. Dabei nennt er – formal völlig einheitlich – immer die Personen, die den Götzendienst in verschiedensten Formen ausüben, die alle unter der Sammelbezeichnung שאר הבעל als erstem Glied der Aufzählung subsumiert sind.

Nur auf dem Hintergrund der zunehmenden Generalisierung des Begriffs בעל für alles Fremdgötterwesen wird der dtr Sprachgebrauch verständlich. In den dtr Kreisen des 6. Jh.s erreicht der Begriff seine extensivste und ausschließlich formelhafte Verwendung, schon daran erkennbar, daß Baal nun auch in die Götteraufzählung eingereiht wird.

Diesem Urteil scheint zunächst zu widersprechen, daß als erstes Zeugnis dtr Tradition eine *Geschichte* des Kampfes gegen Baal aus der Richterzeit angeführt wird: Gideons Kampf gegen Baal (Ri 6,25–32).[106] Ein Dokument der

---

[104] So die zutreffende Übersetzung *Rudolphs* (Zeph S. 260); vgl. auch die Auslegung von *Elliger*, KlProph II S. 58.61f. Der Ausdruck שאר הבעל ist so schwer verständlich, daß LXX die Wendung in τὰ ὀνόματα τῆς Βααλ verändert hat. Daß man hier LXX nicht folgen darf (gegen *Marti*, XIIProph S. 362; *Nowack*, KlProph S. 282) beweisen Vulgata (reliquias Baal) und Targum (שאר בעלא). Wenn man mit MT auszukommen versuchen muß, mag zunächst die Deutung naheliegen, daß nur noch ein Rest des Baal zur Vernichtung übrig sei (weshalb ein Teil der josianischen Reform schon stattgefunden haben müsse), während die in 1,5 aufgezählten religiösen Mißstände nun die eigentliche Gefahr bilden. Diese Deutung ist jedoch nicht haltbar, weil erstens – wie gleich zu zeigen sein wird – Baal sich hier nicht auf eine bestimmte Gottheit bezieht, zweitens die Jer-Stellen, die, wenn sie auch keine dramatische Baalsgefahr beschwören, doch nicht von einer sichtlich dem Ende nahenden Baalsverehrung Zeugnis geben, und weil drittens in Jes 14,22 die Wendung שם ושאר, die ebenfalls – wenn auch etwas zerdehnt und vielleicht nicht ursprünglich – in Zeph 1,4 begegnet, die Totalität der Vernichtung zum Ausdruck bringt.

[105] *Wellhausen*, KlProph S. 27.151; anders *Elliger*, KlProph II S. 61f., der durch שאר הבעל allein kanaanäische Religionsformen charakterisiert sieht, wenngleich auch er die Allgemeinheit des Ausdrucks bemerkt und feststellt, daß der Proph erst mit 1,5 „auf die spezifischen kultischen Sünden der Hauptstadt" zu sprechen kommt.

[106] Einige Nachträge von späterer Hand, die allerlei inhaltliche Inkonsequenzen verursachen, lassen sich leicht erkennen, wenn auch nicht unbedingt leicht er-

Richterzeit, in deren Kontext es nun steht, liegt hier aber keineswegs vor, was aus verschiedenen Beobachtungen erhellt: Nachdem Gideon gerade einen Altar bei der Terebinthe in Ophra, wo Jahwe ihm erschienen war, errichtet hatte (6,11–24), ist der Bau eines weiteren Jahwealtars unmittelbar darauf an demselben Ort höchst merkwürdig (vgl. *Wellhausen*, Prolegomena S. 234). Zudem ist die Zeit Gideons nicht die israelitischer Altarstürmerei, in der man Jahwe schon so vertraut gewesen wäre, daß man seine intolerante Haltung gegenüber anderen Göttern genau gekannt hätte. Ein viel trefflicheres Bild der Zeit Gideons erhält man durch Ri 6,11–24: Gideon bittet den Gott, der ihm erscheint, um ein Bestätigungszeichen, daß er wirklich Jahwe ist. Wie diese in späterer Zeit undenkbaren Zweifel Gideons das hohe Alter der Erzählung ausweisen, ist die hier von Jahwe übernommene Rolle für die alte Zeit typisch: nicht (und schon gar nicht im Blick auf andere Götter) fordernd, sondern Hilfe im Kampf gegen die Midianiter verheißend. Der Gott von Ri 6,11–24 streitet mit seinen Verehrern primär gegen menschliche Feinde, der Gott von Ri 6,25–32 primär gegen göttliche Rivalen, die seinen allein berechtigten Herrschaftsanspruch in Israel streitig machen wollen. Deutlicher kann man sich die Problemstellung zweier verschiedener Zeiten nicht dargelegt wünschen: dort das Israel der vorköniglichen Zeit, stetig in der Defensive gegen übermächtige Angreifer und deshalb auf göttliche Kriegshilfe angewiesen, hier das politisch und militärisch erstarkte Israel, das vergessen hat, wem es seine Machtstellung verdankt.

Daß letztere Problematik älter ist als die dtr Zeit, könnte man der Erzählung Ri 6,25–32 – wenn man es nicht aus anderen Texten bereits wüßte – auch selbst entnehmen. Sie ist zwar in ihrer jetzigen Gestalt eindeutig dtr formuliert, aber kein reines Produkt dtr Götterpolemik, sondern unter der Vorgabe älterer Tradition konzipiert.[107] Dies ist einmal aus einer gewissen inhaltlichen Unausgeglichenheit zu ersehen, wenn z.B. auf der einen Seite in 6,25 konsta-

---

klären. Das gilt z.B. für die Einfügung des zweiten Farren in 6,25, die auch in 6,26.28 bewirkt hat, daß das ursprünglich einfache הפר in הפר השני geändert worden ist, so daß der erste Stier überhaupt nicht mehr vorkommt. Diese Spannung ist erst durch Bearbeitung entstanden, ebenso der merkwürdige Ausdruck פר־השור, dessen Doppelung der Worte für „Stier" eigentlich sinnlos ist. Lexikographische Nuancierung (vgl. *Péter*, VT 25 S. 490) hilft hier kaum weiter. Wenngleich bisher keine zufriedenstellende Erklärung für das Zustandekommen des Ausdrucks פר־השור gefunden worden ist, kann doch nicht zweifelhaft sein, daß ursprünglich im Text nur einer der beiden Begriffe -- vermutlich wie im weiteren Verlauf der Erzählung פר – stand. Einen ausführlichen Versuch zur Textrekonstruktion bietet *L. Schmidt*, Erfolg S. 6f.
6,31aβ ist sekundärer Einschub (vgl. etwa *L. Schmidt*, Erfolg S. 9) eines Übereifrigen, durch den die Rede des Joas verdorben wird, die jenem Glossator unberechtigterweise keine genügend starke Drohung enthielt.

[107] Beim Stand der Dinge wird man die Möglichkeit, den alten Kern der Erzählung literarkritisch zu erheben, äußerst skeptisch beurteilen müssen. Die Divergenz der Versuche in dieser Richtung – es sei nur an die beiden neueren von *Richter* (Untersuchungen S. 157–168) und *L. Schmidt* (Erfolg S. 5–21) erinnert – weisen mit Nachdruck darauf hin, daß die Erzählung in ihrem derzeitigen Bestand so stark dtr durchsetzt ist, daß die Eruierung einer älteren Vorlage unmöglich erscheint.

tiert wird, der Baalsaltar gehöre Gideons Vater, dieser aber auf der anderen Seite in 6,31 als Beschützer Gideons eine sehr positive Rolle spielt. Ferner ist die Spannung bei der Konstruktion von ריב mit ל (6,31bis, ohne die Erweiterung) und mit ב (6,32) zu nennen, wobei die Konstruktion mit ב in dieser Erzählung sicherlich als die jüngere anzusehen ist, zu der auch die vermutlich nicht zum ursprünglichen Bestand zu rechnende Namensätiologie gehört.[108]

Die Existenz alter Tradition in Ri 6,25–32 legt sich andererseits aber auch aus theologischen Gründen nahe. Die in 6,31 an Baal gerichtete Aufforderung אם־אלהים הוא ירב לו hat ihre nächste Parallele im Bekenntnis des Volkes beim Gottesurteil auf dem Karmel: יהוה הוא האלהים יהוה הוא האלהים (1Kö 18,39). Die Erzählungen stimmen auch darin überein, daß beide Male ein von Jahwe Erwählter unter gefährlichen Umständen den Kampf gegen Baal führt und obsiegt.[109] Es kann somit kaum zweifelhaft sein, daß Ri 6,25ff. im Grundbestand und 1Kön 18,19ff. derselben Zeit und demselben Tradentenkreis entstammen (so auch *L. Schmidt*, Erfolg S. 16f.). Wie in der Karmelgeschichte so hat sich auch in der Gideonerzählung ursprünglich – also im späten 9. oder 8. Jh. – der Kampf gegen eine ganz bestimmte kanaanäische Erscheinungsform des Baal gerichtet, was jedoch für den dtr Bestand von Ri 6,25ff. nicht mehr zutrifft. Baal ist auf dtr Ebene die Gegenfigur zu יהוה אלהיך (6,26), der – für dtr Texte typisch – von sich selbst in der 3. Person redet.[110] Das der alten Gideongeschichte entlehnte Motiv des Altarbaus (6,24) wird hier zur Verdeutlichung des Prinzips ausgebaut, daß da, wo ein Jahwealtar errichtet wird, der Baalsaltar konsequenterweise weichen muß. Die kompromißlose dt Maxime des יהוה אחד ist vorausgesetzt, ebenso die Zerstörung heidnischer Altäre durch Josia, weshalb in penetranter Wiederholung innerhalb von drei Versen dreimal betont wird, daß Gideon den Baalsaltar zerstört habe (6,30.31.32). Wer diese stilistische Härte literarkritisch wegoperiert, verkennt, daß hier das Herz des an dieser Erzählung arbeitenden Dtr schlägt, der auch in die Ätiologie des Namens Jerubaal ein kämpferisches Element eingezeichnet hat: Unzufrieden mit dem blassen, durch die Tradition vorgegebenen Wort, daß Baal für sich kämpfen möge (ריב + ל), hat er durch die Umwandlung der Konstruktion in ריב + die Ätiologie zu einer Herausforderung gestaltet: Baal kämpfe doch gegen ihn,

---

108 So etwa *Richter*, Untersuchungen S. 161f.; es ist nicht völlig auszuschließen, daß die Namensätiologie schon zur alten Tradition gehörte, sicherlich aber nicht in vorliegender Gestalt. *L. Schmidt* (Erfolg S. 10–13), der in 6,31 und 6,32 den bruchlosen Abschluß der ursprünglichen Geschichte findet, verzichtet auf einen Erklärungsversuch für die unterschiedliche Konstruktionsweise von ריב.

109 Auf die Berührung von 1Kön 18,21–40 und Ri 6,25–32 weist auch *Smend* hin (VTS 28 S. 175f.) und stellt für Ri 6,25ff. unter Bezugnahme auf *Kuenen* ohne weitere Ausführungen, aber mit vollem Recht fest: „Auch über die (sicher nicht für das Ganze zutreffende) Annahme deuteronomistischer Herkunft (...) wird man nicht mehr so schnell hinweggehen dürfen, wie das früher zu geschehen pflegte" (ebd. S. 176 A. 39).

110 Als Kennzeichen dtr Sprache führt *Kuenen* (Einl I/2 S. 11 A. 5) den Gebrauch folgender Worte an: הרס (6,25), כרת (6,25.28.30), יהוה אלהיך (6,26), נתץ (6,28.30.31.32) und יצא hi. (6,30, vgl. Dtn 17,5; 21,19; 22,21.24).

Gideon, den Jahweverehrer.[111] Gideons Kampf gegen Baal bekommt in der dtr Version paradigmatischen Charakter, wie in Israel von Anfang an mit fremden Göttern zu verfahren gewesen wäre und nicht verfahren worden ist, wie die Deuteronomisten in ihrem Rückblick auf die Geschichte Israels vor deren Beginn (Ri 2,6ff.) feststellen.[112]

Die weiteren Belege für Baal im dtr Geschichtswerk hinterlassen nach erster Durchsicht den Eindruck häufiger und unsystematischer Bezeugung der Gottheit, teils im Singular, teils im Plural, manchmal allein, öfters im Zusammenhang mit Aschera (Singular und Plural), Aschtaroth und anderen Göttern. Doch hier ist Differenzierung notwendig.

Zum einen ergibt die literarkritische Analyse, daß in der Regel der Singular בעל einer anderen dtr Hand zuzuweisen ist (DtrH) als der Plural בעלים (DtrN), wobei der jeweils dominierende Numerusgebrauch gewisse unterschiedliche Akzentsetzungen enthüllt. Zum anderen täuscht der Eindruck, die Deuteronomisten hätten den Vorwurf des Baalismus wahllos in ihr Werk eingebracht. Zumindest für DtrH gilt, daß seine Kenntnisse über die Vergangenheit Israels noch zu genau waren, als daß er nicht dem Ursprung der Baalsverehrung im Nordreich Rechnung getragen hätte. Weder in seiner religiösen Beurteilung Salomos (1Kön 11,1–8*) noch der Rehabeams (14,22–24*) führt DtrH den Baal an, obwohl seiner Erwähnung zumindest bei Salomo aufgrund der intensiven Beziehungen zu Tyrus in dieser Zeit nicht viel im Wege gestanden hätte.

---

111 Die dtr Tendenz geht auch sonst in dieser Erzählung dahin, Gideon als den heldenhaften Streiter für Jahwe zu apostrophieren. Das wird gleich zu Beginn deutlich, wo der Dtr sowohl bei dem Jungstier als auch bei dem Baalsaltar betont: אשר לאביך, nicht um den Vater schlecht zu machen, sondern um Gideons Gehorsam gegen Jahwe, der ihm hier Ungehorsam gegen den eigenen Vater und Zerstörung seines Eigentums (und zwar nicht irgendwelchen beliebigen Eigentums!) abverlangt, zu dokumentieren (anders *L. Schmidt,* Erfolg S. 15).
Ein zur hier gebotenen Analyse weitgehend konträres Verständnis von Ri 6,25–32 ist bei *Preuß* (Verspottung S. 67–72) zu finden, für den diese Erzählung „in die frühe Zeit Israels führt" (S. 67); demgegenüber besteht große Übereinstimmung mit den Ergebnissen von *H.-D. Hoffmann,* Reform S. 275ff.

112 Die Göttin Aschera gehört in Ri 6 25ff. weder zur alten Überlieferung noch zur ersten dtr Fixierung der Erzählung. Die Aschera-Partien bilden im Text keinen notwendigen, nicht einmal einen sinnvollen Bestandteil, außer wenn man auf die Erwähnung des Brennholzes für die עולה aus dem Kultpfahl der Aschera nicht meint verzichten zu können (6,26). Ansonsten ist die Erzählung bis in die erste dtr Redaktion hinein auf die Zerstörung des *Baals*altars und die Errichtung eines Jahwealtars und später zudem auf die Ätiologie des Namens Jeru*baal* hinausgelaufen. Auch stilistisch geben die Erwähnungen der Aschera zu Bedenken Anlaß, da sie entweder in verräterischer Schlußposition stehen (6,25bβ.26bβ.30bβ) oder den Zusammenhang empfindlich stören (6,28aβ, wo sich zudem die Inkonsequenz ergibt, daß die Männer der Stadt den Kultpfahl gar nicht mehr gefällt, sondern höchstens noch als Brennholz verwendet sehen können). Aufgrund der Wahl der Gottheit (אשרה) und der Sprache (כרת, quater) kann die Einfügung nur auf eine weitere wohl spätdtr Hand zurückgehen, für die Baal und Aschera bereits so unzertrennlich zusammengehörten, daß ihre Erwähnung auch hier nicht fehlen durfte.

DtrH bleibt in dieser Hinsicht nahe an den historischen Fakten und läßt den schädlichen Einfluß Baals erst mit der Regierungszeit Ahabs (1Kön 16,31–33) seinen Anfang nehmen. Die Annalennotiz 16,32[113], nach der Ahab im Baalstempel zu Samaria dem Baal einen Altar errichtet habe, umgibt DtrH mit seiner religiösen Beurteilung: וילך ויעבד את־הבעל וישתחו לו (16,31bβ) und ויעש אחאב את־האשרה (16,33a). Wie bereits dargelegt, war DtrH die Baalsthematik durch 1Kön 18 und 2Kön 10 vorgegeben, doch beschränkt er sich nicht auf bloße Reproduktion der Tradition, sondern präludiert sie durch Nennung des Götterduos Baal *und Aschera*, welche im folgenden überhaupt keine Rolle mehr spielt, und macht damit von vornherein deutlich, daß Elias Auseinandersetzung mit Baal nicht als eine Kampfansage lediglich gegen den Baalismus mißverstanden werden darf, sondern sich gegen alle Fremdgötter schlechthin richtet.

Von Ahab an ist die Entwicklung der Baalsverehrung ein Thema, das DtrH genau verfolgt. Das gilt zunächst für die Zeit der Omriden, über deren Einstellung zum Baalskult er im großen und ganzen zuverlässig berichtet. So urteilt er unter wörtlicher Aufnahme von 1Kön 16,31bβ über den Ahab-Sohn Ahasja: ויעבד את־הבעל וישתחוה לו (22,54a), während seinem Bruder Joram die Entfernung einer Baalsmassebe eine etwas bessere Zensur einbringt (2Kön 3,2).[114]

---

113 Die Analyse von 16,29–33 ist nicht ohne Schwierigkeiten: 16,29 enthält die übliche Annalennotiz mit den Daten der Regierungszeit Ahabs, 16,30 das Frömmigkeitsurteil von DtrH, der auch noch mit 16,31a (Verweis auf die Sünde Jerobeams) einen weiteren Auszug aus den Annalen über die Heirat von Isebel (16,31bα) einleitet (so auch *Noth*, ÜS S. 75). Auch die Annalennotiz in 16,32 über den Bau eines Baalsaltars hat DtrH vorweg kommentiert (16,31b und noch eine Bemerkung über Ahabs Verehrung der Aschera (16,33a) folgen lassen, um das Ausmaß seiner Götzenverehrung deutlich vor Augen treten zu lassen.
Noth (ÜS S. 82 A. 4) schreibt demgegenüber 16,31bβ–33a insgesamt DtrH zu, was auch nicht ganz ausgeschlossen werden kann. Daß hier jedoch ungewöhnlicherweise die Verehrung von Baal *vor* der Nachricht über den Altarbau erwähnt wird, läßt sich leichter durch die Verwertung einer vorliegenden Annalennotiz erklären. *Noth* dürfte aber richtig gesehen haben, daß 16,31bβ–33a bereits im Blick auf 2Kön 10,21–27 formuliert sind.
16,33b stammt jedenfalls nicht von DtrH, sondern wird aufgrund des ungeschickten Anschlusses an 16,33a (Wiederholung des Subjekts), der Erwähnung des Zornes Gottes (schwerpunktmäßig bei DtrN und JerD; vgl. *W. Dietrich*, PG S. 90f., wobei mindestens Ri 2,12 noch DtrN zuzuweisen ist) und der abschließenden Wiederaufnahme von 16,30 am ehesten DtrN zuzuordnen sein (Abfassung von 16,30–33 durch *einen* dtr Verfasser wird hingegen von *H.-D. Hoffmann*, Reform S. 78ff. angenommen).

114 Die Notiz über die Entfernung der Baalsmassebe hinterläßt beim Leser eine höchst zwiespältigen Eindruck: Einerseits wirkt sie unerfunden sowohl von der Sprache – מצבת הבעל ist kein dtr Terminus – als auch von der Sache her, denn ohne Nötigung durch ein bestimmtes historisches Ereignis hätte DtrH von sich aus gewiß nichts Positives über einen Omriden gesagt. Andererseits ist die Notiz merkwürdig blaß: Selbst die zu erwartende und eigentlich unentbehrliche Angabe, *wo* die Baalsmassebe gestanden hat, wird nicht gemacht. Schließ-

Diese unterschiedlichen Nachrichten mögen tatsächlich in der schwankenden Religionspolitik der Omriden einen Rückhalt haben (vgl. *Smend,* VTS 28 S. 174f.), wobei allerdings zu beachten ist, daß der der Ahab-Tochter Athalja angelasteten Baalsverehrung im Südreich nicht vorschnell Glauben geschenkt werden darf (s.o. S. 177ff.).

Nicht unter Anleitung der Überlieferung wie bei den Omriden, sondern aus eigenster programmatischer Absicht geißeln die Deuteronomisten – DtrH und DtrN nur mit geringfügigen Unterschieden – zu Beginn der Richterzeit, was Israel nicht hätte tun sollen und doch immer wieder getan hat: ויעזבו את־יהוה ויעבדו לבעל ולעשתרות (Ri 2,13).[115] Das ist dtr Kerygma, wie es mit leichten Modifizierungen vielfach wieder begegnen wird: Pluralische Götterbezeichnung,

---

lich besteht ein Widerspruch zwischen der Nachricht über ihre Entfernung hier und in 2Kön 10,26f. zum Abschluß der Abrechnung Jehus mit den Baalsverehrern, den *H.-D. Hoffmann* wegen seiner übergreifenden These zu tolerieren zu schnell bereit ist (vgl. Reform S. 84ff. v.a. S. 85). Daß beide Angaben einander stören, ist bereits von antiken Lesern empfunden worden, wovon der reichlich diffizile Text in 2Kön 10,26f. zeugt. Seine grammatische Unordnung, die ihn kaum richtig verständlich macht, ist kein Zeichen von Textkorruption, die textkritisch wieder in Ordnung zu bringen wäre (gegen *Benzinger,* Kön S. 154; *A. B. Ehrlich,* Randglossen VII S. 304 u.a.), sondern der Beweis dafür, daß eine spätere Hand den Ausgleich mit 2Kön 3,2 herzustellen versucht hat. Vermutlich lautete der ursprüngliche Text in 10,26f.: ויצאו [...] את־מצבת הבעל ויתצו את־בית הבעל... Dieser Text ist von einem Leser, dem die Doppelung der Nachricht mit 2Kön 3,2 auffiel, dadurch erweitert worden, daß er das Wort „Massebe" aufgriff und eine Nachricht über ihre Entfernung aus dem Baalstempel und ihre Verbrennung voranstellte (את־מצבת בית־הבעל וישרפוה). Damit sollten die künftigen Leser den Eindruck gewinnen, hier sei von zwei Masseben die Rede: einer ersten, die von Jehu aus dem Baalstempel entfernt und verbrannt worden sei, und einer zweiten, bei der jeder Leser sich auf jene von Joram entfernte Massebe besinnen durfte, die Jehu nun auch noch zerstört habe (Voranstellung von ויתצו vor das ursprüngliche את־מצבת הבעל um den Preis einer unschönen Doppelung mit dem folgenden ויתצו את־בית הבעל). Damit war für jenen Glossator die Arbeit beendet. Der Plural מצבות ist vermutlich im Laufe der Textüberlieferung durch unsorgfältige Schreiber entstanden, denen der im Geschichtswerk dominierende Plural dieses Wortes so geläufig war, daß sie ihn auch hier gedankenlos einsetzten. Der Singular als die ursprüngliche Lesart ist von einem äußerst geringen Teil der masoretischen Überlieferung und von den Versionen (vgl. BHK s.St.) bewahrt worden (anders *H.-D. Hoffmann,* Reform S. 99ff.).
Ist der Schluß auch kaum zu umgehen, daß in 2Kön 3,2 und 10,26f. von ein und derselben Baalsmassebe die Rede ist, bleibt doch völlig dunkel, bei welchem König die Nachricht über ihre Vernichtung ursprünglich verhaftet ist. Selbst wenn die Verbindung mit Joram als die originäre wahrscheinlich gemacht werden könnte, bliebe die denkbare Theorie von der Existenz der Reformidee im Nordreich des 9. Jh.s unplausibles Postulat.

[115] An der großen Einleitung zur Richterzeit (Ri 2,6–3,6) sind DtrH und DtrN beteiligt, wie *Smend* (FS von Rad S. 504–506) für 2,17ff. nachgewiesen hat. Die seiner Analyse zugrundeliegenden Kriterien lassen sich auch auf die

Götterpaar und Götterreihe sind als Absage an *alle* Fremdgötter zu verstehen. Deshalb können mit derselben Aussageintention הבעלים (2,11; 10,10) neben בעל und עשתרות (2,13) stehen, und davon wiederum nicht weit entfernt – ur ter Aufnahme des in 2,6–3,6 grundsätzlich dargelegten Schemas – הבעלים und האשרות (3,7[116]) oder, im weiteren Verlauf der Richterzeit, הבעלים und העשתרות (10,6; 1Sam 7,4; 12,10[117]). Wer hier eine Zuweisung der verschiedenen Begriffspaare an unterschiedliche literarische Schichten durchzuführen ver-

---

hier interessierenden Verse 11–13 anwenden: 2,11a enthält die bei DtrH übliche Notiz über die Hinwendung der Israeliten zum Bösen. 2,11b.12 sind, wenn auch durch größere Ausführlichkeit getarnt, eine Dublette zu 2,13.14aα, wobei diese Passage nach der knappen Manier von DtrH den Abfall von Jahwe zu fremden Göttern hin und seine zornige Reaktion artikuliert. 2,11b.12 stammen folglich von DtrN. In 2,14aβ formuliert DtrN die Konsequenz Jahwes, die Preisgabe an Israels Feinde, auf seine Weise, in 2,14b DtrH auf die seine.

116 *Wellhausen,* Prolegomena S. 228 zu Ri 3,7–11: „Die Bearbeitung, worin das Richterbuch Aufnahme in den Kanon gefunden hat, ist ohne Frage judäischen Ursprungs; aber die Geschichten selber sind nicht judäisch, ja im Liede der Debora wird Juda gar nicht mit zu Israel gerechnet. Der einzige judäische Richter ist Othniel, er ist aber keine Person, sondern ein Geschlecht. Was von ihm berichtet wird, ist vollkommen inhaltsleer und besteht lediglich aus den schematischen Wendungen des Bearbeiters, der also hier selbst ans Schaffen gegangen ist, damit die Reihe durch einen Judäer eröffnet werde; die Wahl Othniels wurde durch Jud. 1,12–15 an die Hand gegeben." So auch *Noth* (ÜS S. 50f.), der allerdings eine vorgegebene „Überlieferungsgrundlage" nicht ausschließen will.

117 Die literarischen Verhältnisse in Ri 10,6–16 sind sehr kompliziert. Der Rü blick auf 3,7f. lehrt, daß in 10,6aα (bis ואת־העשתרות) ein dtr Grundbestand v liegt, der, von kleinen Abweichungen abgesehen, 3,7 entspricht. Der Rest von 10,6 ist eine große Erweiterung der Götteraufzählung, die in dieser Überladun unmöglich ursprünglich sein kann und sich auch durch die Reprise von עבד an Schluß des Verses als weitere Redaktionsstufe ausweist. Die in der Erweiterun genannten Götter, die mit ihrem Herkunftsort oder -land (Aram, Sidon, Moab Ammoniter, Philister) aufgeführt werden, sprengen den Rahmen der hier vorzu bereitenden Jephthahgeschichte völlig, die allein mit der Ammonitergefahr fest verbunden ist. Diese Inkonsequenz ist gewiß von DtrN in die Erzählung eingetragen worden, dem (nicht nur) hier – wenn auch auf Kosten der Wahrscheinlichkeit – daran gelegen ist, durch die Aufstockung des Ensembles fremder Götter die Apostasie der Israeliten besonders sinnfällig zu machen. 10,7a (zornige Reaktion Jahwes) schließt glatt an 10,6aα (DtrH) an, stammt also von derselb Hand (vgl. auch 3,8aα). In der Analyse von 10,7b.8 ist *Veijola* (Königtum S. 45f.) voll zuzustimmen: Auch hier hat DtrN, von weiteren kleineren Änderungen einmal abgesehen, gemeint, in den Text von DtrH steigernd eingreifen zu sollen, indem er der Bedrohung durch die Ammoniter noch die durch die Philister hinzufügte. Vielleicht gehören 10,9.10a DtrN zu (so *Veijola,* aaO S. 46f. vielleicht aber auch bereits DtrH (dann aber ohne לאמר in 10,10a), dem ebenfalls die Steigerung der Ammoniterbedrohung zur nationalen Gefahr zuzutrau wäre. Letztere Lösung ist wohl wahrscheinlicher, weil zwischen dem Weg von DtrN – Steigerung der Gefahr durch zusätzliche Philisterbedrohung – und de von DtrH – Übergriff der Ammoniter auf das Westjordanland – eine gewisse

sucht, kann unmöglich zu einem einleuchtenden Ergebnis gelangen, weil der Wechsel selbst Methode hat, d.h. er wehrt bewußt dem Mißverständnis, verschiedene kanaanäische Gottheiten identifizieren zu können. Beide sich hier zu Wort meldenden dtr Schichten, DtrH und DtrN, sind sich bis in die Terminologie hinein in ihrer kämpferischen Haltung gegen jedwedes Fremdgötterwesen einig, wobei DtrH die Chiffren Baal und Aschera (zuweilen auch im Plural) bevorzugt, während bei DtrN eindeutig der Plural dominiert und er sich auch nicht – wie meistens DtrH – mit diesen beiden Chiffren begnügt, sondern die plerophore Götteraufzählung liebt. Die בעלים und עשתרות *sind* die Götter Arams, Sidons, Moabs usw. (Ri 10,6), *sind* die אלהים אחרים (10,13), *sind* die אלהי הנכר (1Sam 7,3), ein Hinweis mehr darauf, wie sehr im dtr Literaturbereich Baal und Aschera/Astarte (im Singular und Plural) zum Generalnenner für jegliche, Israel fremde Religionsausübung geworden sind. Mit gutem Grund ist das Begriffspaar בעלים und עשתרות mit dem akkadischen ilāni u ištarāti, das ebenfalls jeden spezifischen Inhalt entbehrt, verglichen worden (vgl. *Caquot,* Syria 35 S. 57). Die Chronik ist DtrN ganz in der Intention gefolgt, die von den Fremdgöttern ausgehende Gefahr durch ihre Vielzahl zu steigern, und gebraucht deshalb bis auf eine durch die Vorlage bedingte Ausnahme (2Chr 23,17) Baal nur noch im Plural (2Chr 17,3; 24,7; 28,2; 33,3; 34,4).

Bleiben noch die Stellen im dtr Geschichtswerk zu überprüfen, die Baal im Zusammenhang mit dem Untergang des Nordreiches (2Kön 17,16), mit Manasse (21,3) und der josianischen Reform (23,4f.) erwähnen. Trotz der Generalisierung der Fremdgötterbezeichnungen tragen sie auf ihre Weise der Tatsache Rechnung, daß mit dem 8. Jh. im Nordreich und mit dem 7. Jh. im Südreich die Überfremdung des Jahweglaubens noch einmal eine neue Qualität bekommen hat, indem sie an den genannten Stellen Baal und Aschera noch mit einem dritten deifizierten Element verbinden, dem Himmelsheer (צבא השמים), das die ass. Komponente im Fremdgötterdienst dieser Zeit anzeigen soll. Wie bereits

---

Diskrepanz besteht. Zweifellos aber hat DtrN ab 10,10b bis 10,16 das Wort (vgl. *Veijola*, aaO S. 44–48), wo in midraschartiger Ausführung des ויזעקו בני ישראל אל יהוה (10,10a) die Schuld Israels im Sündenbekenntnis des Volkes und in der Anklage Jahwes thematisiert wird. Die Breite der Erörterung der Schuldfrage paßt nicht in das knappe Schema der Richterzeit bei DtrH, hat aber bei DtrN noch in derselben Zeit eine Parallele in 1Sam 12,10, dessen erste Hälfte im wesentlichen Ri 10,10 entspricht (vgl. zu 1Sam 12 *Veijola*, aaO S. 83–99, zum Vergleich von Ri 10,10 mit 1Sam 12,10 besonders S. 86f.). In 1Sam 12,10 hat DtrN bereits seine in Ri 10,6–16 durchgeführte Redaktionsarbeit vor Augen. Seine Theorie geht dahin, daß Jahwe nur dann Sieg über Israels Feinde verleiht, wenn das Volk zuvor durch Schuldbekenntnis und Abrenuntiation sich einer erneuten Rettungstat Jahwes würdig erwiesen hat. In dieses Bild fügt sich auch 1Sam 7,3f. ein, ein Text, der als sachliche Parallele zu Ri 10,10ff. und 1Sam 12,10 angesehen werden muß: Erst nachdem Israel die Fremdgötter (והעשתרות in 7,3 ist ungeschickt eingefügte Glosse aufgrund von 7,4, anders *Veijola*, aaO S. 31) abgetan hat, schenkt Jahwe durch Samuel den Philistersieg (zur Zuweisung von 1Sam 7,3f. an DtrN vgl. *Veijola,* aaO S. 30–38.44–48; vgl. auch zu allen in der Anmerkung genannten Texten *H.-D. Hoffmann,* Reform S. 280ff., der allerdings ohne literarkritische Distinktionen auskommt).

dargelegt, hat DtrH vor allem mit dieser Göttertrias die von ihm intendierte Manasse-Josia-Antithetik auf den Begriff gebracht (s.o. S. 81.162f.), während DtrN mit ihr unter Anschluß an die Formulierung von 2Kön 21,3 auch den Fremdgötterdienst des Nordreiches charakterisiert wissen will (17,16; s.u. S. 221). In Verbindung mit צבא השמים zeigen die Götter Baal und Aschera noch einmal mehr, daß in dtr Sicht ihr kanaanäischer Ursprung Nebensache, ihre Identifizierung mit allem religiösen Fremdwesen Hauptsache geworden ist. Daß die Chiffre Aschera dabei in höherem Maße als Baal auf eine bestimmte Spätform judäischen Götzendienstes hinweist, wird im folgenden zu zeigen sein.

2. *Aschera (מלכת השמים/ענת/עשתרת/אשרה)*

War beim Gott Baal abgesehen vom variierenden Numerusgebrauch wenigstens in der Bezeichnung eine gewisse Einheitlichkeit gegeben, trifft dies nicht für seine Partnerin im AT, Aschera/Astarte, zu. Bei dieser weiblichen Göttergestalt treffen wir auf einen in semantischer, religionsgeschichtlicher und literarhistorischer Hinsicht nachgerade verwirrenden Tatbestand. Die vor allem aus ugaritischen Texten zu erwartende Hilfe darf in diesem Fall nicht allzu hoch veranschlagt werden, da auch in ihnen Funktionen und Relationen von ’Aṯirat (’ṯrt), ‘Anat (‘nt) und ‘Aṯtart (‘ṯtrt) längst nicht vollständig geklärt sind (vgl. die knappe Auswertung des ugaritischen Materials bei *de Moor*, TWAT I Sp. 474–476; ferner *Caquot*, TO I S. 68–73.85–94) und die zeitliche und örtliche Distanz dieser Texte zu manchem Fehlschluß führen kann, solange die atl. Geschichte dieser Gottheit(en) nicht aus sich selbst, d.h. vor allem durch semantische und literarhistorische Distinktionen, Konturen gewonnen hat.

Allerdings enthalten die ugaritischen Texte einen wichtigen Hinweis, der bei der Interpretation der atl. nicht außer Acht gelassen werden darf: Die Göttinnen ’Aṯirat, ‘Anat und ‘Aṯtart stehen durch ihre gemeinsame Zuständigkeit für die Fruchtbarkeit zueinander in größter Nähe, so daß die in den Texten dokumentierte Tendenz zur Identifizierung der Göttinnen nicht weiter verwundern kann. Jedenfalls ähneln ‘Anat und ‘Aṯtart einander so sehr, daß „deren Funktionen in der Spätzeit Ugarits als verschiedene Aspekte einer einzigen Göttin erscheinen“ (*de Moor*, aaO Sp. 475). Ebenso ist durch einen kanaanäischen Mythos in hethitischer Überlieferung das Bestreben der ’Aṯirat dokumentiert, ‘Anat die Rolle als Partnerin von Baal streitig zu machen (vgl. ebd. Sp. 475), um sie schließlich ganz zu verdrängen.

Auf dem Hintergrund des ugaritischen Befundes läßt sich zunächst einmal feststellen, daß alle drei Göttinnen auch in Israel bekannt gewesen und verehrt worden sind, der Verdrängungs- und Identifizierungsprozeß allerdings weitere Fortschritte gemacht hat. So ist die Existenz der Göttin ‘Anat in Israel nur noch aus Ortsnamen (בית ענת, Jos 19,38; Ri 1,33; בית ענות (?), Jos 15,59; ענת(ו)ת, Jos 21,18 u.ö.) und vielleicht einem Personennamen (ענת, Ri 3,31; 5,6; vgl. *Noth*, IPN S. 122f.) zu erschließen. Ansonsten ist ‘Anat im AT ganz verschwunden, und man wird mit der Vermutung, daß sie den beiden dominierenden Göttinnen אשרה und עשתרת hat weichen müssen, nicht fehlgehen. Einigermaßen tendenzlose Nachrichten – etwa durch Orts- oder Personennamen – über die Verbreitung dieser beiden Göttinnen in Israel enthält das AT noch spärlicher als über ‘Anat, nämlich nur in Form des einen Ortsnamens עשתרות (Dtn 1,4; Jos 9,10 u.ö.), der auch durch weit ältere ägyp-

und akkad. Quellen belegt ist. Mit אשרה oder עשתרת gebildete Personennamen kennt das AT überhaupt nicht, doch wohl ein Indiz für die ziemlich geringe Bedeutung dieser Fruchtbarkeitsgöttinnen in Israel. Nach 1Sam 31,10[118] gab es wohl in Beth-Schean einen Tempel der Astarte, doch wird dies zur Zeit Sauls und auch zu der Davids und Salomos eine Seltenheit gewesen sein, denn weitere zeitgenössische Belege fehlen völlig.

Das gilt auch noch für das 9. und 8. Jh., also die Zeit eines Elia und Hosea, die beide in unversöhnlicher Auseinandersetzung mit dem Baalismus standen, die Fruchtbarkeitsgöttinnen aber sicherlich nicht zufällig mit keinem Wort erwähnen (zu den 400 Aschera-Propheten in der Karmelszene 1Kön 18,19 s.o. S. 202 A. 98), denn ihr rigoroser Kampf für den Jahwismus hätte kein Schweigen zu einem verbreiteten Aschera/Astarte-Kult geduldet. Daß die Belege aus dem Richter- und Samuelbuch – mit Ausnahme der gerade besprochenen Stelle 1Sam 31,10 – nicht als Gegenargumente dienen können, dürfte die literarhistorische Analyse der Entwicklung des Gottes Baal erwiesen haben. Denn die עשתרות sind immer Partnerinnen von Baal (Ri 2,13; s.o. S. 209f. A. 115) oder den בעלים (Ri 10,6; 1Sam 7,3f.; 12,10; s.o. S. 210f. A. 117), denen einmal sogar אשרות (Ri 3,7; s.o. S. 210 A. 116) zur Seite gestellt werden, eine für אשרה völlig ungewöhnliche Pluralbildung (sonst nur noch 2Chr 19,3), die sich als Angleichung an die dominierenden עשתרות verstehen läßt.[119] Keiner dieser Texte reicht hinter das dtr Zeitalter zurück, nicht einmal die Erzählung von Gideons Zerstörung des Baalsaltars, in der die Aschera in einer Nebenrolle erscheint (s.o. S. 207 A. 112).

Wollte man den Nachrichten der Kön-Bücher über Aschera/Astarte ungeprüft Glauben schenken, hätte man das oben gefällte Urteil über ihre Bedeutungslosigkeit in Israels früher Königszeit spätestens seit der Epoche Salomos zu revidieren, denn ihm wird der Wandel auf den Wegen verschiedener Götter, u.a. auch auf denen der sidonischen Astarte, angekreidet (1Kön 11,5). Doch das literarhistorische Bild der Kön-Bücher vermittelt in dieser Hinsicht keinen wesentlich anderen Eindruck als Richter- und erstes Samuelbuch, d.h. daß dtr Hände in der Einfügung von Fremdgöttern sehr rührig gewesen sind (zu 1Kön 11,1–8 s.o. S. 191ff.). Wenn aber auch der Hinweis auf die sidonische Astarte in 11,5 (und 2Kön 23,13) dtr Provenienz ist, kann ihre Verehrung zu Salomos Zeiten nicht ohne weiteres von der Hand gewiesen werden. Immerhin ist ja die Notiz über die Entfernung einer Aschera durch Asa (1Kön 15,13a) keineswegs

---

118 Die Lesung im MT בית עַשְׁתָּרוֹת, also „Tempel der Astarten", kann unmöglich ursprünglich sein und erklärt sich wohl am ehesten aus der Anschauung eines Späteren, der Astarte-Gottheiten nicht mehr mit bestimmten Verehrungsorten verband, sondern dem sie nur als pluralischer Sammelbegriff für jeglichen Fruchtbarkeitskult geläufig waren. Im übrigen vollzieht er lediglich eine Angleichung an den im Richter- und Samuelbuch dominierenden Sprachgebrauch (vgl. Ri 2,13; 10,6; 1Sam 7,3f.; 12,10).

119 Zu einem analogen Fall s.o. A. 118.
Die weitaus häufiger bezeugte Pluralbildung zu Aschera ist die maskuline, also אשרים (Ex 34,13; Dtn 7,5; 12,3; 1Kön 14,23; 2Kön 17,10; 23,14 u.ö.), ein auch sonst im Hebräischen belegtes Phänomen, vgl. GK § 87c; v.a. *Brockelmann*, Grundriß I § 241.

ohne historischen Anhalt, so daß eine Astartenverehrung in salomonischer Zeit nicht wundernehmen muß (s.o. S. 186 A. 67). Grund dafür gab es im international geprägten Jerusalem des 10. Jh.s genug. Wäre von Salomo, dem das יהוה אחד im Sinne eines intoleranten Monojahwismus sicherlich noch nicht bekannt war, tatsächlich der Aschera/Astarte-Kult einem Teil seiner Haremsfrauen zugebilligt worden, dann hätte er schlicht das altorientalisch und an der Wende vom 2. zum 1. Jt. wohl auch noch israelitisch Normale getan. Mit welch herber religiöser Kritik Judäer des 6. Jh.s seine Handlungsweise bedenken sollten, konnte er noch nicht ahnen. Diese Kritik ist desto unberechtigter, je offenkundiger sie auf Übertreibung der tatsächlichen Bedeutung des Fremdgötterdienstes im frühmonarchischen Gesamtisrael (und vor allem in Juda) beruht. So haben beide hier urteilenden dtr Redaktoren je auf ihre Weise Salomo zu einem schlechteren Jahweverehrer gemacht, als die Tatsachen es erfordert hätten. Doch diese Übertreibung ist innerhalb der dtr Theologie nicht ohne Notwendigkeit, da sie in der monarchischen Anfangszeit bereits das Ende programmiert sieht. Deshalb begnügen sich die Deuteronomisten auch nicht mit der kräftigen Nachzeichnung des Fremdgötterdienstes in salomonischer Zeit (vgl. auch 11,33; s.o. S. 195 A. 90), sondern er wird im Nordreich weiter verfolgt bei Jerobeam I. (14,15; zur Zuweisung von V. 15f. an DtrN vgl. *W. Dietrich*, PG S. 35f.) und – noch um vieles schlimmer – im Südreich bei Rehabeam (14,23; s.o. S. 190f.). Die hier und in 2Kön 17,10 in einer Reihe mit anderen kultischen Grundübeln im Plural aufgeführten Ascheren wirken einigermaßen blaß und schemenhaft. Sie werden im Verbund mit Bamoth und Masseben hier keine andere Funktion als die zusammen mit Baal und Himmelsheer genannte Aschera (17,16; 21,3; 23,4) haben, nämlich die aus dtr Sicht tiefe Durchdrungenheit des Nord- und Südreiches mit fremdem Götterwesen zum Ausdruck zu bringen. Auch außerhalb von Greuelaufzählungen hat die Aschera noch zuweilen die Aufgabe, zumeist als dem Baal im Nachhinein beigegebene Partnerin den Götzendienst als nicht nur auf den Baalismus beschränkt zu erweisen (Ri 6,25ff.; 1Kön 16,33; 18,19).[120]

Was die Kön-Bücher darüberhinaus an historischen Nachrichten über Aschera enthalten, vermittelt für das 9. Jh. einen Eindruck, der sich mit dem der salomonischen Zeit in etwa deckt. Demnach wird in Jerusalem hin und wieder ein Aschera-Kult existiert haben, ob jedoch mit prägender Kraft für das religiöse Leben, wird man bezweifeln dürfen.

Als typisches Beispiel wird der Aschera-Kult der Königinmutter Maacha (1Kön 15,13) gelten können, der von Asa im Zusammenhang mit ihrer Entmachtung unterbunden und erst durch die dtr Redaktion in den Kontext umfassender Abgötterei gestellt worden ist (s.o. S. 184ff.). Tatsächlich aber hatte sich Asa

---

120 Zu Ri 6,25ff. s.o. S. 207 A. 112; zu 1Kön 16,33 s.o. S. 208; zu 18,19 s.o. S. 202 A. 98.

Eine nahezu gegenläufige Funktion nimmt die Aschera in der Passage über Joahas (2Kön 13,1–9) wahr, wo ihre Erwähnung (13,6) kaum schon auf die erste dtr Hand zurückgeht (beachte das oft nachträgliche Redaktionsarbeit indizierende וגם). Hier soll sie vermutlich die Konkretion schaffen, die dem Text sonst im Blick auf das Fremdgötterwesen völlig fehlt (ähnlich, wenn auch auf anderer methodischer Basis: *H.-D. Hoffmann*, Reform S. 113ff.).

nicht auf dem Gebiet der Kultreinheit, sondern in der Verteidigung seines Landes gegen das Nordreich zu bewähren (15,16–22), so daß selbst eine starke Überfremdung des Jahweglaubens durch die Aschera-Verehrung (sofern sie als solche überhaupt erkannt worden wäre!) kaum seine ungeteilte Aufmerksamkeit gefunden hätte. Über den Grad ihrer Bedeutung besagt jedoch das Schweigen, das nach Asa in den Kön-Büchern über sie herrscht, genug.

Im 8. Jh. ist die Aschera-Verehrung kaum bedeutender gewesen als im 9. Jh. Die hiskianische Reform (2Kön 18,1–4), die ein anderes Bild suggeriert, ist literarisches Produkt aus dtr Feder (s.o. S. 170ff.), was indirekt auch durch die zeitgenössische Prophetie von Jesaja und Micha bestätigt wird, die beide keine Fremdgötterpolemik im Zentrum ihrer Verkündigung, also auch keinen Kampf gegen Aschera kennen. Zwei Jes-Stellen, die dennoch Ascheren erwähnen (17,8; 27,9), sind als spätere Zusätze erkennbar.[121]

Auch Mi 5,13 erweist sich im Kontext von 5,9–13(14) trotz des Urteils *Wellhausens,* daß „dieses Stück ... sehr gut dem Micha zugesprochen werden" könne (KlProph S. 176; ganz anders *B. Duhm*, Anmerkungen S. 52), bei genauer Analyse als Text einer etwas späteren Zeit, vielleicht (als frühestmögliches Datum) des 7. Jh.s, in dem die Aschera in Juda eine gewisse Rolle gespielt zu haben scheint. Die nichtmichanische Herkunft des Textes erhellt aus verschiedenen Beobachtungen: Gleich der Anfang des Abschnitts mit seiner durch ויהי ביום ההוא locker hergestellten Verankerung im Kontext läßt erste Zweifel an Michas Verfasserschaft aufkommen. Sie werden bestärkt durch die folgende Reihung zur Vernichtung bestimmter Objekte militärischer und kultischer Art. Einige der hier genannten Gegenstände – כשף, מעונן – und im Zusammenhang gebrauchten Verben – אבד hi., נתש – sind erst in der Zeit nach dem 8. Jh., weitere Begriffe schwerpunktmäßig erst von dieser Zeit ab belegt, wie etwa פסיל, מצבה, אשירה, כרת hi. und שמד hi. Trotz der ansehnlichen Sammlung abfälliger Götterbezeichnungen fehlt zum Beispiel der Begriff אליל, der von Jesaja her sehr gut bekannt ist und den man folglich am ehesten bei seinem Zeitgenossen Micha erwarten dürfte. Was aber vor allem die michanische Herkunft unwahrscheinlich macht, ist der kämpferische Ton der Gottesrede gegen die Fremdgötterei in Juda, die ihre nächste Parallele nicht im späten 8. Jh., wohl aber im ausgehenden 7. Jh. hat, und zwar in der Gottesrede Zeph 1,4–7 mit derselben Abfolge von Drohung gegen die Judäer (1,4, vgl. Mi 5,9f.) und gegen das mit dem Jahwismus unvereinbare Kultwesen (Zeph 1,5f., ebenfalls mit והכרתי eingeleitet, vgl. Mi 5,11–13).

Man wird sich nicht ohne Grund fragen können, ob die Existenz solcher Texte die Durchführung der josianischen Reform wenn nicht bedingt, so doch entscheidend gefördert hat. Ob mit den Ascheren in Mi 5,13 noch eine genaue Vorstel-

---

121 Die kleine Einheit Jes 17,7f. beginnt mit dem für Weiterarbeit an prophetischen Texten typischen ביום ההוא, für welchen Tag die Ausrichtung des Menschen allein auf seinen Schöpfer und nicht mehr auf sein eigenes götzendienerisches Machwerk verheißen wird. Eine noch spätere Hand hat wohl 17,8 als zu pauschal empfunden und deshalb durch מזבחות, האשרים und החמנים einige heidnische Konkretionen in den Text eingetragen. Somit gehören die Ascheren hier zu einem „Zusatz dritter Hand" (*B. Duhm*, Jes S. 134).
Über Jes 27,9 als Bestandteil der Apokalypse 24,1–27,13 braucht hier nicht weiter gehandelt zu werden.

lung verbunden ist, kann man dem Text nicht entnehmen, der seiner Gesamtanlage nach auf die Zusammenstellung möglichst vieler Termini für heidnische Götter und Kultrequisiten ausgerichtet ist, die sich in ihrer Bedeutung teilweise überschneiden.

Indes wird man die Aufführung der Ascheren (und Masseben) in diesem Text nicht für zufällig halten, da ihre Erwähnung gut mit einem weiteren Text konvergiert, der auch etwa dieser Zeit entstammen dürfte: Dtn 16,21f. Die Formulierung des Textes ist im Vergleich zu anderen Aschera-Belegen erstaunlich konkret, also wohl verhältnismäßig nah an der kultischen Realität, die er verbietet. Wir erfahren über die Aschera, daß sie als ein aus Holz gefertigter Gegenstand „eingepflanzt" (נטע) werden kann, und zwar durchaus neben einem Jahwealtar. נטע darf in diesem Kontext nicht als Hinweis darauf verstanden werden, daß es sich bei der Aschera um eine Pflanze oder ähnliches handelt (so *Steuernagel*, Dtn S. 78), vielmehr ist der Gebrauch von נטע in diesem Zusammenhang in Analogie zu den akkad. Wendungen narâ/ṣalam šarrūti zaqāpu „eine Stele/ein Königsbild ‚einpflanzen' = aufstellen" zu interpretieren. Ob man in Dtn 16,21, der einzigen Stelle mit der Kombination von נטע mit אשרה, einen Einfluß des akkad. Sprachgebrauchs auf das Hebräische im ass. Vasallenstaat Juda annehmen darf?[122] Vielleicht ist auch die noch weiterführende Vermutung nicht verfehlt, daß mit der Gottesbezeichnung Aschera in 16,21 und Mi 5,13 nicht primär der kanaanäische Horizont der Fruchtbarkeitsgöttin aktualisiert werden soll, sondern vielmehr der assyrische, der in dieser Zeit wahrscheinlich viel größere Probleme schaffte, da sich mit der Präsenz der Götter Assurs die politische Hegemonie der mesopotamischen Großmacht verband, die hinzunehmen umso schwerer fiel, je konkreter man sich die Machtausübung des eigenen Gottes Jahwe im Gegenüber zu den anderen Göttern und ihren Verehrern vorgestellt hatte. Das apodiktische Verbot לא־תטע לך אשרה enthüllt mit seiner Negation die tatsächlich von der mesopotamischen Göttin (und nicht nur von ihr) ausgehende Anziehungskraft, deren Macht durch den Erfolg der Assyrer verbürgt schien. Die Konsequenzen für die Wertschätzung Jahwes lassen sich leicht ausmalen!

---

[122] Zu diesen und ähnlichen akkad. Wendungen sei auf die S. 75 A. 96 genannte Literatur verwiesen.
In Dtn 16,21 wird die Apposition כל־עץ hinter אשרה die Funktion haben, den Bezug auf die ass. Göttin durch ein Element der Fruchtbarkeitsmythologie zu verschleiern. Aus welchem Grund? Der mosaischen Fiktion halber? Oder aus Furcht vor ass. Repression, ausgeübt durch die Besatzungsmacht selbst oder deren judäische Kollaborateure (s.u. S. 309f. A. 6)? Ist hier auch nichts Sicher zu sagen, steht doch fest, daß ohne die etwas merkwürdige Apposition der Gedanke an das Verbot der Aufstellung einer Stele in 16,21 um vieles näherliegt als der an die Pflanzung eines Kultbaumes. Wer mag auch schon glauben, daß die religiöse Gefahr im Juda des 7. Jh.s von irgendwelchen kanaanäischen Vegetationsriten ausgegangen sei und nicht vielmehr von Fremdeinflüssen, die im Gefolge politischer Machtergreifung standen und diese im Tempel der Hauptstadt wahrscheinlich sinnfällig dokumentierten. Judas Abkehr von Jahwe vollzog sich im 7. Jh. gewiß nicht „auf jedem hohen Hügel und unter jedem grünen Baum"!

Der mit Aschera in Dtn 16,21[123] und Mi 5,13 versteckt gegebene, aber für den aufmerksamen Leser immerhin wahrnehmbare Hinweis auf die ass. Göttersphäre wird durch zwei weitere Belege, die mit derselben Technik der verhüllten Anspielung arbeiten, entscheidend erhellt. Es handelt sich dabei um die nur bei Jeremia erwähnte Himmelskönigin (מלכת השמים), deren Verehrung in Jer 7,18 von Gott angeklagt und in 44,17–19 von enttäuschten Judäer(inne)n wieder erwogen wird.[124] Liegen auch beide Texte (7,16–20 und 44,15–19. 24–30) mit ziemlicher Sicherheit in dtr redigierter Form vor[125], so spiegeln sie doch getreu die Situation zum einen kurz vor der josianischen Reform (7,16–20) und zum anderen kurz nach der neubab. Liquidierung Judas (44, 15–19.24–30) wider. Beide Texte stehen in einem Korrespondenzverhältnis, das ein bezeichnendes Licht auf die religiöse Verunsicherung der Judäer um die Wende vom 7. zum 6. Jh. wirft: Offenbar war in vorjosianischer Zeit die Ausstrahlungskraft der Götter der Siegermacht erheblich, so daß die prophetische Verkündigung eines Jeremia und Zephanja einer Jahwes Wirkungsmacht gegenüber skeptisch gewordenen Hörerschaft galt. Anderes als Mißtrauen gegen Jahwe von den Judäern zu erwarten, hieße, sie von der altorientalischen Denkungsart ihrer Zeit zu isolieren, für die sich die Macht und damit Verehrungswürdigkeit eines Gottes nicht zuletzt darin erweist, inwieweit er das Land seiner Verehrer zu schützen imstande ist. Damit war es bei Jahwe nicht zum besten bestellt, und folglich ist auch die Reaktion der Judäer nicht weiter verwunderlich, die Attraktivität der Götter des ass. Oberherrn mit der Jahwes zu vergleichen und ohne äußeren Zwang ihre religiöse Entscheidung zu fällen. Wie sehr demgegenüber die josianische Reform eine „Revolution von oben" war, wie wenig sie den religiösen Überzeugungen des Volkes entsprang, ist an ihrer

---

[123] Das dt Verbot der Errichtung einer Aschere und Massebe hat in der dtr Literatur weitergewirkt, nämlich in Ex 34,13 (vgl. *Noth,* Ex S. 215f.), Dtn 7,5 (vgl. *Steuernagel*, Dtn S. 78) und 12,3 (vgl. ebd. S. 95). Daß diese Stellen einer literarischen Schicht angehören, die auf die josianische Reform zurückblickt, ist aus vielen Hinweisen zu ersehen: Aus dem Verbot der Errichtung jener Kultrequisiten ist das Gebot ihrer Ausrottung geworden, und zwar aller Ascheren und Masseben (Plural!) samt Altären und פסילים. Die Erweiterung des zweigliedrigen Verbots zur Reihung kultischer Greuel ist bereits aus der dtr Literatur hinreichend bekannt. Auch die dtr Erweiterung in Jer 17,2 (vgl. *Thiel*, Jer I S. 202) gehört in den Umkreis dieser Belege.

[124] Die masoretische Vokalisierung מְלֶכֶת השמים und die von einer beachtlichen Reihe von Handschriften bezeugte Form מְלֶאכֶת השמים intendieren eindeutig die Abschwächung des in der Bezeichnung „Himmelskönigin" liegenden Anstoßes und sind deshalb mit Sicherheit sekundär. Für die Lesung מַלְכַּת השמים sprechen in 7,18 die Textzeugen Aquila, Symmachus, Theodotion und die Vulgata (vgl. auch *Rudolph,* Jer S. 52), in 44,17ff. zudem die LXX.

[125] Zu 7,16–20 vgl. *Rudolph*, Jer S. 54–56 und v.a. *Thiel,* Jer I S. 119–121, der die dtr Überarbeitung eines vorliegenden Jer-Wortes (7,18abα) sehr wahrscheinlich gemacht hat; zu 44,15–19.24–30 vgl. ders., Jer II S. 74–81: *Thiels* Herausarbeitung eines der Redaktion von JerD in 44,15a*.16.17aαb.18a.19.26*. 28a vorgegebenen Textes hat einen hohen Grad an Evidenz; zur historischen Auswertung beider Jer-Texte vgl. *Rose*, Ausschließlichkeitsanspruch S. 251ff.

Wirkungslosigkeit abzulesen.[126] Ein Gott war und blieb für die Judäer so viel wert, wie er für sie zu tun vermochte. Damit war über Jahwe nach 587 zunächst das Urteil gesprochen, ebenso auch über die Himmelskönigin, die im Gefolge der josianischen Reform nicht weiter verehrt zu haben sich die nach Ägypten geflohenen Judäer schwere Vorwürfe machten.

Daß mit מלכת השמים die ass. Ištar gemeint ist, kann nach der Beschreibung ihres Ritus in Jer 7,18 kaum zweifelhaft sein[127], wenngleich sie bezeichnenderweise wiederum nicht exakt bei Namen genannt, sondern für sie die Übertragung des akkad. Appellativums šarrat šamê[128] gewählt wird. Wo die Gründe für den Gebrauch verhüllender und dennoch eindeutiger Götterbezeichnungen genau liegen, ist äußerst schwer auszumachen: ob aus Furcht vor der Möglichkeit, daß die gegen fremde Götter polemisierenden Texte in falsche Hände gerieten, oder aus Stolz diesen Göttern gegenüber, daß man ihre eigentlichen Namen nicht einmal in den Mund nahm, geschweige denn aufschrieb? Diese Möglichkeiten schließen einander nicht aus, können also beide zu ihrem Teil berechtigt sein. Vielleicht muß aber auch das entscheidende Argument in ganz anderer Richtung gesucht werden.

Zweierlei ist jedenfalls bisher deutlich: einmal das offenkundige Bemühen, den Namen Ištar nicht unverändert in den hebr. Sprachgebrauch zu übernehmen, zum anderen die Zunahme historisch glaubwürdiger Zeugnisse für die Verbreitung eben dieser Göttin im Juda des 7. Jh.s, sei es unter dem Namen מלכת השמים, sei es – und dies ist häufiger der Fall – unter der weiten Bezeichnung אשרה. Außer durch Mi 5,13; Dtn 16,21 und Jer 7,18; 44,15ff. wird ihre wachsende Verbreitung in dieser Zeit vollends durch ihre Rolle in den Berichten der Kön-Bücher über Manasse und Josia bestätigt, in denen weniger die Stellen, in welchen DtrH Aschera neben Baal und Himmelsheer für seine Manasse-Josia-Antithetik in Anspruch nimmt (2Kön 21,3; 23,4), von Interesse sind, als vielmehr die Einzelerwähnungen von Aschera. Obwohl in dtr Sprache gekleidet, darf die Notiz über die Errichtung eines פסל האשרה durch Manasse (21,7) historische Glaubwürdigkeit beanspruchen, da die Formulierung weder zum

---

126 Man muß nicht so weit wie *Gressmann* gehen, nach dessen Meinung die Himmelskönigin „im Volksbewußtsein sogar Jahwe verdrängt hat" (ZAW 42 S. 324); richtig wahrgenommen ist jedoch die starke Tendenz zur Verehrung der Ištar, nicht aus prinzipieller polytheistischer Neigung oder wegen des „Mangel(s) einer weiblichen Gottheit bei den Israeliten" (aaO S. 325), sondern weil sich Ištar scheinbar als mächtiger als Jahwe erwiesen hatte.
Zur nachjosianischen Religionsszene in Juda vgl. auch *Janssen,* Juda S. 65ff.

127 So *Schrader,* SPAW 27 S. 477ff.; *Rudolph,* Jer S. 55f.; *Thiel,* Jer I S. 121 u.a., und zwar – trotz des vehementen Protestes von *Stade,* ZAW 6 S. 123ff. 289ff. – mit Recht. Die facettenreiche Vorgeschichte der Inanna/Ištar in Mesopotamien (vgl. *Jacobsen,* Treasures S. 135ff.) kann hier unberücksichtigt bleiben.

128 Um die Existenz der Himmelskönigin ist es also nicht so schlecht bestellt, wie *Stade,* aaO S. 339 noch hoffen konnte, als das Epitheton šarrat šamê noch nicht bekannt war. Eine Zusammenstellung von Belegen ist bei *Tallqvist,* AGE S. 239f.; *Zimmern,* KAT³ S. 425f. zu finden; vgl. auch ABL 1212 Rev. 3(?); *Langdon,* TI Pl. II Kol. II,30'.

Bestand stereotyper Phraseologie gehört noch durch eine wörtlich eindeutig entsprechende Notiz über ihre Entfernung im RB konterkariert ist, so daß hier keine literarische Gestaltung von DtrH im Sinne der intendierten Antithetik vermutet zu werden braucht (s.o. S. 166f.). Die These, daß zu Manasses Zeiten nicht eine beliebige kanaanäische Aschera Aussicht und Anspruch auf die Errichtung eines פסל hatte, sondern daß hier die Göttin in ass. Gestalt Einzug in Jerusalem hielt, hat historisch die größte Wahrscheinlichkeit.

Wie alle Fremdgötterverehrung in Juda mußte auch die Aschera den josianischen Reformmaßnahmen weichen. Doch was heißt im Blick auf den RB *die* Aschera! Nicht weniger als sechsmal kommen in ihm die Bezeichnungen האשרה (ter), אשרה (semel), עשתרת (semel) und אשרים (semel) vor (23,4.6.7.13.14. 15), eine im AT und im Verhältnis zu den anderen genannten Göttern auch im RB singuläre Häufung, die den Eindruck einer in Juda allenthalben mächtig gewordenen Aschera/Astarte-Verehrung vermittelt. Auf wen, d.h. auf welche literarische Schicht des RB dieser Eindruck vor allem zurückgeht, ist bereits in der Analyse von 23,4ff. dargelegt worden (s.o. S. 79ff.). Nur die Nachrichten über Aschera in 23,6f. gehören der ältesten Schicht des RB an. Danach hat Josia das Standbild der Göttin Aschera aus dem Jerusalemer Tempel entfernt und zugleich ihren dort ansässigen Verehrerkreis, die Kedeschen, samt den zugehörigen Kulteinrichtungen liquidiert. Auf den wahrscheinlichen Zusammenhang der Aschera-Notiz in 23,6f. mit der Aufsstellung eines פסל für die Göttin durch Manasse (21,7) war bereits hingewiesen worden. Sollte die zu 21,7 angestellte Erwägung, daß die von Manasse verehrte Aschera ass. Provenienz gewesen sei, das Richtige getroffen haben, hätte auch Josias Aktion der ass. Ištar gegolten, die aus dem religiösen Zentrum Judas, dem Tempel, entfernt zu haben, er sich wohl rühmen durfte, nicht aber – wie Jer 44,15ff. bestätigt – des Erfolgs, ihr Andenken auch den Herzen der Judäer entrissen zu haben.[129]

Mit der Erwähnung der Aschera im RB sind die letzten Stellen besprochen, die historisch verläßliche Kunde über ihre Bedeutung in Juda enthalten. Über ihre Stellung in der Folgezeit erfahren wir außerhalb des Rahmens der dtr Redaktionsarbeit so gut wie nichts. Was die Chronik von Aschera (oder besser: von den Ascheren) zu berichten weiß, fügt den aus den Kön-Büchern gewonnenen

---

[129] Zu den in 2Kön 23,7 erwähnten geweihten Frauen (קדשים) vgl. *Müller*, THAT II Sp. 595 und AHw S. 325b s.v. ḫarimtu(m)/ḫarim(t)ūtu(m); im Zusammenhang mit ihrer Tätigkeit als Tempelweberinnen und mit der Kleidung der Aschera/Ištar sind folgende akkad. Texte interessant: *van Dijk*, SSA 65/6, 1–48 (sum., zur Interpretation vgl. *Jacobsen*, Treasures S. 30–32); *Leemans*, Ishtar (altbab.); ABL 45 = LAS 308; ABL 413 = *Pfeiffer*, SLA 148; ABL 1126 = LAS 187 Obv. 11′–14′ (neuass. Belege); *Thureau-Dangin*, RAcc S. 89,11 (weitere Belege bei *Delcor*, Bibl 58 S. 78f.).
Delcor, der durch seine weitgehend überzeugende Übersetzung von Nah 2,8 eine Anspielung auf die ass. Ištar an dieser Stelle wahrscheinlich gemacht hat (vgl. Bibl 58 S. 73ff. v.a. S. 77ff.), nimmt nicht auf 2Kön 23,7 Bezug. Diese Verbindung scheint aber durchaus möglich zu sein. Oder ist die Überlegung abwegig, daß der das Ende von Ninive herbeisehnende Nahum (vgl. 2,2.4–14; 3,1–7. 8–19) bei der Vorstellung der Deportation der Ištar nicht auch an die im Jerusalemer Tempel präsente gedacht haben sollte?

Erkenntnissen nichts Neues hinzu, sondern bestätigt lediglich die schon am chr Umgang mit Baal gemachte Beobachtung, daß die Chronik durch häufige Pluralsetzung das Ausmaß des Götzendienstes zu steigern trachtet.[130]

Im Rückblick auf alle Aschera/Astarte-Belege fällt auf, daß von den vielen Namensformen der Göttin, deren Promiscue-Gebrauch in der dtr Sphäre bereits mit Recht festgestellt worden ist, zwei Appellativa sich einigermaßen gut je einer bestimmten Epoche der israelitischen Religionsgeschichte zuordnen lassen. Die eine Bezeichnung ist עשתר(ו)ת, die selbst bis in die jüngste dtr Schicht hinein nur im Zusammenhang mit dem Götterdienst des vormonarchischen (Ri 2,13; 10,6; 1Sam 7,3f.; 12,10; 31,10) und salomonischen Israel (1Kön 11,5.33; im Rückbezug auf Salomo: 2Kön 23,13) gebraucht wird. Ob sich hier nicht doch – vor allem angesichts der Belege 1Sam 31,10 und 2Kön 23,13 – zutreffende geschichtliche Erinnerung an Fruchtbarkeitsgöttinnen erhalten hat, die um die Jahrtausendwende namentlich unter dem Appellativum עשתר(ו)ת in bestimmten Regionen Israels Verehrung genossen?[131]

Die andere Bezeichnung, אשרה(ה), ist zwar nicht mit derselben Eindeutigkeit wie עשתר(ו)ת in einer bestimmten Epoche der israelitischen Geschichte zu verankern, da die Aschera-Verehrung immerhin, wenn auch sporadisch, schon in der Zeit Asas an der Wende vom 10. zum 9. Jh. erwähnt wird (1Kön 15,13) und vielleicht auch schon vorher begrenzte Bedeutung gehabt haben mag. Durchaus nicht zufällig wird die dtr Aufführung von האשרה bei Ahab (1Kön 16,33) und dem Jehunachfolger Joahas (2Kön 13,6) sein, wenn man die religionspolitischen Konsequenzen der Schlacht bei Qarqar (853)[132] und der Tributleistung Jehus vor Slm III. (841)[133] in Rechnung stellt. Jehu, den entschiedenen Kämpfer gegen den Baalismus für die Reinheit der Jahweverehrung, sogleich mit dem Makel des Aschera-Kultes – gleichgültig, ob gezwungen oder

---

[130] Die Chronik erwähnt Aschera bis auf eine Ausnahme (2Chr 15,16 in Übernahme von 1Kön 15,13, wo eine Pluralsetzung unmöglich ist) immer im Plural (pl. m. und pl. f.). Einige Aschera-Belege entstammen der Vorlage in den Kön-Büchern (2Chr 14,2; 31,1; 33,3.19), drei andere sind im Zusammenhang mit Josias Reform zwar selbständig formuliert (2Chr 34,3.4.7), aber doch nicht völlig unabhängig von der Vorlage in 2Kön 23, weitere drei sind schließlich rein chr formuliert (2Chr 17,6; 19,3; 24,18), dem chr Postulat entsprechend, daß fromme Könige (Josaphat und Joas) selbstverständlich auch den Götzendienst bekämpft haben müssen (vgl. *Wellhausen,* Prolegomena S. 187–195). Wenn aus den Chr-Belegen irgendetwas Historisches zu lernen ist, dann dies, daß die Dominanz des in der Chronik einzig verwendeten Appellativums Aschera als literarischer Niederschlag einer historischen Dominanz, nämlich der ass. Ištar im 7. Jh., begriffen werden muß.

[131] Die pluralische Namensform wird als pl. majestaticus verstanden werden müssen, vgl. *Galling,* BRL² S. 111b.

[132] Vgl. ANET S. 278f.; TGI² S. 49f. Kaum wird die Schlacht bei Qarqar für Slm III. so erfolglos ausgegangen sein, daß nicht in ihrem Gefolge religionspolitische Pressionen bei den Besiegten durchaus wahrscheinlich wären.

[133] Vgl. ANET S. 280; TGI² S. 50f. Wenig Gutes verheißend sind auf dem schwarzen Obelisken (AOB Nr. 123; ANEP Nr. 355; vgl. Nr. 351) bei der Unterwerfungsszene Jehus vor Slm III. die Embleme zweier wichtiger ass. Götter über dem israelitischen König placiert: Aššur und Ištar.

freiwillig ausgeübt – zu behaften, hätte das dtr Konzept gänzlich verdorben; folglich wird die Verfehlung dem Sohn Joahas angehängt, vielleicht ohne ihm historisch großes Unrecht zuzufügen, denn seine Tributpflichtigkeit gegenüber Assur ist angesichts der Leistungen seines Vorgängers Jehu und seines Nachfolgers Joas[134] das historisch Wahrscheinliche.

Noch eindeutiger sind die verbleibenden אשרה(ה)-Belege im zweiten Kön-Buch mit der ass. Epoche der Geschichte Nordisraels und vor allem Judas liiert. Wenn auch zumeist der dtr Schicht zugehörig (DtrN: 2Kön 17,16; DtrH: 18,4; 21,3; 23,4), knüpft der dtr Sprachgebrauch hier an ältere Vorlagen an (Dtn 16,21; 2Kön 21,7; 23,6f.), die in unmittelbarer Konfrontation mit den durch die ass. Oberhoheit entstandenen Realitäten verfaßt worden sind. Zu ihnen gehört nicht zuletzt die Verehrung ass. Götter, unter denen die Ištar aššurītu neben dem Gott Aššur eine bedeutende Stellung einnimmt.[135]

So haben die Judäer im 8. und 7. Jh. bei der Nennung von Aschera nicht an eine beliebige kanaanäische Fruchtbarkeitsgöttin gedacht, sondern an die Ištar, die in Assur, Ninive und Arbela residierte und als Kriegsgöttin die bedrückende ass. Macht in Juda repräsentierte. Nur auf diesem Hintergrund wird das Belegspektrum für Aschera in der späten Königszeit verständlich – ganz parallel zu dem für das Himmelsheer, wie nun zu zeigen sein wird.

3. Das Himmelsheer (צבא השמים)

Hatte die Identität der מלכת השמים mit der ass. Ištar ohne jeden Zweifel festgestellt werden können, liegt auch bei der ähnlich klingenden Bezeichnung צבא השמים die Vermutung nahe, daß mit ihr Götter aus dem ass. Pantheon angesprochen sind. Und in der Tat sind die Belege des zweiten Kön-Buches geeignet, die Vermutung zur positiven Evidenz zu erheben. Außer im RB, wo צבא השמים sogleich in zwei Götterreihen begegnet (2Kön 23,4 und 23,5), zählt das Appellativum zusammen mit Baal und Aschera zu den Greueln, die Manasse gefördert (21,3 par. 2Chr 33,3) und deren kultische Verehrung mit zum Untergang des Nordreiches beigetragen hat (2Kön 17,16).

Daß die Götterreihungen in 21,3 und 23,4 nicht unabhängig voneinander entstanden sind, ist bereits nachgewiesen worden. Der im jetzigen Bestand dtr durchwirkte Beginn des RB (23,4) hat den Anfang der Darstellung von Manasses kultischen Untaten durch DtrH (21,3) bestimmt, der gerade durch die Trias Baal, Aschera und Himmelsheer die Manasse-Josia-Antithetik in besonderer Weise profiliert hat (s.o. S. 161ff.).

---

[134] Vgl. ANET S. 281f.; TGI² S. 53f.; Tell er-Rimah-Stele: *Page*, Iraq 30 S. 142,8f. = *Tadmor*, Iraq 35 S. 143,8f. (zur Interpretation vgl. *Donner*, FS Galling S. 49–59).

[135] Ištar neben Aššur: vgl. *Streck*, VAB 7 S. 746. Dennoch ist Ištar nie die Gemahlin Aššurs (gegen *Streck*, aaO S. 747; *Gressmann*, ZAW 42 S. 325)! Belege für die Ištar aššurītu bei *Tallqvist*, AGE S. 34f.; *Streck*, VAB 7 S. 746; AHw S. 84b; vgl. ferner *Postgate*, NRGD 1,7′; 6,9′; 7,8′; 9,67.70; 21,13′ (vgl. ders., OrNS 42 S. 441); 31,12′; 42–44,38′; S. 117,30; *Ebeling*, SVAT S. 31,4 (^{d}Aš-šur-i-tú).

Auch die Trias in 17,16b, in der die Gottheiten in modifizierter Reihenfolge begegnen (Aschera, Himmelsheer, Baal), ist literarisch nicht selbständig, sondern geht auf 21,3 als Vorlage zurück. Der hier tätige Dtr, der aufgrund des Kontextes (17,12–19) als DtrN zu erkennen ist (vgl. *W. Dietrich,* PG S. 42–46) hat die Phraseologie für Aschera und Himmelsheer mehr oder weniger wörtlich aus 21,3b in 17,16b übernommen und das wenig informationshaltige יעבד אתם am Schluß von 21,4 mit Baal verbunden, so daß 17,16 nun mit der Nachricht ויעבדו את־הבעל endet (anders *H.-D. Hoffmann,* Reform S. 130ff., der weder redaktionelle Abhängigkeit von 21,3 zugesteht noch im Vergleich von 17,10a. 11b mit 17,16bα.17b Dubletten erkennt). DtrN hat hier die Redaktion von DtrH verdorben: Dieser hatte die Trias speziell für die Manasse-Josia-Antithetik reserviert, jener integriert sie auch in das Sündenregister des Nordreiches und verwischt damit die scharf umrissene Gegenüberstellung von Manasse und Josia durch DtrH.

צבא השמים begegnet noch viermal in einer anderen Reihung, deren weitere Glieder שמש und ירח sind (Dtn 4,19; 17,3; 2Kön 23,5; Jer 8,2). Innerhalb des Gesetzes Dtn 17,2–7 über die Bestrafung des Götzendienstes bei einem einzelnen Israeliten (im Unterschied zum Götzendienst einer ganzen Stadt, vgl. 13,13–19), gewiß dem Grundbestand des dt Gesetzescorpus zugehörig[136], wird 17,3a kaum zum ältesten Text zu zählen sein. Bei der fundamentalen Frage des Götzendienstes, die die dt Basis des יהוה אחד in Frage stellt, wollte es ein späterer dtr Redaktor nicht bei der allgemein gehaltenen Warnung vor den אלהים אחרים belassen, sondern fügte, um Mißverständnis und Ausrede von vornherein auszuschließen, die astrale Trias an.[137]

Daß die Götteraufzählung שמש, ירח und צבא השמים bekannter war als die vorher behandelte, läßt sich der breiteren Streuung der Belege entnehmen, die zwar den Bereich der dt-dtr Literatur nicht verlassen, diesen aber in ganzer Breite durchziehen. Ein zusätzlicher Beweis für die größere Bekanntheit ist 2Kön 23,5 zu entnehmen, wo die vorgegebene, nur hier belegte Trias שמש, ירח und מזלות durch צבא השמים komplettiert worden ist, um auf diese Weise einen Anklang an die geläufigere Trias herzustellen (s.o. S. 86).

Auch die anderen beiden Belege für die Götteraufzählung – Dtn 4,19 und Jer 8,2 – sind exilischen Ursprungs, Dtn 4,19 vielleicht aus noch späterer Zeit. Jer 8,2 gehört dem von JerD formulierten Abschnitt 7,30–8,3 an (vgl. *Thiel,* Jer I S. 128–130). Ob JerD dabei Dtn 17,3 vor Augen gehabt hat oder nicht, läßt sich bei der Bekanntheit der Reihung in dtr Kreisen kaum mit Sicherheit sagen.[138] Dtn 4,19 gehört einer späten dtr Redaktion an (zur Analyse vgl.

---

136 Vgl. *Steuernagel,* Dtn S. 101f., der 17,2–7 seiner Dtn-Ausgabe D²c zuweist (vgl. ebd. S. 24–28).

137 Diejenigen, die an der literarischen Integrität von 17,3 festhalten, interpretieren das auf den ersten Blick störende ו vor לשמש als Waw-concomitantiae (= „und namentlich", vgl. GK § 154a A. 1b; so auch *Steuernagel,* Dtn S. 102). Selbst wenn man diese Erklärung akzeptiert, ist mit ihr keineswegs die inhaltliche und stilistische Unausgeglichenheit des Textes beseitigt. Da 17,4 allein sinnvoll an 17,3a anschließt, ist hier eine literarkritische Lösung des Problems unumgänglich.

138 Bei der von *Thiel,* Jer I S. 130 angenommenen Anlehnung an Dtn 4,19 und 17,3 kommt auf jeden Fall 4,19 nicht in Frage, da der Beleg jünger als Jer 8,2 i

Steuernagel, Dtn S. 67), in der die כוכבים an die Stelle von צבא השמים getreten sind, während diesem die Funktion des alle Glieder der Aufzählung zusammenfassenden Begriffs zukommt.

Aufgrund der bisher behandelten Belege könnte der Eindruck entstanden sein, daß צבא השמים ein für Götteraufzählungen typischer Terminus sei. Das trifft jedoch nur für einen Teil der dtr Literatur zu, nicht für die anderen Belege, in denen צבא השמים unter Einschluß der Wendung צבא + Suff. fast doppelt so häufig als Einzelbegriff vorkommt. Sie vermitteln einen interessanten Einblick in die Bedeutungsgeschichte von צבא השמים sowohl im Blick auf die vor- als auch die nachdtr Entwicklung des Begriffs.

Die Erzählung vom Propheten Micha ben Jimla (1Kön 22[139]) enthält nicht nur den ältesten Beleg für צבא השמים (22,19), sondern auch seine ursprüngliche Bedeutung, die stark von den anderen Texten divergiert. Micha berichtet über seine Vision, er habe Jahwe auf seinem Thron sitzen gesehen, während ihn das ganze Heer des Himmels zur Rechten und zur Linken umgab (וכל־צבא השמים עמד עליו מימינו ומשמאלו).[140] צבא השמים bezeichnet hier Engelwesen, eine Art himmlischen Thronrat, der Jahwe dienend umgibt, jedenfalls eine positive Funktion ausübt, wobei nicht die geringste Nähe zur späteren Assoziation von צבא השמים mit dem Götzendienst besteht. Unmittelbar zu vergleichen ist die Thronvision bei der Berufung Jesajas (6,1f.[141]), in der allerdings anders als in dem älteren Text 1Kön 22 die Engelwesen שרפים (Jes 6,2) genannt werden, vermutlich ein Zeichen dafür, daß gut hundert Jahre nach Micha ben Jimla צבא השמים nicht mehr in Jahwes nächster Nähe genannt werden konnte. In diesen hundert Jahren vollzog sich der „Abfall" des himmlischen Heeres von Jahwe hin zu den Götzen der Völker, eine Entwicklung, die man sicherlich nicht vom unaufhaltsamen Aufstieg der Assyrer in dieser Zeit und ihrer Machtergreifung in Syrien und Palästina trennen kann und die im 7. Jh. in Zeph 1,5 ihren ersten Niederschlag im AT gefunden hat. Neben anderen Gruppen kündigt Zephanja denen den Tag Jahwes an, „die auf den Dächern dem Himmelsheer huldigen" (1,5a). Hier ist צבא השמים definitiv in das jahwefeindliche Lager übergegangen; das Kraftfeld der polytheistischen Religion der Großmacht, die ohnehin mit ihrem (im 7. Jh.) dominierenden astralen Charakter eine gewisse Wesensverwandtschaft zum israelitischen Terminus „Himmelsheer" aufwies, hatte sich als derart übermächtig gezeigt, daß sich Juda zur Preisgabe einer einst geachteten Vorstellung gezwungen sah.

---

139 Zum hohen Alter der Überlieferung in 1Kön 22 vgl. *Wellhausen*, Composition S. 282–284; *Steuernagel*, EinlAT § 79,3b. Auch *Westphal* (FS Nöldeke S. 723ff.) plädiert für hohes Alter, wenngleich die von ihm vorgenommene Einbettung von צבא השמים in einen größeren mythologischen Rahmen zu sehr religionsgeschichtlich disparates Material kontaminiert, als daß sie historisch wahrscheinlich sein könnte.

140 Die ansonsten fast wörtliche Parallele in 2Chr 18,18 hat statt עמד den Plural עמדים, was aus einer vielfach in der Chronik zu belegenden Tendenz heraus zu erklären ist, die Menge der Fremdgötter gegenüber der Vorlage in den Kön-Büchern durch den Plural zu betonen.

141 So auch *Alt*, KS I S. 351f., wenngleich der Wechsel zwischen Seraphim und Himmelsheer nicht „unerheblich" (S. 352) ist; vgl. *Montgomery*, Kings S. 338. 345.

Die weiteren Belege für צבא השמים stehen im Gefolge der im 7. Jh. eingetretenen Bedeutungsverschlechterung, durch die der Begriff einerseits in die Reihungen von Fremdgöttern geraten, andererseits aber auch weiter als Einzelbegriff in Gebrauch geblieben ist. Er war in seiner Allgemeinheit geeignet, einen größeren Teil religionsgeschichtlicher Phänomene der Umwelt abzudecken, aber doch präzis genug, den angeprangerten astralen Charakter der Religion(en) erkennen zu lassen. So findet sich צבא השמים in 2Kön 21 nicht nur in der dtr Götteraufzählung in 21,3, sondern auch in dem sicherlich alten V. 5 mit der Bemerkung, Manasse habe dem Himmelsheer in den beiden Vorhöfen des Tempels Altäre errichtet (21,5 par. 2Chr 33,5; s.o. S. 164f.).

Doch nicht nur im offiziellen, sondern auch im privaten Kult wird die Anbetung des Himmelsheeres gerügt, so von JerD in Jer 19,13 (vgl. *Thiel*, Jer I S. 219–226). Allerdings ist die historische Zuverlässigkeit dieser Notiz aus dem 6. Jh. sehr fraglich, da Jer 32,29 eine zu 19,13 parallele Formulierung bis auf die Ausnahme bietet, daß hier nicht das Himmelsheer, sondern Baal der Adressat der Räucheropfer auf den Dächern ist. Man wird diesen „Götterwechsel" kaum anders erklären können, als daß der im 6. Jh. redigierende JerD nicht primär an der korrekten Wiedergabe der angeprangerten Gottheit interessiert ist, sondern an der Unvereinbarkeit von Jahweglauben und Abgötterei überhaupt.

Ist mit diesen Belegen noch der Akzent der dringlichen Warnung vor dem Abgott צבא השמים verbunden, so ist er an den folgenden Stellen stark in den Hintergrund getreten zugunsten einer Herrschaftsbekundung Jahwes auch über das Himmelsheer. Das ist verbunden mit einer Änderung der Terminologie, denn nun heißt es nicht mehr צבא השמים, sondern einfacher und unbestimmter: צבא, vermutlich deshalb, weil für die positive Bekundung Jahwes als des Herrn, ja sogar als des Schöpfers des Himmelsheeres, צבא השמים durch die bisherige Geschichte zu negativ besetzt war. Daß dieser Sprachgebrauch erst spät aufgekommen ist, zeigt bereits ein flüchtiger Blick auf die Belege: Jes 34,4[142]; 40,26; 45,12; Ps 33,6; 103,21; 148,2; Gen 2,1; Neh 9,6; und daß er die Existenz des Ausdrucks צבא השמים voraussetzt, läßt sich ohne weiteres beweisen. Denn צבא ist ausnahmslos suffigiert mit der 3.ps.m.sg. oder pl., wobei sich das Suffix immer auf ein vorhergehendes שמים bezieht.[143] Somit ist in diesen Texten lediglich eine Umstellung der beiden Glieder von צבא השמים vollzogen worden, die diesen Ausdruck genügend verfremdete, um ihn in neuer, nämlich exilischer (im Unterschied zu den Deuteronomisten im Exil selbst) und nachexilischer Situation, erneut theologisch in den Dienst zu nehmen. Die theologische Aufgabe konnte nun nicht mehr in der Warnung mit dem Tenor „Jahwe *oder* die Götter der Völker" bestehen, denn die Scheidung Israels von diesen war in exilischer Zeit mehr oder weniger vollzogen worden. Jetzt galt

---

142 צבא השמים in 34,4aα ist eine Glosse, vgl. *B. Duhm*, Jes S. 249.

143 Dazu einige Erläuterungen: In Ps 103,21 bezieht sich צבאיו (sic! Einfluß der pluralischen Objekte in 103,20.22) auf Jahwe, doch steht das entscheidend Assoziationswort שמים nicht weit entfernt in 103,19. Zweimal tritt im Parallelismus membrorum neben שמים das in diesen Texten völlig synonyme Wort מרום (Jes 40,26; Ps 148,1), was dazu geführt hat, daß in Jes 24,21 sogar von צבא המרום die Rede sein kann.

es vielmehr, die Macht Jahwes auch *über* die anderen Götter, mit deren Verehrung Israel in bis dahin nicht gekanntem Ausmaß konfrontiert wurde, als tröstendes Licht in das Dunkel jener Zeit zu tragen, und in diese Intention theologischer Verkündigung wurde nun auch צבא השמים in veränderter Form eingebunden.

Die Begriffsentwicklung von צבא השמים klingt aus mit zwei Belegen, die weder in einer Zeit religiöser Repression noch in akuter Konfrontation mit den Religionen anderer Völker verfaßt worden sind, sondern offenbar von alledem nichts mehr wissen und somit wieder unbefangen von צבא השמים reden: Jer 33,22, wo das Zählen der Sterne des Himmels nicht mehr wie in dem auch schon nicht sehr alten Text Gen 15,5 (vgl. *Perlitt,* Bundestheologie S. 68ff.) mit כוכבים, sondern tatsächlich mit צבא השמים ausgedrückt wird.[144] Eine ähnliche Austauschbarkeit von צבא השמים und כוכבים dokumentiert Dan 8,10, wo beide Begriffe synonym nebeneinanderstehen. Der numinose Glanz und damit die religiöse Gefahr von צבא השמים sind vergangen. Nichts deutet mehr auf die Kämpfe hin, die um diesen religiösen Begriff wie um andere ausgefochten worden sind; das Himmelsheer ist fast wieder das, was es einst in der Vision Micha b. Jimlas war: ein Teil der Schöpfung Jahwes, der ihm untergeben und zu Diensten ist.

---

144 *Wellhausens* Urteil über die Entstehungszeit dieses Textes: nach 587 (Prolegomena S. 134) ist entschieden zu zaghaft. Die Urteile von *Thiel*: postdtr (Jer II S. 30) und *Böhmer*: nachexilisch (Heimkehr S. 44f.) dürften das Richtige treffen.

II. DER KAMPF UM SICHERHEIT UND MACHT – DIE ASSYRISCHE RELIGION ZWISCHEN DASEINSANGST UND POLITISCHER PROPAGANDA

Aus der im ersten Kapitel unternommenen Analyse der atl. Quellen über das 7. Jh. geht hervor, daß es um die Bezeugung der judäischen Geschichte in vorjosianischer Zeit schlecht bestellt ist. Deshalb erscheint die historische Auswertung der zeitgenössischen Quellen der ass. Siegermacht umso dringlicher. Die ausgezeichnete Dokumentation der entsprechenden Phase ass. Geschichte hat in diesem Zusammenhang allerdings den einen Mangel, daß Juda in ass. Texten nur ganz selten explizit erwähnt wird.[1] Mag dafür auch der Zufall der

---

[1] Die expliziten Erwähnungen Judas in neuass. Quellen haben ihren Schwerpunkt in der Zeit Srg.s und Snh.s – und sind selbst da inhaltsarm genug! Der Übersicht halber seien die ass. Belege für Juda kurz aufgeführt (vgl. *Parpola,* NAT S. 182):

1. Der vermeintlich älteste Beleg gehört wohl nicht hierher. Er erwähnt nicht das Land Juda, sondern den Königsnamen [I]Az-ri(-ia)-a-ú gleich(?) Asarja/Ussia von Juda (vgl. *P. Rost,* Tgl S. 20,123; 22,131; Bearbeitung von Z. 125–132: *M. Weippert,* ZDPV 89 S. 40ff.). Nach dem Zeugnis dieses schwer verständlichen Annalentextes Tgl.s III. zum Jahre 738 scheint besagter Asarja die Führung der damaligen syrischen Koalition (Zentrum in Hamath!) gegen Assur übernommen zu haben, so daß er gewiß *nicht* „ohne Zweifel identisch mit Asarja/Ussia von Juda" ist (*M. Weippert,* aaO S. 32; vgl. *Tadmor,* SH 8 S. 232ff. v.a. 266ff.; überzeugende Kritik bei *Na'aman,* BASOR 214 S. 36–39; vgl. früher schon *Donner,* VTS 11 S. 4 A. 5).
2. Gegen Ende der Regierungszeit Tgl.s III. erwähnt die Tontafelinschrift aus Nimrūd (*P. Rost,* Tgl S. 72,11 = Tf. XXXVII,11′ = *M. Weippert,* Edom S. 69,11′) [I]Ia-ú-ḫa-zi [kur]Ia-ú-da-a-a = Ahas von Juda (742/1–725) als Tributär des ass. Großkönigs neben den Herrschern von Ammon, Moab, Askalon, Edom und Gaza (Bearbeitung und Kommentar von Rev. 7′–12′: *M. Weippert,* ZDPV 89 S. 52f.). Die durch den syrisch-ephraimitischen Krieg entstandene politische Lage ist hier vorausgesetzt. Kaum würde Ahas im Jahre 733/2 den ass. Großkönig um militärischen Beistand gebeten haben und seitdem zum botmäßigen Vasallen Assurs geworden sein, wenn noch ca. fünf Jahre vorher sein Großvater Asarja/Ussia Haupt einer Rebellion gegen eben diese Macht gewesen wäre!
3. Aus der Zeit Srg.s II. gibt es für Juda immerhin zwei Belege in Königsinschriften, zwei in Briefen und einen in einer Urkunde. Die Urkunde (ABL 632 = ADD 1100 = *Pfeiffer,* SLA 96 = *Martin,* Tribut S. 49f. = ANET S.

Textfunde hauptverantwortlich sein, wird man doch in der geringen geopolitischen Bedeutung Judas und in der gut fünfzigjährigen „sensationslosen“ Vasallität Manasses eine Begünstigung ebenjenes Zufall erblicken dürfen. Die spärlichen Hinweise auf Juda schmälern aber den Wert des ass. Quellenmaterials nicht. Die zahllosen Nachrichten über den religiösen, militärischen, wirtschaftlichen und administrativen Umgang Assurs mit besiegten Völkern können durch behutsame Anwendung der historischen Analogie auch für die Geschichte Juda fruchtbar gemacht werden.

301; Photo (Obv.): *Barnett*, Illustrations S. 58), eine Art Empfangsbestätigung für Abgaben westlicher Vasallen (Datierung nicht ganz sicher; *Parpola*, NAT S. 182: Srg; *Cogan*, Imperialism S. 66f.: Snh), zeigt, daß Juda seine zehn Minen Silber (Obv. 5f.) ordnungsgemäß an die ass. Administration ent richtet hat. Es handelt sich dabei um eine tāmartu ([IGI.D]U_8, andere Ergänzung in Rev. 2′ nicht möglich, vgl. *Martin*, Tribut S. 50; *Postgate*, TCAE S. 152f.), die nichts über die Höhe des jährlichen Tributs aussagt.

Ebenso behandelt der Brief NL XVI (*Saggs*, Iraq 17 S. 134f., vgl. 152f.; Ne bearbeitung des maßgeblichen Abschnitts Rev. 33–46: *Donner*, MIO 5 S. 159–161, vgl. 178–184; *M. Weippert*, Edom S. 213–216; *Cogan*, Imperialism S. 118; *Postgate*, TCAE S. 117f.) die Ablieferung von Pferden als Tributleistung (Erwähnung von Juda neben Ägypten, Gaza, Moab und Ammon: Rev 35).

Während dem Beleg NL XLVI B 9′ (*Saggs*, Iraq 20 S. 198) mangels Kontex keine weiteren Nachrichten entnommen werden können, erscheint „Juda, d weit entfernt gelegen ist“ (^{kur}Ia-ú-du šá a-šar-šú ru-ú-qu, *Winckler*, Srg S. 168,8 = Pl. 48,8), in den Königsinschriften in der Funktion als Tributär un Rebell (ebd. S. 188,29 = *M. Weippert*, Edom S. 100,26′ neben Philistäa, Edom und Moab).

4. Aus der Zeit Snh.s sind die mehrfachen Hinweise auf Juda im Zusammenhang mit dem Palästinafeldzug bekannt (*Luckenbill*, OIP 2 S. 31,76; 32,18; 69,23; 70,27; 77,21; 86,15; *Thompson*, Iraq 7 S. 94 Nr. 7,12); ferner gehö hierher trotz mancher Unsicherheiten (s.o. S. 145f. A. 257) wohl auch das interessante Fragment K 6205 + BM 82-3-23,131 (Bearbeitung: *Na'aman*, BASOR 214 S. 25ff.; Erwähnung Judas: ebd. S. 26,3′(?).4′f.), das von der Einnahme Asekas vermutlich im Verlauf des Palästinafeldzugs handelt. Die frühere Zuweisung des Textes zu Srg (vgl. *Tadmor*, JCS 12 S. 80ff.) ist sprachlich möglich (Schreibung des Gottes Aššur mit An-šár ab Srg, vgl. ebd. S. 82), historisch aber unwahrscheinlich.
5. Aus der Zeit Ash.s ist die Beteiligung von ^{I}Me/Mi-na/in-si-i/e šàr ^{uru}Ia-ú/u-d „Manasse, König von Juda“ (*Borger*, Ash S. 60,55) an Bauarbeiten für das Zeughaus (ekal mašarti) in Ninive zusammen mit 21 weiteren Vasallen des Westens überliefert.
6. Fast dieselbe Liste von tributpflichtigen Königen wird wieder bei Asb aufgeführt (vgl. *Streck*, VAB 7 S. 138/40,23–50 = *Freedman*, Tablets S. 68/7(37–64 = *M. Weippert*, Edom S. 141/2,25′–52′, ebd. S. 141,27′: ^{I}Mi-in-se-e šàr ^{kur}Ia-ú-di; Kommentar: ebd. S. 130ff.165ff.; vgl. auch *Borger*, BAL^2 S. 93). Dieses Mal leisten sie dem König militärischen Beistand auf seinem Fel zug gegen Ägypten.

Dazu ist es allerdings notwendig, die Quellen zuvor in ihren eigenen Intentionen ernst zu nehmen. So muß die Spätform ass. Religion im 7. Jh. untersucht werden[2], da ein großer Teil der Quellen sich mit ihr beschäftigt und durch sie die innere Verfassung des ass. Reiches in dieser Zeit in ungeschönter Form ans Licht tritt. Einige ihrer oftmals befremdlichen Ausdrucksformen sind zudem auch in Juda bekannt gewesen.

Neben der charakteristischen Spätform der ass. Religion verdient im Blick auf die besiegten Völker und so auch Juda ihre immer gleiche, „offizielle" Gestalt Beachtung. In ihr haben die Assyrer das zum Ausdruck gebracht, was unterworfene Völker von den ass. Göttern wissen sollten. In welcher Form, in welchem Umfang und mit welchem Ziel sie die Besiegten mit ihren Göttern konfrontiert haben, muß das folgende Studium der ass. Quellen ergeben.

A. Die Spätform neuassyrischer Religion und ihre Auswirkungen auf Juda

Es ist wohl kein antiker Staat denkbar, der seine militärischen Erfolge nicht mit dem Beistand der jeweiligen Landesgötter in Verbindung gebracht hätte. Feldzüge, durch göttlichen Befehl initiiert und legitimiert, dienen der Mehrung von Ansehen, Ruhm, Sicherheit und Wohlstand der Landesgötter und ihrer Verehrer, unter denen der jeweilige König einen besonderen Rang einnimmt.

Eine der interessantesten Erwähnungen Judas ist schließlich auf einer in das Jahr 660 datierbaren Schuldurkunde aus Ninive zu finden (*Ungnad*, ARU 325), in der das Getreidedarlehen ina sūti(^{giš}BAN) šá ^{kur}Ia-ú-di „nach dem Maß des Landes Juda" (Z. 2) berechnet wird (vgl. auch *Kohler*, ARU S. 459f.; *Cogan*, Imperialism S. 92). Wie auch aus weiteren Urkunden deutlich wird, machte die internationale Verflechtung des Handels in neuass. Zeit präzise Wert- und Maßangaben nötig (vgl. etwa die Mine nach dem Maß von Karkemisch; Belege *Kohler*, ARU S. 459; *Postgate*, GPA 1,16′; ders. FNAD 9,7f.; 10,9f. u.ö.).

Die Funde neuass. Texte in Palästina selbst unterbieten die gerade vorgeführte Dokumentation noch einmal beträchtlich (vgl. die Zusammenstellung in TGI^2 S. 61).

2 Die zeitlichen Bestimmungen 8. und 7. Jh. werden hier und im folgenden vereinfachend für ganz bestimmte Epochen gebraucht: 8. Jh. für die Zeit Tgl.s III. bis Snh (744–681), 7. Jh. für die Zeit Ash.s und Asb.s (680–627).

Bei den Assyrern ist dieses dogma theologico-politicum zu allen Zeiten in vielfältiger Gestalt zu finden. So ist der ass. König – in diesem Falle Tgl III. – der Kriegerische (eṭlu qardu),

2) ...ša ina tu-kul-ti Aš-šur bēlī(EN)-šú
...der im Vertrauen auf Aššur, seinen Herrn,

kul-lat la m[a-gi-re-šú kīma ḫaṣ-bat-ti
die Gesamtheit derer, die [ihm unfreundlich gesinnt waren, wie eine Tonschale

ú-daq-qi-qu a-b]u-biš is-pu-nu-ma
zerschmetterte, sint]flutgleich überwältigte und

zi-qi-qiš im-nu-ú
wie Wind betrachtete.[3]

Wem derartige Erfolge beschieden sind, betrachtet sich als mi-gir ilāni(DINGIR.MEŠ) rabûti(GAL.MEŠ) „Liebling der großen Götter"[4], der, von ihnen mit der unvergleichlichen Königswürde beschenkt, um den Ruhm seines Namens nicht in Sorge zu sein braucht.[5]
Das aus der göttlichen Erwählung resultierende Selbstbewußtsein kann nicht mit bescheidenen Attributen charakterisiert werden. Snh etwa nennt sich

7) eṭ-lum gít-ma-lum zi-ka-ru qar-du
Vollkommener, kriegerischer Mann,

8) a-šá-red kal mal-ki rap-pu la-ʾi-iṭ
erster unter allen Fürsten, Klammer, die die Un-

9) la ma-gi-ri mu-šab-ri-qu za-ma-a-ni
botmäßigen umspannt, der die Feinde niederblitzt.[6]

Die militärische Überlegenheit des ass. Königs begründet nicht nur seine irdische Vormachtstellung, sondern impliziert zugleich ein Urteil über die geringere Macht anderer Götter, die zusammen mit

3 *P. Rost*, Tgl S. 54,2 = Pl. XXXV,2 = *M. Weippert*, Edom S. 63,2; Ergänzung nach ND 4301+ (ebd. S. 499); vgl. auch *Winckler*, Srg S. 98,14; zu eṭlu qardu vgl. *Seux*, ER S. 92f.

4 *Winckler*, Srg S. 96,3; in akkad. und sum. Königsinschriften passim, vgl. *Seux*, ER S. 162ff.448ff.

5 Vgl. *Winckler*, Srg S. 96,3–5; *Luckenbill*, OIP 2 S. 23 I,10f. = *Borger*, BAL² S. 68; der unterschiedlichen politischen Ausrichtung gemäß will Srg sein Königtum von Aššur, Nabû und Marduk, Snh allein von Aššur erhalten haben.

6 *Luckenbill*, OIP 2 S. 23 I,7–9 = *Borger*, BAL² S. 68; zu den einzelnen Epitheta vgl. *Seux*, ER S. 92.378.240.52.

ihren besiegten Völkern und Ländern dem ass. Großkönig und damit auch dessen Herrn, dem Reichsgott Aššur, zu Diensten sein müssen. Hier zeigt sich die spezifische Form des „religiös-politischen Sendungsbewußtseins“[7] des ass. Königs, das in der Evidenz der militärischen Erfolge Assyriens gründet, welche nur durch die vollkommene Übereinstimmung des Reichsgottes Aššur mit seinem irdischen Mandatar erklärt werden können.

Wie eng diese Allianz vorgestellt wird, ist daraus ersichtlich, daß in den Inschriften oftmals unklar bleibt, ob der Gott Aššur oder der ass. König den Sieg in der Schlacht herbeiführt. Innerhalb eines Feldzugsberichts kann einmal der König und ein anderes Mal der Gott Aššur als Subjekt des Sieges genannt werden[8], ein Wechsel, der nicht auf überlieferungsgeschichtliche Spannungen hinweist, sondern theologisch bewußt toleriert wird, weil er die unverbrüchliche Einheit des Willens (nicht des Wesens!) von Gott und König deutlich macht.

Die sehr selbstbewußt propagierte Einheit hat von Tgl III. bis Snh keineswegs eine besondere Wertschätzung des religiös-kultischen Lebens zur Folge gehabt. Diese Epoche vermittelt eher einen gegenteiligen Eindruck. Tgl.s Inschriften, „die nüchternsten von allen“[9], sind arm an religiösen Formeln und fast ausschließlich auf Feldzüge und Bautätigkeit des Königs konzentriert, wobei letztere auch nicht auf Tempelanlagen, sondern auf den Palastbau in Kalaḫ/Nimrūd ausgerichtet ist.[10] Auch in der Reliefkunst haben die kriegerischen Szenen ein erdrückendes Übergewicht.[11] Götter treten auf den erhaltenen Reliefplatten nur als Götter von Besiegten in Erscheinung, d.h. in demütigender Götterdeportation.[12] Ass. Götter werden überhaupt nicht oder nur äußerst selten mit ihren Emblemen in Szenen dargestellt, in denen Tgl selbst im Mittelpunkt steht.[13] Es ist fraglich, ob

---

7 *Von Soden,* Herrscher S. 108.

8 Vgl. im Bericht über Snh.s dritten Feldzug folgende Formulierungen miteinander: *Luckenbill,* OIP 2 S. 29 II,38f. und S. 30 II,45f. = *Borger*, BAL^2 S. 73.

9 *Von Soden,* Unsicherheit S. 361.

10 Zum Palastbau vgl. Tgl.s Tontafelinschrift aus Nimrūd *P. Rost,* Tgl S. 72/6, 17ff. = Pl. XXXVIII = *M. Weippert,* Edom S. 69/71,17'ff.

11 Vgl. *Barnett / Falkner,* Sculptures S. 34 und die Abbildungen.

12 Vgl. ebd. Pl. VII. LXXXVIII. XCIIf.

13 Mit Emblemen: ebd. Pl. VIII. LXVIIIf. (auf der Deichsel des Wagens). XCVf. (an der Kette des Königs); ohne Embleme: ebd. Pl. XVIII. LIX. LXXXIVf. XCVIII; in vergleichbaren Szenen Anp.s II. und Slm.s III. sind die Embleme der ass. Götter regelmäßig vorhanden (stellvertretend sei hier nur auf den schwarzen Obelisken Slm.s III. verwiesen, vgl. *Layard,* MNin I Pl. 53; AOB Nr. 123; ANEP Nr. 355).

man hier mit Recht von einer Säkularisierungstendenz sprechen darf[14], da dieser Begriff sehr stark das Moment bewußter Verdrängung der Götterwelt oder der Distanzierung von ihr enthält. Beides ist aber bei Tgl nicht der Fall. Eher wird in ihm „der auf seine Erfolge stolze Mensch"[15] gesehen werden müssen, der sich in unreflek tiertem Selbstbewußtsein der Gunst seines Landes- und Reichsgotte gewiß ist.

Von der Herrschaft Srg.s II. ist kein wesentlich anderer Eindruck zu gewinnen.[16] Zwar wird dem religiösen Sprachgut in den Inschriften wieder etwas mehr Raum zugemessen, doch ist damit keine Tenden wende verbunden, wie eindeutig aus Srg.s riesigem Palastbau in der von ihm neu gegründeten Hauptstadt Dūr-Šarrukīn/Ḫorsābād hervorgeht, wo die Göttertempel nur noch Teil der Palastanlage sind.[17] Die Formulierung, die Srg in der großen Prunkinschrift dafür findet

155) ... ^{d}É-a ^{d}Sîn(XXX) ^{d}Šamaš(UTU)
... Ea, Sîn, Šamaš,
^{d}Nabû(AG) ^{d}Adad(IŠKUR)
Nabû, Adad,

156) ^{d}Nin-urta ù ḫi-ra-ti-šú-nu ra-ba-a-ti...
Ninurta und ihre großen Gattinnen...
eš-re-ti nam-ra-a-ti
nahmen in den glänzenden Kapellen,

157) suk-ki nak-lu-ti ina qé-reb ^{uru}Dūr(BÀD)-
den kunstvollen Heiligtümern mitten in
-^{I}Šárru(XX)/Šarru(LUGAL)-ukīn(GIN/GI.[NA])
Dūr-Šarrukīn
ṭa-biš ir-mu-ú
freudig Wohnung[18],

verschleiert den Tatbestand, daß die Götter zu Untermietern des Königs geworden sind. Eine Ziqqurrat ist das einzige selbständige sakrale Bauwerk in Ḫorsābād gewesen.[19]

---

14 Vgl. *von Soden*, Unsicherheit S. 356ff. v.a. 358.361.
15 *Von Soden*, Herrscher S. 93.
16 Schon die thematische Kontinuität in der Reliefkunst ist in dieser Hinsicht aufschlußreich; vgl. *Botta*, MN I Pl. 55–71.76f.81–83; II Pl. 86–100.145–14
17 Vgl. *von Soden*, Herrscher S. 99; ders., Unsicherheit S. 362.
18 *Winckler*, Srg S. 128,155–157.
19 Vgl. *Place*, Ninive I S. 137ff.; III Pl. 3.7.18.36f.; *Unger*, RLA II S. 252.

Die von Snh verfolgte politische Linie gleicht mehr der Tgl.s als der seines Vorgängers. Kompromißlose Politik und Assyrianisierung der Religion gehen bei ihm Hand in Hand. Er scheut sich nicht, im Konflikt mit Babylon dem Haß freien Lauf zu lassen und bei der zweiten Eroberung im Jahre 689 die Stadt, die auch bei vielen Assyrern als religiöse und kulturelle Metropole in hohem Ansehen stand, völlig zu zerstören. Stolz berichtet er:

48) ilāni(DINGIR.MEŠ) a-šib lìb-bi-šú
Was die Götter, die in ihr (= der Stadt Babylon) wohnten, betrifft –

qāt(ŠU.II) nīšē(UN.MEŠ)-ia ik-šu-su-nu-ti-ma
die Hände meiner Leute ergriffen sie und

ú-šab-bi-ru-ma [būšā(NÎG.ŠU)]-šú-nu
zerbrachen (sie) und nahmen ihre [Habe]

makkūr(NÎG.GA)-šú-nu il-qu-ni/ú
(und) ihren Besitz weg[20],

eine ganz ungeheuerliche Maßnahme, für die es in ass. Königsinschriften nur spärliche Belege gibt.[21] Die gezielt auf die Entmachtung des bab. Gottes Marduk, der sich auch in der persönlichen Frömmigkeit der Assyrer viel größerer Beliebtheit erfreute als der Gott Aššur[22], angelegte Strategie wurde durch religiöse Propaganda[23] und durch den einzigen bemerkenswerten Sakralbau, der uns aus der Zeit Snh.s bekannt ist, fortgesetzt: die Errichtung des Neujahrsfesthauses (bīt akīti) in Assur, mit der die Usurpation der Rolle Marduks im Weltschöpfungsepos Enuma eliš durch den Gott Anšar/Aššur verbunden war.[24] Nur ein ass. König, für den die in machtvoller Unterstützung

---

20 *Luckenbill,* OIP 2 S. 83,48; vgl. S. 137,36f. Trotz widersprüchlicher ass. Nachrichten in bezug auf die Behandlung der bab. Götterbilder wird man ihre Zerstörung als wahrscheinlich betrachten müssen (vgl. *Landsberger,* BBEA S. 20–27).

21 S.u. S. 358ff.

22 Es sei hier nur auf zwei Indizien hingewiesen: auf die dominierende Rolle, die Marduk neben Nabû in den Grußformeln der neuass. Staatskorrespondenz spielt (vgl. *E. Salonen,* Grußformeln S. 82ff.), und auf die beachtliche Zahl von Gebeten, die an Marduk gerichtet sind (vgl. Zusammenstellung bei *Mayer,* UFBG S. 394ff.; Gebete an Marduk und andere Götter: vgl. ebd. S. 381ff.), denen nur ein an Aššur (und Muliššu) gerichtetes gegenübersteht (vgl. ebd. S. 379).

23 Vgl. *von Soden,* ZA 51 S. 130ff. v.a. 157ff.; 52 S. 224ff.; vgl. auch hierzu und zum folgenden ders., Unsicherheit S. 363f.

24 Vgl. *Luckenbill,* OIP 2 S. 136,22ff. Als demonstrative Geste wurde auch in das neu errichtete bīt akīti in Assur Erde aus dem zerstörten Babylon ge-

durch Aššur gründende Überlegenheit niemals Gegenstand des Zweifels gewesen ist, konnte den Kampf mit Marduk und anderen bab. Göttern wagen. Daß er, langfristig gesehen, nicht zugunsten der Assyrer ausgegangen ist, läßt sich den Wiedergutmachungsversuchen Ash.s gegenüber Babylon unschwer entnehmen.

Snh jedoch hat zeit seines Lebens derartige Absichten nie gehegt. Wie bei Srg gilt auch sein Interesse neben umfangreichen militärisch Aktionen vor allem der Bautätigkeit. Dafür sind sein Palast in Ninive, der Neubau des Zeughauses (bīt kutalli) und das Aquädukt bei Jerwan eindrucksvolle Beispiele.[25] In der zeitgenössischen, deutlich weiterentwickelten Reliefkunst wird nun neben den militärische Unternehmungen auch gern das technische Können der Zeit dargestellt. Dabei gebührt der wiederholten Abbildung des Transports riesiger geflügelter Stierkolosse, die als Schutzgenien zum Einbau in die Tore bestimmt sind, besondere Beachtung. Genien als Torwächter hat es zu allen Zeiten im alten Orient gegeben. Daß sie sich jedoch seit Srg II. in derart überdimensionaler Gestaltung besonderer Beliebtheit erfreuen, weist auf eine zunehmende Dämonisierung der Welt hin, der man unter Srg und Snh noch mit relativ einfachen Mitteln begegnen zu können meinte.[26] Welche Folgen die sich hier anbahnende Entwicklung allerdings unter Ash gehabt hat, wird sogleich zu behandeln sein. Als Gesamteindruck der Epoche von Tgl III. bis Snh kann nach dieser Skizze auf jeden Fall festgehalten werden, daß in ihr die ass. Herrscher die keinesfalls geringen militärischen und politischen Probleme tatkräftig in Angriff nehmen in unangefochtenem Vertrauen darauf, daß ihr Handeln allemal unter dem mächtigen Schutz des Landes- und Reichsgottes Aššur steht.

---

bracht (vgl. ebd. S. 138,46f.). Aššurs Usurpation der Rolle Marduks in Enuma eliš ist sogar in Snh.s Königsinschriften eingegangen (vgl. ebd. S. 140–142 passim und *von Soden,* ZA 51 S. 162; *Tadmor,* JCS 12 S. 82). Ein Enuma-eliš-Text, der der Aššur-Rezension angehört, ist K 3445 + Rm 396 (Kopie: *King,* CT 13 Pl. 24f.; Bearbeitung: *Landsberger / Kinnier Wilson,* JNES 20 S. 154ff.), der Teile der 5. Tafel des Epos enthält.

[25] Zum Palastbau in Ninive vgl. *Luckenbill,* OIP 2 S. 94ff.; zum Neubau des Zeughauses vgl. ebd. S. 128ff.; zum Bau des Aquädukts bei Jerwan vgl. ebd. S. 114,22ff.; ferner *Paterson,* Palace (Grundplan des Palastes); *Jacobsen /Lloyd,* Aqueduct v.a. Rekonstruktion S. 17.

[26] Vgl. *von Soden,* Herrscher S. 112–115; ders., Unsicherheit S. 363f.; zu den Reliefs mit der Darstellung des Transportes von Stierkolossen vgl. *Paterson,* Palace Pl. 23–25.27f.32f.; zu den Belegen vgl. CAD A/I S. 286f. s.v. aladlammû; weitere Briefstellen können jetzt noch hinzugefügt werden: vgl. *Parpola,* CT 53 S. 10 s.v. „carving and transportation of winged bull-colossi“.

Mit der Regentschaft Ash.s vollzieht sich unverkennbar ein Wandel im Selbstbewußtsein der ass. Herrscher. Sind auch in ihren Inschriften die altbekannten, überschwenglichen Prädikationen ebenso zu finden wie in denen ihrer Vorgänger, so treten doch neue Formulierungen hinzu, die einen bisher kaum oder gar nicht gehörten Ton in die Königsinschriften bringen. Da nennt sich Ash šarru(LUGAL) šaḫ/šáḫ-tú „demütiger König“[27],

16) ...re-e-šu mut-nen-nu-u
...betender Diener,

17) áš-ru kan-šu pa-liḫ
Unterwürfiger, Botmäßiger, der

18) ilū(DINGIR)-ti-šú-nu rabī(GAL)-ti
ihre (= der Götter) große Gottheit fürchtet.[28]

Er ist iššak(ŠID) dAš-šur „Priester des Aššur“[29], ein Titel, den Ash auch für Snh reklamiert[30], dieser aber für sich bezeichnenderweise nie gebraucht hat. Nicht daß Snh diesen Titel bewußt unterdrückt hätte, ihm lag lediglich der Gedanke fern, sich in den Inschriften nicht nur als kriegerischer Held und großer Bauherr, sondern auch noch als betont frommer Herrscher rühmen zu lassen.[31] Anders Ash, dem an dieser Präsentation offenkundig gelegen war.[32] Und daß es sich dabei nicht um ein nur vordergründiges, religiös-politisches Kalkül handelt, sondern um einen tiefgreifenden Wandel des Selbstverständnisses, läßt sich ganz unzweifelhaft den weiteren Quellen, die

---

27 *Borger,* Ash S. 12 Ep. 1a,12; vgl. *Seux,* ER S. 300f. (Srg II. und Ash).

28 *Borger,* Ash S. 12 Ep. 1a,16–18; zu rēšu mutnennû vgl. *Seux,* ER S. 242f. (Ash und Asb); zu ašru und kanšu vgl. ebd. S. 131.366 (unter ass. Königen nur Ash); zu pāliḫ ... und Varianten vgl. ebd. S. 212ff. (vornehmlich bei bab. Königen, bei ass. Königen ab Ash passim).

29 *Borger,* Ash S. 1,4; zu išš(i)akku vgl. *Seux,* ER S. 110ff.: nie bei Tgl III. und Snh.

30 Vgl. *Borger,* Ash S. 1,9.

31 Die Prädikation Snh.s, die sich am meisten um seine Stilisierung als frommen Herrscher bemüht, findet sich *Luckenbill,* OIP 2 S. 135,1–9. Gegenüber vergleichbaren Prädikationen in Ash.s Inschriften wirkt sie ausgenommen blaß.

32 Weitere, für Ash und Asb charakteristische religiöse Epitheta: *Seux,* ER S. 36f. s.v. aḫāzu; S. 47ff. s.v. banû; S. 61ff. s.v. binûtu; S. 75ff. s.v. edēšu; S. 80 s.v. elēlu; S. 104 s.v. ḫišiḫtu; S. 105f. s.v. idû; S. 133.135 s.v. kânu; S. 147 s.v. labāšu B; S. 152f. s.v. līpu; S. 161f. s.v. maṣû; S. 202f. s.v. naṣāru B; S. 204 s.v. našû B; S. 221 s.v. pašāḫu; S. 228f. s.v. qabû; S. 240f. s.v. rašû; S. 273ff. s.v. šakānu B (Ash/Asb-Belege); S. 285f. s.v. šâmu B; S. 291f. s.v. šarāku; S. 323ff. s.v. še'û A; S. 336 s.v. takālu; S. 342ff. s.v. târu B.

wir aus der Zeit Ash.s und Asb.s besitzen, entnehmen: den Orakelanfragen, Omenberichten, Briefen, Ritualen, Verträgen und anderen Dokumenten. Sie müssen nun näher auf Nachrichten hin untersucht werden, die das Neue der unter Ash einsetzenden Entwicklung zu konturieren vermögen.

1. Orakel und Extispizin

Die Erforschung des göttlichen Willens durch Omendeutung, bei den Sumerern noch eine ziemlich seltene kultische Praxis[33], ist von den Akkadern seit früher Zeit intensiv betrieben und im Verlauf der Jahrhunderte zu einer differenzierten Wissenschaft entwickelt worden. Nach bab.-ass. Anschauung ist die Welt voller Medien und Erscheinungen, die bei richtiger Deutung verläßliche Auskunft geben, wie die Entscheidung eines bestimmten Gottes in dieser oder jener Situation aussieht. Unter vielfältigen Praktiken erfreut sich naturgemäß die Eingeweideschau beim Opfertier (Extispizin), insbesondere die Leberschau, großer Beliebtheit, da gerade die Leber nach Gestalt und Farbe von allen Organen die häufigsten Variationen aufweist. Die beiden Götter, die seit alters als zuständig für die Verläßlichkeit des Omenbescheides bei der Opferschau gelten, sind Šamaš und Adad, so daß ihre Anrufung mit der Formel

Šamaš bēl dīni(m) Adad bēl bīri(m)
Šamaš, Herr der Entscheidung,
Adad, Herr der Opferschau,[34]

in den verschiedensten Bereichen der akkad. Literatur zu finden ist.

Selbst in den Königsinschriften der Sargoniden des 8. Jh.s, die für religiös-kultische Mitteilungen normalerweise völlig unergiebig sind, finden sich Hinweise auf die Ausübung der Extispizin. Snh etwa rühmt sich, er sei derjenige,

mu-šak-lil pa-ra-aṣ É-šár-ra ma-šu-u/ú-ti
der die vergessenen Kulte von Ešarra vollendet

---

[33] Vgl. *Falkenstein,* CRRA 14 S. 45ff.; *von Soden,* Zweisprachigkeit S. 25f.

[34] Vgl. *Tallqvist,* AGE S. 42f.; CAD B S. 265b; D S. 152; instruktiv für die Bedeutung der beiden Götter: ABL 2 = LAS 121 Obv. 7–9.
Zum Gesamtgebiet der Extispizin vgl. *Nougayrol,* Divination S. 39ff.

ina bi-ri (ina) qí-bit ^{d}Šamaš(UTU) u ^{d}Adad(IŠKUR)
durch Opferschau auf Geheiß von Šamaš und Adad.[35]

Die Leberschau, deren Deutungsregeln auf alter Tradition beruhen, bringt es zwangsläufig mit sich, daß ihre Zukunfsvoraussagen ziemlich vage sind, da die mit einem bestimmten Leberbefund verbundene Vorhersage auf mannigfaltige konkrete Situationen hin auslegbar sein muß. Die Ungenauigkeit der Zukunftsansage sei an einem altbab. Leberomen illustriert:

30) šum-ma ubān(ŠU.SI) ḫašîm(MUR) qablītum(MURUB$_4$) qá-qá-ar-ša
Wenn der mittlere Lungenfinger seinen "Bereich"

31) i-ku-ul re-eš$_{15}$-ša ik-pi-i[ṣ-m]a
verzehrt, (wenn) sein "Kopf" gebeu[gt ist u]nd

32) ru-qú-ša na-pa-ar-qú-du
seine schmalen Stellen sich auf den Rücken legen,

33) na-ak-ru-u[m] a-la-am i-la-a-wi
(bedeutet das:) der Feind wird die Stadt umzingeln;

34) a-lum i-b[a]-la-ka-at-ma bé-el-šu
die Stadt wird sich empören und ihren Herrn

35) i-da-ak
töten;

36) na-ak-ru-um a-na er-ṣe-ti-ka
der Feind wird gegen (?) dein Land

37) i-ḫa-ba-at
einen Beutezug unternehmen.[36]

Es braucht nicht lange erläutert zu werden, daß derartige Vorhersagen militärischer Ereignisse für die Planung der Politik eines Großreiches nicht sonderlich hilfreich sind. Dennoch hat man sich in Mesopotamien über Jahrhunderte hin zumeist mit solchen Prognosen begnügt, da die Regierbarkeit der Staaten an Euphrat und Tigris an-

---

[35] *Luckenbill*, OIP 2 S. 135,4f. und *Ebeling*, SVAT S. 3,3f.; vgl. ebd. S. 4,15; *Thureau–Dangin*, TCL 3,319; *Seux*, ER S. 329ff. s.v. šuklulu (Zunahme der Belege unter Ash wieder auffällig).

[36] *Nougayrol*, RA 40 S. 91 Rev. 30–37 (Kopie: ders., RA 38 S. 84); vgl. auch den Kommentar RA 40 S. 95f.

scheinend nicht von einer exakteren Feststellung zukünftiger Entwicklungen abhängig war.

Mit der Regentschaft Ash.s tritt jedoch die Praxis der Extispizin und der Orakelbefragung in ein neues Stadium ein. Der Unbestimmtheit der traditionellen Leberschau wird durch ein neu entwickeltes Formular der Orakelanfrage abgeholfen, für das uns aus der Zeit Ash.s immerhin über 200 Texte und Textfragmente überliefert sind.[37] Das Formular, dessen Aufbau im folgenden an dem gut erhaltenen Text *Knudtzon,* AGS 1 erläutert werden soll[38], verrät in jeder Hinsicht einen energischen Willen zur Eindeutigkeit. Es beginnt mit der formelhaften Anrufung des Gottes:

Obv.1) [d]Šamaš(UTU) bēlu(EN) rabû(GAL-ú) šá
Šamaš, großer Herr, was

a-[š]al-lu-ka an-nam kīna(GI.NA) a-pùl-an-ni
ich dich frage, beantworte mir mit fester Zusage!,

wobei zu beachten ist, daß nicht mehr beide Orakelgötter, Šamaš und Adad, sondern Šamaš allein angerufen wird, anscheinend um die Strittigkeit der Verantwortung für die Vorhersage, die im Polytheismus immer möglich ist, auszuschließen.[39] Eindeutigkeit wird auch durch die präzise Formulierung der nun folgenden Anfrage angestrebt.

2) ultu(TA) ūmi(UD) annî(NE-ᵓi) UD.3.KAM* šá
Von diesem Tage an, dem 3. Tage dieses

arḫi(ITI) an-ni-i [iti]ajari(GU$_4$.SI.SÁ) adi(EN)
Monats, des Monats Ajaru, bis zum

UD.11.KAM* šá [iti]abi(NE) šá šatti(MU)
11. Tage des Monats Abu dieses

annīti(NE-t[i])
Jahres,

---

[37] Vgl. die Editionen von *Knudtzon,* AGS (Nr. 1–146) und *Klauber,* PRT (der größte Teil der Texte Nr. 1–100); vgl. ferner ABL 1195 = *Pfeiffer,* SLA 31.

[38] Aus Raumgründen kann der Text nur auszugsweise wiedergegeben werden; zur Charakterisierung der Orakelanfragen vgl. *Klauber*, PRT S. XIff. und *Aro*, CRRA 14 S. 109ff.

[39] Die dominierende Rolle von Šamaš in der Extispizin hat bereits eine Vorgeschichte, vgl. *Thureau–Dangin,* TCL 3,319 (s.u. S. 260f.).

3) a-na 1 ME umāti(UD.[MEŠ]) 1 ME mušāti(GE$_6$.MEŠ)
in diesen hundert Tagen und Nächten,

annâti(NE.MEŠ) ši-kin adanni(RI) nēpešti(DÙ-eš-ti)
der für die bārû-Handlung[40] festgesetzten Zeit,
^{lú}bārûti(ḪAL-ti) i-na ši-kin adanni(RI)
šuātu(UR$_5$-tú)
werden in dieser festgesetzten Zeit

4) lu-ú ^{I}Ka-á[š-t]a-ri-ti a-di ṣābē(ÉRIN.MEŠ)-šú
entweder Ka[št]arīti mit seinen Truppen

lu-ú ṣābē(ÉRIN.MEŠ) ^{lú}Gi-mir-ra-a-a
oder die Truppen der Gimirräer

5) lu-ú ṣābē(ÉRIN.MEŠ) ^{lú}Ma-da-a-a
oder die Truppen der Meder

lu-ú ṣābē(ÉRIN.MEŠ) ^{lú}Man-na-a-a
oder die Truppen der Mannäer
lu-ú ^{lú}nakru(KÚR) mál bašû(GÁL.MEŠ-ú)
oder (irgendwelche) Feinde, soviele ihrer sind,

6) i-ṣar-ri-mu-ú i-kap-pu-du-[ú l]u-ú
sich (etwas) ausdenken (und) planen; werden sie

i-na si-'u-ú-tu lu-ú i-na da-na-na
entweder durch Erpressung(?) oder durch Gewalt

...

10) lu-ú i-na mim-ma ši-pir-ti ni-k[il-ti
oder durch irgendeine Argli[st], soviel

šá D]AB(ṣabāt) āli(URU) mál bašû(GÁL.MEŠ-ú)
es davon gibt, um die Stadt [ein]zunehmen,

11) ^{uru}Ki-šá-as-su iṣabbatū(DAB.MEŠ-ú°)
Kišassu einnehmen,

...

14) ṣa-ba-a-ta āli(URU) šuātu(UR$_5$-tú) ^{uru}K[i-š]á-as-sa
Die Einnahme dieser Stadt K[iš]assu

---

[40] Mit bārû-Handlung ist die Zeremonie des Opferpriesters (bārû) gemeint, in der er durch die Schlachtung des Opfertieres den Omenbefund feststellt.

i-na qātē(ŠU.II) [lú]nakri(KÚR) mál bašû(GÁL.MEŠ-ú)
durch Feinde, soviele ihrer sind,

15) ultu(TA) ūmi(UD) annî(NE-i) adi(EN) ūmi(UD)
von diesem Tage ab bis zu dem Tag,

ši-kin adannī(RI)-ia i-na šalimtim(? DI-tim)
dem von mir festgesetzten Zeitpunkt, ist sie im

i-na pī(KA) ilū(DINGIR)-ti-ka rabīti(GAL-ti)
Geheiß, im Munde deiner großen Gottheit,

16) [[d]]Šamaš(UTU) bēlu(EN) rabû(GAL-ú) qa-bi-i ku-u[]n
Šamaš, großer Herr, befohlen (und) festgesetzt?

āmiru(IGI-ru) immar(IGI-mar) še-mu-ú išemme(ŠE-e)
Wird man es sehen, wird man es hören?

Der zweite Teil des Orakelanfrageformulars Obv. 2–16 enthält in diesem Fall die Anfrage nach einer möglichen Bedrohung des ass. Stützpunktes Kišassu, im Bereich östlich des Tigris zu den Gebieten der Mannäer und Meder hin gelegen[41], durch Kaštarīti von Karkašši der anscheinend als Führer mehrerer Stammeskontingente zeitweise eine ernstliche Gefahr für die ass. Herrschaft im nordöstlichen Teil des Reiches gewesen ist.[42] In der nachgerade enzyklopädischen Aufzählung möglicher Formen der Bedrohung wie auch in der exakten zeitlichen Fixierung ist das Bestreben erkennbar, dem Zufall durch Unvollständigkeit der Anfrage keinen Raum zu geben. Sind auch di militärischen Unternehmungen Hauptgegenstand der Anfragen, so begegnen doch noch weitere Themen, bei denen eine Absicherung durch das Orakel gesucht wird: Krankheitsfälle in der königlichen Familie[43], die Einstellung hoher ass. Beamter (eine Art Sicherheitsüberprüfung[44]) und diplomatische Aktionen.[45]

---

41 Vgl. *Parpola,* NAT S. 210f. s.v. Kišesim und *Forrer,* Provinzeinteilung S. 91 (statt Kār-Urigalli lies Kār-Nergal; demnach auch *Parpola,* NAT S. 198 Kār-Ninurta in Kār-Nergal zu korrigieren, da *Winckler*, Srg Nr. 6,4 [d]MAŠ wohl Fehler für [d]MAŠ.MAŠ ist [Haplographie]; letztere Schreibung ist in zwei Textvertretern der großen Prunkinschrift [*Winckler*, Srg S. 108,60 = Nr. 67,60] und ebd. Pl. 45 K 1669,6 bezeugt).

42 Zu den Belegen für Kaštarīti vgl. *Tallqvist,* APN S. 113a s.v. *Kastariti; zur historischen Auswertung von AGS 1 und weiteren Orakelanfragen, die sich mit Kaštarīti befassen, vgl. *Klauber*, PRT S. LVII–LX; *Aro,* CRRA 14 S. 113f.

43 Vgl. *Knudtzon,* AGS 101; 147.

44 Vgl. ebd. 46f.; 112; 115; 116 (+) *Klauber,* PRT 45; *Knudtzon,* AGS 125; *Klauber*, PRT 49–57.

45 Vgl. *Knudtzon,* AGS 54; *Klauber*, PRT 16.

Man darf gewiß voraussetzen, daß die mit der Orakelanfrage verbundene Opferhandlung aufs sorgfältigste vorbereitet und durchgeführt wurde. Gleichwohl ist der dritte Teil des Formulars mit Aufforderungen an die Gottheit gefüllt, mögliche Unregelmäßigkeiten der Kulthandlung keinen Einfluß auf die Entscheidung gewinnen zu lassen. Diese sog. Ezib-Zeilen[46] sind in der Auflistung von kultischen Fehlern ebenfalls um Vollständigkeit bemüht, wie die folgenden Beispiele aus AGS 1 (Obv. 17–Rev. 7a) zeigen:

17) e-zib šá a-n[a arki adannīja
Laß nicht zu, daß [nach der von mir festgesetzten Zeit (das befürchtete Ereignis eintritt)!

...

Rev.2) [ezib ša lu''û lu''ūtu ašar MÁ]Š(bīri)
[Übersieh, daß ein Unreiner (oder) eine Unreine an dem Ort der Opfer]schau vor-

ītiqū(DIB.DIB)-ma ú-le-'u-ú
beigegangen ist und (ihn) verunreinigt hat!

3) e-[zib ša immer ilūtīka ša ana MÁ]Š(bīri)
Über[sieh, daß das Schaf deiner Gottheit, das zur Opfer]schau

barû(MÁŠ-ú) maṭû(LAL-ú) ḫa-ṭu-ú
bestimmt ist, mangelhaft (und) fehlerhaft ist!

...

6) e-zib šá i-na pī(KA) mār(DUMU) lúbārî(ḪAL)
Übersieh, daß der Spruch im Munde des Opfer-

AR[AD(ardī)-ka t]a-mit up-tar-ri-du
schauers, [deines Die]ners, sich überhastet hat

7a) lu-ú nasḫā(ZI.MEŠ) lu-ú bērā(BAR.MEŠ)
oder (die Worte?) auszugsweise oder in Auswahl wiedergegeben sind![47]

Um nach der Unterbrechung durch die Ezib-Zeilen (Obv. 17–Rev. 7a) den Gegenstand des Orakels wieder in Erinnerung zu bringen, wird im vierten Teil des Formulars die Anfrage in gekürzter Form

46 Vgl. die Zusammenstellungen bei *Knudtzon*, AGS S. 24–43; *Klauber*, PRT S. XIV–XXIII.

47 Zur Deutung der Formel in Z. 7a vgl. AHw S. 122b; *Aro*, CRRA 14 S. 111.

wiederholt (vgl. Rev. 7b–12) und meistens durch die erneute Aufforderung an Šamaš zu günstigem Orakelbescheid abgeschlossen (vg Rev. 17–20).[48]

Der fünfte und letzte Teil des Formulars (vgl. Rev. 13–16.21–24), der den Befund der Leberschau beim Opferschaf in Form von Ome zeilen mitteilt, ist der sonderbarste von allen. Schon äußerlich fällt an den Tontafeln auf, daß die Omenzeilen einen neuen Schrifttypu haben, also von anderer Hand als der Rest der Tafel geschrieben sind.[49] Diese Erscheinung ist allerdings noch recht leicht zu erkläre Sie hat ihren Grund darin, daß die Tafel mit dem Wortlaut der Anfrage selbstverständlich vor Beginn der Opferhandlung fertiggestellt sein mußte, der Befund der Opferschau aber zweckmäßigerweise nicht auf einer separaten Tafel, sondern auf derjenigen mit der Anfrage festgehalten werden sollte. Deshalb wurde bei ihrer Niederschrift das letzte Stück der Tafel freigelassen, auf das während der Leberschau der bārû-Priester oder sein Gehilfe sogleich den omenrelevanten Befund notieren konnte. Daraus resultiert also der abweichende Schrifttypus.[50]

Schwieriger zu erklären ist hingegen die spezifische Form der Omen zeilen. Sie sind durchweg unvollständig, insofern sie jeweils nur den Befund der Leberschau, nicht aber dessen Deutung mitteilen. Man könnte an dieser Stelle einwenden, daß auf den Tafeln mit Orakelanfragen nur die Notierung des Opferschaubefundes vorgesehen war nicht aber dessen Deutung, die vielleicht von anderen Experten vorgenommen wurde. Gegen diese Erklärung spricht jedoch die Beob-

48 Die erneute Aufforderung an Šamaš zum Orakelbescheid kann manchmal a zwischen den Omina (wie etwa in AGS 1) oder nach diesen stehen (vgl. *Knudtzon*, AGS S. 46–48; zur längeren und kürzeren Schlußformel vgl. *Klauber*, PR S. XXIII).
Die Mittelstellung der Schlußformel ist sicherlich dadurch entstanden, daß sie ursprünglich als Abschluß des ganzen Textes gedacht war, aber der freigelasser Zwischenraum für die Notierung des Opferschaubefundes nicht ausreichte, so daß der bārû-Priester sich gezwungen sah, mit seinen Ergebnissen auch noch nach der Schlußformel fortzufahren. Derartige Schwierigkeiten haben wahrscheinlich die Entwicklung veranlaßt, die Schlußformel von ihrer ursprüngliche Endposition direkt hinter die Wiederholung der Anfrage zu versetzen, um dadurch einen besser disponiblen Raum für den Opferschaubefund zu gewinnen. In einigen Fällen fehlen die Omina ganz. Vermutlich sind sie auf separaten Tafeln notiert worden.

49 Z.B. auf der Kopie von *Knudtzon*, AGS 1 kann man leicht erkennen, daß die Zeilen Rev. 13–16.21–24 mit kleineren, gedrängter stehenden Zeichen gefüllt sind, als es im Kontext der Fall ist.

50 Vgl. *Aro*, CRRA 14 S. 110.

achtung, daß die Mitteilung des Opferschaubefundes in der charakteristischen Form der Protasis der Omina geschieht, die die Folge einer Apodosis zwingend verlangt. Aus AGS 1 seien folgende Beispiele für diese eigentümlichen Omenzeilen genannt:

13) šumma(BAD) ele-nu rēš(SAG) manzāzi(NA)
Wenn oberhalb der Spitze des "Standortes"

ubānu(U) nadi(ŠUB) padānu(GÎR) danānu(KAL)
ein "Finger" liegt; (wenn) "Pfad", Verstärkung

šulmu(SILIM)
(und) Blase (vorhanden sind??);

...

14) šumma(BAD) ubān(U) ḫašî(MUR) qablītum(MURUB₄-tum)
Wenn der untere Teil des mittleren Lungenfingers

išid(SUḪUŠ)-sà uš-šur kaskasu(GAG.ZAG.GA) e-bi
locker ist; (wenn) der Schwertfortsatz des Brustbeins dick ist;

ŠÀ.[NIGIN(tīrānū) . .]x šumēlu/i tariṣ(LAL-iṣ)
(wenn) die Darm[windungen...] nach links ausgestreckt ist;

maḫrītum(IGI-tum)
erste Untersuchung

...

Nicht die von *Klauber* unternommene Kombination dieser unvollständigen Omenzeilen mit den sog. Leberschauberichten[51] erhellt die eigenartige Form, sondern *Aros* Deutung, die dem damaligen Stand der Omenwissenschaft Rechnung trägt. Für die Experten der Omen-

---

51 Leberschauberichte (ca. 40 Texte von *Klauber,* PRT 102–140 publiziert; zur Charakterisierung vgl. ebd. S. XXIII–XXV; *Aro,* CRRA 14 S. 110f.) sind Mitteilungen an den ass. Hof, die in ihrem ersten, ziemlich umfangreichen Teil Omenzeilen enthalten, teils – wie in den Anfragen – nur unter Angabe der Protasis, teils aber auch unter Hinzufügung der Apodosis. Nach der zumeist ausdrücklichen Feststellung der Summe der ungünstigen Omina wird der Anlaß der Opferschau genannt – in den erhaltenen Texten vor allem Ereignisse in Verbindung mit der Revolte Šamaššumukīns gegen Asb – und aufgrund der Omina die göttliche Entscheidung für die jeweilige Situation angegeben. Der Urteilsspruch besteht in der lapidaren Alternative „günstig" (ṭābu) – „ungünstig" (ul ṭāb/laptat). Die Berichte schließen mit einer genauen Datierung und der Anführung der Personen, die die Leberschau vollzogen haben.

deutung reichte nämlich die Anführung der kanonischen Omenprotasis aus, um die jeweils zugehörige kanonische Apodosis in Erinnerung zu rufen oder sie doch zumindest auf den entsprechenden Tafeln nachschauen zu können und dadurch das in der Opferschau bestimmte Orakel zu erhalten. Orakelanfragen und die oben genannte Leberschauberichte dienen gleichermaßen als Vorlage für diesen Vorgang, entstammen nur mit ihrer unterschiedlichen Form zwei verschiedenen Schulen von Divinationsexperten.[52] Die kanonische Omendeutung mit ihrer zumeist vagen Prognose wurde dann auf die jeweilige Anfrage appliziert, wodurch eine höchst exakte Ermittlung zukünftiger Ereignisse zustandekam.

In den Leberschauberichten, vor allem aber in den Orakelanfragen hat sich in einer meisterhaft ausgedachten Form die Intention artikuliert, die göttliche Entscheidung über die Zukunft mit größtmöglicher Sicherheit und Eindeutigkeit kennenzulernen. Jeder einzelne Zug des Anfrageformulars ist auf dieses Ziel ausgerichtet: von der Anfrage bei nur einem Gott über die genaue zeitliche und sachliche Fixierung, den sorgfältigen Ausschluß kultischer Inkorrektheiten be

---

Da in den Orakelanfragen niemals die Deutung des Opferschaubefundes mitgeteilt wird, die in beiden Textgruppen zitierten Omenzeilen aber oftmals übereinstimmen, nimmt *Klauber* an, daß es sich bei den Leberschauberichten um Antworten auf Orakelanfragen handelt (vgl. PRT S. XXIV). *Aro* hat gegen die Deutung gewichtige Bedenken vorgetragen (vgl. CRRA 14 S. 115f.). Immerhin ist kein einziger Leberschaubericht erhalten, der als Antwort auf eine uns überlieferte Orakelanfrage gelten kann. Ferner sind manche von *Aro* beobachtete Differenzen in Vokabular und Schreibweise kaum erklärbar, wenn es sich bei den Leberschauberichten um direkte Bezugnahmen auf Orakelanfragen handeln sollte. Über *Aro* hinaus kommt noch ein weiterer Einwand hinzu: Die Leberschauberichte sind eindeutig auf Anfrage an den ass. Hof gesandte Texte. Nur durch ihre Aufbewahrung in Asb.s Bibliothek in Ninive sind sie uns erhalten geblieben. Wären die Orakelanfragen aber an einen anderen Ort geschickt worden, damit dort der Opferschaubefund für die Erstellung der bekannten Bericht hätte ausgewertet werden können, wären uns diese Orakelanfragen gar nicht oder doch nicht so zahlreich erhalten geblieben, weil ihr Weg eben nicht in die Asb-Bibliothek geführt hätte. Auch deshalb können beide Textgruppen nic zusammengehören.

52 Zu der These zweier verschiedener Schulen vgl. *Aro*, CRRA 14 S. 115f.; se weit fortgeschritten war die Schulbildung offensichtlich in der astronomischen Wissenschaft, vgl. *Oppenheim*, Centaurus 14 S. 123f.
Die Tafeln mit den Orakelanfragen sind offensichtlich für einen Opferritus zur Orakeleinholung konzipiert, der in besonders wichtigen Fällen ausgeübt wurde Dagegen scheinen in Analogie zu astronomischen Omenberichten die Leberschauberichte eher aus einem regulären Opferschaukult zu stammen, an den auch Anfragen gerichtet werden konnten – daher die auch in den Berichten zu findenden Frageformen v.a. bei Verben (vgl. *Klauber*, PRT S. XXIV).

der Orakelentscheidung bis hin zur Opferschau selbst, bei der zur Vermeidung des Irrtums nicht selten zwei oder drei Opfertiere untersucht werden.[53] Bei aller Hochschätzung des Orakelwesens zu allen Zeiten in der bab.-ass. Religion hat es doch vor Ash keinen derart radikalen Versuch gegeben, der göttlichen Entscheidung Grenzen zu ziehen und dadurch präzise Zukunftsvorhersagen zu erhalten.

Die unter Ash entwickelte Form der Orakelanfrage, die sich nach unserer Kenntnis nur mit wichtigen Angelegenheiten des Staates und des königlichen Hauses befaßt, wird kaum je über das ass.-bab. Kernland hinaus bekannt gewesen sein. Sie ist jedoch ein Indiz für die hohe religiös-politische Relevanz der auf der Opferschau beruhenden Orakeleinholung im 7. Jh., weshalb die Überlegung erwägenswert ist, ob sich Assyrer nicht in allen Teilen des Großreiches für private und öffentliche Belange der Orakelpraxis bedient haben. Eine der alten Nachrichten des josianischen RB, die die Liquidierung von Pferden und Wagen für die Sonnengottheit (שמש/Šamaš) im Jerusalemer Tempel mitteilt (2Kön 23,11), in Verbindung mit einigen ass. Quellen bestätigt diese Vermutung. Vor allem der Orakeltext KAR 218 ist in diesem Zusammenhang aufschlußreich und muß deshalb, zumal bisher keine brauchbare Bearbeitung existiert, genau besprochen werden.

KAR 218 gehört zur Klasse der sog. Tāmītu-Texte, die zwar nur in jüngeren Abschriften vorliegen, deren Gebrauch aber bereits in altbab. Zeit nachgewiesen werden kann und die zweifellos für das in der Zeit Ash.s konzipierte Orakelformular als Vorbild gedient haben.[54] In den Tāmītu-Texten (tāw/mītu = Orakelanfrage *und* Orakelbescheid) werden die Orakelgötter Šamaš und Adad[55] in den verschiedensten Bereichen des privaten und öffentlichen Lebens um ihr Urteil ersucht, dies aber nicht in für die jeweilige Situation speziell formulierten Anfragen, sondern mit Hilfe von schematisierten Texten. In altbab. Zeit als individuelle Anfragen konzipiert, waren manche

---

53 Darauf bezieht sich im oben zitierten Text *Knudtzon,* AGS 1 Rev. 14 maḫrītum „erste (Untersuchung)", der noch die Opferschau bei zwei weiteren Tieren folgt: Rev. 16 piqittu „(weitere) Untersuchung" vgl. AHw S. 865a; Rev. 24 šalulti „dritte (Untersuchung)".

54 Zur Charakterisierung der Tāmītu-Texte vgl. *Klauber,* PRT S. XXVf.; *Nougayrol,* RA 38 S. 74f.; *Aro,* CRRA 14 S. 111f.; v.a. *Lambert,* CRRA 14 S. 119–123, von dem auch eine Bearbeitung der Texte zu erwarten ist. Eine Zusammenstellung der bisher publizierten Tāmītu-Texte ist bei *Borger,* HKL III S. 97f. zu finden.

55 Die oben S. 236 zitierte Anrede der beiden Götter ist die typische Einleitungsformel der Tāmītu-Texte.

von ihnen zum exemplarischen Gebrauch geeignet und sind deshalb zu Formularen stilisiert worden, die auf viele Kultteilnehmer applizierbar waren.[56] In dieser Gestalt sind sie bis ins 7. Jh. hinein verwendet worden.

Die Datierung des Tāmītu-Formulars KAR 218[57], das wie alle Exemplare der Gattung in bab. Sprache verfaßt ist (Schrift: ass.), kann nicht exakt vorgenommen werden. Da der Text in Assur gefunden worden ist, muß er einige Zeit vor dem Ende der Stadt (614) in Gebrauch genommen worden sein. Wie lang aber die vorausliegende bab. und auch ass. Überlieferungsgeschichte des Textes gewesen ist, läßt sich nicht einmal mehr andeutungsweise sagen.[58] Der Text lautet folgendermaßen[59]:

Obv.1) [x?] ᵈŠamaš(UTU) bēl(EN) di-nim
Šamaš, Herr, der Entscheidung,
ᵈAdad(IŠKUR) bēl(EN) [bīri]
Adad, Herr [der Opferschau!]

2) imēru(ANŠE) ḫaṭ-ṭu ša(!?) šarat(SÎK)-su
Der schnelle(?) "Esel"[60], dessen Haar
u zap-[pa-šú]
und Bo[rste]

---

[56] Vgl. *Lambert*, CRRA 14 S. 120f.; zu den in den Tāmītu-Texten überlieferten Antworten vgl. ebd. S. 121–123.

[57] Obwohl der Text selbst die Klassifizierung als tāmītu nicht (mehr) enthält, ist die Zuweisung zu dieser Gruppe seit langem erkannt worden: *Nougayrol*, RA 38 S. 74; *Borger*, HKL I S. 101; CAD L S. 40b.

[58] Vgl. die nur zum Teil überzeugenden Datierungskriterien bei *Albright / Dumont*, JAOS 54 S. 117f.; Marduk hat lange vor den Sargoniden eine Cella im Aššur-Tempel gehabt (vgl. etwa *Ebeling*, SVAT S. 21,23 und die z.St. genannt Literatur; ferner *Landsberger*, BBEA S. 66 A. 127).

[59] Übersetzung: AOT S. 323 (*Ebeling*); Umschrift und Übersetzung nebst kurzer Kommentierung: *Albright / Dumont*, JAOS 54 S. 113–118; Vorder- und Rückseite der Kopie in KAR müssen vertauscht werden (vgl. AOT S. 323 A. a). Die hier vorgelegte Neubearbeitung hat provisorischen Charakter und will in keiner Weise der von *Lambert* zu erwartenden vorgreifen. Herrn Prof. *Borger* danke ich für hilfreiche Unterstützung bei der Arbeit an diesem Text.

[60] Obv. 2 gebraucht den bisher nicht weiter belegbaren Ausdruck imēru ḫaṭṭu, während im weiteren Text das geläufige Wort sīsû (Obv. 10; Rev. 10) verwendet wird. Wenngleich der Ausdruck in Obv. 2 nicht recht verständlich ist (ḫaṭṭ ungewöhnliche Nebenform von ḫamṭu „schnell"?; in AHw und CAD s.v. ḫamṭ nicht gebucht), dürfte in jedem Fall auch mit ihm das später sīsû genannte Tier gemeint sein.

3) ina qātē(ŠU.II)-ia$_5$ na-šá-ku-ma ina pūt(SAG.
ich in meinen Händen halte und womit ich die

KI) immeri(UDU.NÎTA) a[l(?)-p]u(??)-tú
Stirn des Opferschafes [berührt] habe[61],

4) a-na ṣa-mad ^{giš}narkabti(GIGIR) ša(!?) bēli(EN)
ist er zum Anspannen an den Wagen des großen

rabî(GAL) ^{d}Marduk(AMAR.UTU) a-šib Sag-gíl
Herrn Marduk, der Esangila bewohnt,

5) a-na bēli(EN) rabî(GAL-i) ^{d}Marduk(AMAR.UTU)
für den großen Herrn Marduk,

a-šib S[ag-gí]l qa-bi-i
der E[sangi]la bewohnt, berufen?

6) a-si-ma a-si-ma n[u(?)-s]u(?)-uq-ma
Ist er genehm? Ist er genehm?
Ist er au[ser]wählt(?)?

7) eli(UGU) bēli(EN) rabî(GAL-i) ^{d}Marduk(AMAR.UTU)
Ist er dem großen Herrn Marduk,

a-šib [AN(?)]-^{o}e(šamê) ṭa-bi-i
der [den Himmel(?)] bewohnt, angenehm?

8) eli(UGU) ^{d}Šamaš(UTU) u ^{d}Adad(IŠKUR)
Ist er Šamaš und Adad,

ilū(DINGIR)-ti-ku-nu GA[L-t]i(rabīti) ṭa-bi-i
eurer gr[oß]en Gottheit, angenehm?

9) ^{d}Šamaš(UTU) u ^{d}Adad(IŠKUR) ki-a-am
Šamaš und Adad (haben geantwortet:
Es geschehe) so![62]

10) a[t(?)-ta(?) ANŠE].KUR.RA(sīsû)
D[u Pfe]rd,

---

61 Die Zeichenspuren am Ende von Obv. 3 bedürfen der Kollation, weshalb die Lesung sehr unsicher ist. Auch die Ergänzung T[A]G-tú ist möglich.
Die in Obv. 2f. beschriebene Handlung ist jedenfalls klar: nicht das Pferd selbst wird bei der Orakelhandlung vorgeführt, sondern ein Büschel seiner Haare verbürgt stellvertretend seine Präsenz (vgl. *Lambert,* CRRA 14 S. 120f.; ein weiterer vergleichbarer Beleg: *Caplice,* OrNS 36 S. 10,2'ff.).

62 Vgl. zu dieser Deutung der Formel *Lambert,* CRRA 14 S. 123; weitere Belege: CAD K S. 328a.

bi-nu-ut šadê(KUR.MEŠ) [x]
Geschöpf der Berge[63],...

U.R.) x x

Rev.1) [x ^{d}]TIR.AN.NA(Manzât) [x

2) [t]a(?) a[ḫ(?) x(?)]tu(?) ma AŠ[

3) ta-ta-nak-ka-la ú[r-qītu(?)
Du (fr)ißt ständig G[rün(?)]

4) mê(A.MEŠ) kup-pi tal-ta-na-[a]t-ti ša x x x x x
Quellwasser trinkst du ständig...

5) šar-ka-ta-ma a-na ^{giš}narkabti(GIGIR) bēli(EN)
Du bist übergeben für den Wagen des großen

rabî(GAL-i) ^{d}Marduk(AMAR.UTU)
Herrn Marduk.

6) ki ili(DINGIR) ma-na-ta
Wie ein Gott bist du gerechnet

a-na ṣa-ma-di u pa-ṭa-[r]i
zum Binden und Lösen.[64]

7) ša annanna(NENNI) bēl(EN) šarti(SÍK) sissikti
Über NN, diesen Besitzer von Haar (und) Ge-

(TÚG.SÍK) an-ni-i šakkanakkī(GÌR.ARAD)-šú
wandsaum[65], den Statthalter,

---

63 Das Epitheton „Geschöpf der Berge" ist aus dem Sumerogramm ANŠE.KU RA heraus entwickelt worden. Man kann zu diesem Epitheton *Lambert*, FS B S. 277,1 vergleichen, wo Marduks Gotteswagen bi-nu-ut ^{d}E[n-líl ... „Geschöp Enlils" genannt wird.
Der Anfang von Obv. 10 ist nach *Lambert*, CRRA 14 S. 122 ergänzt; Kollati notwendig.

64 Das Zeichen KI am Anfang von Rev. 6 kann nicht itti „mit" gelesen werde da dann das zugehörige Substantiv hätte pluralisch sein müssen (vgl. CAD K s manû 6a).
Die Zusammenstellung „binden und lösen" läßt sich sonst nicht belegen. Ihre Bedeutung ist schwerlich exakt zu bestimmen. Während die Konnotationen vo ṣamādu ausschließlich im profanen Bereich liegen (vgl. AHw und CAD s.v. ṣamādu), erstreckt sich das Bedeutungsfeld von paṭāru auch auf den kultische Bereich (vgl. AHw s.v. paṭāru 8 und 9).

65 Haar und Gewandsaum haben hier dieselbe Funktion wie das Stellvertretur symbol in Obv. 2f.; vgl. *Lambert*, CRRA 14 S. 120f.

8) qí-bi da-me-eq-ta-šú epuš(DÙ-uš) a-bu-us-su
über ihn sprich Gutes, tritt für ihn ein![66]

9) KÌD.KÌD.BI ina ^{gi}takkussi(SAG.KUD) qanî(GI)
Der dazugehörige Ritus: Mit einem Halm aus

ṭābi(DÙG.GA) šipta(ÉN) šalāšī(3)-šú
Süßrohr sollst du die Beschwörung dreimal

10) ana libbi(ŠÀ) uzun(GEŠTU.II) sīsî(ANŠE.KUR.RA)
in das linke Ohr des Pferdes

ša šumēli(2,30) tu-laḫ-ḫaš
flüstern.[67]

11) [m]uḫ-ḫu-ru kīma(GIM) ilāni(DINGIR.MEŠ)
Ein Opfer wie den Göttern

ina pānī(IGI)-šú tu-šam-ḫar
sollst du vor ihm darbringen.

Der Text berichtet über die Anfrage, wohl vorgetragen durch einen bārû-Priester, bei den Orakelgöttern wegen der Übereignung eines wahrscheinlich kostbaren Pferdes als Zugtier für den (Prozessions-) Wagen des Marduk. Der Stifter des Pferdes gehört zum Kreis der šakkanakkī, hochgestellter Funktionäre, die offensichtlich zu solchen Stiftungen verpflichtet waren, da sonst die Existenz eines Formulars für diesen Vorgang nicht erklärbar wäre. Mit der Übereignung ist die Opferung eines Schafes verbunden, hier aber nicht zum Zweck der Divination wie in den Orakelanfragen, da der positive Orakelbescheid durch das Formular bereits feststeht. Bei den Formularen ohne festgelegte Antwort wird man sie aber wohl durch die Extispizin ermittelt haben.

---

66 Vgl. AHw S. 6a; CAD A/I S. 50f.

67 Für weitere Belege vgl. AHw S. 528a; CAD L S. 40f.; die dort zitierten Ritualanweisungen sind nur bedingt vergleichbar. *Thureau–Dangin*, RAcc S. 12, 9–12; 20,10–13; 24 Rev. 8f.; 26,17f.26: innerhalb der Opfervorbereitungen für ein schwarzes Rind (vgl. S. 10,2), wofür ein kalû-Priester zuständig ist. *Zimmern*, BBR 38,10–18: Aufgrund neuen Materials (vgl. *Borger*, HKL II S. 328) könnte dieser Beleg interessant sein, da hier irgendein Wesen oder Objekt in den Kreis der Götter aufgenommen wird. Doch muß zu näherem Studium die Neubearbeitung von mīs pî durch *Walker* abgewartet werden. Wenig ertragreich aufgrund des fragmentarischen Erhaltungszustandes: *Falkenstein*, LKU 51,31; *Pinches*, IVR² S. 5 zu Pl. 21: 81–2–4,282 Rev. 8; *Thompson*, AMT 34/2,2 (vgl. *Borger*, HKL II S. 281).

Am bemerkenswertesten ist die Stellung, die das Pferd durch die Aufnahme in den Kreis um Marduk gewinnt: Es nimmt die Position einer (vermutlich niederen) Gottheit ein, der Opfer zustehen und di· für ihren Stifter fürbittend bei den großen Göttern eintreten kann (Rev. 6ff.). Solche Pferde, vor allem weiße Tiere[68], die für die Wage

[68] Vgl. *Weidner*, BiOr 9 S. 157–159.
Während ein König der mittelass. Zeit, Aššur-uballiṭ I. (1365/62–1330/27), unter anderem noch weiße Pferde an den damaligen ägypt. Pharao als Geschenk sendet (vgl. *Knudtzon*, EA 16 Obv. 9f. und dazu CAD Ṣ S. 91b) und sie auch einige Zeit früher in den „Pferdetexten" aus Nuzi ohne jegliche Besonderung neben anderen Pferdearten aufgeführt werden (vgl. die Belege im AHw s.v. peṣû I2b), begegnen solche Tiere bald darauf als gottähnliche Wesen im Aššur-Tempel. KAV 78 (Rev. 31 = *Ebeling*, SVAT S. 21,31), eine Urkunde über Wiedergutmachungsleistungen an den Aššur-Tempel wahrscheinlich von Slm II. (1031/30–1020/19; Kopie: neuass.; vgl. *Ebeling*, SVAT S. 20), nennt weiße Pferde, denen hier ein bestimmtes Maß von einer im Kult gebräuchlichen aromatischen Flüssigkeit zugeteilt wird, unter niederen Gottheiten (vgl. in diesem Zusammenhang auch KAR 91 nach *Weidner*, BiOr 9 S. 158 A. 5 und *Ebeling*, OrNS 22 S. 28,20f.). Vielleicht weist auf die gottähnliche Stellung solcher Pferde auch das Emblem eines Pferdekopfes auf einem kudurru aus der Zeit Nbk.s I. (1124–1103) hin, so daß die bisherigen Zuordnungsversuche des Zeichens zu einer anderen Gottheit zwangsläufig ergebnislos bleiben mußten (vgl. *King*, BBS S. 30f. Pl. LXXXIII.XC; *van Buren*, Symbols S. 39).
Der Brief ABL 268 (= *Pfeiffer*, SLA 253; Übersetzung: *Oppenheim*, LFM 94; vgl. *Cogan*, Imperialism S. 56) aus der Zeit Asb.s berichtet die Schenkung dreier weißer Pferde an die Ištar von Uruk.
In einer stattlichen Anzahl neuass. Rechtsurkunden dienen weiße Pferde und ḫa/urbakk/qqannu-Pferde (vgl. *Fales*, Assur 1/3 S. 13) bei der Schließung von Kaufverträgen als „Sanktionsmaterie" (vgl. *Blome*, Opfermaterie S. 118–120), die im Falle des Vertragsbruches an ass. Tempel übergeben werden muß.
Weiße Pferde als Gabe an Aššur (und Nergal; Lesung Urigal, gleichgesetzt mit Šamaš, auch nicht ausgeschlossen, vgl. *Borger*, ABZ Suppl. S. 419 zu Nr. 74 und S. 427 zu Nr. 331) sind in folgenden Urkunden genannt: *Ungnad*, ARU 105,40; 111,12f.; 131,12; 165,20ff.; 167,33f.; 168,17; 173,23ff. = *Postgate*, FNAD 5,23ff.; *Ungnad*, ARU 175,19f.; 177,7ff.; 178,13; *Johns*, AJSL 42 S. 175 Nr. 1155,14'; S. 232 Nr. 1185, 36f.; *Wiseman*, Iraq 12 S. 187 ND 203 Rev. 1 = *Postgate*, GPA 15,27; *Wiseman*, Iraq 12 S. 191 ND 234 = *Postgate*, GPA 52,2'; *Wiseman*, Iraq 13 Pl. XVI ND 496 Z. 21f., vgl. S. 117 = *Postgate*, GPA 17,21f. = ders., FNAD 1,21f.; ders., GPA 53,3'ff.; 55,11; ders., FNAD 9,17ff.; 17,17; eine Reihe von Belegen aus unveröffentlichten Assur-Texten kommt hinzu (vgl. *Weidner*, BiOr 9 S. 158 A. 14); als Gabe an Sîn in Ḫarrān: *Ungnad*, ARU 166,16; 553,13f.; *Johns*, AJSL 42 S. 186 Nr. 1166 Rev. 4'f. (vgl. ferner *Postgate*, GPA 6,17; 20,20f.; 61,5' und *Weidner*, BiOr 9 S. 158 A. 15).
Urkunden aus der Zeit Adn.s III. setzen für die weißen Pferde des Aššur-Tempels Futterrationen fest: *Postgate*, NRGD 42–44,14. Will man nicht gegen alle Evidenz für Juda einen von der Umwelt abweichenden Brauch postulieren, fällt damit im Blick auf 2Kön 23,11 die These von den „Pferdestandbildern"

von Göttern als Zugtiere dienten, sind auch von anderen ass. Tempeln her bekannt. Jeder ass.-bab. Gott, der an bestimmten regelmäßigen Prozessionen teilnahm, wird in seinem Tempel über solche Tiere verfügt haben[69], und wie 2Kön 23,11 zeigt, ist die kultische Verwendung von Pferden keineswegs auf das Kernland des Großreiches beschränkt gewesen.

Daß in ass. Texten keine Stiftung von Pferden an Šamaš überliefert ist, wie sie der josianische RB bezeugt, wird man auf den Zufall der Textfunde zurückführen dürfen. Denn die Übereignung der Tiere gerade an Šamaš steht sowohl in guter Übereinstimmung mit seiner im 7. Jh. gewachsenen Bedeutung als Orakelgottheit (s. Orakelanfragen[70]) als auch mit der Tatsache, daß in der Ikonographie das der Sonnengottheit zugeordnete Tier das Pferd ist.[71] Überall wo Assyrer

---

im Jerusalemer Tempel (erwogen von *Blome*, Opfermaterie S. 118, von *Weidner*, BiOr 9 S. 159 für wahrscheinlich gehalten, von *H.-D. Hoffmann*, Reform S. 234 undiskutiert vorausgesetzt) in sich zusammen (vgl. auch *Weinfeld*, UF 4 S. 151). In bezug auf die neuass. Urkunden kann durch die oben genannten NRGD-Texte, aber v.a. auch durch KAR 218, die These als erledigt gelten, die weißen Pferde seien als Opfermaterie gebraucht worden (vgl. *Ungnads* Rubrizierung der Texte ARU 165–178 unter dem Stichwort „Pferdeopfer").
Neben diesen kultischen und rechtlichen Funktionen weißer Pferde gelten gewisse Bestandteile von ihnen als besonders wirksame Mittel im Bereich des Rituals: ihre Borsten für medizinische Zwecke (vgl. *Thompson*, AMT 99,3 Rev. 9), ihr Blut als Ingredienz bestimmter apotropäischer Substanzen im Namburbi-Ritual (vgl. *Caplice*, OrNS 39 S. 120,54f.).

69 Dafür ist der Brief ABL 65 (= *Pfeiffer*, SLA 217; *Postgate*, Sumer 30 S. 57f.69f.; Übersetzung: *Oppenheim*, LFM 113) sehr instruktiv. Er handelt von einem Fest des Gottes Nabû, mit dem auch eine Prozession verbunden ist. Pferd(e) und Wagen des Gottes werden hier mit einem etwas weniger geläufigen Terminus benannt: urû ša ilāni „Göttergespann" (Obv. 20). Der „Wagenlenker der Götter" (mukīl appāti ša ilāni, Obv. 21; Rev. 1) wird als verantwortlich für Heraus- und Rückführung der Götterstatue bezeichnet (weitere Belege für den mukīl appāti bei Kulthandlungen in CAD A/II S. 182b).

70 Charakteristischerweise gibt es Tāmītu-Texte, die sich im 7. Jh. dem Einfluß der Orakelanfragen und damit der gewachsenen Bedeutung der Sonnengottheit nicht haben entziehen können. So ist ein Tāmītu-Text erhalten, der zwar in der Einleitungsformel noch nach Art der Gattung beide Orakelgötter anruft, sich darauf aber nur noch an Šamaš wendet (vgl. *Lambert*, CRRA 14 S. 120).

71 Diese Zuordnung ist durch die Darstellung von Šamaš in der Götterprozession auf den Felsreliefs von Malatya gesichert (vgl. *Bachmann*, Felsreliefs S. 25 Tf. 26.28.30f.; ferner *van Buren*, Symbols S. 39; *Seidl*, RLA III S. 487). Vielleicht darf man die von *Kenyon* in Jerusalem gefundenen Pferdemodelle mit einer (Sonnen-)Scheibe auf der Stirn (Datierung: um 700) als weitere ikonographische Evidenz für diese Zuordnung betrachten (vgl. FS Glueck S. 244–246). Die in Megiddo gefundenen Wagen(rad)modelle (vgl. *May*, Remains S. 23–25) sind in dieser Hinsicht unspezifisch.

in ihrem Großreich lebten, wird neben dem Gebet die Orakeleinholung bei Šamaš eine der kultischen Praktiken gewesen sein, die zu den konstitutiven Elementen der Frömmigkeit jedes Assyrers gehört und die angemessen nur im Rahmen bestimmter kultischer Einrichtungen vollzogen werden konnte. Vielleicht haben die im RB erwähnten Pferde eine interzessorische Aufgabe bei Šamaš wahrgenommen, wie sie in dem Tāmītu-Text KAR 218 dokumentiert ist.

In diesem Zusammenhang muß auch noch die Funktion der anderen in 2Kön 23,11 erwähnten Gattung kultischer Requisiten, der מרכבות השמש[72], zu klären versucht werden.

Daß Götter über Wagen verfügen, auf denen ihre Statuen bei Prozessionen umhergefahren werden, ist ein im alten Orient weit verbreiteter Brauch. Darüberhinaus gehört das Reiten oder das Wagenfahren zu den wichtigen Eigenschaften mancher Gottheiten, wie etwa der wohl primär aus dem syrisch-palästinischen Raum in der ägypt. Religion übernommenen Astarte, die als reitende Göttin, als „Herrin des Pferdegespannes" ins ägypt. Pantheon eingegangen ist. Der Name der aram. Gottheit Rākib-el spricht für sich, und Emblem des aram. Baal-Ṣemed (= Rašap) scheint das Wagenjoch gewesen zu sein.[73]

Aus dem bab.-ass. Bereich ist die schon mit 2Kön 23,11 besser harmonierende Vorstellung überliefert, daß Šamaš jeden Tag auf einem von Maultieren gezogenen und von seinem Wesir (sukkallu) Bunene gelenkten Wagen am Himmel entlangfährt[74], ohne daß sich jedoch daraus eine bestimmte religiöse Schätzung dieses Gefährts ableiten läßt.

Mag zunächst überhaupt die Existenz von (Streit-)Wagen im Tempel verwunderlich erscheinen, lassen sich dafür doch Analogien im ass. religiös-kultischen Leben finden, die die Funktion der auch in Juda im Zusammenhang mit den מרכבות geübten kultischen Praxis erhellen können. Auf neuass. Reliefs v.a. der Sargonidenzeit sind zuweilen ass. Kriegslager dargestellt, die fast regelmäßig neben den üblichen Motiven des Lagerlebens (Kochen, Essen, Pflege der Tiere und der Rüstung etc.) auch einen Teil des Lagers für Opferhandlungen reserviert zeigen. Als Opfergeräte sind zumeist abgebildet ein Opfertisch, ein Räucherständer und neben ihnen bemerkenswerterweise zwei Standarten. Die Standarten, deren Abzeichen an der Spitze auf

---

72 Gegen LXX ist an dem Plural מרכבות festzuhalten. Ob LXX an die aus dem griechischen Kulturkreis bekannten Darstellungen von Zeus-Helios in einem Pferdegespann (Singular!) gedacht hat?

73 Zur reitenden Astarte vgl. *Leclant*, Syria 37 S. 1ff.; unterschiedlich akzentuierte Herleitungen der „Astarté à Cheval": *Stadelmann*, Gottheiten S. 96ff.; *Helck*, Beziehungen² S. 458ff.; *M. Weippert*, OrNS 44 S. 12ff; zum Emblem des Wagenjoches vgl. *Barnett*, CRRA 11 S. 69ff.

74 Vgl. *Meissner*, BALit S. 32; *Tallqvist*, AGE S. 277; v.a. *Langdon*, VAB 4 S. 260,33; KAR 246 Obv. 12 (dazu CAD Ṣ S. 90f.).

den großen Reliefs zumeist unausgeführt bleiben, d.h. nur durch eine Scheibe oben am Stab angedeutet sind, können separat in Ständern aufgestellt werden, genauso gut aber auch an zwei Streitwagen befestigt sein.[75] Diese Standarten repräsentieren die Gottheit(en), die den ass. König und sein Heer schützend auf den Feldzügen begleitet (begleiten) und die ihre Herrschaft auch in den eroberten Gebieten anerkannt wissen will (wollen). Dabei sind die Standarten(wagen) nicht selten die einzigen Insignien, die die Präsenz der Gottheit(en) anzeigen.[76]

Schaut man sich die ausgeführten Darstellungen von Standarten an, so kann kein Zweifel bestehen, daß sie in den meisten Fällen mit ihren Symbolen auf den Gott Aššur hinweisen wollen, der auch in den ass. Kriegsdarstellungen – wie auch nicht anders zu erwarten – die dominierende Gottheit ist. Bei den ihn symbolisierenden Standartenzeichen sind zunächst zwei Gruppen von Darstellungen zu unterscheiden, die dann später auch miteinander kombiniert wor-

---

[75] Die folgende Liste enthält die mir bekannten Lagerdarstellungen auf ass. Reliefs, die Opfervorrichtungen in der oben geschilderten Weise erhalten:
1. *Barnett / Falkner,* Sculptures Pl. LX (vgl. S. 18f.): Lagerdarstellung (Zeichnung, Original verlorengegangen) Tgl.s III. aus Nimrūd; zwei Standarten, Opfertisch, Räucherständer, zwei Priester und ein Mann, der einen Widder hält.
2. *Botta,* MN II Pl. 146; *Layard,* NR II S. 468; *Cogan,* Imperialism S. 62: Lagerdarstellung Srg.s II. aus Ḫorsābād; zwei Standarten, Opfertisch, Räucherständer, zwei Priester.
3. *Layard,* MNin II Pl. 24; *Paterson,* Palace Pl. 74–76: Lagerdarstellung Snh.s aus Ninive; zwei Priester, Räucherständer, Opfertisch, zwei Kriegswagen mit Standarten (Kriegswagen – jetzt beschädigt – sind in *Layards* Zeichnung noch vollständig erhalten).
4. *Layard,* MNin II Pl. 36; *Paterson,* Palace Pl. 85: Lagerdarstellung Snh.s (unvollständig erhalten) aus Ninive: Opfertisch, Kriegswagen, obere Hälfte lädiert, sonst wären sicherlich Standarten zu erkennen. Der linke Teil des Lagers gehört zu einem anderen, nicht erhaltenen Reliefabschnitt. Ob dadurch der obligatorische Räucherständer verlorengegangen ist?
5. *Paterson,* Palace Pl. 94f. (unten links); *Layard,* NR II S. 469: Lagerdarstellung Snh.s aus Ninive; zwei Kriegswagen, obere Hälfte weggebrochen; auch hier wären sicherlich Standarten zu sehen gewesen.
6. *Layard,* MNin II Pl. 50 (links); *Paterson,* Palace Pl. 38: Lagerdarstellung Snh.s aus Ninive; zwei Priester, Opfertisch, zwei Kriegswagen (mit ähnlichem Erhaltungszustand wie 5.); Inschrift: uš-man-nu ^{Id}Sîn(XXX)-[aḫḫē-erība].

[76] Es sei hier hingewiesen auf die häufige Abbildung von regelmäßig zwei Standartenwagen auf den Balawattoren Slm.s III., die stets dem Königswagen folgen (vgl. *King,* Bronze Reliefs Pl. 7–9.13.16.19.29f.35f.41f.52f.57f. u.ö.). Bei einer Opferszene am Van-See vor dem Felsrelief Slm.s sind außer den schon bekannten Kultrequisiten auch zwei Standarten zu sehen (vgl. *King,* aaO Pl. 1).

den sind.[77] Dabei handelt es sich zum einen in dem für das Standartenzeichen vorgesehenen Ring um die Darstellung eines bogenschießenden Mannes, der auf einem Wildstier steht oder reitet, zum anderen um die wappenähnliche Anordnung zweier Wildstiere, von denen vier gewundene Bänder ausgehen, die Wasserströme darstellen und zusammen mit den Stieren zu einer sehr alten kosmischen Symbolik gehören.[78] Kombiniert sind die beiden Motive in einem sehr kunstvoll ausgeführten Standartenzeichen Srg.s II. aus Ḫorsābād[79], wo zudem deutlich erkennbar der Bogenschütze die ihn als Gott ausweisende Hörnerkrone trägt, die oben durch die geflügelte Sonnenscheibe geschmückt ist. Daraus darf man jedoch nicht den Schluß ziehen, Aššur habe eine originäre Verbindung zur Sonne, sei „probabiliter ... deus quidam solis“[80], weil diese Deutung die Usurpation des Sonnenemblems durch den göttlichen Emporkömmling Aššur verkennt, der ja auch das Symbol des Wildstiers erst dem Gott Adad streitig machen mußte.[81]

Abgesehen von den Standarten ist die Flügelsonne auch sonst in der neuass. Ikonographie häufig Emblem für Aššur, und zwar sowohl mit bildloser Sonnenscheibe als auch mit der Darstellung des Gottes Aššur.[82] Mit dem ass. König

---

77 Zu Entwicklung und Gestalt der altorientalischen Standarten vgl. *Sarre*, Klio 3 S. 333–371 und die wichtigen Ergänzungen von *Schäfer*, Klio 6 S. 393–399; vgl. ferner *Couroyer*, RB 55 S. 395f.; *H. Weippert*, BRL² S. 77–79.

78 Diese Interpretation erfolgt im Anschluß an *van Buren*, Symbols S. 33f. Zur ersten Standartengruppe gehören die Abbildungen bei *Sarre*, Klio 3 S. 340 Fig. 7b.d.e.f, zur zweiten Gruppe Fig. 7a.c.g; seine Interpretation der Symbolik der zweiten Gruppe (vgl. ebd. S. 338–341) ist allerdings kaum richtig. Darstellung der Standarten auf den Nimrūd-Reliefs: *Layard*, MNin I Pl. 14.22.27.

79 *Botta*, MN II Pl. 158; *Sarre*, Klio 3 S. 340 Fig. 7h, zur Interpretation vgl. *van Buren*, Symbols S. 34.

80 *Deimel*, Pantheon Nr. 294 II,10; so auch *Sarre*, Klio 3 S. 341f.

81 Vgl. die differenzierte Darstellung der Stiersymbolik bei *van Buren*, Symbols S. 33–36. Die Usurpation des Stiersymbols durch Aššur von Adad in neuass. Zeit ist kaum zu bestreiten (vgl. auch oben S. 233f. A. 24), da andernfalls die Motivkombination auf dem oben beschriebenen Standartenzeichen Srg.s II. unverständlich bliebe.
Das religionsgeschichtliche Phänomen der Usurpation bestimmter Eigenschaften des einen Gottes durch einen anderen ist von dem der Götteridentifizierung zu unterscheiden, ein Tatbestand, dem *Gressmann*, ZAW 42 S. 323 nicht genügend Rechnung getragen hat.

82 Gegen *Frank*, Bilder S. 16f.26f., der eine strikte Unterscheidung der Embleme von Šamaš und Aššur nach eben diesem Kriterium für möglich hält, und erst recht gegen *Tallqvist*, Gott S. 106–111, der *alle* Formen der Flügelsonne als Symbole für Šamaš deutet (vgl. die Zusammenstellungen des ikonographischen Materials bei *van Buren*, Symbols S. 94–104; *Welten*, Königs-Stempel S. 19–30). Die neuere Forschung hat bisher keinen Fortschritt gebracht. *Unger* (Bell. 29 S. 463–475) hat seine These von der „Wolkensonne“ des Šamaš noch einmal affirmiert (vgl. *van Buren*, Symbols S. 94), und *Seidl* (RLA III S. 485) schweigt sich über das Problem der Zuordnung des Symbols aus.
Ohne die „endless discussions“ (*van Buren*, Symbols S. 94) zu diesem Thema hier fortführen zu wollen, sei darauf hingewiesen, daß es wichtige Anhaltspunkte

kämpfend, schwebt er in der Schlacht über dem Königswagen, begleitet den König natürlich auch im Triumph und ist bei sakralen Handlungen anwesend.[83] Er ist somit auf vielerlei Weise in der Nähe des ass. Königs präsent, wobei die Standarten die Symbolträger waren, durch die er auch den Besiegten augenfällig näherrückte.

Die Dominanz des Gottes Aššur in der neuass. Ikonographie wäre als Resultat einer vielfältigen Emblem-Usurpation unwahrscheinlich, wenn sich nicht überlieferungsgeschichtlich ältere Elemente weiter erhalten hätten. Sie sind etwa in dem Srg-Beleg zu finden, in dem es heißt: dNergal(ÙRI.GAL) dAdad(IŠKUR) ú-rin(!)-gal-li a-li-kut maḫ-ri-ia „Nergal (und) Adad, die Standarten, die vor mir

---

gibt, die für eine Usurpation der Flügelsonne durch Aššur von Šamaš sprechen. So muß z.B. mit *von Luschan* (Sendschirli I S. 19) auf der Ash-Stele aus Sendschirli die Flügelsonne den Gott Aššur bezeichnen, da unter ihr in aller Deutlichkeit des Šamaš-Symbol (erkennbar an den acht gewundenen Strahlenbündeln) abgebildet ist (vgl. *von Luschan*, aaO S. 18; *Bollacher*, Beih. zu VS 1 Tf. 7; auch dem Text der Stele zu entnehmen, vgl. *Borger*, Ash S. 96,1–10; dort folgende Götter genannt: Aššur, Anu, Enlil, Ea, Sîn, Šamaš, Adad, Marduk, Ištar, Siebengötter; Embleme auf der Stele im Uhrzeigersinn: Siebengötter, Anu, Ištar, Sîn, Aššur, Šamaš, Ninurta oder Nergal, Ea, Nabû, Marduk, Adad, Enlil). Auch ist es einigermaßen unwahrscheinlich, daß auf dem schwarzen Obelisken Slm.s III. (*Layard*, MNin I Pl. 53; AOB Nr. 123; ANEP Nr. 355), wo bei den beiden Unterwerfungsszenen von Sua und Jehu die Symbole Ištar-Stern und Flügelsonne zu sehen sind, diese nicht Aššur verkörpern soll. Man denke nur an die Vergleichbarkeit der Position des Emblems zu der mancher Königsdarstellungen (s.u. A. 83).
Die Tatsache, daß Aššur im bab.-ass. Pantheon als Usurpator auftritt, bedingt, daß die Absorption verschiedener religiöser Traditionen eine einheitliche Charakterisierung verhindert hat. So hat Aššur nicht nur auf das Emblem der Flügelsonne Anspruch erhoben, sondern ebenso auf das der Hörnerkrone von dem Gott Enlil (vgl. *van Buren*, Symbols S. 104; besonders eindrucksvoll auf der Zypern-Stele Srg.s II., wo die Zuordnung der Hörnerkrone zu Aššur aufgrund der in der Einleitung aufgezählten Götter eindeutig vorgenommen werden kann, vgl. *Messerschmidt / Ungnad*, VS 1,71, ebd. S. IXf. Obv. der Stele; vorzügliche Zeichnung der Embleme: *Bollacher*, Beih. zu VS 1 Tf. 6).
Welches Emblem auf Stelen und Reliefs den Gott Aššur symbolisiert, ist demnach nur von Fall zu Fall aus der Zusammenstellung mit anderen Emblemen, gegebenenfalls aus einer beigefügten Inschrift zu erschließen.

[83] Emblem über dem Königswagen in der Schlacht: vgl. *Layard*, MNin I Pl. 13; *Moortgat*, Kunst Abb. 267 oben. Wie der König hat der Gott Aššur den Bogen gespannt.
Emblem beim Triumph des Königs: vgl. *Layard*, MNin I Pl. 21; *Moortgat*, Kunst Abb. 252. Wie der König hält der Gott Aššur den Bogen gesenkt.
Emblem bei einer sakralen Handlung des Königs: vgl. *Layard*, MNin I Pl. 25; *Moortgat*, Kunst Abb. 257. Parallel zur Handlung des Königs hält der Gott Aššur die Hände in einem segnenden Gestus; vgl. auch die Kultszene *Layard*, MNin I Pl. 34 A.
Ähnliche Beobachtungen zur Affinität zwischen Gottes- und Königsdarstellung bei *Sarre*, Klio 3 S. 339.

(= Srg) hergehen".[84] Die herkömmliche Verbindung Adads mit den Standarten durch das Emblem des Wildstiers ist schon bekannt. Doch auch ihre Verbindung mit Nergal ist alt; beide können mit demselben Ideogramm ᵈÙRI.GAL geschrieben werden.[85] Im Blick auf 2Kön 23,11 ist noch von besonderem Interesse, daß für ᵈÙRI.GAL eine Gleichsetzung mit Šamaš existiert.[86]

Werden in 2Kön 23,11 auch keine Standarten erwähnt, so ist doch die Verbindung von מרכבות/narkabātu mit einer Gottheit in kultischem Milieu von derart seltener Übereinstimmung, daß sich die Annahme religionsgeschichtlicher Abhängigkeit nahelegt. Ob die Standartenwagen im RB tatsächlich, wie 2Kön 23,11 mitteilt, ein Requisit des Šamaškultes oder nicht doch eher des Aššurkultes sind, muß unentschieden bleiben. Beides ist jedenfalls möglich. Sollten die Standartenwagen ursprünglich mit Aššur in Verbindung gestanden haben[87], wäre die Verwechslung immerhin gut erklärlich, da Šamaš den Judäern aufgrund seiner Bedeutung im kultisch-religiösen Alltag der Assyrer ebensogut bekannt gewesen sein wird wie der Landes- und Reichsgott Aššur. Immerhin ist bereits durch die Nachricht über die Pferde des Sonnengottes hinreichend deutlich geworden, daß die Orakelpraxis und die damit verbundene Opferschau in Juda genauso wie in anderen Teilen des ass. Großreiches ausgeübt worden ist. Auf diese elementare kultische Übung konnte und wollte kein Assyrer verzichten, und dies noch viel weniger in spätass. Zeit, da die ass. Führung von Zukunftsangst geplagt war, ein Symptom, das sicherlich nicht allein auf sie beschränkt geblieben ist. Auch andere kultische Praktiken als Orakel und Extispizin erlebten zum Zweck der Zukunftssicherung in dieser Zeit einen Aufschwung. Daß auch bei ihnen dem Sonnengott eine prominente Rolle zukam, wird im folgenden zu zeigen sein.

---

84 *Thureau–Dangin*, TCL 3,14.

85 Vgl. *Borger*, ABZ Nr. 331; AHw S. 1429f. s.v. urigallu.

86 Vgl. *Deimel*, Pantheon Nr. 1264.

87 An die wertvollen Prozessionswagen der mesopotamischen Götter darf man bei den מרכבות in 2Kön 23,11 wohl nicht denken, da ihr Gebrauch an die Tempel der großen einheimischen Städte gebunden war. Allerdings ist die kultische und mythologische Verherrlichung der Gotteswagen, die die Jt.e hindurch in sum. und akkad. Texten üblich gewesen ist (vgl. zur Auswahl: *Civil*, JAOS 8[…] S. 3ff., dort viele weitere Texte genannt; *Lambert*, FS Böhl S. 275ff.; *Pinches*, JTVI 60 S. 132ff.; *Pinches*, IVR² 12, Übersetzung: *Zimmern*, Neujahrsfest I S. 153ff.; narkabtu zwischen Göttern: *Ungnad*, VS 6,32,13; 213,13; weitere Belege: AHw S. 747b s.v. narkabtu 2), zweifellos der traditionsgeschichtliche Hintergrund für die kultische Verwendung von Standartenwagen.

2. *Himmelsbeobachtung und astronomische Omina*

Die Wissenschaft der Himmelsbeobachtung hat in neuass. Zeit eine bis dahin ungekannte Blüte erlebt. An strikte Regeln gebunden und (normalerweise) ohne Willkür durchgeführt, richtet sie sich nach den in der Antike für die Wissenschaft üblichen Maßstäben, weshalb für sie der Begriff Astrologie vermieden werden sollte.[88] Bestimmte Konstellationen, aber auch meteorologische und seismische Erscheinungen werden aufmerksam überwacht[89] und nach alten, kanonischen Omina auf ihre divinatorische Bedeutung hin ausgelegt. Die maßgebliche Omenserie für die Himmelsbeobachtung mit dem Titel Enuma Anu Enlil ist in ihrer Letztgestalt ein riesiges Werk von siebzig Tafeln gewesen.[90] Schon allein durch diesen Umfang wird der hohe Grad der Differenziertheit der astronomischen Wissenschaft deutlich, ihr enormer Einfluß auf Politik und Alltag der Assyrer im 7. Jh. hingegen durch ca. 500 astronomische Berichte an den ass. Hof, die noch durch eine Reihe von Briefen ergänzt werden.[91]

Die Experten, die für die Himmelsbeobachtung zuständig sind, bilden von ihrem jeweiligen Wissensgebiet her eine weit weniger homogene Gruppe als die für die Extispizin zuständigen Opferschaupriester (bārû). Der charakteristischste Titel ist aus der Gelehrtenbezeichnung ṭupšarru „Schreiber" heraus gebildet worden: ṭupšar Enuma Anu Enlil „Experte (der Omenserie) Enuma Anu Enlil".[92] Häufig ist dieser Titel aber nicht; vielmehr dominieren allgemeinere Bezeich-

---

88 Vgl. *Oppenheim*, Centaurus 14 S. 97.

89 Vgl. die Zusammenstellung der beobachteten Phänomene bei *Thompson*, RMA S. IXff.; zum Gesamtgebiet der divinatorischen Himmelsbeobachtung vgl. *Nougayrol*, Divination S. 45ff.

90 Vgl. LAS II/A S. 12; zur Entstehungszeit von Enuma Anu Enlil und zu den weit seltener zitierten Omenserien Šumma ālu (terrestrische Omina) und Šumma izbu (Geburtsomina) vgl. *Oppenheim*, Mesopotamia S. 224f.; ders., Centaurus 14 S. 98f. v.a. A. 11–13. S. 125; *von Soden*, Zweisprachigkeit S. 28 A. 33; für die wichtigsten Editionen der genannten Omenserien vgl. LAS II/A S. XIIIf.; *Borger*, HKL III S. 95f.98.

91 Edition der Berichte: *Thompson*, RMA; zu weiteren „reports" und zu Briefen mit astronomischen Berichten vgl. *Oppenheim*, Centaurus 14 S. 127 A. 2; von den genannten Briefen sind die assyrischen von *Parpola*, LAS bearbeitet worden.

92 Vgl. ABL 1096 = LAS 60 Obv. 13; *Parpola*, Iraq 34 S. 22,24 u.ö. (vgl. AHw S. 1396a). Einen charakteristischen Eindruck von der geringen Bedeutung der Himmelsbeobachtung im Verhältnis zur Extispizin vermitteln auch die „Nimrud wine lists" aus der 1. Hälfte des 8. Jh.s (vgl. *Kinnier Wilson*, NWL S. 75f.).

nungen für (Priester-)Gelehrte wie ṭupšarru „Schreiber", āšipu/mašmašu „Beschwörer", ērib-bīti-Priester, kalû „Kultsänger", die zumeist gleichzeitig Experten für terrestrische und Gebortsomina sind.[93] Daraus und aus bestimmten Zügen der Textüberlieferung läßt sich ersehen, daß die Extispizin die ältere divinatorische Tradition ist, der erst im Laufe der Zeit die astronomische Omendeutung zur Seite getreten ist, ohne jedoch erstere entscheidend zurückzudrängen.[94]

Schon lange vor der Sargonidenzeit hat man über das Verhältnis beider divinatorischer Praktiken zueinander nachgedacht mit dem Bestreben, die Identität des Gotteswillens, der sich in beiden Omina kundtut, sicherzustellen. Asb rühmt sich jedenfalls:

šu-ta-bu-la-ku šumma(DIŠ) amūtu(BÂ-tú) ma-aṭ-lat
Ich diskutierte (über den Text der 16. Tafel der Serie Bārûtu) "Wenn die Leber ein Spiegelbild des

šamê(AN) it-ti apkal šamnī(ABGAL.Î.MEŠ) le-'u-u-ti
Himmels ist" mit den kenntnisreichen "Ölweisen".[95]

Die Bevorzugung der Leberschau und der Himmelsbeobachtung in neuass. Zeit läßt sich primär darauf zurückführen, daß beide Praktiken relativ unabhängig von äußeren Beeinträchtigungen sind. Bei den astronomischen Omina kommt jedoch noch hinzu, daß ihr Beobachtungsgegenstand, die Gestirne, als Symbol oder gar Erscheinung der Götter selbst vorgestellt wird. Bezeichnenderweise ist in den astronomischen Berichten über Sîn und Šamaš ein ständiger, planloser Wechsel von Setzung und Fehlen des Gottesdeterminativs festzustellen, während bei den anderen Planeten Gottes- und Sterndeterminativ einander ablösen. Zuweilen können Sonne und Mond einfach „Götter" genannt werden, selbst wenn eindeutig die Gestirne gemeint

---

[93] Zu den prosopographischen Fragen vgl. *Oppenheim*, Centaurus 14 S. 101ff.; LAS II/A S. 26ff.

[94] Gegen *Oppenheim*, Centaurus 14 S. 124f., der die Weiterentwicklung des mit der Extispizin verbundenen Orakelwesens im 7. Jh. nicht gebührend beachtet.

[95] *Streck*, VAB 7 S. 254,15; vgl. *Bauer*, IWA S. 84 A. 3; LAS II/A S. 13 A. 3; CAD A/I S. 28a; CAD M/I S. 428a; weitere zeitgenössische Belege: *Oppenheim*, JNES 33 S. 199,22–24; 199f.,36–40; 200,53–56 (Erläuterung ebd. S. 207f. mit weiteren Stellen); zu Zeugnissen für die Verbindung von Extispizin und Himmelsbeobachtung aus altbab. Zeit vgl. *Oppenheim*, Centaurus 14 S. 132 A. 47; zu apkal šamni vgl. CAD A/II S. 173a; es ist bezeichnend, daß im 7. Jh. ein „Ölweiser" über Leberschau und astronomische Omina Bescheid weiß; die Ölwahrsagung selbst spielte nur noch eine ganz untergeordnete Rolle.

sind.[96] Das schillernde Verhältnis von Identität und Differenz zwischen Göttern und Gestirnen hat eine lange Tradition und ist bereits in Enuma eliš am Anfang der fünften Tafel in mustergültiger Weise formuliert worden:

1) ú-ba-áš-šim man-za-za
   Er (= Marduk) schuf die Standorte

   an ilāni(DINGIR.DINGIR) rabûti(GAL.GAL)
   für die großen Götter,

2) kakkabāni(MUL.MEŠ) tam-šil-šu-n[u]
   die Sterne, ihr Ebenbild,

   lu-ma-ši uš-zi-iz
   stellte er als Sternbilder auf.[97]

Sind die Sterne aber beides, manzāzu = Standort der Götter selbst und tamšīlu = deren Ebenbild, müssen sie Objekte von seltenem divinatorischem Rang sein. Es ist jedoch zu fragen, von welcher Zeit ab sich die Astronomie als unentbehrlich geschätzte Wissenschaft etablieren konnte, wie sie in den von *Thompson* edierten astronomischen Berichten erscheint.[98] Hier läßt sich wieder eine Entwicklung verfolgen, die der von Orakelanfrage und Extispizin vollkommen ähnelt bis auf den einen Unterschied, daß bei der Astronomie die mit Ash einsetzende neue Bewertung noch viel krasser zutage tritt. Datiert die astronomische Wissenschaft auch seit dem 2. Jt.,

---

[96] Vgl. ABL 81 = LAS 74 Obv. 7–10; ABL 359 = LAS 135 U.R. 14. Rev. 1; ABL 908 = LAS 83 Obv. 5–7; *Parpola,* CT 53,45 = LAS 100 Obv. 3′–6′; CT 53,241 = LAS 108 Obv. 11′; *Thompson,* RMA 82 Obv. 4.10 u.ö. Ein weiteres Beispiel: Man kann einen Vertrag ina maḫar(IGI) ilāni(DINGIR. MEŠ) rabûti(GAL.MEŠ) šá šamê(AN-e) erṣetim(KI-tim) „vor den großen Göttern von Himmel (und) Erde" (*Wiseman,* VTE 41f.) beschwören, ebensogut und ohne jeden Bedeutungsunterschied aber auch mūša(GE_6) ... ina maḫar(IGI) kakkabāni(MUL.MEŠ) „in der Nacht ... angesichts der Sterne" (ABL 386 = LAS 1 Rev. 18f.).

[97] *Lambert / Parker,* Ee V,1f.; vgl. *Landsberger / Kinnier Wilson,* JNES 20 S. 156.

[98] Aus den astronomischen Berichten geht hervor, daß es in den wichtigen ass. (Ninive, Arbela, Kalzi, Assur) und v.a. bab. Städten (Kutha, Babylon, Borsippa, Dilbat, Nippur, Uruk) „Akademien" mit astronomischen Experten gegeben hat, die ihre Beobachtungen und Interpretationen an den ass. Hof weiterleiteten (vgl. *Oppenheim,* Centaurus 14 S. 101ff.123f.). Da die Entfernung von Ninive zu den bab. Städten beträchtlich ist – zwischen 300 km (Kutha) und 600 km (Uruk) Fluglinie! –, muß zudem ein gut funktionierender Kurierdienst bestanden haben (vgl. *Thompson,* RMA S. XVII).

gibt es in historischen Quellen der neuass. Zeit vor Ash nur *einen* Beleg für ihren politischen Gebrauch. Er stammt aus dem berühmten Bericht über den 8. Feldzug Srg.s II. und besagt über den Stellenwert der Astronomie im späten 8. Jh. genug. Srg berichtet, der Angriff auf die urartäische Stadt Muṣaṣir sei unternommen worden

317) i-na qí-bi-ti ṣir-te ša ^{d}Nabû(AG)
auf den erhabenen Befehl von Nabû

^{d}Marduk(AMAR.UTU) ša i-na man-za-az
(und) Marduk, die im (Blick auf den) Stand

kakkabāni(MUL.MEŠ) ša šu-ut-bé-e
der Sterne eine zur Erhebung

^{giš}kakkī(TUKUL.MEŠ)-ia iṣ-ba-tu ta-lu-ku
meiner Waffen (günstige) Bahn einschlugen,

318) ù i-da-at dum-qí ša le-qe-e kiš-šu-ti ^{d}Má-gur$_8$
– und (weitere) gute Zeichen für ein Eroberungsunternehmen: Magur,

bēl(EN) a-ge-e a-na šul-pu-ut ^{kur}Gu-ti^{ki}
der Herr der (Hörner-)Krone (= Sîn) blieb länger als eine (Nacht-)Wache verfinstert,

ú-šá-ni-ḫa maṣṣarta(EN.NUN)
um die Niederlage von Guti (anzukündigen) –

319) i-na an-ni šu-qu-ri ša ^{d}Šamaš(UTU) qu-ra-di
auf die wertvolle Zustimmung des Helden Šamaš

ša šīrī(UZU.MEŠ) ti-kil-ti ša a-lak i-di-ia
hin, der zuverlässige Vorzeichen, mir zur Seite

ú-šá-áš-ṭi-ra a-mu-ti
zu gehen, mir in meinem Leberbefund (im Schaf) "aufschreiben" ließ.[99]

Aus dieser Stelle geht hervor, daß bereits zur Zeit Srg.s die Himmelbeobachtung auch im politischen Bereich eine gewisse Bedeutung erlangt hatte, daß astronomische Experten selbst auf einem Feldzug mitgenommen wurden, was vordem allein den Opferschaupriestern

---

[99] *Thureau–Dangin*, TCL 3,317–319; zu der idiomatischen Wendung šūnuḫu maṣṣarta in Z. 318 vgl. CAD A/II S. 104f.; etwas andere Deutung in AHw S. 49a; zu Z. 319 vgl. AHw S. 47a.

zukam.[100] Die hier beobachtete totale Mondfinsternis am 24. 10. 714/3 wird, da von jedem ass. Krieger zu beobachten, tiefe Verunsicherung und Angst erzeugt haben, weil Mondfinsternisse allemal Unheil verheißende Vorzeichen waren, wenn das Unglück auch nicht unbedingt den Assyrern gelten mußte. Das konnten aber nur die Experten für die Himmelsbeobachtung entscheiden. Ob sie nun in diesem Falle sine ira et studio oder unter Berücksichtigung des königlichen Willens geurteilt haben, läßt sich nicht mehr entscheiden. Jedenfalls fällt ihre Interpretation günstig für Assyrien, schlecht für Guti aus, das mit Urartu identifiziert wird.[101]

Daß Srg erst auf das Votum der Astronomen und der nach wie vor konsultierten Opferschaupriester hin den Angriff auf Muṣaṣir gewagt hätte, stimmt nur äußerlich in bezug auf die zeitliche Reihenfolge, nicht im Blick auf den kausalen Zusammenhang. Die für die Urartäer unerwartete Attacke auf die Stadt Muṣaṣir, die ein großer Sieg der Assyrer werden sollte, war eine kluge, aber auch sehr notwendige strategische Operation Srg.s, dem bis dahin auf dem urartäischen Feldzug das Glück nicht hold gewesen war. Die Monfinsternis war für die eigene strategische Planung ein störender Zwischenfall, der neutralisiert oder besser noch zum eigenen Vorteil umgebogen werden mußte, die militärischen Ziele aber keineswegs beeinträchtigen durfte. Auf diesem Hintergrund wird deutlich, welcher Bewußtseinswandel sich später unter Ash vollzogen hat. Bei den noch darzustellenden Auswirkungen, die zwei (totale) Mondfinsternisse im Jahre 671 auf Ash gehabt haben, kann man nahezu mit Sicherheit sagen, daß er keinesfalls bei derartigen Vorzeichen – wie auch immer sie von den Astronomen gedeutet werden mochten – ein kühnes militärisches Unternehmen gewagt hätte.

Noch zu Zeiten Snh.s ist die untergeordnete Stellung der astronomischen Divination nachweislich unverändert. Zwar gibt es bereits eine reguläre astronomische Berichterstattung[102], aber bei einer für

---

100 Vgl. die Belege in CAD B S. 123f. s.v. bārû b1'.

101 Vgl. zum Vorhergehenden *Oppenheim*, JNES 19 S. 137f.; zum Datum der Mondfinsternis vgl. ebd. und *Kudlek / Mickler*, Eclipses S. 146.

102 Man wird das wohl dem Brief ABL 1216 Rev. entnehmen dürfen, der an Ash kurz nach der Ermordung Snh.s gerichtet worden ist (vgl. *Labat*, RA 53 S. 115). Danach soll eine Reihe von Omenexperten – neben den Opferschaupriestern (bārê) werden „Schriftkundige" (ṭupšarrī) genannt, zu welchen gewiß astronomische Experten gehört haben (vgl. Rev. 2) – Mitteilungen an Snh über unheilvolle Omina unterschlagen haben, bis der Betrug eines Tages aufgedeckt wurde. Nach gründlicher Abrechnung hat Snh daraufhin die Übermittlung aller

den Staat wichtigen Angelegenheit wie der Ermittlung der „Sünde Sargons“ werden allein die Opferschaupriester zu Rate gezogen.[103] Bis zum Regierungsantritt Ash.s hat nicht die religiöse, sondern die praktische Funktion der Himmelsbeobachtung für die Zeitrechnung unbestritten im Vordergrund gestanden.[104]

Die unter Ash einsetzende Hochschätzung der astronomischen Divination ist zwar schon durch die große Anzahl astronomischer Briefe und Berichte sichergestellt[105], tritt aber noch viel plastischer vor Augen, wenn man das Quantum der an den König gesandten Beobachtungsergebnisse für gewisse astronomische Ereignisse zusammenstellt.

Ein routinemäßiger Informationsvorgang läuft etwa folgendermaßen ab: Die Gelehrten Balasî und Nabû-aḫḫē-erība benachrichtigen Ash im März 669 über die bevorstehende Konjunktion von Mars und Saturn. Nachdem sie eingetreten ist, erstatten darüber nicht weniger als fünf Gelehrte in ihren astronomischen Berichten Meldung.[106] Nach Auskunft der Omenserien scheint die Konjunktion nicht ganz ungefährlich gewesen zu sein, denn immerhin teilt Nabû-aḫḫē-erība mit:

6) ^{mul}Ṣal-bat-a-nu ^{mul}bibbu(UDU.IDIM)
Mars wird den Planeten

Kajjamānu(SAG.UŠ) i-kaš-šá-ad-ma
Saturn erreichen; und

Omina, ob gut oder schlecht, ausdrücklich angeordnet (vgl. auch LAS II/A S. 47). Die Auswahl der gelehrten Berichterstattung an den König scheint noch wiederholt ein Problem gewesen zu sein: vgl. *Oppenheim,* Centaurus 14 S. 114

103 Srg.s unerwarteter Tod auf dem Schlachtfeld, der eine angemessene Bestattung auf ass. Boden verhinderte, war in jener Zeit nur als Strafe für eine schwere Verfehlung begreiflich. Der Text K 4730 (vgl. *Tadmor,* EI 5 S. 154–157) zeugt von dem Bestreben Snh.s, die Schuld seines Vaters mit Hilfe der Opferschau zu ermitteln (vgl. ebd. S. 154,10; 155,21; 156,3ff.).

104 Zur Bedeutung der Astrolabe für Kalenderrechnung und Zeiteinteilung vgl. *van der Waerden,* Astronomie S. 56–63; zu ihrer in der Serie ^{mul}APIN dokumentierten Präzisierung vgl. ebd. S. 75–90.

105 Es sind auch erst die Königsinschriften Ash.s, die häufiger mit formelhaften Wendungen auf die astronomische Divination Bezug nehmen, vgl. *Borger,* Ash S. 2 I,31–II,11; S. 7 § 4 I–III; S. 14 § 6; S. 17 § 13; S. 18 § 14b; S. 45 II,5; S. 68,15ff.; S. 96,5; in Königsinschriften Asb.s: *Piepkorn,* AS 5 S. 62,1–9; *Streck,* VAB 7 S. 190,7.

106 Der Brief: ABL 79 = LAS 54; die Berichte: *Thompson,* RMA 88; 89; 103; 167; 172; zur Datierung der Dokumente vgl. LAS II/A S. 20*.

7) šumma(DIŠ) ^{mul}bibbu(UDU.IDIM)
wenn der Planet (und)
^{mul}Ṣal-bat-a-nu im-daḫ-ḫar-ú-ma
Mars in Konjunktion treten und
8) iz-zi-zu tīb(ZI) ^{lú}nakri(KÚR)
stehen bleiben, (bedeutet das:)
Erhebung des Feindes.[107]

Der Astronom Šāpiku aus Borsippa hat jedoch die Omenserie Enuma Anu Enlil genauer studiert und weiß Beruhigendes mitzuteilen, indem er noch ein weiteres Kriterium bei der Deutung berücksichtigt. Nachdem er die Konjunktion von Mars und Saturn bestätigt hat, fährt er fort:

7) ^{d}Ṣal-bat-a-[nu kakkabu ša] ^{kur}Subarti(SU.BIR$_4$)^{ki}
Mar[s ist der Stern von] Subartu (= Assyrien);

ba-'i-il
ist er lichtstark

8) ù šá-ru-[r]u na-ši
und hat er Strahlenglanz,

dumqu(SIG$_5$) šá ^{kur}Subarti(SU.BIR$_4$)^{ki} šu-ú
(bedeutet) das: Gutes für Subartu (= Assyrien).

9) ù ^{mul}bibbu(UDU.IDIM) Kajjamānu(SAG.UŠ)
Und der Planet Saturn

kakkabu(MUL) šá ^{kur}Amurri(MAR.TU)
ist der Stern von Amurru;

10) un-nu-ut ù šá-ru-ru-šú ma-aq-tu
ist er lichtschwach und sein Strahlenglanz gering,

11) lumnu(ḪUL) šá ^{kur}Amurri(MAR.TU)^{ki}
(bedeutet das:) Böses für Amurru;

ti-ib māt(KUR) nakri(KÚR)
die Erhebung des Feindeslandes wird

12) i-na ^{kur}Amurri(MAR.TU)^{ki} ib-ba-áš-ši
in Amurru (= Westland) stattfinden.[108]

---

[107] *Thompson,* RMA 103 Rev. 6–8.
[108] Ebd. 167 Rev. 7–12; vgl. *Gössmann,* ŠL IV/2 Nr. 333.

Tatsächlich korrespondiert wenige Tage später Balasî mit Ash über den zu beobachtenden Strahlenglanz von Mars, den der Gelehrte nunmehr zur Grundlage für eine günstige hemerologische Prognose macht.[109]

Nicht immer erlaubt die astronomische Beobachtung eine für den ass. König und sein Land positive divinatorische Deutung. Vor allem Sonnen- und Mondfinsternisse können je nach Art und Verlauf Unheil auch für Assyrien signalisieren. Sehr gefürchtet waren totale Mondfinsternisse, wie die Königskorrespondenz aus dem Jahre 671 eindrücklich zeigt. Nachdem bereits am 2. 7. 671 eine totale Mondfinsternis beobachtet worden war[110], ereignete sich eine weitere ungewöhnlich kurze Zeit später am 27./28. 12. des Jahres. Mindestens sechs Briefe von astronomischen Gelehrten sind uns erhalten, die sich mit Deutung und ritueller Abwehr der Folgen dieses außerordentlichen Ereignisses befassen.[111] Um feststellen zu können, wen das Unheil einer Mondfinsternis betrifft, wird seit alter Zeit die Mondoberfläche in Quadranten eingeteilt, die mit bestimmten Gebieten des vorderen Orients identifiziert werden (von Norden nach Westen im Uhrzeigersinn: Amurru, Akkad = Babylonien, Subartu = Assyrien, Elam; oder: Akkad, Amurru, Elam, Subartu). Bei der divinatorischen Deutung ist nun ausschlaggebend, in welcher Richtung welche Quadranten von der Mondfinsternis betroffen werden.[112]

Im Blick auf die Mondfinsternis vom 27./28. 12. 671 besteht das Verwunderliche, für die Zeit Ash.s im Unterschied zu der Srg.s aber Charakteristische darin, daß mit der Übereinstimmung von immerhin vier Gelehrten, der Verlauf der Finsternis zeige Unheil für Amurru, nicht für Ash und Assyrien an, der Fall keineswegs als divinatorisch geklärt gilt. Zwar teilt der Gelehrte Nabû-aḫḫē-erība dem König mit:

Obv. 8) attalû(AN.MI) issu(TA) ^{im}šadî(KUR.RA)
Die Finsternis zog vom Osten

9) is-sa-aḫ-aṭ
weg (und)

[109] Vgl. ABL 356 = LAS 45; vgl. LAS II/A S. 20*..

[110] Darauf nehmen die Briefe ABL 276 und wohl auch *M. Dietrich*, CT 54,63 (vgl. Obv. 9) Bezug (vgl. ders., WO 4 S. 240f. und LAS II/A S. 19*).

[111] Zu den Daten der Mondfinsternisse vgl. LAS II/A S. 34*ff.; etwas anders *Kudlek / Mickler*, Eclipses S. 146; zu den 6 Briefen vgl. LAS II/A S. 16*.20*: ABL 23 = LAS 185; ABL 137 = *Pfeiffer*, SLA 324; ABL 337 = LAS 278; ABL 407 = LAS 61; ABL 629 = LAS 279; ABL 691 = LAS 40.

[112] Vgl. LAS II/A S. 37*f.

10) ina muḫḫi(UGU) ^{im}amurri(MAR.TU)
legte sich über den gesamten

11) gab-bu ik-ta-ra-ár
Westen (des Mondes).

...

U.R.16) a-na šarri bēlī(EN)-ia
Für den König, meinen Herrn,

17) šùl-mu
(bedeutet es) Heil,

Rev. 1) lum!-nu 2) šá ^{kur}Amurri(MAR.TU)^{ki}
Unheil (aber) für das Westland.[113]

Der Gelehrte Mār-Ištar, eine graue Eminenz am Hofe Ash.s[114], mißtraut jedoch der einhelligen divinatorischen Deutung und macht unter Berücksichtigung einer anderen Quadrantenaufteilung des Mondes auf eine weitere Möglichkeit aufmerksam:

14') ... ^{kur}A-mur-ru-u
Westland (bedeutet)

15') ^{kur}Ḫa-at-tu-u šá-ni-iš ^{kur}Kal-du
Ḫatti-Land (~Syrien), nach einer anderen Deutung (aber) Chaldäa.

16') a-na šarri bēlī(EN)-iá šùl-mu ù a-na
Mit dem König, meinem Herrn, ist (wohl) alles in Ordnung. Aber mit

17') ma-ṣar-ti lu-u la i-ši-ṭu
der Bewachung soll man nicht nachlässig sein![115]

Daß Mār-Ištar hier eine weitere Interpretationsmöglichkeit erwägt, gehört innerhalb der Korrespondenz zu den normalen Vorgängen. Weit heftigere Kontroversen sind unter den Gelehrten an der Tages-

---

113 ABL 407 = LAS 61 Obv. 8ff.; ebenso ABL 137 = *Pfeiffer*, SLA 324 Obv. 8–13; ABL 337 = LAS 278 Rev. 11′–14′; ABL 629 = LAS 279 Obv. 15–17; wohl auch ABL 691 = LAS 40 wegen Obv. 7–9 (vgl. LAS 61 Obv. 12–14).

114 Zur Person und Stellung des Mār-Ištar vgl. *Landsberger*, BBEA S. 38ff. und LAS II/A S. 34–36.

115 ABL 337 = LAS 278 Rev. 14′–17′; vgl. auch die ausführlichere Version in ABL 629 = LAS 279 Obv. 15–Rev. 13.

ordnung gewesen.[116] Vollends ungewöhnlich ist jedoch die große rituelle Reaktion, die Mār-Ištar wegen der allein von ihm befürchteten Gefahr für Chaldäa durchzusetzen verstanden hat: die Inthronisierung eines Ersatzkönigs.[117]

Man muß die verschlungene Kombination des Mār-Ištar nachvollziehen, um einerseits die von ihm für notwendig erachtete rituelle Maßnahme verstehen zu lernen, um dann aber auch der religiösen Hysterie der Zeit ansichtig zu werden. Er geht von der Deutung aus, die auch ihm als die unwahrscheinlichere gilt, daß das Unheil das Land Chaldäa betrifft. Da Ash aber nicht nur König von Assyrien, sondern nach Ausweis seiner Titulatur in Königsinschriften auch šakkanak(GÌR.ARAD) Bābili(KÁ.DINGIR.RA)^{ki} šàr māt(KUR) Šumeri(EME.GI$_7$) u Akkadî(URI)^{ki} „Statthalter von Babylon, König von Sumer und Akkad“[118], man könnte auch sagen: „König von Kaldu“[119] ist, kann das Unheil der Mondfinsternis ihn möglicherweise bedrohen. Eine der vergleichsweise geringen Gefahr entsprechende rituelle Reaktion wäre im Bereich altorientalischer Normalität geblieben. Der aufwendigen Maßnahme des Ersatzkönigsrituals in dieser Situation zuzustimmen, deutet auf eine religiöse Verängstigung und existentielle Verunsicherung des Königs hin, die vor Ash ihresgleichen nicht gehabt hat.

Die mit der zweiten Mondfinsternis des Jahres 671 verbundene gelehrte Aktivität darf nicht dem Eindruck Vorschub leisten, hier sei der König in exzeptioneller Weise in das astronomische Geschäft verwickelt worden. Die oben bereits dargestellte routinemäßige Übermittlung astronomischer Nachrichten an Ash und Asb, die

---

[116] Es versteht sich von selbst, daß da, wo viele Gelehrte in den Himmel schau und zugleich als kompetent für die Auslegung der entsprechenden autoritativen Texte über die Himmelsbeobachtung gelten, es um die divinatorische Eindeutigkeit der Phänomene geschehen ist. Prestige und Mißgunst sind im damaligen Ex getenstreit mindestens ebenso wichtig gewesen wie unvoreingenommenes Erkenntnisstreben (vgl. etwa ABL 37 = LAS 12 Obv. 7–Rev. 7; ABL 565 = LAS 14; ABL 618 = LAS 66; ABL 1132 + 81–2–4,420 = LAS 65; für weitere Bele vgl. *Oppenheim,* Centaurus 14 S. 118ff.; zum Streit unter Opferschauern vgl. d Belege im AHw S. 791b s.v. nipḫu B3). Auch über die vom König gewährte Audienz wachen die Gelehrten voller Neid (vgl. ABL 954 Obv. 11–Rev. 4 und dazu *Oppenheim,* aaO S. 131 A. 38).

[117] S.u. S. 289ff.

[118] *Borger,* Ash S. 11,6f. u.ö., vgl. *Seux,* ER S. 278.303.

[119] Zur Bezeichnung Kaldu für Gesamtbabylonien in neuass. Zeit vgl. *Delitzsch* Paradies S. 200f.; sehr differenziert *Edzard,* RLA V S. 291ff.

sich durch viele weitere Beispiele belegen läßt[120], wird die von beiden Königen der Staatslenkung gewidmete Zeit zu einem erklecklichen Teil beschlagnahmt haben. Die Himmelsbeobachtung war den Königen als „Entscheidungshilfe" im politischen und religiösen Alltag zu wichtig, die Zahl der zuständigen Gelehrten zu groß und der Stand der Wissenschaft zu fortgeschritten[121], als daß sich die astronomische Divination an den Rand der Regierungstätigkeit hätte drängen lassen.

---

120 Neben den vielen astronomischen Berichten in *Thompson*, RMA wären noch folgende Briefe besonders zu erwähnen: ABL 38 = LAS 25; ABL 657 = LAS 120 Obv. 8–15; ABL 679 + 1391 = LAS 300 + 110; ABL 687 = LAS 41; ABL 765; ABL 1069 = LAS 62; ABL 1113 = *Pfeiffer*, SLA 317; ABL 1134 = LAS 109; ABL 1444 = LAS 105; ABL 1449 = LAS 68; *Parpola*, CT 53,8 = LAS 334; CT 53,115 = LAS 43; CT 53,184 Obv. 6f.; CT 53,241 = LAS 108; *Virolleaud*, ACh SS 62 = LAS 289; *M. Dietrich*, CT 54,22 Obv. 3–15 = ders., Aramäer S. 158f.; vgl. insbesondere die Fülle astronomischer Berichterstattung für den März 669: ABL 37 = LAS 12; ABL 79 = LAS 54; ABL 82 + 1396 = LAS 69 + 71; ABL 354 = LAS 46; ABL 365 = LAS 45; ABL 618 = LAS 66; ABL 1132 + 81–2–4,420 = LAS 65; ABL 1383 = LAS 70; *Parpola*, CT 53,945 = LAS 106; *Thompson*, RMA 44 (vgl. LAS II/A S. 17*.20*).

121 Zur Zahl der Gelehrten, die Asb um 650 dienten, vgl. die beeindruckende Aufzählung in ADD 851 = LAS II/A S. 5*f. (45 Gelehrte!); vgl. ebd. S. 2*–5* die Zusammenstellung für die Zeit Ash.s (um 670). Aus der Zeit Srg.s II. oder Snh.s sind fragmentarische Aufzählungen von Gelehrten in zwei Briefen enthalten (vgl. *M. Dietrich*, CT 54,57 und 106; dazu ders., WO 4 S. 95f.),die aber mit einem Dokument wie ADD 851 nicht vergleichbar sind.
Gerade bei der astronomischen Beobachtung und der von ihr abhängigen Omenkunde macht sich die wachsende Bedeutung schriftlicher Autorität bemerkbar. Die Deutung der Himmelserscheinungen nach der maßgeblichen Omenserie Enuma Anu Enlil und anderen Texten begünstigt die Weiterentwicklung einer exegetischen Wissenschaft, die sich um das adäquate Verständnis der autoritativen Schriften bemüht. Die Kanonisierung der alten Omenserien und Ritualtexte ist im 7. Jh. schon weit fortgeschritten (vgl. *Oppenheim*, Centaurus 14 S. 123; im Blick auf diese Texte ist die Anwendung des Begriffs der Kanonizität sinnvoll, vgl. *Lamberts* Bedenken in JCS 11 S. 9; zum Begriff der Kanonisierung der mesopotamischen Literatur in der Kassitenzeit vgl. *von Soden*, Zweisprachigkeit S. 9f.). Die Gelehrten können sich nicht genug auf das berufen, was in ihnen „geschrieben steht" (šaṭir und Varianten, vgl. ABL 37 = LAS 12 Rev. 14; ABL 53 = LAS 205 Rev. 12; ABL 337 = LAS 278 Rev. 4′; ABL 362 = LAS 166 Rev. 7; ABL 519 = LAS 13 Rev. 15; ABL 1092 Obv. 16f.; *Thompson*, RMA 181A Rev. 3, vgl. *Oppenheim*, Centaurus 14 S. 134 A. 54 u.ö.) oder „gesagt ist" (qabi, ša qabûni und Varianten, vgl. ABL 46 = LAS 298 Rev. 8′f.; ABL 74 = LAS 38 U.R. 22; ABL 370 = LAS 203 Obv. 9f.; ABL 405 = LAS 64 Obv. 8. Rev. 11; ABL 647 = LAS 67 Obv. 16. U.R. Rev. 10f.; *Parpola*, CT 53,115 = LAS 43 Obv. 5′–7′; CT 53,23 = LAS 153 U.R. 4′f.; *Thompson*, RMA 43 Rev. 2 u.ö.) – eine Redeweise, die ihren traditionsgeschichtlichen Vorläufer in der aus den Orakelanfragen bekannten Wendung haben dürfte,

Genauso wie die Kenntnis der Extispizin ist die der Himmelsbeobachtung über das ass.-bab. Kernland hinaus bekannt gewesen, da der von Assur besiegten Völkern nicht verborgen bleiben konnte, welche kultisch-religiöse Begleitung den Assyrern auf ihren Feldzügen und in ihren Garnisonen unentbehrlich schien. Darüberhinaus bezeugt ein sehr aufschlußreicher Brief, daß die divinatorische Lebenssicherung des ass. Königs selbst von Himmelszeichen aus entfernten Regionen des Großreiches abhängig war. Ein Brief des Gelehrten Balasi an Ash wohl aus dem Jahre 670[122] beschäftigt sich mit folgendem Ereignis:

Obv. 5) ša šarru b[e-lí iš]-pur-[an-ni]
(Die Angelegenheit), in der der König,
[mein He]rr, [mir] folgendermaßen
[ge]schrie[ben hat]:

---

mit der man sich vergewissert, was die Gottheit „gesagt" (qabi), „beschlossen" (kūn) hat (vgl. zu der Wendung *Klauber,* PRT S. XIV).
Hin und wieder ist eine divinatorisch wichtige Erscheinung in keinem autoritativen Text verzeichnet (abassu laššu, vgl. ABL 519 = LAS 13 Rev. 12.22.27 u.ö.), doch in der Regel sind die „Textserien" (iškaru, vgl. ABL 46 = LAS 298 Rev. 8'f.; ABL 519 = LAS 13 Rev. 1.8.15, *Thompson,* RMA 94 Rev. 5; 200 Obv. 8 u.ö., vgl. AHw S. 396a s.v. iškaru 6) in der Aufzählung möglicher Fälle erstaunlich vollständig. Sie werden in „kanonische Tafeln" und „unkanonische, serienfremde Tafeln" (ṭuppāni damqūti – ṭuppāni aḫûti, vgl. ABL 23 = LAS 185 Obv. 23–U.R. 25; ABL 453 = LAS 186 Rev. 13–15; *Parpola,* CT 53, 187 = LAS 331 Rev. 3; ähnlich ABL 519 = LAS 13 Rev. 8 u.ö.) unterschieden, die beide „eingesehen, kontrolliert" (bu''û), „befragt, überprüft" (našû) und „abgeschrieben, kopiert" (šaṭāru) werden müssen (vgl. ABL 23 = LAS 185 U.R. 26f.; zu weiteren Termini der Schreibergilde vgl. *Hunger,* Kolophone S. 3ff.). Neben dem Kopieren und „Kollationieren" (barû) hat aufgrund des Umfangs der Tafelserien das „Exzerpieren" (nasāḫu, vgl. ABL 337 = LAS 278 Rev. 5'; *Thompson,* RMA 251 = LAS 325 Rev. 3; *Virolleaud,* ACh SS 62 = LAS 289 Rev. 12 u.ö., vgl. AHw S. 750 s.v. nasāḫu 8) große Bedeutung, durch das „orientierende Auszüge" (rikis gerri, vgl. AHw S. 285b s.v. gerru I; S. 985a s.v. risku B5) aus den Serien erstellt werden. Da sie vielfach in alter Sprache und Schrift überliefert sind, die nicht jeder Schreiber mehr zu lesen vermag (vgl. ABL 688 = LAS 39), dienen „Wortkommentare" (ṣâtu, vgl. AHw S. 1097a s.v. ṣiātu B; CAD Ṣ S. 119 s.v. ṣâtu 2) und „Sachkommentare" (mukallimtu, vgl. AHw S. 669b; CAD M/I S. 236a) als Hilfe bei der „Deutung" (pišru, passim, vgl. *Meier,* OrNS 8 S. 306 A. 3) der kanonischen Omina.
Neben ihnen besteht auch noch eine (ursprünglich) „mündliche Auslegungstradition" (ša/šūt pî, vgl. ABL 519 = LAS 13 Rev. 1f.; *Thompson,* RMA 200 Rev. 4, vgl. *Oppenheim,* Centraurus 14 S. 134 A. 54; ferner AHw S. 623b s.v. maš'altu 2; S. 872b s.v. pû B2m; S. 1416a s.v. ummianu 8d), die allerdings merklich geringere Autorität als die schriftliche besitzt.
122 Vgl. LAS II/A S. 16*.

6) ma-⸢a⸣! [ina] $^{⸢uru⸣!}$Ḫ[a!-r]i-ḫum!-⸢ba⸣!
"[In] Ḫ[ar]iḫum⸢ba⸣ fiel

7) ma-a [i]-⸢šá!-tú! issu(TA)⸣! šamê(AN-e)
ein [B]litz vom Himmel

8) t[a!-a]t!-tu!-uq-ta eqlēti(A.ŠÀ.!MEŠ!)
(und) verzehrte die Felder

9) ⸢ša⸣! $^{kur!}$Aš-šu-ra-a-a ta-ta-kal
der Assyrer."

10) ⸢šarru⸣! a-ta-a ú-ba-'a
Warum forscht der König (nach Unheil)?
...

13) ⸢lumnu(ḪUL)⸣! ina libbi(ŠÀ) ekalli(É.GAL)
la me-me-ni
Es gibt kein Unheil innerhalb des Palastes!

14) ⸢šarru⸣ ina ^{uru}Ḫa-ri-ḫum-ba
(Und) wann ist der König je nach Ḫariḫumba

15) im-ma-te il-lik-ma
gegangen?
...

U.R.20) šum-ma šarru be-lí 21) i-qab-bi ma-a
Wenn der König, mein Herr, sagt:

22) a-ke-e qa-bi
"Was ist (in den Omenserien) gesagt?"

Rev. 1) eqla(A.ŠÀ) lib-bi āli(URU) lu-u
(Hier die maßgebliche Stelle:)
'Wenn Adad ein Feld in der Stadt oder

2) qa!-an!-ni āli(URU) ^{d}Adad(IŠKUR) ir-ḫi-iṣ
außerhalb der Stadt überschwemmt
...

4) ...lu-u i-šá-ti
...oder Feuer/Blitzschlag

5) mì-im-ma ú-qa-al-li
irgendetwas verbrennt,

6) a-me-lu šu-u 3 šanāti(MU.AN.NA.MEŠ)
der betroffene Mann wird drei Jahre

7) ina ku-ú-ri u ni-is-sa-te
in Niedergeschlagenheit und Elend

8) it-ta-na-al-la-ak
leben (wörtl.: wandeln).'

9) a-na ša eqla(A.ŠÀ) i-ru-šu-u-ni 10) qa-bi...
Dies gilt aber (nur) für den,
der das Feld bearbeitet!...[123]

Da die Stadt Ḫariḫumba an nicht näher zu identifizierender Stelle in Elam zu suchen ist[124], muß es auch in dieser Gegend des Reiches ass. Experten für die Divination gegeben haben, die zumindest zu beurteilen in der Lage waren, ob ein bestimmtes Ereignis für die Sicherheit des Großkönigs und des Landes Assyrien von Bedeutung sein mochte oder nicht. Die Nachrichtenübermittlung in die Hauptstadt ist über den gut funktionierenden Kurierdienst erfolgt, wo der König seine Gelehrten, in diesem Fall den in Ninive ansässigen Balasî[125], mit der Prüfung der jeweiligen Informationen betrauen konnte.[126]

Was im Osten des ass. Reiches zur Beobachtung divinatorisch relevanter Himmelszeichen unternommen worden ist, wird im Westen nicht ohne jede Entsprechung gewesen sein. Wenn auch für eine divinatorische Berichterstattung an den ass. Hof keine Zeugnisse vorhanden sind, darf man ihre Existenz ohne weiteres voraussetzen, zumal der Westen (Amurru) in der Himmelsbeobachtung in Assyrien selbst einen wichtigen Platz einnimmt.[127] Wie oft läuft die Deutung einer Konstellation auf den Satz hinaus: Böses für Amurru![128] Bekanntlich bedarf dieser in den alten Omenserien gebrauchte Begriff

---

123 ABL 74 = LAS 38 Obv. 5–Rev. 10; das zitierte Omen stammt aus der 55. Tafel der Serie Šumma ālu (vgl. CAD I/J S. 228; CAD K S. 571a und v.a. *Meier*, OrNS 8 S. 308f. A. 2).

124 Vgl. *Parpola*, NAT S. 151 s.v. Ḫariḫumba; zur Lokalisierung vgl. *Waterman*, RCAE III S. 38. Elamisches Grenzgebiet in der Nähe zu Babylonien kommt am ehesten in Frage.

125 Vgl. ADD 261 = *Ungnad*, ARU 87,36 (vgl. LAS II/A S. 30).

126 Ähnliche Überlegungen bei *Oppenheim*, Centaurus 14 S. 118.

127 Vgl. nur die oben zitierten Textbeispiele!

128 Vgl. *Thompson*, RMA 17 Rev. 3; 25 Rev. 5; 41 Rev. 7; 42 Obv. 8; 43 Rev. 7; 58 Obv. 2.4; 151 Rev. 1; 155 Obv. 9; 166 Rev. 3; 167 Rev. 11f.; 273 Obv. 2f.; vgl. 274F Rev. 5.

der Präzisierung, die in uns erhaltenen Texten durch die unterschiedlichsten Regionen von Tabal in Kleinasien über Sidon bis Äthiopien erfolgt. Sogar Sutû (Aramäerstamm in Südbabylonien) und Kaldu fehlen nicht.[129]

Daß Juda unter den genannten Ländern und Städten nicht zu finden ist, wird mehr auf den Zufall der Textfunde als auf die ereignisarme Manassezeit zurückzuführen sein, da das AT für das 7. Jh. die religiöse Verehrung von Gestirnen im Jerusalemer Tempel eindeutig bezeugt. Der Kult für שמש, ירח und מזלות, den nach 2Kön 23,5 Josia als jahwefremd aus dem Heiligtum beseitigt hat, weist in den einzelnen Gliedern der Reihe auf ass. Ursprung hin, wobei der entsprechende Kult im Jerusalemer Tempel nicht anders als in Assyrien auch die Beobachtung der Gestirne zum Zweck der Divination impliziert.[130] Daß Sonne und Mond, die zugleich als Šamaš und Sîn hohe Götter des bab.-ass. Pantheons sind, in astronomischer Beobachtung und kultischer Verehrung einen wichtigen Platz einnehmen, ist ohne weiteres einzusehen. Typisch für ihre hohe Stellung ist das statistische Ergebnis, daß mindestens 65% der von *Thompson* edierten astronomischen Berichte zentral mit Sonne und Mond befaßt sind und sie in Texten über andere Gestirne am häufigsten miterwähnt werden.

Wertvolle Hinweise auf die Gestirnverehrung in Juda enthält auch das atl. Hapaxlegomenon מזלות.[131] Was damit gemeint ist, könnte man selbst noch einer gut 300 Jahre jüngeren Stelle in den Baby-

---

129 Vgl. ABL 629 = LAS 279 Obv. 21–Rev. 7; *M. Dietrich*, CT 54,22 = ders., Aramäer S. 158 Obv. 13–15 (das Omen wird auf Amurru gelautet haben).

130 Zur Analyse von 2Kön 23,5 und zu den atl. Belegen für שמש und ירח s.o. S. 83ff. v.a. 86ff.

131 Zumindest die Form מזלות ist Hapaxlegomenon, wobei allerdings zu fragen ist, ob sie nicht mit dem äußerst ähnlichen, auch nur einmal bezeugten Wort מזרות in Hi 38,32 zusammengesehen werden muß, da beide von LXX mit *μαζουρώϑ* wiedergegeben werden, was nach der bei Suidas bezeugten Gleichsetzung *μαζουρώϑ* = *ζωδία* die Tierkreisbilder bezeichnet (vgl. GB S. 411b s.v. מזלות). Dieser von *Mowinckel* (Sternnamen S. 23–36) mit abwegigen philologischen Gründen und wenig stichhaltigen inhaltlichen Einwänden zurückgewiesenen Kombination kann die sprachhistorische Erkenntnis entnommen werden, daß die Wortformen מזרות/*μαζουρώϑ* in geringem zeitlichem Abstand gebildet worden sind, da sie den nicht ungewöhnlichen Wechsel von „l" zu „r" mitgemacht haben (vgl. auch molchomor und morchomor, DISO S. 154 s.v. מלך V), damit aber מזלות als Vorgabe und deshalb ältere Bildung voraussetzen. *H.-D. Hoffmann* (Reform S. 361) hält מזלות lediglich für eine „dtr Begriffsvariante".

loniaka des Berossos entnehmen[132], wenn nicht ass. Texte selbst Material in Hülle und Fülle böten. Das exakte akkad. Äquivalent zu מזלות lautet man/zzalātu, Plural des Wortes man/zzaltu, das neuass. auch zu mazz/nzassu werden kann, gebildet aus der ursprünglichen Form mazzaz/štu, manzaz/štum, einem femininen Nomen, dem die häufiger belegte Maskulinbildung mazzāzu/manzāzu ohne Bedeutung unterschied zur Seite steht. Mazzāzu/mazzaztu, abzuleiten von dem Verb i/uzuzzu „stehen" und dem Nominaltyp nach den Ort bezeichnend, wo etwas steht, wird in den verschiedensten Sprachbereichen gebraucht[133], unter anderem als einer der wichtigsten Termini bei der astronomischen Beobachtung. Der Begriff bezeichnet in diesem Bereich den Standort der Sterne, also „Konstellationen", deren Beobachtung die oben dargelegte große Bedeutung für das Wohl des ass. Königs und seines Landes hatte.[134]

---

132 Ἀποτελέσαι δέ τὸν Βῆλον καὶ ἄστρα καὶ ἥλιον καὶ σελήνην καὶ τοὺς πέντε πλανήτας. „Gegründet habe Belos die Gestirne und die Sonne und den Mond und die fünf Wandelsterne" (Berossos nach dem Exzerpt des Polyhistor in der Chronik des Euseb; Ausgabe von *Schnabel*, Berossos S. 256,9–11). Gemäß der fortgeschrittenen astronomischen Kenntnis unterscheidet Berossos Fixsterne und Planeten, die in der atl. Trias noch in dem Begriff מזלות zusammengefaßt sind.

133 Zu dem Verb i/uzuzzu vgl. *von Soden*, GAG § 107a–h; ferner AHw S. 408; zu den Nominalbildungen vgl. AHw S. 638f. s.v. mazzaz/štu(m) usw. und mazzāzu(m), manzāzu(m); CAD M/I S. 228ff. s.v. manzaltu A; S. 234ff. s.v. manzāzu; vgl. auch *Landsberger / Kinnier Wilson*, JNES 20 S. 171f.

134 Die Verwendung des Verbs i/uzuzzu in astronomischen Omina, Berichten und Briefen ist so häufig, daß sich die Nennung von Belegen erübrigt. Für die Nominalbildungen seien folgende Belege aus astronomischen Berichten und Briefen (meistens Zitate aus Enuma Anu Enlil) angeführt: *Thompson*, RMA 27 Rev. 6; 37 Rev. 3; 45 Obv. 3; 46A Obv. 6; 47 Obv. 6; 50 Rev. 1; 81K Obv. 4; 87 Obv. 1; 87A Obv. 2. Rev. 2f.; 91 Rev. 4; 147 Rev. 8; 148 Rev. 4; 176 = LAS 326 Rev. 1; RMA 185 Obv. 12; 187 Rev. 8f.; 196 Obv. 9; 206 Obv. 5; 211 Rev. 3 u.ö.; *Parpola*, CT 53,187 = LAS 331 Obv. 10; ABL 37 = LAS 12 Rev. 19; ABL 1391 = LAS 110 Obv. 19'; ähnlich in Gebeten (vgl. *Ebeling*, AGH S. 112 Nr. 27,5; S. 24,15; 76,21; 122 Nr. 32,7; S. 130,19 u.ö.) und in Hemerologien (vgl. *Pinches*, IVR² 32–33 = *Jensen*, KB 6/II S. 14 II,1; *Pinches*, IVR² 33* I,51 u.ö.).
Zum Gebrauch von manzāzu usw. in der Extispizin vgl. *Klauber*, PRT S. XLf. Auch im Ritualwesen ist das Wort manzāzu nicht unbekannt, ohne jedoch in diesem Bereich terminus technicus zu sein. Dafür ein Beispiel aus dem Ritual bīt mēseri nach *Meier*, AfO 14 S. 144,80ff.: eine Aufzählung von Dämonen, von denen es dann heißt:

90) su-uq-šu-nu ti-du-ma ana-ku la i-du-[ú]
deren Straße du kennst, während ich (sie) nicht kenn[e],

91) man-za-as-su-nu ti-du-ma ana-ku la i-du-ú
deren Standort du kennst, während ich (ihn) nicht kenne,

Die astronomisch-divinatorische Verwendung des Begriffs durch die Assyrer, wo immer sie in dem Großreich lebten, vermag seine Übernahme im josianischen RB zu erklären. Selbst den in die Himmelskunde nicht eingeweihten Judäern war durch die Präsenz bestimmter ass. Bilder und Symbole im Jerusalemer Tempel, deren Standort ebenfalls mit dem Wort manzaltu bezeichnet wird[135], bekannt, daß Beobachtung und Verehrung der Gestirngottheiten bei den Assyrern von hervorragender Bedeutung waren. Der für die betreffende Information in 2Kön 23,5 verantwortliche Judäer, dessen Interesse nicht bei der exakten Wiedergabe ass. Gestirnverehrung, sondern bei ihrer Entfernung aus dem Jerusalemer Tempel lag, hat die über Sonne und Mond hinausgehenden Gestirnbeobachtungen in dem Begriff מזלות zusammengefaßt. Die sicherlich oft gehörte ass. Form manzaltu (in der astronomischen Beobachtung immer singularisch gebraucht) hat er mit der geringen, aber typischen Änderung ins Hebräische übernommen, daß er durch ihre pluralische Fassung sein Interesse nicht an einer bestimmten Gestirnverehrung, sondern an der Entfernung jeglichen ass. Gestirnkultes aus dem Jerusalemer Tempel zum Ausdruck bringen konnte.

So ist die Liquidiierung des ass. Gestirndienstes durch Josia ein wertvolles Zeugnis für die Gestalt ass. Religion im 7. Jh. Wenn Assyrer selbst in Juda, einem Außenbezirk des Großreiches, die zum Zweck verläßlicher göttlicher Zukunftsansage unternommene Gestirnverehrung eingeführt haben, wird dadurch von anderer Seite das bereits an ass. Quellen gewonnene Ergebnis bestätigt, daß Himmelsbeobachtung und Astralkult zu den auffälligsten Charakteristika spätass. Religion zählen.

3. Hemerologie und Menologie

Wenn im Himmel lauter unberechenbare Götter wohnen und auf der Erde überall bösartige Dämonen lauern, kann eine Wissenschaft, die in den einzelnen Monaten zwischen günstigen und ungünstigen Tagen zu unterscheiden lehrt, eine große Hilfe sein, da sie eine Vorwarnung für die jeweils kritischen Zeiten gibt. Wie Extispizin und Himmelsbeobachtung ist auch die Hemerologie eine spätestens mit dem 2. Jt.

---

92) ru-bu-us-su-nu ti-du-ma ana-ku la i-du-ú
deren Lagerstatt du kennst, während ich (sie) nicht kenne.

135 Vgl. *Borger*, Ash S. 5,32–36 u.ö.

in Babylonien und Assyrien ausgeübte Kunst, deren Regeln ebenfall in autoritativen Serien und Kompendien niedergelegt sind. Es seien hier nur die beiden großen Serien Iqqur īpuš und Inbu bēl arḫi genannt, letztere ein Werk von 15 Tafeln mit hemerologischen Vorschriften allein für den König.[136]

Wenn auch die Beobachtung hemerologischer Regeln gewiß zu jeder Zeit im Alltag des Assyrers – und des ass. Königs allemal – ein große Rolle gespielt hat, ist doch das Gefühl der Abhängigkeit von der göttlich bestimmten Gunst oder Ungunst der Tage unter Ash und Asb zusehends gewachsen. Zwar achtet auch Srg darauf, daß er nach der Errichtung des Palastes in Dūr-Šarrukīn die ass. Götter dorthin

> i-na arḫi(ITI) še-me-e u_4-mu mit-ga-ri
> in einem vorteilhaften Monat (und)
> an einem günstigen Tag[137]

einlädt und läßt Snh für das bīt akīti in Assur die Fundamente

> ina arḫi(ITI) ṭābi(DÙG.GA) u_4-me šal-mu
> in einem guten Monat (und)
> an einem heilvollen Tag[138]

legen, doch bieten die Inschriften über diesen kurzen, traditionellen Topos hinaus keine hemerologischen Informationen. Ash widmet hingegen der hemerologischen Vorbereitung von Baumaßnahmen in seinen Inschriften sehr viel mehr Raum.[139] Die meisten Hinweise auf die wichtige Stellung der Hemerologie im 7. Jh. liefern jedoch entsprechende Texte aus der Asb-Bibliothek und Briefe an Ash und Asb, aus denen der Eindruck zu gewinnen ist, daß ihre ursprüngliche Schutz gewährende Funktion immer weiter hinter dem Bild einer nur Experten zugänglichen Wissenschaft verschwindet, deren Kompliziertheit mehr Unsicherheit und Angst zu produzieren als zu bekämpfen vermag.

In der Serie Inbu bēl arḫi werden – nach den von ihr erhaltenen Fragmenten zu urteilen – in jedem Monat fünf Tage als Unglücks-

---

136 Zu den genannten Serien vgl. die Literaturzusammenstellung in LAS II/A S. XIV; weiteres hemerologisches Material ebd. s.v. „Babylonian almanac" und „Assur-hemerologies"; eine umfassende Quellensammlung zum Thema bei *Borger,* HKL III S. 96f.; zur inhaltlichen Orientierung vgl. *Labat,* RLA IV S. 317–323; *Nougayrol,* Divination S. 61–64.

137 *Winckler,* Srg S. 130,167; vgl. *Weissbach,* ZDMG 72 S. 180,31f.

138 *Luckenbill,* OIP 2 S. 137,30; zu ähnlichen Belegen vgl. CAD A/II S. 261a.

139 Vgl. *Borger,* Ash S. 16ff. Ep. 12–17 u.ö.

tage (ūmu lemnu oder uḫulgalû[140]) klassifiziert, und zwar der 7., 14., 19., 21. und 28. Tag.[141] Der König muß sich an diesen Tagen umfangreiche Restriktionen seiner Tätigkeit gefallen lassen, so daß es fraglich erscheint, ob er innerhalb der gezogenen Grenzen überhaupt seine Regierungsgeschäfte ausüben konnte. Die Verbote zu diesen Tagen lauten stereotyp:

28) 𒁹 UD.7.KÁM nu-bat-tum šá ᵈMarduk(AMAR.UTU)
7. Tag, Vorfeier von Marduk (und)
ᵈZar-pa-ni-tum ūmu(UD) magir(ŠE)
Zarpanitu: der Tag ist günstig;

29) uḫulgalû(UD.ḪUL.GÁL) rē'i(SIPA)
ein Unglückstag: der Hirte
nišē(UN.MEŠ) ra-ba-a-ti
zahlreicher Menschen darf

30) šīra(UZU) šá ina pe-en-ti ba-áš-lu
Fleisch, das über Holzkohle gekocht worden ist,
akal(NINDA) tùm-ri ul ikkal(GU_7)
(und?) Aschenbrot nicht essen;

31) ṣubāt(TÚG) pag-ri-šú ul unakkar(KÚR-ár)
das Gewand, das er trägt, darf er nicht wechseln,
eb-bu-ti ul iltabbaš(MU_4.MU_4)
keine reinen (Kleider) anziehen;

32) ni-qu-u ul inaqqi(BAL-qí)
er darf keine Opfer darbringen;
šarru ᵍⁱšnarkabta(GIGIR) ul irakkab(U_5)
der König darf nicht auf dem Wagen fahren;

33) šal-ṭiš ul i-tam-me
herrisch darf er nicht sprechen;
a-šar pu-uz-ri ˡúbārû(ḪAL)
am Ort des Geheimnisses darf der Opferschauer

---

140 So die akkad. Wiedergabe des sum. Ideogramms bei *Borger,* ABZ Nr. 381; vgl. AHw S. 1404 s.v. uḫulgallu.

141 Vgl. *Pinches,* IVR² 32–33 = *Jensen,* KB 6/II S. 8ff. I,28–38; II,13–22. 39–48; III,1–11.33–44; *Pinches,* IVR² 33* I,28–37; II,7–16.38–48; II,53–III,4.28–38.

qība(KA) ul išakkan(GAR-an)
keinen Spruch tun;

34) asû(A.ZU) ana marṣi(GIG) qāt(ŠU)-su ul ub-bal
der Arzt darf sich nicht mit einem Kranken abgeben

35) ana epēš(DÛ) ṣibûti(ÁŠ) la na-ṭu
zur Ausführung eines Unternehmens
ist (der Tag) nicht geeignet.[142]

Berücksichtigt man nun noch, daß spätestens dem für die Ninive-Bibliothek Texte sammelnden Asb, wahrscheinlich aber schon dem höchst interessierten Ash hemerologische Traditionen mit abweichenden Bestimmungen von Unglückstagen bekannt waren[143], wird die dadurch aufkommende Unsicherheit vorstellbar. Zudem gelten neben den uḫulgalê noch eine ganze Reihe von Tagen als „ungünstig" (lā magir[144]) und ist längst nicht jeder Tag mit der Klassifikation „günstig" deshalb auch schon für jedes Unternehmen geeignet.

Trotz dieser Restriktionen sind die hemerologischen Bestimmungen im 7. Jh. noch verschärft worden. Das läßt sich dem Gebrauch eines hemerologischen Almanachs in dieser Zeit entnehmen, dessen Ursprünge wahrscheinlich in der Kassitenzeit liegen. Er enthält eine hemerologische Bilanz, die bedenklich genug ist: Von den 360 Tagen des Mondjahres werden knapp die Hälfte als günstig, die andere Hälfte als ungünstig beurteilt, von den günstigen aber 11 nur als halbgünstig und lediglich 17 als vollkommen günstig klassifiziert.[145]

142 *Pinches*, IVR² 32–33 = *Jensen*, KB 6/II S. 10ff. I,28–35; vgl. *Landsberger* Kalender S. 120; gleichlautende Formulierungen an den in A. 141 genannten Stellen.
Die Klassifizierung des Tages als günstig in Z. 28 widerspricht der in Z. 29 folgenden. Ob die Spannung dadurch zu mildern ist, daß man uḫulgalû als „simpl ‚dangerous', day when the rules cannot be broken without incurring severe punishment" versteht (*Langdon*, BMSC S. 147), oder ob sie – was vielleicht wahrscheinlicher ist – auf das Zusammenfließen verschiedener Traditionen hinweist, kann hier nicht entschieden werden.
Zum Gebrauch von ul mit Präsens in prohibitiver Bedeutung (Z. 30ff.) vgl. *Borger*, BAL² S. IV (Corrigenda): Nachtrag zu S. 192 § 122.

143 Umfassendere Aufzählungen von Unglückstagen scheinen *King*, BMS 61,11f und *Reiner*, Šurpu VIII,42f. vorzuliegen; vgl. auch Texte wie *Labat*, HMA S. 50ff. und ders., RA 38 S. 22ff. mit abweichenden hemerologischen Klassifizierungen.

144 Beispiel: Nach der Serie Inbu bēl arḫi sind im Monat Araḫsamna neben den üblichen fünf Unglückstagen noch mindestens sechs ungünstige Tage zu berücksichtigen (Unsicherheit der Anzahl beruht auf Erhaltungszustand des Textes), vgl. *Pinches*, IVR² 33* I,12.16.38.47.56; III,25.

145 Vgl. *Labat*, RA 38 S. 19ff.; zur Datierung des Almanachs vgl. ebd. S. 14.

Dieser Almanach wird nun in einem Brief wohl von dem prominenten „Beschwörer“ (mašmašu) und „Hauptpriester“ (šangamāḫu) Adad-šumu-uṣur an Ash oder Asb zitiert, weil einer der beiden Könige sich nach der Anzahl der günstigen Tage im Monat Ajaru,

a-na e-peš ṣi-bu-ti pa-la-aḫ ili(DINGIR)
um ein Unternehmen auszuführen (und)
um den Gott zu verehren[146],

erkundigt hat. Obwohl der Almanach für den Monat Ajaru immerhin 15 günstige Tage nennt, teilt Adad-šumu-uṣur dem König nur 8 günstige Tage mit.[147] Die rigorose Reduzierung fast um die Hälfte kann nicht genügend mit dem Hinweis erklärt werden, daß dem Experten für das spezielle Vorhaben des Königs nicht alle günstigen Tage geeignet zu sein schienen. Immerhin fehlen in seiner Aufzählung die beiden Tage des Monats, die als einzige das Prädikat „vollkommen günstig“ tragen. Ohne die auch sonst schon beobachtete ängstliche Vorsicht sowohl des Königs als auch der Divinationsexperten im 7. Jh. ist die kärgliche Aufzählung günstiger Tage in dem Brief nicht zu verstehen. Sie ist wahrscheinlich dadurch zustandegekommen, daß Adad-šumu-uṣur unter Berücksichtigung seiner eigenen Erfahrung und durch den Vergleich verschiedener Hemerologien für den Monat Ajaru die Tage ermittelt hat, die in keiner Tradition mit unheilvollem Vorzeichen versehen waren.

Der König ist jedenfalls Gefangener der hemerologischen Direktiven seiner Gelehrten. Bei der von ihm selbst empfundenen Abhängigkeit von der hemerologischen Bestimmung der Zeit kann er nicht anders, als dem Experten Adad-šumu-uṣur Glauben zu schenken, wenn dieser einmal für den Monat Ajaru nur 8 günstige Tage benennt, ein anderes Mal aber unter Bezugnahme auf denselben Almanach für denselben Monat 12 günstige Tage.[148] Er muß sich selbst dann auf seine Experten verlassen, wenn ihm einer von ihnen 16 günstige Tage im Monat Araḫsamna für die Durchführung eines bestimmten, auch den König betreffenden Rituals angibt, unter de-

---

146 ABL 1140 = LAS 243 Rev. 3f.; zur Zuweisung des Briefes an Adad-šumu-uṣur vgl. *Deller*, FS von Soden S. 61; zu seiner Person vgl. ebd. S. 61ff. und LAS II/A S. 28f.

147 Zu dem Monat Ajaru vgl. *Labat*, RA 38 S. 20.24–26; die betreffende Passage des Briefes: ABL 1140 = LAS 243 Obv. 5′ff.; die Zitation ist bereits von *Labat* erkannt worden (vgl. RA 38 S. 14).

148 LAS 332; vgl. wieder *Labat*, RA 38 S. 20.24–26 und *Deller*, FS von Soden S. 64.

nen sich immerhin drei Tage befinden, die ihm aus der hemerologischen Königsserie Inbu bēl arḫi zu diesem Monat als uḫulgalê „Unglückstage" bekannt sind.[149]

Wenn eine Steigerung der Abhängigkeit des Königs überhaupt noch möglich ist, dann durch die wachsende Bedeutung der astronomischen Divination im 7. Jh., die selbstverständlich auch Einfluß auf die Hemerologie genommen hat. Unheilvolle Konstellationen müsse mit überkommenen hemerologischen Traditionen ins Verhältnis gesetzt werden und können dabei nur bewirken, daß die ohnehin schon knapp bemessene Zahl der günstigen Tage noch verringert wird. Oder eine Unglück ankündigende Konstellation tritt gerade an einem Tag ein, an dem das entsprechende apotropäische Ritual aus hemerologischen Gründen nicht durchgeführt werden kann. Der dem König in diesem Fall von dem Gelehrten Nabû-nādin-šumi gegebene Ratschlag:

šarru be-lí lu la i-pa-làḫ
Der König, mein Herr, fürchte sich nicht![150],

wird ihn wohl nicht sehr beruhigt haben. Schließlich sind es zuweilen die Gelehrten selbst, die durch ihre kontroverse hemerologische Beratung die ohnehin bestehende Unsicherheit des Königs noch vergrößern.

Das wird sehr deutlich an dem wohl erst ab Ash virulenten Fall, daß auch der Zutritt des Kronprinzen zum König hemerologisch geregelt worden ist. So streitet der Gelehrte Balasî in einem Brief an Ash vom März des Jahres 669 gegen einen nicht namentlich genannten Kollegen, der offenbar eine von Balasî abweichende Auskunft über die für das Erscheinen des Kronprinzen vor dem König günstigen Tage gegeben hat.[151] Der Argumentation Balasîs ist zu entneh-

---

149 Vgl. den Brief ABL 1168 = LAS 196 Rev. 2–10, wohl an Ash gerichtet (vgl. LAS II/A S. 17*), in dem der hemerologische Almanach KAR 177 zitiert wird (vgl. *Labat*, HMA S. 164,22–24; ders., RA 38 S. 21). In der Serie Inbu bēl arḫi gelten im Monat Araḫsamna der 7., 14., 19., 21. und 28. Tag als uḫulgalê (vgl. *Pinches*, IVR² 33* I,28–37; II,7–16.38–48; II,53–III,4.28–38). Weitere Briefe mit hemerologischen Vorschriften für die Durchführung von Ritualen und Zeremonien: ABL 1 = LAS 142; ABL 51 = LAS 204; ABL 362 = LAS 166 (Bezug auf Inbu bēl arḫi); ABL 370 = LAS 203; ABL 401 = *Pfeiffer* SLA 228; ABL 406 = LAS 72; ABL 553 = LAS 210; ABL 1278 = LAS 340 u.ö.

150 Vgl. ABL 51 = LAS 204, zitierte Stelle: Rev. 7; vgl. auch die bei *Landsberger*, Kalender S. 126 angeführten Belege.

151 Vgl. ABL 354 = LAS 46; zur Datierung des Briefes vgl. LAS II/A S. 17*.

men, daß diese Frage in den überlieferten Hemerologien nicht geregelt ist, was den Auslegungsstreit über potentiell anwendbare hemerologische Regelungen unvermeidlich macht. Balasîs Beweisführung ist zwar nicht weniger verschlungen als die seines Kollegen, wird aber von ihm mit dem Brustton der Überzeugung vorgetragen.[152] Wem soll der König in solchen Fällen vertrauen? Die Funktion der Gelehrten, Unsicherheit abbauen zu helfen, ist sicherlich in den wenigsten Situationen von ihnen erfüllt worden.

Die politische Brisanz, die gerade in der hemerologischen Reglementierung des Zutritts des Kronprinzen zum König enthalten ist, kann nicht leicht überschätzt werden. Genügend Briefe aus der Ash-Zeit vermitteln den Eindruck, daß die Kommunikation zwischen König und Kronprinz nicht primär von den politischen Gegebenheiten, sondern von der Hemerologie bestimmt gewesen ist.[153] Kommen noch ungewöhnliche, als unheilvoll geltende Ereignisse hinzu, kann ein Brief wie der folgende notwendig werden, um die Angst des Königs einzudämmen. Adad-šumu-uṣur schreibt an Ash:

Obv.5) ina muḫḫi(UGU) e-ra-b[i] 6) ša mār(DUMU) šarri
In bezug auf das Erscheinen des Kronprinzen

7) ina pān(IGI) šarri be-lí-ia
vor dem König, meinem Herrn:

8) issu(TA) pān(IGI) ri-i-bi 9) iq-ṭi-bi-i
Hat er wegen des Erdbebens gesagt:

---

152 ABL 354 = LAS 46 Obv. 10–Rev. 6: 10) Im Blick auf den 1. (und) [4.] Tag, 11) über die der König, mein Herr, mir ge[schrieben hat]: 12) „Welcher ist gü[nstig]?" 13) Beide sind gün[stig]! 14f.) Wir nennen den 4. Tag ‚neuen Tag'. 16) Ein ‚neuer Tag' ist wie der Monatsanfang (zu werten). 17) Er ist günstig. 18f.) (In bezug auf) das, was man zum König gesagt hat: „Am 1. Tag darf er nicht aus dem Tor gehen!" Rev. 1f.) Geht der Kronprinz nun (etwa) aus dem äußeren Tor hinaus? Der König (hat gesagt): 3) „Der Kronprinz soll vor mir 4) erscheinen (wörtl.: eintreten)!" Was hat Eintreten 5f.) mit Hinausgehen zu tun?
Die hemerologische Vorschrift, die zu dem Auslegungsstreit Anlaß gibt, lautet: bāba(KÁ) lā(NU) uṣṣa(È) „Aus dem Tor soll er nicht hinausgehen!" Die Formulierung findet sich mehrfach in der menologischen Serie Iqqur īpuš, dort aber regelmäßig für den 29. Tag jedes Monats (vgl. *Labat,* CBII S. 126–129 § 59; S. 228,21; ders., HMA S. 158,22). Deshalb ist es unsicher, ob in ABL 354 auf diese Serie Bezug genommen wird, wenngleich die Vorschrift aus einer anderen Serie wohl nicht bekannt ist.

153 Vgl. ABL 365 = LAS 146; ABL 1383 = LAS 70; in bezug auf den Asb-Bruder Aššur-mukīn-palêja (vgl. *Streck,* VAB 7 S. CCXLVIIf.): ABL 77 = LAS 52; ABL 652 = LAS 145.

10) ma-a mār(DUMU) šarri 11) bāba(KÁ) la uṣ-ṣa
"Der Kronprinz soll aus dem Tor
nicht hinausgehen"?

12) 14 ina u$_4$-me an-ni-i 13) issu(TA) bi-it
Heute sind es (bereits) 14 Tage, seit

14) ri-i-bi
die Erde

Rev.1) i-ru-bu-u-ni 2) šinī(2)-šú dul-lu-šu
bebte. Zweimal ist das entsprechende Ritual

3) e-pi-iš 4) ù pi-šar-šú 5) šarru be-lí ú-da
durchgeführt worden, und der König, mein
Herr, kennt die betreffende Deutung.

6) ki-i ša qa-bu-u-ni 7) ina muḫḫi(UGU) an-ni-i
Wie sie (= die Experten) sagen, was hat das

8) mi-i-nu qur-bu
mit diesem (= dem Erscheinen
des Kronprinzen) zu tun?

9) ú-m[a-a] e-ra-bu 10) ⸢ša⸣ [mār(DUMU)] šarri
Jet[zt] ist das Erscheinen des [Kron]prinzen

11) [a-dan-niš] damiq(SIG$_5$-iq)
[sehr] gut![154]

Divinatorisch bedeutsame Ereignisse können nach diesem Brief also eine geplante Begegnung zwischen König und Kronprinz durchaus um 14 Tage verzögern. Da der Kronprinz im ass. Reich aber bereits wichtige politische Aufgaben wahrnimmt[155], kann eine derart lange Unterbrechung des Kontaktes in Krisensituationen von beachtlicher Konsequenz für die politische Handlungsfähigkeit sein. Schon nach den bisherigen Darlegungen wird man nicht annehmen können, daß es in spätass. Zeit um sie zum Besten bestellt gewesen ist.

Hinweise in zeitgenössischen atl. Texten auf die Kenntnis der ass. Hemerologie und Menologie sind nicht zu finden.[156] Gleichwohl

---

[154] *Parpola,* CT 53,153 = LAS 148 Obv. 5–Rev. 11; zur Datierung des Briefes vgl. LAS II/A S. 18*.

[155] S.u. S. 308f. A. 4.

[156] Daß Rabbi Aqiba in dem מענן von Dtn 18,10 eine Art Hemerologen erkannt zu haben glaubte, wird nicht sehr ernst zu nehmen sein (vgl. *Caquot,* Divination S. 108). Und die religionsgeschichtlichen Ursprünge des atl. Sabbats

spricht manches dafür, daß die Judäer um die hemerologische Reglementierung des täglichen Lebens eines Assyrers gewußt haben und die Regierenden sogar selbst mit hemerologischen Praktiken konfrontiert worden sind. Die Kenntnis der Hemerologie kann aufgrund eines Analogieschlusses auch in Juda vermutet werden, da ein hemerologischer Almanach aus vorachämenidischer Zeit auch in Elam gefunden worden ist.[157] Haben die Assyrer aber solche Texte auf ihren Feldzügen in den Osten mitgenommen, werden sie darauf bei ihren Eroberungen im Westen nicht verzichtet haben.

Die Konfrontation der Regierenden in Juda mit der Hemerologie ist deshalb wahrscheinlich, weil die besiegten Völker als Vasallen Vertrags-„Partner" Assurs wurden. Solche adê-Verpflichtungen sind aus dem innerass. Bereich in großer Zahl bekannt, da sowohl das Volk dem König einen Treueeid zu leisten hatte als auch jeder hohe ass. Beamte durch einen Vertrag gebunden wurde. Diese verschiedenen Vereidigungen, die alle mit dem Begriff adê belegt sind, werden unter strikter Beachtung hemerologischer Regeln vollzogen[158], so daß der Schluß fast unumgänglich ist, daß die politisch wichtigen Vasallenverträge nur an Tagen abgeschlossen worden sind, die das Placet der ass. Götter hatten.[159]

Läßt sich also auch kein sicherer Nachweis für die Kenntnis der ass. Hemerologie bei den Judäern führen, gilt von ihr jedoch allemal, daß das, was den ass. König und jeden Assyrer in so hohem Maße beschäftigte, auch seinen unfreiwilligen Untertanen nicht verborgen bleiben konnte.

4. Gebet und Ritual

Zwar kennt die mesopotamische Religion nominaliter die Vorstellung von der Unveränderlichkeit des göttlichen Willens als notwendige

---

liegen zu sehr im Dunkeln, als daß seine Herleitung aus hemerologischen Traditionen plausibel gemacht werden könnte (vgl. *de Vaux*, Institutions II S. 372ff.).

157 Vgl. *Scheil*, RA 22 S. 157f. und dazu *Labat*, RA 38 S. 19–22 und ders., MIO 5 S. 313ff.

158 Vgl. *Streck*, VAB 7 S. 2/4,12–23; ABL 33 = LAS 2; ABL 384 = LAS 3; ABL 386 = LAS 1.

159 Vielleicht bezieht sich sogar der Brief ABL 57 = LAS 211 Obv. 12 auf die Abberufung des Beschwörers Nabû-nādin-šumi zur Teilnahme an den Zeremonien für den Abschluß des großen Ash-Vertrages mit medischen Vasallen (vgl. LAS II/A S. 39). Rituale finden jedoch nie ohne hemerologisches Reglement statt!

Voraussetzung für eine gerechte Weltordnung[160], realiter ist damit jedoch exakt die Gegenposition zu dem formuliert, was in ihr dauernd und unaufgebbar praktiziert wird. Ohne Übertreibung läßt sich für die bab.-ass. Religion sagen, daß prinzipiell kein göttlicher Entschluß unveränderlich ist. Drohendes Unheil, das durch Opferschau, Himmelsbeobachtung und andere divinatorische Praktiken in Erfahrung gebracht worden ist, braucht nicht schicksalsergeben akzeptiert, sondern kann durch Gebet, Beschwörung und apotropäisch Rituale abzuwenden oder zu entfernen versucht werden. Von der Wichtigkeit dieses religiösen Bereiches zeugt eine Vielzahl von Gebeten und teilweise sehr umfangreichen und komplizierten Ritualen.[161]

Wie schon bei anderen Aspekten der bab.-ass. Religion so ist auch hier in der Königskorrespondenz ab Ash eine sichtlich gesteigerte Bezugnahme auf die Durchführung von Ritualen zu beobachten. Das kann nicht weiter verwundern. Denn wo das Interesse an der divinatorischen Erkundung der Zukunft zunimmt, muß naturgemäß auch die Beschäftigung mit der Abwehr kommenden Unheils intensiviert werden. Fast immer gehört dieser Versuch in die Sphäre der Magie, fällt aber zuweilen so drastisch aus, daß sich dem angemessenen Verstehen der Beschwörungspraktiken schier unüberwindliche Hindernisse entgegenstellen – kein Grund, wieso eine mesopotamische Religionsgeschichte nicht geschrieben werden sollte, Grund genug, dieses Unternehmen als äußerst schwierig zu betrachten.[162]

Wenn der Gelehrte Nergal-ēṭir in einem astronomischen Bericht an Ash aus dem Jahre 673 Dammbrüche infolge einer Mondfinsternis ankündigt und dann weiter mitteilt:

6) a-na pu-ḫi šarri butuqāti(A.<<NA>>MAḪ.MEŠ)
Zur Entlastung (wörtlich: Tausch) des Königs
i-na ^{kur}Akkadî(URI)^{ki}
will ich Dammbrüche im Lande Akkad

160 Vgl. CAD E S. 175 s.v. enû 1d2′; AHw S. 720a s.v. nakāru Dt 2; AHw S. 1279f. s.v. šupêlu G 4c. Gt 1 u.ö.

161 Die Quellen für die genannten Gattungen sind so zahlreich, daß hier nur Werke angegeben werden können, die die Quellen vollständig oder unter wichtigen Teilaspekten bibliographisch erfassen. Zu den Gebeten und Bußpsalmen (ÉR.ŠÀ.ḪUN.GÁ): *Borger*, HKL III § 77f.; *Mayer*, UFBG S. 378–437; zu den Beschwörungen und Beschwörungsritualen: *Borger*, HKL III § 87; LAS II/A S. XV–XVII.

162 Mit und gegen *Oppenheim*, Mesopotamia S. 172ff. v.a. 182f.

7) [i]na mu-ši lu-bat-ti-iq man-ma
[b]ei Nacht veranlassen (wörtlich: durchbrechen).

8) [la!] i-šem-mi
[Nie]mand soll (das) hören![163],

darf man dann in rationalistischer Manier von Götterbetrug reden? Oder wenn der Gelehrte Balasî wohl im Jahre 672 dem König Ash anrät, die unheilvolle Wirkung einer Konstellation für einen bestimmten Termin durch die Einfügung eines Schaltmonats zu umgehen[164], darf man dann behaupten, Ash und seine Gelehrten seien der Meinung gewesen, sie könnten durch derartige Manipulationen die Götter hinters Licht führen? Da die Angst des ass. Königs und auch seiner Berater in Fragen der Divination gewiß nicht die Anwendung zweideutiger Praktiken zugelassen hätte, werden Gebet, Ritual und andere apotropäische Handlungen eher als einer Sphäre zugehörig verstanden werden müssen, in der der Mensch mit göttlicher Billigung seine Einflußnahme auf die Entscheidungen der Götter, so eigenartig sie auch im einzelnen aussehen mag, geltend machen kann. Die Beschwörung ist die logische Entsprechung zur Kundgabe göttlicher Entscheidungen durch die Divination.

Die Briefe vor allem aus der Zeit Ash.s vermitteln einen guten Eindruck von dem energischen Willen, durch die Ritualisierung des Lebens ein Reservat zu schaffen, das von jeder Bedrohung freibleibt. Religiöse Einschätzung und Wirkung von Gebet und Ritual gehen sehr gut aus dem Passus eines Briefes von Balasî an Ash wegen eines Erdbebens hervor. Er schreibt:

5) ...ir-tu-ab 6) lum!-nu šu-u dul-lu
...(Die Erde) hat gebebt. Das ist schlecht.
Man soll das Ritual

7) šá ri-i-bi le-pu-šú 8) ilānī(DINGIR.MEŠ)-ka
gegen Erdbeben vollziehen, (dann) werden

ú-še-tu-qu
deine Götter (das Übel) vorüberziehen lassen.

---

163 *G. Smith,* IIIR 59 Nr. 5 = *Thompson,* RMA 272B Rev. 6–8; zu Lesung und Übersetzung vgl. *von Soden,* FS Christian S. 105; zur Datierung vgl. LAS II/A S. 19*; für ähnliche Handlungen im Namburbi-Ritual vgl. *Caplice,* Introduction S. 11f.

164 Vgl. *Thompson,* RMA 251 = LAS 325 Rev. 4–10; vgl. auch *Oppenheim,* Centaurus 14 S. 133 A. 52; zur Datierung des Berichts vgl. LAS II/A S. 15*.

9) e-pu-uš ^{d}É-a ip-šur 10) ^{d}É-a ša ri-i-bu
"Ea hat es gemacht, Ea hat es gelöst." Er, der

11) i-pu-šu-u-ni šu-tu-ma 12) NAM.BÚR.BI e-ta-pa-áš
das Erdbeben gemacht hat, hat auch das apotropäische Ritual (dagegen) geschaffen.

...

18) ...ilu(DINGIR) šu-u 19) uz-ni šá šarri
...Es war nur die Absicht des Gottes, die Ohren des Königs

20) up-ta-at-ti 21) ma-a up-ni-šú a-na ili(DINGIR)
zu öffnen. Er soll zu dem Gott

lip-ti ma-a
beten (und)

22) NAM.BÚR.BI le-pu-uš ma-a lu e-ti-iq
das apotropäische Ritual vollziehen, (daß) es (= das Erdbeben als Vorzeichen) (ohne böse Folgen) vorübergehe.[165]

Balasî sieht sich in diesem Brief veranlaßt, die Angst Ash.s vor den unheilvollen Folgen des Erdbebens mit einer theologischen Argumentation zu entkräften. Nicht anders als die bösen Vorzeichen hätten selbstverständlich auch die apotropäischen Rituale ihren Ursprun bei den Göttern, macht er in einer Exegese des in den Namburbi-Ritualen gängigen Satzes „Ea hat es gemacht, Ea hat es gelöst"[166]

---

165 ABL 355 = LAS 35 Rev. 5ff.; vgl. dazu *Meier,* OrNS 8 S. 306–309 und auch die (nicht in allen Teilen exakte) Übersetzung von *Oppenheim,* LFM 105; zur Zuordnung zu Ash vgl. *Waterman,* RCAE 355; *Pfeiffer,* SLA S. 265 zu Nr. 273 u.a.; zur Übersetzung von L.R. 22 vgl. AHw S. 261b s.v. etēqu G 5d.
Wie sehr sich Ash mit seiner ängstlichen Reaktion auf das Erdbeben von seinen Vorgängern unterschieden haben muß, ist der rhetorischen Frage Balasîs in Rev. 13–15 zu entnehmen: „Gab es (etwa) keine Erdbeben zu Zeiten der Väter und Großväter des Königs?" Das darin enthaltene argumentum e silentio will natürlich darauf hinaus, daß die Vorfahren des Königs weniger panisch auf derartige Ereignisse reagiert haben.
Weitere Texte, die sich mit der Abwendung unheilvoller Wirkungen von Erdbeben befassen: ABL 34 = LAS 16; ABL 357 = LAS 147 Obv. 12; *Parpola,* CT 53,153 = LAS 148; divinatorische Berichte über Erdbeben: *Thompson,* RMA 262Dff.

166 Vgl. *Caplice,* OrNS 39 S. 144,7'; 149,29'; 40 S. 141,28'; 143,16; 176 Rev. 6'; *Borger,* JCS 21 S. 10,5 + a; *Walker,* CT 51,98,8.

geltend. Deshalb biete der Vollzug des Rituals Schutz genug, zumal – wie er kategorisch und verharmlosend feststellt – die Gottheit in diesem Falle mit der Sendung des bösen Vorzeichens nicht die Ankündigung von Unheil beabsichtigt habe. Ob diese durchsichtige Beruhigungsstrategie auf Ash wirklich Einfluß gehabt haben kann?

Jedenfalls erfreuen sich die Namburbi-Rituale (wörtliche Bedeutung: „seine Lösung" = Abwendung oder Beseitigung aller möglichen Arten von Übel) in spätass. Zeit größter Beliebtheit, sind auch wohl zum Teil in dieser Zeit allererst entstanden, da sich für sie nie eine kanonische Serie herausgebildet hat. Namburbi-Rituale enthalten apotropäische Praktiken gegen das Unheil, das von (den Handlungen von) bestimmten Tieren wie Schlangen, Ameisen, Fröschen, Hunden, Eidechsen, Vögeln, Skorpionen usw. ausgeht, gegen das Unheil von meteorologischen Erscheinungen, Mißgeburten, Totengeistern, Dämonen, unkorrekt durchgeführten Kultriten und vielem anderem. Die Vielfalt der behandelten Themen hat ihr Pendant in den Omenserien Šumma ālu (terrestrische Erscheinungen), Šumma izbu (Geburt) und Enuma Anu Enlil (Himmelssphäre), auf deren unheilvolle Omina die Namburbi-Rituale Bezug nehmen.[167]

Der Ablauf eines Namburbi-Rituals besteht normalerweise aus folgenden Teilen[168]: Abgrenzung und Reinigung eines Platzes für das Ritual (in der Regel auf dem Dach eines Hauses oder am Ufer eines Flusses) und Reinigung des Ritualteilnehmers, Darbringung von Opfern, zentrale apotropäische Handlungen und den Gesamtvorgang abschließende Riten und Verhaltensmaßregeln. Gebete an verschiedenen Stellen und mit verschiedenen Adressaten sind innerhalb des Ritualablaufs üblich. Häufig erfleht der Ritualteilnehmer vor den zentralen apotropäischen Handlungen den Beistand von einer oder mehreren Gottheiten (vor allem Šamaš, Ea, Asalluḫi = Marduk) für den wirksamen Vollzug des Rituals.

Aus der Königskorrespondenz Ash.s und Asb.s lassen sich viele Hinweise auf Namburbi-Rituale zusammentragen. Nur selten muß ein Gelehrter bei einem möglicherweise unheilvollen Omen dem König gestehen:

---

167 Vgl. zum Vorangehenden *Caplice*, Introduction S. 7–9; *Ebeling*, RA 48 S. 1–6; *Oppenheim*, Mesopotamia S. 226; der größte Teil der Namburbi-Texte liegt in folgenden Bearbeitungen vor: *Ebeling*, RA 48 S. 1–15.76–85.130–141. 178–191; 49 S. 32–41.137–148.178–192; 50 S. 22–33.86–94; *Caplice*, OrNS 34 S. 105–131; 36 S. 1–38.273–298; 39 S. 111–151; 40 S. 133–183; ders., JNES 33 S. 345–349.

168 Vgl. zum folgenden *Caplice*, Introduction S. 9–13.

NAM.BÚR.BI-šu la-áš-šu
ein Namburbi-Ritual dagegen gibt es nicht.[169]

Normalerweise existiert für jedes böse Vorzeichen, und sei es noch so unscheinbar, ein zugehöriges Ritual, das mit Sorgfalt durchgeführt wird. So kann Nergal-šarrāni dem König versichern:

Obv.8) ka-mu-nu-u šu-u 9) ina tar-ba-ṣi ša bit-a-ni
(Betreffs) dieses Schwammes im inneren Hof

10) ša bīt(É) ^{d}Nabû(MUATI)...
des Nabû-Tempels...

Rev.1) ù ka-tar-ru 2) ina muḫḫi(UGU) igāri(É.GAR$_8$)
und (betreffs) des (anderen) Schwammes, (der) an der Wand

3) ša a-bu-sa-a-te 4) qa-ba-sa-a-te
der mittleren (= inneren?) Vorratshäuser

5) it-ta-mar 6) NAM.BÚR.BI-šú-nu
erschienen ist: ein Namburbi-Text dafür

7) i-ba-áš-ši 8) dul-lu i-ba-áš-ši
existiert, ein Ritual ist vorhanden.

9) ^{Id}Adad(IŠKUR)-šumu(MU)-uṣur(PAB)
Adad-šumu-uṣur wird (es)

10) i-ši-'a-a-ri i-pa-áš
morgen durchführen,

11) issē(TA-se)-niš li-pu-uš
er soll (es) gleichzeitig(?) machen.[170]

Ash.s Sorge um dieses unheilvolle Vorzeichen mag zunächst übertrieben erscheinen, wird aber in dem Moment verständlich, wenn man die zum Teil aufwendigen Namburbi-Texte gegen Schwammbildung an Hauswänden zur Kenntnis nimmt.[171] Der Umfang der

---

[169] ABL 470 = LAS 104 Obv. 8f.

[170] ABL 367 = *Pfeiffer*, SLA 279 = *Oppenheim*, LFM 110 Obv. 8–Rev. 11; die parataktische Konstruktion des Akkadischen ist bei der Übersetzung mit dem Ziel besserer Verständlichkeit hypotaktisch umgestaltet worden.
Mit dem katarru-Schwamm befaßt sich die 12. Tafel der Serie Šumma ālu (vgl. *Nötscher*, Šumma âlu II S. 55ff.). Darauf nimmt dieser Brief Bezug (vgl. *Deller*, OrNS 27 S. 314).

[171] Namburbi-Ritual gegen kamūnu-Schwamm: *Caplice*, JNES 33 S. 346f., gegen katarru-Schwamm: ders., OrNS 40 S. 140ff.

rituellen Reaktion mußte für einen verunsicherten König wie Ash Grund genug sein, die Sache sehr ernst zu nehmen.

Typischer für die spätass. Zeit als der gerade beschriebene Vorgang ist die Zunahme apotropäischer Handlungen gegen unheilvolle Gestirnbewegungen, allen voran gegen Mondfinsternisse.[172] Ebenso wie die von ihnen ausgehende divinatorische Bedrohung unter Ash und Asb in deutlich gesteigertem Maße wahrgenommen worden ist, scheinen auch erst in ihrer Zeit die Namburbi-Rituale auf astronomische Phänomene in größerem Umfang angewandt worden zu sein.[173] Damit stimmt auch die Beobachtung überein, daß in die Šu-ila-Gebete die sog. attalû-Formel (attalû = Finsternis) Eingang gefunden hat, die als traditionsgeschichtlich sekundäres Element diese Gebete dem Zweck der Namburbi-Rituale angleicht. Die in den betreffenden Šu-ila-Gebeten genannten Königsnamen (1mal Srg, 4mal Asb, 4mal Šamaššumukīn) führen wieder auf eine im 7. Jh. zentrierte Entwicklung.[174]

Noch eine weitere Entwicklung der Namburbi-Texte ist für die spätass. Zeit charakteristisch: das „Namburbi-Ritual gegen jegliches Übel" (NAM.BÚR.BI ḪUL DÙ.A.BI), das in der Korrespondenz Ash.s und Asb.s sehr häufig erwähnt wird und durch seinen Totalitätsanspruch einmal mehr das Bedürfnis nach umfassender Lebenssicherung anzeigt.[175] Lange Aufzählungen aller möglichen unheilvollen Omina, zu denen größtenteils auch spezielle Namburbi-Rituale existieren, sollen die Realisierung unerkannt gebliebener Bedrohungen ausschließen.

Nicht nur der ass. König, auch die Ritualexperten hatten zur Erhaltung dieses „Sicherheitssystems" einen geschäftigen Alltag. Davon

---

172 Namburbi-Rituale gegen bestimmte Planeten(bewegungen): *Virolleaud*, ACh SS 62 = LAS 289 Obv. 1'–19'; ABL 23 = LAS 185 Obv. 15f.; ABL 24 = LAS 172 Rev. 13–16 (nicht sicher); ABL 1099 = LAS 149 (nicht sicher); *Thompson*, RMA 88 Obv. 1–10; 96; 195 u.ö.
Namburbi-Rituale gegen Mondfinsternisse: ABL 46 = LAS 298 Rev. 7'–16'; ABL 337 = LAS 278 Rev. 11'–19'; ABL 629 = LAS 279; ABL 895 = *Thompson*, RMA 274 = *Pfeiffer*, SLA 276 = *Oppenheim*, LFM 102.

173 Vgl. *Oppenheim*, JNES 33 S. 209.

174 Vgl. *Mayer*, UFBG S. 18–21.100–102.

175 Vgl. ABL 23 = LAS 185 Obv. 5–14. Rev. 10–13; ABL 51 = LAS 204 Obv. 6; ABL 370 = LAS 203 Rev. 1–4; ABL 647 = LAS 67 Obv. 7f.; *Parpola*, CT 53,8 = LAS 334. Außer in ABL 51 und 647 wird das Namburbi-Ritual immer zusammen mit Šu-ila-Gebeten erwähnt. Die Verbindung zwischen beiden Formen muß demnach in spätass. Zeit als sehr eng vorgestellt worden sein.
Namburbi-Ritual gegen jegliches Übel: *Ebeling*, RA 48 S. 6–15.76–81.

vermittelt der Tätigkeitsbericht des Oberbeschwörers (rab mašmaši) Marduk-šakin-šumi an Ash aus dem Jahre 671 einen lebhaften Eindruck:

Obv.5) 3 [Š]U.ÍL.LÁ.KÁM.MEŠ ša pān(IGI) ^{d}[Nusku]
3 [Š]u-ila-Gebete von den vor [Nusku]
(zu rezitierenden),

6) 3 ša pān(IGI) ^{d}Sîn(XXX)
3 von den vor Sîn,
3 ša pān(IGI) ^{d}[Sebetti(IMIN)]
3 von den vor der [Sieben]gottheit,

7) 2 : [š]a pān(IGI) ^{mul}GAG.SI.S[Á]
2 von den vor Siriu[s],

8) 2 : š[a IG]I(pān) ^{mul}Ṣal-ba[t-a-nu]
2 v[on den vo]r Ma[rs] (zu rezitierenden Gebeten),

...

13) šiptu(ÉN) ^{d}É-a [^{d}Šamaš(UTU) ^{d}Asal-lú-ḫi]
Die Beschwörung (mit dem Anfang)
"Ea, [Šamaš und Asalluḫi]"

14) ša NAM.BÚR.BI Ḫ[UL DÙ.A.BI]
von dem Namburbi-Ritual gegen [jegliches Üb]el,

15) NAM.BÚR.BI šum-ma Sîn(XXX) u Šamaš(XX)
das Namburbi-Ritual "Wenn Sîn und Šamaš
ana rubê(NUN!) u mātī(KUR!)-⌜šú⌝!
für den Fürsten und sein Land

16) zi!-in-na-tú ib-šú-u is-se-niš
gleichzeitig zum Kummer geworden sind",

17) napḫaru(PAP) 21 ṭup-pa-a-ni
insgesamt 21 Tafeln habe ich
ina muḫḫi(UGU) nāri(ÍD)
am Ufer der Flusses (mit den auf ihnen stehender

18) u_4-mu an-ni-i e-ta-pa-áš
Gebeten und Ritualen) heute durchgeführt.

19) ina nu-bat-ti ^{I}Urad(ARAD)-^{d}É-a
Am Abend wird Urad-Ea

ina ūr(ÙR) ekalli(É.GAL)
auf dem Palastdach (seinen Teil)

20) ep-pa-áš šarru be-lí ú-da 21) [lú]mašmašu(MAŠ.MAŠ)
durchführen. (Wie) der König, mein Herr, weiß,

uḫulgalû(UD.ḪUL.GÁL.E) la ṭābu(DÙG.GA)
darf ein Beschwörer an einem Unglückstag

22) ŠU.ÍL.LÁ.KÁM la i-na-áš-ši 23) ú-ma-a re-eš
kein Šu-ila-Gebet sprechen. Nun habe ich (damit)

ṭup-pa-a-ni 24) ma-a'-du-ti lu 20 lu 30
begonnen, viele Tafeln, 20 bis 30,

25) damqūti(SIG$_5$.MEŠ) a-ḫi-ú-ti 26) ú-ba-'a
kanonische (und) unkanonische, zu überprüfen,

a-na-áš-ši-a 27) a-šaṭ-ṭar
zu kontrollieren (und) zu kopieren.

Rev.1) ina ši-a-ri ina nu-bat-ti mu-šú
(Erst) morgenabend (und) in der Nacht

2) ša UD.15.KAM* ep-pa-áš...
des 15. werde ich (die Gebete und
Rituale dieser Tafeln) durchführen.[176]

Viele Formen der religiösen Literatur wie die Bußpsalmen (ÉR.ŠÀ.ḪUN.GÁ), die Rituale bīt rimki und bīt salā' mê, viele Beispiele für die rituelle Regulierung des Alltags wie etwa die Ritualisierung des Palasteintritts könnten noch den mit aller Kraft geführten Kampf gegen die dämonischen Mächte von Himmel und Erde veranschaulichen.[177] In keinem dieser Rituale hat sich jedoch der Überlebens-

---

176 ABL 23 = LAS 185 Obv. 5—Rev. 2; zu Obv. 13 vgl. *Ebeling,* RA 48 S. 6,1 u.ö., vgl. *Mayer,* UFBG S. 382; zur Datierung des Briefes vgl. LAS II/A S. 16*; zur Person des Marduk-šakin-šumi vgl. LAS II/A S. 33f.

177 Erwähnung der ÉR.ŠÀ.ḪUN.GÁ-Gebete in den Briefen: ABL 29 = LAS 271 Rev. 3f.; ABL 437 = LAS 280 Obv. 19; ABL 629 = LAS 279 Rev. 14; ABL 667 = LAS 272 Obv. 15f.; *Parpola,* CT 53,8 = LAS 334 Obv. 2; zu Editionen von ÉR.ŠÀ.ḪUN.GÁ-Texten vgl. *Borger,* HKL III § 78.
Erwähnung des Rituals bīt rimki in den Briefen: ABL 276 Rev. 6—11 (vgl. *Landsberger,* BBEA S. 34); ABL 361 = LAS 167 Rev. 5f.; ABL 437 = LAS 280 Obv. 18; ABL 951 Rev. 1; *Parpola,* CT 53,149 = LAS 310 Obv. 6'—Rev. 3.
Erwähnung des Rituals bīt salā' mê in den Briefen: ABL 437 = LAS 280 Obv. 18; ABL 932 = LAS 227 Obv. 7; *Parpola,* CT 53,49 = LAS 136 Obv. 10f.; zu den Editionen der Rituale bīt rimki und bīt salā' mê vgl. *Borger,* HKL III

wille des ass. Königs in so grausam konsequenter Weise artikuliert wie im Ersatzkönigsritual (šar pūḫi). Die gewiß nicht rein zufällige Quellenlage vermittelt den Eindruck, daß das Ritual unter der Regentschaft Ash.s verstärkt angewendet, wenn nicht erst wiederbelebt worden ist.[178] Anlaß für die Durchführung des Ersatzkönigsrituals sind zumeist totale und partielle Mondfinsternisse gewesen, di – wie bereits bekannt – nach der Omenüberlieferung als besonders unheilvoll für den ass. und/oder bab. König angesehen wurden.[179]

S. 86. Erwähnung des Rituals É.GAL.KU$_4$.RA („Eintreten in den Palast"): AB 276 Rev. 6–11 (vgl. *Landsberger*, BBEA S. 34); zum Ritual selbst: vgl. *Borger* HKL III S. 86, v.a. die Bearbeitung *Ebeling*, Zauberpriester S. 27ff. Zur Erwähnung weiterer Rituale in den Briefen vgl. *Mayer*, UFBG S. 20f.

[178] Gegen *Parpola*, LAS II/A S. 56, der ebd. S. 54–65 die Quellen für das Ritual vollständig gesammelt und es selbst gut dargestellt hat (vgl. auch *Bottéro*, Akkadica 9 S. 10ff.). Die bisherige Quellenlage spricht nicht für den von *Parpola* angenommen institutionellen Charakter. Der älteste Beleg steht in einer Chronik über bab. Könige der 2. Hälfte des 3. Jt.s und des Beginns des 2. Jt.s, wo die Anwendung des Rituals von dem König Erra-imitti (1868–1861) berichtet wird (vgl. *Grayson*, ABC S. 155,31–36; Gattung: Anekdote). Aus der Zeit um 1300 folgen für den Brauch hethitische Ritualtafeln (vgl. *Kümmel*, Ersatzrituale S. 1ff.; zu den akkad. Belegen vgl. ebd. S. 167ff.) und aus der Zeit Adn.s III. (809–782) die Urkunden ND 3483 (*Wiseman*, Iraq 15 S. 148 Pl. XV) und wohl auch ND 6213 (*Kinnier Wilson*, NWL Nr. 33 i,1 mit der Berichtigung durch *von Soden*, ZA 64 S. 130). Dann sind aber aus der Regentschaft Ash.s 33 Briefe (davon 22 mit Sicherheit, 11 mit großer Wahrscheinlichkeit zuzuordnen; ABL 4 = LAS 137; ABL 15 = LAS 139; ABL 22 = LAS 179; ABL 23 = LAS 185; ABL 38 = LAS 25; ABL 53 = LAS 205; ABL 149 = LAS 317; ABL 183 = LAS 138; ABL 223 = LAS 30; ABL 332 = LAS 31; ABL 337 = LAS 278; ABL 359 = LAS 135; ABL 361 = LAS 167; ABL 362 = LAS 166; ABL 437 = LAS 280; ABL 594 = LAS 249; ABL 629 = LAS 279; ABL 653 = LAS 134, hierher gehörig? vgl. *Bottéro*, Akkadica 9 S. 2.21; ABL 670 = LAS 4; ABL 674 = LAS 28; ABL 676 = LAS 26; ABL 735; ABL 816 = LAS 77; ABL 1006 = *Thompson*, RMA 268 = *Pfeiffer*, SLA 322; ABL 1014 = LAS 292; ABL 1435 = LAS 162, in LAS II/A S. 55 nachzutragen; *Parpola*, CT 53,8 = LAS 334; CT 53,49 = LAS 136; CT 53,50 = LAS 235; CT 53,52 = LAS 257; CT 53,69 = LAS 171; CT 53,593 = LAS 27; CT 53,932 = LAS 236), aus der Zeit Asb.s ein Brief (ABL 46 = LAS 298) und eine fragmentarische Ritualtafel (*Lambert*, AfO 18 S. 109–112; 19 S. 119) überliefert, die natürlich nur die Abschrift eines schon länger bekannten Ritualtextes ist. Das Übergewicht der Belege aus Ash.s Regentschaft fügt sich genau in das für seine Zeit charakteristische Bild ein.
Zur Korrektur der Aufzählung in LAS II/A S. 55: ABL 439 = LAS 140 (Ash) und ABL 1397 = LAS 299 (Asb) nehmen auf das Ritual pūḫi amēli ana Ereškigal „Ersatz eines Menschen für Ereškigal (= Göttin der Unterwelt)" Bezug (KAR 245 // LKA 79 und 80, vgl. *Ebeling*, TuL Nr. 15f.), in dem die Auslösung durch ein Tier geschieht (vgl. *Bottéro*, Akkadica 9 S. 7f.11f.).

[179] Über andere Anlässe und die Aussagen der Omenserien vgl. LAS II/A S. 56f.

Um das Unheil von dem König abzuwenden, wird an seiner Stelle ein einfacher Mann aus dem Volk zum König gekrönt[180], während der wirkliche König sich in seinem Palast zurückzieht und sich in der Regel nur mit „Bauer" (ikkaru) anreden läßt. Auf den Ersatzkönig, der normalerweise 100 Tage im Amt bleibt[181], werden in einer Ritualhandlung alle bösen Omina, die ursprünglich dem ass. König gegolten haben, übertragen.[182] Nach Ablauf der Frist hat der Ersatzkönig nichts Gutes zu erwarten. In der Ritualanweisung heißt es lapidar:

[....] x amēlu(LÚ) ša a-na pu-u-ḫi šarri
Der Mann, der stellvertretend für den König
innadnu(SUM-nu) imât(ÚŠ)-ma
eingesetzt worden ist, soll sterben...[183]

Und in der Durchführung:

6) mār(DUMU) ^{lú}šatammi(ŠÂ.TAM) ša A.GA.[DÊ^{ki}]
(Damqî,) der Sohn des šatammu-Beamten
von Akk[ad] (= Babylon),

7) ša ^{kur}Aš-šur^{ki} Bābili(KÂ.DINGIR)^{ki} :! [ù]
der Assur, Babylon(ien) [und]

8) mātāti(KUR.KUR) ka-li-ši-na ib-i[l?-u-ni šu-u]
die Länder in ihrer Gesamtheit re[giert hat, er]

9) ù ša$_{12}$ ekallī(MUNUS.Ê.GAL)-šú mūša(GE$_6$)
und seine Königin sind in der Nacht
š[a UD.?.KAM* a-na]
d[es ...ten Tages zur]

---

180 Eine Ausnahme bildet die in dem Brief ABL 437 = LAS 280 berichtete Durchführung des Rituals, in der der Sohn des šatammu-Beamten von Babylon als Ersatzkönig eingesetzt worden ist. Seine Tötung hat damals Unruhe unter der Bevölkerung von Babylon ausgelöst (vgl. Rev. 7–9 und *Landsberger*, BBEA S. 46ff.60ff.; *Bottéro*, Akkadica 9 S. 13.18–20). Die Investitur von Kriminellen ist nur bei griechischen Schriftstellern belegt (vgl. LAS II/A S. 61f.).

181 Die Frist von 100 Tagen erinnert an den für die Orakelanfrage *Knudtzon*, AGS 1 angegebenen Zeitraum (s.o. S. 238f.). Es würde allemal einleuchten, daß genaue vorherige Kunde über eventuelle Aktionen der Feinde innerhalb der Zeit der Durchführung des Ersatzkönigsrituals, die eine beschränkte Regierungsfähigkeit mit sich brachte, von hohem Interesse war.

182 Vgl. etwa ABL 629 = LAS 279 Obv. 11–14.

183 *Lambert*, AfO 18 S. 110 A 6.

10) di-na-a-ni ša šárri bēlī(EN)-iá
Stellvertretung des Königs, meines Herrn,
[ù a-na ba-laṭ Z]I! ⌜meš⌝! (napšāti)
[und zur Lebenser]haltung

11) ša Id Šamaš(GIŠ.NU₁₁)-šum(MU)-GI.[NA(ukīn) im-tu]-t
des (Prinzen) Šamaššumuk[īn gestor]ben.

12) a-na pi-di-šú-nu a-na ⌜šim!-ti⌝! it-ta-lak
Um ihrer Verschonung willen hat er das Zeitliche gesegnet (ist er zum Schicksal gegangen).[184]

Die unter mancherlei Ritualen vollzogene Rückkehr des ass. Königs auf den Thron schließt das Ritual ab.

Soweit bekannt, hat Ash auf Anregung seiner priesterlichen Berater das Ritual viermal (in den Jahren 672, zweimal 671 und 669), Asb hingegen nur einmal (im Jahre 666) durchgeführt.[185] Das Ersatzkönigsritual ist untrügliches Symptom sowohl des kritischen Grades de Verängstigung als auch der nachgerade verzweifelten Entschlossenheit, der Bedrohung zu begegnen.

Noch ein weiterer Aspekt des Ersatzkönigsrituals verdient Beachtun Selbst wenn das Ritual nicht immer ganze 100 Tage gedauert hat und der wirkliche ass. König auch in dieser Zeit seinen Regierungsgeschäften in irgendeiner Weise nachgekommen ist, werden zeitliche Aufwand und seelische Belastung nicht leicht überschätzt werden können. Die bedrohlichen Aktionen der Götter und Dämonen zoge die Aufmerksamkeit stärker auf sich als die der irdischen Feinde. Ob das ass. Großreich, dessen Stabilität so sehr von der Tat- und Gestaltungskraft seiner Regenten abhängig war, den mindestens partiellen Führungsentzug auf Dauer verkraften konnte?

Fragt man abschließend, was aus der ass. Ritual- und Gebetssphäre auch in den eroberten Gebieten im Westen des Reiches Anwendung gefunden haben mag, läßt sich von vornherein ausschließe daß das Ersatzkönigsritual für die Vasallen Assurs in irgendeiner Weise von Belang gewesen ist, wenn sie auch durchaus Kenntnis von dieser Praxis gehabt haben können. Hingegen ist allemal wahrscheinlich, daß der für die private Frömmigkeit der Assyrer unverzichtbare Kult mit den zugehörigen Gebeten und Ritualen in allen Teilen des ass. Reiches, wo immer sich Assyrer aufhielten, an geeigneten Orten ausgeübt worden ist.

---

184 ABL 437 = LAS 280 Obv. 6–12; s.o. A. 177 und ANET S. 625f.
185 Vgl. LAS II/A S. 55.

Es ist der RB in 2Kön 23, der diese Vermutung durch einige Hinweise zu bestätigen vermag. Im Blick auf die Gebetspraxis der Assyrer ist die zweimalige Erwähnung von שמש/Šamaš im RB (23,5.11), die sich auch schon bei der Erörterung der Extispizin und Himmelsbeobachtung als aufschlußreich erwiesen hatte, noch einmal mehr von Interesse. Eine Untersuchung, welche Götter in Babylonien und Assyrien am meisten in den Gebeten angerufen werden, ergibt nämlich, daß neben Sîn (ca. 15 Gebete), Marduk und Ištar (je ca. 30 Gebete) Šamas mit Abstand den ersten Platz einnimmt (über 100 Gebete!).[186]

Wem dieser Hinweis auf den RB zu vage ist, mag die Ausübung ass. Kultes im Westen einem ass. Text selbst entnehmen, einer Tafel mit einem Gebet an die Götter Ea, Šamaš und Asalluḫi, die im syrischen Ḫamat/Ḫamā gefunden und dort nicht später als 720 benutzt worden ist.[187] Die in dem Gebet angerufenen Götter, ferner einige Duplikate und die Unterschrift ana lumun(ḪUL) ṣēri(MUŠ) „gegen das Unheil (, das) von einer Schlange (ausgeht)" ermöglichen die eindeutige Zuordnung zu den oben besprochenen Namburbi-Ritualen, deren Ausübung im Westen aber nicht nur durch diesen Text, sondern auch durch eine kleine Tafel aus dem kleinasiatischen Tarsus, die als Amulett gebraucht worden ist, bewiesen wird.[188] In Guzāna (Tell Halaf), also nicht ganz so weit westlich, aber auch noch im Außenbezirk des ass. Reiches, ist ein Tafelfragment der Beschwörungsserie utukkī lemnūti gefunden worden, das sich aufgrund seiner sorgfältigen Ausführung als Importstück aus dem ass. Kernland bestimmen läßt.[189] Damit ist dokumentiert, was ohnehin das Wahrscheinliche ist, daß kein Assyrer irgendwo ohne die rituelle Absicherung seines Lebens auszukommen vermochte, daß darüberhinaus aber auch die ass. Truppen, wo immer sie stationiert waren, auf die rituelle Abwehr möglichen Unheils angewiesen waren.[190]

---

[186] Vgl. die Zusammenstellung der Gebete bei *Mayer*, UFBG S. 378ff.

[187] Vgl. *Laessøe*, Iraq 18 S. 60ff.

[188] Zu dem Gebet an Ea, Šamaš und Asalluḫi als Teil von Namburbi-Ritualen vgl. *Caplice*, OrNS 34 S. 106 und *Mayer*, UFBG S. 382; zur Abschlußzeile des Gebetes aus Ḫamat vgl. *Laessøe*, Iraq 18 S. 62,33.
Zur Amulett-Tafel aus Tarsus vgl. *Goetze*, JAOS 59 S. 11–16; zur Zuweisung zur Namburbi-Serie vgl. *Caplice*, OrNS 34 S. 106; vorsichtiger hingegen *Mayer*, UFBG S. 403: „namburbi-artig".

[189] Vgl. *Friedrich* u.a., Tell Halaf Nr. 99.

[190] Vgl. das Namburbi-Ritual a-na di-i'-ḫu šib-ṭi mūtānī(NAM.ÚŠ.MEŠ) a-na AN[ŠE.KUR.RA.MEŠ(sīsê) u] ummānī(ÉRIN.ḪÁ) šarri lā(NU) ṭeḫê(TE-e) „Daß diḫu-Krankheit, Seuchen (und) Todesfälle den Pfe[rden und] Truppen des Kö-

Der Analogieschluß auf judäische Verhältnisse unter ass. Oberherrschaft kann ohne jede Einschränkung gezogen werden. Wiederum liefert der RB zusätzliche Evidenz, wenn er in der Grundschicht die Zerstörung von Altären durch Josia berichtet, die auf dem Dach des Jerusalemer Tempels gestanden haben (2Kön 23,12), eine Kulteinrichtung, die auch durch den zeitgenössischen Beleg Zeph 1,5 bezeugt ist.[191] Beide Stellen erinnern jedenfalls an die in akkad. Ritualen – und so auch in den Namburbi-Texten – getroffene Regelung, den heiligen Bezirk für die Durchführung des jeweiligen Rituals entweder auf dem Dach eines Hauses bzw. Tempels oder am Ufer eines Flusses zu installieren.[192] Flüsse wie Euphrat und Tigris gab es in Juda nicht, so daß die Ritualausübung auf den Dächern für Assyrer in dieser Gegend des Reiches als einzige Möglichkeit übrigblieb. Über die Ortsangabe hinaus enthalten beide atl. Stellen noch Details, die ihre beste Erklärung in der akkad. Ritualsphäre haben: Der Plural מזבחות in 2Kön 23,12 wird nicht auf dtr Pauschalisierung zurückzuführen sein, sondern auf die üblichen akkad. Ritualvorkehrungen, zu denen fast immer mehrere Opfertische gehören. Und daß Zeph 1,5 den Kult auf den Dächern dem צבא השמים zuordnet, läßt sich aus dem wichtigen astralen Moment der Rituale (häufige Durchführung bei Nacht!) heraus verstehen.[193]

---

nigs nicht nahekommen“ *Caplice*, OrNS 39 S. 118–124. An dem Vollzug diese Rituals ist der König beteiligt. Doch hat es gewiß ähnliche Texte gegeben, die mit demselben Ziel ohne die Person des Königs durchgeführt werden konnten.

191 S.o. S. 109f.

192 S.o. S. 285.

193 Opferhandlungen und Rituale auf dem Dach eines Tempels oder Hauses (vielfach nachts): ABL 23 = LAS 185 Obv. 19f.; ABL 1278 = LAS 340 B5f.; *Caplice,* OrNS 36 S. 19 Rev. 10ff.; S. 21,3ff.; S. 34,4ff.; 39 S. 124,3ff.; *Ebeling,* AGH S. 104,24; ders., RA 49 S. 178,7ff.; S. 184,3ff.; ders., Zauberpriester S. 5,9; S. 37,1; S. 47,3ff.; *Thompson,* EG III,ii,7f.; *King,* BMS 26 Obv. 5; 31 Rev. 8; *Thureau–Dangin,* RAcc S. 40,7ff.; S. 44,5ff.; S. 119,14ff. u.ö.; vgl. auch AHw S. 1434f. s.v. ūru I 4b; *Weinfeld,* UF 4 S. 152f.; vor allem für die Dokumentation des archäologischen Befundes vgl. *Conrad,* Altargesetz S. 114ff.
Heilmittel, die über Nacht auf dem Dach „angesichts der Sterne“ (ana pān kakkabāni) oder eines bestimmten Sternbildes hingestellt werden müssen: *Biggs,* TCS 2 S. 54b,10; S. 55 III,3.15; LKA 138 Obv. 3; *Thompson,* AMT 12 Nr. 9,8′ u.ö.; vgl. auch CAD K S. 47b s.v. kakkabu 1d; CAD M/II S. 293 s.v. mūšu a4′.
Gebete an Gestirne: *Mayer,* UFBG S. 427ff. und ABL 370 = LAS 203 Rev. 1ff.
Verwendung mehrerer Opfertische in Kulthandlungen: vgl. AHw S. 851b s.v. paṭīru; *Weinfeld,* UF 4 S. 153.

Die Form spätass. Gebets- und Ritualspraxis, die am ass. Hofe in besonders charakteristischer Weise zu beobachten war, hat in alle Regionen des ass. Reiches hineingewirkt, weil überall Assyrer lebten, die gegen die Krise der Zeit keine anderen Mittel als die im Zentrum der Macht ersonnenen einzusetzen wußten.

5. Prophetie

Die Bedeutung der Prophetie im Assyrien des 7. Jh.s zeigt noch einmal in seltener Deutlichkeit die Wandlung des religiösen Bewußtseins, die sich für die Zeit Ash.s und Asb.s als charakteristisch erwiesen hatte. Prophetie, vor allem in Form des Ekstatikertums und Traumorakelwesens, ist schwerpunktmäßig am westlichen Rand des mesopotamischen Kulturkreises (Mari) seit altbab. Zeit bezeugt, hat aber in den folgenden Jh.en nie in den Kreis der zentralen divinatorischen Praktiken der bab.-ass. Religion (Extispizin und später Himmelsbeobachtung) einzudringen vermocht. So gibt es wohl die Zeiten hindurch Zauberpriester und Beschwörungsexperten, die sich ekstatischer Praktiken bedienen (e/iššebû, eššebī/ūtu; ma/uḫḫû, ma/uḫḫūtu; zabbu, zabbatu), gibt es auch den Traumdeuter (šā'ilu, šā'iltu) und eine Sammlung von Traumomina, doch irgendeinen erwähnenswerten Einfluß haben die durch diese Fachleute vertretenen Zweige der Divination bis zum 7. Jh. nicht gehabt.[194]

Die Aufwertung, die das Ekstatikertum unter Ash erfährt, geht so weit, daß es sogar in seinen Königsinschriften erwähnt wird:

12) ši-pir (lú) maḫ-ḫe-e
Botschaft(en) der Ekstatiker

13) ka-a-a-an su-ud-du-ra
wurde(n) mir beständig geschickt.

...

18) i-da-at dum-qí
...günstige "Kräfte",

---

194 Vgl. zum Vorangehenden *Oppenheim,* Mesopotamia S. 221f.; *Nougayrol,* Divination S. 67; zu e/iššebû, eššebī/ūtu vgl. AHw S. 258a; CAD E S. 371; zu ma/uḫḫû, ma/uḫḫūtu vgl. AHw S. 582f.; CAD M/I S. 90f.; M/II S. 176f., als weiterer Beleg wäre jetzt hinzuzufügen: *Parpola,* CT 53,946 L.R. 2; zu zabbu, zabbatu vgl. CAD Z S. 7b; zu šā'ilu, šā'iltu vgl. AHw S. 1134a; zu Editionen von Traumomina vgl. *Borger,* HKL III S. 98f.

19) ina šutti(MÁŠ.GE_6) u ger-re-e
(übermittelt) durch Traum und Orakel,

20) ša šur-šu-di kar-ri
für die feste Gründung der Thronstütze (und)

21) šul-bur palê(BALA)-ia
für meine Regierung bis ins hohe Alter

22) it-ta-nab-ša/šá-a elī(UGU)-ia
wurden mir immer wieder zuteil.

23) ittāt(GISKIM.MEŠ) du-un-qí
Als ich diese günstigen

24) šu-a-ti-na a-mur-ma
Omina erblickte,

25) lib/lìb-bu/bi ar-ḫu-uṣ-ma
faßte ich im Herzen Vertrauen und

26) iṭ-ṭib ka-bat-ti
wurde mein Gemüt froh.[195]

Die unter Ash vorgenommene Aufwertung des maḫḫû, der jetzt gleichwertige Aufnahme in den Kreis der Divinationsexperten gefunden hat, ist aber noch nicht die auffälligste Wandlung im Blick auf die Einschätzung des Prophetentums. Sie ist vielmehr in dem Auftreten neuer prophetischer Gruppen zu erkennen, unter denen Prophetinnen eine dominierende Stellung einnehmen. Über die Methode ihres Offenbarungsempfangs ist nichts Sicheres bekannt. Die Mitglieder einer dieser neuen Prophetengruppen werden raggimu „Rufer" bzw. raggim/ntu „Ruferin" genannt, wofür eine Vokabulargleichung mit šaprû, einem Tempelverwalter, bezeugt ist.[196] Ob man deshalb auch für den raggimu Tempelschlaf und Traum als Offenbarungsmedien annehmen darf, ist allerdings nicht mehr als Vermutung.

---

[195] *Borger*, Ash S. 2 II,12f.18–26; vgl. ebd. S. 45 I,87–II,7.

[196] *Landsberger*, MSL 12 S. 226,134; vgl. AHw S. 1120a, lies šaprû statt šabrû vgl. *Borger*, ABZ Nr. 295f. Der bisher einzige instruktive Beleg für den šaprû a Traumempfänger steht auf dem Prisma B der Inschriften Asb.s, wo jener eine Traumoffenbarung hat (vgl. *Piepkorn*, AS 5 S. 66,49–76), die ein an Asb ergangenes Heilsorakel der Ištar von Arbela bestätigt (vgl. ebd. S. 64/6,47–49). Die Belege für raggimu bzw. raggim/ntu stammen alle aus der Zeit Ash.s und Asb.s (vgl. AHw S. 942a); raggimu: ADD 860 III,20; *Craig*, ABRT I Nr. 25 IV,31! (Orakel für Ash, Kontext zerstört); ABL 1285 Rev. 31 (Brief an Asb?);

Ganz außer Zweifel steht hingegen, daß manche raggimtu-Prophetinnen beim ass. König in so hohem Ansehen standen, daß ihr politischer Einfluß nicht viel geringer als der der engsten königlichen Berater gewesen sein wird. Dafür ist die raggintu Mulišsu-abu-uṣri ein gutes Beispiel, die in zwei Briefen im Zusammenhang mit der Durchführung des Ersatzkönigsrituals unter Ash erwähnt wird.[197] In dem Brief ABL 149 wird von ihr berichtet, daß sie Gewänder des ass. Königs nach Akkad (= Babylon) wohl zur Investitur des Ersatzkönigs gebracht habe und nun aufgrund einer göttlichen Offenbarung die Forderung stellt, daß auch der Thron des ass. Königs nach Akkad gebracht werde, mit den Worten:

6) $^{\text{g[iš]}}$⸢GU⸣!.⸢ZA⸣!(kussû) [l]u ta-lik
(Nach Akkad) möge der Thron gehen!

7) ma-a ^{lú}nakrī(KÚR.MEŠ) 8) ša šarrī-ia ina lìb-bi
Die Feinde meines Königs will ich damit

9) a-ka-šad...
fangen![198]

Die königstreue, heilsprophetische Tendenz des Orakels ist hier offensichtlich und scheint auch indirekt dem unverständlichen Spruch in dem Brief ABL 437 zugrundezuliegen, in dem dem Ersatzkönig etwas Unheilvolles angesagt wird.[199]

Am eindrücklichsten ist die unter Ash und Asb favorisierte Heilsprophetie durch eine Sammlung von Orakeln für Ash dokumentiert, die vermutlich über einen größeren Zeitraum hin an ihn ergangen sind, aber mit einer Ausnahme keine Anhaltspunkte zur genaueren

---

Wiseman, VTE 116; ABL 1216 Obv. 9 (Brief an Ash, ^{lu}ra-ag-gi-ma-nu ^{munus}ra-ag-gi-ma-a-tu); raggim/ntu: *Strong,* BA 2 S. 633,1 (Orakel für Asb von Ištar von Arbela); ABL 149 = LAS 317 Obv. 7; ABL 437 = LAS 280 U.R. 23. Rev. 1 (beide Briefe an Ash).
Für Editionen der prophetischen Texte vgl. *Borger,* HKL III S. 98 (oben); zu ihrer Darstellung vgl. *Nougayrol,* Divination S. 67–69.

197 ABL 149 = LAS 317 und ABL 437 = LAS 280. Wird in ABL 437 auch nicht der Name der Prophetin genannt, ist die Identität der Person in beiden Briefen doch wahrscheinlich zu machen (vgl. *von Soden,* FS Christian S. 102, akzeptiert von *Landsberger,* BBEA S. 47 A. 83 und in LAS II/A S. 55).

198 ABL 149 = LAS 317 Rev. 6–9; vgl. *Landsberger,* BBEA S. 49 A. 89.

199 Vgl. ABL 437 = LAS 280 Obv. 22–Rev. 4. *Landsberger* bezweifelt bei diesem Orakel sogar, „ob es die versammelte Nobilität von Akkad verstanden hat", und will einen Textfehler nicht ausschließen (BBEA S. 48 A. 84).

Datierung bieten.[200] Jedes Orakel wird durch die Angabe der die Botschaft übermittelnden Person abgeschlossen, welche nach den erhaltenen Informationen in sechs Fällen eine Frau, nur in einem ein Mann ist.[201] Da keine der Personen einen Titel trägt[202], ist ihre Zugehörigkeit zu einer der bekannten Prophet(inn)engruppen nicht zu klären, während die Frage nach der jeweils das Orakel auftragenden Gottheit eindeutig beantwortet werden kann. Neben Bēl (= Marduk) und Nabû ist es überwiegend die Ištar von Arbela, die als Orakelspenderin auftritt, ein Befund, der vollkommen mit dem in anderen zeitgenössischen Orakeltexten und Annalen übereinstimmt.[203] Abgesehen von der Personenangabe reden Prophet und Prophetin

---

200 Es handelt sich um den Text *Pinches*, IVR² 61 = *Schmidtke*, AOTU 1/II S. 115–123; gute Übersetzung: ANET S. 605; für weitere bibliographische Hinweise vgl. *Borger*, HKL I S. 405; II S. 231.
Von den 9 Orakeln sind 6 bis auf wenige Zeilen gut erhalten. Die einigermaßen datierbare Ausnahme ist das Orakel an die Königinmutter Naqi'a-Zakūtu, das deutlich auf die Zeit vor Ash.s Herrschaftsantritt Bezug nimmt (V,12f.; vgl. *Parpola*, CRRA 26 S. 178f. A. 40). Deshalb alle anderen Orakel in dieselbe Zeit zu datieren, besteht kein Anlaß (gegen *Schmidtke*, AOTU 1/II S. 116, dessen weitere Argumente für seinen Datierungsvorschlag nicht stichhaltig sind).

201 Vgl. *Pinches*, IVR² 61 I,29f. (Prophetin, Determinative nicht [Id], sondern richtig *G. Smith*, IVR¹ 68 z. St.: [munus]); II,9f.13–15.40; III,14; V,10f.24f.; VI,31f.
Der in VI,31f. genannte Prophet, von dem noch ein weiteres Orakel bekannt ist (vgl. *Langdon*, TI Pl. II Kol. II,28'), hat den eigenartigen Namen Lā-dāgil-ili „der auf den Gott nicht schaut" (vgl. *von Soden*, Unsicherheit S. 366, von *Tallqvist*, APN S. 120a falsch gedeutet; weitere Belege: *Postgate*, FNAD 33,9; 37,11). Ein solcher Name, dem ähnliche zur Seite gestellt werden können (vgl. *von Soden*, ebd.), ist weniger erstaunlich, als man im ersten Moment denken möchte. Wo die vollkommene Ritualisierung des Lebens nahezu totalen göttlichen Schutz vortäuscht, muß die Differenz zur Realität Skepsis erzeugen, die sich in der Zeit gemäßen Formen Ausdruck verschafft.

202 Ausnahme: Die Prophetin Ištar-bēlu-da''inī („Ištar stärke den Herrn") wird še-lu-tu ša šarri genannt (*Pinches*, IVR² 61 V,11). Der Titel bedeutet soviel wie „Tempel-Oblatin", ein im 7. Jh. auch durch andere Texte bekannter Stand (vgl. AHw S. 1211 s.v. šēlū'atum 3b; *Postgate*, FNAD S. 112).

203 In den erhaltenen Passagen des Textes *Pinches*, IVR² 61 wird die Ištar von Arbela häufig genannt (I,12f.19.22; II,12.30; III,15; V,12.27; VI,2.4), Bēl und Nabû nur je einmal (II,16.38).
Ištar von Arbela in weiteren Orakeln an Ash: *Craig*, ABRT I Nr. 22–25 = *Strong*, BA 2 S. 627–629.637–643: II,33; III,15 (neben Aššur: II,3.13f.25); *Langdon*, TI Pl. II Kol. II,30' (vgl. ebd. S. 137–140); für die Zeit Asb.s vgl. die Erwähnungen der Ištar von Arbela in den Annalen: *Streck*, VAB 7 S. 48, 97–102; *Piepkorn*, AS 5 S. 64/6,25–76; weitere Belege bei *Streck*, VAB 7 S. 748–750.

ohne jede weitere Vermittlung (etwa durch eine Botenformel) in der Form der Gottesrede, in der Ištar den ass. König eindringlich ihres Beistandes versichert, indem sie ihm ständig die zum Heilsorakel gehörige Aufforderung lā tapallaḫ „Fürchte dich nicht!" zuruft.[204]

Die Göttin scheut in den Orakeln nicht davor zurück, durch höchst ungewöhnliche Vergleiche das Maß ihrer Treue zum ass. König zu veranschaulichen:

9') a-ki mu-ra!-ni dam!-qí ina ekallī(É.GAL)-ka
Wie ein artiger junger Hund laufe ich in deinem

10') a-du-al...
Palast umher.[205]

Und um die guten Orakel stets präsent zu haben, rät sie Ash an:

22') di-ib-bé-e an-nu-ti issu(TA) libbi(ŠÀ) ^uru^Arba-ìl
Diese Worte aus Arbail

23') ina bit-a-nu-uk-ka e-si-ip
sammle in deinem Haus![206]

Die Motive für die Hochschätzung der Prophetie durch Ash und Asb, die beide diesen Rat befolgt haben, sind unschwer zu erraten. Die althergebrachte divinatorische Praxis der Extispizin, aber auch die im 7. Jh. populäre Himmelsbeobachtung hatten ihre mehr oder weniger strikten Auslegungsregeln, durch die die unheilvolle Vorbedeutung manches Opferbefundes oder gewisser Konstellationen in schematischen, inhaltlich vagen Formulierungen festgelegt war. Eine Mondfinsternis beispielsweise war in jedem Fall ein böses Omen, bei dem nur noch zu klären war, wen das angesagte Unheil betraf.

---

204 *Pinches*, IVR² 61 I,6.25.31; II,16.33; III,38; V,21; *Langdon*, TI Pl. III Kol. III,11'.13'.23'; IV,8'.24'; *Craig*, ABRT I Nr. 26f. = *Strong*, BA 2 S. 633. 645,1.20.25; *Piepkorn*, AS 5 S. 64,47 u.ö.
Die unvermittelte Weitergabe der Gottesrede im Prophetenmund ist für Mesopotamien ganz singulär (vgl. *Oppenheim*, Mesopotamia S. 221f.) – auch dies ein Symptom der Zeit: Wo der Kontakt zu den Göttern so intensiv gesucht wird und jederzeit kultisch hergestellt werden kann, schwindet naturgemäß das Bewußtsein der Distanz (vgl. in diesem Zusammenhang auch die merkwürdigen Schmeicheleien des Adad-šumu-uṣur für Ash: *Deller*, FS von Soden S. 50 s.v. 8a).

205 *Langdon*, TI Pl. II Kol. II,9'f.; vgl. *Meissner*, BAW I S. 38 und CAD D S. 58b; zur „normalen" Anwendung des Vergleichs vgl. *Ebeling*, AGH S. 92 a 11f. und dazu CAD M/II S. 106a.

206 *Langdon* aaO Z. 22'f.; vgl. CAD D S. 132a.

Bei der Prophetie hingegen tat sich die Möglichkeit unreglementierter und höchst direkter Kommunikation mit der Gottheit auf, deren Heilswillen sich hier so eindeutig wie bei keiner anderen divinatorischen Praxis kundtat. Enthielt auch die Kontingenz des Prophetenwortes das Risiko orakelloser Zeiten, konnte man dem immerhin durch die Vergrößerung der Prophetengruppe entgegenwirken.

Die Mahnung der Prophetin Bajā aus Arbela:

> ina muḫḫi(UGU) a-me-lu-ti la ta-tak-kil
> Auf Menschen vertraue nicht![207],

scheint Ash gut beherzigt zu haben. So hat etwa seine umfassende Vertragspolitik im innen- und außenpolitischen Bereich keinen anderen Zweck gehabt, als die prinzipiell mit Mißtrauen belegten Mitarbeiter und Vasallen in eine vor Göttern beschworene Bindung (adê) zu stellen, die einzuhalten sie sich aus Furcht vor göttlicher Rache gezwungen sahen. Wie brüchig aber Ash.s Vertrauen auf den in langen Fluchreihen dokumentierten göttlichen Vertragsschutz war, ist daraus zu entnehmen, daß zur zusätzlichen Einschüchterung der vereidigten Vasallen die Prophetie auf den Plan tritt, indem Ištar von Arbela dem König eine Symbolhandlung gebietet, die er für sich als heilvolles Zeichen, für die Vasallen als handfeste Drohung verstehen konnte. Ištar von Arbela trägt durch einen ihrer Vertreter dem König folgende Handlung auf:

2) mê(A.MEŠ) ṣar-ṣa-ri ta-si-qi-šú-nu
Wasser aus einem ṣarṣaru-Krug gabst du
ihnen (= den Vasallen) zu trinken;

3) ^{dug}ma-si-tú ša sūti(BÁN)
ein Trinkgefäß von (einem) Seah

4) mê(A.MEŠ) ṣar-ṣa-ri tu-um-ta-al-li
mit Wasser aus einem ṣarṣaru-Krug hast du gefüllt

5) ta-at-ta-an-na-šú-nu
(und) ihnen gegeben

6) ma-a ta-qab-bi-a ina libbī(ŠÀ)-ku-nu
mit den Worten: "Bei euch selbst
werdet ihr (vielleicht) sprechen:

7) ma-a ^{d}Ištar(XV) pa-aq-tú ši-i
'Ištar - die ist (doch) machtlos(??)!'

207 *Pinches,* IVR² 61 II,27 = *Schmidtke,* AOTU 1/II S. 118.

8) ma-a tal-la-ka ina ālānī(URU.MEŠ)-ku-nu
(Wenn) ihr (nun) in eure Städte

9) na-gi-a-ni-ku-nu NINDA.MEŠ ta-ka-la
(und) eure Bezirke geht (und dort) Brot eßt

10) ta-maš-ši-a a-de-e an-nu-ti
(und) diesen Vertrag vergeßt,

11) ma-a issu(TA) libbi(ŠÀ) mê(A.MEŠ) an-nu-ti
(wenn) ihr (dann) von diesem Wasser

12) ta-šat-ti-a ta-ḫa-sa-sa-ni
trinkt (und) euch erinnert,

13) ta-na-ṣa-ra a-de-e an-nu-ti
werdet ihr diesen Vertrag einhalten,

14) ša ina muḫḫi(UGU) ᴵAš-šur-aḫu(PAP)-idinna(AŠ)
den ich für Ash

áš-kun-u-ni
abgeschlossen habe.[208]

Den überdimensionalen Fluchreihen der Verträge, die unter Verwendung von Vergleichen mit Wasser, Brot, Wein und Öl (und dementsprechenden Symbolhandlungen) krasse Drohungen enthalten[209], traut Ash eine weniger abschreckende Wirkung zu als der von Ištar durch Prophet(inn)enmund gebotenen Symbolhandlung. Die prophetische Botschaft richtet sich auch nur vordergründig an die Vasallen, eigentlich aber an Ash, der gewiß ebenso wie seine Vasallen auf den Machterweis der Ištar angewiesen war – nur aus anderen Gründen.

Es entbehrt nicht der Ironie, daß Ash selbst die Ambivalenz der von ihm hochgeschätzten Prophetie betonen muß. Neben der wahren Prophetie gibt es auch falsche, letztere natürlich in den Ländern der Vasallen, welche im großen Ash-Vertrag vor einheimischen Propheten (raggimu, maḫḫû und šā'ilu) gewarnt werden, deren Orakel wohl auch zuweilen Anlaß zur Revolte gegen Assur sein konnten.[210] Doch wo die Existenz falscher Prophetie einmal erkannt ist, kann es nur eine Frage der Zeit sein, wann die einfache Problemlösung nach der Devise: „wahre Prophetie in Assyrien – falsche bei den

---

208 *Craig*, ABRT I Nr. 24 III,2–14 = *Strong*, BA 2 S. 628f.641; vgl. CAD A/I S. 132f. s.v. adû A c2'; CAD Ṣ S. 115b s.v. ṣarṣaru B.

209 Vgl. *Wiseman*, VTE 560–562.622–625 und *Veenhof*, BiOr 23 S. 312f.

210 Vgl. *Wiseman*, VTE 108–122; Z. 117 nach *Borger*, ZA 54 S. 178.

Feinden Assurs" keine Überzeugungskraft mehr hat. Die Sicherheit, nach der Ash verlangte, war wohl auf Dauer auch durch die Prophetie nicht zu gewinnen.

Bei der Frage nach dem möglichen Einfluß der spätass. Prophetie auf die westlichen Regionen des Reiches und dort speziell auf Juda ist noch einmal daran zu erinnern, daß die Ermittlung des Gotteswillens durch das prophetische Orakel allererst aus westlichen Bereichen nach Mesopotamien eingedrungen ist.[211] Gleichwohl ist im 7. Jh. eine Rückwirkung bestimmter spätass. Charakteristika der Prophetie auf die unterworfenen Völker im Westen nicht auszuschließen, da durch das zuletzt zitierte Orakel deutlich geworden ist, daß die zur Ablegung des Eides nach Ninive beorderten Vasallen immerhin mit der ass. Variante der Prophetie konfrontiert werden konnten.

Im Blick auf die judäischen Verhältnisse stellt sich die Frage, ob nicht die einflußreiche Position der Prophetin Hulda zur Zeit Josias (2Kön 22,14ff. par. 2Chr 34,22ff.) nur aufgrund der zeitgenössischen ass. Vorbilder verständlich ist. Schließlich sind Prophetinnen innerhalb der atl. Überlieferung eine Seltenheit, Hulda in ihrer „Beraterfunktion" für den König auch unter ihren männlichen Kollegen eine singuläre Gestalt.[212] Allenfalls wäre der Zeitgenosse Jeremia (vgl. Jer 37f.) ihr zur Seite zu stellen. Daß eine Frau derart große und allerseits anerkannte Autorität als Prophetin erlangt hat, läßt an die Prophetinnen der Ištar von Arbela denken, die judäische Vasallen wie Manasse und Josia durchaus in Ninive kennengelernt und zur Imitation der Institution angeregt haben können. Einige Jahrzehnte später sind jedenfalls in Babylon selbst die Heilsorakel nicht ohne jeden Einfluß auf die Gestalt der Verkündigung Deuterojesaja geblieben.[213]

---

[211] Vgl. *Oppenheim*, Mesopotamia S. 221f. Als weitere, aus dem Westen entlehnte divinatorische Praktik wäre noch die Vogelschau zu nennen (vgl. *Kinnier Wilson*, NWL S. 75). Sie hat aber in Mesopotamien nie besondere Bedeutung erlangt.

[212] Die ebenfalls mit dem Titel נביאה bedachten Kolleginnen der Hulda nehmen allesamt andere Funktionen wahr und sind zum Teil erst in späterer Tradition als Prophetin bezeichnet worden. Beides gilt für Mirjam (Ex 15,20; V. 20.21a mindestens überlieferungsgeschichtlich sekundär, vgl. *Noth*, Ex S. 97f.) und Debora (Ri 4,4; vgl. *Budde*, Ri S. 35; *Gressmann*, SAT I/2 S. 191), ersteres gewiß auch für die Frau Jesajas (Jes 8,3). Vollends unvergleichbar ist die in Neh 6,14 erwähnte Lügenprophetin Noadja.

[213] Vgl. *Harner*, JBL 88 S. 418ff.

Wie wenig sich jedoch eine allein auf das Wohl des Königs ausgerichtete Heilsprophetie auf die atl. prophetische Tradition aufpfropfen ließ, zeigt das Huldaorakel in 2Kön 22,15ff.* zur Genüge[214], das zwar eine positive Haltung zum judäischen Herrscher erkennen läßt (vgl. V. 18ff.*), gleichwohl aber in jeder Hinsicht in den Strom der klassischen Unheilsprophetie hineingehört. Wahre Prophetie hat in Israel und Juda immer auf anderes als das Wohlwollen des Königs geachtet und war deshalb gegen jeden Versuch der Gleichschaltung gut gewappnet.

6. Zusammenfassung

„Überraschend schnell ist die große und gefürchtete Herrschaft des neuassyrischen Reiches zusammengebrochen, kurze Zeit nachdem sie den Gipfel ihrer Macht erstiegen hatte. Die Kraft des Großreiches war offenbar plötzlich erlahmt", konstatiert *Noth* zu Recht in seiner ‚Geschichte Israels'.[215] Nach den bisherigen Darlegungen dürfte kaum anzuzweifeln sein, daß neben politischen Konflikten eine ganz wichtige Ursache dafür in einem Bewußtseinswandel im Assyrien des 7. Jh.s zu erkennen ist, der den Verteidigungswillen derart geschwächt hat, daß die ass. Großmacht gegen Ende des Jh.s zur leichten Beute der Neubabylonier, Meder und Ummān-manda geworden ist.[216] Nur vordergründig stand das ass. Reich unter Ash durch die Okkupation Ägyptens auf dem Gipfel der Macht, da diese Expansion nicht mehr aus dem energischen Eroberungswillen der frühen Sargoniden resultierte, sondern ein Diktat der Strategie war, um das Reich im Westen nicht der permanenten Gefährdung durch den stets einsatzbereiten Gegner am Nil auszusetzen. Eine solche riskante militärische Operation dauerhaft zu sichern, fehlten Ash und Asb nicht sosehr die administrativen und militärischen Mittel, als vielmehr die dazu notwendige persönliche Einsatzbereitschaft, die sie durch ihre Präsenz primär im Heerlager und nicht in Priester- und Gelehrtenzirkeln am Hof zu Ninive hätten unter Beweis stellen müssen.

Daß für beide Herrscher der Umgang mit den Divinations- und Ritualexperten Vorrang vor dem mit den militärischen und politischen Beratern hatte, entsprang nicht ihrer Willkür, sondern der auf sie in

214 S.o. S. 58ff.
215 S. 244.
216 S.o. S. 139ff.

vorderster Linie eindringenden Krise der Zeit, in der die vertrauensvolle Liaison zwischen Gott oder Göttern Assurs und dem ass. König, die in der Zeit der frühen Sargoniden so selbstbewußt in Erscheinung getreten war, zerbrochen ist. Aus der religiösen Verunsicherung resultierte die politische Irritation, beide schlimm genug für das auf machtvolle Selbstdarstellung angewiesene ass. Reich.

Die von Ash zur Behebung der Krise vorgenommene Erweiterung des klerikalen Standes hatte eine andere als die erhoffte Wirkung. Die Priester taten, was sie gelernt hatten, und dies in der Regel bona fide: Sie schauten unentwegt in Opfertiere nach divinatorisch relevanten Symptomen und entwickelten ein Schema der Orakelanfrage, das dem gesteigerten Bedürfnis nach der Eindeutigkeit des göttlichen Urteils Rechnung tragen sollte. Sie schauten – und mit ihnen der König – wie gebannt nach wichtigen Vorzeichen in den Himmel und anschließend in alte autoritative Omenserien, um die richtige Deutung zu erfahren. Tag und Nacht vollzogen sie Rituale gegen alle möglichen Bedrohungen des Königs und überwachten jeden seiner Schritte mit hemerologischen Almanachen und umfangreicheren Werken der Tagedeuterei in der Hand.

Zwar sind die meisten dieser Praktiken auch schon vor Ash ausgeübt worden, neu und fatal war lediglich die unter ihm vorgenommene Gewichtsverlagerung. Wichtiger als die Briefe der ass. Statthalter und Garnisonskommandanten waren jetzt die der Divinations- und Ritualfachleute, entscheidender als nüchterne, offensive strategische Planung demzufolge die magisch-rituelle Reaktion. Durch die von königlicher Seite forcierte Machtergreifung des Klerus ist unter Ash die Kunst der Staatslenkung mit Priesterwissen verwechselt worden. Damit taten sich für den König neue Abhängigkeiten auf, die die Krise verschärften, zu deren Beseitigung die Priestergelehrten aufgeboten worden waren. Pointiert kann man sagen, daß die Herrschaft der neuass. Großmacht unter Ash verspielt wurde, lange bevor sie ihren akuten Verfall gegen Ende des 7. Jh.s erlebte.[217]

---

[217] Daß sich unter der Herrschaft Ash.s ein Bewußtseinswandel in der oben dargestellten Weise angebahnt hat, wird hier mit *Oppenheim* (Centaurus 14 S. 121) u.a. vertreten. Die Ausführungen enthalten implizit eine Zurückweisung der These *Parpolas* (LAS II/A S. 46f.), daß sich eine solche Zäsur zwischen Snh und Ash nicht feststellen lasse. Die Fülle der oben dargestellten Charakteristika der Ash-Zeit, die *Parpola* nicht allesamt berücksichtigt hat, kann nicht allein mit dem Zufall der Textfunde begründet werden. *Parpola* ist allerdings voll zuzustimmen, daß die Regentschaft Asb.s kein wesentlich anderes Gepräge aufweist als die Ash.s. Innerhalb der hier vorgetragenen Deutung wäre eine Zäsur zwischen diesen beiden Herrschern auch sehr verwunderlich.

Die Beantwortung der schwierigsten Frage steht aber bisher noch aus: Worin ist die Ursache für die unter Ash allenthalben aufkommende Verunsicherung zu erkennen? Man mag zur Erklärung die äußerst gespannte „innen"politische Situation in Assyrien und Babylonien anführen, die Ash nach der in dieser Hinsicht ruinösen Politik seines Vaters Snh zu bewältigen hatte. Dem Konflikt im mesopotamischen Kernland war jedenfalls eine beträchtliche destabilisierende Wirkung zuzutrauen. Vielleicht noch entscheidender sind die obskuren Umstände gewesen, unter denen Ash als jüngerer Sohn Snh.s die Nachfolge seines ermordeten Vaters angetreten hat. Der seinerzeit zielbewußt handelnde Ash hat seinen Thronanspruch immerhin in heftigen Kämpfen gegen seine älteren Brüder (oder seinen älteren Bruder) durchsetzen müssen.[218] Die angeführten Gründe aus dem politischen Bereich erscheinen jedoch kaum geeignet, den Bewußtseinswandel zureichend zu erklären, da auch ass. Könige vor Ash schier ausweglose militärische und politische Situationen meistern mußten und gemeistert haben, ohne daß sich deshalb eine Krisenstimmung breitgemacht hätte. Andere Ereignisse wie die beiden Mondfinsternisse im Jahre 671 können eine bestehende Krise allenfalls verschärft, keineswegs aber ausgelöst haben.

Die einzige Erklärung, die dem allgemein vollzogenen Wandel zu Unsicherheit und Existenzangst in spätass. Zeit einigermaßen gerecht wird, ist eine kulturgeschichtliche, die die Änderung des Lebensgefühls als Resultat des in Mesopotamien bereits Jahrzehnte andauernden ethnischen Umschichtungsprozesses begreift, in dem die Aramäer die ansässige Bevölkerung zuerst durchdrangen und schließlich ersetzten.[219] *Wellhausen* verbucht den Vorgang als Merkwürdigkeit: „die Aramäer sollen politisch durch die Assyrer und Babylonier gebrochen sein, und das Resultat ist, daß ihre Sprache in dem von jenen begründeten Reiche die herrschende wird und die assyrisch-babylonische, die doch die Trägerin der Kultur war, verdrängt, und daß ihr Volkstum sich überall ausbreitet".[220]

Dieser Verdrängungsprozeß wird das Bewußtsein der Assyrer ebenso entscheidend geprägt haben wie das der Sumerer fast 2000 Jahre früher, als für sie die Unterwanderung durch semitische Bevölke-

---

218 Zu Ash.s Thronfolge vgl. *Parpola*, CRRA 26 S. 174f.; *Brinkman* (Babylonia S. 233.239) weist auf die für den Bestand des Reiches ruinösen Folgen des Bruderkrieges zwischen Asb und Šamaššumukīn hin.

219 S.o. S. 122 A. 195; es sei hier nur an die Bedeutung der aram. Itu'u für die ass. Infanterie erinnert, vgl. *Postgate*, Structure S. 210 und s.u. S. 315.

220 IjG S. 120.

rungselemente begann. Der nicht aufzuhaltende Siegeszug der leichten aram. Sprache und Schrift war nur ein Symptom, das den Assyrern die „Grauhaarigkeit"[221] der eigenen Kultur vor Augen führte Das in solchen ethnischen Umschichtungsprozessen nicht ungewöhnliche antiquarische Interesse der unterlegenen Gruppe in bezug auf die eigene, zumeist höher entwickelte Kultur trat auch bei den Assyrern zutage: Asb legte in Ninive eine riesige Bibliothek an, für die er alle erreichbaren Werke der sum. und akkad. Literatur kopieren ließ, und rühmte sich auch selbst damit, Tontafeln aus der Zeit vor der Sintflut lesen zu können[222] – allesamt keine Handlungen für einen König, der nicht das Finale der eigenen Kultur deutlich gespürt hätte.

Unterstützt wurde der Wandel durch die Langzeitwirkungen der extensiv betriebenen Deportationspraxis. Durch sie war nicht nur der beabsichtigte Bevölkerungsaustausch in den eroberten Gebieten vollzogen worden, sondern im Gefolge der Ansiedlung fremder Völkergruppen in Mesopotamien selbst[223] auch eine ungewollte Entnationalisierung der Bewohner des ass. Kernlandes in Gang gekommen. Diese Entwicklung ist für den Prozeß der Aramaisierung von größtem Nutzen gewesen.

Die Assyrer haben im 7. Jh. das Bewußtsein um den Verfall ihrer ethnischen und kulturellen Identität mit allen ihnen zur Verfügung stehenden Mitteln, über die sie vor allem im Bereich der Religion zu verfügen glaubten, zu bekämpfen versucht. Spuren der durch diesen Kampf geprägten Spätform der ass. Religion mit ihrer Intensivierung und Spezifizierung von Divination und Kult haben sich selbst in den Außenbezirken des ass. Reiches und so auch in Juda nachweisen lassen. Gerade der RB in 2Kön 23 hat in dieser Hinsicht wertvolle Informationen geliefert, durch die zudem deutlich geworden ist, daß die Assyrer in eroberten Gebieten für die eigene Kultausübung Gebrauch von den einheimischen Tempeln machten. Ob die Vasallen Assurs über die Duldung ass. Kultes hinaus auch zur Verehrung der Götter der Siegermacht gezwungen waren, wird nun in einem weiteren Arbeitsgang untersucht werden müssen.

---

221 Der Ausdruck geht auf *Nietzsche* zurück (vgl. Werke I S. 258).

222 Vgl. *Streck*, VAB 7 S. 256,17f. u.ö.

223 Vgl. etwa die Besiedlung von Dūr-Šarrukīn/Ḫorsābād durch Srg II.: *Weissbach,* ZDMG 72 S. 182/4,49ff.; s.u. S. 317f.; wirtschaftliche Gründe für den Niedergang werden von *Postgate*, Structure S. 217f. namhaft gemacht.

B. Religionspolitische Maßnahmen der Assyrer gegenüber Juda und anderen besiegten Völkern

Religionspolitische Maßnahmen der Assyrer in eroberten Gebieten sind Bestandteil einer Okkupationsstrategie gewesen, in deren Zentrum ein erprobtes Ensemble von militärischen, administrativen und wirtschaftlichen Regelungen stand. Seine effizienteste Gestalt hat dieses System Tgl III. zu verdanken, der die ass. Militärmacht in bis dahin nicht gekanntem Maße gestärkt und durch eine neu organisierte Verwaltung ergänzt hat, die eine kontinuierliche Kontrolle der eroberten Gebiete ermöglichte.[1] Die Zeit, in der ass. Feldzüge die Qualität von Razzien hatten, die den Assyrern nur für die Dauer ihrer unmittelbaren Präsenz Respekt verschafften, war mit Tgl III. ein für allemal vorbei.

Das *Militär- und Verwaltungswesen,* wie es sich von der Zeit Tgl.s III. an unter Rezeption verschiedener älterer Einrichtungen darstellt, weist folgende wichtige Elemente auf: Die ass. Macht wurde für die Besiegten in einem System abgestufter politischer Abhängigkeit, das unterschiedlich harte Grade der Vasallität bis hin zur völligen Eingliederung in das ass. Provinzgefüge kannte, spürbar. Welcher Abhängigkeitsgrad in Kraft trat, hing primär von der Botmäßigkeit der Besiegten ab, die jede glücklos verlaufende Rebellion mit weiterer Einbuße ihrer Souveränität zu bezahlen hatten.[2] Ständige mili-

---

1 Zu der von Tgl III. vorgenommenen Neuordnung der Verwaltung, die durch die Aufteilung der bisherigen Statthalterschaften in kleinere Provinzen (pī/āḫatu) auf die Stärkung der Zentralgewalt abzielte, vgl. *Forrer,* Provinzeinteilung S. 49ff. *Forrers* vielfach rezipierte These (vgl. etwa *von Soden,* Herrscher S. 91; ders., PWG II/1 S. 96; *Saggs,* Mesopotamien S. 161f.; *Donner,* VTS 11 S. 1f.) ist in jüngster Zeit von *Garelli* (Proche-Orient S. 113–115) kritisiert worden, weil die Aufteilung herkömmlicher Provinzen äußerst schlecht dokumentiert ist. Doch wenn auch an expliziten Belegen für die Verwaltungsreform Mangel herrscht, kann sie dennoch nicht negiert werden, da erst ab Tgl III. der Titel bēl pī/āḫati, der vor ihm nur im Zusammenhang mit einer subalternen Verwaltungsposition gebraucht wurde, bedeutungsidentisch mit šakin māti, der traditionellen Bezeichnung des Statthalters, ist (vgl. *Forrer,* aaO S. 49) und letztere immer mehr durch den neuen Titel verdrängt wird (vgl. aus der Fülle der Belege ab Tgl III. *P. Rost,* Tgl S. 58,14 = *M. Weippert,* Edom S. 64,14 einerseits und *P. Rost,* Tgl S. 56,10; 64,37 = *M. Weippert,* Edom S. 64,10; 67,37 andererseits; der *P. Rost,* Tgl S. 58,14 erwähnte šakin māti von Arrapḫa wird übrigens *Luckenbill,* OIP 2 S. 27,6 bēl pī/āḫati genannt). In dieser durchgreifenden Titeländerung ist die Verwaltungsreform so gut dokumentiert, daß an ihrer tatsächlichen Durchführung nicht zu zweifeln ist.

2 Vgl. *Donner,* VTS 11 S. 1–3; IJH S. 418–421.

tärische Präsenz der Assyrer durch ein dichtes Netz von Garnisonen in den Städten und an den Königsstraßen hatte die Funktion, die Neigung der Besiegten zum Widerstand gering zu halten oder gar nicht erst aufkommen zu lassen.[3]

Die ass. Garnisonen in Grenzlagen leisteten zudem vortreffliche militärische Aufklärungsdienste, die schnelle strategische Reaktionen möglich machten und Überraschungsangriffe des Feindes so gut wie ausschlossen.[4] Darüberhinaus verfügte der König über Agenten, die

---

[3] Zahlreiche instruktive Belege für ass. Garnisonen sind in CAD B S. 261ff. s.v. birtu A (vgl. dazu *Deller*, OrNS 35 S. 313; *M. Weippert*, ZDPV 89 S. 38 A. 43), CAD M/I S. 335f. s.v. maṣṣartu 1b, AHw S. 208f. s.v. elû IV Š 1d und AHw S. 1271a s.v. šūlūtu 2 zusammengestellt; weitere Belege aus Königsinschriften und Chroniken: *Streck*, VAB 7 S. 10/2,115f.; S. 158,11; *Piepkorn* AS 5 S. 80, 81ff.; 82,6f.; 12,16f. = *Streck*, VAB 7 S. 160,29f.; *Grayson*, ABC S. 98,14ff. u.ö. Die interessanteren Nachrichten sind jedoch in den Briefen enthalten. Aus der Informationsfülle sei folgendes hervorgehoben: Die Garnisonen standen in regelmäßigem Kontakt mit der Zentralgewalt (vgl. *Saggs*, Iraq 18 S. 46 NL XXX; 21 S. 158 NL XLIX; S. 163 NL LIII; ABL 188 = *Pfeiffer*, SLA 64 u.ö.); das Ausbleiben eines routinemäßigen Lageberichts wurde streng kontrolliert (vgl. *Saggs*, Iraq 18 S. 45 NL XXIX; 21 S. 172 NL LXI; S. 174 NL LXIII Obv. u.ö.). Da auch in Wegstationen an den Königsstraßen ass. Soldaten garnisoniert waren, um den reibungslosen Kurierdienst zu sichern, muß die militärische Präsenz der Assyrer ziemlich lückenlos gewesen sein (vgl. *Friedrich* u.a., Tell Halaf Nr. 2 und 6; ABL 414 = *Pfeiffer*, SLA 90, dazu *Alt*, ZDPV 67 S. 153ff.). Die Stärke der einzelnen Garnisonen ist je nach ihrer strategischen Position sehr unterschiedlich gewesen. Aus der nordphönizischen Küstenstadt Kašpuna wissen wir von einer Garnison mit einer 60 Mann starken Besatzung (vgl. *Saggs*, Iraq 17 S. 127 = *Postgate*, TCAE S. 391/2,30–43; s.o. S. 147 A. 258); damit vergleichbar sind die 80 Soldaten von ABL 685 Rev. 22ff., deren Standort aufgrund des Textzustandes nicht mehr zu identifizieren ist. Bei den militärischen Auseinandersetzungen kleineren Formats in Südbabylonien scheint ein Kontingent von 200 Infanteristen nicht ungewöhnlich gewesen zu sein (vgl. *M. Dietrich*, CT 54,425 + ABL 790 Obv. 7–10, dazu *M. Dietrich*, WO 5 S. 177f.; ABL 774 = *Pfeiffer*, SLA 33 Obv. 5ff.). Die in ABL 868 von der bab. Stadt Dēr aus angeforderten 2000 Soldaten sind dazu bestimmt, von dort auf verschiedene Garnisonen verteilt zu werden (ähnlich auch die Funktion eines Stützpunktes mit 500 Soldaten an der Grenze zu Elam nach ABL 280 = *Pfeiffer*, SLA 40 = *Oppenheim*, LFM 120).

[4] So beobachteten die ass. Garnisonen entlang der Grenze von Urartu die dortigen politischen und militärischen Aktivitäten, sandten ihre Berichte an eine Zentralstelle, die einen Sammelbericht an den ass. König weiterleitete (vgl. ABL 197 = *Pfeiffer*, SLA 11 und ABL 198). Beide Male handelt es sich um Briefe des Kronprinzen Snh an Srg, aus denen hervorgeht, daß jener das Oberkommando für die nördliche Region des ass. Reiches innehatte. Das ist auch einem Brief an Ash über den Kronprinzen Asb aus ungefähr derselben Gegend des Reiches zu entnehmen (vgl. ABL 434 = *Pfeiffer*, SLA 15 = *Oppenheim*,

sicherlich an jedem Hof eines Vasallen zu finden waren und dort die politischen Aktivitäten aufmerksam verfolgten. Herrscher wie Merodachbaladan, deren Neigung zur Konspiration bekannt war, wurden regelrecht beschattet.[5] Für die Spionage in Außenbezirken des Reiches war die Gewinnung von Kollaborateuren unverzichtbar. Über ihre Beliebtheit bei der einheimischen Bevölkerung läßt ein Brief solcher Leute aus bab. Gebiet an Asb keinen Zweifel:

5) šarru bēl(EN)-a-ni i-de
Der König, unser Herr, weiß,

ki-i nišī(UN.MEŠ) māti(KUR-ti)
daß alle Leute des Landes

6) gab-bi i-ze-ru-na-a°-šú um-ma
uns hassen, indem sie sagen:

7) at-tu-nu ṭè-m[u ša k]a-la māti(KUR-ti)
"Ihr erstattet über alles, was ihr im Lande

8) ta-šem-ma-a' a-na [šarri] ta-šap-par-ra
hört, dem [König] Bericht."[6]

LFM 119), der zudem darüber Auskunft gibt, daß Flüchtlinge (in diesem Falle Mannäer) als vortreffliche Informanten angesehen wurden.
Weitere Nachrichten des militärischen Aufklärungsdienstes in bezug auf Urartu: ABL 492 = *Pfeiffer*, SLA 9; ABL 548 = *Pfeiffer*, SLA 5; in bezug auf Elam: ABL 280 = *Pfeiffer*, SLA 40 = *Oppenheim*, LFM 120 Rev. 15ff.; ABL 281 = *Pfeiffer*, SLA 44; ABL 521 = *Pfeiffer*, SLA 39 Rev. 15ff.; ABL 781 = *Pfeiffer*, SLA 34 (Information durch Handelskarawane; vgl. *Klauber*, Beamtentum S. 58f.); ABL 799 + 1332+ = *Parpola*, CT 53,89. Daß der militärische Aufklärungsdienst der Assyrer genauso gut im Westen des Reiches aktiv gewesen ist, versteht sich von selbst.
Zuweilen bedienten sich besiegte Völker ähnlicher Aufklärungsmethoden wie die Assyrer selbst. Nach ABL 1028 = *Pfeiffer*, SLA 23 haben südbab. Puqudäer 10 Einwohner von Uruk gefangen genommen, um von ihnen die Stärke der ass. Truppen in der Stadt in Erfahrung zu bringen. Eine Strafexpedition der Assyrer ist darauf sofort in die Wege geleitet worden.

5 *M. Dietrich*, CT 54,23 (vgl. ders., WO 4 S. 199); CT 54,119 (vgl. WO 4 S. 195); CT 54,305 (vgl. WO 4 S. 195f.); CT 54,393 (vgl. WO 4 S. 196f.); CT 54,442 (vgl. WO 4 S. 98) u.ö.

6 ABL 736 = *Pfeiffer*, SLA 37 Rev. 5–8; vgl. *Brinkman*, Babylonia S. 236f.; CAD Z S. 98b (dort eine Reihe ähnlicher Belege, instruktiv v.a. ABL 327 = *Pfeiffer*, SLA 123 = *Oppenheim*, LFM 121 = *M. Dietrich*, Aramäer S. 156/7 Obv. 11–20 und ders., CT 54,112 + ABL 1241 = *Pfeiffer*, SLA 18 = *M. Dietrich*, Aramäer S. 200/1 Rev. 1–5) und ebd. S. 104.
Weitere Belege zur Kollaboration: *Saggs*, Iraq 17 S. 131f. NL XIV = *Donner*, MIO 5 S. 156f.: Agentendienste des Aja-nūri (vgl. ebd. S. 172 und *Mittmann*,

Doch nicht nur Geheimagenten, sondern auch eine ganz offensichtliche Observierung mußten sich ass. Vasallen gefallen lassen. In der vertraglichen Bindung (adê), die jeder Vasall akzeptieren mußte[7], wurde beispielsweise Baal von Tyrus von Ash folgende Auflage gemacht:

13) ù e-gér-tú ⌜ša a-šap-par-kan-ni
Auch darfst du einen Brief, den ich dir schicke,

ba-la-at ^{lú}qe-e-pu(?) la ta-paṭ-t[i]
ohne (meinen) Vertrauensmann nicht öffnen;

14) šúm-ma ^{lú}qe-e-pu la qur-bu
wenn (mein) Vertrauensmann nicht zur Stelle ist,

ZDPV 89 S. 25 A. 67), der ziemlich sicher ostjordanischer Herkunft ist, ob nun Dibonit (so *Saggs* und *Donner*) oder Tafiläer (so *Mittmann*, aaO S. 16–18; vgl. ferner *Saggs*, Iraq 28 S. 185ff. NL LXXXIX,20 = *Postgate*, TCAE S. 384, 20, wo bei den im Gebiet von Zamua (vgl. *Wiseman*, VTE S. 82 und *Parpola*, NAT S. 381f.) für die Heeresfolge requirierten Personen auch ein mutīr ṭēmi, wohl ein Agent (vgl. CAD M/II S. 299b), genannt wird.

7 Zu den Vertragsverpflichtungen vgl. die gute Belegzusammenstellung in CAD A/I S. 131–135 s.v. adû A und B (wohl nicht lexikalisch voneinander zu trennen, vgl. AHw S. 14a s.v. adû I und *Kaufman*, AS 19 S. 33 A. 11). Das indeklinable Pluraletantum adê dürfte ein aus dem Aram. übernommener Terminus sein (vgl. KAI III S. 39 s.v. עד(י) ; ebd. II S. 242; *Cogan*, Imperialism S. 43; *Veijola*, UF 8 S. 347f.), der bezeichnenderweise in akkad. Texten erstmals in einem Vertrag Aššurniraris V. (754/3–745) mit Mati'ilu von Bīt-Agusi bezeugt ist (vgl. *Weidner*, AfO 8 S. 18 I,13.15 [zusammen mit tamītu]. 24.[31]; S. 20 IV,17; S. 22 V,8.14.[16]; zur Identität dieses Mati'ilu mit dem der Sefīre-Verträge KAI 222–224 vgl. ebd. II S. 272f.). In den erhaltenen Passagen des Vertrags von Šamši-Adad V. (823–811/10) mit dem bab. König Marduk-zākir-šumi kommt der Terminus adê (noch) nicht vor (vgl. *Weidner*, AfO 8 S. 27ff.). Der genuin akkad. Terminus für Vertragsabschlüsse ist v.a. māmītu, der in der Sargonidenzeit häufig in Kombination mit adê gebraucht wird (vgl. CAD M/I S. 189ff. s.v. māmītu 1).

Die große Zahl der adê-Belege für die Zeit von Srg II. bis Asb spricht für die Bedeutung, die dieser Einrichtung im späten 8. und 7. Jh. beigemessen wurde (über den oben genannten Artikel im CAD hinausgehende Belege bei *Streck*, VAB 7 S. 431 und *Waterman*, RCAE 4 S. 44; vgl. ferner *Wiseman*, VTE passim; *P. Rost*, Tgl S. 38,235 = Pl. XVIII b,7; *Lie*, Srg 72; *Gadd*, Iraq 16 S. 179,14; *Klauber*, PRT 16 Obv. 8. Rev. 7; *Parpola*, Iraq 34 S. 21,9; 22,28; ders., CT 53,44 Rev. 3; 739 A 4'; 935 B 6'; *M. Dietrich*, CT 54,580 Obv. 6f., vgl. dazu ders., WO 4 S. 245f. und Aramäer S. 164f.; *Thompson*, RMA 70 Rev. 7; 205A Rev. 4).

Eine nützliche Zusammenstellung von in neuass. Texten berichteten Vertragsverletzungen ist bei *Cogan*, Imperialism S. 122–125 zu finden (vgl. auch seine Ausführungen ebd. S. 42–49, die später gewürdigt werden).

ina pānī(IGI)-šú ta-da-gal ta-pat-ti...
sollst du auf ihn warten (und erst dann)
darfst du (ihn) öffnen.[8]

Der qēpu wird bei dem Vasallen Baal von Tyrus mehr Funktionen wahrgenommen haben als lediglich die oben genannte. Politische „Beratung" für die Vasallen bot dem ass. König immerhin Gelegenheit, die Durchsetzung der eigenen Interessen soweit wie möglich auf diplomatischem Wege zu verfolgen.[9] Zwar blieb dem Vasallen in seinem Land eine gewisse Souveränität erhalten[10], doch Belange, die das ass. Großreich in irgendeiner Weise tangierten, wurden von den Assyrern selbst geregelt.[11]

---

8 *Borger,* Ash S. 108,13f. Die Vasallen waren ihrerseits auch zu geheimdienstlicher Arbeit für den ass. König, klarer gesagt: zur Denunziation verpflichtet: vgl. etwa *Wiseman,* VTE 73ff.108ff.147ff.; *Parpola,* Iraq 34 S. 21/2,9–12. Erläuterungen und weitere Belege zum neuass. Geheimdienst ebd. S. 30f.; *Oppenheim,* JAOS 88 S. 174.

9 Zur Stellung des qēpu vgl. die Belege AHw S. 923a s.v. qīpu 3.
Tgl III. stellt der arab. Königin Samsi einen qēpu zur Seite (*P. Rost,* Tgl S. 82,26 = Pl. XXVI,26 = *M. Weippert,* Edom S. 490,26') und betraut weiterhin den Araber Idibi'ilu ana atûti/qē[pū]ti ina muḫḫi/eli māt Muṣri „mit dem atûtu- bzw. qēpūtu-Amt über das Land Ägypten" (*P. Rost,* Tgl S. 70,6 = Pl. XXXVII,6 = *M. Weippert,* Edom S. 68,6'; *P. Rost,* Tgl S. 38,226 = Pl. XXXIII, 16; vgl. *P. Rost,* Tgl S. 82,34 = Pl. XXVI,34 = *M. Weippert,* Edom S. 491,34'). Damit ist nichts anderes als Agententätigkeit für den ass. König durch eine mit den Verhältnissen im ägypt. Grenzgebiet vertraute Person gemeint (s.o. A. 6 und 8).
Später setzt Ash in Ägypten selbst qēpāni zusammen mit ägypt. Königen und hohen ass. Beamten ein (vgl. *Borger,* Ash S. 99,47f.; vgl. auch die Nachrichten bei Asb *Streck,* VAB 7 S. 6,57–59; S. 8,75f.; S. 10,110f.; S. 16,32f.). Und wenn Srg II. über die Einsetzung eines qēpu in einer mannäischen Stadt berichtet, er habe dies ana šalām mātīšun „zum Wohl ihres Landes" getan (*Thureau-Dangin,* TCL 3,73), wird er damit nicht die Meinung der Betroffenen wiedergegeben haben.
Zur ständigen Präsenz eines ass. „Gesandten" (mār šipri) am Hofe des Phrygerkönigs Midas vgl. *Saggs,* Iraq 20 S. 182,10ff. = *Postgate,* Iraq 35 S. 22,10ff. (vgl. dazu *Deller,* OrNS 35 S. 310).

10 Vgl. die von *Saggs,* Iraq 25 S. 150 aus dem Brief ND 2435 zitierte Passage.

11 So lag etwa im Falle des Todes eines Vasallen die Nachfolgeregelung allein beim ass. König, vgl. *Borger,* Ash S. 54,19f.; *Streck,* VAB 7 S. 18/20,81–94 (Regelung der Thronfolge in Arwad, 9 Prinzen von Arwad bleiben am ass. Hof!) u.ö. Die Mißachtung dieser Ordnung konnte für das jeweilige Land schlimme Folgen haben (vgl. *Winckler,* Srg S. 112/4 = Nr. 69/70,83–89). Der von Vasallen erwartete Grad der Botmäßigkeit geht deutlich aus einem Brief Srg.s II. an den Statthalter (bēl pī/āḫati) von Que Aššur-šarru-uṣur hervor:

Zu den politisch-militärischen und administrativen Restriktionen kamen bei den Vasallen die *wirtschaftlichen Auflagen.* Der jährliche Tribut (biltu und/oder ma(d)dattu/mandattu), zumeist gepaart mit einer Sonderabgabe oder einem Pflichtgeschenk (nāmurtu, tāmartu u.a.), war allemal geeignet, die Prosperität der eroberten Länder nicht zu groß werden zu lassen, da die Assyrer einen schier unersättlichen Bedarf an Pferden, Rüstungsgegenständen, Stoffen, Hölzern, (Edel-)Metallen, aber auch an Viehbeständen und Naturalien hatten.[12] Die Tributablieferung wurde streng kontrolliert, da sie zum einen als untrügliches Indiz für den Stand der Vasallentreue gewertet wurde und zum anderen neben der Beute von Feldzügen eine wichtige Bezugsquelle für Militär und Volkswirtschaft in Assyrien war.[13] Nicht von ungefähr stehen mehrere Erwähnungen Judas in ass. Texten aus der Spätzeit im Zusammenhang der Tributablieferung.[14]

Wenn die Abgaben die Vasallen auch mit unterschiedlicher Härte getroffen haben werden, sind sie doch in aller Regel eine enorme wirtschaftliche Belastung für die eroberten Gebiete gewesen, in de-

---

28) ...Aš-šur ^{d}Šamaš(UTU) Bēl(EN) u ^{d}Nabû(MUATI)
Aššur, Šamaš, Bēl und Nabû

29) liq-bi-u šarrāni(LUGAL.MEŠ-ni) ḫa-an-nu-ti
sollen entscheiden (und) alle diese Könige

gab-⌜bi⌝-šú-nu ina libbi(ŠÀ) ziq-ni-šú-nu
werden mit ihren Bärten

30) ^{kuš}DA.E.SIR-ka lu-šak-ki-lu
deine Schuhe polieren

(*Saggs,* Iraq 20 S. 182,28–30 = *Postgate,* Iraq 35 S. 22,28–30; Korrektur der Lesung des Verbs in Z. 30 aufgrund eines Hinweises von Prof. *Borger*). Es ist zu beachten, daß es neben dem oben genannten ass. Statthalter von Que, der nach Ausweis des Briefes die wichtigen politischen Geschäfte besorgt, den König von Que wohl im Status eines Vasallen gibt, der bezeichnenderweise gegen seine politische Entmündigung zu revoltieren versucht hat (vgl. zu beiden Personen *Postgate*, Iraq 35 S. 27f.). Die strikte Scheidung in Vasallen- und Provinzordnung ist gerade in den westlichen Teilen des ass. Großreiches vielfach durchbrochen worden.

[12] Zu den Tributleistungen vermittelt einen ersten Eindruck: *Martin,* Tribut S. 20ff.; ausführlich zu madattu und nāmurtu: *Postgate,* TCAE S. 111ff.146ff.; vgl. auch die Wörterbuchartikel AHw S. 126 und CAD B S. 229ff. s.v. biltu; AHw S. 572 und CAD M/I S. 13ff. s.v. mad(d)attu; AHw S. 730a s.v. nāmurtu; AHw S. 1313 s.v. tāmartu 2.

[13] Vgl. *Postgate,* TCAE S. 123; instruktiv zur Wirtschaftsstruktur des ass. Reiches: ders., Structure S. 193ff.

[14] S.o. S. 227ff. A. 1.

nen außerdem ass. Beamte und Garnisonen zu versorgen waren. Nicht selten rechnen es sich die Könige Tgl III. und Srg II. als Ruhm an, den Vasallen Lasten kī ša Aššurî „gleichwie Assyrern" auferlegt zu haben – und die waren sehr hoch, zumal es eine ganze Reihe von Städten in Assyrien und Babylonien gab, zu deren Privilegien die Abgabenfreiheit gehörte und die damit eine beträchtliche wirtschaftliche Belastung für andere darstellten.[15] Man braucht sich nur die Tributliste, die von dem König Azuri von Asdod im ausgehenden 8. Jh. zu erfüllen war, anzusehen, um das Ausmaß der wirtschaftlichen Strangulierung von Vasallenstaaten, die einmal den Aufstand gewagt hatten, ermessen zu können.[16] Und Juda war nach

---

15 Für die Wendung kī ša Aššurî gibt es folgende Belege: *P. Rost,* Tgl S. 4,18f. = Pl. XI,11f. (Umwandlung einiger bab. Gebiete in Provinzen); S. 20,124 = Pl. XXI,3 (fragmentarischer Kontext, muß sich wegen madattu um Vasallen handeln); S. 26,149f. = Pl. XV,9f. (Verpflichtung von Deportierten zu ilku und tupšikku); *Lie,* Srg 10, ergänzt nach *Winckler,* Srg Pl. 43a,16 (Verpflichtung zumeist von Vasallen zu biltu und madattu; noch allgemeiner: *Winckler,* Srg S. 164,12f. = Pl. 40b,12f. = *Borger,* BAL² S. 59,12f.); *Lie,* Srg 17 (in bezug auf Samaria, Erwähnung der Tributverpflichtung wird aus der Parallele *Winckler,* Srg S. 100,24f. = Nr. 64/5,24f. verständlich); *Lie,* Srg 204 (Verpflichtung zu tupšikku in neu eingerichteter kleinasiatischer Provinz); ebd. 329 (Verpflichtung zu biltu und madattu von südbab. Aramäerstämmen); *Winckler,* Srg S. 112,83 = Nr. 69,83 (Verpflichtung der neu eingerichteten Provinz Ḫammanene zu ilku und tupšikku; interessant, weil Vergleich nicht mit den Assyrern, sondern mit dem früheren Vasallenkönig K/Gunzinanu gezogen wird); ähnlich in bezug auf Muṣaṣir: *Thureau–Dangin,* TCL 3,410; wohl auch *Weidner,* AfO 14 S. 41,10f. (ma-da-at-tú ki-i ša [Aššurî], in bezug auf die Mannäer); vgl. auch die nützlichen Quellenhinweise bei *Cogan,* Imperialism S. 50f., allerdings einseitig im Blick auf die ass. Provinzen ausgewählt.
Zum Gesamtkomplex der Abgabenentlastung vgl. *Postgate,* TCAE S. 238ff.; zur Lastenfreiheit und privilegierten Stellung mancher ass. und bab. Städte wie Assur, Babylon, Borsippa, Nippur, Sippar u.a. vgl. die Wörterbuchartikel AHw S. 50f. und CAD A/II S. 115ff. s.v. andurāru; AHw S. 472f. und CAD K S. 342ff. s.v. kidi/ennu und kidinnūtu; AHw S. 1256b s.v. šubarrû; CAD Z S. 32f. s.v. zakûtu. Es sei besonders hingewiesen auf ABL 99 = *Postgate,* TCAE S. 252/4, wo laut Rev. 4′–9′ (vgl. auch ebd. S. 44f.) die Stadt Assur von einer bestimmten Abgabe befreit und die Stadt Ekallāte damit belastet wird. Doch nicht nur Städte wurden von Abgaben befreit, sondern auch bestimmte Gruppen wie etwa die Itu'u (vgl. ABL 201 = *Postgate,* TCAE S. 263), ein Aramäerstamm, der v.a. von Tgl III. an für die Assyrer wichtige militärische Hilfsdienste geleistet hat (vgl. die Belege bei *Parpola,* NAT S. 179ff. s.v. Itu'u; wahrscheinlich sind die in Snh.s Palästinafeldzug erwähnten Urbi am ehesten mit ihnen zu vergleichen, vgl. *Luckenbill,* OIP 2 S. 33,39; 70,31).

16 Vgl. ADD 810 = ABL 568 = *Pfeiffer,* SLA 99 = *Martin,* Tribut S. 40ff. = *Postgate,* TCAE S. 283f. Auch für *Postgate* besteht kein Zweifel „that tribute was a most important element in the empire's economy" (TCAE S. 217).

der Regentschaft Hiskias in keiner anderen Lage! Teilablieferungen der geforderten Tributleistungen waren doch wohl nur wegen ihrer empfindlichen Höhe statthaft; ein urartäischer König vermutlich zur Zeit Srg.s II. scheute nicht einmal davor zurück, dem ass. König die Rebellion seines Landes anzudrohen, sofern er auf seiner angeblich unerfüllbaren Tributforderung nach Lapislazuli bestehen sollte.[17] Jedes politische Entgegenkommen ließen sich die Assyrer von ihren Vasallen in barer Münze bezahlen, selbst dann, wenn das Wohlverhalten eines Tributpflichtigen die Lockerung des Abgabenzwanges hätte erwarten lassen.[18]

Zu den bisher genannten Verpflichtungen der Vasallen kam noch ihre Beteiligung an Feldzügen und bestimmten zivilen Großprojekten wie dem Bau von Palästen, Tempeln u.a. hinzu. Im Rahmen des sog. „Königsdienstes" (dullu ša šarri[19]) mußten unter Snh „alle Könige des Westlandes" (Amurru) ihren Beitrag zum Bau eines neuen Arsenals (bīt/ekal kutalli) in Ninive leisten, der in der Lieferung von Zedernstämmen für das Dach des Gebäudes bestand.[20] Wen Snh zu den Königen des Westlandes zählte, läßt sich der Spezifizierung dieser Benennung im Bericht über den Palästinafeldzug entnehmen: die Könige von Samsimuruna, Sidon, Arwad, Byblos, Asdod, Ammon, Moab und Edom.[21] Ash setzte die Könige aus dem Westen, die er unter der Sammelbezeichnung „Könige vom Hethiterlande und von ‚Transpotamien'" (šarrāni māt Ḫatti u eber nāri) zusammenfaßte, in gleicher Weise ein, wobei in der langen Aufzählung von 22 Regenten auch Manasse von Juda nicht fehlt.[22]

---

[17] Vgl. ABL 1240 = *Pfeiffer,* SLA 12 = *Oppenheim,* LFM 127; der Brief zeigt, daß die in 2Kön 15,19f. mitgeteilte Umlage des geforderten Tributs auf die besitzende Bevölkerungsschicht keine Ausnahme war; zu Teilablieferungen des Tributs vgl. *Saggs,* Iraq 20 S. 191 NL XLII A.

[18] So läßt sich Ash die Rückgabe von Götterbildern an den Araberkönig Hazael mit einer Erhöhung des Tributs vergüten (vgl. *Borger*, Ash S. 53/4,17f.). Und als nach dem Tode von Hazael Ash die Thronfolge bei seinem arab. Vasallen regelt, läßt er sich seine Entscheidung wiederum durch eine beträchtliche Aufstockung des Tributs honorieren (vgl. ebd. S. 54,19–22).

[19] Vgl. *Postgate,* TCAE S. 226ff., dort primär im Blick auf Provinzen dargestellt.

[20] Vgl. *Luckenbill,* OIP 2 S. 132,68–70.

[21] Vgl. ebd. S. 30,50–60 = *Borger,* BAL^2 S. 73; die geographischen Bezeichnungen Amurru und Ḫatti sind ungefähr von der Zeit Snh.s an nahezu austauschbar: vgl. *Luckenbill,* OIP 2 S. 29,37 mit S. 30,58 = *Borger,* BAL^2 S. 73.

[22] Vgl. *Borger,* Ash S. 60/1 V,54–VI,1; vgl. auch den Bau von Kār-Aššur-aḫu-idinna bei Sidon durch westliche Vasallen: ebd. S. 48,80–82.

Die Holzlieferungen aus dem Amanus und Libanon, die die Assyrer ganz selbstverständlich in Anspruch nahmen, ließen sie für die unmittelbar an die Gebirgszüge angrenzenden Vasallenstaaten zu einem kostspieligen Unternehmen werden. Darüber gibt ein Brief aus der Regierungszeit Tgl.s III. oder Srg.s II. Auskunft, in dem ein ass. Beamter dem König mitteilt, er habe den Tyrern und Sidoniern zwar gestattet, Holz für den eigenen Bedarf aus dem Libanon zu holen, doch verlange er dafür durch seine Steuerbeamten (mākisu) eine Art Zollabgabe (miksu) und habe außerdem den Holzexport nach Ägypten und Palästina strikt untersagt, d.h.: der lukrative Exporthandel ist in ass. Hände übergegangen. Die Sidonier, die zunächst die ass. Steuerbeamten verjagt hätten, würden sich nun der Maßnahme beugen, nachdem sie von der ass. „Ordnungstruppe" der Itu'u in den Wäldern des Libanon ihrer Unbotmäßigkeit entsprechend terrorisiert worden seien.[23] Diese Regelung darf keineswegs als Beweis dafür angesehen werden, daß sich Tyrus und Sidon zu dieser Zeit „under direct Assyrian administration" befunden hätten.[24] Die Assyrer waren lediglich überall dort zur Stelle, wo wirtschaftlich lohnende Erträge zu erzielen waren. Und von diesem Interesse waren Vasallenstaaten in gleicher Weise betroffen wie ass. Provinzen.

Ebenso wichtig wie die Forderung wirtschaftlicher (Sonder-)Leistungen war die *Rekrutierung von Soldaten* (ṣāb(ē) šarri[25]) bei den Vasallen, die den ass. König vor allem auf Feldzügen zu unterstützen hatten. So sind die schon bei Ash genannten 22 westlichen Vasallenkönige auch an Asb.s erstem Ägyptenfeldzug (667) mit Truppenkontingenten und Schiffen beteiligt worden[26], wie auch bereits früher Snh tyrische, sidonische und zypriotische Seeleute auf seinem sechsten Feldzug am persischen Golf eingesetzt hat.[27] Die Leute

---

23 Vgl. *Saggs*, Iraq 17 S. 127ff. NL XII = *Postgate*, TCAE S. 390/1,1–29; zu mākisu „Steuereinnehmer" vgl. AHw S. 589a; CAD M/I S. 129f. (vgl. auch *Parpola*, CT 53,10 Rev. 7.11); zu neuass. miksu „Kai- und Fährabgabe" vgl. AHw S. 652a; CAD M/II S. 65b; *Postgate*, TCAE S. 131ff.

24 *Saggs*, Iraq 17 S. 149; zu den Stadien der Eingliederung von Sidon und Tyrus ins ass. Reich vgl. *Forrer*, Provinzeinteilung S. 60–67.

25 Vgl. *Postgate*, TCAE S. 218ff., primär im Blick auf Provinzen dargestellt.

26 Vgl. *Streck*, VAB 7 S. 8,68–74; Aufzählung der Könige nur in Prisma C: vgl. ebd. S. 138/40,23ff. = *Freedman*, Tablets S. 68/70,37ff.; unter Verwertung der bisher neu identifizierten Duplikate: *M. Weippert*, Edom S. 141/2,25'–56'; zum ersten Ägyptenfeldzug Asb.s vgl. *Streck*, VAB 7 S. CCLXXVIf.

27 Vgl. *Luckenbill*, OIP 2 S. 73,57–61; zum Einsatz von Vasallentruppen in Palästina selbst vgl. *Na'aman*, BASOR 214 S. 26,18'.

medischer Vasallen, die im ass. Kernland als „Wachsoldaten" (ḫurādu) oder im „Arbeitskommando" (?, pe/irru) eingesetzt sind, werden im großen Ash-Vertrag ausdrücklich ermahnt, den Aufenthalt nicht zu konspirativer Tätigkeit zu mißbrauchen.[28] Sinnvoll ist diese Vertragsklausel nur dann, wenn solche Leute in größerer Zahl in Assyrien arbeiteten und dadurch zu einer ernstlichen Gefahr werden konnten.

Der Unterschied in der Behandlung von Vasallenstaaten und Provinzen durch die Assyrer liegt nicht sosehr in der Zunahme der wirtschaftlichen Belastung, sondern vielmehr in der totalen politischen Entmündigung. Zwar wird das für das ass. Kernland wie die Provinzen geltende differenzierte Steuersystem noch höheren Abgabendruck als in den Vasallenstaaten mit sich gebracht haben[29], doch ist in wirtschaftlicher Hinsicht bei dem Übergang eines Landes von der Vasallität in den Provinzstatus zu bedenken, daß ein wesentlicher Teil der von den Assyrern neu gestellten Forderungen aus den Krongütern des ehemaligen einheimischen Herrscherhauses erfüllt werden konnte. Daß es im Provinzstatus ebenjenes nationale Königtum und damit einen letzten Rest an Souveränität nicht mehr gab, war die gegenüber der ökonomischen Verpflichtung schmerzlichere Last. Die schmerzlichste bestand jedoch in der seit Tgl III. konsequent durchgeführten Strategie der Assyrer, nicht bei der Liquidierung der staatlichen Souveränität stehenzubleiben, sondern durch *Deportationen* großen Stils zur Vernichtung der nationalen Identität fortzuschreiten. Die Deportationspraxis braucht hier nicht ausführlich dargestellt zu werden[30], sondern soll nur durch zwei Srg-Belege dokumentiert werden, die wichtige, mit dieser Maßnahme verbundene Zielsetzungen beleuchten.

Die bei der Zerstörung der nationalen Identität leitende Absicht, die Organisierung von Widerstand gegen die Assyrer zu erschweren, wurde einmal durch die Praxis erreicht, die jeweiligen Völkergruppen in von ihrer Heimat weit entfernt gelegene Regionen zu deportieren, zum anderen aber auch dadurch, daß man in den okkupierten Gebieten Personen ansiedelte, von denen sich die Einheimischen

---

[28] Vgl. *Wiseman,* VTE 180–187, dazu *Borger,* ZA 54 S. 180; zu dem unklaren Terminus pi/erru vgl. einerseits AHw S. 855b und andererseits *Postgate,* TCAE S. 163–165; ders., Structure S. 212f.

[29] Ein Eindruck von der der ass. Steuerkasse förderlichen Differenziertheit des Abgabesystems ist am besten aus *Postgates* Arbeit (TCAE v.a. S. 41ff.) zu gewinnen.

[30] Vgl. die detaillierte Darstellung von *Oded,* Deportations.

gewiß sorgfältig abschirmten. Diese Reaktion darf man jedenfalls für wahrscheinlich halten, wenn man auf Srg.s Zypern-Stele über die ass. Aktivitäten in Ḫamat liest:

61) 6 lim 3 ME ^{lú}Aš-šur-a-a bēl(EN) ḫ[i-iṭ-ṭi]
6300 Assyrer, Ver[brecher],

62) ina qé-reb ^{kur}Ḫa-am-ma-ti ú-[še-šib-ma]
habe ich in Ḫamat an[gesiedelt],

63) ^{lú}šu-ut-rēši(SAG)-ia ^{lú}E[N.NAM(bēl pī/āḫati)]
meinen Beamten als St[atthalter]

64) elī(UGU)-šú-nu áš-kun-ma bíl-tu m[a-da-tu]
über sie gestellt (und) Abgabe (und) T[ribut]

65) ú-kin elī(UGU)-šú-[un]
für si[e] festgesetzt.[31]

Daß die Deportationspraxis auch mit einem „Umerziehungsprogramm“ mit dem Ziel möglichst weitgehender Assyrianisierung der Betroffenen verbunden war, ist dem anderen Srg-Beleg aus der kleinen Prunkinschrift zu entnehmen. Dort teilt der ass. König zur Ansiedlung deportierter Gruppen in der neu gegründeten Hauptstadt Dūr-Šarrukīn/Ḫorsābād folgendes mit:

49) ...ba-'u-[lat ar-ba-'i lišānu(EME) a-ḫi-tu
Völ[ker aus den vier (Himmelsrichtungen mit

at-mé-e la mit-ḫur-ti]
jeweils) fremder Sprache, Rede ohne Harmonie],

50) [a-ši-bu-te šadê(KUR.MEŠ-e)] ù ma-ti
[die Berge] und Ebenen [bewohnen],

ma-la [ir-te-'u-ú nūr(ZÁLAG) ilāni(DINGIR.MEŠ)
soviele [das Licht der Götter,

bēl(EN) gim-ri ša i-na zi-kir ^{d}A-šur bēlī(EN)-ia
der Herr der Gesamtheit (= Šamaš), hütet,
die ich auf Geheiß Aššurs, meines Herrn,

---

31 Vgl. *Winckler*, Srg S. 178,61–65 = Pl. 47 „linke“ Seite Z. 61–65; Ergänzungen nach einer unpublizierten Srg-Stele aus Ḫamat, Edition durch *J. Renger* in Vorbereitung, mir zugänglich durch Unterlagen von Prof. *Borger*, vgl. auch *Thompson*, Iraq 7 S. 87,20. Vielleicht spielt der ass. rab-šāqê vor den Jerusalemern nicht von ungefähr auf das Vorgehen der Assyrer in Ḫamat an (2Kön 18,34 par. Jes 36,19; vgl. 2Kön 19,13 par. Jes 37,13).

51) [i-na mi-ziz ši-bir-ri-ia áš-lu-la pa-a 1-en]
im Zorn meines Szepters erbeutet hatte], m[achte

ú-[šá-áš-kin-ma ú-šar-ma-a qé-reb-šu]
ich eines Sinnes und ließ (sie) darin
(= in Ḫorsābād) Wohnung nehmen].

52) [mārī(DUMU.MEŠ)] māt(KUR) Aš-šur^{ki}
[Einwohner] des Landes Assyrien,

[mu-du-te i-ni] ka-[la-ma a-na šu-ḫu-uz
[die über] al[le Kenntnisse verfügen,
die habe ich zu (ihrer) Unterrichtung

ṣi-bit-te pa-laḫ ili(DINGIR) ù šarri]
in (bestimmten) Tätigkeiten (und) in der
(rechten) Furcht vor Gott und König]

53) $^{\text{[lú]}}$ak-[li ^{lú}šá-pi-ri mu-ma-i]'(?)-ru-tum
als Auf[seher (und) Ausbilder]

ú-ma-'i-ir-šú-nu-ti
eingesetzt.[32]

In dem zuletzt zitierten Srg-Beleg ist bereits in Z. 52 das Thema angedeutet, das nun genau untersucht werden muß und zu dessen Einführung das Umfeld militärischer, administrativer und wirtschaftlicher Maßnahmen kurz umrissen worden ist: die Frage nach Anwendung und Ausmaß *religionspolitischer Pressionen* der Assyrer gegenüber besiegten Völkern. Hat es sie als Bestandteil der ass. Eroberungspraxis überhaupt gegeben und – wenn ja – welche Gruppen sind davon betroffen gewesen?

Die Beantwortung dieser Frage ist innerhalb einer Untersuchung über die spätvorexilische Geschichte Judas deshalb so wichtig, weil einige atl. Texte ass. Auflagen kultischer Art durchaus zu suggerieren scheinen. Hier wäre zunächst 2Kön 16,10–18 zu nennen, wonach Ahas im Gefolge seines Treffens mit Tgl III. in Damaskus das Modell eines dort gesehenen Altars an den Priester Uriah mit der

---

32 *Weissbach*, ZDMG 72 S. 182/4,49–53; Ergänzungen nach „Cylinder-Inschrift" *Winckler*, Srg Pl. 43a,72–74; Lesungsvorschlag mu-ma-i]'(?)-ru-tum in Z. 53 stammt von Prof. *Borger*; zu aklu und šāpiru vgl. auch *Lie*, Srg 121. Interessante Belege für die Deportation junger Repräsentanten aus der Führungsschicht besiegter Völker zum Zweck der Assyrianisierung bei *Parpola*, Iraq 34 S. 33f.

Weisung schickt, einen solchen Altar auch für den Jerusalemer Tempel zu bauen und ihn an die Stelle des alten zu setzen. Weiterhin wird die sog. Kultreform Hiskias mit seiner Rebellion gegen die ass. Vasallität in Zusammenhang gebracht, so daß die von ihm aus dem Tempel entfernten Kultsymbole nur ass. Provenienz gewesen sein können (2Kön 18,4–8). Schließlich darf in dieser Reihe Manasse nicht fehlen, der als treuer Vasall Assyriens auch den Göttern seines Oberherrn willig gedient haben soll, wofür manche Passagen aus 2Kön 21,3ff. als Beweismaterial herangezogen werden. Immerhin hat Josia die von Manasse eingeführten oder tolerierten Kultinsignien aus dem Jerusalemer Tempel entfernt (2Kön 23,5ff.), so daß auch bei dieser Kultreform die Vermutung antiass. Motivation naheliegt.

Nun hat bereits die Analyse von 2Kön 18; 21 und 23 gezeigt, daß die vielfältige redaktionelle Verflechtung dieser Kapitel ihre eindeutige historische Auswertung im Sinne ass. Einflußnahme auf den Kult besiegter Völker nicht zuläßt. Zwar enthalten 2Kön 21 und 23 Hinweise auf kultische Praktiken, die nur unter Annahme ass. Herkunft hinreichend verständlich werden, doch ist damit keinesfalls entschieden, ob sie nur für den Gebrauch durch Assyrer bestimmt waren, freiwilliger Assimilation durch die Judäer entstammten oder zur religionspolitischen Pression gegenüber den Besiegten genutzt wurden. Die betreffenden atl. Texte – unter Einschluß von 2Kön 16,10–18 – können die Wahl unter diesen Erklärungsmöglichkeiten nicht entscheiden.

In der Forschung hat die vom AT her unklare Informationslage vor allem zwei Thesen begünstigt. Nach der einen ist davon auszugehen, daß mit einschneidenden religionspolitischen Pressionen der Assyrer gegenüber besiegten Völkern zu rechnen sei, nach der anderen von der gegenteiligen Anschauung, daß eine selbständige Übernahme der Verehrung ass. Reichsgötter durch die Besiegten wahrscheinlich ist. Beide Thesen schließen einander nicht prinzipiell aus und sind dementsprechend auch miteinander kombiniert worden. Mit exemplarischer Deutlichkeit wird die erstgenannte These von *Noth* in seiner ‚Geschichte Israels' vertreten: „Eine politische Oberherrschaft verlangte im alten Orient die Aufnahme des offiziellen Staatskultes, nicht an Stelle, aber neben den eigenen angestammten Kulten."[33] Und in selten schöner Einmütigkeit mit Noth äußert sich in dieser Frage *Bright*[34], auch darin mit Noth übereinstimmend, daß beide ihre These nicht weiter begründen, sondern den oben angeführten atl. Stellen hinreichende Evidenz für ihre Interpretation zutrauen. Im Sinne der zweiten These äußert sich etwa *Stade*. So habe Ahas den 2Kön

---

[33] S. 240; vgl. S. 243.246f.
[34] Vgl. GI S. 278.281f.314f.

16,10ff. erwähnten Altar deshalb anfertigen lassen, „weil ihm der zu Damascus erblickte ... besser gefiel, als der von seinen Vorfahren geerbte".[35] Hingegen spricht *Kittel* in Kombination beider Thesen nicht vom „Gefallen", sondern vom „Sich-gefällig-Erweisen", das Ahas dem ass. Großkönig gegenüber durch den Altarbau schuldig zu sein glaubte.[36]

Die ausschließliche Bezugnahme auf atl. Zeugnisse zur Frage religionspolitischer Maßnahmen der Assyrer, die in den genannten Darstellungen der Geschichte Israels nicht weiter verwundern kann, befremdet in den Studien *Olmsteads* zur ass. Geschichte, zumal er wie kaum ein anderer in dieser Frage eine klare Position bezogen hat: „The whole organization centred around the worship of Ashur, the deified state, and of the reigning king, prototype of the later cult of Rome and Augustus."[37] Angesichts der breiten Rezeption, die diese Einschätzung Olmsteads gefunden hat, muß ihre fehlende Absicherung durch ass. Quellen umso unentbehrlicher erscheinen. Erstaunlicherweise vergingen aber seit dem Erscheinen von Olmsteads ‚History of Assyria' (1923) fünfzig Jahre, ehe das Problem der religionspolitischen Maßnahmen der Assyrer eine eingehende Behandlung erfuhr.

Nach zuvor schon vereinzelt geäußerter Kritik[38] ist dies in den Monographien von *McKay* und *Cogan* geschehen[39], die zwar ihre Untersuchungen unabhängig voneinander vorgenommen haben, in den Ergebnissen aber zu einer gewissen Übereinstimmung gelangen, sofern beide die These regelmäßiger religionspolitischer Pressionen der Assyrer gegenüber besiegten Völkern zurückweisen.

McKay, der religionspolitische Pressionen prinzipiell ausschließen will, sucht seine These zunächst in einer ausführlichen Analyse der Berichte aus dem zweiten Kön-Buch zu Ahas bis Josia zu erhärten und behandelt den ass. Quellenbefund nur auf wenigen Seiten. Immerhin findet McKay bereits in den atl. Texten die Bestätigung dafür, daß Juda im späten 8. und im 7. Jh. nicht unter kultischen Zwangsmaßnahmen der Assyrer, sondern unter dem Eindringen eines durch syrisch-kanaanäisches Gut geprägten Synkretismus zu

---

[35] GVI I S. 598; vgl. auch S. 626ff.

[36] Vgl. GVI II S. 364; ferner S. 392f.
Gunneweg (vgl. GI S. 104–108) und *S. Herrmann* (vgl. GI S. 316.320) äußern sich in ihren Darstellungen der Geschichte Israels sehr zurückhaltend zu diesem Thema.

[37] AHR 23 S. 758; vgl. ders., Sargon S. 171; ders., APSR 12 S. 63ff.; ders., History S. 66f.

[38] Vgl. *Eißfeldt*, KS II S. 193 und v.a. *Landsberger* in *Kraeling / Adams* (Ed.), City Invincible S. 177: Demnach haben die Assyrer „never forced conquered peoples to revere the god Assur", sondern nur versucht, „to show their subjects that Assur was more powerful than any of the small gods they had" (nicht von *McKay*, aber von *Cogan*, Imperialism S. 61 zitiert).

[39] *McKay*, Religion 1973 und *Cogan*, Imperialism 1974.

leiden hatte. Im Blick auf die ass. Texte gelangt McKay zu folgendem Resultat: „It cannot be denied that Assyrian religion often followed in the wake of the Assyrian armies and that it was at times adopted officially by a vassal state ... It would, however, be wrong to suggest that the Assyrians never enforced the worship of Ashur on defeated people, but ... it is significant that the theory that Assyrian vassals were required to worship Ashur in their state sanctuaries finds so little support in Assyrian records, and that mainly in a particular interpretation of one or two isolated texts which are probably best explained in some other way.“[40]

Ein Wort wie das von den „one or two isolated texts“ findet sich in Cogans Monographie nicht, deren Ausführungen zur ass. Geschichte und Religion auf breiter Quellenkenntnis beruhen. Cogan beschränkt sein Interesse bei der Durchsicht der akkad. Texte sinnvollerweise nicht sogleich darauf, ihnen nur Informationen über Auflagen kultischer Art zu entnehmen, sondern stellt diese Frage in den größeren Rahmen der Konfrontation besiegter Völker mit ass. Göttern und den sich daraus ergebenden Konsequenzen, um dann den Stellenwert religionspolitischer Pressionen besser beurteilen zu können. Von Cogan behandelte Aspekte dieser Konfrontation sind einmal der in ass. Texten häufiger begegnende Topos der Preisgabe besiegter Völker durch ihre eigenen Götter, ferner der ebenfalls öfter belegte ass. Brauch, Götterbilder der Besiegten nach Assyrien zu verschleppen und sie unter bestimmten Bedingungen wieder zurückzugeben. Cogans Untersuchungen führen zu der These, daß die Assyrer in religionspolitischer Hinsicht strikt zwischen Vasallenstaaten und Provinzen unterschieden. Gab es auch einen mehr oder weniger unvermeidlichen Kontakt der Vasallen mit der ass. Religion, waren sie dennoch lediglich zu dem politisch bestimmten Treueeid verpflichtet, nicht aber zur Teilnahme am Kult der ass. Reichsgötter. Anders hingegen war die Regelung in Provinzen, wo die Assyrer den Bewohnern die Durchführung des Reichskultes abverlangten.

Der Cogan'schen These gemäß hat Juda als Vasall Assurs nie irgendwelche religionspolitischen Pressionen assyrischerseits erfahren, während sich Israel nach 722/1 sehr wohl mit derartigen Maßnahmen konfrontiert sah. Über die weniger ausführlich analysierten atl. Texte im zweiten Kön-Buch, die vormals oft im Sinne religionspolitischer Auflagen der Assyrer interpretiert worden sind, urteilt Cogan ähnlich wie McKay. Sie spiegeln das Eindringen eines mit kanaanä-

---

40 *McKay*, Religion S. 65.

ischen und auch ass. Elementen durchsetzten Synkretismus wider oder auch – wie etwa im Falle Manasses – die Initiative judäischer Könige zur nachhaltigen Bekräftigung ihrer Botmäßigkeit gegenüber Assur.

Daß mit den Untersuchungen von McKay und Cogan über die von ihnen behandelten atl. Texte aus dem zweiten Kön-Buch nicht das letzte Wort gesprochen ist, bedarf nach der oben vorgelegten Analyse, in der sich die authentischen Informationen jener Kapitel als Bestandteil eines von beiden Autoren kaum wahrgenommenen redaktionellen Geflechts mit äußerst tendenziösen darstellerischen Intentionen erwiesen haben, keiner weiteren Begründung. Hingegen ist nach Cogans Darlegungen kein Zweifel mehr an den von Assyrern in Provinzen ausgeübten religionspolitischen Pressionen möglich.[41] Ob sich die ass. Behandlung von Vasallenstaaten derart strikt von der in Provinzen üblichen unterscheidet, wie Cogan behauptet, mag nach der bereits oben konstatierten Ähnlichkeit der wirtschaftlichen Belastung und zum Teil auch administrativen Einbindung fraglich erscheinen[42], kann aber im Blick auf die religionspolitischen Maßnahmen nur durch erneutes Quellenstudium geklärt werden, wobei die Informationen der ass. Texte genau wie die der atl. der historischen Kritik unterzogen werden müssen. Es bleibt schließlich zu prüfen, ob das von Cogan zu Recht berücksichtigte Umfeld religionspolitischer Maßnahmen der Assyrer angemessen interpretiert worden ist oder auch hier noch Hinweise auf Pressionen erhalten sind, die bisher keine adäquate Bewertung gefunden haben.

1. Explizite Hinweise auf religionspolitische Pressionen der Assyrer

Die expliziten Hinweise auf religionspolitische Pressionen der Assyrer gegenüber besiegten Völkern sind ziemlich rar. Das trifft sowohl für ihre Ausübung in ass. Provinzen[43] als auch in ass. Vasallenstaaten zu

---

[41] Vgl. *Cogan*, Imperialism S. 49ff.

[42] S.o. S. 312ff. v.a. 316.

[43] Folgende Belege für die Auflage der Verehrung ass. Reichsgötter in Provinzen seien genannt (zu den Belegen, die von der Aufrichtung der „Waffe Aššurs" o.ä. berichten, vgl. *Cogan*, Imperialism S. 53–55; *Lambert*, OLZ 74 Sp. 128): *P. Rost*, Tgl S. 2,8–11 = Pl. XI,1–4 (ergänzt nach ebd. S. 42,6f. = Pl. XXXII, 6f. = *M. Weippert*, Edom S. 495,6f. und *P. Rost*, Tgl. S. 56,10f. = Pl. XXXV, 10f. = *M. Weippert*, Edom S. 64,10f.); *P. Rost*, Tgl S. 6,21–23 = Pl. XII,2–4; S. 28,160f. = Pl. XVI,8f. par. S. 64,34–37 = Pl. XXXVI,34–37 = *M. Weippert*

für die nach *Cogans* Anschauung sich keine Belege finden lassen dürften. Beide Male sind ass. Königsinschriften die wichtigste Informationsquelle für diese Maßnahme, also höchst tendenziöse Dokumente, über deren Quellenwert kurz Rechenschaft gegeben werden muß.[44]

Nicht die Ungenauigkeiten und Übertreibungen, die die Königsinschriften in vielfältiger Weise enthalten[45], sondern die große Lückenhaftigkeit ihrer Berichterstattung muß im Blick auf die Durchführung religionspolitischer Maßnahmen der Assyrer gegen besiegte Völker in Rechnung gestellt werden, da sie

---

Edom S. 67,34–37; *P. Rost,* Tgl S. 66,43f. = Pl. XXXVI,43f. = *M. Weippert,* Edom S. 68,43f.; *Lie,* Srg 98–100 (besonders deutlich) par. *Winckler,* Srg S. 108,61–64 = Nr. 68,61–64; *Weissbach,* ZDMG 72 S. 182/4,52f. (s.o. S. 317f.); *Lie,* Srg 93–95 par. *Winckler,* Srg Pl. 45 K 1669 Z. 5'–10' = *M. Weippert,* Edom S. 89,5'–10'; *Luckenbill,* OIP 2 S. 26,57–64 = *Borger,* BAL² S. 70 u.ö.; *Luckenbill,* OIP 2 S. 62,87–89 = *Borger,* BAL² S. 80 V,24–26; ABL 43 = LAS 309 Obv. 5–25 = *Postgate,* TCAE S. 247f.; ABL 464 = *Postgate,* TCAE S. 277/8,11'–28'; ABL 532 = *Postgate,* TCAE S. 280,1–31; u.ö.

44 Die assyriologische Forschung ist bisher der Frage nach dem historischen Quellenwert der Königsinschriften nur sehr unzureichend nachgegangen, so daß sich bei diesem Problem *Graysons* Urteil leider nur bestätigen läßt: „Ancient Mesopotamian historiography is an exceedlingly complex and badly neglected subject" (ABC S. 2). An wertvollen Arbeiten auf diesem Gebiet ist nur weniges zu nennen: *Mowinckels* formgeschichtliche Studie (FS Gunkel S. 278ff.) mit korrigierenden und weiterführenden Anmerkungen von *Baumgartner* (OLZ 27 Sp. 313ff.) und die durch *Olmstead* (Historiography) initiierte Erforschung der verschiedenen Rezensionen der jeweiligen Inschriften eines Herrschers, die von *Borger* und *Schramm* (Einleitung I und II) weitergeführt worden ist. War *Olmstead* bei seiner Arbeit noch von der Vorstellung geleitet, mit der Ermittlung der ältesten Rezension auch den Text gefunden zu haben, der die res gestae des betreffenden Königs authentisch überliefert (vgl. Historiography S. 1 und 8), so kann dieses Urteil nur mit großen Einschränkungen akzeptiert werden, weil alle Rezensionen mit derselben, authentischer Berichterstattung abträglichen Tendenz gestaltet worden sind.

45 Nur einige Beispiele für die historische Unzuverlässigkeit der Königsinschriften seien hier genannt; sie könnten beliebig vermehrt werden: Die Zahlenangaben der Inschriften sind fast immer übertrieben, man denke nur an die 208000 Kriegsgefangenen von Snh.s erstem Feldzug (*Luckenbill,* OIP 2 S. 25,50 = *Borger,* BAL² S. 69,50, Parallelen ebd. S. 70) oder an die 200150 Kriegsgefangenen allein aus Juda im dritten Feldzug (*Luckenbill,* OIP 2 S. 33,24 = *Borger,* BAL² S. 74,24; vgl. Kommentar S. 136) oder an die schematische Steigerung der Beuteangaben in den Rezensionen parallel zur steigenden Zahl der Feldzüge: von 10000 auf 30500 Bögen bzw. von 10000 auf 20000 Schilde (gut zusammengestellt bei *Borger,* BAL² S. 77; vgl. zu diesem Thema auch *Olmstead,* Historiography S. 7f.). Selbst in einem Gottesbrief geht Srg II. höchst eigenwillig mit Fakten um, wenn er behauptet, der beschriebene urartäische Feldzug habe nur 6 Kriegern das Leben gekostet (vgl. *Thureau–Dangin,* TCL 3,426).

für die spärlichen Nachrichten aus diesem Bereich hauptverantwortlich sein wird. Sie ist bedingt durch die dominierend propagandistische Tendenz der Königsinschriften, die „in der möglichst ausführlichen Aufzählung der Großtaten des Königs" besteht.[46] Beides ist wichtig und typisch: die Gattung, dergemäß die Königsinschrift mehr eine auflistende, zählende als erzählende Form ist, und die Anordnung der Ereignisse allein um die Person des Herrschers, worin vor allem die Überlieferung von Episoden begründet ist, in denen der König als allgewaltiger Despot nach altorientalischer Manier agiert, indem er Feinde besonders grausam bestraft oder schwindelnd hohe Tributabgaben verlangt oder eine mächtige Heereskoalition des Feindes besiegt oder sich auch gegenüber Rebellen als der unfaßbar Gnädige oder vor ass. Göttern als der denkbar frömmste und demütigste Verehrer erweist. Ganz überwiegend liegen die Informationen der Königsinschriften in dieser Sphäre des Sensationellen und der Superlative, auch dann, wenn sie durch unendlich lange Aufzählungen von Beutegut, Kriegsgefangenen oder eroberten Städten und Ländern eher langweilen als erstaunen. Sie hetzen förmlich von einer militärischen Glanzleistung des Großkönigs zur anderen, meistens mit knappem historischem Prolog und mit der Schilderung der Konsequenzen des Sieges versehen, bis sie schließlich im Baubericht die noch von keinem früheren König so groß und prachtvoll errichteten Tempel, Paläste oder Stadtanlagen rühmen.

Über eines schweigen die Königsinschriften nahezu ganz: über die Normalität, die Ereignisse in der Zeit zwischen den Feldzügen. Eine gewisse Normalität kennen sie nur im Blick auf die Regelungen im Gefolge von Feldzügen, welche sich zu einem relativ festen Ensemble zusammenfügen. Dazu gehören nach dem Sieg der ass. Armee die Rache an den Rebellen, Beutenahme an Sachen und Menschen, Auflage von Tribut oder Einrichtung einer Provinz. Dieses Programm läuft gleichsam automatisch ab, wobei die Reihenfolge der einzelnen Elemente wechseln kann, oft nicht vollständig erscheint, aber auch durch weitere Informationen ergänzt werden kann, etwa die Nachricht von der Aufstellung einer Stele oder auch von der Verehrung der ass. Reichsgötter. Sowenig nach einem ass. Sieg immer alle Elemente dieses Ablaufs genannt sind, so erscheinen doch regelmäßig einige von ihnen, ohne daß damit ausgeschlossen wäre, daß nicht genannte Maßnahmen auch tatsächlich nicht durchgeführt worden wären. Diese selektive Berichterstattung der Inschriften im Bereich des Regulären und Normalen wird bei der Würdigung der Belege über religionspolitische Pressionen der Assyrer in eroberten Gebieten gebührend berücksichtigt werden müssen.

Historisch folgenreichere Ungenauigkeiten entstehen durch die absolut proass., auf den jeweiligen Herrscher zentrierte Tendenz der Inschriften. Da werden ass. Niederlagen in Siege umgeschrieben (Schlacht der Assyrer mit den Elamern bei Dēr: vgl. *Winckler*, Srg S. 100,23 = Nr. 64,23 gegenüber *Grayson*, ABC S. 73,33–35), und für einen ass. Sieg beanspruchen zwei Könige gleichzeitig den Ruhm (Eroberung von Samaria: vgl. *Winckler*, Srg S. 100,23–25 = Nr. 64/5, 23–25; *Weissbach*, ZDMG 72 S. 178,15; *Gadd*, Iraq 16 S. 179,25–41 u.ö., aber noch nicht *Saggs*, Iraq 37 S. 12ff. gegenüber *Grayson*, ABC S. 73,27f. und 2Kön 17,3–6 par. 18,9–11; vgl. *Tadmor*, JCS 12 S. 33ff.).

[46] *Mowinckel*, FS Gunkel S. 287; vgl. auch *von Soden*, FS Stier S. 48.

Im Bereich dieser Maßnahmen verdient zunächst ein Text aus der Zeit Tgl.s III. Beachtung. Drei dem Inhalt nach nur unwesentlich voneinander abweichende Texte teilen folgendes mit:

I 8') ... ^{I}Ḫa-a-nu-ú-nu ^{uru}Ḫa-az-za-at-a-a
II 14') [... ^{I}Ḫa-a-nu-]ú-nu ^{uru}Ḫa-az-za-at-a-a
III 13) [ ]
Ḫanūnu (, der Herrscher) von Gaza,

I 9') [ša/šá la-pa-an ^{giš}]kakkī(TUKUL.MEŠ)-ia
II la-pa-an ^{giš}kakkī(TUKUL.MEŠ)<-ia> dannūti
III [ ]
I: der vor meinen Waffen geflohen war
II: fürchtete sich vor meinen mächtigen Waffen

I ip-par-ši-[du-ma a-na KUR] Mu-uṣ-ri in-nab-tú
II (KAL.MEŠ) ip-làḫ-ma a°-[na KUR Mu-uṣ-ri]
III [ ]in-na-bi-it
I: [und nach] Ägypten die Flucht ergriffen hatte,
II/III: und floh na[ch] Ägypten -

I ^{uru}Ḫa-az-zu-tu 10') [ak-šud]
II 15') [ ]
III ^{uru}Ḫa-az-zu-t[u]
Gaza [eroberte ich]

II [x bilat(GUN)] ḫurāṣu(KÙ.SI$_{22}$) 8 ME bilat(GUN)
[x Talente] Gold, 800 Talente

II kaspu(KÙ.BABBAR) nišē(UN.MEŠ) a-di
Silber, Leute mitsamt

II mar-ši-ti-šú-nu aššat(DAM)-su DUMU.ME[Š
ihrem Eigentum, seine Ehefrau, [seine]

II (mārē)-šu/šú mārātī(DUMU.MUNUS.MEŠ)-šu/šú]
Söhn[e, seine Töchter],

I [makkūr(NÎG.GA)-šú] bušâ(NÎG.ŠU)-šú
II [ ]
III [ ]
[seine Habe], seinen Besitz (und)

I ilānī(DINGIR.MEŠ-ni)-šú [ašlula?]
II 16') [ ]
III [ ]
seine Götter [erbeutete ich];

I [ṣalam(ALAM) ilāni(DINGIR.MEŠ) GAL.M]EŠ!(rabû-
II ṣa-lam ilāni(DINGIR.MEŠ) rabûti(GAL.MEŠ)
III 14) [ ]
Bilder der großen Götter,

I ti) bēlī(EN!.MEŠ!)-ia ṣalam(ALAM!) šarrū-ti-ia
II bēlī(EN.MEŠ)-ia ṣa-lam šarrū-ti-ia
III [ ]
meiner Herren, (und) ein goldenes Bild meiner

I 11') [ša/šá ḫurāṣi(KÙ.SI$_{22}$) ēpuš(DÙ-uš)]
II ša ḫurāṣi(KÙ.SI$_{22}$) [ēpuš(DÙ-uš)]
III [ ]ēpuš(DÙ-uš)
Majestät stellte ich her (und)

I i-na qé-reb ekalli(É.GAL)
II [ ]
III ina qé-reb ekalli(É.GAL)
richtete (es) im Palast

I [ša/šá ^{uru}Ḫa-az-zi-ti ul-ziz]
II [ ]
III ša ^{uru}Ḫa-a[z-zi-ti ul-ziz-ma?]
von Ga[za auf];

I [a-n]a ilāni(DINGIR.MEŠ) mātī(KUR)-šú-nu
II 17') [n]u
III [ ]
[z]u den Göttern ihres Landes

I am-nu-ma 12') [...] ú-kin-šú-nu-[ti]
II ú-kin
III [ ] 15) [ ]
bestimmte ich (sie) und
[...] setzte ich (für sie) fest.

I [ù šu-ú... is-]ḫup-[šu-]ma
II ù šu-ú
III [ ]
Jener aber - ([ihn be]fiel...und)

I ki iṣ-ṣu-ri 13') [...i]p-par-šid-ma[...]
II ul-tu KUR Mu-uṣ-ri kīma(GIM) iṣ-ṣu-[ri]
III iṣṣūri(MUŠEN)[ ]
wie ein Vogel floh er aus Ägypten und[...]

I a-na ašrī(KI)-šu ú-ter-šu-ma
II [ ]
III [ ]
an seinen Ort brachte ich ihn zurück und

I 14') [^{uru}Ḫa-az-zu-tu a-]na bīt(É)[ ]
II 18') [ ]
III 16) [... ^{uru}Ḫa-az-z]u!-tu! a-na bīt(É) ka-a-ri ša
erklärte [Gaz]a zu einer Zollstation

I [ ]
II [KUR Aš-]šur am-nu
III KUR Aš-šur [am-nu]
Assyriens.

II ṣa-lam šarrū-ti-ia ina ^{uru}Na-ḫal-mu-ṣur
Ein Bild meiner Majestät stellte ich

II DÛ-u[š(ēpuš)...]
(auch) in Naḫalmuṣur her.[47]

Die Gaza-Episode aus Tgl.s Palästinafeldzug im Jahre 734[48] ist einigermaßen ausführlich zitiert worden, weil allein schon aus der Textsynopse hervorgeht, daß die Stelle bei der Klärung religionspolitischer Auflagen der Assyrer keineswegs außer Acht gelassen werden darf.[49] In neuass. Inschriften wird Gaza bei Tgl III. zum

---

47 Text I: *P. Rost,* Tgl S. 78/80,8–14 = Pl. XXV,8–14 = *M. Weippert,* Edom S. 489/90,8'–14'; die wenigen Zeichen, die *Rost* über *G. Smith,* IIIR 10 Nr. 2 hinaus kopiert hat, sind nicht gekennzeichnet worden.
Text II: *Wiseman,* Iraq 13 S. 23,14–18 = *M. Weippert,* Edom S. 497/8,14'–18'.
Text III: *Wiseman,* Iraq 18 S. 126,13'–16' = *M. Weippert,* Edom S. 503/4 Rev. 13–16.
Der Synopse liegen die Transkriptionen von *M. Weippert* zugrunde, die deshalb durchgehend zu vergleichen sind. Wegen der synoptischen Rekonstruktion ist auf die Ergänzung der Textlücken nach den Parallelstellen in der Regel verzichtet worden. Zur Übersetzung ist TGI^{2} S. 56–59 zu vergleichen; zur Institution des bīt kāri vgl. *Elat,* JAOS 98 S. 26ff.

48 Eintrag im Eponymenkanon C^{b} für das Jahr 734: a-na KUR Pi-liš-ta „nach Philistäa" (*Ungnad,* RLA II S. 431).

49 Gegen *Cogan,* Imperialism S. 55 A. 79.

ersten Mal erwähnt[50], ein Zeichen dafür, daß von seiner Herrschaft an der südpalästinische Küstenstreifen in die strategischen Überlegungen des expandierenden ass. Weltreiches mit einbezogen wurde. Daß Tgl sogleich bei der ersten Konfrontation mit der Stadt Gaza zu harten Maßnahmen wie Deportation der königlichen Familie und der Stadtgötter, Aufstellung von Bildern ass. Götter zusammen mit einem Königsbild und Einrichtung einer ass. Zollstation gegriffen hat, darf weder zu dem Schluß führen, hier hätten die Inschriften maßlos übertrieben, noch zu dem, Gaza sei durch Tgl mehr oder weniger in das ass. Provinzsystem integriert worden.[51] Gegen die erste Schlußfolgerung spricht die Beobachtung, daß die Inschriften Tgl.s an religionspolitischen Pressionen kein Eigeninteresse haben, hier also nicht die Gefahr tendenziöser Gestaltung besteht, gegen die zweite der Text selbst, nach dem der zunächst nach Ägypten geflohene Ḫanūnu von Tgl als Stadtfürst von Gaza bestätigt wird. Du'ru/Dor ist die südlichste ass. Provinz an der Mittelmeerküste zur Zeit Tgl.s gewesen. Das ist genauso gut dokumentiert wie die Herrscherreihe von Gaza während der gesamten Sargonidenzeit[52], aus der hervorgeht, daß Gaza *nie* zum ass. Provinzsystem gehört hat.[53]

Bleibt die Frage zu klären, wieso Tgl bereits bei der ersten Konfrontation mit Gaza unverhältnismäßig harte Maßnahmen gegen die Stadt in die Wege geleitet hat. Ein Blick auf die geostrategische Lage von Gaza und Tgl.s weitere Maßnahmen in dieser Region können über seine Motive Aufschluß geben. Er mußte der Gefahr vorbeugen, daß Ägypten zum ständigen Initiator von antiass. Konspirationen im palästinischen Raum wurde. Das Ziel wäre am sichersten durch die Integration des Gebietes in das ass. Provinzsystem zu erreichen gewesen, wozu aber die militärischen Mittel gefehlt haben, was noch Jahre später an der nur kurzen Eingliederung Asdods unter Srg gut

---

50 Vgl. *Parpola*, NAT S. 159 s.v. Ḫazat.

51 Erwogen von *Wiseman*, Iraq 13 S. 22 und *Cogan*, Imperialism S. 55 A. 79.

52 Zur ass. Provinz Du'ru/Dor vgl. *Forrer*, Provinzeinteilung S. 60f.; *Alt*, KS II S. 199–201; Belege bei *Parpola*, NAT S. 106 s.v. Du'ru; übersichtliche Karte über die Ordnung der Mittelmeerregion unter Tgl III. bei *Otzen*, ASTI 11 S. 103 = ders., Israel S. 252.
Ḫanūnu von Gaza hat bis zu einem mißglückten Putschversuch unter Srg II. die Stadt geführt (vgl. *Tallqvist*, APN S. 86a s.v. *Ḫanūnu); sein Nachfolger war Ṣil-Bēl, als treuer ass. Vasall von Snh, Ash und Asb bekannt (vgl. ebd. S. 206a s.v. Ṣil-Bēl).

53 Gegen *Donner*, MIO 5 S. 181; die Berufung auf *Alt* ist unzutreffend (vgl. KS II S. 237.239).

erkennbar wird.[54] So gab es für Tgl nur die Möglichkeit, bei der ersten Kontaktaufnahme eines philistäischen Stadtfürsten mit Ägypten Härte zu demonstrieren, Botmäßigkeit zu honorieren und die Grenze nach Ägypten hin möglichst genau zu beobachten. Alle drei Optionen sind von Tgl und auch von den folgenden Sargoniden wahrgenommen worden.[55] Das rebellische Gaza ist mit empfindlichen Strafmaßnahmen bedacht worden, von denen die Deportation normalerweise nur bei der Einrichtung von Provinzen angewandt wurde. Falls die in Text II,15' erwähnten 800 Talente Silber als Teil der Beute nicht völlig übertrieben sind, wäre die Kontributionssumme Menahems an Tgl von 1000 Talenten Silber zu vergleichen, die jener im verhältnismäßig großen Nordisrael nur über die Erhebung einer Kopfsteuer aufbringen konnte (2Kön 15,19f.). Die einschneidendste Maßnahme dürfte jedoch die Verbindung von Deportation der Stadtgötter nach Assyrien und Einsetzung der ass. Reichsgötter an ihrer Stelle gewesen sein. Wegnahme der eigenen Götter(bilder) bedeutete Sistierung ihrer kultischen Verehrung und damit Entzug ihres Schutzes. Konnte man sich in polytheistischen Religionen mit der zusätzlichen Verehrung der ass. Reichsgötter noch arrangieren, so doch kaum mit der totalen religiösen Auslieferung an die Götter der Sieger, die durch die Wegführung der eigenen Götter(bilder) erreicht worden war.

Als Ḫanūnu von seiner Flucht nach Ägypten abläßt und nach Gaza zurückkehrt[56], wird er von Tgl gnädig behandelt und als ass. Vasall

---

54 Vgl. *Winckler*, Srg S. 114/6,90–112 = Nr. 70/2,90–112; *Lie*, Srg 249–262; vgl. ferner *Forrer*, Provinzeinteilung S. 63f.70; *Alt*, KS II S. 234ff., v.a. 240f. Welche Funktion auch immer der im Eponymenkanon C^d für das Jahr 669 genannte Statthalter (šaknu) von Asdo[d] gehabt hat (vgl. *Ungnad*, RLA II S. 429 Nr. 18,12), regulärer Provinzgouverneur kann er auf gar keinen Fall gewesen sein, da uns von Snh bis Asb die Stadtfürsten von Asdod als Vasallen aus ass. Inschriften bekannt sind (vgl. *Luckenbill*, OIP 2 S. 30,54; 33,32 = *Borger*, BAL² S. 73,54; 75,32; *Borger*, Ash S. 60,62; *Streck*, VAB 7 S. 140,35 = *Freedman*, Tablets S. 70,49 = *M. Weippert*, Edom S. 141,37').

55 Die Deutung von Tgl.s Vorstoß bis in den südphilistäischen Raum im Jahre 734 als primär gegen Ägypten gerichtete Maßnahme erfolgt weitgehend im Anschluß an *Alt*, KS II S. 157–162. Die durch die Kontrolle der Mittelmeerküste erzielten wirtschaftlichen Vorteile sind den Assyrern sicherlich willkommen, aber kaum Anlaß zu diesem militärischen Unternehmen gewesen (anders *Tadmor*, BA 29 S. 88). Die Einrichtung der Vasallenstaaten auf philistäischem Territorium entsprang auch nicht primär der Zielvorstellung eines cordon sanitaire (zu stark betont von *Otzen*, ASTI 11 S. 102–104 = ders., Israel S. 255f.), sondern war – wie oben angedeutet – die einzige militärisch vertretbare Lösung.

56 Die Gründe, die Ḫanūnu zur Rückkehr bewogen haben, sind unbekannt. *Alt* fragt zu Recht, ob nicht die schnelle Rückkehr unmöglich gewesen wäre, hätte

eingesetzt, wohl aufgrund des Kalküls, daß ein auf so großzügige Weise Begnadigter für die eigene Person überhaupt nichts mehr und für die Stadt Gaza nicht noch Schlimmeres riskieren wird. Ḫanūnu hat sich diese Gedankengänge allerdings nicht zu eigen gemacht.

Mit verschiedenen Mitteln hat Tgl schließlich die Grenze nach Ägypten abzusichern versucht, worauf auch die in Text II,18' erwähnte Aufstellung eines Königsbildes in Naḫal-Muṣur, hier sicherlich identisch mit dem 45 km nordöstlich von der Mündung des wādi el-ʿarīš gelegenen Rapiḫu (Raphia, tell refaḥ)[57], hinweist. Allzu wirksam scheint die Grenzüberwachung jedoch nicht gewesen zu sein, da Ḫanūnu im Jahre 720 noch einmal eine Konspiration mit Ägypten (genauer: mit dem ägypt. tartannu Re'e) zustandegebracht hat. Die erneute Kampfansage an Assur ist ihm allerdings endgültig zum Verhängnis geworden.[58]

Aus der Zeit Srg.s II. sind religionspolitische Pressionen der Assyrer außerhalb des von ihnen eingerichteten Provinzsystems aus zwei anderen Regionen des Reiches überliefert: Der eine Beleg betrifft den südbab. Meerlanddistrikt, der im neuass. Reich mehr oder weniger als ass. Hoheitsgebiet angesehen worden ist, dessen vorwiegend chaldäisch-aram. Bevölkerung aber weit davon entfernt war, diese Einschätzung zu teilen. Wenn die ass. Inschriften im Blick auf die Zugehörigkeit dieses Distrikts zum Großreich auch nicht mit klaren Worten sparen, steckt dahinter doch zumeist mehr Wunschdenken als Realität, dies zumal in der Zeit von Tgl III. bis Snh, die sich in dieser Gegend mit einem der erbittertsten Gegner ass. Hegemonie zu befassen hatten, mit Merodachbaladan II.[59] Gleichwohl haben die Assyrer nicht zuletzt aus gut erklärlichem Sicherheitsinteresse immer wieder versucht, den Meerlanddistrikt so eng wie möglich an

---

er sich bereits am Nil aufgehalten (vgl. KS II S. 159 A. 4). Ob Ḫanūnu vielleicht eher als einige Zeit später Jamani von Asdod (vgl. *Winckler*, Srg S 116,109–112 = Nr. 72,109–112; *Weidner*, AfO 14 S. 50,1–5) in Erfahrung gebracht hat, daß ihm Ägypten kein Asyl gewähren würde und Auslieferung drohte?

57 Vgl. *Alt*, KS II S. 227–229; ebd. S. 226–234 sind weitere Maßnahmen zusammengestellt, die Tgl und Srg zur Sicherung der Grenze nach Ägypten hin unternommen haben: Einsetzung des Arabers Idibi'ilu in das atûtu- bzw. qēpūtu-Amt über Ägypten (s.o. S. 311 A. 9) durch Tgl, unter Srg ähnlicher Auftrag an den Scheich (nasīku) der Stadt Laban und Ansiedlung Deportierter in dem ass. Stützpunkt Naḫal-Muṣur = Rapiḫu (vgl. *Weidner*, AfO 14 S. 42,1–7; *Alt*, KS II S. 161f.229–231).

58 Vgl. *Winckler*, Srg S. 100,25f. = Nr. 65,25f.; *Lie*, Srg 53–57 u.ö.; zu dem ägypt. tartannu Re'e vgl. *Borger*, JNES 19 S. 49–53.

59 Vgl. *Brinkman*, FS Oppenheim S. 6ff.; ders., Babylonia S. 223ff.

sich zu binden. Dazu diente auch die Maßnahme Srg.s, vier Aramäerscheichs vom Stamm der Ḫindaru Abgaben (biltu und madattu) wie der ass. Bevölkerung abzuverlangen und sie der Kontrolle ass. Beamter zu unterstellen. In diesem Zusammenhang erfolgte auch eine kultische Auflage:

331) ...ṣi-bit alpī(GU$_4$.MEŠ)-šú-nu ṣēnī(USDUḪA)-šu-nu
Eine Abgabe von ihren Rindern (und) ihrem Kleinvieh

332) a-na ^{d}Bēl(EN) ^{d}Mār(DUMU) Bēl(EN)
setzte ich für Bēl (= Marduk) (und) den Sohn

ú-ki-in šat-ti-šam...
Bēls (= Nabû) jährlich fest.[60]

Dahingestellt, wie ernst die genannten Aramäerscheichs der Ḫindaru, die später wahrscheinlich mit Merodachbaladan verbündet gewesen sind, diese und die anderen Auflagen genommen haben, so gibt die von den Assyrern befohlene Regelung doch darüber Aufschluß, daß kultische Abgaben aus dem näheren Einzugsbereich den einheimischen ass. und bab. Tempeln zugute kamen, in diesem Falle den Tempeln Esangil in Babylon und Ezida in Borsippa. Es entspricht der von Srg verfolgten religionspolitischen Linie, daß er auch für die Einkünfte bab. Tempel Sorge getragen hat.

Eine weitere religionspolitische Maßnahme teilt Srg in dem berühmten Bericht über den achten Feldzug mit, auf dem er im Jahre 716 den Mannäer Ullusunu, der gegen ihn mit dem urartäischen König Rusaš paktiert hatte, wieder als Vasallen akzeptierte. Mit folgendem festlichen Akt schließt Srg die Begnadigung des untreuen Vasallen ab:

62) ša ^{I}Ul-lu-su-nu šarri be-lí-šu-nu
Was Ullusunu, den König, ihren
(= der Mannäer) Herrn, betrifft:
^{giš}paššūr(BANŠUR) tak-bit-ti ma-ḫar-šu ar-ku-su-ma
eine reichlich gedeckte Tafel richtete
ich vor ihm her und

eli(UGU) ša ^{I}Ir-an-zi a-bi a-lid-di-šú
machte seinen Thron höher als den von Iranzu,

---

60 *Winckler,* Srg Nr. 20,6f. = *Lie,* Srg 331f.; zur Bedeutung von ṣibtu vgl. *Postgate,* TCAE S. 167ff.; vgl. auch ABL 865 Obv.; *M. Dietrich,* CT 54,506 Rev. nach ders., WO 4 S. 216; ADD 1013 Rev. 12–14 nach *Postgate,* TCAE S. 128.

ú-šaq-qí ^{giš}kussâ(GU.ZA)-šú
dem Vater, der ihn erzeugt hat.

63) šá-a-šu-nu it-ti nišē(UN.MEŠ) māt(KUR) Aš-šur^{ki}
Sie zusammen mit den Leuten von Assyrien

i-na ^{giš}paššūr(BANŠUR) ḫi-da-a-ti
ließ ich an der Festtafel Platz

ú-še-šib-šu-nu-ti-ma ma-ḫar Aššur(AN.ŠÁR) ù ilāni
nehmen, und vor Aššur und den Göttern

(DINGIR.MEŠ) mātī(KUR)-šú-nu ik-ru-bu šarrū-ti
ihres Landes grüßten sie segnend meine Majestät.[61]

Aus dieser Stelle geht sehr deutlich sowohl das Verhältnis des ass. Königs zu den Göttern seiner Vasallen als auch die von diesen verlangte Haltung gegenüber den ass. Göttern hervor. Offenbar in gewohnter Manier stellt der siegreiche Srg neben dem Bild des Reichsgottes Aššur die Bilder der mannäischen Götter auf und reklamiert dadurch auch ihren Beistand für seinen Sieg. Wie sehr diese Praxis Bestandteil ass. Kriegsideologie war, wird später zu zeigen sein. Ist aber für den ass. König die religiöse Anerkennung der Götter der Besiegten so selbstverständlich, wieviel mehr muß es dann in seinen Augen fraglos eine Pflicht der Unterlegenen sein, den Göttern des Siegers, allen voran dem Reichsgott Aššur zu huldigen! Auf diese Einstellung weist auch die oben geschilderte Szene hin, da es in dem von Srg getroffenen Arrangement unmöglich ist, mit der Huldigung für den ass. König nicht auch gleichzeitig dem Gott Aššur Reverenz zu erweisen. Das Urteil *Noths,* nach dem eine politische Oberherrschaft im alten Orient auch die Aufnahme des offiziellen Staatskultes neben dem Kult der Landesgötter implizierte[62], trifft auf diese Episode genau zu.

Cogan bemerkt zu Recht, daß die von Srg inszenierte Zeremonie mit den Götterbildern, dem Bankett und der Huldigung vor dem König an die Abnahme der eidlichen Verpflichtung (adê) erinnert, der sich Vasallen zu unterziehen hatten.[63] Daß die dabei unvermeid-

---

61 *Thureau–Dangin,* TCL 3,62f.; vgl. auch *Winckler,* Srg S. 106,50–53 = Nr. 67,50–53; zu den Ereignissen im Jahre 716 vgl. *Olmstead,* Sargon S. 103ff.

62 S.o. S. 319.

63 Vgl. *Cogan,* Imperialism S. 48f.; die Motive für Srg.s Handlungsweise gegenüber Ullusunu sind auf S. 48 kaum richtig erkannt.
Vergleichbare Züge von adê-Zeremonien sind den Texten ABL 213; 386 = LAS 1; *Parpola,* CT 53,75 = LAS 284 Obv. 19ff.; *Craig,* ABRT I Nr. 24 III,2–14 =

liche Konfrontation der Vasallen mit den ass. Göttern nicht mit der Zeremonie beendet war, geht aus dem Wortlaut der Verträge selbst hervor, weshalb die Behandlung der entsprechenden Passagen des großen Ash-Vertrages mit medischen Vasallen hier gleich angeschlossen werden soll. Folgende kultische Verpflichtungen setzt Ash in diesem Vertragstext fest:

393) a-na arkât(EGIR) u_4-me a-na u_4-me ṣa-a-ti
In Zukunft (und) für alle Zeit sollen

Aš-šur il(DINGIR)-ku-nu
Aššur, euren Gott, (und)

394) ^{I}Aš-šur-bāni(DÙ)-aplī(A) mār(DUMU) šárri rabû
Asb, den ältesten Königssohn

(GAL) šá bīt(É) redûti(UŠ-ti) bēl(EN)-ku-nu
aus dem Kronprinzenpalast, euren Herrn,

395) mārē(DUMU.MEŠ)-ku-nu
eure Söhne (und)

mār mārē(DUMU.DUMU.MEŠ)-ku-nu
eure Enkel

396) a-na [x]-x-šú lip-lu-ḫu
... verehren![64]

Und im folgenden Paragraphen:

401) [ṣa-lam ^{d}Aššur] šar$_4$ ilāni(DINGIR.MEŠ) u ilāni
[Das Bild von Aššur], dem König der Götter, und

(DINGIR.MEŠ) rabûti(GAL.MEŠ) bēlī(EN.MEŠ)-ia
der großen Götter, meiner Herren,

Strong, BA 2 S. 628f.641 (s.o. S. 300f.) zu entnehmen, vgl. auch die ass. Gastfreundlichkeit gegenüber Tribut abliefernden Vasallen, *Postgate,* TCAE S. 127f.

64 *Wiseman,* VTE 393–396; vgl. *Borger,* ZA 54 S. 186; in Z. 396 schlägt *Reiner* die Ergänzung [ša]-šú vor (vgl. ANET S. 538 A. 17).
Die Übersetzung von Z. 393–396 durch *Wiseman* ist weder grammatisch möglich noch inhaltlich sinnvoll. Der syntaktischen Konstruktion nach sind die Vertragsbestimmungen Konditionalsätze, deren elliptische Form dafür verantwortlich ist, daß unter ihnen zuweilen mit einem Prekativ (wie in Z. 396) ein „Stilbruch" begangen wird. Sosehr das Vorkommen von Prekativen verständlich ist, da auch die Konditionalsätze inhaltlich nichts anderes als Imperative und Prohibitive sind, sowenig sind Aussagesätze, wie *Wiseman* in Z. 393f. übersetzt, zu erwarten. Deshalb müssen Z. 393–396 mit *Reiner* (ANET S. 538) als eine syntaktische Einheit aufgefaßt werden.

402) [xxxx]-x lu-u ṣa-lam ^{I}Aš-šur-aḫu(PAP)-idinna(AŠ)
[...] oder das Bild von Ash,
šar$_4$ māt(KUR) Aš-šur
dem König von Assyrien,

403) lu ⸢ṣa⸣-[lam ^{I}Aš-šur-bāni(DÙ)-aplī(A)] [mār(DUMU)
oder das Bi[ld von Asb], dem ältesten
⸤šárri⸥ ⸤rabû(GAL) šá bīt(É) redûti(UŠ-ti)
⸤Königssohn⸥ aus dem Kronprinzenpalast,

404) lu ṣa-lam L[Ú(?) ...] x.MEŠ
oder das Bild von [...],

405) ^{na_4}kunuk(KIŠIB) NU[N-e(rubê) rabê(GAL-e) abi(AD)
das Siegel des [großen Fürsten, des Vaters
ilāni(DINGIR.MEŠ)... ^{I}Aš-šur-bāni(DÙ)-aplī(A)
der Götter... (und von?) Asb,
mār(DUMU) šárri rabû(GAL)]
dem ältesten Sohn des Königs]

406) šá bīt(É) U[Š-ti(redûti)...]
aus dem Kron[prinzen]palast [...],

407) ina lìb-bi šá ^{na_4}kunukku(KIŠIB) šá
(die Tafel), auf der das Siegel von
^{d}Aš-šur šar$_4$ ilāni(DINGIR.MEŠ-ni)
Aššur, dem König der Götter,

408) KA-KA-u-ni ina pānī(IGI)-ku-nu šá-kín-u-ni
aufgedrückt(?) (und die) vor euch aufgestellt ist

409) ki-i ilī(DINGIR)-ku-n[u] la ta-na-ṣar-a-ni
wie euren Gott sollt ihr
(dies alles) beschützen.[65]

An markanter Stelle innerhalb der Vertagsbestimmungen, kurz vor Beginn der langen Fluchreihe (§ 37ff.), kommt die Verehrung der ass. Reichsgötter durch die Vasallen zur Sprache. In § 34 (Z. 385–

[65] *Wiseman*, VTE 401–409; vgl. *Borger*, ZA 54 S. 186f.; die Ergänzung in Z. 405 ist unsicher, die Lesung der ersten Verbalform in Z. 408 unklar; man erwartet dort ka-nik-u-ni; Emendation der Stelle durch *Reiner* (ANET S. 538 A. 19) grammatisch nicht möglich; Übersetzung von naṣāru in Z. 409 durch *Wiseman*: to serve, durch *Reiner:* to respect.

396), der die Weitergabe der vertraglichen Verpflichtung an die Nachkommen der Vasallen anordnet, wird von den zukünftigen Herrschern in den Vasallenstaaten die Verehrung (palāḫu) des Reichsgottes Aššur und des künftigen ass. Königs und jetzigen Kronprinzen Asb verlangt. Wäre diese an künftige Vasallen gerichtete Forderung den Vertragspartnern Ash.s etwas Unbekanntes gewesen, müßte das Gebot der Unterweisung der Nachkommen als unsinnig bezeichnet werden. Auch die Vasallen Ash.s werden eine klare Vorstellung davon gehabt haben, was Ehrfurcht vor Gott und König von Assur zu bedeuten hatte. Ebenso wie die Loyalität gegenüber dem ass. König an den Taten der Vasallen, nämlich an ihrer pünktlichen Tributablieferung, erkannt wurde, wird auch die Ehrfurcht vor dem ass. Reichsgott keine rein spirituelle Angelegenheit, sondern – wie in der Antike nicht anders denkbar – eine Sache kultischer Manifestation gewesen sein.[66]

---

[66] *McKay* (vgl. Religion S. 62f.) scheint § 34 als Verhältnis von Bedingung (Z. 385–392) und Folge (Z. 393–396) zu interpretieren. Dadurch wird aus einem kategorischen Befehl die Konsequenz lediglich eines bestimmten Vergehens. Die syntaktische Konstruktion (s.o. A. 64) läßt aber diese Verhältnisbestimmung keineswegs zu. Auch müßte *McKay* Rechenschaft darüber ablegen, was denn konkret für einen Vasallen eine Erinnerung daran heißt, „that he has also submitted to the overlordship of the god of Assyria" (ebd. S. 63). *Cogan* (Imperialism S. 46f.) ist angesichts von § 34 zu einem kühnen Erklärungsversuch bereit. Da sein Wortlaut eindeutig besagt, „that by upholding the rule of the Assyrian king one automatically manifested acceptance of his god, Ashur" (ebd. S. 46), und da in der Fluchreihe (§ 37ff.) ausschließlich ass. Götter genannt sind, kommt er zu dem Schluß, daß der große Ash-Vertrag mit Repräsentanten ass. Provinzen abgeschlossen worden ist, in denen die Verehrung ass. Reichsgötter selbstverständlich war. Er fühlt sich in diesem Schluß bestärkt, weil angeblich drei der genannten Vertragsländer anderweitig als ass. Provinzen bekannt sind. Wären die von *Cogan* angeführten Argumente stichhaltig, wäre sein Schluß nahezu zwingend. Doch die Voraussetzungen halten näherer Prüfung nicht stand.

1. Das Fehlen der Götter der Vasallen darf im großen Ash-Vertrag nicht zu dem Schluß verleiten, in den östlichen Regionen des Großreiches seien Verträge nur bei den ass. Göttern beschworen worden (*Tsevat*, JBL 78 S. 200 A. 7), und auch nicht zu dem von *Cogan* gezogenen. Es ist immerhin gut möglich, daß in den fragmentarischen Z. 466–471 (§ 54f.) medische Götter erwähnt worden sind (vgl. *Frankena*, OTS 14 S. 130; *Borger*, ZA 54 S. 190). Es ist aber genauso gut möglich, daß die medischen Götter überhaupt nicht in der Fluchreihe berücksichtigt worden sind, weil es sich beim großen Ash-Vertrag eindeutig um ein in 6 größtenteils fragmentarischen Exemplaren erhaltenes Vertrags*formular* handelt, bei dem es einfach unmöglich war, von vornherein Götter von Vasallen aufzunehmen. Daß die Götter der Besiegten – wie aus anderen ass. Verträgen bekannt (vgl. *Borger*, Ash S. 109 IV,2ff.; *Deller / Parpola*, OrNS 37 S. 464 Obv. 2'f., Übersetzung:

In § 35 (Z. 397–409) sind einige Schlußfolgerungen formuliert, die sich aus dem Verehrungsgebot in § 34 ergeben. Respektvolle Behandlung muß der Vasall auch den Insignien ass. Hoheit, die in seinen Händen sind, zuteil werden lassen: der Abbildung der ass. Götter, der von Ash und Asb und der Vertragstafel mit dem Siegel

---

Buis, VT 28 S. 470) – dennoch generell als Zeugen und Vertragsgaranten angerufen worden sind, ist bei unserem geringen Wissen über die Zeremonie des Vertragsschlusses nicht auszuschließen, ja sogar höchstwahrscheinlich, weil sich die Vasallen in der Regel durch den Eid bei ihren Landesgöttern an die Einhaltung der Vertagsbestimmungen mehr gebunden fühlten als bei einem nur bei den ass. Göttern beschworenen Vertrag (vgl. den instruktiven Fall in ABL 202 = *Pfeiffer,* SLA 212 = *Oppenheim,* LFM 91, vgl. *Cogan,* Imperialism S. 48). Das ist auch schon dem oben S. 331f. zitierten Srg-Beleg (*Thureau–Dangin,* TCL 3,62f.) zu entnehmen.

2. Die Vertragspartner Ash.s haben in allen 6 Exemplaren den Titel bēl āli „Stadtherr". Solche bēl ālāni sind aber in der Regel nur als freie Herrscher oder als ass. Vasallen bekannt (vgl. CAD A/I S. 388 s.v. bēl āli 1d) und scheinen in neuass. Zeit nur in der Brief- und Urkundenliteratur auch hin und wieder als ass. Amtsträger zu begegnen (vgl. ebd. 2a). Die Position der bēl ālāni in den Vasallenverträgen, die allesamt nichtakkad. Namen haben, kann durch folgende Belege illustriert werden: *Lie,* Srg 92f.100 (28 *medische* bēl ālāni, Vasallen wegen Tributablieferung!). 127f. (Tribut von bēl ālāni aus Ellipi!, vgl. *Wiseman,* VTE S. 82); *Luckenbill,* OIP 2 S. 61,62f. vgl. mit S. 62,87–91 = *Borger,* BAL² S. 80 IV,93–V,1 bzw. V,24–28; sehr wichtig *Borger,* Ash S. 54/5,32–45: dort genannte medische bēl ālāni, unter denen auch Ramataja erwähnt wird (vgl. S. 54,34 mit *Wiseman,* VTE 3), keineswegs durch ass. Funktionäre ersetzt; die medischen Städte liefern fortan Tribut (S. 55,45); S. 34,31–36 par. S. 55,46–52, doch ohne Einrichtung einer Provinz; *Streck,* VAB 7 S. 20,107–110; *Thompson,* Iraq 7 S. 101, 27–29. u.ö.
3. Der letzte Einwand gegen *Cogans* Interpretation hängt mit dem vorhergehenden zusammen. Wenn die bēl ālāni keine ass. Provinzherren gewesen sind, muß auch *Cogans* Urteil in Zweifel geraten, mindestens 3 der im großen Ash-Vertrag genannten medischen Städte und Gebiete seien ass. Provinzen gewesen (Imperialism S. 47, v.a. A. 29). Eine Untersuchung des politischen Status der betreffenden Städte und Gebiete ergibt hingegen folgendes (vgl. zu den Namen *Wiseman,* VTE S. 82; *Borger,* ZA 54 S. 175):
Urākazabarna, Belege bei *Parpola,* NAT S. 370; bēl āli dieser Stadt hat Ash um militärischen Beistand gegen andere medischen Städte gebeten; der neue politische Status wird kein anderer als der Judas unter Ahas gewesen sein (2Kön 16,7–9), zumal auch die unterworfenen medischen Städte nur Tribut zahlen (vgl. *Borger,* Ash S. 55,43–45).
Karzitali, Belege bei *Parpola,* NAT S. 202; Ash richtet eine Orakelanfrage an Šamaš (*Klauber,* PRT 21), ob er zu dieser und anderen medischen Städten seine Beamten zur Tributeinholung schicken soll (der aus *Borger,* Ash S. 34,34; 55,49 bekannte Eparna scheint dort auch genannt zu sein, PRT 21 Obv. 10). Das spricht für den Vasallenstatus der Stadt.

des Gottes Aššur. Daß der Vertrag die Auflage enthält, diese Insignien kī ilīkunu „wie euren Gott" d.h. wie die Götter(bilder) der Vasallen sorgfältig zu bewachen, zeigt, daß mit der politischen Unterordnung die religiöse Anerkennung *und Gleichstellung* der ass. Götter mit denen der Vasallen verbunden war. Wie auf den ass. Stelen dokumentiert, sind Gottes- und Königsbild zumeist in einer Darstellung vereinigt, indem der ass. König in betendem Gestus vor den ass. Götteremblemen steht. Daß solche Stelen nicht nur in ass. Provinzen, sondern auch in den Residenzstädten der Vasallen errichtet wurden, läßt sich außer durch Stelenfunde (etwa Srg.s Zypern-Stele) auch durch die Nachricht in einer anderen Rezension der oben zitierten Ullusunu-Episode erhärten, nach der Srg in seiner mannäischen Königsstadt Izirtu eine Königsstele aufgestellt hat, auf der die Ruhmestaten des Gottes Aššur verzeichnet waren.[67]

Die beiden Stellen aus dem großen Vasallenvertrag Ash.s, der als Dokument der Urkundenliteratur hohen historischen Wert hat, zeigen, wie unverzichtbar den Assyrern die Verbindung ihrer Politik mit der Verehrung der Reichsgötter war. Ist die notwendige Voraussetzung der Ehrfurcht der Vasallen vor den ass. Göttern erfüllt, kann die Furcht vor dem ass. König bei ihnen als selbstverständliche Folge gelten. Reichsgott und König stellen sich *allen* Untertanen Assurs in ihrer Willenseinheit vor und verlangen folglich auch von

---

Elpaja/Ellipi, Belege bei *Parpola,* NAT S. 123f.; trotz militärischer Teilerfolge der Assyrer ist das Land nie ass. Provinz gewesen. Bezeichnenderweise wird es bei Asb nicht einmal mehr als Tributärstaat erwähnt.
Sikris, Belege bei *Parpola,* NAT S. 309; das Gebiet ist unter Srg II. kaum ein Jahr lang Teil einer ass. Provinz gewesen (vgl. *Forrer,* Provinzeinteilung S. 92), dann bis Ash tributpflichtig (vgl. *Klauber,* PRT 22 Rev. 9f.).
Izaja und *Naḫšimarti,* sonst nicht belegt, vgl. *Parpola,* NAT S. 181.256.
Zamua, Belege bei *Parpola,* NAT S. 381f.; das Gebiet hat mit Sicherheit zum ass. Provinzsystem gehört (vgl. *Forrer,* Provinzeinteilung S. 6ff.88ff.). Niemals wird jedoch ein bēl āli von Zamua als Vertreter der ass. Provinzverwaltung genannt, woraus nur der Schluß gezogen werden kann, daß es neben der ass. Provinz Zamua weiterhin auf diesem Territorium politische Einheiten gegeben hat, die ihren Vasallenstatus bewahren konnten. Daß unter dem Landesnamen Zamua viele, ursprünglich autonome Gebiete zusammengefaßt sind, geht aus den Inschriften Anp.s II. hervor, der die šarrāni(XX.MEŠ-ni) šá KUR Za-mu-a „die Könige (Plural!) von Zamua" (*King,* AKA S. 309,46) tributpflichtig machen konnte.
Fazit: Vier der Vertragspartner Ash.s sind eindeutig Vasallen Assurs, bei zweien ist der Status nicht nachprüfbar, und bei dem Stadtherrn von Zamua handelt es sich höchstwahrscheinlich auch um einen ass. Vasallen. Demnach sind *Cogans* Schlußfolgerungen nicht länger aufrechtzuerhalten.

67 Vgl. *Winckler,* Srg S. 106,53 = Nr. 67,53 und s.o. S. 331f.

allen je ihren Tribut – so auch von Juda, in dessen Vasallenvertrag keine wesentlich anderen Auflagen gestanden haben werden als in den erhaltenen Exemplaren mit medischen Stadtherren.

Daß in den Königsinschriften Ash.s zwei instruktive Belege über religionspolitische Pressionen der Assyrer in eroberten Gebieten überliefert sind, mag mit dem schon bekannten religiösen Interesse dieses Königs zusammenhängen, das bis in die Gestaltung der offiziellen Inschriften hinein gewirkt hat.

Der eine Beleg steht auf Ash.s Sendschirli-Stele, die um 670 nach seinem zweiten Ägyptenfeldzug errichtet worden ist.[68] Nach den üblichen Strafmaßnahmen teilt Ash dort folgende Regelung mit:

47) ina muḫḫi(UGU) ^{kur}Mu-ṣur kalî(DÙ)-šú
Über ganz Ägypten setzte ich

šarrāni(LUGAL.MEŠ) ^{lú}paḫāti(NAM.MEŠ) ^{lú}šaknūti
Könige, Statthalter, Gouver-

(GAR^{nu}.MEŠ) ^{lú}ráb kārī(KAR.MEŠ) ^{lú}qe-pa-a-ni
neure, Hafeninspektoren, Vertrauensmänner (und)

48) ^{lú}šá-pi-ri ana eš-šú-ti ap-qid sat-tuk-ki gi-nu-u
Ausbilder von neuem ein. Regelmäßige Opfer

a-na Aššur(AN.ŠÀR) u ilāni(DINGIR.ME)
für Aššur und die großen

rabûti(GAL.ME) bēlī(EN.MEŠ)-iá
Götter, meine Herren, setzte ich

49) ú-kin dà-ri-e(leg. šam) biltu(GUN) ù man-da-at-tu
auf ewig fest. Abgabe und Tribut

bēlū(EN)-ti-iá šat-ti-šam la na-par-ka-a
an meine Herrschaft legte ich
ihnen Jahr für Jahr ohne Ende

50) e-mid-su-nu-ti...
auf.[69]

Die Aufzählung der von Ash eingesetzten Herrscher und Amtsträger beweist, daß er Ägypten, soweit er es erobern konnte, nach dem Grundsatz „divide et impera" neu organisiert hat. Möglichst viele

---

[68] Vgl. *von Luschan*, Sendschirli I S. 12.

[69] *Borger*, Ash S. 99,47–50; vgl. S. 114 § 80 II,12; zur historischen Auswertung vgl. *Spalinger*, OrNS 43 S. 307ff.

kleine politische Einheiten mit verschiedenen Graden der Abhängigkeit von Assur, gewiß unter Ausnutzung lokaler Rivalitäten geschaffen, sorgten für optimale ass. Einflußnahme. Denn mit den šarrāni sind ägypt. (Stadt-)Könige/Gaufürsten gemeint, die sich wahrscheinlich von ihrer Ergebenheit gegen Assur eigenen Machtzuwachs erhofften und die wahrscheinlich die genannten ass. qēpāni als politische „Berater" zu akzeptieren hatten.[70] Neben diesen Vasallenstaaten hat Ash auch provinzähnliche Gebilde geschaffen, denen wohl die pāḫāti und šaknūti vorstanden. Auch das Amt der šāpirī ist aus der Provinzverwaltung bekannt.[71] Durch die rab kārī wird Ash schließlich den gewinnträchtigen Seehandel unter seine Kontrolle zu bringen versucht haben, auch dies eine bereits bekannte Maßnahme.[72] Die Auflage der Verehrung der ass. Reichsgötter betrifft nach dem Wortlaut der Sendschirli-Stele aber nicht nur ausgewählte ägypt. Gebiete, sondern ganz Ägypten, soweit es ass. Herrschaft unterstand. Deshalb ganz Ägypten Teil des ass. Provinzsystems gewesen sein zu lassen[73], besteht kein Anlaß, schon gar nicht, wenn man sich in diesem Zusammenhang die behandelten Belege aus dem großen Vasallenvertrag Ash.s in Erinnerung ruft.

Mit dem Passus aus der Sendschirli-Stele fast wörtlich übereinstimmende Informationen bietet eine ungefähr gleichzeitige Bauinschrift Ash.s aus Assur[74], die aber die verhängten religionspolitischen Pressionen noch auf andere Gebiete des Großreiches ausdehnt. Jedenfalls erscheint die Deutung am plausibelsten, die die Auflagen auf alle vorher genannten Regionen bezieht, da in solchen Sammelnotizen naturgemäß keine speziellen Informationen zu finden sind.[75] Die in der Inschrift angeführten Gebiete erwecken den Eindruck, als sollten sie den Gesamtumfang des ass. Reiches unter Ash andeuten. Immerhin reichen sie von Tarsis (= Tartessus?) über Jawan (= Ionien) und Ḫubušnu in Kleinasien, Jadnana (= Zypern) im Mittelmeer und Sidon, Tyrus, Arzā an der Mittelmeerküste bis nach

[70] S.o. S. 308ff.
[71] S.o. S. 318.
[72] S.o. S. 315.
[73] Vgl. *Cogan*, Imperialism S. 52.
[74] Vgl. *Borger*, Ash S. 87,14–17; wegen der nur geringfügigen Abweichungen in der Formulierung kann der oben zitierte Passus der Sendschirli-Stele verglichen werden.
[75] Das darf allerdings kein Grund sein, den Beleg nur in einer Anmerkung zu nennen (vgl. *Cogan*, Imperialism S. 52 A. 57).

Ägypten, Patros, Kuš und von Šubria in Armenien bis nach Bāzu im Südteil der syrischen Wüste und bis nach der Insel Dilmun (= Failaka) im persischen Golf.[76]

Außer Šubria und vielleicht einigen politischen Einheiten in Ägypten ist keines dieser Gebiete je Teil des ass. Provinzsystems gewesen, und dennoch wird für diesen im Vorstellungsbereich eines Assyrers größtmöglichen geographischen Raum[77] die Verehrung der ass. Reichsgötter als vom ass. König angeordnete Maßnahme mitgeteilt. Selbst wenn man in Rechnung stellt, daß der Schreiber hier übertreibt, da die Assyrer vernünftigerweise nur dort die Verehrung ihrer Reichsgötter verlangt haben werden, wo ein Mindestmaß an Kontrolle für die Durchführung des Gebotes gewährleistet war (also sicherlich nicht in Tarsis, Ionien und Dilmun!), kann man der Inschrift allemal entnehmen, daß den Assyrern bei der Verhängung religionspolitischer Pressionen die Differenzierung nach Vasallenstaaten und Provinzen fern lag. Welche Form ass. Oberherrschaft auch immer eingerichtet wurde, die kultische Verehrung den den Sieg gewährenden ass. Göttern in den Regionen zu versagen, in denen Assur durch ihre Hilfe allererst Fuß gefaßt hatte, wäre sicherlich jedem Assyrer als Blasphemie erschienen.

An einem letzten Beleg läßt sich verdeutlichen, wie wenig die Assyrer bei der Verhängung religionspolitischer Pressionen zu einem Kompromiß bereit waren, selbst wenn er aus taktischen Gründen

---

[76] Vgl. *Borger*, Ash S. 86 § 57,1–11; Reihenfolge der geographischen Namen im Text: Ḫubušnu (vgl. *Parpola*, NAT S. 167 und S. 171 s.v. „Ḫušimna" lies mit *M. Weippert*, GGA 224 S. 156: Ḫubišna; *Forrer*, Provinzeinteilung S. 73; *M. Weippert*, Edom S. 84f.), Sidon (vgl. *Parpola*, NAT S. 322f.; *Forrer*, Provinzeinteilung S. 65f.), Arzā am „Bach Ägyptens" (vgl. *Parpola*, NAT S. 37; *Alt*, KS II S. 228; zu den Maßnahmen Tgl.s III. im nahe gelegenen Rapiḫu s.o. S. 330), Bāzu (vgl. *Parpola*, NAT S. 71; *Brinkman*, PHPKB S. 160 A. 970), Dilmun (vgl. *Parpola*, NAT S. 103; *Borger*, ZA 62 S. 136; *Forrer*, Provinzeinteilung S. 101), Šubria (vgl. *Parpola*, NAT S. 337f.; *Forrer*, Provinzeinteilung S. 86f.), Tyrus (vgl. *Parpola*, NAT S. 325f.; *Forrer*, Provinzeinteilung S. 65–67; auch unter Asb selbständig geblieben, vgl. *Streck*, VAB 7 S. CCCLXVIII–CCCLXX), Ägypten, Patros, Kuš (vgl. *Parpola*, NAT S. 250–252.276.218f.; *Delitzsch*, Paradies S. 251f.308–310; *Forrer*, Provinzeinteilung S. 67f.), Zypern (vgl. *Parpola*, NAT S. 183 s.v. Jadnana; *Delitzsch*, Paradies S. 291f.; *Forrer*, Provinzeinteilung S. 78), Ionien (vgl. *Parpola*, NAT s.v. Jawan; *Stade*, Javan; *Delitzsch*, Paradies S. 248f.), Tarsis (vgl. *M. Weippert*, GGA 224 S. 160; *Delitzsch*, Paradies S. 250; GB S. 890 s.v. תרשיש I).

[77] Vgl. *Borger*, Ash S. 86/7 § 57,11f.

wünschenswert gewesen wäre. Er stammt aus der Zeit Asb.s und betrifft bestimmte bab. Gebiete, die gegen die ass. Oberherrschaft rebelliert haben. Die Annalen teilen darüber folgendes mit:

97) nišē(UN.MEŠ) māt(KUR) Akkadî(URI)^{ki} ga/qá-du
Die Leute von Akkad zusammen mit denen von
^{kur}Kal-du ^{kur}A-ra-mu māt(KUR) tam-tim
Kaldu, dem Aramäergebiet (und) dem Meerlande,

98) ša ^{Id}Šamaš(GIŠ.NU$_{11}$)-šum(MU)-ukīn(GI.NA)
die Šamaššumukīn

ik-ter-u-ma
versammelt und

99) a-na ištēn(1-en) pi-i ú-ter-ru
eines Sinnes gemacht hatte,

100) a-na pa-ra-as ra-ma-ni-šú-nu ik-ki-ru it-ti-ia
verhielten sich auf eigene Entscheidung
hin feindlich gegen mich.

101) ina qí-bit Aššur(AN.ŠÁR) u ^{d}Mulissu(NIN.LÍL)
Auf Geheiß von Aššur und Mulissu

u ilāni(DINGIR.MEŠ) rabûti(GAL.MEŠ) tik-li-ia
und der großen Götter, meiner Helfer,

102) a-na paṭ gim-ri-šú-nu ak-bu-us
trat ich sie in ihrer Gesamtheit nieder.

103) ^{giš}nīr(ŠUDUN) Aššur(AN.ŠÁR) šá iṣ-lu-u
Das Joch Aššurs, das sie abgeworfen hatten,

e-mid-su-nu-ti
legte ich ihnen (wieder) auf.

104) ^{lú}šakin(GAR)-mātāti(KUR.MEŠ) ^{lú}qēpāni
Statthalter (und) Vertrauens-

(TIL.GÍD.DA.MEŠ) ši-kin qātī(ŠU.II)-ia
männer, von meinen Händen (= von mir) Eingesetzte,

105) áš-tak-ka-na e-li-šú-un
stellte ich jeweils über sie.

106) s/šattukkē(SÁ.DUG$_{4}$.MEŠ) gi-né-e rēšet(SAG.MEŠ)
Regelmäßige Opfer erster Qualität für(?)

Aššur(AN.ŠÁR) u ^{d}Mulišsu(NIN.LÍL)
Aššur und Mulišsu

107) ù ilāni(DINGIR.MEŠ) māt(KUR) Aššur(AN.ŠÁR)^{ki}
und die Götter von Assyrien

ú-kin ṣēr(EDIN)-uš-šú-un
schrieb ich ihnen vor.

108) bil-tu man-da-at-tú bēlū(EN)-ti-ia
Abgabe (und) Tribut an meine Herrschaft

109) šat-ti-šam-ma la na-par-ka-a e-mid-su-nu-ti
legte ich ihnen Jahr für Jahr ohne Ende auf.[78]

Nach Auskunft dieses Textes hat Asb den Bruderkrieg mit Šamaššumukīn (ca. 652–648[79]) mit der Rückgewinnung der Herrschaft über das gesamte Gebiet Babyloniens beenden können. Die Maßnahmen, die er zur Bestätigung und Absicherung des Sieges ergreift, sind ähnlich formuliert wie die beiden besprochenen Ash-Belege und werden deshalb auf dieselbe Art der Regelung hinweisen. Das heißt aber, daß Asb in allen bab. Gebieten – anders kann man die Reihe der geographischen Bezeichnungen in Z. 97 nicht deuten – ohne Rücksicht auf den Grund ihrer Abhängigkeit von Assur (beachte die Einsetzung von šakin-mātāti und qēpāni in Z. 104) die Verehrung der ass. Reichsgötter wie in anderen eroberten Gebieten gefordert hat. Selbst wenn wiederum ein gewisses Maß an Übertreibung im Spiel sein sollte, bleibt die Regelung provokant, weil bei dem höchst spannungsgeladenen Verhältnis zwischen Babyloniern und Assyrern eine derartige Pression eine stärkere Wirkung gehabt haben wird als in jedem anderen Land unter ass. Oberherrschaft. Denn man muß bedenken, daß die ass. Religion nahezu völlig von den Ausdrucksformen ihrer älteren bab. Schwester lebte, deren Pantheon ursprünglich auch die Göttin Mulišsu angehörte, die nun als Gattin des Gottes Aššur verehrt werden sollte. Sobald sich die

---

[78] *Streck*, VAB 7 S. 40,97–109. Die Wiedergabe von SAG.MEŠ in Z. 106 durch rēštû (vgl. AHw S. 973b s.v. rēštû 5b) wäre nur möglich, wenn die folgende Götterreihe mit einem ana eingeleitet würde; vgl. auch die Erörterung bei *McKay*, Religion S. 120 A. 11 und den Beleg *Postgate*, FNAD 26 A 18. *Cogan* (Imperialism S. 52) reiht den Beleg ohne weiteres in den Umgang der Assyrer mit Provinzen ein, und *McKay* versucht darzulegen, daß „almost incredible" (Religion S. 62) ist, was die Stelle mitteilt, und in anderer Weise verstanden werden muß.

[79] Vgl. *Streck*, VAB 7 S. CCLXXXVIIIff.

ass. Eindringlinge nicht mit der politischen Oberherrschaft begnügten und auch die religiöse und kulturelle Überlegenheit der Babylonier antasteten, war der casus belli gegeben. Sicherlich ist diese Maßnahme Asb.s ein Grund mit dafür gewesen, daß die südbab. Region noch ungefähr ein Jahrzehnt lang nach dem Tode Šamaššu-mukīns (648) Schauplatz ständiger Rebellionen vor allem unter Anführung von Nabû-bēl-šumāte, König des Meerlandes und Merodachbaladan-Enkel, war.[80]

Weitere Belege mit geringerer Evidenz ließen sich für die ass. Praxis anführen, von den besiegten Völkern die Verehrung der ass. Reichsgötter zu verlangen. Wenn etwa Asb in einem Gottesbrief an Aššur von dem Araber-König Abijate' sagt:

27) a-de-e ma-mit ilū(DINGIR)-ti-ka rabīti(GAL-ti)
Einen beeideten Vertrag deiner
großen Gottheit (= Aššur)

28) it-ti-šú áš-kun
schloß ich (= Asb) mit ihm (= Abijate') ab[81],

so ist aus Ash.s Vasallenverträgen bekannt, daß für die Vasallen die Präsenz der ass. Götter mit dem Vertragsabschluß ebensowenig erledigt war wie die Dokumentation der politischen Oberherrschaft. Weil den Assyrern Ehrfurcht vor Gott und König nicht nur ihrer Ideologie, sondern auch ihrer Praxis nach identisch ist, kann in dem Gottesbrief die Etablierung des Suzeränitätsverhälntisses mehr im Blick auf den ass. Reichsgott Aššur, in einer Annalenrezension mehr im Blick auf den ass. König formuliert werden (a-de-e a-na e-peš ardū(ARAD)-ti-ia it-ti-šú áš-kun „Einen Vertrag, mein Vasall zu sein, schloß ich mit ihm ab."[82]), ohne daß in beiden Texten auch nur der Tendenz nach Unterschiedliches gesagt sein soll. Gerade dieser redaktionsgeschichtliche Sachverhalt erfordert weitere Beachtung, da er die Vermutung gerechtfertigt erscheinen läßt, daß

---

80 Vgl. ebd. S. CCCIff.; vgl. in diesem Zusammenhang auch ABL 1000 = *Pfeiffer,* SLA 42 (unter anderem Deportierung ass. Götter durch Nabû-bēl-šumāte, indirekter Beweis für die Existenz ass. Götterbilder in Südbabylonien, doch wohl zu nichts anderem als zur kultischen Verehrung!).

81 *M. Weippert,* WO 7 S. 77,27f.

82 *Piepkorn,* AS 5 S. 84,34. Beide Belege sind von *Cogan* (Imperialism S. 45) der Intention nach richtig interpretiert worden, wenn er schreibt: „Swearing to serve the king was at the same time acknowledging the rule of the Assyrian god." Mit *Cogans* Gesamtthese läßt sich das allerdings schwer vereinbaren.

die nicht sehr zahlreichen expliziten Belege für kultische Pressionen der Assyrer bei besiegten Völkern[83] durch weitere Stellen vermehrt werden können, die zwar eine religionspolitische Auflage implizieren, aber einen anderen Handlungsaspekt formulieren. Welche Hinweise die ass. Texte in dieser Beziehung enthalten, muß im folgenden untersucht werden.

2. Die religiöse Kriegsideologie der Assyrer und ihre Konsequenzen für den Kult besiegter Völker

Die Verehrung der ass. Reichsgötter, die die Assyrer besiegten Völkern zur Pflicht gemacht haben, ist Bestandteil einer religiösen Ideologie gewesen, die den politischen Tatbestand der Beherrschung der damals bekannten Welt zu legitimieren hatte. Die Großmachtstellung brachte nämlich für die Assyrer nicht nur mancherlei militärische und administrative, sondern auch religiöse Probleme mit sich, da sich mit den Eroberungen Notwendigkeit und Chance zugleich einstellten, das Verhältnis der ass. Götter zu denen besiegter Völker zu klären. Die Assyrer haben diese Arbeit nicht ohne Vorbilder leisten müssen, die Aufgabe aber mit einer bis dahin ungekannten Konsequenz gelöst.

Das Problem, das sich durch die Expansionserfolge der Assyrer stellte, bestand darin, daß die Götter besiegter Völker sowohl für ihre Verehrer als auch in den Augen der Assyrer Götter waren und blieben, obwohl sie ihrer vornehmsten Aufgabe, dem Schutz von König, Volk und Land, nicht nachgekommen waren. Da die Vorstellung vom Machtverlust der Götter ein unmöglicher, weil existenzgefährdender Gedanke war, diente den Besiegten normalerweise göttlicher Zorn als Erklärung für die Niederlage, indem sie die Beistandsverweigerung der Gottheit als Strafe für irgendeine Verfehlung ansahen. Die Assyrer machten sich dieses weit verbreitete Er-

[83] Weitere Belege, die auf religionspolitische Maßnahmen der Assyrer in Vasallenstaaten und Ländern mit vergleichbarem Status hindeuten: ABL 381 = *Pfeiffer*, SLA 7 Rev. 4–8; ABL 401 = *Pfeiffer*, SLA 228; ABL 1387 = *Pfeiffer* SLA 67 Rev. 8–11; Einbeziehung des ass. Königs in die Fürbitte bei den eigenen Landes- oder Stadtgöttern und in ihre kultische Verehrung: ABL 1202 = LAS 281 Obv. 23f.; ABL 1241 + *M. Dietrich*, CT 54,112 nach ders., Aramäer S. 200/2 Rev. 1–12 (vgl. auch ders., CT 54,483 Obv. 3f. nach ders., WO 4 S. 87); ABL 1246 + *M. Dietrich*, CT 54,486 nach ders., Aramäer S. 186 Rev. 3–13.

klärungsschema zunutze und bestimmten ihr Verhältnis zu den Göttern besiegter Völker in einer Weise, mit der sie die Göttlichkeit (= Macht) jener Götter respektierten und zugleich eine höchst plausible Rechtfertigung ihrer Eroberungstätigkeit zur Verfügung hatten, die für die Unterlegenen ernste religiöse Konflikte mit sich bringen konnte. Sie erklärten nämlich ihre militärischen Erfolge mit der *Preisgabe der Besiegten durch ihre eigenen Götter,* die sich nicht nur zornig von ihren Verehrern abgewandt, sondern sich zudem auf die Seite der Sieger (= Assyrer) und damit auch der von diesen verehrten Götter gestellt hätten.[84]

In Snh.s Annalen kommt diese Vorstellung etwa folgendermaßen zum Ausdruck:

IV,93) ^{I}Ki-ru-a ^{lú}bēl(EN) āli(URU) ša ^{uru}Il-lu-ub-ri
Kirua, Stadtherr von Illubri,

V, 1) ^{lú}ardu(ARAD) da-gíl pa-ni-ia
ein mir untertäniger Knecht (= Vasall),

ša iz-zi-bu-šu ilānī(DINGIR.MEŠ)-šú
den seine Götter verlassen hatten,

2) ba-ḫu-la-te ^{uru}Ḫi-lak-ki uš-bal-kit-ma ik-ṣu-ra
stiftete die Leute von Kilikien
zur Rebellion an und bereitete

3) ta-ḫa-zu...
den Kampf vor.[85]

Der unter derart ungleichen Bedingungen angetretene Kampf endet zwangsläufig mit der Niederlage des Kirua, der Reorganisation von Illubri und der Aufstellung der Waffe des Gottes Aššur und der Kö-

---

84 Zur ass. Vorstellung von der Preisgabe der Besiegten durch ihre eigenen Götter vgl. *Cogan,* Imperialism S. 9ff.; folgende wichtige Belege wären zu nennen: *Luckenbill,* OIP 2 S. 64,22–24 (vgl. zu Z. 24 *Borger,* Ash S. 41 A. zu Z. 24 und *Cogan,* Imperialism S. 11 A. 13); *Borger,* Ash S. 13 a² 25f.; S. 14 Ep. 8; S. 41,23–25; S. 42,32–34.43f.; S. 49 Ep. 6,20–23; *Streck,* VAB 7 S. 58, 107ff.; S. 158,2f.; *Piepkorn,* AS 5 S. 64,19f.; *Bauer,* IWA S. 79 K 2647+ Obv. 14–20; *Cogan,* Imperialism S. 16,1–4; ABL 746 = LAS 275 Obv. 4ff.; Belege mit verwandten Vorstellungen: *Winckler,* Srg S. 184,65ff. = Pl. 47 „rechte" Seite Z. 65ff.; *Borger,* Ash S. 109 IV,2ff.; *Streck,* VAB 7 S. 40,88–91 (göttlicher Zorn natürlich gegen Babylonier gerichtet); *Piepkorn,* AS 5 S. 58,48–50; ABL 679+ = LAS 300 Obv. 12.

85 *Luckenbill,* OIP 2 S. 61,62–65 = *Borger,* BAL² S. 80 IV,93–V,3; auch zitiert von *Cogan,* Imperialism S. 11.

nigsstele Snh.s[86], womit nachdrücklich darauf hingewiesen ist, daß da, wo die einheimischen Götter sich von ihren Verehrern abgewandt haben, widerstandslose Anerkennung der ass. Macht das einzig Sinnvolle und Mögliche ist.

Der Übertritt der Götter des Kirua bzw. der Stadt Illubri auf die Seite der Assyrer ist in dem Beleg nicht ausdrücklich erwähnt. Sie ist aber vorausgesetzt, wie einer anderen Stelle, einer hymnisch ausgeweiteten Selbstvorstellung Ash.s, zu entnehmen ist, in der er sich in bezug auf die erbeuteten Landesgötter der Feinde als derjenige rühmt, der

26) ...ina tu-kul-ti-šú-nu rabīti(GAL-ti)
mit ihrer mächtigen Hilfe

27) ul-tu ṣi-it ^{d}Šamši(UTU-ši) a-di e-reb
vom Osten bis zum
^{d}Šamši(UTU-ši) šal-ṭiš at-tal-lak-ú-ma
Westen als Herrscher umherzog und

28) ma-ḫi-ra ul i-ši ma-al-ki ša kib-rat
seinesgleichen nicht hatte - (mir) unterwarfen
erbetti(LÍMMU-ti) ú-šak-ni-šú še-pu-u-a
sie die Fürsten der vier Weltufer zu meinen Füßen,

29) māt(KUR) a-na ^{d}Aš-šur <<ki>> iḫ-ṭu-ú
(und) gegen (jedes) Land, das sich an Aššur ver-
ú-ma-'i-ru-in-ni ia-a-ši
sündigte, beorderten sie mich.[87]

In diesem Text ist eindeutig nicht von der Hilfe der ass. Götter, sondern von dem Beistand der Götter der Besiegten bei der ass. Eroberungstätigkeit die Rede. Wie sollten sich die Unterlegenen zu der Vereinnahmung ihrer eigenen Götter durch den Feind stellen, da es doch die Evidenz der ass. Siege so schwer machte, die Behauptung von der Preisgabe durch die eigenen Götter als bloße Propagandaparole abzutun? In dem literarhistorisch komplizierten Bericht 2Kön 18,17–19,9a.36f. par. Jes 36,1ff. ist eine historisch authentische Erinnerung daran erhalten, wie geschickt die Assyrer

---

[86] Vgl. *Luckenbill,* OIP 2 S. 61/2,77–91 = *Borger,* BAL^{2} S. 80 V,14–28; zur Aufstellung der Waffe Aššurs s.o. S. 322f. A. 43.

[87] *Borger,* Ash S. 46,26–29 (Transkription nur von Exemplar A^{1}).

mit dieser Vorstellung umzugehen wußten, wenn der ass. Obermundschenk (rab šāqê, רב־שקה), einer der höchsten Beamten im ass. Militär- und Verwaltungswesen, vor Jerusalem zu der Delegation Hiskias sagt: „Nun denn, bin ich etwa ohne Jahwes Willen gegen diesen Ort/dieses Land heraufgezogen, ihn/es zu verheeren? Jahwe war es, der zu mir gesagt hat: ‚Zieh hinauf gegen dieses Land und verheere es!'" (2Kön 18,25 par. Jes 36,10). Die Reaktion der judäischen Delegation mit ihrer Bitte an den Obermundschenk, die Unterhaltung nicht hebräisch zu führen, d.h. doch wohl, mit Hilfe eines Dolmetschers ins Hebräische übersetzen zu lassen, sondern aramäisch (vgl. 2Kön 18,26 par. Jes 36,11), weil diese Sprache vom judäischen Volk auf der Mauer Jerusalems (noch) nicht verstanden wird, ist nichts anderes als eine Kapitulation vor den Argumenten des Obermundschenks, deren defätistische Wirkung auf das Volk von den judäischen Diplomaten gefürchtet wird.[88]

Die Assyrer haben aus der Vorstellung von der Preisgabe der Besiegten durch die einheimischen Götter das Recht zur Durchführung einer Maßnahme hergeleitet, die einen tiefen Eingriff in die Religionsausübung der Unterlegenen und in die Vorstellung der engen Verbindung von Gottheit und Stadt bzw. Land bedeutete: die *Deportation der Götter(bilder) besiegter Völker* nach Assyrien. Betrachtet man das Verhältnis von religiöser Vorstellung (göttliche Preisgabe der Besiegten) und Praxis der Götterdeportation unter überlieferungsgeschichtlichem Aspekt, wird schnell deutlich, daß das von den Assyrern intendierte Begründungsgefälle vom Exilierungswunsch der Götter der Besiegten hin zur Deportationspraxis der Assyrer der Umkehrung bedarf.[89] Die Darstellung der Maßnahme

---

88 Zu 2Kön 18,17–19,9a.36f. par. Jes.36,1ff. vgl. *Childs,* Crisis S. 76ff., zu seiner Bewertung von 2Kön 18,25 par. (ebd. S. 84) vgl. die berechtigte Kritik von *Cogan,* Imperialism S. 111 A. 1. *Jenkins* (VT 26 S. 284ff.) verbindet 2Kön 18,17–19,37 (im ursprünglichen Bestand) wegen der Datierung in 18,13 mit der Niederschlagung der Asdod-Revolte durch Srg II., was aber aufgrund der atl. und ass. Quellen nicht sonderlich plausibel erscheint (vgl. auch die wichtige Kritik von *Evans,* Foreign Policy S. 165). Eine jüngere Rezeption der Vorstellung von der Preisgabe der Besiegten durch die eigenen Götter ist in Ez 8,12; 9,9 zu finden; zur Position des rab šāqê im ass. Militär- und Verwaltungswesen vgl. *Klauber,* Beamtentum S. 70ff.

89 Insofern bietet *Cogan* lediglich eine korrekte Wiedergabe der ass. Ideologie, wenn er schreibt: „The idea of divine abandonment did not remain a motif limited to scribal productions. It found practical application in the conquest and administration of an empire; its main expression being the oft-mentioned capture of the gods of defeated nations" (Imperialism S. 22).

auf den Reliefs[90], die vergleichsweise hohe Belegfrequenz und die häufige Einreihung in normale Beuteaufzählungen sind ein Beweis dafür, daß bei den Assyrern zunächst der politisch-militärische Effek der Götterdeportation im Mittelpunkt stand, da Völker, die ihres göttlichen Schutzes beraubt waren, der ass. Herrschaftsausübung kaum Widerstand entgegensetzten.[91] Demgegenüber erklärt sich die Vorstellung von der göttlichen Preisgabe der Besiegten am besten als nachträgliche Rechtfertigung der Praxis, die begründen soll, wieso jene Götter diese Maßnahme eigentlich tolerieren. Als Apologie ist die Vorstellung überlieferungsgeschichtlich sekundär. Einmal ausgedacht, eignet sie sich bestens zum propagandistischen Gebrauch (vgl. 2Kön 18,25).

Die Maßnahme der Götterdeportation ist von den Assyrern vielfach in allen eroberten Teilen des Reiches angewandt worden, anscheinend noch häufiger, als man den expliziten Mitteilungen der Quellen entnehmen kann.[92] Der Bericht über ihre Durchführung bei der endgültigen Liquidierung des Nordreiches Israel bietet genau den Kontext, in dem sie normalerweise zu finden ist:

---

90 Vgl. *Barnett / Falkner*, Sculptures Pl. VII (vgl. S. XVI und 7); Pl. LXXXVIII XCIIf. (vgl. S. 29); *Layard*, MNin I Pl. 75 = *Paterson*, Palace Pl. 80; *Layard*, MNin II Pl. 30 = *Paterson*, Palace Pl. 91; *Layard*, MNin II Pl. 50 = *Paterson*, Palace Pl. 38.

91 Vgl. *Streck*, VAB 7 S. CCCXL A. 3; andere Deutungen sind referiert bei *Cogan*, Imperialism S. 22 A. 1; zu denen noch die von *McKay* hinzuzufügen wäre, der annimmt, „that the idols were taken, not for religious reasons, but as lucrative spoils of war“ (Religion S. 61).

92 Vgl. zur Götterdeportation *Cogan*, Imperialism S. 22ff.; zu den Belegen vgl. die Tabelle ebd. S. 119–121. Für die Zeit von Tgl III. bis Asb wird sie durch die folgende Zusammenstellung, in die die im folgenden behandelten Stellen nicht aufgenommen worden sind, ersetzt:
P. Rost, Tgl S. 58,15–17 = Pl. XXXV,15–17 = *M. Weippert*, Edom S. 65,15–17; *P. Rost*, Tgl S. 58,18f. = Pl. XXXV,18f. = *M. Weippert*, Edom S. 65,18f.; *P. Rost*, Tgl S. 60,21 = Pl. XXXV,21 = *M. Weippert*, Edom S. 65,21 (Daß nach den 3 genannten Belegen die Götterdeportation in *P. Rost*, Tgl S. 60,23f. = Pl. XXXV,23f. = *M. Weippert*, Edom S. 65/6,23f. nicht erwähnt ist, muß auf die mangelnde Sorgfalt der Rezension zurückgeführt werden, da aus der summarischen Z. 25 die Gleichbehandlung aller vorher genannten Gebiete erschlossen werden kann; in dem exzerptartigen Parallelpassus *P. Rost*, Tgl Pl. XXXIV, 12–16 = *M. Weippert*, Edom S. 500,12–16 fehlen die Erwähnungen der Götterdeportation überhaupt, ohne daß daraus historische Schlußfolgerungen gezogen werden dürften.); *P. Rost*, Tgl S. 78,10 = Pl. XXV,10 = *M. Weippert*, Edom S. 490,10′ (s.o. S. 325f.); *P. Rost*, Tgl S. 80,19–22 = Pl. XXV/XXVI, 19–22 = *M. Weippert*, Edom S. 490,19′–22′ par. *Wiseman*, Iraq 18 S. 126, 17′f. = *M. Weippert*, Edom S. 504,17f.; *Grayson*, ABC S. 71,4f.; *Lie*, Srg 258–260 par. *Winckler*, Srg S. 116,104–107 = Nr. 71,104–107; ebd. S. 112,76 =

25) [^{lú}Sa]-me-ri-na-a-a ša i[]t-ti šarri
Die [Sa]marier, die auf meinen königlichen

26) [alik pānī]-ia a-na la e-peš ar-du-ti
[Vorgänger (= Slm V.)] zornig waren, so daß
sie (ihre) Untertänigkeit nicht bezeugten

27) [ù la na]-še-e bil-ti
[und keinen] Tribut [san]dten,

28) [ ] ik-me-lu-ma e-pu-šú ta-ḫa-zu
[ ] und (die nun) Krieg führten –

29) [i-n]a e-mu-uq ilāni(DINGIR.MEŠ)
[i]n der Kraft der großen

rabûti(GAL.MEŠ) E[N.M]EŠ(bēlī)-ia
Götter, meiner Herren,

30) [i]t-ti-šú-nu am-da-ḫi-[iṣ-ma]
kämpf[te] ich mit [i]hnen [und]

31) ? + 7 LIM 2 ME 80 nišē(UN.MEŠ)
rechnete ? + 7280 Leute

a-di ^{giš}GIGI[R.MEŠ(narkabāti)]
zusammen mit [ihren] Kriegswa[gen]

32) ù ilāni(DINGIR.MEŠ) ti-ik-li-šú-un šal-la-[ti-iš]
und den Göttern, ihren Helfern, der Beu[te]

Nr. 69,76 par. *Thureau-Dangin,* TCL 3,368–405; *Gadd,* Iraq 16 S. 186,60–62; *Thureau-Dangin,* TCL 3,314–316; *Luckenbill,* OIP 2 S. 38,40f. = *Borger,* BAL^{2} S. 81,40f. par. *Luckenbill,* OIP 2 S. 75,97–99, S. 78,31f., S. 87,25f.; *Luckenbill,* OIP 2 S. 63,12 = *Borger,* BAL^{2} S. 80 V,40f.; *Luckenbill,* OIP 2 S. 87,31–33 par. S. 90,11–13 par. *Grayson,* ABC S. 78/9 II,48–III,3; s.u. S. 357 A. 106; *Borger,* Ash S. 53,1–5; S. 56,71f., vgl. S. 57,41–43; S. 58,8; S. 100 § 66,18f. (Nachricht fehlt aufgrund selektiver Berichterstattung in Parallele S. 54,29–31); *Streck,* VAB 7 S. 46,59–62 par. *Knudsen,* Iraq 29 S. 58, 7–11; *Streck,* VAB 7 S. 50,119–122 par. *Bauer,* IWA S. 34 K 2664 III,3–7; *Streck,* VAB 7 S. 52/4,30–47 par. S. 184,4, *Bauer,* IWA S. 52 Rev. 12f.; *Streck,* VAB 7 S. 72,3–8 = *M. Weippert,* Edom S. 179,3–8 par. ders., WO 7 S. 80,5–10; ebd. S. 75,9; *Streck,* VAB 7 S. 80,121 = *M. Weippert,* Edom S. 182,121; *Thompson,* PEA S. 34,3f.; ders., Iraq 7 S. 106 Nr. 33,8f.; wahrscheinlich auch ABL 659 + 474 = *Parpola,* CT 53,141 Obv. 6–Rev. 8, vgl. *Deller,* FS von Soden S. 60; von Babyloniern in neuass. Zeit durchgeführte Götterdeportationen: ABL 259 = *Pfeiffer,* SLA 22 Rev. 1–3; *Grayson,* ABC S. 129,7–10; ABL 1000 = *Pfeiffer,* SLA 42 Rev. 12–14; Gefahr des Tempel- und wohl auch Götterraubes: ABL 1241 + *M. Dietrich,* CT 54,112 Rev. 7–12, vgl. ders., Aramäer S. 200/2.

33) am-nu...
zu.[93]

Der Sieg über das Nordreich, den sich hier Srg II. zuschreibt, der aber seinem ungeliebten Vorgänger Slm V. zusteht[94], wird von den Assyrern mit den Maßnahmen abgesichert, die sie auch sonst bei der Einrichtung einer Provinz anwenden: Deportation, Plünderung und im weiteren Verlauf Neubesiedlung und politische und administrative Eingliederung in das ass. Großreich.[95] Offenkundig unbesorgt um den besonderen religiösen Status werden die Götter(bilder) einfach der Beute zugerechnet. Sie haben in dieser Hinsicht kein anderes Schicksal gehabt als die deportierten Menschen, die die Assyrer auch als Beute einzustufen pflegten. Da die Maßnahme der Massendeportation fast ausschließlich mit der Einrichtung ass. Provinzen gekoppelt ist, liegt angesichts dieses Belegs der Gedanke nahe, daß der Götterraub eine besonders schwere Strafe für Gebiete gewesen sein könnte, die durch die Integration in das ass. Provinzsystem in den Bereich übergingen, in dem die ass. Reichsgötter unumschränkt den Kult bestimmten. Doch will eine derartige Eingrenzung des Anwendungsbereichs der Götterdeportation nicht gelingen, wie eine ganze Reihe von Belegen zeigt, von denen einer aus großer zeitlicher und örtlicher Nähe zur Samaria-Episode hier angeführt werden soll. Snh berichtet von seinem Palästinafeldzug unter anderem folgendes:

60) ...ù ^{I}Ṣi-id-qa-a
Ṣidqā jedoch,

61) šàr ^{uru}Is-qa-al-lu-na ša la ik-nu-šú
der König von Askalon, der sich meinem Joche

62) a-na ni-ri-ia ilāni(DINGIR.MEŠ) bīt(É)
nicht gebeugt hatte, - die Götter seiner

abī(AD)-šú šá-a-šú aššas(DAM)-su
Familie, ihn selbst, seine Frau,

63) mārī(DUMU.MEŠ)-šú mārātī(DUMU.MUNUS.MEŠ)-šú
seine Söhne, seine Töchter,

---

93 *Gadd,* Iraq 16 S. 179,25–33; zur Übersetzung vgl. TGI² S. 60; die Ergänzung in Z. 26 und der Lesungsvorschlag ik-me-lu-ma in Z. 28 gehen auf Prof. *Borger* zurück; die Zahlenangabe für die Deportierten in Z. 31 ist nicht mehr mit Sicherheit zu rekonstruieren; die große Prunkinschrift bietet im Parallelpassus die Zahl 27 290 (*Winckler,* Srg S. 100,24); vgl. auch *Tadmor,* JCS 12 S. 34.

94 Vgl. *Tadmor,* JCS 12 S. 33ff.

95 Vgl. *Gadd,* Iraq 16 S. 179,33–41; vgl. 2Kön 17,1–6.24.

aḫḫī(ŠEŠ.MEŠ)-šú zēr(NUMUN) bīt(É) abī(AD)-šú
seine Brüder (und) seine Verwandten

64) as-su-ḫa-ma a-na māt(KUR) Aš-šur^{ki} ú-ra-áš-šú
führte ich fort und brachte ihn nach Assyrien.[96]

Es wird weiter noch mitgeteilt, daß Snh einen gewissen Šarruludari, der schon einmal König von Askalon gewesen war, wieder in seine Herrscherrechte eingesetzt und der Bevölkerung jährlich zu zahlenden Tribut auferlegt hat.[97] Dennoch ist Askalon weiterhin im Vasallenstatus verblieben, hat aber Auswechslung des Königshauses und Götterdeportation hinnehmen müssen. Die Charakterisierung der verschleppten Götter als ilāni bīt abīšu macht deutlich, daß die Assyrer den Teil des Pantheons von Askalon nach Assyrien deportiert haben, dem die besondere Verehrung des rebellischen Königshauses galt — nicht, damit die gleichfalls deportierten Angehörigen der königlichen Familie diese Götter in Assyrien weiter verehren konnten, sondern um den von jenen Göttern vollzogenen Frontwechsel zugunsten der Assyrer sinnfällig zu machen. Hier steht unverkennbar die Vorstellung von der Preisgabe der Besiegten durch ihre eigenen Götter im Hintergrund.

Diese Vorstellung ist jedoch nicht nur mit der Praxis der Götterdeportation eng verbunden, sondern auch mit der Einführung der Verehrung der ass. Reichsgötter bei den Besiegten. Das läßt sich zwei Belegen über Ash.s Vorgehen in Ägypten nach der Eroberung von Memphis (671) entnehmen, die in ihrer Apostrophierung verschiedener ass. Maßnahmen offenkundig dasselbe besagen wollen. Nach Ash.s Inschrift vom Nahr el-Kelb hat die gründliche Plünderung von Memphis auch vor den ägypt. Götterstatuen nicht haltgemacht:

11) ...ilānī(DINGIR.MEŠ)-šú $^{d.}$ištarātī(INNIN.MEŠ)-šú
Die Götter (und) Göttinnnen

šá ^{I}Tar-qu-u šàr māt(KUR) Ku-u-si
des Taharka, des Königs von Kuš,

a-di makkūrī(NÍG.GA)-šú-nu
samt ihrem Besitz

---

[96] *Luckenbill*, OIP 2 S. 30,60—64 = *Borger*, BAL² S. 73,60—64; zur Übersetzung vgl. TGI² S. 67f.; par. *Luckenbill*, OIP 2 S. 69,20f.
[97] Vgl. *Luckenbill*, OIP 2 S. 30/1,65—68 = *Borger*, BAL² S. 73/4,65—68.

12) [...šalla]-tiš ⌊am-nu...
[...] rechnete ich zur [Beu]te.[98]

Der Pharao, der sich selbst hat in Sicherheit bringen können, muß nicht nur die Deportation seiner Götter nach Assyrien erdulden, sondern auch die seines Harems, Kronzprinzen und seiner hohen Beamten. Ein ganz ähnlicher Personenkreis wird ebenfalls in der Deportationsnachricht des anderen Belegs auf der Sendschirli-Stele genannt[99], wo allerdings die Mitteilung des Götterraubs fehlt. Dafür bietet sie aber unmittelbar im Anschluß an die Nachrichten über Deportation der königlichen Familie, Beutenahme und Reorganisation Ägyptens die oben bereits zitierte Mitteilung von der Festsetzung regelmäßiger Opfergaben für die ass. Reichsgötter in Ägypten.[100]

Die historische Würdigung des Sendschirli-Berichts und desjenigen vom Nahr el-Kelb – beide sind in größter Nähe zu den mitgeteilten Ereignissen verfaßt – und die Berücksichtigung der Tendenz der Königsinschriften zur stark standardisierten und selektiven Berichterstattung machen die Folgerung unabweislich, daß beide Dokumente jeweils einen Teilaspekt mehrerer, von Ash in Ägypten durchgeführter religionspolitischer Maßnahmen enthalten. Dann liegt aber auch der weitergehende Gedanke nahe, daß bei vielen Belegen über Götterdeportationen die Einführung der Verehrung der ass. Reichsgötter stillschweigend mitgedacht werden muß. Das war für Assyrer vermutlich eine Selbstverständlichkeit, während es für den auf Belege angewiesenen Historiker nicht mehr als eine spärlich dokumentierte Kombination sein kann. Immerhin kommt ihr ein hoher Wahrscheinlichkeitsgrad aufgrund der Überlegung zu, daß die Assyrer schon normalerweise in den Verträgen die Verehrung der ass. Reichsgötter neben den einheimischen Göttern von den Vasallen forderten. Wieviel näher lag das Verehrungsgebot und vielleicht auch die Bereitschaft zur Einhaltung des Gebotes da, wo durch die Deportation der einheimischen Götter ein „Freiraum" entstanden war, in dem die ass. Götter Platz greifen konnten.

Welche Möglichkeiten hatten von Assur bedrohte Völker, sich vor der Deportation ihrer Götter zu schützen? Eigentlich gar keine, denn die Göttter sollten gerade dort Schutz gewähren, wo ihre Verehrer

---

98 *Borger,* Ash S. 101,11f.; vgl. auch den Parallelbericht der bab. Chronik *Grayson,* ABC S. 85,23–27 (Exemplar C).
99 Vgl. *Borger,* Ash S. 99,43f. mit S. 101,12f.
100 Vgl. ebd. S. 99,48f.; s.o. S. 341f.

bedroht waren. So mußten sie mit ihnen gegen die ass. Attacken Widerstand leisten und damit immer auch Gefahr laufen, den Assyrern in die Hände zu fallen. Nur aus Babylonien sind Nachrichten überliefert, daß man Götter vor dem feindlichen Ansturm in Sicherheit gebracht hat. Über den hartnäckigen Gegner Merodachbaladan II. teilen Srg II. und in ähnlicher Weise Snh folgendes mit:

125) ... ^{Id}Marduk(MES)-aplu(A)-idinna(SUM-na) a-lak
Als Merodachbaladan vom Vormarsch

gir-ri-ia iš-me-ma ḫat-tu ram-ni-šú im-qut-su-ma
meiner Truppen hörte, befiel ihn Schrecken...

ul-tu qé-reb Bābili(KÁ.DINGIR.RA)^{ki} a-na
und er flog nachts aus Babylon nach

^{uru}Iq-bi-^{d}+Bēl(EN) ki-ma su-tin-ni
126) ip-pa-riš mu-šiš
Iqbi-Bēl wie eine Fledermaus.

ālānī(URU.MEŠ)-šú áš-bu-te ù ilāni(DINGIR.MEŠ)
Seine bewohnten Städte und die Götter,

a-šib libbī(ŠÀ)-šú-un ki-i iš-tén
die sich in ihnen aufhielten, versammelte

ú-paḫ-ḫir(SAR)-ma a-na ^{uru}Dūr(BÀD)-^{I}Ia-kin$_7$
er allesamt und ließ (sie) in Dūr-Jakin einziehen

ú-še-rib-ma ú-dan-ni-na kir-ḫe-e-šú...
und verstärkte ihre (= der Stadt) Umwallungen.[101]

Merodachbaladan verfolgt mit dieser Maßnahme nicht nur das Ziel, sich den Schutz seiner Götter auch auf seinem Rückzug zu sichern, sondern er will auch verhindern, daß sie den anrückenden Assyrern

---

101 *Winckler*, Srg S. 120,125f. = Nr. 73,125f.; zu der Wendung ḫattu ram(ā)nīšu maqātu vgl. AHw S. 336b s.v. ḫātu 1; *Borger*, Ash S. 52f.; zur Übersetzung der Wendung kī ištēn vgl. CAD K S. 324b s.v. kî b; par. *Gadd*, Iraq 16 S. 186,27–31; vgl. auch *Luckenbill*, OIP 2 S. 35,59–65 = *Borger*, BAL² S. 77,59–65 par. *Luckenbill*, OIP 2 S. 85,8–10; ebd. S. 38,34f. = *Borger*, BAL² S. 80 IV,34f. (Bezug auf 4. Feldzug) par. *Luckenbill*, OIP 2 S. 78,26f., S. 86,22f.
Weitere Belege: *Grayson*, ABC S. 89,19–21; ABL 963 = *Pfeiffer*, SLA 36 Obv. 10ff.(?); für Belege aus älterer und späterer Zeit vgl. *Cogan*, Imperialism S. 31ff. v.a. auch S. 33 A. 67 mit der Kritik an *Weinfelds* Interpretation eines neubab. Belegs im Sinne der Kultzentralisation (JNES 23 S. 205ff.). Vielleicht ist *Cogan* mit seiner Vermutung im Recht, daß auch Jes 41,7 in diesem Zusammenhang eine einleuchtende Erklärung findet.

in die Hände fallen in dem Wissen darum, in welch gefährlicher Weise sie diese Situation auszunutzen wußten. Die geraubten Götter waren für die Assyrer ein politisches Faustpfand, das sie zur Festigung ihrer Herrschaft einsetzten und damit viel tiefer in die Religion besiegter Völker eingriffen, als aus den Inschriften bei vordergründiger Betrachtung deutlich wird.

3. Die Religion der Besiegten als Herrschaftsinstrument der Assyrer

War schon die Evakuierung von Götterbildern durch die von Assur bedrohten Babylonier eine bedenkliche Maßnahme, da sie eine Unterbrechung des regulären Kultes mit sich brachte, von der die Babylonier genau wußten, daß sie dem erklärten Willen ihrer Götter zuwiderlief[102], so war doch jede erfolgreiche Rettungsaktion der Götterdeportation nach Assyrien vorzuziehen. Denn das von Assyrern geraubte Bild einer Gottheit konnte nicht ohne weiteres durch ein neues ersetzt werden, da die Bindung der Gottheit an ein Bild weder einfach zu lösen noch beliebig oft herzustellen war. Man war sich der Problematik, daß eine Gottheit ihre Präsenz gültig an ein

---

[102] Wie die Götter zu leben wünschten, war den Babyloniern bestens aus dem Weltschöpfungsepos Enuma eliš bekannt:

11) za-na-nu-tu$_4$ er-šat pa-rak ilānī(DINGIR.DINGIR)-ma
Pflege ist das Verlangen der Heiligtümer der Götter
(d.h. der Götter in ihren Heiligtümern) und

12) a-šar sa-gi-šu-nu lu-ú ku-un áš-ruk-ka
(deshalb) sollen ihre heiligen Stätten an deinem
Ort beständig (versorgt) sein

(*Lambert / Parker*, Ee IV,11f., vgl. auch CAD Z S. 45a s.v. zanānūtu). Ohne die durchaus zweifelhafte Historizität der Nachricht zu erörtern, sei auf Srg.s große Prunkinschrift hingewiesen, in der er sich durch die Rückführung der von Merodachbaladan evakuierten Götter(bilder) an ihre heimischen Kultorte als gehorsamer Vollstrecker des göttlichen Willens darstellen läßt (vgl. *Winckler*, Srg S. 124,136f. = Nr. 74,136f. par. *Lie*, Srg S. 64,11–13, *Gadd*, Iraq 16 S. 186,75–79). Auch sonst gefallen sich die ass. Könige im Blick auf die Rückführung von Götter(bilder)n zuweilen in der Pose der gehorsamen Götterdiener, auch wenn sie selbst oder ihre Vorgänger die Deportation allererst veranlaßt haben: *Borger*, Ash S. 25,5–11; S. 33,6f.; S. 46,23–26; S. 84,40–44; *Cogan*, Imperialism S. 16 K 3405 Obv. 8 u.ö.; Asb rühmt sich besonders der Rückführung der Inanna von Uruk aus Elam: *Streck*, VAB 7 S. 58,107ff. par. S. 174 K 1364 Rev. 6–8, S. 186,16–19, S. 220 Nr. 16,21–35, *Bauer*, IWA S. 43 K 2628 Obv. u.ö.

von Menschenhand gefertigtes Bild bindet, wohl bewußt, was in der Überlegung zum Ausdruck kommt, daß eigentlich das banû ili u ^{d}ištar „das Anfertigen von Gott und Göttin“ nur von den Göttern selbst geleistet werden könne (häufiger Gebrauch des passivum divinum in diesem Zusammenhang). Ein Götterbild durfte nur geschaffen werden, wenn die betreffende Gottheit durch ein Orakel ihre Zustimmung erteilt hatte und dann das Bild unter Beachtung vieler kultischer Vorschriften hergestellt wurde.[103] Schwierig wie die Beschaffung neuer Götterbilder war, lag es für die Betroffenen am nächsten, die Assyrer um die Rückgabe der deportierten Götterbilder zu bitten, eine Reaktion, auf die die Assyrer warteten und die sie politisch weidlich ausnutzten. Die Behandlung eines arab. Stammes durch Ash ist in dieser Hinsicht sehr aufschlußreich:

1) ^{uru}A-du-mu-tu āl(URU) dan-nu-tu ^{lú}A-ri-bi
(In bezug auf) Adumutu, die Festung der Araber,

2) ša ^{Id}Sîn(XXX)-aḫḫē(PAP.MEŠ)-erība(SU)
die Snh,

šàr māt(KUR) Aš-šur^{ki} abu(AD) ba-nu-u-a
König von Assyrien, der Vater, der mich erzeugte,

3) ik-šu-du-ma būšā(NÎG.ŠU)-šú makkūr(NÎG.GA)-šú
erobert hatte und deren Habe, Besitz (und)

ilānī(DINGIR.MEŠ)-šú
Götter er

4) a-di ^{munus}[A]p-kal-la-tú šar-rat ^{lú}A-ri-bi
zusammen mit [A]pkallatu, der Königin der Araber,

5) iš-lu-lam-ma a-na māt(KUR) Aš-šur^{ki} il-qa-a
erbeutet und nach Assyrien gebracht hatte -

6) ^{I}Ḫa-za-ilu(DINGIR) šàr ^{lú}A-ri-bi
Hazael, der König der Araber, kam

it-ti ta-mar-ti-šú ka-bit-tú
mit schwerem Geschenk

7) a-na Ninua(NINA)^{ki} āl(URU) be-lu-ti-ia
nach Ninive, meiner Hauptstadt,

8) il-lik-am-ma ú-na-áš-ši-iq šēpī(GÎR.II)-ia
und küßte meine Füße.

103 Vgl. *Borger,* Ash S. 80/4,9–44; S. 88,11–16; Zitat S. 82,16.

9) áš-šú na-dan ilānī(DINGIR.MEŠ)-šú
Um die Rückgabe seiner Götter flehte

ú-ṣal-la-an-ni-ma re-e-mu ar-ši-šú-ma
er mich an, und ich hatte Erbarmen mit ihm.

10) ^{d}A-tar-sa-ma-a-a-in ^{d}Da-a-a ^{d}Nu-ḫa-a-a
Atarsamāin, Dāa, Nuḫāa,

11) ^{d}Ru-ul-da-a-a-ú ^{d}A-bi-ri-il-lu
Ruḍāu, Abirillu (und)

12) ^{d}A-tar-qu-ru-ma-a ilāni(DINGIR.MEŠ) ša ^{lú}A-ri-bi
Atarqurumā, die in Verfall geratenen Götter der

13) an-ḫu-su-nu ud-diš-ma da-na-an ^{d}Aš-šur bēlī(EN)-ia
Araber, erneuerte ich und trug
die Macht meines Herrn Aššur

14) ù ši-ṭir šumī(MU)-ia elī(UGU)-šú-nu
sowie meinen eigenen Namen auf sie

áš-ṭur-ma ú-tir-ma ad-din-šú
ein und gab sie ihm zurück.

15) ^{munus}Ta-bu-u-a tar-bit ekal(É.GAL)
Die Tabūa, die im Palast meines

abī(AD)-iá a-na šarrū-u-ti
Vaters erzogen worden war, setzte ich als Königin

16) elī(UGU)-šú-nu áš-kun-ma it-ti ilānī(DINGIR.MEŠ)-šá
(an seiner Seite) über sie ein und ließ sie mit

a-na mātī(KUR)-šá ú-tir-ši
ihren Göttern in ihr Land zurückkehren.[104]

Abschließend erwähnt Ash noch die Erhöhung des jährlichen Tributs, woraus hervorgeht, daß auch das Erbarmen des ass. Großkönigs seinen Preis hatte.[105] Und der war keineswegs nur materieller Natur, wie der zitierte Beleg eindeutig beweist! Durch ihn erfahren wir, daß die arab. Götter bereits zu Snh.s Zeiten nach Assyrien de-

---

[104] *Borger*, Ash S. 53,1–16 par. S. 100 § 66,7–14; zu apkallatu als Titel der arab. Königin vgl. *Borger*, OrNS 26 S. 8–10; zu der Gottheit Ruḍāu vgl. ebd. S. 10f.; *Cogan* (Imperialism S. 35f.) bespricht den Beleg, ohne den schwerwiegenden Eingriff in den arab. Kult mit seiner These ins Benehmen zu setzen.
[105] S.o. S. 314 A. 18.

portiert worden sind[106], worauf noch der Snh-Enkel Asb in zwei Inschriften unter Mitteilung interessanter Details Bezug nimmt.[107] Bezeichnenderweise spricht Asb über die betreffende Götterdeportation Snh.s in der Terminologie der Vorstellung von der Preisgabe besiegter Völker durch ihre eigenen Götter. Eine arab. Göttin, deren Name nicht mehr erhalten ist[108], sei auf Hazael zornig gewesen, habe deshalb den Sieg Snh.s bewirkt und ihre Übersiedlung nach Assyrien beschlossen.[109]

Ash.s Handlungsweise bei der Rückgabe der arab. Götter(bilder) bleibt genau innerhalb dieses Vorstellungskreises, der durch die von den Assyrern propagierte Übereinstimmung der arab. mit den ass. Göttern und deren Mandatar, dem Großkönig, gekennzeichnet ist. Er läßt die arab. Götterbilder, die in ihrem gut ein Jahrzehnt andauernden ass. Exil der politischen Disziplinierung der Araber gedient haben[110], renovieren und demonstriert damit sein gutes Verhältnis zu den Göttern der Vasallen. Zugleich versäumt er es nicht, die arab. Götterbilder mit den großen Taten des ass. Reichsgottes beschriften zu lassen. Der durch Snh.s Götterdeportation erfolgte massive Eingriff in den Kult der Araber war also mit der Rückführung der Götter durch Ash nicht beendet, da künftig jede religiöse Handlung vor diesen Götterbildern auch an ass. Götter und den Oberherrn in Ninive erinnern mußte, ja in der Verehrung der eigenen Götter zwangsläufig auch den auf den Statuen genannten assyrischen Reverenz erwiesen wurde.

Wenn wir aus dem Asb-Text zusätzlich erfahren, daß Ash mit der Rückführung der arab. Götter die Weihgabe eines goldenen Sternemblems verbunden hat[111], wird deutlich, welch unterschiedliche

---

106 Vgl. *Luckenbill*, OIP 2 S. 92/3,22–27, teilweise zu ergänzen nach K 8544 (vgl. *Winckler*, AOF I S. 532f. und *Borger*, Ash S. 117f. § 91), wodurch die Nachricht von der Götterdeportation auch in Snh.s eigenen Inschriften belegt ist (vgl. *Cogan*, Imperialism S. 35 A. 78).

107 Vgl. *Cogan*, Imperialism S. 16 K 3405 Obv. 1–19 und K 3087 (Kopie *Bauer*, IWA Tf. 34, von *Cogan* verwertet).

108 Der Asb-Text handelt von Deportation und Rückführung lediglich einer arab. Göttin (wohl einer Ištar-Gestalt, vgl. *Bauer*, IWA S. 45 A. 1), weil es sich um eine Weihinschrift an die betreffende Gottheit handelt, der Asb für ihren Beistand bei seinem Sieg über den Araberkönig Uate' dankt (vgl. *Cogan*, Imperialism S. 15).

109 Vgl. *Cogan*, Imperialism S. 16 K 3405 Obv. 1–4.

110 Vgl. die Berechnung bei *Cogan*, Imperialism S. 35 A. 83; das heißt aber nicht, daß sich Hazael nicht schon vorher um die Rückgabe der Götter bemüht haben wird (anders ebd. S. 35f.).

111 Vgl. ebd. S. 16 K 3405 Obv. 15–17.

Wege den Assyrern offenstanden, in den Tempeln besiegter Völker die Präsenz Assurs zu demonstrieren. Effiziente ass. Einflußnahme wußte Ash auch nach der Götterrückführung zu sichern: Die am ass. Hof erzogene arab. Prinzessin Tabūa wurde als Hazaels Mitregentin eingesetzt, so daß die Assyrer aus diesem Teil des Reiches kaum eine Rebellion befürchten mußten. Bei anderen arab. Stämmen und bei dem Hazael-Sohn Iata', der zunächst mit ass. Hilfe die Thronfolge angetreten hatte, scheint die ass. Herrschaft den Drang nach Selbständigkeit nicht vollständig unterdrückt zu haben, weshalb die Assyrer hier noch einmal Götterdeportation und später Rückgabe der Götter angewandt haben.[112]

Unter den weiteren Nachrichten über die Rückführung von Götter(bilder)n an ihre heimischen Kultstätten[113] gebührt vor allem der Rückgabe der Mardukstatue an die Babylonier durch Asb besondere Beachtung. Gerade an dem Verhältnis der Assyrer zu den Babyloniern, bei dem durch religionspolitische Pressionen eigentlich kein Disziplinierungserfolg erhofft werden durfte, wird eine weitere Dimension ass. Religionspolitik deutlich: die der Demonstration der Macht von Aššur und der eigenen Überlegenheit allein mit dem Ziel, die Unterlegenen zu demütigen und die Machtlosigkeit ihrer Götter zu dokumentieren.

In Snh.s Zerstörung der Stadt Babylon, ihrer Tempel *und Götterbilder* im Jahre 689 kam ein über Jahrhunderte ausgebildeter Haß zum Ausbruch[114], der trotz der versöhnlicheren politischen Linie Ash.s auch weiterhin seine Spuren hinterlassen hat. Jedenfalls ist die Verzögerung der Überführung der in Assur neu geschaffenen Mardukstatue nach Babylon unter Ash kaum anders als bewußte religiöse Repressalie zu erklären.[115] Ob darüberhinaus die Erschaffung der neuen Mardukstatue im Aššur-Tempel der alten Haupt-

---

[112] Vgl. *Borger,* Ash S. 56/7,71–76.46b–48; *Piepkorn,* AS 5 S. 80,93–98.

[113] Vgl. *Grayson,* ABC S. 76,4'f. (Srg II.); S. 81,28f. (Snh); S. 82,44f. par. S. 125,3f. (Ash); S. 84,17f. par. S. 126,21f. (Ash); S. 88,16f. (Nabopolassar).

[114] Vgl. *Luckenbill,* OIP 2 S. 83,48; S. 137,36f.; s.o. S. 233f.; zur Geschichte Babyloniens unter ass. Herrschaft vgl. *Brinkman,* Babylonia S. 223ff.

[115] Vgl. *Landsberger,* BBEA S. 66; ebd. S. 20–27.66–69 sind die mit der Rückführung der Mardukstatue bzw. der Sendung des neuen Mardukstandbildes verbundenen Probleme anhand der wichtigen Belege dargestellt. Daß sich in der Verzögerung der Rückführung der Mardukstatue Ash.s wahre feindliche Gesinnung gegen Babylon zeigt (vgl. ebd. S. 14ff.), kann *Landsberger* aufgrund der Quellen nicht überzeugend darlegen (vgl. die berechtigte Kritik von *Borger,* BiOr 29 S. 35f.). Die Babylonpolitik am ass. Hofe wurde nicht allein vom ass. König bestimmt!

stadt Assur eine weitere religionspolitische Demütigung der Babylonier darstellte, indem Marduk dadurch nur noch als Sohn von Anšar/Aššur gelten sollte, ist nicht völlig sicher.[116] Die Wunde der Babylonier, die der Umgang der Assyrer, insbesondere Snh.s, mit ihrem wichtigsten Kultzentrum geschlagen hatte, war ohnehin tief genug. Noch in der Mitte des 6. Jh.s erinnert Nabonid an die Zerstörung von Babylon durch Snh, den er abschätzig den König von Subartu nennt. Zwar habe Marduk damals zürnend die Stadt verlassen und sei Snh nur der Vollstrecker der göttlichen Rache an ihr gewesen, doch schließlich sei Snh von seinem eigenen Sohn ermordet worden.[117] Die Inkonsequenz der Zusammenstellung zeigt, wie wenig sich der Haß der Babylonier gegen das längst nicht mehr existente ass. Volk selbst nach mehr als hundert Jahren gelegt hatte.

Ein derart rigoroses Vorgehen gegen die Götter des Feindes, wie Snh es im Fall des bab. Hauptgottes Marduk praktiziert hat, ist nur noch von Asb bekannt und dürfte damit gegenüber der Götterdeportation eher die Ausnahme gewesen sein.[118] Auf dem achten Feldzug Asb.s gegen Elam, das bereits seit der fünften Kampagne jedes Jahr von neuem die ass. Kräfte gebunden hatte, übte der ass. König bei jedem Sieg, den er erringen konnte, schonungslose Vergeltung. Drei Passagen aus den Annalen sind für den dabei vollzogenen Eingriff in Religion und Kult der Elamer besonders instruktiv.

117) ^{uru}Ba-ši-mu ù ālāni(URU.MEŠ) ša
(Die Stadt) Bašimu und die Städte in

li-me-ti-šú ap-pul aq-qur
ihrer Umgebung verwüstete (und) zerstörte ich.

---

116 Der Interpretation *Landsbergers* (BBEA S. 26) kann entgegengehalten werden, daß Ash in der kaum frei erfundenen Orakelbefragung zur Ermittlung des für die Anfertigung der Mardukstatue genehmen Tempels drei Städte (Assur, Babylon, Ninive) zur Wahl stellt (vgl. *Borger,* Ash S. 82/3,20–24).

117 Vgl. *Langdon,* VAB 4 S. 270/2,1–41 und *Parpola,* CRRA 26 S. 171ff.

118 In diesem Zusammenhang wären noch die Zerstörung des Tempels von dem urartäischen Gott Ḫaldi in Muṣaṣir und seine Deportation zusammen mit seiner Göttergemahlin Bag/k-bar?/maš?-tu nach Assyrien durch Srg II. zu erwähnen (vgl. *Thureau–Dangin,* TCL 3,279.346f.367–408.423–425 par. *Winckler,* Srg S. 112,76f. = Nr. 69,76f., S. 176,40f. = Pl. 47 „linke" Seite Z. 40f., *Thompson,* Iraq 7 S. 87,15 und dazu *Oppenheim,* JNES 19 S. 136f.143). Auch die Abbildung der Zerstörung einer urartäischen Gottheit aus Ḫorsābād gehört hierher (vgl. *Botta,* MN II Pl. 140 Feld 3). *Cogan* (Imperialism S. 24) hätte im Blick auf die Götterdeportation aus Muṣaṣir weniger den Ausnahmecharakter der Nachricht (die so singulär dann doch nicht ist) und stärker die Nachrichtenselektion der Inschriften betonen sollen.

118) ša nišē(UN.MEŠ) a-šib lìb-bi-šú-un
Was die in ihnen wohnenden Leute (anbelangt, so)

ka-mar-šú-nu áš-kun
bereitete ich ihnen eine Niederlage,

119) ú-šab-bir ilānī(DINGIR.MEŠ)-šú-un
zerbrach ihre Götter(statuen) (und)

120) ú-šap-ši-iḫ <<AN>> ka-bat-ti bēl(EN) bēlē(EN.EN)
beschwichtigte (dadurch) das Gemüt
des Herrn der Herren (= Aššur).

121) ilānī(DINGIR.MEŠ)-šú ^{d}ištarātī(XV.MEŠ)-šú
Ihre Götter, ihre Göttinnen,

būšā(NÎG.ŠU)-šú makkūr(NÎG.GA)-šú
ihre Habe, ihren Besitz (und)

122) nišē(UN.MEŠ) ṣeḫer(TUR) u rabi(GAL)
die Leute, groß und klein,

áš-lu-la a-na māt(KUR) Aššur(AN.ŠÁR)^{ki}
brachte ich als Beute nach Assyrien.[119]

Dieser Passage zufolge ist die Behandlung der elamischen Götter in den einzelnen eroberten Städten unterschiedlich gewesen: zum einen Zerstörung, zum anderen Deportation. Interessant ist vor allem die Begründung des Vorgehens, bei der auf jede Rechtfertigung im Sinne der Preisgabe der Besiegten durch die eigenen Götter verzichtet und allein Stärke demonstriert wird. Hier zürnen nicht die feindlichen Götter ihren eigenen Verehrern, sondern Aššurs Zorn muß besänftigt werden, was nur durch eine entsprechend demütigende Niederlage der Feinde und ihrer Götter erreicht werden kann. Die demonstrative Depotenzierung der elamischen Götter und Tempel ist dazu als geeignetes Mittel betrachtet worden:

62) eš-re-e-ti māt(KUR) Elamti(ELAM.MA)^{ki}
Die Tempel von Elam

63) a-di la ba-še-e ú-šal-pit
entweihte ich (so sehr), daß sie
nicht weiterexistieren konnten;

---

119 *Streck*, VAB 7 S. 50,117–122 par. S. 218/20 Nr. 16,4–15, *Bauer*, IWA S. 34 K 2664 II,14–III,7, *Aynard*, Prisme S. 50/2,59–64. In Prisma A V, 113–116 und par. gehen noch andere elamische Städte voraus, die in die ab Z. 118 berichtete Strafaktion mit eingeschlossen sein werden.

64) ilānī(DINGIR.MEŠ)-šú ^{d}ištarātī(XV.MEŠ)-šú
ihre Götter (und) ihre Göttinnen

am-na-a a-na za-qí-qí
betrachtete ich als machtlose Wesen.[120]

Auch das elamische Herrscherhaus muß mit der Schändung der Königsgräber eine drakonische Strafe hinnehmen, die wiederum stark in die Kultausübung eingreift:

70) ki-maḫ-ḫi šarrānī(LUGAL.MEŠ)-šú-nu
Die Grabstätten ihrer früheren (und)

maḫ-ru-ti arkûti(EGIR.MEŠ)
späteren Könige,

71) la pa-li-ḫu-u-ti Aššur(AN.ŠAR) u ^{d}Ištar(XV)
die Aššur und Ištar,

bēlī(EN.MEŠ)-ia
meine Herren, nicht verehrt (und)

72) mu-nar-ri-ṭu šarrāni(LUGAL.MEŠ) abbī(AD.MEŠ)-ia
die Könige, meine Vorfahren,
in Unruhe versetzt hatten,

73) ap-pul aq-qur ú-kal-lim ^{d}Šamši(UTU-ši)
verwüstete (und) zerstörte ich
(und) ließ (sie) die Sonne sehen.

74) eṣmātī(GÌR.PAD.DU.MEŠ)-šú-nu al-qa-a
Ihre Gebeine brachte ich

a-na māt(KUR) Aššur(AN.ŠAR)^{ki}
nach Assyrien.

75) e-ṭem-me-šú-nu la ṣa-la-lu e-mì-id
Ihren Totengeistern legte ich Ruhelosigkeit auf

76) ki-is-pi na-aq mê(A.MEŠ) ú-za-am-me-šú-nu-ti
(und) verwehrte ihnen Totenopfer
(und) Libationen.[121]

---

[120] *Streck*, VAB 7 S. 54,62–64; zur Übersetzung von Z. 64 vgl. CAD Z S. 59a s.v. zaqīqu 1a1′.

[121] *Streck*, VAB 7 S. 54/6,70–76.

Hier zeigt sich noch einmal, wie sehr für die Assyrer Eingriff in den Kult besiegter Völker und Auflage der Verehrung der ass. Reichsgötter zusammengehören, denn die ehemaligen elamischen Könige werden als die bezeichnet, die Aššur und Ištar nicht ehrfürchtig Reverenz erwiesen haben (palāḫu), eine Terminologie, die aus den Vasallenverträgen bekannt ist.[122] Ganz nach ass. Vorstellung verhält sich hingegen der elamische König Tammaritu, der – allerdings aus naheliegenden Gründen – die Macht der ass. Götter preist (dalālu).[123] Wie sehr auch immer diese Darstellung durch die Perspektive der ass. Hofannalistik gefärbt sein mag, so steht doch allemal fest, daß Tammaritu in seinen Briefen die Erwähnung der ass. neben den elamischen Göttern in der einleitenden Segensformel nicht versäumt und damit gewiß auch das vom Suzerän Erwartete tut.[124] Die Präsenz ass. Götter vom Briefformular bis zum Vasalleneid und die drohende Vernichtung der eigenen Götter(bilder) und Kultstätten im Falle der Unbotmäßigkeit – das war die Realität ass. Herrschaft für alle, die mit ihr in Kontakt kamen.

4. Das Zeugnis des judäischen Vasallen Ahas (2Kön 16,10–16)

(vgl. Textrekonstruktion S. 418f.)

Wenn in der bisherigen Untersuchung die Frage im Mittelpunkt gestanden hat, in welcher Weise sich die Assyrer der Religionen besiegter Völker bedient haben, um ihren Herrschaftsanspruch durchzusetzen, muß nun noch geklärt werden, wie die religionspolitischen Pressionen der Siegermacht auf die Besiegten nach ihrem eigenen Zeugnis gewirkt haben. Leider stehen für diese wichtige Frage so gut wie keine Quellen zur Verfügung, weil die meisten unterlegenen Völker genau wie die Assyrer selbst nur als Sieger und Hymniker ihrer

---

122 S.o. S. 333ff.

123 Vgl. *Streck,* VAB 7 S. 34/6,28–36 und den Kontext ab S. 32,128ff.

124 Vgl. ABL 1400 Obv. 1–5. Wenn *Cogan* (Imperialism S. 48 A. 37) in diesem Brief Tammaritu sich nur der üblichen diplomatischen Umgangsformen bedienen sieht und ihn mit der Erwähnung einer elamischen Gottheit in einem Brief Ash.s zusammenstellt (ABL 918 Obv. 9–11), ist die entscheidende Differenz außer Acht gelassen, die in der Vereinnahmung einer Gottheit des Besiegten durch den Sieger einerseits und in der gewiß nicht ganz freiwilligen Anrufung einer Gottheit des Siegers durch den Besiegten andererseits besteht. Immerhin ist Tammaritu zunächst alles andere als ein botmäßiger Vasall Assyriens gewesen (vgl. *Streck,* VAB 7 S. 32/4,3ff.)!

mächtigen Götter Inschriften verfaßt haben. Auch Dokumente, aus denen auf indirektem Wege die Reaktion der Besiegten auf die ass. Götterwelt zu entnehmen wäre, sind selten. Zu ihnen zählen jedenfalls einige aram. Inschriften, in denen Vasallen teils durch Götteridentifikation, teils durch bereitwillige Aufnahme ass. Götter ins einheimische Pantheon den ass. Oberherrn zufriedenzustellen suchten. Manche taten ein Übriges, wie etwa der aram. König Barrākib von Sam'al/Sendschirli, der in seinen Inschriften gegenüber Tgl III. übertriebene Botmäßigkeit demonstrierte[125] – eine Haltung, die in anderen Vasallenländern sehr gefährlich war und unter Umständen mit dem Leben bezahlt werden mußte![126] – und dabei auch den Gott Baal-Ḫarrān als seinen Herrn bezeichnete, vielleicht indem er in ihm die glänzendere Gestalt des aram. Rākib-el wiedererkannte.[127] Ähnliche Willfährigkeit spricht aus dem Staatsvertrag der aram. Könige Barga'jā von KTK und Matī'-'el von Arpad, in dem sie doch wohl ohne Nötigung durch ihren gemeinsamen Suzerän neben aram. ausführlich ass. Götterpaare als Vertragszeugen nennen.[128] Bei der Beurteilung dieser Belege gilt es zu berücksichtigen, daß die Hofierung ass. Gottheiten für die betreffenden aram. Vasallen primär eine politische Entscheidung war. Ihre polytheistisch verfaßten Religionen machten ihnen den religiösen Kompromiß möglich, da Erweiterung des Pantheons und Götteridentifizierung unanstößige und legitime Praktiken waren.

Diese Wege zu beschreiten, war jedoch judäischen Monarchen, die sich mit der ass. Vasallität arrangieren mußten, verwehrt, da die Jahwereligion schon lange vor der Ausbildung des intoleranten Monojahwismus in der Anerkennung fremder Gottheiten deutliche

---

125 Vgl. KAI 216,1–11; 217,1–5 und dazu *Landsberger,* Sam'al S. 68 und, etwas anders akzentuiert, *Donner,* MIO 3 S. 95–98.

126 Vgl. *Winckler,* Srg S. 104/6,36–47 = Nr. 65/6,36–47; S. 114/6,90–112 = Nr. 70/2,90–112; *Luckenbill,* OIP 2 S. 31/2 II,73–III,17 = *Borger,* BAL² S. 74; vgl. auch ABL 210 = *M. Dietrich,* Aramäer S. 190 Rev. 5f.; ABL 327 = *Pfeiffer,* SLA 123 = *Oppenheim,* LFM 121 = *M. Dietrich,* Aramäer S. 156 Obv. 11–17; ABL 516 Rev. 14f. nach *M. Dietrich,* WO 4 S. 90; ABL 736 = *Pfeiffer,* SLA 37 Rev. 5–8; ABL 1241 + *M. Dietrich,* CT 54,112 = ders., Aramäer S. 200 Obv. 3–Rev. 5.

127 Vgl. KAI 218,1 und dazu die Kommentierung KAI II S. 237; etwas anders *Yadin,* Symbols S. 210f.; vgl. auch KAI 225,1f.: Denkmal des *Sîn*-zēra-ibni, Priesters des *ŠHR* in Nērab.

128 Vgl. KAI 222 A 7–13; nach der Ermittlung der korrekten akkad. Lesung NIN.LÍL = Muliššu durch *Parpola* (CRRA 26 S. 174) ist die Ergänzung von Z. 7 nunmehr völlig klar: Aššur/אש(ו)ר als Göttergemahl der Muliššu (vgl. ebd. S. 177 A. 21).

Grenzen gezogen hatte. So nahe deshalb zunächst im Blick auf die aram. Belege der Gedanke liegen mag, auch in der Handlungsweise des Ahas von Juda, der anläßlich seines Aufenthaltes in Damaskus bei Tgl III. einen neuen Altar im Jerusalemer Tempel aufstellen ließ (2Kön 16,10–18), die übereifrige Botmäßigkeit des Vasallen zu erkennen, sosehr gerät bei genauer Analyse des Textes diese Deutung ins Wanken. 2Kön 16 ist aus vielen Elementen von den Dtr zu einer Einheit zusammengefügt worden, in der die redaktionellen Nahtstellen vielfach noch sichtbar sind: V. 1.2a Angabe der Regierungszeit des Ahas nach der üblichen Datierungsmethode, V. 2b–4 dtr Gesamtbeurteilungen seiner Regentschaft[129], V. 5f. Exzerpt aus den Hofannalen durch DtrH als notwendiger Vorspann zum Verständnis der folgenden Episode in V. 7–9 über das Zustandekommen der Vasallität von Ahas gegenüber Assur[130], V. 10–16 die in sich abgeschlossene Erzählung über die Huldigung des Ahas vor Tgl III. in Damaskus und die Installierung des neuen Altars im Jerusalemer Tempel, V. 17f. weitere Mitteilungen über Veränderungen im Jerusalemer Tempelkult durch Ahas, jedoch nicht mit der vorangehenden Erzählung zusammengehörig, V. 19f. reguläre Schlußnotizen zur Regentschaft eines judäischen Königs.

Verschiedene Forscher haben gemeint, in 2Kön 16,7–18 zwei vollständige Erzähleinheiten finden zu können: 16,7–9.17f. und 16,10–16. Die Rekonstruktion der Einheit 16,7–9.17f. ergibt sich aufgrund der Parallele in 18,13–16[131], da beide Male Tributleistungen an den ass. König mit Schätzen aus Palast und Tempel finanziert werden. Ist die inhaltliche Übereinstimmung beider Passagen auch offenkundig, kann der Handlungsverlauf in 18,13–16 doch nicht den direkten Anschluß von 16,17f. an 16,9 wahrscheinlich machen. Die Verse 16,17f. wären allenfalls nach 16,8 sinnvoll gewesen, nicht aber nach der Reaktion Tgl.s in 16,9. Sie sind deutlich an die Mitteilungen über die Veränderungen im Jerusalemer Tempelkult in 16,10–16 angehängt und damit sekundär, ohne daß ihre genauere zeitliche Einordnung möglich wäre.[132]

---

[129] S.o. S. 176f.

[130] V. 7–9 beruhen zwar auf Informationen aus den Hofannalen, sind aber eindeutig tendenziös von DtrH formuliert (vgl. *Tadmor / Cogan*, Bibl 60 S. 499ff.); zu den in V. 6 notwendigen Textkorrekturen vgl. ebd. S. 496f., aber auch schon *Stade*, Anmerkungen S. 206f. (auch zu V. 9).

[131] Vgl. *Winckler*, Untersuchungen S. 47ff.; *Cogan*, Altar S. 120f.; ders., Imperialism S. 74 A. 43.

[132] Zu den schwierigen Textproblemen in 2Kön 16,17f. vgl. *Stade*, Anmerkungen S. 207f.; für sekundären Ursprung spricht auch die nur dürftig durch ein

Somit bleiben in Kap. 16 zwei in sich abgeschlossene Erzähleinheiten zurück: 16,7–9 und 16,10–16. Sie stammen nicht von derselben Hand, da sie von ihrem Erzählziel her, der Darstellung des ersten Kontaktes Judas mit dem ass. Großreich, Dubletten sind. Sie berichten über diese Kontaktaufnahme aus ganz unterschiedlichem Blickwinkel, 16,7–9 – einmal abgesehen von den dtr Untertönen – mit politischem Interesse an den Ereignissen des syrisch-ephraimitischen Krieges, 16,10–16 mit religiösem Interesse an den aus der neuen Situation resultierenden Veränderungen im Jerusalemer Tempel. Die unterschiedliche Verfasserschaft beider Abschnitte manifestiert sich auch in gewissen stilistischen Differenzen.[133] Während hinter dem nur überlieferungsgeschichtlich zu erschließenden Grundbestand von 16,7–9 die Perspektive der Hofannalistik steht, wird der Abschnitt 16,10–16 wahrscheinlich aus den zeitgenössischen Tempelregesten stammen[134], kaum aus späterer (exilisch-nachexilischer) Zeit, da eine Reihe von Indizien eindeutig auf die vorexilischen Verhältnisse im Tempel hinweist. Das trifft für die uneingeschränkte Verfügungsgewalt des Königs über das Jerusalemer Heiligtum samt seiner Priesterschaft und für die von Ahas angeordneten Kultregelungen zu, deren vorexilischer Charakter im Vergleich mit den jüngeren priesterschriftlichen Kultgesetzen (nur eine tägliche עולה, Fehlen der חטאת) sichergestellt ist.[135] Auch muß der völlig unpolemische Charakter des Berichts berücksichtigt werden,

---

מפני מלך אשור (16,18) hergestellte Verklammerung mit der konkreten Situation.

133 In 16,7–9 wird der judäische König mit seinem Namen אחז genannt, in 16,10–16 (אחז) המלך ; vgl. auch die unterschiedliche Schreibweise für den ass. König: תגלת פלסר in 16,7, ת״ פלאסר in 16,10.

134 Vgl. *Benzinger*, Kön S. 170f.; *Rendtorff*, Studien S. 49f.

135 Zum Tempel als „königlicher Dependenz" in vorexilischer Zeit vgl. einmal mehr *Wellhausen*, Prolegomena S. 132.189.284 und *H. Schmidt*, SAT II/2 S. 5; zu den betreffenden Opferregelungen in vorexilischer im Unterschied zur nachexilischen Zeit vgl. *Wellhausen*, aaO S. 77 A. 1; *de Vaux*, Institutions II S. 364f. und vor allem *Rendtorff*, Studien S. 46ff.74ff.
Den Ausführungen von *H.-D. Hoffmann* zu 2Kön 16,10ff. (Reform S. 141ff.) ist nur im Blick auf die Kritik an der *Rendtorff'schen* Separierung von 16,12–14 und 16,15f. zuzustimmen. Ansonsten geschehen die Postulierung der literarischen Einheitlichkeit und die nachexilische Datierung gegen erdrückende textliche Evidenz: Wo gibt es in nachexilischer Zeit noch eine königliche Verfügungsgewalt über den Tempel? Wieso ist von עלת־הבקר und nicht von עלת תמיד die Rede (vgl. *Rendtorff*, aaO; *Hoffmanns* auf S. 143 gegebener Hinweis auf *R.* ist irreführend)? Die Chronik hat keine Spannung zwischen 2Kön 16,3f. und

der sich bei Jerusalemer Priestern der vorjosianischen Zeit von selbst versteht, bei späteren unmöglich wäre. Innerhalb von Kap. 16 bekommen V. 10–16 erst einen polemischen Akzent durch das dtr Verdammungsurteil über Ahas in V. 2b–4, das eine positive oder zumindest unanstößige Tat des Königs auszuschließen scheint. Schließlich ist die Reise von Ahas nach Damaskus eine Unternehmung, die sich genau in die zeitgenössische Praxis ass. Könige einfügt, auf Feldzügen an zentralen Orten die Huldigung der Vasallen aus der jeweiligen Umgebung entgegenzunehmen.

Bleibt die zentrale Frage zu klären, in welcher Absicht Ahas den großen neuen Brandopferaltar hat errichten lassen. Stand hinter den in 16,10–16[136] berichteten kultischen Veränderungen eine religionspolitische Pression Assurs, wie in der älteren Forschung immer vermutet worden ist? Oder signalisierte der Altarbau eine freiwillige Hinwendung zu heidnischen, besonders aram. Göttern, nachdem für die Judäer Jahwes Macht nicht mehr außer Zweifel stand?[137] Oder waren es schließlich rein ästhetische und keineswegs

---

der „‚vorbildlichen' Opferpraxis des Königs" in 16,5ff. empfunden (vgl. Reform S. 145). Sie verfuhr lediglich freier mit den Überlieferungen als die Deuteronomisten und hat die Damaskus-Episode einfach unterdrückt, weil ihr der Gedanke unerträglich war, daß „ein rechtgläubiger Priester, ein Freund des Propheten Jesajas, die Hand dazu geboten hätte, einen fremden Altar einzuführen" (*Wellhausen*, Prolegomena S. 189, s.u. A. 137). Ist es wirklich sinnvoll, die Entstehung eines Textes wie 2Kön 16,10ff. in größere zeitliche Nähe zu der der Chronik mit ihrer völlig gegenläufigen Tendenz zu bringen? Über potentielle Bezüge des Textes zur ass. Religionspolitik erfährt man bei *Hoffmann* nichts.

[136] Der Text 16,10–16 enthält einige spätere Erweiterungen, deren genauer Umfang nicht mit letzter Sicherheit festzustellen ist. Man wird in V. 11f. nicht einfach dem kürzeren Text der LXX folgen dürfen (so *Stade*, Anmerkungen S. 207), da der Ausfall eindeutig durch Homoioteleuton bedingt ist (vgl. Apparat der BHK z.St.), doch ist die umständliche und zerdehnte Ausdrucksweise nur durch die Nacharbeit eines Redaktors zu erklären, der vielleicht durch die Einfügung von V. 11bβγ.12bα seiner Meinung nach fehlende Erzählschritte ergänzen wollte. V. 14aβ soll wohl zu einer klareren lokalen Vorstellung verhelfen, bewirkt aber de facto das Gegenteil (vgl. auch *Stade*, Anmerkungen S. 207). In V. 15aα ist der erklärende Zusatz את־אוריה הכהן zu streichen. Zu der in V. 15aγδ erkennbaren, sehr späten priesterlichen Bearbeitung vgl. *Rendtorff*, Studien S. 47f.

[137] So die Deutung von *McKay* (Religion S. 5ff., v.a. S. 10–12), für die er sich auch auf den Parallelbericht in 2Chr 28,16ff. beruft. Daß diese Relation aber zur historischen Auswertung völlig untauglich ist, wäre bereits bei *de Wette* (Beiträge I S. 102ff.) und *Wellhausen* (Prolegomena S. 189.201ff.) nachzulesen gewesen.

theologisch bedenkliche Motive, die Ahas im Gefolge der aram. Akkulturation zum Altarneubau veranlaßten?[138]

Gegen die beiden zuletzt genannten Deutungen ist einzuwenden, daß einerseits alle heidnischen Götter in Judas Nachbarschaft den Machterweis gegen die Assyrer schuldig geblieben waren, von ihnen also auch keine Hilfe erwartet werden durfte, und daß andererseits der Altarneubau ohne zwingenden religiösen oder politischen Anlaß in einer Zeit unwahrscheinlich ist, in der der Jerusalemer Tempelschatz ohnehin größten Belastungen unterlag. Nur eine Deutung von 2Kön 16,10–16 ist überzeugend, die den eindeutig jahwistischen Gebrauch des neuen Altars[139] und zugleich die politische Motivation der Damaskusreise des Ahas, die allererst zum Altarneubau geführt hat, berücksichtigt. Schließlich darf bei der Deutung die Kenntnis ass. Vasallenverträge nicht ausgeklammert werden, die die Auflage zur Verehrung der ass. Reichsgötter enthielten.

Die angemessene Berücksichtigung dieser Komponenten kann vielleicht erreicht werden, wenn man dem von Ahas beiseite gestellten salomonischen Altar mehr Beachtung schenkt als es bisher geschehen ist. Nachdem alle wichtigen Funktionen des Jahwekultes auf den großen neuen Brandopferaltar übertragen worden sind und dieser auch die Stelle לפני יהוה, unmittelbar vor Jahwes Allerheiligstem, eingenommen hat (in der Rückblende in V. 14 eindeutig impliziert), behält sich Ahas den alten Altar zum persönlichen Gebrauch vor: ומזבח הנחשת יהיה־לי לבקר „der eherne Altar aber diene mir als ...“ Es ist müßig, über die Bedeutung von (ל)בקר zu spekulieren, da das Wort – wahrscheinlich ein Nomen – im AT Hapaxlegomenon ist, das erst sekundär durch die Punktation der Masoreten zu einer Verbalform geworden ist.[140] Immerhin deutet die

---

138 So die Deutung von *Cogan* (Altar S. 123f. und Imperialism S. 75–77); die Deutung von *Saggs* hat *Cogan* referiert und mit guten Gründen zurückgewiesen (Altar S. 122 und Imperialism S. 76).

139 Mit Recht weisen *McKay* (Religion S. 6f.) und *Cogan* (Altar S. 122 und Imperialism S. 75f.) die These zurück, der neue Altar sei ass. Provenienz gewesen. Auch *Cogan* hat bereits betont, „that the new altar served only a legitimate YHWH cult“ (Imperialism S. 75; vgl. Altar S. 120f.), wenn auch nicht alle seine Argumente (z.B. die Beurteilung der Rolle des Priesters Uriah) stichhaltig sind.

140 Vgl. *Stade,* Anmerkungen S. 207; zu Erklärungsmöglichkeiten, die mangels weiterer Belege allesamt nicht überzeugen können, vgl. *von Rad,* TB 8 S. 239 A. 21 (Zusammenhang mit Ps 27,4?); *McKay*, Religion S. 8; *Cogan*, Imperialism S. 73 v.a. A. 41.

Wendung היה לי auf einen Gebrauch des Altars durch Ahas hin, der entweder nur ihm zustand oder zu dem er allein verpflichtet war. Was liegt näher, als die Verwendung dieses Altars mit Ahas' religiösen Vasallenpflichten gegenüber Assur in Verbindung zu bringen. Sollte diese Überlegung das Richtige treffen, hätte sich Ahas auch in diesem Fall als der geschickte Politiker erwiesen, als der er sich in den fast zwanzig Jahren seiner Regentschaft mit ihren beachtlichen politischen Turbulenzen zweifellos bewährt hat. Als ass. Vasall in Damaskus mit dem Verehrungsgebot für die ass. Reichsgötter konfrontiert, hat er diese kultische Verpflichtung möglichst unauffällig und für die Jahwegläubigen unanstößig in den Jerusalemer Tempel einzuführen versucht, indem er für Jahwe einen neuen größeren Brandopferaltar stiftete, der ihm die Fama des loyalen Jahweverehrers zu sichern vermochte, während er gleichsam an einem Nebenaltar seine Loyalität gegenüber Assur unter Beweis stellen konnte. Welcher Art die kultischen Verpflichtungen des judäischen Vasallen waren, ist unbekannt. Man wird an ass. Götterembleme zu denken haben, die entweder neben oder auf dem Altar Platz fanden und für die bestimmte Opferleistungen angeordnet waren. Derlei Kultobjekte werden im Jerusalemer Tempel keinen religiösen Anstoß erregt haben, da die Zeit strikter Bildlosigkeit noch erst bevorstand (vgl. 2Kön 18,4b; 23,4ff.) und der Primat der Jahweverehrung durch Ahas eher gestärkt als geschmälert erschien.

Daß die hier vorgenommene Deutung von 2Kön 16,10–16 nicht abwegig ist, läßt sich noch durch eine Auffälligkeit in der weiteren Geschichte des alten salomonischen Altars bekräftigen[141]: Im Anschluß an Ezechiels Schau vom sündigen Gottesdienst in Jerusalem, bei der dem Propheten auf dem Weg vom Nordtor der Stadt in den inneren Tempelbezirk die Greuel der Jerusalemer gezeigt werden (Ez 8), kommen sechs bzw. sieben Männer, die an der Stadt das Gericht vollziehen sollen, aus derselben Richtung zum Tempel und beginnen ihr Vernichtungswerk von ebenjenem ehernen Altar Salomos aus (Ez 9,2), der seit Ahas auf der Nordseite des Tempels stand (2Kön 16,14), und damit innerhalb des Bezirks, der in der Schau Ezechiels als die Unheilsseite gilt.[142] Ob sich nicht auch in dieser Bewertung die Zweckentfremdung des Altars widerspiegelt, die bei Ahas ihren Ausgang genommen hat? Vielleicht ist hier sogar der

---

141 Vgl. zum salomonischen מזבח הנחשת *Wellhausen*, Prolegomena S. 44; *de Vaux*, Institutions II S. 284f.

142 Vgl. *Zimmerli*, Ez S. 227.

Grund dafür zu finden, daß in 1Kön 7 bei der Aufzählung der von Salomo gegossenen Tempelgeräte der eherne Altar bewußt totgeschwiegen wird.[143]

Wie auch immer man die Beweiskraft der letzten Argumente veranschlagen will, so ist doch nicht zu bezweifeln, daß in 2Kön 16, 10–16 ein wertvolles judäisches Zeugnis darüber vorliegt, wie man sich mit den religionspolitischen Implikationen der ass. Oberherrschaft in Kreisen arrangiert hat, deren eigene Religion keinen leichten Kompromiß erlaubte.

Die Folgerungen, die sich aus der Analyse von 2Kön 16,10–16 für die weitere Kultgeschichte Judas unter ass. Oberherrschaft ergeben, liegen auf der Hand. Sowohl der Bericht über den Damaskusaufenthalt des Ahas bei Tgl als auch eine Reihe der oben besprochenen ass. Texte belegen die Anwendung religionspolitischer Pressionen durch die Assyrer. Deshalb hat die Vermutung größte Wahrscheinlichkeit, daß die judäischen Nachfolger von Ahas dieselben religionspolitischen Auflagen der Großmacht zu ertragen hatten. Daß die völlig vom Deuteronomismus geprägte Darstellung der judäischen (und israelitischen) Geschichte die religionspolitischen Zwänge überhaupt nicht erwähnt, liegt an der Perspektive jener Redaktoren, die in bewußter Einseitigkeit nur eine verantwortliche Instanz für alle nichtjahwistischen Kulteinrichtungen kennen: den jeweiligen Repräsentanten der judäischen (und israelitischen) Monarchie. Manches jahwefremde Kultsymbol, das unter Hiskia und Manasse den Weg in den Jerusalemer Tempel gefunden hat und dort bis zum 18. Regierungsjahr des Josia geblieben ist, war ein Stück des religiösen Kompromisses, den die religionspolitische Pression Assurs erforderte, wenn der betreffende Vasall sein Volk vor schlimmeren Maßnahmen bewahren wollte.

5. *Zusammenfassung*

In diesem Abschnitt ist zu zeigen versucht worden, daß die religionspolitischen Maßnahmen, die die Assyrer gegenüber besiegten Völkern angewandt haben, integraler Bestandteil ihrer Herrschaftsausübung waren. Dabei hat sich die von *Cogan* vertretene These, daß die Verehrung der ass. Reichsgötter nicht von Vasallen, sondern nur

---

143 *Conrad* (Altargesetz S. 129f.) möchte dafür allerdings eher die Inkongruenz des salomonischen Stufenaltars mit der Bauvorschrift Ex 20,26 verantwortlich machen.

von den ins ass. Provinzsystem eingegliederten Völkern verlangt worden sei, nicht bewährt. Die Unterscheidung zwischen Vasallen- und Provinzstatus hat sich zwar einerseits als berechtigt erwiesen, insofern bei den Provinzen durch Massendeportation und Einbindung ins ass. Verwaltungs- und Steuersystem die Assyrianisierung konsequenter betrieben wurde als in den Vasallenstaaten, denen immerhin die Führung durch das einheimische Herrscherhaus – wie sehr dessen Machtbefugnisse auch beschnitten waren – belassen wurde. Andererseits mußte aber bei der Unterscheidung der Trugschluß vermieden werden, Vasallenstaaten hätten im ass. Reich geringerer wirtschaftlicher Ausbeutung und großzügigerer politischer Kontrolle unterlegen als die Provinzen. Sosehr beide Verwaltungsformen in der Regel dieselbe ökonomische und politische Strangulierung durch Assur zu ertragen hatten, so waren auch beide gleichermaßen von religionspolitischen Pressionen durch die Siegermacht betroffen, wie ass., in dieser Hinsicht durchaus glaubwürdigen Quellen eindeutig zu entnehmen ist. Die relativ geringe Belegfrequenz für das Verehrungsgebot in bezug auf Völker sowohl im Provinz- als auch im Vasallenstatus mußte notwendig von der tatsächlichen Häufigkeit seiner Anwendung unterschieden werden, weil die in den Königsinschriften maßgebliche Tendenz der Aufnahme dieser Nachrichten nicht günstig gewesen ist. Offenkundig fehlte ihnen der Grad an Sensationalität, der die Macht Assurs zu glorifizieren und die besiegten Völker in Schrecken zu versetzen imstande war. Die Aufnahme der Verehrungsforderung in die Klausel des großen Ash-Vertrages mit medischen Vasallen war jedoch gewichtiges Indiz dafür, daß die mit allen ass. Vasallen abgeschlossenen Vereinbarungen wahrscheinlich den Reverenzerweis gegenüber den ass. Reichsgöttern enthalten haben.

In den ass. Königsinschriften selbst erwies sich dann auch die Suche nach Hinweisen als erfolgreich, die zwar nicht expressis verbis das Verehrungsgebot artikulierten, aber ass. Eingriffe in den Kult besiegter Völker mitteilten, die zwingend als religionspolitische Pressionen verstanden werden mußten. Dazu gehörte die in den Inschriften immer wiederkehrende Vorstellung von der Preisgabe der Besiegten durch ihre eigenen Götter, die bei den Assyrern nicht nur Propagandaparole blieb, sondern von ihnen mit Götterdeportationen konkretisiert wurde. Diese grausame Art der Unterbrechung des Kultes unterworfener Völker war in den Königsinschriften gut belegt, weil die Maßnahme sich genau in ihre durch Beute-, Deportations- und Expansionssucht geprägte Tendenz einfügte. Die Kombination von Götterraub und Verehrungsgebot für die ass. Reichsgötter begegnete in ass. Texten zwar selten, doch nur deshalb nicht häufiger, weil es für die Assyrer eine Selbstverständlichkeit war, daß an die Stelle der deportierten Götter die assyrischen traten.

Wie gefürchtet die Eingriffe in den Kult waren, von denen die durch Assur bedrohten Völker hinreichend Kenntnis hatten, ging etwa aus der Handlungsweise von Babyloniern hervor, die ihre Götter vor den anmarschierenden Assyrern in Sicherheit brachten, obwohl sie damit selbst eine Kultunterbrechung verursachten, die nach üblicher Vorstellung durchaus den Zorn der Gottheiten zu erwecken vermochte. Doch dieses Risiko erschien geringer als der Raub der Götter(bilder) durch die Assyrer, die sich durch die Exilierung jener Gottheiten nach Assyrien die Botmäßigkeit der betroffenen Völker zu sichern verstanden oder auch durch deren Rückgabe eine Gunst erwiesen, die nach strikter Loyalität verlangte.

Als Drohung standen immer noch rigorosere religionspolitische Maßnahmen im Hintergrund, die für die Völker bestimmt waren, die wiederholt die Rebellion gegen Assur wagten. Wenn auch wohl selten praktiziert, waren die Assyrer bei der Brechung hartnäckigen Widerstandes selbst zur Zerstörung der Götterbilder des Feindes bereit, ein in religiöser Hinsicht irreparabler Eingriff in den Kult, der von den Besiegten nicht mehr – wie bei der Götterdeportation – als zeitweilige zornige Abwendung ihrer Götter gedeutet werden konnte, sondern eine grobe Demonstration der Machtlosigkeit dieser Götter war, die die Besiegten der totalen Schutzlosigkeit preisgab. Die oktroyierten ass. Reichsgötter werden sie jedenfalls nicht als möglichen religiösen Ersatz empfunden haben.

Viele der Unterdrückungsmethoden, mit denen die Assyrer in den Kult besiegter Völker eingriffen, waren in der zumindest götterbildlosen judäischen Jahwereligion nicht anwendbar. Aber die Frage harter religionspolitischer Maßnahmen gegen Juda stellte sich für die Assyrer auch gar nicht, da die judäischen Könige abgesehen von Hiskia treue Vasallen waren. Für sie, die in ihrem Treueeid gegenüber Assur auch die Verehrung der ass. Reichsgötter zu übernehmen gelobten, bestand das große Problem darin, wie Jahwe zu geben war, was Jahwe gehörte, und gleichzeitig dem ass. König und seinen Göttern Genüge getan werden konnte. Diese Frage war seit den Anfängen der judäischen Vasallität gegenüber Assur unter Ahas akut, als dem Jahwismus zwar noch jeder Rigorismus im Sinne der dt Bewegung des 7. Jh.s fernlag, der Monolatrismus aber schon lange Zeit ausgeprägt genug war, um den Reverenzerweis gegenüber den ass. Reichsgöttern zum Problem werden zu lassen. Ahas fand mit politischer Klugheit und großer Rücksichtnahme auf die Jahwereligion einen Weg, dem drohenden Konflikt zu entkommen. Seine Nachfolger taten es ihm mit mehr oder weniger großem Geschick nach (wobei man nicht die dtr Frömmigkeitszensuren zum Maßstab nehmen darf), bis schließlich um 620 eine politische Situation erreicht war, die es erlaubte, dem im 7. Jh. durch dt Kreise stark gewordenen religiösen Druck nachzugeben und einem rigoristischen Jahwismus, erwachsen aus der theologischen Erkenntnis der Unvereinbarkeit der Reinheit der Jahwereligion und den religiösen Zumutungen der Fremdherrschaft, zu seinem Recht zu verhelfen. Ehe jedoch die Zeit der Reform gekommen war, hatte Juda länger als ein Jahrhundert den religionspolitischen Druck Assurs ertragen müssen. Auch mit der josianischen Reform war er noch nicht zu Ende, sondern setzte sich unter der neubab. Oberherrschaft fort und wurde erst in der Perserzeit abgelöst durch eine Religionspolitik, die durch wohlwollende Respektierung der verschiedenen Religionen sowohl die Gunst der Götter als auch ihrer Verehrer zu erlangen trachtete.[144]

---

144 Vgl. *Galling*, Studien S. 32–36; demnach hat *Wallis* in seiner Rezension der *Cogan'schen* Arbeit die dort vollzogene Nivellierung des Unterschieds in der Religionspolitik der Neuassyrer und Neubabylonier einerseits und der Achämeniden andererseits zu Recht angemahnt (vgl. ThLZ 103 Sp. 496).

III. JUDA ZWISCHEN RELIGIONSPOLITISCHEM KOMPROMISS UND INTOLERANTEM JAHWISMUS – RÜCKBLICK UND SCHLUSSFOLGERUNGEN

Der Weg, der in der Untersuchung abgeschritten worden ist, führte in Juda und Assyrien durch das Endstadium der staatlichen Existenz beider Länder. Der Untergang Assyriens erfolgte noch innerhalb der untersuchten Zeitspanne (Fall Ninives im Jahre 612), während Juda noch eine Frist von gut 20 Jahren blieb, die nach der Herrschaft Josias nicht mehr als ein leidvoller, von Agonie gekennzeichneter Epilog waren.

Für beide Länder stand die Epoche der Sargonidenzeit im Zeichen einer tiefgreifenden Krise, deren Ursachen, Gestalt und Folgen aber bei der militärisch reüssierenden, götterreichen Großmacht und dem jahwistischen Vasallenstaat Juda völlig unterschiedlicher Art waren.

Die Krise Assurs kam nicht gleich zu Beginn der Sargonidenzeit zum Vorschein, sondern erst mit dem Herrschaftswechsel von Snh auf Ash, wenn auch ihre Ursachen älteren Datums waren. Worin bestand die Krise der Großmacht? Nicht in einem Niedergang militärischer Stärke, auch nicht in einem Defizit an administrativer Beherrschung der eroberten Gebiete, sondern – mit allem Mut zur Vereinfachung gesagt – im Widerspruch zwischen machtvoller Selbstdarstellung nach außen und tief verunsicherter Selbsteinschätzung nach innen. Das Selbstvertrauen, das für den Bestand einer altorientalischen Großmacht ebenso unabdingbar war wie die militärisch-politische Überlegenheit, war ins Wanken geraten.

Zwar ging auch unter Ash äußerlich alles weiter wie bisher: die ass. Expansionstätigkeit, die mit der Eroberung Ägyptens unter Ash ihren Höhepunkt erreichte, die effiziente Sicherung der militärischen Erfolge durch das von Tgl III. installierte Verwaltungssystem und die religionspolitische Drangsalierung der Besiegten zur Brechung ihres Freiheitswillens. Innerlich begann jedoch seit Ash alles anders zu werden. Die weiterhin nach außen propagierte einhellige Unterstützung des ass. Großkönigs durch die Reichsgötter war nur noch partiell durch das faktische Vertrauen gedeckt. Wo Vertrauen fehlt, tritt Angst an seine Stelle, welche wiederum Unsicherheit verursacht

– und dies nicht nur in religiöser Hinsicht! Die ass. Herrschaft, basierend auf der Einheit von „Thron und Altar", war gefährdet, sobald einer der beiden tragenden Pfeiler Risse aufwies. Kamen politische Krisen hinzu – und daran war zur Zeit Asb.s durch den Bruderkrieg, den Verlust Ägyptens und die ständigen Auseinandersetzungen mit Elam, Babylonien u.a. kein Mangel –, konnte die religiöse Unsicherheit die offensiven Aktionen verhindern, ohne die ein altorientalisches Großreich überhaupt nicht zu sichern war. Nicht von ungefähr ist der ass. Niedergang vergleichsweise schnell erfolgt. Die aufwendigen Maßnahmen gegen die Verunsicherung vor allem im Bereich der Divination haben die Situation eher verschlimmert als gebessert. Zu retten war Assur durch sie jedenfalls nicht mehr. Die Funktion der Großmacht aus judäischer Sicht, Stab des Zorns und Stecken des Grimms eines in Mesopotamien weithin unbekannten Gottes zu sein, war ein für allemal erfüllt.

Bevor es zu diesem Ende kam, mußte Juda jedoch gut 100 Jahre lang erfahren, welch bittere Aufgabe Jahwe diesem Werkzeug zugedacht hatte. Dabei war für Juda außer der militärischen Präsenz Assurs und der wirtschaftlichen Strangulierung durch Tributzahlungen die religiöse Selbstdarstellung der Großmacht von Bedeutung, da sie nicht nur in ihren Provinzen, sondern auch von ihren Vasallen den Reverenzerweis für die ass. Reichsgötter verlangte. Trat er auch nicht an die Stelle der Verehrung der einheimischen Gottheit(en), so wurde er doch als zusätzliche kultische Pflicht verlangt, die die jeweilige Führung des Vasallenstaates zu erfüllen hatte.

Mit dieser religionspolitischen Auflage und das heißt: mit der „offiziellen", auf Machtdemonstration angelegten Seite der ass. Religion ist Juda seit der Regentschaft Ahas' konfrontiert gewesen. Kaum wird man in diesem abgelegenen Vasallenstaat je etwas von der innerass. Vertrauenskrise im 7. Jh. erfahren haben. Verstärkte divinatorische Bemühungen, die die in Jerusalem stationierten Assyrer in der Ausübung ihres eigenen Kultes auch im Jahwetempel unternommen haben, werden die Judäer kaum als Anzeichen einer Krise erkannt haben.

Vielmehr brachte für sie, allen voran für den judäischen König, das im Rahmen der „offiziellen" ass. Religion verordnete Verehrungsgebot für die Reichsgötter eine Krise herauf, die in gewisser Weise bereits exilische Zweifel vorwegnahm: Hatte Jahwe sein Volk verlassen und sich auf die Seite der Sieger geschlagen, wie diese behaupteten (2Kön 18,25)? Hatte Jahwe seinem Volk den Schutz entzogen und es in die Hände der Assyrer ausgeliefert? Solche Fragen werden dem Durchschnitts-Judäer angesichts der ass. Okkupation und damit verbundenen religionspolitischen Konsequenzen näher gelegen haben als etwa die Sorge um die Reinheit des Jahweglaubens. Es dürfte am ehesten die Jerusalemer Priesterschaft gewesen sein, die trotz ihrer Abhängigkeit vom Königshaus aus theologischen Gründen Widerstand gegen den Reverenzerweis vor den ass. Reichsgöttern leistete. Dabei mögen zwar auch Befürchtungen mitgespielt haben, daß die Installierung jahwefremder Kulteinrichtungen einen Kompetenzverlust für sie bedeutete, entscheidend waren solche Bedenken für den Widerstand aber wohl nicht.

Die judäischen Regenten, die sich mit der religionspolitischen Auflage des ass. Suzeräns und mit der zwar loyalen, aber gewiß nicht servilen Jerusalemer Priesterschaft (vgl. 2Kön 11!) arrangieren mußten, waren sich jedenfalls ihrer delikaten Lage bewußt. Sie haben *alle* den Kompromiß gesucht: *Ahas* erreichte ihn durch eine geschickte Neuregelung des Kultes, die Förderung der Jahwereligion und gleichzeitig Erfüllung der religionspolitischen Vasallenpflichten ermöglichte. *Hiskia* wird grundsätzlich die politische Linie seines Vaters fortgesetzt haben; daß er sich zweimal an Rebellionen gegen Assur beteiligt hat – vielleicht gehört 2Kön 18,4bαγ am ehesten in diesen Zusammenhang –, war aus der jeweiligen politischen Situation heraus gut verständlich, wenn auch der Erfolg beide Male ausgeblieben ist. *Manasse*, immer nur als der assurtreue Vasall apostrophiert, verdient auch als ein Herrscher Beachtung, der seinem Land eine 55jährige Ruhezeit verschafft hat. Auch er hat wahrscheinlich nichts anderes getan, als den Kompromiß auf der Linie von Ahas gesucht. Er wird es gewesen sein, der durch seine Vasallentreue die Rückgabe der judäischen Territorien vom ass. Oberherrn erreicht hat, die Snh aufgrund der Rebellion Hiskias an die Philisterkönige von Asdod, Ekron, Gaza (und Askalon) verteilt hatte.[1] Demgegenüber gehören die Nachricht von seiner Terrorherrschaft (2Kön 21,16) und der in 2Kön 21 immer mitschwingende Vorwurf der Unterdrückung der Jahwereligion ins dtr Gruselkabinett. Der Art nach sind diese Unterstellungen in dieselbe Kategorie einzuordnen wie die spätere Legende vom Martyrium Jesajas unter Manasse.

Doch auch wenn man in Manasse nicht den Tyrannen sieht, wie Spätere es getan haben, sondern nur den unbedingt assurhörigen Vasallen, wird man seiner Regentschaft noch nicht ganz gerecht. Der Vorwurf blinder Ergebenheit gegenüber Assur liegt nahe: Manasse

---

[1] Vgl. *Alt*, KS II S. 248.

erlebte während seiner Herrschaft drei ass. Könige, mußte also das ass. Herrschaftssystem gründlich kennen. Ihm hätte ungefähr ab 656 (definitiver Verlust der Herrschaft über Ägypten), spätestens aber gegen Ende der fünfziger Jahre (Bruderkrieg Asb.s mit Šamaššumukīn) klar sein müssen, daß der allmähliche Niedergang Assurs nicht mehr aufzuhalten und der Augenblick gekommen war, die Vasallenschaft einer Revision zu unterziehen. Obwohl es unwahrscheinlich ist, daß Manasse die Zeichen der Zeit nicht erkannte, gab er die Vasallentreue gegenüber Assur nicht auf. Für diese Haltung sprachen triftige Gründe: Manasse war König eines rebellionsmüden Landes.[2] Zwar hatte die Kapitulation Hiskias vor Snh im Jahre 701 das Schlimmste verhindert, aber hohe Tributzahlungen und Gebietsverluste waren schwer genug zu ertragen. Außerdem war den Judäern aus nächster Nähe gut bekannt, daß die Assyrer zu noch drastischeren Maßnahmen fähig waren. Wenige Kilometer nördlich von Jerusalem begann das Territorium der ass. Provinz Sāmirīna/Samaria, des ehemaligen Nordreiches, das die Assyrer 722/21 nach üblich grausamer Manier liquidiert hatten: Plünderung, Deportation von Menschen und Göttern (was immer das heißt), Neubesiedlung des Landes, Eingliederung ins ass. Provinzsystem.[3] Daß für die im Lande verbliebenen Israeliten das Leben nicht leicht war, geht daraus hervor, daß viele die Flucht ins südlich angrenzende Juda vorzogen[4] und dort die Kenntnisse totaler ass. Herrschaft vermittelten, die nötig waren, um den Gedanken an Rebellion aus den Köpfen der Führer Judas zu vertreiben. Wer weiß, ob nicht der angebliche Jesajamörder Manasse die Botschaft des Propheten vom „Stillesein" (Jes 7,4; 30,15), gegen die sein Großvater Ahas sich taub stellte und der sein dtr gut zensierter Vater Hiskia zuwiderhandelte, auf seine Weise zu verstehen und zu beherzigen suchte! Das Fehlen prophetischer Stimmen in der Manassezeit muß jedenfalls kein Indiz für die Mordlust des Königs, sondern kann auch lediglich ein Zeichen dafür sein, daß die durch seine (Außen-)Politik erreichte Stabilität keinen Anlaß zur prophetischen Kritik gab.[5]

Und nun – nach der unbedeutenden Episode der Herrschaft Amons – *Josia.* Achtzehn Jahre lang wurde auch unter ihm der politische Weg des Kompromisses weiterverfolgt, anfangs nicht auf Entscheidung des Monarchen hin, der achtjährig die Thronfolge angetreten hatte, sondern derjenigen Führer, die kommissarisch die Staatsgeschäfte

---

[2] S.o. S. 36.175.
[3] S.o. S. 348ff.; vgl. 2Kön 17,1–6.24.
[4] Vgl. *Broshi,* IEJ 24 S. 21ff.
[5] Vgl. *Nielsen,* Conditions S. 105.

verwalteten. Immerhin wird der ungefähr zwanzigjährige Josia die Staatslenkung bereits verantwortet haben, ohne daß er zunächst zum politischen Kurswechsel gedrängt hätte.

In Juda selbst hatten sich jedoch im Verlauf der gut hundertjährigen Vasallenschaft gegenüber Assur wichtige Veränderungen angebahnt. Nicht daß das Arrangement mit der ass. Oberherrschaft und die dadurch erreichte relative Ruhe dem Land im 7. Jh. wirtschaftliche Prosperität[6] und militärische Konsolidierung gebracht hätten. Wirtschaftlich ließen die Assyrer in keinem okkupierten Gebiet die Bäume in den Himmel wachsen, und die Rüstungsproduktion jener Länder wurde durch Tributzahlungen abgeschöpft und unterlag gewiß der Kontrolle, die gewährleisten mußte, daß Vasallen stark genug waren, Assur militärische Hilfsdienste zu leisten, aber zu schwach, um Assur gefährlich zu werden.

Die wichtigsten Veränderungen in Juda waren vielmehr religiöser Natur. Zwei verschiedene Entwicklungen lassen sich von ihren Folgen her erschließen. Sie hängen beide auf ihre Weise mit der Präsenz ass. Kulteinrichtungen im Jerusalemer Tempel und manchen Ortsheiligtümern zusammen. Beim Tempelbesuch war für Judäer vor allem im 7. Jh. nicht nur der Jahwegottesdienst zu erleben, sondern auch mancherlei ass. Kultwesen, das die fremden Herren an geheiligter Stätte etabliert hatten. Was es dabei zu sehen gab, hatte für sie kaum etwas mit religionspolitischen Auflagen zu tun – die waren Sache des Königs –, viel jedoch mit der religiösen Praxis der Assyrer selbst, die durch ihren vornehmlich rituellen Charakter visueller Anziehungspunkt auch für Außenstehende sein mußte. Ohne große Schwierigkeiten konnten Judäer erfahren, daß durch die vielfältigen divinatorischen und rituellen Praktiken die ass. Gottheiten einerseits ihren Willen kundtaten und andererseits ihren Verehrern die Möglichkeit gaben, auf ihre Entscheidungen Einfluß zu nehmen. Die Faszination, die von dieser Religion auf Jahwegläubige ausgehen konnte, ist nicht leicht zu überschätzen. In ihr bot sich scheinbar die Möglichkeit umfassender ritueller Lebenssicherung, in ihr wurde durch magische Praktiken der göttliche Schutz gleichsam sichtbar, in ihr war der Kontakt zur Gottheit zwar mittelbar, doch jederzeit rituell herzustellen – Charakteristika, die die Jahwereligion überhaupt nicht oder nur in stark reduzierter, spiritualisierter Form aufwies und damit den religiösen Bedürfnissen der Menschen offenbar weniger entsprach, als es die ass. Religion tat. Und der militärische Erfolg ihrer Anhänger

---

[6] Vgl. ebd. S. 106; dagegen *Fuller*, Manasseh S. 56–58; *Broshi*, IEJ 24 S. 24f.

schien die Macht der in ihr verehrten Götter vollauf zu bestätigen. Was lag für viele Jahwegläubige näher, als der eigenen Religion eine ass. Komplettierung zuteil werden zu lassen? In der einen oder anderen Weise hatte man die Jahweverehrung immer durch weitere Gottheiten und religiöse Bräuche ergänzt, wieso dann nicht auch durch Rezeption ass. Glaubensartikel, deren Heilswirksamkeit doch so offenkundig schien!

Die andere religiöse Entwicklung, die sich im Juda des 7. Jh.s anbahnte, war die deuteronomische. Sie entsprang bester jahwistischer Tradition und war eine Reaktion auf die religiösen Gefahren, die die Epoche der ass. Oberherrschaft gezeitigt hatte. Sie blieb zunächst im Verborgenen, weil ihre theologischen Vorstellungen in unversöhnlichem Gegensatz zur herrschenden politischen Linie in Juda standen. Weil der dt Kreis sich aus priesterlichen Beamten des Königs im Jerusalemer Tempel zusammensetzte, weil er seine Ideen in gefährlicher Nähe zum königlichen Palast dachte, wo nicht nur der judäische König residierte, sondern auch die Repräsentanten Assurs mit ihren judäischen Kollaborateuren, mußten die Jahweeiferer ihre theologischen Vorstellungen verschlüsseln. Sie taten dies mit einer Fiktion, die ihnen zugleich Schutz und Autorität verlieh, der Gesetzespromulgation des dem Tode nahen Mose kurz vor der Landnahme, bei der jedoch für jeden Jahwegläubigen im 7. Jh. klar sein mußte: tua res agitur.

Im Zentrum des dt Programms stand der eine theologische Gedanke der Einzigkeit Jahwes (Dtn 6,4), der im Blick auf die wichtigen Bereiche des täglichen Lebens, vor allem aber auf andere (mächtigere) Völker und ihre Götter konsequent durchdacht wurde. Hier artikulierte sich die Sorge um den Verlust der theologischen Mitte des Glaubens – Jahwe selbst – und zugleich die Entschlossenheit zu ihrer Bewahrung. Bei der Radikalität, mit der die Deuteronomiker dachten, war der Vorsatz bei weitem leichter als die Durchführung, denn die Einzigkeit Jahwes verlangte intolerante Ablehnung aller anderen Götter und – in dieser Reihenfolge – deshalb auch Widerstand gegen die Völker, die andere Götter verehrten. Was das angesichts der ass. Oberherrschaft bedeutete, in deren Gefolge nicht nur die Reverenz gegenüber ass. Göttern von dem judäischen König verlangt wurde, sondern auch Kult und Ritual dieser Religion eine beachtliche Attraktivität auf viele Judäer ausübten, braucht nicht weiter erörtert zu werden. Schließlich zogen die Deuteronomiker aus der Einzigkeit Jahwes selbst die (keineswegs notwendige) Konsequenz der Einheit der Kultstätte, aus Sorge darum, die Reinheit der Jahweverehrung könne fernab vom Zentrum dt Theologie in den judäischen Ortsheiligtümern Schaden nehmen.

Enthielt die Forderung der Kultzentralisation in Jerusalem die größte innenpolitische Sprengkraft, so die intolerante, kämpferische Haltung gegen jedes Fremdgötterwesen implizit die Notwendigkeit der Rebellion gegen Assur. Für die Deuteronomiker galt es, eine günstige Stunde abzuwarten, in der die Realisierung ihrer Vorstellungen möglich erschien.

Sie war gekommen, als Josia ein Alter erreicht hatte, in dem er für die politischen Entscheidungen volle Verantwortung zu tragen vermochte. Durch den Buch-„Fund" gelangte das dt Gesetz in die Hände des Königs, der die Bedeutung seines Inhalts für die Neugestaltung der Jahwereligion und die gleichfalls notwendigen politischen Konsequenzen erkannte und zur Realisierung der Forderungen des Buches bereit war. Das schnelle Einverständnis des Königs ist angesichts der theologischen und politischen Radikalität des dt Programms erstaunlich. Vielleicht ist die Vermutung nicht verfehlt, daß Josia (wie vormals Joas) von Priestern erzogen worden ist, die mit dt Gedankengut vertraut waren und das auch bei der Erziehung des jungen Josia zur Geltung kommen ließen, so daß er das dt Gesetz in seinem 18. Regierungsjahr zwar zum ersten Mal las, aber nicht zum ersten Mal hörte.

Jedenfalls hatte Josia zu den Personen, durch die das Buch zu ihm gelangt war, Vertrauen und zögerte nicht, die Realisierung des dt Programms in Angriff zu nehmen. Die nach der Gesetzespromulgation eingeleitete Kultreform, der auch die ass. Kulteinrichtungen im Jerusalemer Tempel zum Opfer fielen, war also nicht primär politisches Signal für die Befreiung vom ass. Joch, sondern theologisches Signal für den Anbruch einer neuen Ära der Jahweverehrung, in der religiöse Kompromisse – ob nun unter ass., ägypt. oder kanaanäischem Vorzeichen – keinen Platz mehr hatten. Der politische Bruch mit Assur war eine notwendige Folge des theologischen Bruches mit jeder halbherzigen Form der Jahweverehrung.

Die josianische Reform war eine „Revolution von oben", denn die radikale Abschaffung lieb gewordener religiöser Gewohnheiten war nicht Sache der Volksfrömmigkeit[7], sondern priesterlicher, „wissenschaftlicher" Theologie. Das Volk mußte die mit staatlicher Gewalt sanktionierte Reform hinnehmen, reagierte aber allenfalls auf die politische Befreiung mit Sympathie. Selbst unter Personen mit theologischem Urteilsvermögen stieß die Reform auf Skepsis. Ein Prophet wie Jeremia scheint sie nicht abgelehnt, aber auch nicht unterstützt

---

[7] S.o. S. 217f.; ähnlicher Gedanke bei *Fuller*, Manasseh S. 85.

zu haben, wohl weil ihm die unter den dt Priestern herrschende Jerusalemer Tempeltheologie fremd und suspekt war. Er, der mit den Gefahren der Tempelgläubigkeit des Volkes konfrontiert worden war (vgl. Jer 7,4) und der unter der Wucht von Jahwes Hand die Einsamkeit des Boten erfahren hatte (vgl. Jer 15,17), eignete sich nicht zum Protagonisten der dt Bewegung, wenngleich ihn spätere Deuteronomisten wie keinen anderen Propheten auf ihren Schild gehoben haben.

Da die Reinheit des Jahweglaubens nur in einem national unabhängigen Juda zu gewährleisten war, gerieten die Erfolge der josianischen Reform in dem Moment in Gefahr, in dem der durch den Niedergang Assurs in Palästina entstandene politische Freiraum das ägypt. Interesse weckte. Noch ehe die Bedrohung für Juda konkrete Gestalt gewann, hat Josia sie im Jahre 609 durch eine bewußt herbeigeführte Begegnung mit dem Heere Nechos abzuwenden versucht. Die politischen Überlegungen, die Josia zu diesem Kampf veranlaßten, waren richtig, das Kommandounternehmen selbst aus militärischer Sicht abenteuerlich. Doch wer will daraus einem König einen Vorwurf machen, der das dt Gesetz als gültiges Gebot und gültige *Verheißung* Jahwes beherzigte und deshalb dem Heilswort Dtn 20,1 vertraute: „Wenn du in den Krieg gegen ‚deine Feinde' ausziehst und Rosse und Wagen ‚und' dir an Zahl überlegenes (Kriegs-)Volk siehst, so fürchte dich nicht vor ihnen, denn Jahwe, dein Gott, ist mit dir, der dich aus Ägyptenland heraufgeführt hat."[8]

Josia hat in der Schlacht den Tod gefunden, aber das Andenken an seine Person und an die von ihm geförderte Sache sind von den Judäern bewahrt worden – allerdings auf höchst unterschiedliche Weise. Das Volk trauerte nicht um den Kultreformator, sondern um den Nationalhelden, der ihm durch die Befreiung vom ass. Joch, vielleicht auch durch die entschiedene Haltung gegenüber ägypt. Okkupationsgelüsten den nationalen Stolz zurückgegeben hatte. Jedenfalls bleibt das Jer-Wort 22,10, das die Trauer des Volkes von Josia abwenden und auf das Deportationsschicksal Joahas' (vgl. 2Kön 23,33f.) hinlenken will, ganz in der politischen Sphäre. Die Einstellung des Volkes zur josianischen Reform geht indirekt aus Jer 44,15ff. hervor: Exiljudäer(innen) in Ägypten hielten gegen Jeremias Einwände an der Verehrung der Himmelskönigin fest, der zur Zeit der Kultreform nicht geopfert zu haben sie sich als schwere Verfehlung anrechne-

---

[8] Übersetzung von *Steuernagel*, Dtn S. 126; Argumentation im Anschluß an *Cannon*, ZAW 44 S. 64.

ten, für die sie nun nach 587 mit ihrem Flüchtlingsschicksal büßen mußten.[9]

Doch auch dem Kultreformator Josia blieb nach seinem Tod eine Anhängerschaft treu: der dt Kreis, der alle Hoffnung in die unter Josia vollzogene theologische Wende gesetzt hatte und nach seinem Tod einen Rückschlag nach dem anderen hinnehmen mußte. Die Deuteronomiker hatten unter diesem König ihre geschichtliche Stunde zur maßgeblichen Gestaltung des religiösen und politischen Lebens in Juda gehabt. Nach 609 blieb ihnen nur der Rückzug in ihre priesterliche Sphäre, in der ihre Nachfolger im 6. Jh., die Deuteronomisten, unter Verwendung der aus Tempel- und Palastarchiv geretteten Quellen die Heils- und Unheilsgeschichte Israels niederschrieben. In ihrem Entwurf gehörte Josia zu den wenigen positiven Gestalten dieser Geschichte, im Eifer für Jahwe nur mit Mose und David zu vergleichen, ohne daß diese Trias die Last der Schuld aufzuwiegen vermocht hätte.[10]

Jahrhunderte später stellt unter veränderter theologischer Perspektive eine Mechiltha in einem halachischen Midrasch zum Buch Exodus Josia überraschend mit zwei anderen Gestalten aus der Geschichte Israels zusammen: „Und drei gibt es, die vom Munde des Heiligen, geb. s. er! benannt wurden; Isaak, Salomo und Joschijahu. Wie heißt es von Isaak? ‚Aber dein Weib Sara gebiert dir einen Sohn und du sollst seinen Namen Jizchak nennen' (Gen. 17,19). Wie heißt es von Salomo? ‚Denn Salomo wird sein Name sein' (1.Chron. 22,9). Wie heißt es von Joschijahu? ‚Siehe, ein Sohn wird dem Hause Davids geboren werden: Joschijahu sein Name' (1.Reg. 13,2) ... Wir finden, daß die Namen der Gerechten und ihre Taten Gott offenbar waren, bevor sie gebildet wurden ..."[11] Wieder ist Josia unter den Gerechten, hier aber nicht primär als der König, der sich diese Qualität im Kampf gegen die Schuldgeschichte Judas erworben hätte, sondern als der von Jahwe immer schon Erwählte. Vielleicht denkt der Midrasch das theologisch Größere, indem er unter Berufung auf die Schrift bewußt dort von Erwählung spricht, wo vordergründig nur Scheitern zu erkennen ist. Die Erwählung des Gottes Israels geschah immer nach anderen Maßstäben, als die Welt zu urteilen gewohnt war. Und darin lag und liegt die Chance – nicht Israels allein.

---

9 Zur Analyse von Jer 22,10–12 vgl. *Thiel,* Jer I S. 240f.; zur historischen Auswertung vgl. *Rose,* Ausschließlichkeitsanspruch S. 160f.; zu Analyse und historischer Auswertung von Jer 44,15ff. s.o. S. 217 A. 125.

10 S.o. S. 46.78f.

11 Mechiltha zu Ex 13,2, ed. *J. Winter / A. Wünsche* S. 57f.; vgl. *Urbach,* Sages S. 270ff.

LITERATUR

Die Abkürzungen und Sigla für die theologische Literatur sind in den gängigen Nachschlagewerken (*S. Schwertner*, Internationales Abkürzungsverzeichnis für Theologie und Grenzgebiete. Berlin 1974; BRL^2 S. IXff.; RGG^3 Bd. VI S. XIXff.) zu finden, für die assyriologische Literatur bei *Borger*, HKL Bd. II S. XIff.
Selbständige Veröffentlichungen werden in der Arbeit unter Angabe des Verfassers/Herausgebers und eines Kurztitels oder Siglums zitiert. Beides wird bei dem jeweiligen Werk im Literaturverzeichnis angegeben. Nicht selbständige Veröffentlichungen werden in der Arbeit unter Angabe des Verfassers und eines Kurztitels oder der Publikationsstelle zitiert (Aufsätze in Zeitschriften nach Jahrgang und Seitenzahl). Wo es notwendig erscheint, wird die Abkürzung ebenfalls im Literaturverzeichnis genannt.
Häufig zitierte Werke werden nur mit einem Siglum angeführt, welches durch das Abkürzungsverzeichnis zu entschlüsseln ist.

Abba, R., Priests and Levites in Deuteronomy. VT 27 (1977) S. 257–267.
– Priests and Levites in Ezekiel. VT 28 (1978) S. 1–9.
Adams, R. M., s. Kraeling, C. H.
Aharoni, Y. / Amiran, R., Art. Arad. in: EAEHL Bd. I. London 1975. S. 74–89 (= EAEHL I S. 74–89).
– Excavations at Ramat Raḥel, Seasons 1959 and 1960. Rom 1962 (= ERR I).
– The Land of the Bible: A Historical Geography. London 1966 (= LB).
– Mount Carmel as Border. in: FS K. Galling. Tübingen 1970. S. 1–7 (= FS Galling S. 1–7).
– The Province-List of Judah. VT 9 (1959) S. 225–246.
– Art. T. Beersheba. in: EAEHL Bd. I. London 1975. S. 160–168 (= EAEHL I S. 160–168).
– Rez. P. Welten, Die Königs-Stempel. 1969. IEJ 20 (1970) S. 239f.
Albright, W. F. / Kelso, J. L., The Excavation of Bethel (1934–1960). AASOR 39. Cambridge 1968 (= AASOR 39).
– The Excavation of Tell Beit Mirsim. Bd. III. AASOR 21/22. New Haven 1943 (= TBM III).
– /Dumont, P. E., A Parallel between Indic and Babylonian Sacrificial Ritual. JAOS 54 (1934) S. 107–128.
Alfrink, B., Die Schlacht bei Megiddo und der Tod des Josias (609). Bibl 15 (1937) S. 173–184.
Alt, A., Kleine Schriften zur Geschichte des Volkes Israel. Bd. I: 4. Aufl. München 1968; Bd. II: ebd. 1953 (= KS I bzw. II).
– Die territorialgeschichtliche Bedeutung von Sanheribs Eingriff in Palästina. (1930). in: ders., KS II S. 242–249.
– Bemerkungen zu einigen judäischen Ortslisten des Alten Testaments. (1951). in: ders., KS II S. 289–305.

– Tiglathpilesers III. erster Feldzug nach Palästina. (1951). in: ders., KS II S. 150–162.
– Festungen und Levitenorte im Lande Juda. (1952). in: ders., KS II S. 306–315.
– Judas Gaue unter Josia. (1925). in: ders., KS II S. 276–288.
– Gedanken über das Königtum Jahwes. (1945). in: ders., KS I S. 345–357.
– Das Gottesurteil auf dem Karmel. (1935). in: ders., KS II S. 135–149.
– Die Heimat des Deuteronomiums. (1953). in: ders., KS II S. 250–275.
– Israel und Ägypten. BWAT 6. Leipzig 1909 (= Israel).
– Josua. (1936). in: ders., KS I S. 176–192.
– Neue assyrische Nachrichten über Palästina. (1945). in: ders., KS II S. 226–241.
– Neue assyrische Nachrichten über Palästina und Syrien. ZDPV 67 (1944/45) S. 128–159 (Abschnitt 1 und 2 = KS II S. 226–241).
– Neues aus der Pharaonenzeit Palästinas. PJ 32 (1936) S. 8–33.
– Eine galiläische Ortsliste in Jos 19. ZAW 45 (1927) S. 59–81.
– Pharao Thutmosis III. in Palästina. PJ 10 (1914) S. 53–99.
– Das System der assyrischen Provinzen auf dem Boden des Reiches Israel. (1929). in: ders., KS II S. 188–205.

Amiran, R., s. Aharoni, Y.

Aro, J., Remarks on the Practice of Extispicy in the Time of Esarhaddon and Assurbanipal. in: CRRA 14. Paris 1966. S. 109–117 (= CRRA 14 S. 109–117).

Auld, A. G., The ‚Levitical Cities': Texts and History. ZAW 91 (1979) S. 194–206.

Avigad, N., The Governor of the City. IEJ 26 (1976) S. 178–182.

Avi-Yonah, M. u.a., Art. Jerusalem. in: EAEHL Bd. II. London 1976. S. 579–647 (= EAEHL II S. 579–647).
– Mount Carmel and the God of Baalbek. IEJ 2 (1952) S. 118–124.

Aynard, J.-M., Le Prisme du Louvre AO 19.939. BÉHÉ 309. Paris 1957 (= Prisme).

Bachmann, W., Felsreliefs in Assyrien. WVDOG 52. Leipzig 1927 (= Felsreliefs).

Bächli, O., Israel und die Völker. AThANT 41. Zürich 1962 (= Israel).

Barnett, R. D., The Gods of Zinjirli. in: CRRA 11. Leiden 1964. S. 59–87 (= CRRA 11 S. 59–87).
– Illustrations of the Old Testament History. 2. Aufl. London 1977 (= Illustrations).
– / Falkner, M., The Sculptures of Aššur-naṣir-apli II (883–859 B. C.), Tiglath-pileser III (745–727 B. C.), Esarhaddon (681–669 B. C.) from the Central and South-West Palaces at Nimrud. London 1962 (= Sculptures).

Barth, H., Die Jesaja-Worte in der Josiazeit. WMANT 48. Neukirchen-Vluyn 1977 (= Jesaja-Worte).

Baudissin, W. W. Graf von, Die Geschichte des alttestamentlichen Priesterthums. Leipzig 1889 (= Priesterthum).

Bauer, H. / Leander, P., Grammatik des Biblisch-Aramäischen. Halle 1927 (= GBA).

Bauer, T., s. Landsberger, B.
– Das Inschriftenwerk Assurbanipals. 2 Teile Leipzig 1933 (= IWA).

Baumgartner, W., s. Koehler, L.
– Zur Form der assyrischen Königsinschriften. OLZ 27 (1924) Sp. 313–317.
– Der Kampf um das Deuteronomium. ThR NF 1 (1929) S. 7–25.

Bayliss, M., The Cult of Dead Kin in Assyria and Babylonia. Iraq 35 (1973) S. 115–125.
Begrich, J., Berīt. (1944). in: ders., Gesammelte Studien zum Alten Testament. TB 21. München 1964. S. 55–66 (= Berīt).
– Die Chronologie der Könige von Israel und Juda. BHTh 3. Tübingen 1929 (= Chronologie).
– Sōfēr und Mazkīr. (1940/41). in: ders., Gesammelte Studien zum Alten Testament. TB 21. München 1964. S. 67–98 (= Sōfēr).
Bentzen, A., Die josianische Reform und ihre Voraussetzungen. Kopenhagen 1926 (= Reform).
Benzinger, I., Hebräische Archäologie. 3. Aufl. Leipzig 1927 (= Archäologie).
– Die Bücher der Chronik. KHC 20. Tübingen 1901 (= Chr).
– Die Bücher der Könige. KHC 9. Freiburg i.B. 1899 (= Kön).
Bergsträsser, G., Hebräische Grammatik. 2 Teile 1918 und 1929. Nachdruck Hildesheim 1962 (= HG I bzw. II).
Berry, G. R., The Code Found in the Temple. JBL 39 (1920) S. 44–51.
– The Date of Deuteronomy. JBL 59 (1940) S. 133–139.
Bertholet, A., s. Kautzsch, E.
– Deuteronomium. KHC 5. Freiburg i.B. 1899 (= Dtn).
Biblia Hebraica. Ed. R. Kittel. Nachdruck der 7. Aufl. Stuttgart 1966 (= BHK).
Biblia Hebraica Stuttgartensia. Ed. K. Elliger / W. Rudolph. Stuttgart 1968–1976 (= BHS).
Biblia Sacra iuxta Vulgatam Versionem. Ed. R. Weber. 2 Bde 2. Aufl. Stuttgart 1975.
Biggs, R. D., Šà.zi.ga. Ancient Mesopotamian Potency Incantations. TCS 2. Locust Valley, N.Y. 1967 (= TCS 2).
Blake, F. R., A Resurvey of Hebrew Tenses. (1951). Nachdruck 1968 (= Resurvey).
Bleek, F., Einleitung in das Alte Testament. 5. Aufl. besorgt von J. Wellhausen. Berlin 1886 (= EinlAT).
Blome, F., Die Opfermaterie in Babylonien und Israel. 1. Teil Rom 1934 (= Opfermaterie).
Boehmer, J., König Josias Tod. ARW 30 (1933) S. 199–203.
Böhmer, S., Heimkehr und neuer Bund. GTA 5. Göttingen 1976 (= Heimkehr).
Bollacher, A., Die bildlichen Darstellungen auf vorderasiatischen Schriftdenkmälern der königlichen Museen zu Berlin. Beiheft zu VS 1. Leipzig 1907 (= Beih. zu VS 1).
Borger, R., Zu den Asarhaddon-Verträgen aus Nimrud. ZA 54 (1961) S. 173–196; 56 (1964) S. 261.
– Einleitung in die assyrischen Königsinschriften. 1. Teil. HdO 1. Abt. Erg.-Bd. V. Leiden 1961 (= Einleitung I).
– Das Ende des ägyptischen Feldherrn Sib'e = סוא. JNES 19 (1960) S. 49–53.
– Handbuch der Keilschriftliteratur. 3 Bde Berlin 1967–1975 (= HKL I–III).
– Das dritte „Haus" der Serie bīt rimki (VR 50–51, Schollmeyer HGŠ Nr. 1). JCS 21 (1967) S. 1–17.
– Die Inschriften Asarhaddons, Königs von Assyrien. AfO Beiheft 9. Graz 1956 (= Ash).
– Babylonisch-assyrische Lesestücke. AnOr 54. 2 Hefte Rom 1979 (= BAL²).
– Assyriologische und altarabische Miszellen. OrNS 26 (1957) S. 1–11.

– Rez. B. Landsberger, Brief des Bischofs von Esagila an König Asarhaddon. 1965. BiOr 29 (1972) S. 33–37.
– Rez. S. Parpola, Neo-Assyrian Toponyms. 1970. ZA 62 (1972) S. 134–137.
– Assyrisch-babylonische Zeichenliste. AOAT 33. Kevelaer und Neukirchen-Vluyn 1978, Supplement 1981 (= ABZ).
Botta, P. E., Monument de Ninive. 5 Bde Paris 1846–1850 (= MN I–V).
Bottéro, J., s. Cassin, E.
– Le Substitut Royal et son Sort en Mésopotamie Ancienne. Akkadica 9 (1978) S. 2–24.
Breasted, J. H., Ancient Records of Egypt. 5 Bde Chicago 1906 (= ARE I–V).
Bright, J., Geschichte Israels (dt. Übersetzung der engl. Ausgabe von 1960). Düsseldorf 1966 (= GI).
Brinkman, J. A., Babylonia under the Assyrian Empire, 745–627 B. C. in: Power and Propaganda. Ed. M. T. Larsen. Kopenhagen 1979. S. 223–250 (= Babylonia).
– A Political History of Post-Kassite Babylonia 1158–722 B.C. AnOr 43. Rom 1968 (= PHPKB).
– Merodach-Baladan II. in: FS A. L. Oppenheim. Chicago 1964. S. 6–53 (= FS Oppenheim S. 6–53).
Brockelmann, C., Grundriss der vergleichenden Grammatik der semitischen Sprachen. 2 Bde Berlin 1908–1913 (= Grundriß I bzw. II).
Broshi, M., The Expansion of Jerusalem in the Reigns of Hezekiah and Manasseh. IEJ 24 (1974) S. 21–26.
Budde, K., Das Buch der Richter. KHC 7. Freiburg i.B. 1897 (= Ri).
– Das Deuteronomium und die Reform König Josias. ZAW 44 (1926) S. 177–224.
Buhl, F., s. Gesenius, W.
Buis, P., Un Traité d'Assurbanipal. VT 28 (1978) S. 469–472.
Buren, E. D. van, Symbols of the Gods in Mesopotamian Art. AnOr 23. Rom 1945 (= Symbols).
Cannon, W. W., A Note on Dr. Welch's Article „The Death of Josiah". ZAW 44 (1926) S. 63f.
Caplice, R. I., An Apotropaion against Fungus. JNES 33 (1974) S. 345–349.
– The Akkadian Namburbi Texts: An Introduction. SANE 1/1. Los Angeles 1974 (= Introduction).
– Namburbi Texts in the British Museum. OrNS 34 (1965) S. 105–131; 36 (1967) S. 1–38.273–298; 39 (1970) S. 111–151; 40 (1971) S. 133–183.
Caquot, A., Le Dieu ʿAthtar et les Textes de Ras Shamra. Syria 35 (1958) S. 45–60.
– La Divination dans l'Ancien Israël. in: ders. / M. Leibovici (Ed.), La Divination. Bd. I. Paris 1968. S. 83–113 (= Divination S. 83–113).
– / Sznycer, M. / Herdner, A., Textes Ougaritiques. Bd. I. Paris 1974 (= Caquot, TO I).
Cassin, E. / Bottéro, J. / Vercoutter, J. (Ed.), Fischer Weltgeschichte. Bd. 4: Die altorientalischen Reiche III. Frankfurt/Main 1967 (= FW 4).
Cheyne, T. K., Einleitung in das Buch Jesaja (dt. Übersetzung der engl. Ausgabe von 1895). Giessen 1897 (= Einleitung).
Childs, B. S., Isaiah and the Assyrian Crisis. SBT SS 3. London 1967 (= Crisis).
Civil, M., Išme-Dagan and Enlil's Chariot. JAOS 88 (1968) S. 3–14.
Claburn, W. E., The Fiscal Basis of Josiah's Reforms. JBL 92 (1973) S. 11–22.

Clements, R. E., Deuteronomy and the Jerusalem Cult Tradition. VT 15 (1965) S. 300–312.
– Isaiah and the Deliverance of Jerusalem. JSOT SS 13. Sheffield 1980 (= Isaiah).
Cogan, M., s. Tadmor, H.
– מזבח אחז: לבעיית הפולחן האשורי בממלכת יהודה (The Ahaz Altar: On the Problem of Assyrian Cults in Judah). in: Proceedings of the Sixth World Congress of Jewish Studies. Bd. I. Jerusalem 1977. S. 119–124 (= Altar).
– Imperialism and Religion: Assyria, Judah and Israel in the Eighth and Seventh Centuries B. C. E. SBLMS 19. Missoula, Montana 1974 (= Imperialism).
Conrad, D., Einige (archäologische) Miszellen zur Kultgeschichte Judas in der Königszeit. in: FS E. Würthwein. Göttingen 1979. S. 28–32 (= FS Würthwein S. 28–32).
– Studien zum Altargesetz Ex 20:24–26. Theol. Diss. Marburg 1968 (= Altargesetz).
Coppens, J., La Réforme de Josias. EThL 5 (1928) S. 581–598.
Cortese, E., Lo schema deuteronomistico per i re di Giuda e d'Israele. Bibl 56 (1975) S. 37–52.
Couroyer, B., Le Litige entre Josias et Nechao (II Chron. XXXV,20ss.). RB 55 (1948) S. 388–396.
Craig, J. A., Assyrian and Babylonian Religious Texts. 2 Bde Leipzig 1895 und 1897 (= ABRT).
Croatto, J. S. / Soggin, J. A., Die Bedeutung von שדמות im Alten Testament. ZAW 74 (1962) S. 46–50.
Cross, F. M., Canaanite Myth and Hebrew Epic. Cambridge, Mass. 1973 (= Canaanite Myth).
–/Freedman, D. N., Josiah's Revolt against Assyria. JNES 12 (1953) S. 56–58.
– Judean Stamps. EI 9 (1969) S. 20–27.
Dalman, G., Jerusalem und sein Gelände. BFchTh II/19. Gütersloh 1930 (= Jerusalem).
Degen, R., Altaramäische Grammatik der Inschriften des 10.–8. Jh. v. Chr. Wiesbaden 1969 (= AG).
Deimel, A., Pantheon Babylonicum. Rom 1914 (= Pantheon).
Delcor, M., Allusions à la Déesse Ištar en Nahum 2,8? Bibl 58 (1977) S. 73–83.
Delitzsch, F., Wo lag das Paradies? Leipzig 1881 (= Paradies).
Deller, K., Die Briefe des Adad-šumu-uṣur. in: FS W. von Soden. AOAT 1. Kevelaer und Neukirchen-Vluyn 1969. S. 45–64 (= FS von Soden S. 45–64).
– Rez. CAD B. 1965. OrNS 35 (1966) S. 304–318.
– Rez. A. Salonen, Hippologica Accadica. 1956. OrNS 27 (1958) S. 311–314.
–/Parpola, S., Die Schreibungen des Wortes etinnu „Baumeister" im Neuassyrischen. RA 60 (1966) S. 59–70.
– Rez. R. de Vaux, Les Sacrifices de l'Ancien Testament. 1964. OrNS 34 (1965) S. 382–386.
–/Parpola, S., Ein Vertrag Assurbanipals mit dem arabischen Stamm Qedar. OrNS 37 (1968) S. 464–466.

The Assyrian Dictionary of the Oriental Institute of the University of Chicago. Ed. I. J. Gelb, T. Jacobsen, B. Landsberger, A. L. Oppenheim u.a. Chicago 1956ff. (= CAD).
Dietrich, M., Die Aramäer Südbabyloniens in der Sargonidenzeit (700–648). AOAT 7. Kevelaer und Neukirchen-Vluyn 1970 (= Aramäer).
– Neue Quellen zur Geschichte Babyloniens I–III. WO 4 (1967/68) S. 61–103.183–251; 5 (1969/70) S. 51–56.176–190.
– Cuneiform Texts from Babylonian Tablets in the British Museum. Part 54. London 1979 (= CT 54, mit Nr.).
Dietrich, W., Josia und das Gesetzbuch (2Reg. XXII). VT 27 (1977) S. 13–35.
– Prophetie und Geschichte. FRLANT 108. Göttingen 1972 (= PG).
Dijk, J. J. A. van, La Sagesse Suméro-Accadienne. Leiden 1953 (= SSA).
Donner, H., Adadnirari III. und die Vasallen des Westens. in: FS K. Galling. Tübingen 1970. S. 49–59 (= FS Galling S. 49–59).
–/Röllig, W., Kanaanäische und aramäische Inschriften. Bd. I: 3. Aufl. Wiesbaden 1971; Bd. II: 3. Aufl. ebd. 1973; Bd. III: 2. Aufl. ebd. 1969 (= KAI, mit Nr.).
– Israel unter den Völkern. VTS 11. Leiden 1964 (= VTS 11).
– Art. Jerusalem. in: BRL² Tübingen 1977. S. 157–165 (= BRL² S. 157–165).
– Ein Orthostatenfragment des Königs Barrakab von Sam'al. MIO 3 (1955) S. 73–98.
– Neue Quellen zur Geschichte des Staates Moab in der zweiten Hälfte des 8. Jahrh. v. Chr. MIO 5 (1957) S. 155–184.
Dothan, M., Ashdod II–III. 'Atiqot English Series IX–X. Jerusalem 1971.
Driver, S. R., A Critical and Exegetical Commentary on Deuteronomy. ICC. Nachdruck der 3. Aufl. von 1902, Edinburgh 1973 (= Dtn).
– A Treatise on the Use of the Tenses in Hebrew. 2. Aufl. Oxford 1881 (= Tenses).
Duhm, B., Anmerkungen zu den zwölf Propheten. Giessen 1911 (= Anmerkungen).
– Das Buch Jeremia. KHC 11. Tübingen 1901 (= Jer).
– Das Buch Jesaja. HK III,1. Nachdruck der 4. Aufl. von 1922, Göttingen 1968 (= Jes).
Duhm, H., Die bösen Geister im Alten Testament. Tübingen 1904 (= Geister).
Dumont, P. E., s. Albright, W. F.
Dussaud, R., Topographie Historique de la Syrie Antique et Médiévale. BAH IV. Paris 1927 (= BAH IV).
Ebach, J. / Rüterswörden, U., ADRMLK, „Moloch" und BA'AL ADR. UF 11 (1979) S. 219–226.
Ebeling, E., Beiträge zur Kenntnis der Beschwörungsserie Namburbi. RA 48 (1954) S. 1–15.76–85.130–141.178–191; 49 (1955) S. 32–41.137–148. 178–192; 50 (1956) S. 22–33.86–94.
– Die akkadische Gebetsserie „Handerhebung". Berlin 1953 (= AGH).
– Keilschrifttexte aus Assur religiösen Inhalts. Bd. II. WVDOG 34. Leipzig (1920–)1923 (= KAR, mit Nr.).
–/Köcher, F., Literarische Keilschrifttexte aus Assur. Berlin 1953 (= LKA, mit Nr.).
– Stiftungen und Vorschriften für assyrische Tempel. Berlin 1954 (= SVAT).

– Aus dem Tagewerk eines assyrischen Zauberpriesters. MAOG V/3. Leipzig 1931 (= Zauberpriester).
– Kultische Texte aus Assur. OrNS 22 (1953) S. 25–46.
– Tod und Leben nach den Vorstellungen der Babylonier. 1. Teil. Berlin 1931 (= TuL).
Edzard, D. O., Art. Kaldu. in: RLA Bd. V. Lfg. 3/4. Berlin 1977. S. 291–297 (= RLA V S. 291–297).
– ‚Soziale Reformen' im Zweistromland bis ca. 1600 v. Chr.: Realität oder literarischer Topos? (1974). in: J. Harmatta / G. Komoróczy (Ed.), Wirtschaft und Gesellschaft im alten Vorderasien. Budapest 1976. S. 145–156 (= Reformen).
Ehrlich, A. B., Randglossen zur hebräischen Bibel. Bd. VII. 1914. Nachdruck Hildesheim 1968 (= Randglossen VII).
Ehrlich, E. L., Der Aufenthalt des Königs Manasse in Babylon. ThZ 21 (1965) S. 281–286.
Eißfeldt, O., Ba'alšamēm und Jahwe. (1939). in: ders., Kleine Schriften. Bd. II. Tübingen 1963. S. 171–198 (= KS II S. 171–198).
– Baal Zaphon, Zeus Kasios und der Durchzug der Israeliten durchs Meer. BRA 1. Halle/Saale 1932 (= Baal Zaphon).
– Die Bücher der Könige. in: HSAT(K) Bd. I. S. 492–585 (= HSAT(K) I S. 492–585).
– Molk als Opferbegriff im Punischen und Hebräischen und das Ende des Gottes Moloch. BRA 3. Halle/Saale 1935 (= Molk).
– Wahrsagung im Alten Testament. (1966). in: ders., Kleine Schriften. Bd. IV. Tübingen 1968. S. 271–275 (= KS IV S. 271–275).
Elat, M., The Campaigns of Shalmaneser III against Aram and Israel. IEJ 25 (1975) S. 25–35.
– The Economic Relations of the Neo-Assyrian Empire with Egypt. JAOS 98 (1978) S. 20–34.
– The Political Status of the Kingdom of Judah within the Assyrian Empire in the 7th Century B. C. E. in: Investigations at Lachish. Bd. V. Ed. Y. Aharoni. Tel Aviv 1975. S. 61–70 (= Status).
Elliger, K., Das Buch der zwölf kleinen Propheten II. ATD 25. 6. Aufl. Göttingen 1967 (= KlProph II).
Emerton, J. A., Priests and Levites in Deuteronomy. VT 12 (1962) S. 129–138.
Evans, C. D., Judah's Foreign Policy from Hezekiah to Josiah. in: Scripture in Context. Ed. C. D. Evans. PTMS 34. Pittsburgh, Pa. 1980. S. 157–178 (= Foreign Policy).
Fales, F. M., Notes on Some Ninive Horse Lists. Assur 1/3 (1974) S. 5–24.
Falkenstein, A., Literarische Keilschrifttexte aus Uruk. Berlin 1931 (= LKU, mit Nr.).
– „Wahrsagung" in der sumerischen Überlieferung. in: CRRA 14. Paris 1966. S. 45–68 (= CRRA 14 S. 45–68).
Falkner, M., s. Barnett, R. D.
Février, J., Le Waw Conversif en Punique. in: FS A. Dupont–Sommer. Paris 1971. S. 191–194 (= FS Dupont–Sommer S. 191–194).
Floss, J. P., Jahwe dienen – Göttern dienen. BBB 45. Köln 1975 (= BBB 45).
Forrer, E., Die Provinzeinteilung des assyrischen Reiches. Leipzig 1920 (= Provinzeinteilung).

Frank, K., Bilder und Symbole babylonisch-assyrischer Götter. LSS II/2. Leipzig 1906 (= Bilder).
Frankena, R., The Vassal-Treaties of Esarhaddon and the Dating of Deuteronomy. OTS 14 (1965) S. 122–154.
Freed, A., The Code Spoken of in II Kings 22–23. JBL 40 (1921) S. 76–80.
Freedman, D. N., s. Cross, F. M.
Freedman, R. D., The Cuneiform Tablets in St. Louis. Phil. Diss. Columbia University 1975 (= Tablets).
Friedrich, J. / Meyer, G. R. / Ungnad, A. / Weidner E. F., Die Inschriften vom Tell Halaf. AfO Beiheft 6. 1940. Nachdruck Osnabrück 1967 (= Tell Halaf).
Fritz, V., Zur Erwähnung des Tempels in einem Ostrakon von Arad. WO 7 (1973/74) S. 137–140.
– Tempel und Zelt. WMANT 47. Neukirchen-Vluyn 1977 (= Tempel).
Frost, S. B., The Death of Josiah. A Conspiracy of Silence. JBL 87 (1968) S. 369–382.
Fuller, L. W., The Historical and Religious Significance of the Reign of Manasseh. Leipzig 1912 (= Manasseh).
Gadd, C. J. Inscribed Prisms of Sargon II from Nimrud. Iraq 16 (1954) S. 173–201.
Galling, K., Ba'al Ḥammon in Kition und die Ḥammanîm. in: FS K. Elliger. AOAT 18. Neukirchen–Vluyn 1973. S. 65–70 (= FS Elliger S. 65–70).
– Die Bücher der Chronik, Esra, Nehemia. ATD 12. Göttingen 1954 (= Chr).
– Art. Götterbild, weibliches. in: BRL² Tübingen 1977. S. 111–119 (= BRL² S. 111–119).
– Der Gott Karmel und die Ächtung der fremden Götter. in: FS A. Alt. Tübingen 1953. S. 105–125 (= FS Alt S. 105–125).
– Assyrische und persische Präfekten in Geser. PJ 31 (1935) S. 75–93.
– Studien zur Geschichte Israels im persischen Zeitalter. Tübingen 1964 (= Studien).
– (Ed.), Textbuch zur Geschichte Israels. 2. Aufl. Tübingen 1968 (= TGI²).
Garelli, P. / Nikiprowetzky, V., Le Proche-Orient Asiatique. Les Empires Mésopotamiens – Israel. Paris 1974 (= Proche-Orient).
Gerleman, G. / Ruprecht, E., Art. דרש in: THAT I. München 1971. Sp. 460–467 (= THAT I Sp. 460–467).
Gese, H., Ezechiel 20,25f. und die Erstgeburtsopfer. in: FS W. Zimmerli. Göttingen 1977. S. 140–151 (= FS Zimmerli S. 140–151).
Gesenius, W. / Buhl, F., Hebräisches und aramäisches Handwörterbuch über das Alte Testament. 17. Aufl. 1915, Nachdruck Berlin 1962 (= GB).
– / Kautzsch, E., Hebräische Grammatik. 28. Aufl. 1909, Nachdruck Hildesheim 1962 (= GK).
Ginsberg, H. L., Judah and the Transjordan States from 734 to 582 B. C. E. in: FS A. Marx. New York 1950. S. 347–368 (= FS Marx S. 347–368).
Gössmann, F., Planetarium Babylonicum. ŠL IV/2. Rom 1950 (= ŠL IV/2).
Goetze, A., Cuneiform Inscriptions from Tarsus. JAOS 59 (1939) S. 1–16.
Goldschmidt, L. (Ed.), Der babylonische Talmud. Bd. IV. Berlin 1931 (= Bab. Talmud IV).
Gordon, C. H., Ugaritic Textbook. AnOr 38. Rom 1965 (= UT, mit Nr.).
Graf, K. H., Die geschichtlichen Bücher des Alten Testaments. Leipzig 1866 (= Bücher).

– Die Gefangenschaft und Bekehrung Manasse's, 2 Chr. 33. ThStKr 32 (1859) S. 467–494.
Granild, S., Jeremia und das Deuteronomium. StTh 16 (1962) S. 135–154.
Gray, J., I & II Kings. OTL. 3. Aufl. London 1977.
Grayson, A. K., Assyrian and Babylonian Chronicles. TCS 5. Locust Valley, N. Y. 1975 (= ABC).
Green, A. R. W., The Role of Human Sacrifice in the Ancient Near East. Missoula, Montana 1975 (= Sacrifice).
Gressmann, H., Die Anfänge Israels. SAT I/2. 2. Aufl. Göttingen 1922 (=SAT I/2).
– (Ed.), Altorientalische Bilder zum Alten Testament. 2. Aufl. Berlin 1926 (= AOB).
– Die älteste Geschichtsschreibung und Prophetie Israels. SAT II/1. 2. Aufl. Göttingen 1921 (= SAT II/1).
– Josia und das Deuteronomium. ZAW 42 (1924) S. 313–327.
– (Ed.), Altorientalische Texte zum Alten Testament. 2. Aufl. Berlin 1926 (= AOT).
Gunneweg, A. H. J., Geschichte Israels bis Bar Kochba. ThW 2. Stuttgart 1972 (= GI).
– Leviten und Priester. FRLANT 89. Göttingen 1965 (= Leviten).
Guthe, H., Das Passahfest nach Dtn 16. in: FS W. W. von Baudissin. BZAW 33. Giessen 1918. S. 217–232 (= FS von Baudissin S. 217–232).
Gyles, M. F., Pharaonic Policies and Administration, 663 to 323 B. C. Chapel Hill 1959 (= Policies).
Halbe, J., Passa-Massot im deuteronomischen Festkalender. ZAW 87 (1975) S. 147–168.
– Das Privilegrecht Jahwes Ex 34,10–26. FLRANT 114. Göttingen 1975 (= Privilegrecht).
Hanhart, R., s. Jepsen, A.
Harner, P. B., The Salvation Oracle in Second Isaiah. JBL 88 (1969) S. 418–434.
Harper, R. F., Assyrian and Babylonian Letters Belonging to the Kouyunjik Collection of the British Museum. Part I–XIV. London und Chicago 1892–1914 (= ABL, mit Nr.; wenn nicht anders angegeben, ist die Bearbeitung von Waterman, RCAE zu vergleichen).
Harris, Z. S., A Grammar of Phoenician Language. AOS 8. 5. Aufl. New Haven 1971 (= Grammar).
Hayes, J. H. / Miller, J. M. (Ed.), Israelite and Judaean History. London 1977 (= IJH).
Helck, W., Die Beziehungen Ägyptens zu Vorderasien im 3. und 2. Jahrtausend v. Chr. Ägyptologische Abhandlungen 5. 2. Aufl. Wiesbaden 1971 (= Beziehungen²).
Herdner, A., s. Caquot, A.
Herodot, Historien. Griechischer und deutscher Text. Ed. J. Feix. 2 Bde 2. Aufl. München 1977.
Herrmann, S., Geschichte Israels in alttestamentlicher Zeit. München 1973(= GI).
– Die prophetischen Heilserwartungen im Alten Testament. BWANT V/5. Stuttgart 1965 (= Heilserwartungen).
Herrmann, W., Rez. H. Barth, Die Jesaja-Worte in der Josiazeit. 1977. ThLZ 105 (1980) Sp. 828–830.

Herzog, Z. / Rainey, A. F. / Moshkovitz, S., The Stratigraphy at Beer-sheba and the Location of the Sanctuary. BASOR 225 (1977) S. 49–58.
Hirsch, H., Untersuchungen zur altassyrischen Religion. AfO Beiheft 13/14. 2. Aufl. Osnabrück 1972 (= Altass. Rel.).
Hjelt, A., Die Chronik Nabopolassars und der syrische Feldzug Nechos. in: FS K. Marti. BZAW 41. Giessen 1925. S. 142–147 (= FS Marti S. 142–147).
Hölscher, G., Das Buch der Könige, seine Quellen und seine Redaktion. in: FS H. Gunkel. FRLANT 36/1. Göttingen 1923. S. 158–213 (= FS Gunkel S. 158–213).
– Die Bücher Esra und Nehemia. in: HSAT(K) Bd. II. S. 491–562 (= HSAT(K) II S. 491–562).
– Geschichte der israelitischen und jüdischen Religion. Giessen 1922 (= Geschichte).
– Geschichtsschreibung in Israel. Lund 1952 (= Geschichtsschreibung).
– Komposition und Ursprung des Deuteronomiums. ZAW 40 (1922) S. 161–255.
Hoffmann, G., Kleinigkeiten. ZAW 2 (1882) S. 175.
Hoffmann, H.-D., Reform und Reformen. AThANT 66. Zürich 1980 (= Reform).
Hoffner, H. A., Second Millennium Antecedents to the Hebrew 'ôḇ. JBL 86 (1967) S. 385–401.
Hoftijzer, J., s. Jean, C. F.
–/Kooij, G. van der, Aramaic Texts from Deir 'Alla. Leiden 1976 (= Deir 'Alla).
Holladay, W. L., „On Every High Hill and under Every Green Tree." VT 11 (1961) S. 170–176.
Hollenstein, H., Literarkritische Erwägungen zum Bericht über die Reformmaßnahmen Josias 2Kön. XXIII 4ff. VT 27 (1977) S. 321–336.
Horst, F., Die Kultusreform des Königs Josia (II. Rg. 22–23). ZDMG 77 (1923) S. 220–238.
Horst, L., Études sur le Deutéronome. RHR 16 (1887) S. 28–65; 17 (1888) S. 1–22; ; 18 (1888) S. 320–334; 23 (1891) S. 184–200; 27 (1893) S. 119–176.
Hughes, J. A. Another Look at the Hebrew Tenses. JNES 29 (1970) S. 12–24.
Hunger, H., Babylonische und assyrische Kolophone. AOAT 2. Kevelaer und Neukirchen–Vluyn 1968 (= Kolophone).
Ihromi, Die Königinmutter und der 'amm ha'arez im Reich Juda. VT 24 (1974) S. 421–429.
Ishida, T., „The People of the Land" and the Political Crises in Judah. AJBI 1 (1975) S. 23–38.
Jacobsen, T. / Lloyd, S., Sennacherib's Aqueduct at Jerwan. OIP 24. Chicago 1935 (= Aqueduct).
– The Treasures of Darkness. New Haven 1976 (= Treasures).
Janssen, E., Juda in der Exilszeit. FRLANT 69. Göttingen 1956 (= Juda).
Jean, C. F. / Hoftijzer, J., Dictionnaire des Inscriptions Sémitiques de l'Ouest. Leiden 1965 (= DISO).
Jenkins, A. K., Hezekiah's Fourteenth Year. VT 26 (1976) S. 284–298.
Jensen, P., Texte zur assyrisch-babylonischen Religion. KB 6/II. Berlin 1915 (= KB 6/II).

Jepsen, A., Gottesmann und Prophet. (1971). in: ders., Der Herr ist Gott. Berlin 1978. S. 102–111 (= Gottesmann).
– Art. Josia. in: BHH Bd. II. Göttingen 1964. Sp. 890–893 (= BHH II Sp. 890–893).
– Die Quellen des Königsbuches. Halle/Saale 1953 (= QK).
– Die Reform des Josia. (1959). in: ders., Der Herr ist Gott. Berlin 1978. S. 132–141 (= Reform).
–/Hanhart, R., Untersuchungen zur israelitisch-jüdischen Chronologie. BZAW 88. Berlin 1964 (= Untersuchungen).
Jeremias, J., Art נָבִיא. in: THAT Bd. II. München 1976. Sp. 7–26 (= THAT II Sp. 7–26).
Johns, C. H. W., Assyrian Deeds and Documents. 4 Bde Cambridge 1898–1923 (= ADD, mit Nr.).
– Assyrian Deeds and Documents. AJSL 42 (1925/26) S. 170–204.228–275 (mit Nr.).
Johnson, B., Hebräisches Perfekt und Imperfekt mit vorangehendem *wᵉ*. CBOT 13. Lund 1979 (= Perfekt).
Josephus, Jewish Antiquities, Books IX–XI. Ed. R. Marcus. London 1958 (= Antiquitates).
Joüon, P., Grammaire de l'Hébreu Biblique. (1923). Nachdruck Rom 1965 (= GHB).
Junge, E., Der Wiederaufbau des Heerwesens des Reiches Juda unter Josia. BWANT IV/23. Stuttgart 1937 (= Heerwesen).
Kaiser, O., Den Erstgeborenen deiner Söhne sollst du mir geben. in: FS C. H. Ratschow. Berlin 1976. S. 24–48 (= FS Ratschow S. 24–48).
Kallai–Kleinmann, Z., Note on the Town Lists of Judah, Simeon, Benjamin and Dan. VT 11 (1961) S. 223–227.
– The Town Lists of Judah, Simeon, Benjamin and Dan. VT 8 (1958) S. 134–160.
Kaufman, S. A., The Akkadian Influences on Aramaic. AS 19. Chicago 1974 (= AS 19).
Kautzsch, E., s. Gesenius, W.
–/Bertholet, A. (Ed.), Die Heilige Schrift des Alten Testaments. 2 Bde 4. Aufl. Tübingen 1922–1923 (= HSAT(K) I bzw. II).
Kelso, J. L., s. Albright, W. F.
– Art. Bethel. in: EAEHL Bd. I. London 1975. S. 190–193 (= EAEHL I S. 190–193).
Kennett, R. H., The Date of Deuteronomy. JThS 7 (1906) S. 481–500.
– The Origin of the Aaronite Priesthood. JThS 6 (1905) S. 161–186.
Kenyon, K. M., Israelite Jerusalem. in: FS N. Glueck. Garden City, N. Y. 1970. S. 232–253 (= FS Glueck S. 232–253).
(Budge, E. A. W./) King, L. W., Annals of the Kings of Assyria. Bd. I. London 1902 (= AKA).
King, L. W., Babylonian Boundary-Stones and Memorial Tablets in the British Museum. 2 Bde London 1912 (= BBS).
– Babylonian Magic and Sorcery. London 1896 (= BMS, mit Nr.).
– Bronze Reliefs from the Gates of Shalmaneser, King of Assyria, B. C. 860–825. London 1915 (= Bronze Reliefs).
– Cuneiform Texts from Babylonian Tablets in the British Museum. Part 13. London 1901 (= CT 13).

Kinnier Wilson, J. V., s. Landsberger, B.
– The Nimrud Wine Lists. CTN 1. London 1972 (= NWL).
Kitchen, K. A., The Third Intermediate Period in Egypt (1100–650 B. C.). Warminster 1973 (= Period).
Kittel, R., Das Buch der Richter. in: HSAT(K) Bd. I. S. 367–407 (= HSAT(K) I S. 367–407).
– Die Bücher der Könige. HK I,5. Göttingen 1900 (= Kön).
– Geschichte des Volkes Israel. Bd. II. 6. Aufl. Gotha 1925 (= GVI II).
Klauber, E. G., Assyrisches Beamtentum nach Briefen aus der Sargonidenzeit. LSS V/3. Leipzig 1910 (= Beamtentum).
– Politisch-religiöse Texte aus der Sargonidenzeit. Leipzig 1913 (= PRT, mit Nr.).
Knudsen, E. E., Fragments of Historical Texts from Nimrud – II. Iraq 29 (1967) S. 49–69.
Knudtzon, J. A., Assyrische Gebete an den Sonnengott für Staat und königliches Haus aus der Zeit Asarhaddons und Assurbanipals. 2 Bde Leipzig 1893 (= AGS, mit Nr.).
–/Weber, O. / Ebeling, E., Die El-Amarna-Tafeln. VAB 2. 2 Bde Leipzig 1915 (= EA, mit Nr.).
Köcher, F., s. Ebeling, E.
Koehler, L. / Baumgartner, W., Lexicon in Veteris Testamenti Libros. 2. Aufl. mit Suppl.-Bd. Leiden 1958 (= KBL).
– Der hebräische Mensch. Mit einem Anhang: Die hebräische Rechtsgemeinde. 1953, Nachdruck Darmstadt 1980 (= Mensch).
König, E., Der generelle Artikel im Hebräischen. ZAW 44 (1926) S. 172–175.
– Stimmen Ex 20,24 und Dtn 12,13f. zusammen? ZAW 42 (1924) S. 337–346.
– Historisch-kritisches Lehrgebäude der hebräischen Sprache. II/2: Historisch-comparative Syntax der hebräischen Sprache. Leipzig 1897 (= Syntax).
Kohler, J., s. Ungnad, A.
Kooij, G. van der, s. Hoftijzer, J.
Kraeling, C. H. / Adams, R. M. (Ed.), City Invincible. Chicago 1960.
Kraus, H.-J., Zur Geschichte des Passah-Massot-Festes im Alten Testament. EvTh 18 (1958) S. 47–67.
Kropat, A., Die Syntax des Autors der Chronik. BZAW 16. Giessen 1909 (= Syntax).
Kudlek, M. / Mickler, E. H., Solar and Lunar Eclipses in the Near East, 3000 B. C. – O. AOATS 1. Kevelaer und Neukirchen–Vluyn 1971 (= Eclipses).
Kümmel, H. M., Ersatzrituale für den hethitischen König. StBoT 3. Wiesbaden 1967 (= Ersatzrituale).
Kuenen, A., Historisch-kritische Einleitung in die Bücher des alten Testaments. Bd. I,2. Leipzig 1890 (= Einl I/2).
Kutsch, E., Erwägungen zur Geschichte der Passafeier und des Massotfestes. ZThK 55 (1958) S. 1–35.
– Verheißung und Gesetz. BZAW 131. Berlin 1973 (= Verheißung).
Laaf, P., Die Pascha-Feier Israels. BBB 36. Bonn 1970 (= Pascha-Feier).
Labat, R., Un Almanach Babylonien (VR 48–49). RA 38 (1941) S. 13–40.
– Asarhaddon et la Ville de Zaqqap. RA 53 (1959) S. 113–118.
– Un Calendrier Babylonien des Travaux, des Signes et des Mois (Séries Iqqur Îpuš). BÉHÉ 321. Paris 1965 (= CBII).

– Art. Hemerologien. in: RLA Bd. IV. Berlin 1972–75. S. 317–323 (= RLA IV S. 317–323).
– Hémérologies et Ménologies d'Assur. Paris 1939 (= HMA).
– Nouveaux Textes Hémérologiques d'Assur. MIO 5 (1957) S. 299–345.
Laessøe, J., A Prayer to Ea, Shamash and Marduk, from Hama. Iraq 18 (1956) S. 60–67.
Lambert, M., Le Vav Conversif. REJ 26 (1893) S. 47–62.
Lambert, W. G., Ancestors, Authors, and Canonicity. JCS 11 (1957) S. 1–14. 112.
– Rez. M. Cogan, Imperialism and Religion. 1974. OLZ 74 (1979) Sp. 128f.
–/Parker, S. B., Enuma Eliš. The Babylonian Epic of Creation. Oxford 1966 (= Ee, mit Tf.).
– A New Fragment from a List of Antediluvian Kings and Marduk's Chariot. in: FS F. M. T. de Liagre Böhl. Leiden 1973. S. 271–280 (= FS Böhl S. 271–280).
– A Part of the Ritual for the Substitute King. AfO 18 (1957/58) S. 109–112; 19 (1960) S. 119.
– The „Tamītu" Texts. in: CRRA 14. Paris 1966. S. 119–123 (= CRRA 14 S. 119–123).
Lamon, R. S. / Shipton, G. M., Megiddo I. OIP 42. Chicago 1939 (= Megiddo I).
Lance, H. D., The Royal Stamps and the Kingdom of Josiah. HThR 64 (1971) S. 315–332.
Landsberger, B., Brief des Bischofs von Esagila an König Asarhaddon. MKNAW Nieuwe reeks 28/VI. Amsterdam 1965 (= BBEA).
–/Bauer, T., Zu neuveröffentlichten Geschichtsquellen der Zeit von Asarhaddon bis Nabonid. ZA 37 (1927) S. 61–98.
– Der kultische Kalender der Babylonier und Assyrer. 1. Hälfte. LSS VI/1,2. Leipzig 1915 (= Kalender).
– u.a., Materialien zum sumerischen Lexikon. Bd. 12. Rom 1969 (= MSL 12).
– Sam'al. Ankara 1948.
–/Kinnier Wilson, J. V., The Fifth Tablet of Enuma Eliš. JNES 20 (1961) S. 154–179.
Langdon, S., Die neubabylonischen Königsinschriften. VAB 4. Leipzig 1912 (= VAB 4).
– Babylonian Menologies and the Semitic Calendars. London 1935 (= BMSC).
– Tammuz and Ishtar. Oxford 1914 (= TI).
Lapp, P. W., Late Royal Seals from Judah. BASOR 158 (1960) S. 11–22.
Layard, A. H., The Monuments of Niniveh. London 1849 (= MNin I).
– A Second Series of the Monuments of Niniveh. London 1853 (= MNin II).
– Niniveh and its Remains. 2 Bde London 1849 (= NR).
Leander, P., s. Bauer, H.
Leclant, J., Astarté à Cheval d'après les Représentations Égyptiennes. Syria 37 (1960) S. 1–67.
Leemans, W. F., Ishtar of Lagaba and her Dress. Leiden 1952 (= Ishtar).
Lehmann, M. R., A New Interpretation of the Term שרמות. VT 3 (1953) S. 361–371.
Lemaire, A., Inscriptions Hébraïques. Bd. I: Les Ostraca. Paris 1977 (= Ostraca).
– Remarques sur la Datation des Estampilles „lmlk". VT 25 (1975) S. 678–682.

Liddell, H. G. / Scott, R. / Jones, H. S. / McKenzie, R., A Greek-English Lexicon. Oxford 1973 (= LS).

Lidzbarski, M., Ephemeris für semitische Epigraphik. Bd. I. Giessen 1902 (= Ephemeris I).

Lie, A. G., The Inscriptions of Sargon II, King of Assyria. Part I: The Annals. Paris 1929 (= Srg, mit Zeilenangabe).

Lindblom, J., Erwägungen zur Herkunft der josianischen Tempelurkunde. Lund 1971 (= Tempelurkunde).

Lisowsky, G., Konkordanz zum hebräischen Alten Testament. 2. Aufl. Stuttgart 1966.

Lloyd, S., s. Jacobsen, T.

Löhr, M., Das Deuteronomium. in: Schriften der Königsberger Gelehrten Gesellschaft. Geisteswissenschaftl. Klasse I Heft 6. Berlin 1925. S. 163–209 (= Dtn).

Lohfink, N., Die Bundesurkunde des Königs Josias. Bibl 44 (1963) S. 261–288.461–498.

– Die Gattung der „Historischen Kurzgeschichte" in den letzten Jahren von Juda und in der Zeit des Babylonischen Exils. ZAW 90 (1978) S. 319–347.

Luckenbill, D. D., The Annals of Sennacherib. OIP 2. Chicago 1924 (= OIP 2).

Lundbom, J. R., The Lawbook of the Josianic Reform. CBQ 38 (1976) S. 293–302.

Luschan, F. von u.a., Ausgrabungen in Sendschirli. Bd. I. Berlin 1893 (= Sendschirli I).

Maag, V., Erwägungen zur deuteronomischen Kultzentralisation. (1956). in: ders., Kultur, Kulturkontakt und Religion. Göttingen 1980. S. 90–98 (= Erwägungen).

Macalister, R. A. S., The Excavation of Gezer. Bd. I. London 1912 (= Gezer I).

Malamat, A., The Historical Background of the Assassination of Amon, King of Judah. IEJ 3 (1953) S. 26–29.

– Josiah's Bid for Armageddon. JANES 5 (1973) S. 267–279.

– The Last Kings of Judah and the Fall of Jerusalem. IEJ 18 (1968) S. 137–156.

– Megiddo, 609 B. C.: The Conflict Re-Examined. Acta Antiqua Academiae Scientiarum Hungaricae 22 (1974) S. 445–449 (= AAASH 22 S. 445–449).

– The Twilight of Judah: in the Egyptian-Babylonian Maelstrom. in: Congress Volume Edinburgh 1974. VTS 28. Leiden 1975. S. 123–145 (= VTS 28 S. 123–145).

– The Last Wars of the Kingdom of Judah. JNES 9 (1950) S. 218–227.

Mandelkern, S., Veteris Testamenti Concordantiae Hebraicae atque Chaldaicae. 2 Bde 2. Aufl. 1937, Nachdruck Graz 1955.

Marti, K., Das Buch Jesaja. KHC 10. Tübingen 1900 (= Jes).

– Das fünfte Buch Mose oder Deuteronomium. in: HSAT(K) Bd. I. S. 258–327 (= HSAT(K) I S. 258–327).

– Das Dodekapropheton. KHC 13. Tübingen 1904 (= XIIProph).

Martin, W. J., Tribut und Tributleistungen bei den Assyrern. StOr VIII/1. Helsinki 1936 (= Tribut).

May, H. G., Material Remains of the Megiddo Cult. OIP 26. Chicago 1935 (= Remains).

Mayer, W., Untersuchungen zur Formensprache der babylonischen „Gebetsbeschwörungen". Studia Pohl: Series Maior 5. Rom 1976 (= UFBG).

McKay, J. W., Religion in Judah under the Assyrians 732–609 B. C. SBT SS 26. London 1973 (= Religion).
Mechiltha. Ein tannaitischer Midrasch zu Exodus. Ed. J. Winter / A. Wünsche. Leipzig 1909.
Meier, G., Ein Brief des assyrischen Gelehrten Balasī. OrNS 8 (1939) S. 306–309.
– Die zweite Tafel der Serie bīt mēseri. AfO 14 (1941–44) S. 139–152.
Meissner, B., Beiträge zum assyrischen Wörterbuch. Bd. I. AS 1. Chicago 1931 (= BAW I).
– Die babylonisch-assyrische Literatur. Wildpark–Potsdam 1927 (= BALit).
Merendino, R. P., Das deuteronomische Gesetz. BBB 31. Bonn 1969 (= Gesetz).
Messerschmidt, L. / Ungnad, A., Vorderasiatische Schriftdenkmäler der königlichen Museen zu Berlin. Bd. 1. Leipzig 1907 (= VS 1, mit Nr.).
Mettinger, T. N. D., King and Messiah. CBOT 8. Lund 1976 (= King).
– Solomonic State Officials. CBOT 5. Lund 1971 (= Officials).
Meyer, G. R., s. Friedrich, J.
Meyer, R., Aspekt und Tempus im althebräischen Verbalsystem. OLZ 59 (1964) Sp. 117–126.
– Auffallender Erzählungsstil in einem angeblichen Auszug aus der „Chronik der Könige von Juda". in: FS F. Baumgärtel. Erlangen 1959. S. 114–123 (= FS Baumgärtel S. 114–123).
– Hebräische Grammatik. 4 Bde 3. Aufl. Berlin 1966–72 (= HG I–IV).
Mickler, E. H., s. Kudlek, M.
Mittmann, S., Das südliche Ostjordanland im Lichte eines neuassyrischen Keilschriftbriefes aus Nimrūd. ZDPV 89 (1973) S. 15–25.
Montgomery, J. A., A Critical and Exegetical Commentary on the Books of Kings. ICC. Ed. H. S. Gehman. Edinburgh 1951 (= Kings).
Moor, J. C. de / Mulder, M. J., Art בַּעַל. in: TWAT Bd. I. Stuttgart 1973. Sp. 706–727 (= TWAT I Sp. 706–727).
Moore, G. F., A Critical and Exegetical Commentary on Judges. ICC. 2. Aufl. Edinburgh 1898 (= Jud).
Moortgat, A., Die Kunst des Alten Mesopotamien. Köln 1967 (= Kunst).
Moshkovitz, S., s. Herzog, Z.
Mosis, R., Untersuchungen zur Theologie des chronistischen Geschichtswerkes. Freiburg 1973 (= Untersuchungen).
Mowinckel, S., Die vorderasiatischen Königs- und Fürsteninschriften. in: FS H. Gunkel. FRLANT 36/1. Göttingen 1923. S. 278–322 (= FS Gunkel S. 278–322).
– Die Sternnamen im Alten Testament. Oslo 1928 (= Sternnamen).
Müller, H.-P., Art. קדש. in: THAT Bd. II. München 1976. Sp. 589–609 (= THAT II Sp. 589–609).
Mulder, M. J., s. Moor, J. C. de
Na'aman, N., Sennacherib's Campaign to Judah and the Date of the lmlk Stamps. VT 29 (1979) S. 61–86.
– Sennacherib's „Letter to God" on his Campaign to Judah. BASOR 214 (1974) S. 25–39.
Naveh, J., The Excavations at Meṣad Ḥashavyahu. Preliminary Report. IEJ 12 (1962) S. 89–113.
– A Hebrew Letter from the Seventh Century B. C. IEJ 10 (1960) S. 129–139.

– Art. Meṣad Ḥashavyahu. in: EAEHL Bd. III. London 1977. S. 862f. (= EAEHL III S. 862f.).
Das Nibelungenlied. Ed. K. Bartsch / H. de Boor. 19. Aufl. Wiesbaden 1967.
Nicholson, E. W., The Centralisation of the Cult in Deuteronomy. VT 13 (1963) S. 380–389.
– Deuteronomy and Tradition. Oxford 1967 (= Dtn).
– II Kings XXII 18 – A Simple Restoration. Her. 97 (1963) S. 96–98.
– Josiah's Reformation and Deuteronomy. Transactions of the Glasgow University Oriental Society 20 (1963/64) S. 77–84 (= TGUOS 20 S. 77–84).
Nicolsky, N. M., Pascha im Kulte des jerusalemischen Tempels. ZAW 45 (1927) S. 171–190.
Nielsen, E., Political Conditions and Cultural Developments in Israel and Judah During the Reign of Manasseh. in: Fourth World Congress of Jewish Studies. Bd. 1. Jerusalem 1967. S. 103–106 (= Conditions).
– Historical Perspectives and Geographical Horizons. ASTI 11 (1977/78) S. 77–89.
Nietzsche, F., Werke in drei Bänden. Ed. K. Schlechta. Bd. I. 7. Aufl. München 1973 (= Werke I).
Nikiprowetzky, V., s. Garelli, P.
Nötscher, F., Biblische Altertumskunde. HSAT Erg.-Bd. 3. Bonn 1940 (= Altertumskunde).
– Die Omen-Serie šumma âlu ina mêlê šakin (CT 38–40). Or 39–42. Rom 1929 (= Šumma âlu II).
Noth, M., Aufsätze zur biblischen Landes- und Altertumskunde. Ed. H. W. Wolff. 2 Bde Neukirchen–Vluyn 1971 (= ABLAK 1 bzw. 2).
– Die Annalen Thutmoses III. als Geschichtsquelle. (1943). in: ders., ABLAK 2 S. 119–132.
– Das Buch Josua. HAT 7. 3. Aufl. Tübingen 1971 (= Jos).
– Das zweite Buch Mose. Exodus. ATD 5. 4. Aufl. Göttingen 1968 (= Ex).
– Das vierte Buch Mose. Numeri. ATD 7. 2. Aufl. Göttingen 1973 (= Num).
– Geschichte Israels. 6. Aufl. Göttingen 1966 (= GI).
– Die Gesetze im Pentateuch. (1940). in: ders., Gesammelte Studien zum Alten Testament. TB 6. 3. Aufl. München 1966. S. 9–141 (= TB 6 S. 9–141).
– Könige. 1. Teilband. BK IX/1. Neukirchen-Vluyn 1968 (= Kön).
– Nu 21 als Glied der „Hexateuch"-Erzählung. (1940/41). in: ders., ABLAK 1 S. 75–101.
– Die israelitischen Personennamen im Rahmen der gemeinsemitischen Namengebung. BWANT III/10. 1928. Nachdruck Hildesheim 1966 (= IPN).
– Israelitische Stämme zwischen Ammon und Moab. (1944). in: ders., ABLAK 1 S. 391–433.
– Studien zu den historisch-geographischen Dokumenten des Josuabuches. (1935). in: ders., ABLAK 1 S. 229–280.
– Überlieferungsgeschichtliche Studien. 3. Aufl. Darmstadt 1967 (= ÜS).
– Überlieferungsgeschichte des Pentateuch. Stuttgart 1948 (= ÜP).
– Die Wege der Pharaonenheere in Palästina und Syrien. III. Der Aufbau der Palästinaliste Thutmoses III. (1938). in: ders., ABLAK 2 S. 44–73.
– Die Welt des Alten Testaments. 4. Aufl. Berlin 1962 (= WAT).
Nougayrol, J., La Divination Babylonienne. in: A. Caquot / M. Leibovici (Ed.), La Divination. Bd. I. Paris 1968. S. 25–81 (= Divination S. 25–81).

– Textes Hépatoscopiques d'Époque Ancienne Conservés au Musée du Louvre. RA 38 (1941) S. 67–88; 40 (1945/46) S. 56–97; 44 (1950) S. 1–40.
Nowack, W., Bücher Samuelis. HK I,4,2. Göttingen 1902. (= Sam).
– Deuteronomium und Regum. in: FS K. Marti. BZAW 41. Giessen 1925. S. 221–231 (= FS Marti S. 221–231).
– Die kleinen Propheten. HK III,4. Göttingen 1897 (= KlProph).
– Richter, Ruth. HK I,4,1. Göttingen 1900 (= Ri bzw. Ruth).
Oded, B., Mass Deportations and Deportees in the Neo-Assyrian Empire. Wiesbaden 1979 (= Deportations).
Oestreicher, T., Dtn 12,13f. im Licht von Dtn 23,16f. ZAW 43 (1925) S. 246–249.
– Das deuteronomische Grundgesetz. BFchTh 27/4. Gütersloh 1923 (= Grundgesetz).
Ogden, G. S., The Northern Extent of Josiah's Reforms. ABR 26 (1978) S. 26–34.
Olmstead, A. T. E., Western Asia in the Days of Sargon of Assyria. Lancaster, PA. 1908 (= Sargon).
– Assyrian Government of Dependencies. American Political Science Review 12 (1918) S. 63–77 (= APSR 12 S. 63–77).
– Assyrian Historiography. The University of Missouri Studies. Social Science Series III/1. Columbia, Missouri 1916 (= Historiography).
– History of Assyria. 3. Aufl. Chicago 1968 (= History).
– Oriental Imperialism. American Historical Review 23 (1918) S. 755–762 (= AHR 23 S. 755–762).
Oppenheim, A. L., The City of Assur in 714 B. C. JNES 19 (1960) S. 133–147.
– Divination and Celestial Observation in the Last Assyrian Empire. Centaurus 14 (1969) S. 97–135.
– „The Eyes of the Lord". JAOS 88 (1968) S. 173–180.
– Letters from Mesopotamia. Chicago 1967 (= LFM, mit Nr.).
– A Babylonian Diviner's Manual. JNES 33 (1974) S. 197–220.
– Ancient Mesopotamia. 3. Aufl. Chicago 1968 (= Mesopotamia).
Otzen, B., Hebraisk epigrafik fra kong Josias epoke. DTT 33 (1970) S. 1–19.
– Israel under the Assyrians. ASTI 11 (1977/78) S. 96–110 und in: Power and Propaganda. Ed. M. T. Larsen. Kopenhagen 1979. S. 251–261 (= Israel).
Page, S., A Stela of Adad-nirari III and Nergal-ereš from Tell al Rimah. Iraq 30 (1968) S. 139–153.
Pardee, D., The Judicial Plea from Meṣad Ḥashavyahu (Yavneh-Yam): A New Philological Study. Maarav 1 (1978/79) S. 33–66.
Parker, S. B., s. Lambert, W. G.
Parpola, S., s. Deller, K.
– A Letter from Šamaš-šumu-ukīn to Esarhaddon. Iraq 34 (1972) S. 21–34.
– Letters from Assyrian Scholars to the Kings Esarhaddon and Assurbanipal. Part I: Texts. AOAT 5/1. Kevelaer und Neukirchen–Vluyn 1970 (= LAS, mit Nr.).
– Letters from Assyrian Scholars to the Kings Esarhaddon and Assurbanipal. Part II/A: Introduction and Appendixes. Diss. Helsinki. Kevelaer und Neukirchen-Vluyn 1971 (= LAS II/A).
– The Murderer of Sennacherib. in: CRRA 26. Kopenhagen 1980. S. 171–182 (= CRRA 26 S. 171–182).
– Cuneiform Texts from Babylonian Tablets in the British Museum. Part 53. London 1979 (= CT 53, mit Nr.).

– Neo-Assyrian Toponyms. AOAT 6. Kevelaer und Neukirchen-Vluyn 1970 (= NAT).

Paterson, A., Assyrian Sculptures – Palace of Sennacherib. The Hague 1915 (= Palace).

Perlitt, L. Anklage und Freispruch Gottes. ZThK 69 (1972) S. 290–303.

– Bundestheologie im Alten Testament. WMANT 36. Neukirchen–Vluyn 1969 (= Bundestheologie).

Péter, R., פר et שור, Note de Lexicographie Hébraïque. VT 25 (1975) S. 486–496.

Pfeifer, G., Die Begegnung zwischen Pharao Necho und König Josia bei Megiddo. MIO 15 (1969) S. 297–307.

Pfeiffer, R. H., State Letters of Assyria. AOS 6. New Haven 1935 (= SLA, mit Nr.).

Piepkorn, A. C., Historical Inscriptions of Ashurbanipal I. AS 5. Chicago 1933 (= AS 5).

Pinches, T. G., The Influence of the Heathenism of the Canaanites upon the Hebrews. JTVI 60 (1928) S. 122–142.

– The Cuneiform Inscriptions of Western Asia. Bd. IV. Ed. H. C. Rawlinson. 2. Aufl. London 1891 (= IVR², mit Tf.).

Place, V., Ninive et l'Assyrie. 3 Bde Paris 1867–70 (= Ninive).

Plataroti, D., Zum Gebrauch des Wortes *mlk* im Alten Testament. VT 28 (1978) S. 286–300.

Postgate, J. N., The Bit Akiti in Assyrian Nabutemples. Sumer 30 (1974) S. 51–74.

– Fifty Neo-Assyrian Legal Documents. Warminster 1976 (= FNAD, mit Nr.).

– The Governor's Palace Archive. CTN 2. London 1973 (= GPA, mit Nr.).

– Neo-Assyrian Royal Grants and Decrees. Studia Pohl: Series Maior 1. Rom 1969 (= NRGD, mit Nr.).

– Neo-Assyrian Royal Grants and Decrees: Addenda and Corrigenda. OrNS 42 (1973) S. 441–444.

– The Economic Structure of the Assyrian Empire. in: Power and Propaganda. Ed. M. T. Larsen. Kopenhagen 1979. S. 193–221 (= Structure).

– Taxation and Conscription in the Assyrian Empire. Studia Pohl: Series Maior 3. Rom 1974 (= TCAE).

– Assyrian Texts and Fragments. Iraq 35 (1973) S. 13–36.

Preuß, H. D., Verspottung fremder Religionen im Alten Testament. BWANT 92. Stuttgart 1971 (= Verspottung).

Priest, J., Huldah's Oracle. VT 30 (1980) S. 366–368.

Pritchard, J. B. (Ed.), The Ancient Near East in Pictures Relating to the Old Testament. 2. Aufl. Princeton 1969 (= ANEP).

– (Ed.), Ancient Near Eastern Texts Relating to the Old Testament. 3. Aufl. Princeton 1969 (= ANET).

Procksch, O., König Josia. in: FS T. Zahn. Leipzig 1928. S. 19–53 (= FS Zahn S. 19–53).

Puukko, A. F., Das Deuteronomium. BWAT 5. Leipzig 1910 (= Dtn).

Rad, G. von, Das fünfte Buch Mose. Deuteronomium. ATD 8. 2. Aufl. Göttingen 1968 (= Dtn).

– Deuteronomium-Studien. (1947). in: ders., Gesammelte Studien zum Alten Testament. Bd. I. TB 8. 3. Aufl. München 1965. S. 189–204; Bd. II. TB 48. ebd. 1973. S. 109–153 (= TB 8 S. 189–204 bzw. TB 48 S. 109–153).

– „Gerechtigkeit“ und „Leben“ in der Kultsprache der Psalmen. (1950). in: ders., Gesammelte Studien zum Alten Testament. Bd. I. TB 8. 3. Aufl. München 1965. S. 225–247 (= TB 8 S. 225–247).
– Das Geschichtsbild des chronistischen Werkes. BWANT IV/3. Stuttgart 1930 (= Geschichtsbild).
– Das Gottesvolk im Deuteronomium. (1929). in: ders., Gesammelte Studien zum Alten Testament. Bd. II. TB 48. München 1973. S. 9–108 (= TB 48 S. 9–108).
– Herkunft und Absicht des Deuteronomiums. ThLZ 72 (1947) Sp. 151–158.
Rainey, A. F., s. Herzog, Z.
Rawlinson, H. C., s. Pinches, T. G. und Smith, G.
Reiner, E., Šurpu. A Collection of Sumerian and Akkadian Incantations. AfO Beiheft 11. Graz 1958 (= Šurpu, mit Kol.).
Rendtorff, R., Studien zur Geschichte des Opfers im alten Israel. WMANT 24. Neukirchen–Vluyn 1967 (= Studien).
Richter, W., Traditionsgeschichtliche Untersuchungen zum Richterbuch. BBB 18. Bonn 1963 (= Untersuchungen).
Riemschneider, K. K., Lehrbuch des Akkadischen. Leipzig 1969 (= Lehrbuch).
Robinson, D. W. B., Josiah's Reform and the Book of the Law. London 1951 (= Reform).
Röllig, W., s. Donner, H.
Rose, M., Der Ausschließlichkeitsanspruch Jahwes. BWANT 106. Stuttgart 1975 (= Ausschließlichkeitsanspruch).
– Bemerkungen zum historischen Fundament des Josia-Bildes in II Reg 22f. ZAW 89 (1977) S. 50–63.
– Jahwe, ThSt(B) 122. Zürich 1978.
Rost, L., Josias Passa. (1968). in: ders., Studien zum Alten Testament. BWANT 101. Stuttgart 1974. S. 87–93 (= Passa).
– Zur Vorgeschichte der Kultusreform des Josia. VT 19 (1969) S. 113–120.
Rost, P., Die Keilschrifttexte Tiglat-Pilesers III. nach den Papierabklatschen und Originalen des Britischen Museums. 2 Bde Leipzig 1893 (= Tgl).
Rowley, H. H., The Early Prophecies of Jeremiah in their Setting. (1962/63). in: ders., Men of God. Studies in Old Testament History and Prophecy. London 1963. S. 133–168 (= Prophecies).
– Hezekiah's Reform and Rebellion. (1962). in: ders., Men of God. Studies in Old Testament History and Prophecy. London 1963. S. 98–132 (= Reform).
Rowton, M. B., Jeremiah and the Death of Josiah. JNES 10 (1951) S. 128–130.
Rubinstein, A., The Anomalous Perfect with Waw-Conjunctive in Biblical Hebrew. Bibl 44 (1963) S. 62–69.
Rudolph, W., Chronikbücher. HAT 21. Tübingen 1955 (= Chr).
– Hosea. KAT XIII/1. Gütersloh 1966 (= Hos).
– Jeremia. HAT 12. 3. Aufl. Tübingen 1968 (= Jer).
– Joel – Amos – Obadja – Jona. KAT XIII/2. Gütersloh 1971 (= Jo bzw. Am usw.).
– Micha – Nahum – Habakuk – Zephanja. KAT XIII/3. Gütersloh 1975 (= Mi bzw. Nah usw.).
Rüger, H. P., Art. Vorhof. in: BHH Bd. III. Göttingen 1966. Sp. 2119 (= BHH III Sp. 2119).
Rüterswörden, U., s. Ebach, J.

Ruprecht, E., s. Gerleman, G.
Saggs, H. W. F., Mesopotamien (dt. Übersetzung von „The Greatness that was Babylon"). Essen 1975.
– The Nimrud Letters, 1952 – Part I. Iraq 17 (1955) S. 21–50; dto. Part II. ebd. S. 126–154; dto. Part III. Iraq 18 (1956) S. 40–56; dto. Part IV. Iraq 20 (1958) S. 182–212; dto. Part V. Iraq 21 (1959) S. 158–180; dto. Part VI. Iraq 25 (1963) S. 70–80; dto. Part VII. Iraq 27 (1965) S. 17–32; dto. Part VIII. Iraq 28 (1966) S. 177–191; dto. Part IX. Iraq 36 (1974) S. 199–221 (in der Regel zitiert nach NL plus Iraq 17 S. 21–50 usw.).
– Historical Texts and Fragments of Sargon II of Assyria. 1. The „Aššur Charter". Iraq 37 (1975) S. 11–20.
– Assyrian Warfare in the Sargonid Period. Iraq 25 (1963) S. 145–154.
Salonen, E., Die Gruß- und Höflichkeitsformeln in babylonisch-assyrischen Briefen. StOr 38. Helsinki 1967 (= Grußformeln).
Šanda, A., Die Bücher der Könige. EH 9. 2 Bde Münster 1911–12 (= Kön I bzw. II).
Sarre, F., Die altorientalischen Feldzeichen, mit besonderer Berücksichtigung eines unveröffentlichten Stückes. Klio 3 (1903) S. 333–371.
Schäfer, H., Assyrische und ägyptische Feldzeichen. Klio 6 (1906) S. 393–399.
Scheil, V., Hémérologie Élamite. RA 22 (1925) S. 157f.
Schmidt, H., אוֹב. in: FS K. Marti. BZAW 41. Giessen 1925. S. 253–261 (= FS Marti S. 253–261).
– Rez. G. Hölscher, Geschichte der israelitischen und jüdischen Religion. 1922. ThLZ 48 (1923) Sp. 289–292.
– Stehen wir vor einer neuen Periode der Literarkritik im Alten Testament? ThBl 2 (1923) Sp. 223–226.
– Das deuteronomische Problem. ThBl 6 (1927) Sp. 40–48.
– Die großen Propheten. SAT II/2. 2. Aufl. Göttingen 1923 (= SAT II/2).
Schmidt, L., Menschlicher Erfolg und Jahwes Initiative. WMANT 38. Neukirchen–Vluyn 1970 (= Erfolg).
Schmidt, W. H., Der Jahwename und Ex 3,14. in: FS E. Würthwein. Göttingen 1979. S. 123–138 (= Jahwename).
Schmidtke, F., Asarhaddons Statthalterschaft in Babylonien und seine Thronbesteigung in Assyrien 681 v. Chr. AOTU 1/II. Leiden 1917 (= AOTU 1/II).
– Träume, Orakel und Totengeister als Künder der Zukunft in Israel und Babylonien. BZ NF 11 (1967) S. 240–246.
Schmitt, R., Exodus und Passah. Ihr Zusammenhang im Alten Testament. OBO 7. Freiburg/Schweiz 1975 (= Exodus).
Schnabel, P., Berossos und die babylonisch-hellenistische Literatur. (1923). Nachdruck Hildesheim 1968 (= Berossos).
Schrader, E., Die מלכת השמים und ihr aramäisch-assyrisches Aequivalent. SPAW 27 (1886) S. 477–491.
Schramm, W., Einleitung in die assyrischen Königsinschriften. 2. Teil. HdO 1. Abt. Erg.-Bd. V. Leiden 1973 (= Einleitung II).
Schreiner, J., Exodus 12,21–23 und das israelitische Pascha. in: FS W. Kornfeld. Wien 1977. S. 69–90 (= FS Kornfeld S. 69–90).
Schroeder, O., Keilschrifttexte aus Assur verschiedenen Inhalts. WVDOG 35. Leipzig 1920 (= KAV, mit Nr.).
Seeligmann, I. L., Die Auffassung von der Prophetie in der deuteronomistischen und chronistischen Geschichtsschreibung. (Mit einem Exkurs über das

Buch Jeremia). in: Congress Volume Göttingen 1977. VTS 29. Leiden 1978. S. 254–284 (= VTS 29 S. 254–284).
Segert, S., Altaramäische Grammatik. Leipzig 1975 (= AG).
Seidl, U., Art. Göttersymbole und -attribute. AI. in: RLA Bd. III. Berlin 1957–71. S. 484–490 (= RLA III S. 484--490).
Seitz, G., Redaktionsgeschichtliche Studien zum Deuteronomium. BWANT V/13. Stuttgart 1971 (= Studien).
Sekine, M., Beobachtungen zur josianischen Reform. VT 22 (1972) S. 361–368.
Sellin, E., Geschichte des israelitisch-jüdischen Volkes. 1. Teil. 2. Aufl. Leipzig 1935 (= Geschichte).
Septuaginta. Ed. A. Rahlfs. 2 Bde 8. Aufl. Stuttgart 1965 (= LXX).
Sethe, K., Urkunden der 18. Dynastie. Historisch-biographische Urkunden aus der Zeit Thutmosis' III. Urkunden des ägyptischen Altertums. IV. Abteilung, Heft 9/10. Leipzig 1907 (= Setze, Urk IV).
Seux, M.-J., Épithètes Royales Akkadiennes et Sumériennes. Paris 1967 (= ER).
Shipton, G. M., s. Lamon, R. S.
Simons, J., Jerusalem in the Old Testament. Leiden 1952 (= Jerusalem).
Smend, R., Wilhelm Martin Leberecht de Wettes Arbeit am Alten und am Neuen Testament. Basel 1958 (= De Wettes Arbeit).
– Der biblische und der historische Elia. in: Congress Volume Edinburgh 1974. VTS 28. Leiden 1975. S. 167–184 (= VTS 28 S. 167–184).
– Die Entstehung des Alten Testaments. ThW 1. Stuttgart 1978 (= Entstehung).
– Zur Geschichte von האמין. in: FS W. Baumgartner. VTS 16. Leiden 1967. S. 284–290 (= VTS 16 S. 284–290).
– Das Gesetz und die Völker. in: FS G. von Rad. München 1971. S. 494–509 (= FS von Rad S. 494–509).
– Das Wort Jahwes an Elia. VT 25 (1975) S. 525–543.
Smith, G., The Cuneiform Inscriptions of Western Asia. Bd. III. Ed. H. C. Rawlinson. London 1870 (= IIIR, mit Tf.).
– The Cuneiform Inscriptions of Western Asia. Bd. IV. Ed. H. C. Rawlinson. London 1875 (= IVR[1], mit Tf.).
Smith, R., Die Religion der Semiten (dt. Übersetzung der engl. Ausgabe von 1889). Freiburg i.B. 1899 (= Religion).
Snaith, N. H., The Meaning of שְׂעִירִים. VT 25 (1975) S. 115–118.
Soden, W. von, Beiträge zum Verständnis der neuassyrischen Briefe über die Ersatzkönigsriten. in: FS V. Christian. Wien 1956. S. 100–107 (= FS Christian S. 100–107).
– Ein neues Bruchstück des assyrischen Kommentars zum Marduk-Ordal. ZA 52 (1957) S. 224–234.
– Grundriss der akkadischen Grammatik samt Ergänzungsheft. AnOr 33/47. 2. Aufl. Rom 1969 (= GAG).
– Akkadisches Handwörterbuch. Wiesbaden 1959–1981 (= AHw).
– Herrscher im Alten Orient. Berlin 1954 (= Herrscher).
– Rez. J. V. Kinnier Wilson, The Nimrud Wine Lists. 1972. ZA 64 (1975) S. 129f.
– Der Nahe Osten im Altertum. in: G. Mann / A. Heuss (Ed.), Propyläen Weltgeschichte. Bd. II/1. (1962). Frankfurt/Main 1976. S. 39–133 (= PWG II/1 S. 39–133).
– Sanherib vor Jerusalem 701 v. Chr. in: FS H. E. Stier. Münster 1972. S. 43–51 (= FS Stier S. 43–51).

– Die Schutzgenien Lamassu und Schedu in der babylonisch-assyrischen Literatur. BagM 3 (1964) S. 148–156.
– Religiöse Unsicherheit, Säkularisierungstendenzen und Aberglaube zur Zeit der Sargoniden. in: Studia Biblica et Orientalia. Bd. III: Oriens Antiquus. Rom 1959. S. 356–367 (= Unsicherheit).
– Aramäische Wörter in neuassyrischen und neu- und spätbabylonischen Texten. Ein Vorbericht. OrNS 35 (1966) S. 1–20; 37 (1968) S. 261–271.
– Zum akkadischen Wörterbuch 88–96. OrNS 26 (1957) S. 127–138.
– Gibt es ein Zeugnis dafür, daß die Babylonier an die Wiederauferstehung Marduks geglaubt haben? ZA 51 (1955) S. 130–166.
– Zweisprachigkeit in der geistigen Kultur Babyloniens. SÖAW.PH 235.1 (1960) S. 1–23 (= Zweisprachigkeit).
Soggin, J. A., s. Croatto, J. S.
– Der judäische ʿam-ha'areṣ und das Königtum in Juda. VT 13 (1963) S. 187–195.
Spalinger A., Esarhaddon and Egypt: An Analysis of the First Invasion of Egypt. OrNS 43 (1974) S. 295–326.
Stade, B., Ein phönicisches Aequivalent von כֹּהֵן מִשְׁנֶה ? ZAW 22 (1902) S. 325–327.
– Das vermeintliche aramäisch-assyrische Aequivalent der מלכת השמים Jer. 7.44. ZAW 6 (1886) S. 289–339.
– Anmerkungen zu 2Kö. 10–14. (1885). in: ders., Ausgewählte akademische Reden und Abhandlungen. 2. Ausg. Giessen 1907. S. 181–199 (= Anmerkungen S. 181–199).
– Anmerkungen zu 2Kö. 15–21 (1886). in: ders., Ausgewählte akademische Reden und Abhandlungen. 2. Ausg. Giessen 1907. S. 201–226 (= Anmerkungen S. 201–226).
– Geschichte des Volkes Israel. Bd. I. Berlin 1887 (= GVI I).
– Die vermeintliche „Königin des Himmels". ZAW 6 (1886) S. 123–132.
– Biblische Theologie des Alten Testaments. Bd. I. Tübingen 1905 (= BT).
– Das Volk Javan. (1880). in: ders., Ausgewählte akademische Reden und Abhandlungen. Giessen 1907. S. 123–142 (= Javan).
Stadelmann, R., Syrisch-palästinensische Gottheiten in Ägypten. Leiden 1967 (= Gottheiten).
Steck, O. H., Überlieferung und Zeitgeschichte in den Elia-Erzählungen. WMANT 26. Neukirchen–Vluyn 1968 (= Elia).
Steuernagel, C., Das Buch Josua. HK I,3,2. 2. Aufl. Göttingen 1923 (= Jos).
– Das Deuteronomium. HK I,3,1. 2. Aufl. Göttingen 1923 (= Dtn).
– Lehrbuch der Einleitung in das Alte Testament. Tübingen 1912 (= EinlAT).
Streck, M., Assurbanipal und die letzten assyrischen Könige bis zum Untergang Niniveh's. VAB 7. 3 Bde Leipzig 1916 (= VAB 7).
Strong, S. A., On Some Oracles to Esarhaddon and Ašurbanipal. Beiträge zur Assyriologie und semitischen Sprachwissenschaft 2 (1894) S. 627–645 (= BA 2 S. 627–645).
Sznycer, M., s. Caquot, A.
Tadmor, H. / Cogan, M., Ahaz and Tiglath-Pileser in the Book of Kings: Historiographic Considerations. Bibl 60 (1979) S. 491–508.
– Azriyau of Yaudi. Scripta Hierosolymitana 8 (1961) S. 232–271 (= SH 8 S. 232–271).
– The Campaigns of Sargon II of Assur: A Chronological-Historical Study. JCS 12 (1958) S. 22–40.77–100.

– „חטאו של סרגון“ (The „Sin of Sargon“). EI 5 (1958) S. 150–163.93*.
– The Historical Inscriptions of Adad-nirari III. Iraq 35 (1973) S. 141–150.
– Philistia under Assyrian Rule. BA 29 (1966) S. 86–102.
Tallqvist, K. L., Akkadische Götterepitheta. StOr 7. Helsinki 1938 (= AGE).
– Der assyrische Gott. StOr 4/III. Helsinki 1932 (= Gott).
– Assyrian Personal Names. ASSF 43/I. Helsinki 1914 (= APN).
Talmon, S., The Judaean 'Am Ha'areṣ in Historical Perspective. in: Fourth World Congress of Jewish Studies. Bd. 1. Jerusalem 1967. S. 71–76 (= 'Am Ha'areṣ).
Thiel, W., Die deuteronomistische Redaktion von Jeremia 1–25. WMANT 41. Neukirchen–Vluyn 1973 (= Jer I).
– Die deuteronomistische Redaktion von Jeremia 26–45. WMANT 52. Neukirchen–Vluyn 1981 (= Jer II).
Thompson, R. C., The Epic of Gilgamish: Text, Transliteration, and Notes. Oxford 1930 (= EG, mit Tf.).
– The Prisms of Esarhaddon and Ashurbanipal Found at Nineveh, 1927–8. London 1931 (= PEA).
– The Reports of the Magicians and Astrologers of Nineveh and Babylon in the British Museum. 2 Bde London 1900 (= RMA, mit Nr.).
– A Selection from the Cuneiform Historical Texts from Nineveh (1927–32). Iraq 7 (1940) S. 85–111.
– Assyrian Medical Texts. London 1923 (= AMT, mit Pl.).
Thureau–Dangin, F., Une Relation de la Huitième Campagne de Sargon (714 av. J.–C.). TCL 3. Paris 1912 (= TCL 3, mit Zeilenangabe).
– Rituels Accadiens. Paris 1921 (= RAcc).
Todd, E. W., The Reforms of Hezekiah and Josiah. SJTh 9 (1956) S. 288–293.
Tsevat, M., The Neo-Assyrian and Neo-Babylonian Vassal Oaths and the Prophet Ezekiel. JBL 78 (1959) S. 199–204.
Tushingham, A. D., A Royal Israelite Seal(?) and the Royal Jar Handle Stamps. BASOR 200 (1970) S. 71–78; 201 (1971) S. 23–35.
Unger, E., Art. Dûr-Šarrukîn. in: RLA Bd. II. Berlin 1938. S. 249–252 (= RLA II S. 249–252).
– Die Symbole des Gottes Assur. Belleten 29 (1965) S. 423–483 (= Bell. S. 423–483).
Ungnad, A., s. Friedrich, J. und Messerschmidt, L.
– Art. Eponymen. in: RLA Bd. II. Berlin 1938. S. 412–457 (= RLA II S. 412–457).
–/Kohler, J., Assyrische Rechtsurkunden. Leipzig 1913 (= ARU, mit Nr.).
– Vorderasiatische Schriftdenkmäler der königlichen Museen zu Berlin. Bd. 6. Leipzig 1908 (= VS 6, mit Nr.).
Urbach, E. E., The Sages. Their Concepts and Beliefs (engl. Übersetzung der hebr. Ausgabe von 1971). Jerusalem 1975 (= Sages).
Ussishkin, D., The Destruction of Lachish by Sennacherib and the Dating of the Royal Judean Storage Jars. Tel Aviv 4 (1977) S. 28–60.
– Excavations at Tel Lachish – 1973–1977, Preliminary Report. Tel Aviv 5 (1978) S. 1–97.
– Royal Judean Storage Jars and Private Seal Impressions. BASOR 223 (1976) S. 1–13.
Vannutelli, P. (Ed.), Libri Synoptici Veteris Testamenti seu Librorum Regum et Chronicorum Loci Paralleli. 2 Bde Rom 1931–34.
Vaughan, P. H., The Meaning of ‚bāmâ' in the Old Testament. London 1974 (= Bāmâ).

Vaux, R. de, Les Institutions de l'Ancien Testament. 2 Bde Paris 1958–60 (= Institutions I bzw. II).
– Les Sacrifices de l'Ancien Testament. CRB 1. Paris 1964 (= Sacrifices).
Veenhof, K. R., Rez. E. Kutsch, Salbung als Rechtsakt im Alten Testament und im Alten Orient. 1963. BiOr 23 (1966) S. 308–313.
Veijola, T., Zu Ableitung und Bedeutung von hēʿīd I im Hebräischen. UF 8 (1976) S. 343–351.
– Die ewige Dynastie. AASF B 193. Helsinki 1975 (= Dynastie).
– „Jäljestäpäin lisätty laki". Crux interpretum 2 Kun 11:12. Teologinen Aikakauskirja 84 (1979) S. 91–104 (= TAik 84 S. 91–104).
– Das Königtum in der Beurteilung der deuteronomistischen Historiographie. AASF B 198. Helsinki 1977 (= Königtum).
Vercoutter, J. (Ed.), s. Cassin, E. (Ed.)
Vermeylen, J., Du Prophète Isaïe à l'Apocalyptique. 2Bde Paris 1977–78 (= Isaïe).
Virolleaud, C., L'Astrologie Chaldéenne. Second Supplément (Fasc. 11–14). Paris 1911–12 (= ACh SS, mit Nr.).
Vogt, E., Die neubabylonische Chronik über die Schlacht bei Karkemisch und die Einnahme von Jersualem. in: Volume du Congres Strasbourg 1956. VTS 4. Leiden 1957. S. 67–96 (= VTS 4 S. 67–96).
Vulgata, s. Biblia Sacra ...
Waerden, B. L. van der, Erwachende Wissenschaft Bd. 2: Die Anfänge der Astronomie (dt. Übersetzung der holl. Ausgabe von 1950). Basel 1968 (= Astronomie).
Wagner, M., Die lexikalischen und grammatikalischen Aramaismen im alttestamentlichen Hebräisch. BZAW 96. Berlin 1966 (= Aramaismen).
Walker, C. B. F., Cuneiform Texts from Babylonian Tablets. Part 51. London 1972 (= CT 51, mit Nr.).
Wallis, G., Rez. M. Cogan, Imperialism and Religion. 1974. ThLZ 103 (1978) Sp. 495f.
Waterman, L., Royal Correspondence of the Assyrian Empire. Part I–IV. Ann Arbor 1930–36 (= RCAE, mit Nr.).
Weber, M., Gesammelte Aufsätze zur Religionssoziologie. Bd. III: Das antike Judentum. Tübingen 1921 (= Judentum).
Weidner, E. F., s. Friedrich, J.
– Assurbânipal in Assur. AfO 13 (1939–41) S. 204–218.
– Weisse Pferde im Alten Orient. BiOr 9 (1952) S. 157–159.
– Šilkan(ḫe)ni, König von Muṣri, ein Zeitgenosse Sargons II. AfO 14 (1941–44) S. 40–51.
– Der Staatsvertrag Aššurnirâris VI. von Assyrien mit Mati'ilu von Bît-Agusi. AfO 8 (1932/33) S. 17–34.
Weinberg, J. P., Der ʿam hāʾāreṣ des 6.–4. Jh. v. u. Z. Klio 56 (1974) S. 325–335.
Weinfeld, M., Cult Centralization in Israel in the Light of a Neo-Babylonian Analogy. JNES 23 (1964) S. 202–212.
– Deuteronomy and the Deuteronomic School. Oxford 1972 (= Dtn).
– Traces of Assyrian Treaty Formulae in Deuteronomy. Bibl 46 (1965) S. 417–427.
– The Worship of Molech and of the Queen of Heaven and its Background. UF 4 (1972) S. 133–154.

Weippert, H., Die „deuteronomistischen" Beurteilungen der Könige von Israel und Juda und das Problem der Redaktion der Königsbücher. Bibl 53 (1972) S. 301–339.
– Art. Feldzeichen. in: BRL^2 Tübingen 1977. S. 77–79 (= BRL^2 S. 77–79).
Weippert, M., Edom. Studien und Materialien zur Geschichte der Edomiter auf Grund schriftlicher und archäologischer Quellen. Theol. Diss. Tübingen 1971 (= Edom).
– Über den asiatischen Hintergrund der Göttin „Asiti". OrNS 44 (1975) S. 12–21.
– Die Kämpfe des assyrischen Königs Assurbanipal gegen die Araber. WO 7 (1973/74) S. 39–85; 8 (1975/76) S. 64.
– Menahem von Israel und seine Zeitgenossen in einer Steleninschrift des assyrischen Königs Tiglathpileser III. aus dem Iran. ZDPV 89 (1973) S. 26–56.
– Rez. S. Parpola, Neo-Assyrian Toponyms. 1970. GGA 224 (1972) S. 150–161.
Weißbach, F. H., Zu den Inschriften der Säle im Palaste Sargon's II. von Assyrien. ZDMG 72 (1918) S. 161–185.
Welch, A. C., The Code of Deuteronomy. London 1924 (= Code).
– The Death of Josiah. ZAW 43 (1925) S. 255–260.
– When was the Worship of Israel Centralised at the Temple? ZAW 43 (1925) S. 250–255.
Wellhausen, J., Die Composition des Hexateuchs und der historischen Bücher des Alten Testaments. (1885). 4. Aufl. Berlin 1963 (= Composition).
– Israelitische und jüdische Geschichte. (1894). 6. Ausg. Berlin 1907 (= IjG).
– Grundrisse zum Alten Testament. Ed. R. Smend. TB 27. München 1965 (= Grundrisse).
– Prolegomena zur Geschichte Israels. (1878 als Geschichte Israels I). 6. Ausg. Berlin 1905 (= Prolegomena).
– Die kleinen Propheten. 3. Aufl. 1898. Nachdruck Berlin 1963 (= KlProph).
Welten, P., Die Königs-Stempel. ADPV. Wiesbaden 1969 (= Königs-Stempel).
– Art. Kulthöhe. in: BRL^2 Tübingen 1977. S. 194f. (= BRL^2 S. 194f.).
– Kulthöhe und Jahwetempel. ZDPV 88 (1972) S. 19–37.
Westermann, C., Das Buch Jesaja. Kapitel 40–66. ATD 19. Göttingen 1966 (= Jes).
– Genesis. BK I/2. Neukirchen–Vluyn 1981. (= Gen II).
Westphal, G., צבא השמים. in: FS T. Nöldeke. Giessen 1906. S. 719–728 (= FS Nöldeke S. 719–728).
Wette, W. M. L. de, Beiträge zur Einleitung in das Alte Testament. 2 Bde 1806 und 1807. Nachdruck 1971 (= Beiträge I bzw. II).
Wilke, F., Das Skythenproblem im Jeremiabuch. in: FS R. Kittel. BWAT 13. Leipzig 1913. S. 222–254 (= FS Kittel S. 222–254).
Willi, T., Die Chronik als Auslegung. FRLANT 106. Göttingen 1972 (= Auslegung).
Williams, R. J., Hebrew Syntax. Toronto 1967 (= Syntax).
Williamson, H. G. M., Israel in the Books of Chronicles. Cambridge 1977 (= Israel).
Winckler, H., Altorientalische Forschungen. Erste Reihe. Leipzig (1893–)1897 (= AOF I).
– Die Keilschrifttexte Sargons nach den Papierabklatschen und Originalen. 2 Bde Leipzig 1889 (= Srg).
– Alttestamentliche Untersuchungen. Leipzig 1892 (= Untersuchungen).

Wiseman, D. J., Chronicles of Chaldaean Kings (626–556 B. C.) in the British Museum. London 1956 (= CCK).
– A Fragmentary Inscription of Tiglath-pileser III from Nimrud. Iraq 18 (1956) S. 117–129.
– Two Historical Inscriptions from Nimrud. Iraq 13 (1951) S. 21–26.
– The Nimrud Tablets, 1949. Iraq 12 (1950) S. 184–200.
– The Nimrud Tablets, 1953. Iraq 15 (1953) S. 135–160.
– The Vassal-Treaties of Esarhaddon. Iraq 20 (1958) S. 1–99. Pl. 1–53 (= VTE, mit Zeilenangabe).
Wohlstein, H., Zu einigen altisraelitischen Volksvorstellungen von Toten- und Ahnengeistern in biblischer Überlieferung. ZRGG 19 (1967) S. 348–355.
Wolff, H. W., Dodekapropheton 1. Hosea. BK XIV/1. 2. Aufl. Neukirchen–Vluyn 1965 (= Hos).
– Dodekapropheton 2. Joel und Amos. BK XIV/2. Neukirchen–Vluyn 1969 (= Jo bzw. Am).
– Das Ende des Heiligtums in Bethel. (1970). in: ders., Gesammelte Studien zum Alten Testament. TB 22. 2. Aufl. München 1973. S. 442–453 (= Bethel).
– Das Kerygma des deuteronomistischen Geschichtswerks. (1961). in: ders., Gesammelte Studien zum Alten Testament. TB 22. 2. Aufl. München 1973. S. 308–324 (= Kerygma des DtrG).
Woolley, C. L., Carchemish. Part II. London 1921 (= Carchemish II).
Wright, G. E., The Levites in Deuteronomy. VT 4 (1954) S. 325–330.
Würthwein, E., Der ʻamm ha'arez im Alten Testament. BWANT IV/17. Stuttgart 1936 (= ʻAmm ha'arez).
– Das erste Buch der Könige. Kapitel 1–16. ATD 11/1. Göttingen 1977 (= Kön).
– Die Erzählung vom Gottesmann aus Juda in Bethel. in: FS K. Elliger. AOAT 18. Neukirchen-Vluyn 1973. S. 181–189 (= FS Elliger S. 181–189).
– Die Josianische Reform und das Deuteronomium. ZThK 73 (1976) S. 395–423.
Wüst, M., Art. Arad. in: BRL² Tübingen 1977. S. 11f. (= BRL² S. 11f.).
– Art. Bethel. in: BRL² Tübingen 1977. S. 44f. (= BRL² S. 44f.).
Yadin, Y., Beer-sheba: The High Place Destroyed by King Josiah. BASOR 222 (1976) S. 5–17.
– The ‚House of Baʻal' of Ahab and Jezebel in Samaria, and that of Athalia in Judah. in: FS K. Kenyon. Warminster 1978. S. 127–135 (= FS Kenyon S. 127–135).
– Art. Megiddo. in: EAEHL Bd. III. London 1977. S. 830–856 (= EAEHL III S. 830–856).
– מעלות אחז („The Dial of Ahaz"). EI 5 (1958) S. 91–96.88*f.
– The Historical Significance of Inscription 88 from Arad: A Suggestion. IEJ 26 (1976) S. 9–14.
– Symbols of Deities at Zinjirli, Carthage and Hazor. in: FS N. Glueck. Garden City, N. Y. 1970. S. 199–231 (= Symbols).
Zimmerli, W., Das Bilderverbot in der Geschichte des alten Israel. Goldenes Kalb, Eherne Schlange, Mazzeben und Lade. (1971). in: ders., Studien zur alttestamentlichen Theologie und Prophetie. TB 51. München 1974. S. 247–260 (= TB 51 S. 247–260).
– Erstgeborene und Leviten. Ein Beitrag zur exilisch-nachexilischen Theologie. (1971). in: ders., Studien zur alttestamentlichen Theologie und Prophetie.

TB 51. München 1974. S. 235–246 (= TB 51 S. 235–246).
– Ezechiel. BK XIII. 2 Bde Neukirchen–Vluyn 1969 (= Ez).
– Das zweite Gebot. (1950). in: ders., Gottes Offenbarung. TB 19. München 1969. S. 234–248 (= TB 19 S. 234–248).
– Jesaja und Hiskia. (1973). in: ders., Studien zur alttestamentlichen Theologie und Prophetie. TB 51. München 1974. S. 88–103 (= TB 51 S. 88–103).
Zimmern, H., Beiträge zur Kenntnis der babylonischen Religion. AB 12. 2 Bde Leipzig 1896 und 1901 (= BBR, mit Nr.).
– Zum babylonischen Neujahrsfest. BSGW 58. Leipzig 1906. S. 126–156 (= Neujahrsfest I).
– Überblick über die babylonische Religion in Bezug auf ihre Berührung mit biblischen Vorstellungen. in: E. Schrader (Ed.), Die Keilinschriften und das Alte Testament. 3. Aufl. Berlin 1903. S. 347–643 (= KAT^3 S. 347–643).
Zorell, F., Lexicon Hebraicum et Aramaicum Veteris Testamenti. Nachdruck Rom 1968 (= LHA).
Zorn, R. M., The Pre-Josianic Reforms of Judah. Phil. Diss. The Southern Baptist Theological Seminary, Louisville, Kentucky 1977 (= Reforms).

APPENDIX
TEXTREKONSTRUKTIONEN

PD | SD | DtrN | DtrH | Vorlage   1 KÖN 11

1a וְהַמֶּלֶךְ שְׁלֹמֹה אָהַב נָשִׁים

נָכְרִיּוֹת

רַבּוֹת

וְאֶת־בַּת־פַּרְעֹה

1b מוֹאֲבִיּוֹת עַמֳּנִיּוֹת אֲדֹמִיֹּת צֵדְנִיֹּת חִתִּיֹּת׃

2a מִן־הַגּוֹיִם אֲשֶׁר אָמַר־יְהוָה אֶל־בְּנֵי יִשְׂרָאֵל לֹא־תָבֹאוּ בָהֶם

וְהֵם לֹא־יָבֹאוּ בָכֶם אָכֵן יַטּוּ אֶת־לְבַבְכֶם אַחֲרֵי אֱלֹהֵיהֶם

2b בָּהֶם דָּבַק שְׁלֹמֹה לְאַהֲבָה׃

3a וַיְהִי־לוֹ נָשִׁים שָׂרוֹת שְׁבַע מֵאוֹת וּפִלַגְשִׁים שְׁלֹשׁ מֵאוֹת

3b וַיַּטּוּ נָשָׁיו אֶת־לִבּוֹ׃

4a וַיְהִי לְעֵת זִקְנַת שְׁלֹמֹה נָשָׁיו הִטּוּ אֶת־לְבָבוֹ אַחֲרֵי אֱלֹהִים אֲחֵרִים

4b וְלֹא־הָיָה לְבָבוֹ שָׁלֵם עִם־יְהוָה אֱלֹהָיו כִּלְבַב דָּוִיד אָבִיו׃

5a וַיֵּלֶךְ שְׁלֹמֹה אַחֲרֵי עַשְׁתֹּרֶת אֱלֹהֵי צִדֹנִים

5b וְאַחֲרֵי מִלְכֹּם שִׁקֻּץ עַמֹּנִים׃

6a וַיַּעַשׂ שְׁלֹמֹה הָרַע בְּעֵינֵי יְהוָה

6b וְלֹא מִלֵּא אַחֲרֵי יְהוָה כְּדָוִד אָבִיו׃

7aα אָז יִבְנֶה שְׁלֹמֹה בָּמָה לִכְמוֹשׁ שִׁקֻּץ מוֹאָב

7aβ בָּהָר אֲשֶׁר עַל־פְּנֵי יְרוּשָׁלִָם

7b וּלְמֹלֶךְ שִׁקֻּץ בְּנֵי עַמּוֹן׃

8 וְכֵן עָשָׂה לְכָל־נָשָׁיו הַנָּכְרִיּוֹת מַקְטִירוֹת וּמְזַבְּחוֹת לֵאלֹהֵיהֶן׃

SD | DtrN | DtrH | Vorlage — 1 KÖN 14

21a וּרְחַבְעָם בֶּן־שְׁלֹמֹה מָלַךְ בִּיהוּדָה

21bα בֶּן־אַרְבָּעִים וְאַחַת שָׁנָה רְחַבְעָם בְּמָלְכוֹ וּשְׁבַע עֶשְׂרֵה שָׁנָה ׀ מָלַךְ בִּירוּשָׁלַם

21bβ הָעִיר אֲשֶׁר־בָּחַר יְהוָה לָשׂוּם אֶת־שְׁמוֹ שָׁם מִכֹּל שִׁבְטֵי יִשְׂרָאֵל

21bγ וְשֵׁם אִמּוֹ נַעֲמָה הָעַמֹּנִית׃

22a וַיַּעַשׂ יְהוּדָה הָרַע בְּעֵינֵי יְהוָה

22b וַיְקַנְאוּ אֹתוֹ מִכֹּל אֲשֶׁר עָשׂוּ אֲבֹתָם בְּחַטֹּאתָם אֲשֶׁר חָטָאוּ׃

23a וַיִּבְנוּ גַם־הֵמָּה לָהֶם בָּמוֹת וּמַצֵּבוֹת וַאֲשֵׁרִים

23b עַל כָּל־גִּבְעָה גְבֹהָה וְתַחַת כָּל־עֵץ רַעֲנָן׃

24a וְגַם־קָדֵשׁ הָיָה בָאָרֶץ

24b עָשׂוּ כְּכֹל <<הַ>>תּוֹעֲבֹת הַגּוֹיִם

אֲשֶׁר הוֹרִישׁ יְהוָה מִפְּנֵי בְּנֵי יִשְׂרָאֵל׃

SD | DtrH | Vorlage — 1 KÖN 15

9 וּבִשְׁנַת עֶשְׂרִים לְיָרָבְעָם מֶלֶךְ יִשְׂרָאֵל מָלַךְ אָסָא מֶלֶךְ יְהוּדָה׃

10 וְאַרְבָּעִים וְאַחַת שָׁנָה מָלַךְ בִּירוּשָׁלָםִ וְשֵׁם אִמּוֹ מַעֲכָה בַּת־אֲבִישָׁלוֹם׃

11 וַיַּעַשׂ אָסָא הַיָּשָׁר בְּעֵינֵי יְהוָה כְּדָוִד אָבִיו׃

12a וַיַּעֲבֵר הַקְּדֵשִׁים מִן־הָאָרֶץ

12b וַיָּסַר אֶת־כָּל־הַגִּלֻּלִים אֲשֶׁר עָשׂוּ אֲבֹתָיו׃

13a וְגַם

אֶת־מַעֲכָה אִמּוֹ וַיְסִרֶהָ מִגְּבִירָה אֲשֶׁר־עָשְׂתָה מִפְלֶצֶת לָאֲשֵׁרָה

13b וַיִּכְרֹת אָסָא אֶת־מִפְלַצְתָּהּ וַיִּשְׂרֹף בְּנַחַל קִדְרוֹן׃

14 וְהַבָּמוֹת לֹא־סָרוּ רַק לְבַב־אָסָא הָיָה שָׁלֵם עִם־יְהוָה כָּל־יָמָיו׃

SD | DtrH | Vorlage — 1 KÖN 22

41 וִיהוֹשָׁפָט בֶּן־אָסָא מָלַךְ עַל־יְהוּדָה בִּשְׁנַת אַרְבַּע לְאַחְאָב מֶלֶךְ יִשְׂרָאֵל׃

42a יְהוֹשָׁפָט בֶּן־שְׁלֹשִׁים וְחָמֵשׁ שָׁנָה בְּמָלְכוֹ וְעֶשְׂרִים וְחָמֵשׁ שָׁנָה מָלַךְ בִּירוּשָׁלָ͏ִם

42b וְשֵׁם אִמּוֹ עֲזוּבָה בַּת־שִׁלְחִי׃

43 וַיֵּלֶךְ בְּכָל־דֶּרֶךְ אָסָא אָבִיו לֹא־סָר מִמֶּנּוּ לַעֲשׂוֹת הַיָּשָׁר בְּעֵינֵי יְהוָה׃

44 אַךְ הַבָּמוֹת לֹא־סָרוּ עוֹד הָעָם מְזַבְּחִים וּמְקַטְּרִים בַּבָּמוֹת׃

45 וַיַּשְׁלֵם יְהוֹשָׁפָט עִם־מֶלֶךְ יִשְׂרָאֵל׃

46a וְיֶתֶר דִּבְרֵי יְהוֹשָׁפָט וּגְבוּרָתוֹ אֲשֶׁר־עָשָׂה וַאֲשֶׁר נִלְחָם

46b הֲלֹא־הֵם כְּתוּבִים עַל־סֵפֶר דִּבְרֵי הַיָּמִים לְמַלְכֵי יְהוּדָה׃

47 וְיֶתֶר הַקָּדֵשׁ אֲשֶׁר נִשְׁאַר בִּימֵי אָסָא אָבִיו בִּעֵר מִן־הָאָרֶץ׃

48 וּמֶלֶךְ אֵין בֶּאֱדוֹם נִצָּב(?) מֶלֶךְ(?) ׃

49a יְהוֹשָׁפָט עָשָׂה(!) אֳנִיּוֹת תַּרְשִׁישׁ לָלֶכֶת אוֹפִירָה לַזָּהָב וְלֹא הָלָךְ

49b כִּי־נִשְׁבְּרָה אֳנִיּוֹת בְּעֶצְיוֹן גָּבֶר׃

50aα אָז אָמַר אֲחַזְיָהוּ בֶן־אַחְאָב אֶל־יְהוֹשָׁפָט

50aβb יֵלְכוּ עֲבָדַי עִם־עֲבָדֶיךָ בָּאֳנִיּוֹת וְלֹא אָבָה יְהוֹשָׁפָט׃

51a וַיִּשְׁכַּב יְהוֹשָׁפָט עִם־אֲבֹתָיו וַיִּקָּבֵר עִם־אֲבֹתָיו בְּעִיר דָּוִד אָבִיו

51b וַיִּמְלֹךְ יְהוֹרָם בְּנוֹ תַּחְתָּיו׃

PD | SD | DtrN | DtrH | Vorlage 2 KÖN 11

17aα וַיִּכְרֹת יְהוֹיָדָע אֶת־הַבְּרִית

17aβγ בֵּין יְהוָה וּבֵין הַמֶּלֶךְ וּבֵין הָעָם לִהְיוֹת לְעָם לַיהוָה ו

17b בֵּין הַמֶּלֶךְ וּבֵין הָעָם :

18a וַיָּבֹאוּ כָל־עַם הָאָרֶץ בֵּית־הַבַּעַל וַיִּתְּצֻהוּ

אֶת־מִזְבְּחֹתָו וְאֶת־צְלָמָיו שִׁבְּרוּ הֵיטֵב

וְאֵת מַתָּן כֹּהֵן הַבַּעַל הָרְגוּ לִפְנֵי הַמִּזְבְּחוֹת

18b וַיָּשֶׂם הַכֹּהֵן פְּקֻדּוֹת עַל־בֵּית יְהוָה׃

19aα וַיִּקַּח אֶת־שָׂרֵי הַמֵּאוֹת וְאֶת־הַכָּרִי וְאֶת־הָרָצִים וְאֵת כָּל־עַם הָאָרֶץ

19aβγ וַיֹּרִידוּ אֶת־הַמֶּלֶךְ מִבֵּית יְהוָה וַיָּבוֹאוּ דֶּרֶךְ־שַׁעַר הָרָצִים בֵּית הַמֶּלֶךְ

19b וַיֵּשֶׁב עַל־כִּסֵּא הַמְּלָכִים׃

20a וַיִּשְׂמַח כָּל־עַם־הָאָרֶץ וְהָעִיר שָׁקָטָה

20b וְאֶת־עֲתַלְיָהוּ הֵמִיתוּ בַחֶרֶב בֵּית <הַ>מֶּלֶךְ :

PD | SD | DtrN | DtrH | Vorlage — 2 KÖN 12

1 בֶּן־שֶׁבַע שָׁנִים יְהוֹאָשׁ בְּמָלְכוֹ׃

2a בִּשְׁנַת־שֶׁבַע לְיֵהוּא מָלַךְ יְהוֹאָשׁ וְאַרְבָּעִים שָׁנָה מָלַךְ בִּירוּשָׁלִָם

2b וְשֵׁם אִמּוֹ צִבְיָה מִבְּאֵר שָׁבַע׃

3a וַיַּעַשׂ יְהוֹאָשׁ הַיָּשָׁר בְּעֵינֵי יְהוָה כָּל־יָמָיו

3b אֲשֶׁר הוֹרָהוּ יְהוֹיָדָע הַכֹּהֵן׃

4 רַק הַבָּמוֹת לֹא־סָרוּ עוֹד הָעָם מְזַבְּחִים וּמְקַטְּרִים בַּבָּמוֹת׃

5a וַיֹּאמֶר יְהוֹאָשׁ אֶל־הַכֹּהֲנִים כֹּל כֶּסֶף הַקֳּדָשִׁים אֲשֶׁר־יוּבָא בֵית־יְהוָה

כֶּסֶף(?) עוֹבֵר(?) אִישׁ(?) כֶּסֶף נַפְשׁוֹת עֶרְכּוֹ

5b כָּל־כֶּסֶף אֲשֶׁר יַעֲלֶה עַל לֶב־אִישׁ לְהָבִיא בֵּית יְהוָה׃

6a יִקְחוּ לָהֶם הַכֹּהֲנִים אִישׁ מֵאֵת מַכָּרוֹ

6bα וְהֵם יְחַזְּקוּ אֶת־בֶּדֶק הַבַּיִת

6bβ לְכֹל אֲשֶׁר־יִמָּצֵא שָׁם בָּדֶק׃

7a וַיְהִי בִּשְׁנַת עֶשְׂרִים וְשָׁלֹשׁ שָׁנָה לַמֶּלֶךְ יְהוֹאָשׁ

7b לֹא־חִזְּקוּ הַכֹּהֲנִים אֶת־בֶּדֶק הַבָּיִת׃

8a וַיִּקְרָא הַמֶּלֶךְ יְהוֹאָשׁ

לִיהוֹיָדָע הַכֹּהֵן וְ

לַכֹּהֲנִים וַיֹּאמֶר אֲלֵהֶם מַדּוּעַ אֵינְכֶם מְחַזְּקִים אֶת־בֶּדֶק הַבָּיִת

8b וְעַתָּה אַל־תִּקְחוּ־כֶסֶף מֵאֵת מַכָּרֵיכֶם כִּי־לְבֶדֶק הַבַּיִת תִּתְּנֻהוּ׃

9 וַיֵּאֹתוּ הַכֹּהֲנִים לְבִלְתִּי קְחַת־כֶּסֶף מֵאֵת הָעָם וּלְבִלְתִּי חַזֵּק אֶת־בֶּדֶק הַבָּיִת׃

PD | DtrH | Vor-lage | 2 KÖN 22

4 עֲלֵה אֶל־חִלְקִיָּהוּ הַכֹּהֵן

הַגָּדוֹל

וְיַתֵּם אֶת־הַכֶּסֶף

הַמּוּבָא בֵּית יְהוָה אֲשֶׁר אָסְפוּ שֹׁמְרֵי הַסַּף מֵאֵת הָעָם׃

5 וְיִתְּנֹה עַל־יַד עֹשֵׂי הַמְּלָאכָה

הַמֻּפְקָדִים בבֵית יְהוָה

וְיִתְּנוּ אֹתוֹ לְעֹשֵׂי הַמְּלָאכָה אֲשֶׁר בְּבֵית יְהוָה לְחַזֵּק בֶּדֶק הַבָּיִת׃

6 לֶחָרָשִׁים וְלַבֹּנִים

וְלַגֹּדְרִים וְלִקְנוֹת עֵצִים וְאַבְנֵי מַחְצֵב לְחַזֵּק אֶת־הַבָּיִת׃

7 אַךְ לֹא־יֵחָשֵׁב אִתָּם הַכֶּסֶף הַנִּתָּן עַל־יָדָם

כִּי בֶאֱמוּנָה הֵם עֹשִׂים׃

PD | SD | DtrH | Vorlage 2 KÖN 12

10a וַיִּקַּח יְהוֹיָדָע הַכֹּהֵן אֲרוֹן אֶחָד וַיִּקֹּב חֹר בְּדַלְתּוֹ

10bα וַיִּתֵּן אֹתוֹ אֵצֶל הַמִּזְבֵּחַ מִבַּיָּמִין

10bβ בְּבוֹא־אִישׁ בֵּית יְהוָה

10bγδ וְנָתְנוּ־שָׁמָּה הַכֹּהֲנִים שֹׁמְרֵי הַסַּף אֶת־כָּל־הַכֶּסֶף הַמּוּבָא בֵית־יְהוָה׃

11a וַיְהִי כִּרְאוֹתָם כִּי־רַב הַכֶּסֶף בָּאָרוֹן

11b וַיַּעַל סֹפֵר הַמֶּלֶךְ

וְהַכֹּהֵן הַגָּדוֹל

וַיָּצֻרוּ וַיִּמְנוּ אֶת־הַכֶּסֶף הַנִּמְצָא בֵית־יְהוָה׃

12a וְנָתְנוּ אֶת־הַכֶּסֶף הַמְתֻכָּן עַל־יַד עֹשֵׂי הַמְּלָאכָה

הַפְּקֻדִים <ב>בֵּית יְהוָה

12b וַיּוֹצִיאֻהוּ

לְחָרָשֵׁי הָעֵץ וְלַבֹּנִים הָעֹשִׂים בֵּית יְהוָה׃

13a וְלַגֹּדְרִים וּלְחֹצְבֵי הָאֶבֶן וְלִקְנוֹת עֵצִים וְאַבְנֵי מַחְצֵב

לְחַזֵּק אֶת־בֶּדֶק בֵּית־יְהוָה

13b וּלְכֹל אֲשֶׁר־יֵצֵא עַל־הַבַּיִת לְחָזְקָה׃

14a אַךְ לֹא יֵעָשֶׂה <<בֵּית יְהוָה>> סִפּוֹת כֶּסֶף מְזַמְּרוֹת מִזְרָקוֹת חֲצֹצְרוֹת

כָּל־כְּלִי זָהָב וּכְלִי־כָסֶף

14b מִן־הַכֶּסֶף הַמּוּבָא בֵית־יְהוָה׃

15 כִּי־לְעֹשֵׂי הַמְּלָאכָה יִתְּנֻהוּ וְחִזְּקוּ־בוֹ אֶת־בֵּית יְהוָה׃

16a וְלֹא יְחַשְּׁבוּ אֶת־הָאֲנָשִׁים אֲשֶׁר יִתְּנוּ אֶת־הַכֶּסֶף עַל־יָדָם

לָתֵת לְעֹשֵׂי הַמְּלָאכָה

16b כִּי בֶאֱמֻנָה הֵם עֹשִׂים׃

17 כֶּסֶף אָשָׁם וְכֶסֶף חַטָּאוֹת לֹא יוּבָא בֵּית יְהוָה לַכֹּהֲנִים יִהְיוּ׃

PD	SD	DtrH	Vorlage	2 KÖN 16

1   בִּשְׁנַת֙ שְׁבַע־עֶשְׂרֵ֣ה שָׁנָ֔ה לְפֶ֖קַח בֶּן־רְמַלְיָ֑הוּ מָלַ֛ךְ אָחָ֥ז בֶּן־יוֹתָ֖ם מֶ֥לֶךְ יְהוּדָֽה׃

2a   בֶּן־עֶשְׂרִ֤ים שָׁנָה֙ אָחָ֣ז בְּמָלְכ֔וֹ וְשֵׁשׁ־עֶשְׂרֵ֣ה שָׁנָ֔ה מָלַ֖ךְ בִּירוּשָׁלָ֑ם

2b   וְלֹא־עָשָׂ֣ה הַיָּשָׁ֗ר בְּעֵינֵ֛י יְהוָ֥ה אֱלֹהָ֖יו כְּדָוִ֥ד אָבִֽיו׃

3a   וַיֵּ֕לֶךְ בְּדֶ֖רֶךְ מַלְכֵ֣י יִשְׂרָאֵ֑ל

3bα   וְגַ֤ם אֶת־בְּנוֹ֙ הֶעֱבִ֣יר בָּאֵ֔שׁ כְּתֹֽעֲבוֹת֙ הַגּוֹיִ֔ם

3bβ   אֲשֶׁ֨ר הוֹרִ֤ישׁ יְהוָה֙ אֹתָ֔ם מִפְּנֵ֖י בְּנֵ֥י יִשְׂרָאֵֽל׃

4   וַיְזַבֵּ֤חַ וַיְקַטֵּר֙ בַּבָּמ֔וֹת וְעַל־הַגְּבָע֔וֹת וְתַ֖חַת כָּל־עֵ֥ץ רַעֲנָֽן׃

5a   אָ֣ז יַעֲלֶ֣ה רְצִ֣ין מֶֽלֶךְ־אֲ֠רָם וּפֶ֨קַח בֶּן־רְמַלְיָ֧הוּ מֶֽלֶךְ־יִשְׂרָאֵ֛ל יְרוּשָׁלַ֖ם לַמִּלְחָמָ֑ה

5b   וַיָּצֻ֙רוּ֙ עַל־אָחָ֔ז וְלֹ֥א יָכְל֖וּ לְהִלָּחֵֽם׃

6a   בָּעֵ֣ת הַהִ֗יא הֵ֠שִׁיב [רְצִ֣ין] מֶֽלֶךְ־אֲדָם(!) אֶת־אֵילַ֖ת לַאֲדָֽם(!)

     וַיְנַשֵּׁ֤ל אֶת־הַיְהוּדִים֙ מֵאֵילַ֣<<וֹ>>ת

6b   וַאֲדֹמִים֙(!) בָּ֣אוּ אֵילַ֔ת וַיֵּ֣שְׁבוּ שָׁ֔ם עַ֖ד הַיּ֥וֹם הַזֶּֽה׃

7a   וַיִּשְׁלַ֣ח אָחָ֣ז מַלְאָכִ֡ים אֶל־תִּ֠גְלַת פִּלֶ֨סֶר מֶֽלֶךְ־אַשּׁ֤וּר לֵאמֹר֙ עַבְדְּךָ֣ וּבִנְךָ֣ אָ֔נִי

7b   עֲלֵ֨ה וְהוֹשִׁעֵ֜נִי מִכַּ֣ף מֶֽלֶךְ־אֲרָ֗ם וּמִכַּף֙ מֶ֣לֶךְ יִשְׂרָאֵ֔ל הַקָּ<<וֹ>>מִ֖ים עָלָֽי׃

8a   וַיִּקַּ֣ח אָחָ֗ז אֶת־הַכֶּ֤סֶף וְאֶת־הַזָּהָב֙ הַנִּמְצָ֣א בֵּ֣ית יְהוָ֔ה וּבְאֹצְר֖וֹת בֵּ֥ית הַמֶּֽלֶךְ

8b   וַיִּשְׁלַ֥ח לְמֶֽלֶךְ־אַשּׁ֖וּר שֹֽׁחַד׃

9   וַיִּשְׁמַ֤ע אֵלָיו֙ מֶ֣לֶךְ אַשּׁ֔וּר וַיַּ֨עַל֙ מֶ֣לֶךְ אַשּׁ֤וּר אֶל־דַּמֶּ֙שֶׂק֙ וַֽיִּתְפְּשֶׂ֔הָ וַיַּגְלֶ֖הָ

     <<קִ֑ירָה>> וְאֶת־רְצִ֖ין הֵמִֽית׃

10aα   וַיֵּ֣לֶךְ הַמֶּ֣לֶךְ אָחָ֡ז לִקְרַאת֩ תִּגְלַ֨ת פִּלְאֶ֤סֶר מֶֽלֶךְ־אַשּׁוּר֙ דּוּמֶּ֔שֶׂק

10aβ   וַיַּ֥רְא אֶת־הַמִּזְבֵּ֖חַ אֲשֶׁ֥ר בְּדַמָּֽשֶׂק

10b   וַיִּשְׁלַח֩ הַמֶּ֨לֶךְ אָחָ֜ז אֶל־אוּרִיָּ֤ה הַכֹּהֵן֙ אֶת־דְּמ֣וּת הַמִּזְבֵּ֔חַ וְאֶת־תַּבְנִית֖וֹ לְכָל־מַעֲשֵֽׂהוּ׃

11abα   וַיִּ֛בֶן אוּרִיָּ֥ה הַכֹּהֵ֖ן אֶת־הַמִּזְבֵּ֑חַ כְּכֹ֣ל אֲשֶׁר־שָׁלַ֞ח הַמֶּ֤לֶךְ אָחָז֙ מִדַּמֶּ֔שֶׂק

11bβγ   כֵּ֤ן עָשָׂה֙ אוּרִיָּ֣ה הַכֹּהֵ֔ן עַד־בּ֥וֹא הַמֶּ֖לֶךְ־אָחָ֥ז מִדַּמָּֽשֶׂק׃

12a   וַיָּבֹ֤א הַמֶּ֙לֶךְ֙ מִדַּמֶּ֔שֶׂק וַיַּ֥רְא הַמֶּ֖לֶךְ אֶת־הַמִּזְבֵּ֑חַ

12bα   וַיִּקְרַ֥ב הַמֶּ֖לֶךְ עַל־הַמִּזְבֵּ֑חַ

12bβ   וַיַּ֖עַל עָלָֽיו׃

PD | SD | DtrH | Vorlage

2 KÖN 16

13a וַיַּקְטֵר אֶת־עֹלָתוֹ וְאֶת־מִנְחָתוֹ וַיַּסֵּךְ אֶת־נִסְכּוֹ

13b וַיִּזְרֹק אֶת־דַּם־הַשְּׁלָמִים אֲשֶׁר־לוֹ עַל־הַמִּזְבֵּחַ׃

14aα וְאֵת הַמִּזְבַּח [הַנְּחֹשֶׁת] אֲשֶׁר לִפְנֵי יְהוָה וַיַּקְרֵב מֵאֵת פְּנֵי הַבַּיִת

14aβ מִבֵּין הַמִּזְבֵּחַ וּמִבֵּין בֵּית יְהוָה

14b וַיִּתֵּן אֹתוֹ עַל־יֶרֶךְ הַמִּזְבֵּחַ צָפוֹנָה׃

15aα וַיְצַוֵּהוּ הַמֶּלֶךְ־אָחָז [אֶת־אוּרִיָּה הַכֹּהֵן] לֵאמֹר

15aβ עַל הַמִּזְבֵּחַ הַגָּדוֹל הַקְטֵר אֶת־עֹלַת־הַבֹּקֶר וְאֶת־מִנְחַת הָעֶרֶב

וְאֶת־עֹלַת הַמֶּלֶךְ וְאֶת־מִנְחָתוֹ

15aγ וְאֵת עֹלַת כָּל־עַם הָאָרֶץ

וּמִנְחָתָם וְנִסְכֵּיהֶם

15aδ וְכָל־דַּם עֹלָה וְכָל־דַּם־זֶבַח עָלָיו תִּזְרֹק

15b וּמִזְבַּח הַנְּחֹשֶׁת יִהְיֶה־לִּי לְבַקֵּר׃

16 וַיַּעַשׂ אוּרִיָּה הַכֹּהֵן כְּכֹל אֲשֶׁר־צִוָּה הַמֶּלֶךְ אָחָז׃

17aα וַיְקַצֵּץ הַמֶּלֶךְ אָחָז הַמְּכֹנוֹת

וַיָּסַר מֵעֲלֵיהֶם אֶת־הַמִּסְגְּרוֹת(!) וְאֶת־הַכִּיֹּר

17aβ וְאֶת־הַיָּם הוֹרִד מֵעַל הַבָּקָר הַנְּחֹשֶׁת אֲשֶׁר תַּחְתֶּיהָ

17b וַיִּתֵּן אֹתוֹ עַל מַרְצֶפֶת אֲבָנִים׃

18aα וְאֶת־מֵיסַךְ(?) הַשַּׁבָּת אֲשֶׁר־בָּנוּ בַבַּיִת וְאֶת־מְבוֹא הַמֶּלֶךְ הַחִיצוֹנ<ה

18aβb הֵסֵב בֵּית יְהוָה מִפְּנֵי מֶלֶךְ אַשּׁוּר׃

19a וְיֶתֶר דִּבְרֵי אָחָז אֲשֶׁר עָשָׂה

19b הֲלֹא־הֵם כְּתוּבִים עַל־סֵפֶר דִּבְרֵי הַיָּמִים לְמַלְכֵי יְהוּדָה׃

20a וַיִּשְׁכַּב אָחָז עִם־אֲבֹתָיו וַיִּקָּבֵר עִם־אֲבֹתָיו בְּעִיר דָּוִד

20b וַיִּמְלֹךְ חִזְקִיָּהוּ בְנוֹ תַּחְתָּיו׃

DtrN | DtrH | Vorlage — 2 KÖN 18

1a וַיְהִי בִּשְׁנַת שָׁלֹשׁ לְהוֹשֵׁעַ בֶּן־אֵלָה מֶלֶךְ יִשְׂרָאֵל

1b מָלַךְ חִזְקִיָּה בֶן־אָחָז מֶלֶךְ יְהוּדָה׃

2a בֶּן־עֶשְׂרִים וְחָמֵשׁ שָׁנָה הָיָה בְמָלְכוֹ וְעֶשְׂרִים וָתֵשַׁע שָׁנָה מָלַךְ בִּירוּשָׁלָםִ

2b וְשֵׁם אִמּוֹ אֲבִי בַּת־זְכַרְיָה׃

3 וַיַּעַשׂ הַיָּשָׁר בְּעֵינֵי יְהוָה כְּכֹל אֲשֶׁר־עָשָׂה דָּוִד אָבִיו׃

4a הוּא הֵסִיר אֶת־הַבָּמוֹת וְשִׁבַּר אֶת־הַמַּצֵּבֹת וְכָרַת אֶת־הָאֲשֵׁרָה

4bα וְכִתַּת נְחַשׁ הַנְּחֹשֶׁת אֲשֶׁר־עָשָׂה מֹשֶׁה

4bβ כִּי עַד־הַיָּמִים הָהֵמָּה הָיוּ בְנֵי־יִשְׂרָאֵל מְקַטְּרִים לוֹ

4bγ וַיִּקְרָא<וּ>־לוֹ נְחֻשְׁתָּן׃

5a בַּיהוָה אֱלֹהֵי־יִשְׂרָאֵל בָּטָח

5b וְאַחֲרָיו לֹא־הָיָה כָמֹהוּ בְּכֹל מַלְכֵי יְהוּדָה וַאֲשֶׁר הָיוּ לְפָנָיו׃

6a וַיִּדְבַּק בַּיהוָה לֹא־סָר מֵאַחֲרָיו

6b וַיִּשְׁמֹר מִצְוֺתָיו אֲשֶׁר־צִוָּה יְהוָה אֶת־מֹשֶׁה׃

7a וְהָיָה יְהוָה עִמּוֹ בְּכֹל אֲשֶׁר־יֵצֵא יַשְׂכִּיל

7b וַיִּמְרֹד בְּמֶלֶךְ־אַשּׁוּר וְלֹא עֲבָדוֹ׃

SD | DtrN | DtrH | Vorlage — 2 KÖN 21

1aα בֶּן־שְׁתֵּים עֶשְׂרֵה שָׁנָה מְנַשֶּׁה בְמָלְכוֹ

1aβb וַחֲמִשִּׁים וְחָמֵשׁ שָׁנָה מָלַךְ בִּירוּשָׁלָםִ וְשֵׁם אִמּוֹ חֶפְצִי־בָהּ׃

2a וַיַּעַשׂ הָרַע בְּעֵינֵי יְהוָה

2b כְּתוֹעֲבֹת הַגּוֹיִם אֲשֶׁר הוֹרִישׁ יְהוָה מִפְּנֵי בְּנֵי יִשְׂרָאֵל׃

3a וַיָּשָׁב וַיִּבֶן אֶת־הַבָּמוֹת אֲשֶׁר אִבַּד חִזְקִיָּהוּ אָבִיו

3b וַיָּקֶם מִזְבְּחֹת לַבַּעַל וַיַּעַשׂ אֲשֵׁרָה

כַּאֲשֶׁר עָשָׂה אַחְאָב מֶלֶךְ יִשְׂרָאֵל

וַיִּשְׁתַּחוּ לְכָל־צְבָא הַשָּׁמַיִם וַיַּעֲבֹד אֹתָם׃

4a וּבָנָה מִזְבְּחֹת בְּבֵית יְהוָה

4b אֲשֶׁר אָמַר יְהוָה בִּירוּשָׁלַםִ אָשִׂים אֶת־שְׁמִי׃

5 וַיִּבֶן מִזְבְּחוֹת לְכָל־צְבָא הַשָּׁמָיִם בִּשְׁתֵּי חַצְרוֹת בֵּית־יְהוָה׃

6aα וְהֶעֱבִיר אֶת־בְּנוֹ בָּאֵשׁ

6aβ וְעוֹנֵן וְנִחֵשׁ וְעָשָׂה אוֹב וְיִדְּעֹנִים

6b הִרְבָּה לַעֲשׂוֹת הָרַע בְּעֵינֵי יְהוָה לְהַכְעִיס<ו>׃

7a וַיָּשֶׂם אֶת־פֶּסֶל הָאֲשֵׁרָה

אֲשֶׁר עָשָׂה

בַּבַּיִת

7bα אֲשֶׁר אָמַר יְהוָה אֶל־דָּוִד וְאֶל־שְׁלֹמֹה בְנוֹ

7bβ בַּבַּיִת הַזֶּה וּבִירוּשָׁלַםִ אֲשֶׁר בָּחַרְתִּי מִכֹּל שִׁבְטֵי יִשְׂרָאֵל

7bγ אָשִׂים אֶת־שְׁמִי לְעוֹלָם׃

8a וְלֹא אֹסִיף לְהָנִיד רֶגֶל יִשְׂרָאֵל מִן־הָאֲדָמָה אֲשֶׁר נָתַתִּי לַאֲבוֹתָם

8bα רַק אִם־יִשְׁמְרוּ לַעֲשׂוֹת כְּכֹל אֲשֶׁר צִוִּיתִים

8bβ וּלְכָל־הַתּוֹרָה אֲשֶׁר־צִוָּה אֹתָם עַבְדִּי מֹשֶׁה׃

9abα וְלֹא שָׁמֵעוּ וַיַּתְעֵם מְנַשֶּׁה לַעֲשׂוֹת אֶת־הָרָע מִן־הַגּוֹיִם

9bβ אֲשֶׁר הִשְׁמִיד יְהוָה מִפְּנֵי בְּנֵי יִשְׂרָאֵל׃

10 וַיְדַבֵּר יְהוָה בְּיַד־עֲבָדָיו הַנְּבִיאִים לֵאמֹר׃

SD | DtrN | DtrH | Vorlage — 2 KÖN 21

11aα יַ֗עַן אֲשֶׁ֨ר עָשָׂ֜ה מְנַשֶּׁ֤ה מֶלֶךְ־יְהוּדָה֙ הַתֹּעֵב֣וֹת הָאֵ֔לֶּה

11aβ הֵרַ֕ע מִכֹּ֛ל אֲשֶׁר־עָשׂ֥וּ הָאֱמֹרִ֖י אֲשֶׁ֣ר לְפָנָ֑יו

11b וַיַּחֲטִ֧א גַם־אֶת־יְהוּדָ֛ה בְּגִלּוּלָֽיו׃

12aα לָכֵ֗ן כֹּֽה־אָמַ֤ר יְהוָה֙ אֱלֹהֵ֣י יִשְׂרָאֵ֔ל

12aβ הִנְנִי֙ מֵבִ֣יא רָעָ֔ה עַל־יְרוּשָׁלִַ֖ם וִיהוּדָ֑ה

12b אֲשֶׁר֙ כָּל־שֹׁ֣מְעָה(!) תִּצַּ֖לְנָה שְׁתֵּ֥י אָזְנָֽיו׃

13a וְנָטִ֣יתִי עַל־יְרוּשָׁלִַ֗ם אֵ֚ת קָ֣ו שֹׁמְר֔וֹן וְאֶת־מִשְׁקֹ֖לֶת בֵּ֣ית אַחְאָ֑ב

13b וּמָחִ֨יתִי אֶת־יְרוּשָׁלִַ֜ם

כַּאֲשֶׁר־יִמְחֶ֤ה אֶת־הַצַּלַּ֙חַת֙ מָחָ֔ה וְהָפַךְ(!) עַל־פָּנֶֽיהָ׃

14a וְנָטַשְׁתִּ֗י אֵ֚ת שְׁאֵרִ֣ית נַחֲלָתִ֔י וּנְתַתִּ֖ים בְּיַ֣ד אֹיְבֵיהֶ֑ם

14b וְהָי֥וּ לְבַ֛ז וְלִמְשִׁסָּ֖ה לְכָל־אֹיְבֵיהֶֽם׃

15a יַ֗עַן אֲשֶׁ֨ר עָשׂ֤וּ אֶת־הָרַע֙ בְּעֵינַ֔י וַיִּהְי֥וּ מַכְעִסִ֖ים אֹתִ֑י

15b מִן־הַיּ֗וֹם אֲשֶׁ֨ר יָצְא֤וּ אֲבוֹתָם֙ מִמִּצְרַ֔יִם וְעַ֖ד הַיּ֥וֹם הַזֶּֽה׃

16aα וְגַ֨ם דָּ֤ם נָקִי֙ שָׁפַ֣ךְ מְנַשֶּׁ֔ה הַרְבֵּ֣ה מְאֹ֔ד

16aβ עַ֛ד אֲשֶׁר־מִלֵּ֥א אֶת־יְרוּשָׁלִַ֖ם פֶּ֣ה לָפֶ֑ה

16bα לְבַ֤ד מֵֽחַטָּאתוֹ֙ אֲשֶׁ֣ר הֶחֱטִ֣יא אֶת־יְהוּדָ֔ה

16bβ לַעֲשׂ֥וֹת הָרַ֖ע בְּעֵינֵ֥י יְהוָֽה׃

17a וְיֶ֨תֶר דִּבְרֵ֤י מְנַשֶּׁה֙ וְכָל־אֲשֶׁ֣ר עָשָׂ֔ה וְחַטָּאת֖וֹ אֲשֶׁ֣ר חָטָ֑א

17b הֲלֹא־הֵ֣ם כְּתוּבִ֗ים עַל־סֵ֛פֶר דִּבְרֵ֥י הַיָּמִ֖ים לְמַלְכֵ֥י יְהוּדָֽה׃

18a וַיִּשְׁכַּ֤ב מְנַשֶּׁה֙ עִם־אֲבֹתָ֔יו וַיִּקָּבֵ֥ר בְּגַן־בֵּית֖וֹ בְּגַן־עֻזָּ֑א

18b וַיִּמְלֹ֛ךְ אָמ֥וֹן בְּנ֖וֹ תַּחְתָּֽיו׃

PD | DtrN | DtrH | Vorlage — 2 KÖN 22

בֶּן־שְׁמֹנֶה שָׁנָה יֹאשִׁיָּהוּ בְמָלְכוֹ וּשְׁלֹשִׁים וְאַחַת שָׁנָה מָלַךְ בִּירוּשָׁלִָם 1a

וְשֵׁם אִמּוֹ יְדִידָה בַת־עֲדָיָה מִבָּצְקַת׃ 1b

וַיַּעַשׂ הַיָּשָׁר בְּעֵינֵי יְהוָה וַיֵּלֶךְ בְּכָל־דֶּרֶךְ דָּוִד אָבִיו וְלֹא־סָר יָמִין וּשְׂמֹאול׃ 2

וַיְהִי בִּשְׁמֹנֶה עֶשְׂרֵה שָׁנָה לַמֶּלֶךְ יֹאשִׁיָּהוּ 3a

שָׁלַח הַמֶּלֶךְ אֶת־שָׁפָן בֶּן־אֲצַלְיָהוּ בֶן־מְשֻׁלָּם הַסֹּפֵר בֵּית יְהוָה לֵאמֹר׃ 3b

עֲלֵה אֶל־חִלְקִיָּהוּ הַכֹּהֵן [הַגָּדוֹל] וְיַתֵּם אֶת־הַכֶּסֶף הַמּוּבָא בֵּית יְהוָה 4a

אֲשֶׁר אָסְפוּ שֹׁמְרֵי הַסַּף מֵאֵת הָעָם׃ 4b

וְיִתְּנֹה(!) עַל־יַד עֹשֵׂי הַמְּלָאכָה הַמֻּפְקָדִים בְּבֵית יְהוָה 5a

וְיִתְּנוּ אֹתוֹ לְעֹשֵׂי הַמְּלָאכָה אֲשֶׁר בְּבֵית יְהוָה לְחַזֵּק בֶּדֶק הַבָּיִת׃ 5b

לֶחָרָשִׁים וְלַבֹּנִים וְלַגֹּדְרִים 6a

וְלִקְנוֹת עֵצִים וְאַבְנֵי מַחְצֵב לְחַזֵּק אֶת־הַבָּיִת׃ 6b

אַךְ לֹא־יֵחָשֵׁב אִתָּם הַכֶּסֶף הַנִּתָּן עַל־יָדָם כִּי בֶאֱמוּנָה הֵם עֹשִׂים׃ 7

וַיֹּאמֶר חִלְקִיָּהוּ הַכֹּהֵן [הַגָּדוֹל] עַל־שָׁפָן הַסֹּפֵר 8aα

סֵפֶר הַתּוֹרָה מָצָאתִי בְּבֵית יְהוָה 8aβ

וַיִּתֵּן חִלְקִיָּה אֶת־הַסֵּפֶר אֶל־שָׁפָן וַיִּקְרָאֵהוּ׃ 8b

וַיָּבֹא שָׁפָן הַסֹּפֵר אֶל־הַמֶּלֶךְ וַיָּשֶׁב אֶת־הַמֶּלֶךְ דָּבָר 9a

וַיֹּאמֶר הִתִּיכוּ עֲבָדֶיךָ אֶת־הַכֶּסֶף הַנִּמְצָא בַבַּיִת 9bα

וַיִּתְּנֻהוּ עַל־יַד עֹשֵׂי הַמְּלָאכָה הַמֻּפְקָדִים בֵּית יְהוָה׃ 9bβγ

וַיַּגֵּד שָׁפָן הַסֹּפֵר לַמֶּלֶךְ לֵאמֹר סֵפֶר נָתַן לִי חִלְקִיָּה הַכֹּהֵן 10a

וַיִּקְרָאֵהוּ שָׁפָן לִפְנֵי הַמֶּלֶךְ׃ 10b

וַיְהִי כִּשְׁמֹעַ הַמֶּלֶךְ אֶת־דִּבְרֵי סֵפֶר הַתּוֹרָה וַיִּקְרַע אֶת־בְּגָדָיו׃ 11

וַיְצַו הַמֶּלֶךְ אֶת־חִלְקִיָּה הַכֹּהֵן וְאֶת־אֲחִיקָם בֶּן־שָׁפָן 12

וְאֶת־עַכְבּוֹר בֶּן־מִיכָיָה וְאֵת שָׁפָן הַסֹּפֵר וְאֵת עֲשָׂיָה עֶבֶד־הַמֶּלֶךְ לֵאמֹר׃

לְכוּ דִרְשׁוּ אֶת־יְהוָה 13aα

בַּעֲדִי וּבְעַד־הָעָם וּבְעַד כָּל־יְהוּדָה

עַל־דִּבְרֵי הַסֵּפֶר הַנִּמְצָא הַזֶּה 13aβ

PD | DtrN | DtrH | Vorlage — 2 KÖN 22

13bα כִּֽי־גְדוֹלָה חֲמַת יְהוָה אֲשֶׁר־הִיא נִצְּתָה בָנוּ

13bβ עַל אֲשֶׁר לֹא־שָׁמְעוּ אֲבֹתֵינוּ עַל־דִּבְרֵי הַסֵּפֶר הַזֶּה

13bγ לַעֲשׂוֹת כְּכָל־הַכָּתוּב עָלֵינוּ׃

14aα וַיֵּלֶךְ חִלְקִיָּהוּ הַכֹּהֵן וַאֲחִיקָם וְעַכְבּוֹר וְשָׁפָן וַעֲשָׂיָה

14aβ אֶל־חֻלְדָּה הַנְּבִיאָה אֵשֶׁת שַׁלֻּם בֶּן־תִּקְוָה בֶּן־חַרְחַס שֹׁמֵר הַבְּגָדִים

14aγ וְהִיא יֹשֶׁבֶת בִּירוּשָׁלִַם בַּמִּשְׁנֶה

14b וַיְדַבְּרוּ אֵלֶיהָ׃

15aα וַתֹּאמֶר אֲלֵיהֶם

15aβ כֹּה־אָמַר יְהוָה אֱלֹהֵי יִשְׂרָאֵל

15b אִמְרוּ לָאִישׁ אֲשֶׁר־שָׁלַח אֶתְכֶם אֵלָי׃

16aα כֹּה אָמַר יְהוָה

16aβ הִנְנִי מֵבִיא רָעָה אֶל־הַמָּקוֹם הַזֶּה [וְעַל־יֹשְׁבָיו]

16b אֵת כָּל־דִּבְרֵי הַסֵּפֶר אֲשֶׁר קָרָא מֶלֶךְ יְהוּדָה׃

17aα תַּחַת אֲשֶׁר עֲזָבוּנִי וַיְקַטְּרוּ לֵאלֹהִים אֲחֵרִים

17aβ לְמַעַן הַכְעִיסֵנִי בְּכֹל מַעֲשֵׂה יְדֵיהֶם וְ

17b נִצְּתָה חֲמָתִי [בַּמָּקוֹם הַזֶּה] וְלֹא תִכְבֶּה׃

18aα וְאֶל־מֶלֶךְ יְהוּדָה הַשֹּׁלֵחַ אֶתְכֶם לִדְרֹשׁ אֶת־יְהוָה

18aβ כֹּה תֹאמְרוּ אֵלָיו

18bα כֹּה־אָמַר יְהוָה אֱלֹהֵי יִשְׂרָאֵל

18bβ הַדְּבָרִים אֲשֶׁר שָׁמָעְתָּ [:]

19aα יַעַן רַךְ־לְבָבְךָ וַתִּכָּנַע ׀ מִפְּנֵי יְהוָה

19aβ בְּשָׁמְעֲךָ אֲשֶׁר דִּבַּרְתִּי

עַל־הַמָּקוֹם הַזֶּה וְעַל־יֹשְׁבָיו

19aγ לִהְיוֹת לְשַׁמָּה וְלִקְלָלָה

19aδε וַתִּקְרַע אֶת־בְּגָדֶיךָ וַתִּבְכֶּה לְפָנָי

19b וְגַם אָנֹכִי שָׁמַעְתִּי נְאֻם־יְהוָה׃

PD | DtrN | DtrH | Vorlage

2 KÖN 22

20aα לָכֵן הִנְנִי אֹסִפְךָ עַל־אֲבֹתֶיךָ

20aβ וְנֶאֱסַפְתָּ אֶל־קִבְרָת<<י>>ךָ(!) בְּשָׁלוֹם וְ

20aγ לֹא־תִרְאֶינָה עֵינֶיךָ

20aδ בְּכֹל הָרָעָה

20aε אֲשֶׁר־אֲנִי מֵבִיא עַל־הַמָּקוֹם הַזֶּה

20b וַיָּשִׁיבוּ אֶת־הַמֶּלֶךְ דָּבָר׃

2 KÖN 23

1 וַיִּשְׁלַח הַמֶּלֶךְ וַיֶּאָסְפוּ(!) אֵלָיו כָּל־זִקְנֵי יְהוּדָה וִירוּשָׁלִָם׃

2aα וַיַּעַל הַמֶּלֶךְ בֵּית־יְהוָה

וְכָל־אִישׁ יְהוּדָה וְכָל־יֹשְׁבֵי יְרוּשָׁלִַם אִתּוֹ

2aβγ וְהַכֹּהֲנִים וְהַנְּבִיאִים וְכָל־הָעָם לְמִקָּטֹן וְעַד־גָּדוֹל

2b וַיִּקְרָא בְאָזְנֵיהֶם אֶת־כָּל־דִּבְרֵי סֵפֶר הַבְּרִית הַנִּמְצָא בְּבֵית יְהוָה׃

3aα וַיַּעֲמֹד הַמֶּלֶךְ עַל־הָעַמּוּד וַיִּכְרֹת אֶת־הַבְּרִית ׀ לִפְנֵי יְהוָה

3aβ לָלֶכֶת אַחַר יְהוָה

וְלִשְׁמֹר מִצְוֹתָיו וְאֶת־עֵדְוֹתָיו וְאֶת־חֻקֹּתָיו בְּכָל־לֵב וּבְכָל־נֶפֶשׁ

3aγδ לְהָקִים אֶת־דִּבְרֵי הַבְּרִית הַזֹּאת הַכְּתֻבִים עַל־הַסֵּפֶר הַזֶּה

3b וַיַּעֲמֹד כָּל־הָעָם בַּבְּרִית׃

4aα וַיְצַו הַמֶּלֶךְ אֶת־חִלְקִיָּהוּ הַכֹּהֵן [הַגָּדוֹל] וְאֶת־כֹּהֵנ<<י>> הַמִּשְׁנֶה

וְאֶת־שֹׁמְרֵי הַסַּף לְהוֹצִיא מֵהֵיכַל יְהוָה

4aβ אֵת כָּל־הַכֵּלִים הָעֲשׂוּיִם לַבַּעַל וְלָאֲשֵׁרָה וּלְכֹל צְבָא הַשָּׁמָיִם

4bα וַיִּשְׂרְפֵם מִחוּץ לִירוּשָׁלִַם בְּשַׁדְמוֹת קִדְרוֹן

4bβ וְנָשָׂא אֶת־עֲפָרָם בֵּית־אֵל׃

5aα וְהִשְׁבִּית אֶת־הַכְּמָרִים

5aβ אֲשֶׁר נָתְנוּ מַלְכֵי יְהוּדָה

5aγδ וַיְקַטֵּר<ו> בַּבָּמוֹת בְּעָרֵי יְהוּדָה וּמְסִבֵּי יְרוּשָׁלִָם

PD | SD | DtrH | Vorlage — 2 KÖN 23

5b וְאֶת־הַֽמְקַטְּרִים
לַבַּעַל
לַשֶּׁמֶשׁ וְלַיָּרֵחַ וְלַמַּזָּלוֹת
וּלְכֹל צְבָא הַשָּׁמָיִם׃

6aα וַיֹּצֵא אֶת־הָאֲשֵׁרָה מִבֵּית יְהוָה
מִחוּץ לִירוּשָׁלַ͏ִם
אֶל־נַחַל קִדְרוֹן

6aβ וַיִּשְׂרֹף אֹתָהּ בְּנַחַל קִדְרוֹן
וַיָּדֶק לְעָפָר

6b וַיַּשְׁלֵךְ אֶת־עֲפָרָהּ עַל־קִבְרֵ<י> בְּנֵי הָעָם׃

7a וַיִּתֹּץ אֶת־בָּתֵּי הַקְּדֵשִׁים אֲשֶׁר בְּבֵית יְהוָה

7b אֲשֶׁר הַנָּשִׁים אֹרְגוֹת שָׁם בָּתִּים(!) לָאֲשֵׁרָה׃

8aαβ וַיָּבֵא אֶת־כָּל־הַכֹּהֲנִים מֵעָרֵי יְהוּדָה וַיְטַמֵּא אֶת־הַבָּמוֹת

8aγδ אֲשֶׁר קִטְּרוּ־שָׁמ<<ה>> הַכֹּהֲנִים מִגֶּבַע עַד־בְּאֵר שָׁבַע

8bαβ וְנָתַץ אֶת־בָּמוֹת הַשְּׁעָרִים(!) אֲשֶׁר־פֶּתַח שַׁעַר יְהוֹשֻׁעַ שַׂר־הָעִיר

8bγ אֲשֶׁר־עַל־שְׂמֹאול אִישׁ בָּ<א> שַׁעַר הָעִיר׃

9a אַךְ לֹא יַעֲלוּ כֹּהֲנֵי הַבָּמוֹת אֶל־מִזְבַּח יְהוָה בִּירוּשָׁלָ͏ִם

9b כִּי אִם־אָכְלוּ מַצּוֹת בְּתוֹךְ אֲחֵיהֶם׃

10a וְטִמֵּא אֶת־הַתֹּפֶת אֲשֶׁר בְּגֵי בֶנ<<י>>־הִנֹּם

10b <<לְבִלְתִּי>> לְהַעֲבִיר אִישׁ אֶת־בְּנוֹ וְאֶת־בִּתּוֹ בָּאֵשׁ לַמֹּלֶךְ׃

11aαβ וַיַּשְׁבֵּת אֶת־הַסּוּסִים אֲשֶׁר נָתְנוּ מַלְכֵי יְהוּדָה לַשֶּׁמֶשׁ

11aγδ מִבֹּא(!) בֵית־יְהוָה אֶל־לִשְׁכַּת נְתַן־מֶלֶךְ הַסָּרִיס אֲשֶׁר בַּפַּרְוָרִים

11b וְאֶת־מַרְכְּבוֹת הַשֶּׁמֶשׁ שָׂרַף בָּאֵשׁ׃

12aα וְאֶת־הַמִּזְבְּחוֹת אֲשֶׁר עַל־הַגָּג
עֲלִיַּת אָחָז
אֲשֶׁר־עָשׂוּ מַלְכֵי יְהוּדָה

PD | DtrN | DtrP | DtrH | Vorlage — 2 KÖN 23

12aβ וְאֶת־הַֽמִּזְבְּחוֹת אֲשֶׁר־עָשָׂה מְנַשֶּׁה

12aγ בִּשְׁתֵּי חַצְרוֹת בֵּית־יְהוָה

נָתַץ הַמֶּלֶךְ

12bα וַיָּרָץ(?) מִשָּׁם(?)

12bβ וְהִשְׁלִיךְ אֶת־עֲפָרָם אֶל־נַחַל קִדְרוֹן׃

13aαβ וְאֶת־הַבָּמוֹת אֲשֶׁר עַל־פְּנֵי יְרוּשָׁלַ͏ִם אֲשֶׁר מִימִין לְהַר־הַמִּשְׁחָה(!)

13aγ אֲשֶׁר בָּנָה שְׁלֹמֹה מֶֽלֶךְ־יִשְׂרָאֵל לְעַשְׁתֹּרֶת שִׁקֻּץ צִידֹנִים

13aδ וְלִכְמוֹשׁ שִׁקֻּץ מוֹאָב וּלְמִלְכֹּם תּוֹעֲבַת בְּנֵי־עַמּוֹן

13b טִמֵּא הַמֶּלֶךְ׃

14 וְשִׁבַּר אֶת־הַמַּצֵּבוֹת וַיִּכְרֹת אֶת־הָאֲשֵׁרִים וַיְמַלֵּא אֶת־מְקוֹמָם עַצְמוֹת אָדָם׃

15aα וְגַם אֶת־הַמִּזְבֵּחַ אֲשֶׁר בְּבֵית־אֵל

15aβ הַבָּמָה

אֲשֶׁר עָשָׂה יָרָבְעָם בֶּן־נְבָט אֲשֶׁר הֶחֱטִיא אֶת־יִשְׂרָאֵל

15aγ גַּם אֶת־הַמִּזְבֵּחַ הַהוּא וְאֶת־הַבָּמָה

נָתָץ <הַמֶּלֶךְ>

15bαβ וַיִּשְׂרֹף אֶת־הַבָּמָה הֵדַק לְעָפָר וְשָׂרַף אֲשֵׁרָה׃

16aα וַיִּפֶן יֹאשִׁיָּהוּ וַיַּרְא אֶת־הַקְּבָרִים אֲשֶׁר־שָׁם בָּהָר

16aβγ וַיִּשְׁלַח וַיִּקַּח אֶת־הָעֲצָמוֹת מִן־הַקְּבָרִים וַיִּשְׂרֹף עַל־הַמִּזְבֵּחַ וַיְטַמְּאֵהוּ

16bαβ כִּדְבַר יְהוָה אֲשֶׁר קָרָא אִישׁ הָאֱלֹהִים

16bγ אֲשֶׁר קָרָא אֶת־הַדְּבָרִים הָאֵלֶּה׃

17a וַיֹּאמֶר מָה הַצִּיּוּן הַלָּז אֲשֶׁר אֲנִי רֹאֶה

17bαβ וַיֹּאמְרוּ אֵלָיו אַנְשֵׁי הָעִיר <זֶ>ה קֶבֶר(!) אִישׁ־הָאֱלֹהִים אֲשֶׁר־בָּא מִיהוּדָה

17bγ וַיִּקְרָא אֶת־הַדְּבָרִים הָאֵלֶּה אֲשֶׁר עָשִׂיתָ עַל הַמִּזְבֵּחַ(!) [בֵּית־אֵל]׃

18a וַיֹּאמֶר הַנִּיחוּ לוֹ אִישׁ אַל־יָנַע עַצְמֹתָיו

18bα וַיְמַלְּטוּ עַצְמֹתָיו

18bβγ אֵת עַצְמוֹת הַנָּבִיא אֲשֶׁר־בָּא מִשֹּׁמְרוֹן׃

PD	DtrN	DtrP	DtrH	Vorlage	2 KÖN 23

וְגַם֩ אֶת־כָּל־בָּתֵּ֨י הַבָּמ֜וֹת אֲשֶׁ֣ר בְּעָרֵ֣י שֹׁמְר֗וֹן   19aα

אֲשֶׁ֣ר עָשׂ֞וּ מַלְכֵ֤י יִשְׂרָאֵל֙ לְהַכְעִ֔יס ⟨אֶת־יְהֹוָה⟩   הֵסִ֖יר יֹֽאשִׁיָּ֑הוּ   19aβγ

וַיַּ֣עַשׂ לָהֶ֔ם כְּכָל־הַֽמַּעֲשִׂ֔ים אֲשֶׁ֥ר עָשָׂ֖ה בְּבֵֽית־אֵֽל׃   19b

וַ֠יִּזְבַּח אֶת־כָּל־כֹּהֲנֵ֨י הַבָּמ֤וֹת אֲשֶׁר־שָׁם֙ עַל־הַֽמִּזְבְּח֔וֹת   20aα

וַיִּשְׂרֹ֛ף אֶת־עַצְמ֥וֹת אָדָ֖ם עֲלֵיהֶ֑ם   20aβ

וַיָּ֖שָׁב יְרוּשָׁלָֽ͏ִם׃   20b

וַיְצַ֤ו הַמֶּ֙לֶךְ֙ אֶת־כָּל־הָעָ֣ם לֵאמֹ֔ר עֲשׂ֣וּ פֶ֔סַח לַיהֹוָ֖ה אֱלֹהֵיכֶ֑ם   21a

כַּכָּת֕וּב עַ֛ל סֵ֥פֶר הַבְּרִ֖ית הַזֶּֽה׃   21b

כִּ֣י לֹ֤א נַֽעֲשָׂה֙ כַּפֶּ֣סַח הַזֶּ֔ה מִימֵי֙ הַשֹּׁ֣פְטִ֔ים אֲשֶׁ֥ר שָׁפְט֖וּ אֶת־יִשְׂרָאֵ֑ל   22a

וְכֹ֗ל יְמֵ֛י מַלְכֵ֥י יִשְׂרָאֵ֖ל וּמַלְכֵ֥י יְהוּדָֽה׃   22b

כִּ֣י אִם־בִּשְׁמֹנֶ֤ה עֶשְׂרֵה֙ שָׁנָ֔ה לַמֶּ֖לֶךְ יֹֽאשִׁיָּ֑הוּ   23a

נַעֲשָׂ֞ה הַפֶּ֧סַח הַזֶּ֛ה לַיהֹוָ֖ה בִּירוּשָׁלָֽ͏ִם׃   23b

וְגַ֣ם אֶת־הָאֹב֣וֹת וְאֶת־הַיִּדְּעֹנִ֡ים   24aα

וְאֶת־הַתְּרָפִ֨ים וְאֶת־הַגִּלֻּלִ֜ים וְאֵ֣ת כָּל־הַשִּׁקֻּצִ֗ים

אֲשֶׁ֤ר נִרְאוּ֙ בְּאֶ֤רֶץ יְהוּדָה֙ וּבִ֣ירוּשָׁלַ֔͏ִם בִּעֵ֖ר יֹֽאשִׁיָּ֑הוּ   24aβγ

לְמַ֗עַן הָקִ֞ים אֶת־דִּבְרֵ֤י הַתּוֹרָה֙ הַכְּתֻבִ֣ים עַל־הַסֵּ֔פֶר   24bα

אֲשֶׁ֥ר מָצָ֛א חִלְקִיָּ֥הוּ הַכֹּהֵ֖ן ⟨בְּ⟩בֵ֥ית יְהֹוָֽה׃   24bβ

וְכָמֹ֩הוּ֩ לֹֽא־הָיָ֨ה לְפָנָ֜יו מֶ֗לֶךְ   25aα

אֲשֶׁר־שָׁ֣ב אֶל־יְהֹוָ֗ה בְּכָל־לְבָב֤וֹ וּבְכָל־נַפְשׁוֹ֙ וּבְכָל־מְאֹד֔וֹ   25aβ

כְּכֹ֖ל תּוֹרַ֣ת מֹשֶׁ֑ה   25aγ

וְאַחֲרָ֖יו לֹא־קָ֥ם כָּמֹֽהוּ׃   25b

אַ֣ךְ ׀ לֹֽא־שָׁ֣ב יְהֹוָ֗ה מֵחֲר֤וֹן אַפּוֹ֙ הַגָּד֔וֹל אֲשֶׁר־חָרָ֥ה אַפּ֖וֹ בִּֽיהוּדָ֑ה   26a

עַ֚ל כָּל־הַכְּעָסִ֔ים אֲשֶׁ֥ר הִכְעִיס֖וֹ מְנַשֶּֽׁה׃   26b

וַיֹּ֣אמֶר יְהֹוָ֗ה גַּ֤ם אֶת־יְהוּדָה֙ אָסִיר֙ מֵעַ֣ל פָּנַ֔י   27aα

כַּאֲשֶׁ֥ר הֲסִרֹ֖תִי אֶת־יִשְׂרָאֵ֑ל   27aβ

וּ֠מָאַסְתִּי אֶת־הָעִ֨יר הַזֹּ֤את אֲשֶׁר־בָּחַ֙רְתִּי֙ אֶת־יְר֣וּשָׁלַ֔͏ִם   27bα

PD │DtrN│DtrP│DtrH│Vor-lage│ 2 KÖN 23

וְאֶת־הַבַּ֫יִת אֲשֶׁ֥ר אָמַ֫רְתִּי יִהְיֶ֥ה שְׁמִ֖י שָֽׁם׃   27bβ

וְיֶ֛תֶר דִּבְרֵ֥י יֹאשִׁיָּ֖הוּ וְכָל־אֲשֶׁ֥ר עָשָׂ֑ה   28a

הֲלֹא־הֵ֣ם כְּתוּבִ֗ים עַל־סֵ֛פֶר דִּבְרֵ֥י הַיָּמִ֖ים לְמַלְכֵ֥י יְהוּדָֽה׃   28b

בְּיָמָ֡יו עָלָה֩ פַרְעֹ֨ה נְכֹ֤ה מֶֽלֶךְ־מִצְרַ֨יִם֙ עַל־מֶ֣לֶךְ אַשּׁ֔וּר עַל־נְהַר־פְּרָ֑ת   29a

וַיֵּ֨לֶךְ הַמֶּ֤לֶךְ יֹאשִׁיָּ֙הוּ֙ לִקְרָאתֹ֔ו וַיְמִיתֵ֥הוּ בִמְגִדֹּ֖ו כִּרְאֹתֹ֥ו ⟪אֹתֹֽו⟫ ׃   29b

וַיַּרְכִּבֻ֤הוּ עֲבָדָיו֙ מֵ֣ת מִמְּגִדֹּ֔ו וַיְבִאֻ֙הוּ֙ יְר֣וּשָׁלַ֔͏ִם וַֽיִּקְבְּרֻ֖הוּ בִּקְבֻרָתֹ֑ו   30a

וַיִּקַּ֣ח עַם־הָאָ֗רֶץ אֶת־יְהֹֽואָחָז֙ בֶּן־יֹ֣אשִׁיָּ֔הוּ   30bα

וַיִּמְשְׁח֥וּ אֹתֹ֛ו וַיַּמְלִ֥יכוּ אֹתֹ֖ו תַּ֥חַת אָבִֽיו׃   30bβ

STELLENREGISTER

In die Register sind keine Belege bzw. Begriffe aufgenommen worden, deren Behandlung aus dem Inhaltsverzeichnis leicht ersichtlich ist. Ferner sind Belege immer dann unberücksichtigt geblieben, wenn sie entweder durch die anderen Register gut auffindbar oder ohne weitere Erläuterungen genannt sind.

1. Altes Testament

29,23-27 56[57]
30,10 52.56[57]
31,(24.)26 52
33,4 44

Jos
1,7 167f.[19]
1,8 52.56[57]
5,10-12 132
7,26 44[26]
7,26aβ 45[28]
8,31 52.56[57]
8,31f. 44[25]
8,34 52.56[57]
13 25
15-19 150f.[268]
15,21-62 25
18,21-28 25
19 25
19,1-8 25
19,41-48 25
21,8-42 25
23,6 44[25].56[57]
23,12 44[26]
24,25f. 78[100]

Ri
2,6-3,6 209f.[115]
2,12 45[28].208[113]
2,18f. 126
3,7 213
3,7f. 210f.[117]
3,7-11 210[116]
3,23 126.128ff.
5,26 124.128ff.
6,11-24 205
6,25-32 204ff.214
7,13 126
8,33 200[95]
10,6-16 210f.
11,30-40 105
16,18 125f.128ff.
19,30 125

1Sam
1,12 125
2,12-17 40[16]
3,11 169
4,19 126
5,7 128ff.
7,3 44[26]
7,3f. 210f.
7,16 124
8,7 45[28]
10,9 125
10,19 45[28]
12,10 210f.
13,22 125
17,20 128ff.
17,38 128ff.
17,48 125
23,16-18 74[94]
24,11 125
25,20 125
31,10 213

2Sam
6,16 125
7,11 126
12,16 128ff.
12,31 126.128ff.
13,18 128ff.
16,5 128ff.
16,13 126
19,18f. 125
24,18ff. 34f.[9]

1Kön
2,3 44[25].56[57]
3 34f.[9]
3,11 124
7 368f.
8,16 45[28]
8,29 45[28]
8,44.48 45[28]
9,3 45[28]
9,6 44[26]
9,25 34f.[9]
11,5 213f.
11,13 45[28]
11,28 48[38]
11,32ff. 195[90]
11,32.36 45[28]
11,33 214
12,26ff. 190[75]
12,31-33 114f.
13 114f.
14,15 214

2. Apokryphen

3. *Rabbinische Quellen*

bMegilla
14b 59f.

Mechiltha
Ex 13,2 381

4. *Kanaanäische und aramäische Quellen*

Arad, Ostrakon
Nr. 88 143[251]

Février, FS Dupont-Sommer
S. 193 122[197]

Hoftijzer/van der Kooij,
Deir ʿAlla S. 173 I,1.4(?).
5.6.6f. 122[197]

KAI
16 109[170]
202 A 11.15 122[197]
216,1-11 363
217,1-5 363
218,1 363
200,5-7 129[216]
222-224 75[95].310[7]
222 A 7-13 363
225,1 85f.
225,1f. 363[127]
226,1 85f.
260 B 3.5 108f.[169]

5. *Ägyptische Quellen*

Breasted, ARE IV
§967.970 142

Sethe, Urk IV S.
649,3-650,16 148

651,1-13 149

TGI²
S. 15f. 148
S. 16 149

6. *Griechische Quellen*

Berossos (Ed. Schnabel)
S.256,9-11 272[132]

Herodot, Historien
I,103-106 139[240]
II,152.154 140
II,157 140
II,159 143[252]

Josephus, Ant.
X,73-77 139[239]

7. *Akkadische Quellen*

ABL 2 Obv. 7-9 236[34], 23 Obv. 5-Rev. 2 288f., 33 281, 45 219[129], 51 Rev. 7 278, 57 Obv. 12 281[159], 65 251[69], 74 Obv. 5-Rev. 10 268ff., 99 313[15], 119 110[173], 137 Obv. 8-13 265[113], 149 297, 196 Obv. 15f. 37, 197 308f.[4], 198 308f.[4], 201 313[15], 202 335ff.[66], 210 Rev. 5f. 363, 241 Rev. 16'f. 37, 259 Rev. 1-3 348f.[92], 268 250f.[68], 276 264, 280 308[3], 327 Obv. 11-17 363,

NAMEN- UND SACHREGISTER

HEBRÄISCHE BEGRIFFE

AKKADISCHE BEGRIFFE